中國國家圖書館編

國家圖書館藏敦煌遺書

第四十三冊　北敦〇三一三三號——北敦〇三二〇〇號

北京圖書館出版社

圖書在版編目(CIP)數據

國家圖書館藏敦煌遺書·第四十三册/中國國家圖書館編;任繼愈主編. —北京:北京圖書館出版社,2006.11

ISBN 7-5013-2985-0

Ⅰ.國… Ⅱ.①中…②任… Ⅲ.敦煌學—文獻 Ⅳ.K870.6

中國版本圖書館 CIP 數據核字(2006)第 118572 號

書　　名　國家圖書館藏敦煌遺書·第四十三册
著　　者　中國國家圖書館編　任繼愈主編
責任編輯　徐　蜀　孫　彦
封面設計　李　璀

出　　版　北京圖書館出版社　(100034　北京西城區文津街 7 號)
發　　行　010-66139745　66151313　66175620　66126153
　　　　　66174391(傳真)　66126156(門市部)
E-mail　cbs@nlc.gov.cn(投稿)　btsfxb@nlc.gov.cn(郵購)
Website　www.nlcpress.com
經　　銷　新華書店
印　　刷　北京文津閣印務有限責任公司

開　　本　八開
印　　張　48.25
版　　次　2006 年 11 月第 1 版第 1 次印刷
印　　數　1-250 册(套)

書　　號　ISBN 7-5013-2985-0/K·1268
定　　價　990.00 圓

目録

至於一切種

若持讀誦如說脩行所得

以者何唯有如來知此衆生種

事思何事脩何事云何念云何思云何脩以何

何法念以何……法得何

生住於種種之地唯有如來如實見之明了无

礙如彼卉木叢林諸藥草等而不自知上

中下性如來知是一相一味之法所謂解脫

相離相滅相究竟涅槃常寂滅相終歸

於空佛知是已觀衆生心欲而將護之是故不

即為說一切種智汝等迦葉甚為希有能知

如來隨宜說法能信能受所以者何諸佛世

尊隨宜說法難解難知尒時世尊欲重宣

此義而說偈言

破有法王　出現世間　隨衆生欲　種種說法

如來尊重　智慧深遠　久默斯要　不務速說

有智若聞　則能信解　无智疑悔　則為永失

是故迦葉　隨力為說　以種種緣　令得正見

迦葉當知　譬如大雲　起於世間　遍覆一切

慧雲含潤　電光晃曜　雷聲遠震　令衆悅豫

日光掩蔽　地上清涼　靉靆垂布

其雨普等　四方俱下　流澍无量　率土充洽

BD03133號　妙法蓮華經卷三　（25–1）

有智若聞　則能信解　无智疑悔　則為永失

是故迦葉　隨力為說　以種種緣　令得正見

迦葉當知　譬如大雲　起於世間　遍覆一切

慧雲含潤　電光晃曜　雷聲遠震　令衆悅豫

日光掩蔽　地上清涼　靉靆垂布

其雨普等　四方俱下　流澍无量　率土充洽

山川險谷　幽邃所生　卉木藥草　大小諸樹

百穀苗稼　甘蔗蒲桃　雨之所潤　无不豐足

乾地普洽　藥木並茂　其雲所出　一味之水

草木叢林　隨分受潤　一切諸樹　上中下等

稱其大小　各得生長　根莖枝葉　華菓光色

一雨所及　皆得鮮澤　如其體相　性分大小

所潤是一　而各滋茂　佛亦如是　出現於世

譬如大雲　普覆一切　既出于世　為諸衆生

分別演說　諸法之實　大聖世尊　於諸天人

一切衆中　而宣是言　我為如來　兩足之尊

出于世間　猶如大雲　充潤一切　枯槁衆生

皆令離苦　得安隱樂　世間之樂　及涅槃樂

諸天人衆　一心善聽　皆應到此　覲无上尊

我為世尊　无能及者　安隱衆生　故現於世

為大衆說　甘露淨法　其法一味　解脫涅槃

以一妙音　演暢斯義　常為大乘　而作因緣

我觀一切　普皆平等　无有彼此　愛憎之心

我无貪著　亦无限礙　恒為一切　平等說法

如為一人　衆生亦然　常演說法　曾无他事

BD03133號　妙法蓮華經卷三　（25–2）

以一妙音　演暢斯義　常為大乘　而作因緣
我觀一切　普皆平等　无有彼此　愛憎之心
我无貪著　亦无限礙　恒為一切　平等說法
如為一人　眾生亦然　常演說法　曾无他事
去來坐立　終不疲猒　充足世間　如雨普潤
貴賤上下　持戒毀戒　威儀具足　及不具足
正見邪見　利根鈍根　等雨法雨　而无懈惓
一切眾生　聞我法者　隨力所受　住於諸地
或處人天　轉輪聖王　釋梵諸王　是小藥草
知无漏法　能得涅槃　起六神通　及得三明
獨處山林　常行禪定　得緣覺證　是中藥草
求世尊處　我當作佛　行精進定　是上藥草
又諸佛子　專心佛道　常行慈悲　自知作佛
決定无疑　是名小樹　安住神通　轉不退輪
度无量億　百千眾生　如是菩薩　名為大樹
佛平等說　如一味雨　隨眾生性　所受不同
如彼草木　所稟各異　佛以此喻　方便開示
種種言辭　演說一法　於佛智慧　如海一渧
我雨法雨　充滿世間　一味之法　隨力修行
如彼叢林　藥草諸樹　隨其大小　漸增茂好
諸佛之法　常以一味　令諸世間　普得具足
漸次修行　皆得道果　聲聞緣覺　處於山林
住最後身　聞法得果　是名藥草　各得增長
若諸菩薩　智慧堅固　了達三界　求最上乘
是名小樹　而得增長　復有住禪　得神通力

BD03133號　妙法蓮華經卷三

諸佛之法　常以一味　令諸世間　普得具足
漸次修行　皆得道果　聲聞緣覺　處於山林
住最後身　聞法得果　是名藥草　各得增長
若諸菩薩　智慧堅固　了達三界　求最上乘
是名小樹　而得增長　復有住禪　得神通力
聞諸法空　心大歡喜　放无數光　度諸眾生
是名大樹　而得增長　如是迦葉　佛所說法
譬如大雲　以一味雨　潤於人華　各得成實
迦葉當知　以諸因緣　種種譬喻　開示佛道
是我方便　諸佛亦然　今為汝等　說最實事
諸聲聞眾　皆非滅度　汝等所行　是菩薩道
漸漸修學　悉當成佛

妙法蓮華經授記品第六

爾時世尊說是偈已告諸大眾唱如是言我此
弟子摩訶迦葉於未來世當得奉覲三百
万億諸佛世尊供養恭敬尊重讚歎廣宣諸
佛无量大法於最後身得成為佛名曰光明
如來應供正遍知明行足善逝世間解无
上士調御丈夫天人師佛世尊國名光德劫
名大莊嚴佛壽十二小劫正法住世二十小劫
像法亦住二十小劫國界嚴飾无諸穢惡瓦
礫荊棘便利不淨其土平正无有高下坑坎
堆阜琉璃為地寶樹行列黃金為繩以界道
側散諸寶華周遍清淨其國菩薩无量千
億諸聲聞眾亦復无數无有魔事雖有魔及

BD03133號　妙法蓮華經卷三

碌荊棘便利不淨其土平正无有高下坑坎
堆阜琉璃為地寶樹行列黃金為繩以界道
側散諸寶華周遍清淨其國菩薩无量千
億諸聲聞衆亦復无數无有魔事雖有魔及
魔民皆護佛法尒時世尊欲重宣此義而說
偈言
告諸比丘　我以佛眼　見是迦葉　於未來世
過无數劫　當得作佛　而於來世　供養奉覲
三百万億　諸佛世尊　為佛智慧　淨修梵行
供養最上　二足尊已　修習一切　无上之慧
於最後身　得成為佛　其土清淨　琉璃為地
多諸寶樹　行列道側　金繩界道　見者歡喜
常出好香　散衆名華　種種奇妙　以為莊嚴
其地平正　无有丘坑　諸菩薩衆　不可稱計
其心調柔　逮大神通　奉持諸佛　大乘經典
諸聲聞衆　无漏後身　法王之子　亦不可計
乃以天眼　不能數知　其佛當壽　十二小劫
正法住世　二十小劫　像法亦住　二十小劫
光明世尊　其事如是
尒時大目揵連須菩提摩訶迦旃延等皆悉
悚慄一心合掌瞻仰世尊目不暫捨即共同
聲而說偈言
大雄猛世尊　諸釋之法王　哀愍我等故　而賜佛音聲
若知我深心　見為授記者　如以甘露灑　除熱得清涼
如從飢國來　忽遇大王饍　心猶懷疑懼　未敢即便食

聲而說偈言
大雄猛世尊　諸釋之法王　哀愍我等故　而賜佛音聲
若知我深心　見為授記者　如以甘露灑　除熱得清涼
如從飢國來　忽遇大王饍　心猶懷疑懼　未敢即便食
若復得王教　然後乃敢食　我等亦如是　每惟小乘過
不知當云何　得佛无上慧　雖聞佛音聲　言我等作佛
心尚懷憂懼　如未敢便食　若蒙佛授記　尒乃快安樂
大雄猛世尊　常欲安世間　願賜我等記　如飢須教食
尒時世尊知諸大弟子心之所念告諸比丘是
須菩提於當來世奉覲三百万億那由他佛
供養恭敬尊重讚歎常修梵行具菩薩道
於最後身得成為佛号曰名相如來應供正
遍知明行足善逝世間解无上士調御丈夫天
人師佛世尊劫名有寶國名寶生其土平正
頗梨為地寶樹莊嚴无諸丘坑沙礫荊棘便
利之穢寶華覆地周遍清淨其土人民皆處
寶臺珍妙樓閣聲聞弟子无量无邊筭數譬
喻所不能知諸菩薩衆无數千万億那由他佛
壽十二小劫正法住世二十小劫像法亦住二
十小劫其佛常處虛空為衆說法度脫
无量菩薩及聲聞衆尒時世尊欲重宣此
義而說偈言
諸比丘衆　今告汝等　皆當一心　聽我所說
我大弟子　須菩提者　當得作佛　号曰名相
當供无數　万億諸佛　隨佛所行　漸具大道

義而說偈言
諸比丘衆　今告汝等　皆當一心　聽我所說
我大弟子　須菩提者　當得作佛　号曰名相
當供无數　万億諸佛　隨佛所行　漸具大道
冣後身得　三十二相　端正姝妙　猶如寶山
其佛國土　嚴淨第一　衆生見者　无不愛樂
佛於其中　度无量衆　其佛法中　多諸菩薩
皆悉利根　轉不退輪　彼國常以　菩薩莊嚴
諸聲聞衆　不可稱數　皆得三明　具六神通
住八解脫　有大威德　其佛說法　現於无量
神通變化　不可思議　諸天人民　數如恒沙
皆共合掌　聽受佛語　其佛當壽　十二小劫
正法住世　二十小劫　像法亦住　二十小劫
尒時世尊復告諸比丘衆我今語汝是大迦
旃延於當來世以諸供具供養奉事八千億
佛恭敬尊重諸佛滅後各起塔廟高千由旬
縱廣正等五百由旬以金銀琉璃車𤦲馬瑙真
珠玫瑰七寶合成衆華瓔珞塗香末香
燒香繒蓋幢幡供養塔廟過是已後當復供
養二万億佛亦復如是供養是諸佛已具菩
薩道當得作佛号曰閻浮那提金光如來應
供正遍知明行足善逝世間解无上士調御丈
夫天人師佛世尊其土平正頗梨為地寶樹
莊嚴黃金為繩以界道側妙華覆地周遍清

供正遍知明行足善逝世間解无上士調御丈
夫天人師佛世尊其土平正頗梨為地寶樹
莊嚴黃金為繩以界道側妙華覆地周遍清
淨見者歡喜无四惡道地獄餓鬼畜生阿脩
羅道多有天人諸聲聞衆及諸菩薩无量万
億莊嚴其國佛壽十二小劫正法住世二十
小劫像法亦住二十小劫尒時世尊欲重宣
此義而說偈言
諸比丘衆　皆一心聽　如我所說　真實无異
是迦旃延　當以種種　妙好供具　供養諸佛
諸佛滅後　起七寶塔　亦以華香　供養舍利
其冣後身　得佛智慧　成等正覺　國土清淨
度脫无量　万億衆生　皆為十方　之所供養
佛之光明　无能勝者　其佛号曰　閻浮金光
菩薩聲聞　斷一切有　无量无數　莊嚴其國
尒時世尊復告大衆我今語汝是大目揵連
當以種種供具供養八千諸佛恭敬尊重
諸佛滅後各起塔廟高千由旬縱廣正等五百
由旬以金銀琉璃車𤦲馬瑙真珠玫瑰七寶
合成衆華瓔珞塗香末香燒香繒蓋幢幡以
用供養過是已後當復供養二百万億諸佛
亦復如是當得成佛号曰多摩羅跋栴檀香
如來應供正遍知明行足善逝世間解无上士
調御丈夫天人師佛世尊劫名喜滿國名意
樂其土平正頗梨為地寶樹莊嚴散真珠華

亦復如是當得成佛號曰多摩羅跋栴檀香
如來應供正遍知明行足善逝世間解无上士
調御丈夫天人師佛世尊劫名喜滿國名意
樂其土平正頗梨爲地寶樹莊嚴散真珠華
周遍清淨見者歡喜多諸天人菩薩聲聞
其數无量佛壽二十四小劫正法住世四十
小劫像法亦住四十小劫尒時世尊欲重宣
此義而說偈言
我此弟子　大目揵連　捨是身已　得見八千
二百万億　諸佛世尊　爲佛道故　供養恭敬
於諸佛所　常脩梵行　於无量劫　奉持佛法
諸佛滅後　起七寶塔　長表金刹　華香伎樂
而以供養　諸佛塔廟　漸漸具足　菩薩道已
於意樂國　而得作佛　号多摩羅　栴檀之香
其佛壽命　二十四劫　常爲天人　演說佛道
聲聞无量　如恒河沙　三明六通　有大威德
菩薩无數　志固精進　於佛智慧　皆不退轉
佛滅度後　正法當住　四十小劫　像法亦尒
我諸弟子　威德具足　其數五百　皆當授記
於未來世　咸得成佛　我及汝等　宿世因緣
吾今當說　汝等善聽
妙法蓮華經化城喻品第七
佛告諸比丘乃往過去无量无邊不可思議
阿僧祇劫尒時有佛名大通智勝如來應供
正遍知明行足善逝世間解无上士調御丈
夫天人師佛世尊其國名好成劫名大相諸
比丘彼佛滅度已來甚大久遠譬如三千大

BD03133號　妙法蓮華經卷三　（25–9）

妙法蓮華經化城喻品第七
佛告諸比丘乃往過去无量无邊不可思議
阿僧祇劫尒時有佛名大通智勝如來應供
正遍知明行足善逝世間解无上士調御丈
夫天人師佛世尊其國名好成劫名大相諸
比丘彼佛滅度已來甚大久遠譬如三千大
千世界所有地種假使有人磨以爲墨過於
東方千國土乃下一點大如微塵又過千國
土復下一點如是展轉盡地種墨於汝等
於意云何是諸國土若筭師若筭師弟子能得
邊際知其數不不也世尊諸比丘是人所經國
土若點不點盡末爲塵一塵一劫彼佛滅度
已來復過是數无量无邊百千万億阿僧祇
劫我以如來知見力故觀彼久遠猶若今日尒時
世尊欲重宣此義而說偈言
我念過去世　无量无邊劫　有佛兩足尊　名大通智勝
如人以力磨　三千大千土　盡此諸地種　皆悉以爲墨
過於千國土　乃下一塵點　如是展轉點　盡此諸塵墨
如是諸國土　點與不點等　復盡末爲塵　一塵爲一劫
此諸微塵數　其劫復過是　彼佛滅度來　如是无量劫
如來无礙智　知彼佛滅度　及聲聞菩薩　如見今滅度
諸比丘當知　佛智淨微妙　无漏无所礙　通達无量劫
佛告諸比丘大通智勝佛壽五百四十万億那
由他劫其佛本坐道場破魔軍已垂得阿耨
多羅三藐三菩提而諸佛法不現在前如是
一小劫乃至十小劫結跏趺坐身心不動而諸
佛法猶不在前尒時忉利諸天先爲彼佛於

BD03133號　妙法蓮華經卷三　（25–10）

佛告諸比丘大通智勝佛壽五百四十万億那
由他劫其佛本坐道場破魔軍已垂得阿耨
多羅三藐三菩提而諸佛法不現在前如是
一小劫乃至十小劫結跏趺坐身心不動而諸
佛法猶不在前尒時忉利諸天先為彼佛於
菩提樹下敷師子座高一由旬佛於此座當
得阿耨多羅三藐三菩提適坐此座時諸
梵天王雨衆天華面百由旬香風時來吹去
萎華更雨新者如是不絶滿十小劫供養
於佛乃至滅度常雨此華四王諸天為供養
佛常擊天鼓其餘諸天作天伎樂滿十小劫
至于滅度亦復如是諸比丘大通智勝佛過
十小劫諸佛之法乃現在前成阿耨多羅三
藐三菩提其佛未出家時有十六子其第一者
名曰智積諸子各有種種珎異玩好之具聞父
得成阿耨多羅三藐三菩提皆捨所珎往詣
佛所諸母涕泣而隨送之其祖轉輪聖王與一
百大臣及餘百千万億人民皆共圍繞隨至
道場咸欲親近大通智勝如來供養恭敬尊
重讚歎到已頭面礼足繞佛畢已一心合掌
瞻仰世尊以偈頌曰

大威德世尊　為度衆生故　於无量億歲　尒乃得成佛
諸願已具足　善哉吉无上　世尊甚希有　一坐十小劫
身體及手足　靜然安不動　其心常憺怕　未曾有散亂
究竟永寂滅　安住无漏法　今者見世尊　安隱成佛道
我等得善利　稱慶大歡喜　衆生常苦惱　盲暝无導師
不識苦盡道　不知求解脫　長夜增惡趣　減損諸天衆

BD03133號　妙法蓮華經卷三　（25–11）

[illegible]
諸願已具足　善哉吉无上　世尊甚希有　一坐十小劫
身體及手足　靜然安不動　其心常憺怕　未曾有散亂
究竟永寂滅　安住无漏法　今者見世尊　安隱成佛道
我等得善利　稱慶大歡喜　衆生常苦惱　盲暝无導師
不識苦盡道　不知求解脫　長夜增惡趣　減損諸天衆
從暝入於暝　永不聞佛名　今佛得最上　安隱无漏法
我等及天人　為得最大利　是故咸稽首　歸命无上尊

尒時十六王子偈讚佛已勸請世尊轉於法輪
咸作是言世尊說法多所安隱憐愍饒益
諸天人民重說偈言

世雄无等倫　百福自莊嚴　得无上智慧　願為世間說
度脫於我等　及諸衆生類　為分別顯示　令得是智慧
若我等得佛　衆生亦復然　世尊知衆生　深心之所念
亦知所行道　又知智慧力　欲樂及脩福　宿命所行業
世尊悉知已　當轉无上輪

佛告諸比丘大通智勝佛得阿耨多羅三藐
三菩提時十方各五百万億諸佛世界六種
震動其國中間幽暝之處日月威光所不能
照而皆大明其中衆生各得相見咸作是言
此中云何忽生衆生又其國界諸天宮殿乃
至梵宮六種震動大光普照遍滿世界勝諸
天光尒時東方五百万億諸國土中梵天宮
殿光明照曜倍於常明諸梵天王各作是念
今者宮殿光明昔所未有以何因緣而現此
相是時諸梵天王即各相詣共議此事而彼衆
[illegible]

BD03133號　妙法蓮華經卷三　（25–12）

殿光明照曜倍於常明諸梵天王各作是念
今者宮殿光明昔所未有以何因緣而現此
相是時諸梵天王即各相詣共議此事而彼衆
中有一大梵天王名救一切為諸梵衆而說
偈言
我等諸宮殿　光明昔未有　此是何因緣　冝各共求之
為大德天生　為佛出世間　而此大光明　遍照於十方
尒時五百万億國土諸梵天王與宮殿俱各
以衣裓盛諸天華共詣西方推尋是相見大
通智勝如来處于道場菩提樹下坐師子座
諸天龍王乾闥婆緊那羅摩睺羅伽人非人
等恭敬圍繞及見十六王子請佛轉法輪即時
諸梵天王頭面礼佛繞百千帀即以天華
而散佛上其所散華如須弥山并以供養佛
菩提樹其菩提樹高十由旬華供養已各以
宮殿奉上彼佛而作是言唯見哀愍饒益
我等所獻宮殿願垂納處時諸梵天王即於
佛前一心同聲以偈頌曰
世尊甚希有　難可得值遇　具无量功德　能救護一切
天人之大師　哀愍於世間　十方諸衆生　普皆蒙饒益
我等所從来　五百万億國　捨深禪定樂　為供養佛故
我等先世福　宮殿甚嚴飾　今以奉世尊　唯願哀納受
尒時諸梵天王偈讃佛已各作是言唯願世
尊轉於法輪度脫衆生開涅槃道時諸梵天
王一心同聲而說偈言
世雄兩足尊　唯願演說法　以大慈悲力　度苦惱衆生

BD03133號　妙法蓮華經卷三　（25–13）

尊轉於法輪度脫衆生開涅槃道時諸梵天
王一心同聲而說偈言
世雄兩足尊　唯願演說法　以大慈悲力　度苦惱衆生
尒時大通智勝如来默然許之又諸比丘東
南方五百万億國土諸大梵王各自見宮殿光
明照曜昔所未有歡喜踊躍生希有心即
各相詣共議此事而彼衆中有一大梵天王
名曰大悲為諸梵衆而說偈言
是事何因緣　而現如此相　我等諸宮殿　光明昔未有
為大德天生　為佛出世間　未曾見此相　當共一心求
過千万億土　尋光共推之　多是佛出世　度脫苦衆生
尒時五百万億諸梵天王與宮殿俱各以衣裓
盛諸天華共詣西北方推尋是相見大通
智勝如来處于道場菩提樹下坐師子座諸
天龍王乾闥婆緊那羅摩睺羅伽人非人等
恭敬圍繞及見十六王子請佛轉法輪時諸
梵天王頭面礼佛繞百千帀即以天華而散佛
上所散之華如須弥山并以供養佛菩提樹
華供養已各以宮殿奉上彼佛而作是言唯見
哀愍饒益我等所獻宮殿願垂納處尒時
諸梵天王即於佛前一心同聲以偈頌曰
聖主天中王　迦陵頻伽聲　哀愍衆生者　我等今敬礼
世尊甚希有　久遠乃一見　一百八十劫　空過无有佛
三惡道充滿　諸天衆減少　今佛出於世　為衆生作眼
世間所歸趣　救護於一切　為衆生之父　哀愍饒益者
我等宿福慶　今得值世尊
尒時諸梵天王偈讃佛已各作是言唯願世

BD03133號　妙法蓮華經卷三　（25–14）

世尊甚希有　久遠乃一見　一百八十劫　空過无有佛
三惡道充滿　諸天衆減少　今佛出於世　為衆生作眼
世間所歸趣　救護於一切　為衆生之父　哀愍饒益者
我等宿福慶　今得值世尊
尒時諸梵天王偈讚佛已各作是言唯願世
尊哀愍一切轉於法輪度脫衆生時諸梵天
王一心同聲而說偈言
大聖轉法輪　顯示諸法相　度苦惱衆生　令得大歡喜
衆生聞此法　得道若生天　諸惡道減少　忍善者增益
尒時大通智勝如來嘿然許之又諸比丘南
方五百万億國土諸天梵王各自見宮殿光
明照曜昔所未有歡喜踊躍生希有心即
各相詣共議此事以何因緣我等宮殿有此
光曜而彼衆中有一大梵天王名曰妙法為
諸梵衆而說偈言
我等諸宮殿　光明甚威曜　此非无因緣　是相宜求之
過於百千劫　未曾見是相　為大德天生　為佛出世間
尒時五百万億諸梵天王與宮殿俱各以衣裓
盛諸天華共詣北方推尋是相見大通智勝
如來處于道場菩提樹下坐師子座諸天龍
王乾闥婆緊那羅摩睺羅伽人非人等恭
敬圍繞及見十六王子請佛轉法輪時諸梵天
王頭面礼佛繞百千帀即以天華而散佛上所
散之華如須彌山并以供養佛菩提樹華
供養已各以宮殿奉上彼佛而作是言唯見
哀愍饒益我等所獻宮殿願垂納處尒時
諸梵天王即於佛前一心同聲以偈頌曰

BD03133號　妙法蓮華經卷三

(25–15)

散之華如須彌山并以供養佛菩提樹華
供養已各以宮殿奉上彼佛而作是言唯見
哀愍饒益我等所獻宮殿願垂納處尒時
諸梵天王即於佛前一心同聲以偈頌曰
世尊甚難見　破諸煩惱者　過百三十劫　今乃得一見
諸飢渴衆生　以法雨充滿　昔所未曾覩　无量智慧者
如優曇波羅　今日乃值遇　我等諸宮殿　蒙光故嚴飾
世尊大慈愍　唯願垂納受
尒時諸梵天王偈讚佛已各作是言唯願世尊
轉於法輪令一切世間諸天魔梵沙門婆羅門
皆獲安隱而得度脫時諸梵天王一心同聲
以偈頌曰
唯願天人尊　轉无上法輪　擊于大法鼓　而吹大法螺
普雨大法雨　度无量衆生　我等咸歸請　當演深遠音
尒時大通智勝如來默然許之西南方乃至
下方亦復如是尒時上方五百万億國土諸大梵
王皆悉自覩所止宮殿光明威曜昔所未有
歡喜踊躍生希有心即各相詣共議此事
以何因緣我等宮殿有斯光明而彼衆中有
一大梵天王名曰尸棄為諸梵衆而說偈言
今以何因緣　我等諸宮殿　威德光明曜　嚴飾未曾有
如是之妙相　昔所未聞見　為大德天生　為佛出世間
尒時五百万億諸梵天王與宮殿俱各以衣裓
盛諸天華共詣下方推尋是相見大通智勝
如來處于道場菩提樹下坐師子座諸天龍
王乾闥婆緊那羅摩睺羅伽人非人等恭敬
圍繞及見十六王子請佛轉法輪時諸梵天
王頭面礼佛繞百千帀即以天華而散佛上

BD03133號　妙法蓮華經卷三

(25–16)

威諸天華共詣下方推尋是相見大通智勝
如來處于道場菩提樹下坐師子座諸天龍
王乾闥婆緊那羅摩睺羅伽人非人等恭敬
圍繞及見十六王子請佛轉法輪時諸梵天
王頭面礼佛繞百千帀即以天華而散佛上
所散之華如須弥山并以供養佛菩提樹華
供養已各以宮殿奉上彼佛而作是言唯見
哀愍饒益我等所獻宮殿願垂納處時諸梵
天王即於佛前一心同聲以偈頌曰
善哉見諸佛　救世之聖尊　能於三界獄　勉出諸衆生
普智天人尊　哀愍群萌類　能開甘露門　廣度於一切
於昔无量劫　空過无有佛　世尊未出時　十方常闇瞑
三惡道增長　阿脩羅亦盛　諸天衆轉減　死多墮惡道
不從佛聞法　常行不善事　色力及智慧　斯等皆減少
罪業因緣故　失樂及樂想　住於邪見法　不識善儀則
不蒙佛所化　常墮於惡道　佛為世間眼　久遠時乃出
哀愍諸衆生　故現於世間　超出成正覺　我等甚欣慶
及餘一切衆　喜歎未曾有　我等諸宮殿　蒙光故嚴飾
今以奉世尊　唯垂哀納受　願以此功德　普及於一切
我等與衆生　皆共成佛道
尒時五百万億諸梵天王偈讚佛已各白佛言
唯願世尊轉於法輪多所安隱多所度脫時諸
梵天王而說偈言
世尊轉法輪　擊甘露法鼓　度苦惱衆生　開示涅槃道
唯願受我請　以大微妙音　哀愍而敷演　无量劫習法
尒時大通智

唯願世尊轉於法輪多所安隱多所度脫時諸
梵天王而說偈言
世尊轉法輪　擊甘露法鼓　度苦惱衆生　開示涅槃道
唯願受我請　以大微妙音　哀愍而敷演　无量劫習法
尒時大通智勝如來受十方諸梵天王及十六
王子請即時三轉十二行法輪若沙門婆羅
門若天魔梵及餘世間所不能轉謂是苦是
苦集是苦滅是苦滅道及廣說十二因緣法无
明緣行行緣識識緣名色名色緣六入六入
緣觸觸緣受受緣愛愛緣取取緣有有
緣生生緣老死憂悲苦惱无明滅則行滅行
滅則識滅識滅則名色滅名色滅則六入滅
六入滅則觸滅觸滅則受滅受滅則愛滅愛
滅則取滅取滅則有滅有滅則生滅生滅則老死
憂悲苦惱滅佛於天人大衆之中說是法時
而於諸漏心得解脫皆得深妙禪定三明六
通具八解脫第二第三第四說法時千万億
恒河沙那由他等衆生亦以不受一切法故
而於諸漏心得解脫從是已後諸聲聞衆无
量无邊不可稱數尒時十六王子皆以童子
出家而為沙弥諸根通利智慧明了已曾供
養百千万億諸佛淨脩梵行求阿耨多羅三
藐三菩提俱白佛言世尊是諸无量千万億
大德聲聞皆已成就世尊亦當為我等說阿
耨多羅三藐三菩提法我等聞已皆共脩學
世尊我等志願如來知見深心所念佛自證

藐三菩提俱白佛言世尊是諸无量千万億
大德聲聞皆已成就世尊亦當為我等說阿
耨多羅三藐三菩提法我等聞已皆共脩學
世尊我等志願如來知見深心所念佛自證
知尒時轉輪聖王所将衆中八万億人見十六王
子出家亦求出家王即聽許尒時彼佛受沙
弥請過二万劫已乃於四衆之中說是大乘
經名妙法蓮華教菩薩法佛所護念說是
經已十六沙弥為阿耨多羅三藐三菩提故
皆共受持諷誦通利說是經時十六菩薩
沙弥皆悉信受聲聞衆中亦有信解其餘
衆生千万億種皆生疑惑佛說是經於八千劫
未曾休廢說此經已即入静室住於禪定八万
四千劫是時十六菩薩沙弥知佛入室寂然
禪定各昇法座亦於八万四千劫為四部衆
廣說分別妙法華經一一皆度六百万億那
由他恒河沙等衆生示教利喜令發阿耨多
羅三藐三菩提心大通智勝佛過八万四千
劫已從三昧起往詣法座安詳而坐普告
大衆是十六菩薩沙弥甚為希有諸根通利
智慧明了已曾供養无量千万億數諸佛於
諸佛所常脩梵行受持佛智開示衆生令入
其中汝等皆當數數親近而供養之所以者何
若聲聞辟支佛及諸菩薩能信是十六菩薩
所說經法受持不毀者是人皆當得阿耨多
羅三藐三菩提如來之慧佛告諸比丘是十六

BD03133號　妙法蓮華經卷三

（25–19）

諸佛所常脩梵行受持佛智開示衆生令入
其中汝等皆當數數親近而供養之所以者何
若聲聞辟支佛及諸菩薩能信是十六菩薩
所說經法受持不毀者是人皆當得阿耨多
羅三藐三菩提如來之慧佛告諸比丘是十六
菩薩常樂說是妙法蓮華經一一菩薩所化
六百万億那由他恒河沙等衆生世世所生與
菩薩俱從其聞法悉皆信解以此因緣得
值四万億諸佛世尊于今不盡諸比丘我今
語汝彼佛弟子十六沙弥今皆得阿耨多羅
三藐三菩提於十方國現在說法有无量百
千万億菩薩聲聞以為眷屬其二沙弥東
方作佛一名阿閦在歡喜國二名須弥頂東
南方二佛一名師子音二名師子相南方二
佛一名虛空住二名常滅西南方二佛一
名帝相二名梵相西方二佛一名阿弥陀
二名度一切世間苦惱西北方二佛一名多
摩羅跋栴檀香神通二名須弥相北方二佛
一名雲自在二名雲自在王東北方佛名壞
一切世間怖畏第十六我釋迦牟尼佛娑
婆國土成阿耨多羅三藐三菩提諸比丘我
等為沙弥時各各教化无量百千万億恒河
沙等衆生從我聞法為阿耨多羅三藐三
菩提此諸衆生于今有住聲聞地者我常教
化阿耨多羅三藐三菩提是諸人等應以是法
漸入佛道所以者何如來智慧難信難解尒
時所化无量恒沙等衆生者汝等諸比丘及

BD03133號　妙法蓮華經卷三

（25–20）

化阿耨多羅三藐三菩提是諸人等應以是法
漸入佛道所以者何如来智慧難信難解尒
時所化无量恒沙等衆生者汝等諸比丘及
我滅度後未来世中聲聞弟子是也我滅
度後復有弟子不聞是經不知不覺菩薩
所行自於所得功德生滅度想當入涅槃我
於餘國作佛更有異名是人雖生滅度之想入
於涅槃而於彼土求佛智慧得聞是經唯以佛
乘而得滅度更无餘乘除諸如来方便說法
諸比丘若如来自知涅槃時到衆又清淨信解
堅固了達空法深入禪定便集諸菩薩及聲
聞衆為說是經世間无有二乘而得滅度唯
一佛乘得滅度耳比丘當知如来方便深入衆
生之性知其志樂小法深著五欲為是等故
說於涅槃是人若聞則便信受譬如五百由旬
險難惡道曠絕无人怖畏之處若有多衆
欲過此道至珎寶處有一導師聰慧明達善
知險道通塞之相將導衆人欲過此難所將
人衆中路懈退白導師言我等疲極而復
怖畏不能復進前路猶遠今欲退還導師
多諸方便而作是念此等可愍云何捨大珎
寶而欲退還作是念已以方便力於險道中
過三百由旬化作一城告衆人言汝等勿怖
莫得退還今此大城可於中止隨意所作若
入是城快得安隱若能前至寶所亦可得去
是時疲極之衆心大歡喜歎未曾有我等今

寶而欲退還作是念已以方便力於險道中
過三百由旬化作一城告衆人言汝等勿怖
莫得退還今此大城可於中止隨意所作若
入是城快得安隱若能前至寶所亦可得去
是時疲極之衆心大歡喜歎未曾有我等今
者免斯惡道快得安隱於是衆人前入化城
生已度想生安隱想尒時導師知此人衆既
得止息无復疲惓即滅化城語衆人言汝等
去来寶處在近向者大城我所化作為止息
耳諸比丘如来亦復如是今為汝等作大導
師知諸生死煩惱惡道險難長遠應去應
度若衆生但聞一佛乘者則不欲見佛不欲
親近便作是念佛道長遠久受勤苦乃可得
成佛知是心怯弱下劣以方便力而於中道
為止息故說二涅槃若衆生住於二地如来
尒時即便為說汝等所作未辦汝所住地近
於佛慧當觀察籌量所得涅槃非真實也但
是如来方便之力於一佛乘分別說三如彼導
師為止息故化作大城既知息已而告之言寶
處在近此城非實我化作耳尒時世尊欲重宣
此義而說偈言
大通智勝佛　十劫坐道場　佛法不現前　不得成佛道
諸天神龍王　阿脩羅衆等　常雨於天華　以供養彼佛
諸天擊天鼓　并作衆伎樂　香風吹萎華　更雨新好者
過十小劫已　乃得成佛道　諸天及世人　心皆懷踊躍
彼佛十六子　皆與其眷屬　千万億圍繞　俱行至佛所
頭面禮佛足　而請轉法輪　聖師子法雨　充我及一切

諸天擊天皷　并作衆伎樂　香風吹萎華　更雨新好者
過十小劫已　乃得成佛道　諸天及世人　心皆懷踊躍
彼佛十六子　皆與其眷屬　千万億圍遶　俱行至佛所
頭面礼佛足　而請轉法輪　聖師子法雨　充我及一切
世尊甚難值　久遠時一現　為覺悟群生　震動於一切
東方諸世界　五百万億國　梵宮殿光曜　昔所未曾有
諸梵見此相　尋來至佛所　散華以供養　并奉上宮殿
請佛轉法輪　以偈而讚歎　佛知時未至　受請默然坐
三方及四維　上下亦復尒　散華奉宮殿　請佛轉法輪
世尊甚難值　願以大慈悲　廣開甘露門　轉无上法輪
无量慧世尊　受彼衆人請　為說種種法　四諦十二緣
无明至老死　皆從生緣有　如是衆過患　汝等應當知
宣暢是法時　六百万億姟　得盡諸苦際　皆成阿羅漢
第二說法時　千万恒沙衆　於諸法不受　亦得阿羅漢
從是後得道　其數无有量　万億劫筭數　不能得其邊
時十六王子　出家作沙弥　皆共請彼佛　演說大乘法
我等及營從　皆當成佛道　願得如世尊　慧眼第一淨
佛知童子心　宿世之所行　以无量因緣　種種諸譬喻
說六波羅蜜　及諸神通事　分別真實法　菩薩所行道
說是法華經　如恒河沙偈　彼佛說經已　靜室入禪定
一心一處坐　八万四千劫　是諸沙弥等　知佛禪未出
為无量億衆　說佛无上慧　各各坐法座　說是大乘經
於佛宴寂後　宣揚助法化　一一沙弥等　所度諸衆生
有六百万億　恒河沙等衆　彼佛滅度後　是諸聞法者
在在諸佛土　常與師俱生　是十六沙弥　具足行佛道
今現在十方　各得成正覺　尒時聞法者　各在諸佛所
其有住聲聞　漸教以佛道　我在十六數　曾亦為汝說
是故以方便　引汝趣佛慧　以是本因緣

BD03133號　妙法蓮華經卷三　（25–23）

有六百万億　恒河沙等衆　彼佛滅度後　是諸聞法者
在在諸佛土　常與師俱生　是十六沙弥　具足行佛道
今現在十方　各得成正覺　尒時聞法者　各在諸佛所
其有住聲聞　漸教以佛道　我在十六數　曾亦為汝說
是故以方便　引汝趣佛慧　以是本因緣　今說法華經
令汝入佛道　慎勿懷驚懼　譬如險惡道　迥絕多毒獸
又復无水草　人所怖畏處　无數千万衆　欲過此險道
其路甚曠遠　經五百由旬　時有一導師　強識有智慧
明了心決定　在險濟衆難　衆人皆疲惓　而白導師言
我等今頓乏　於此欲退還　導師作是念　此輩甚可愍
如何欲退還　而失大珍寶　尋時思方便　當設神通力
化作大城郭　莊嚴諸舍宅　周帀有園林　渠流及浴池
重門高樓閣　男女皆充滿　即作是化已　慰衆言勿懼
汝等入此城　各可隨所樂　諸人既入城　心皆大歡喜
皆生安隱想　自謂已得度　導師知息已　集衆而告言
汝等當前進　此是化城耳　我見汝疲極　中路欲退還
故以方便力　權化作此城　汝今勤精進　當共至寶所
我亦復如是　為一切導師　見諸求道者　中路而懈廢
不能度生死　煩惱諸險道　故以方便力　為息說涅槃
言汝等苦滅　所作皆已辦　既知到涅槃　皆得阿羅漢
尒乃集大衆　為說真實法　諸佛方便力　分別說三乘
唯有一佛乘　息處故說二　今為汝說實　汝所得非滅
為佛一切智　當發大精進　汝證一切智　十力等佛法
具相三十二　乃是真實滅　諸佛之導師　為息說涅槃
既知是息已　引入於佛慧

BD03133號　妙法蓮華經卷三　（25–24）

[illegible]方便力 權化作此城 汝今勤精進 當共至寶所
我亦復如是 為一切導師 見諸求道者 中路而懈廢
不能度生死 煩惱諸險道 故以方便力 為息說涅槃
言汝等苦滅 所作皆已辦 既知到涅槃 皆得阿羅漢
爾乃集大眾 為說真實法 諸佛方便力 分別說三乘
唯有一佛乘 息處故說二 今為汝說實 汝所得非滅
為佛一切智 當發大精進 汝證一切智 十力等佛法
具相三十二 乃是真實滅 諸佛之導師 為息說涅槃
既知是息已 引入於佛慧

妙法蓮華經卷第三

BD03133號　妙法蓮華經卷三　　(25–25)

法花經第三卷

BD03133號背　勘記　　(1–1)

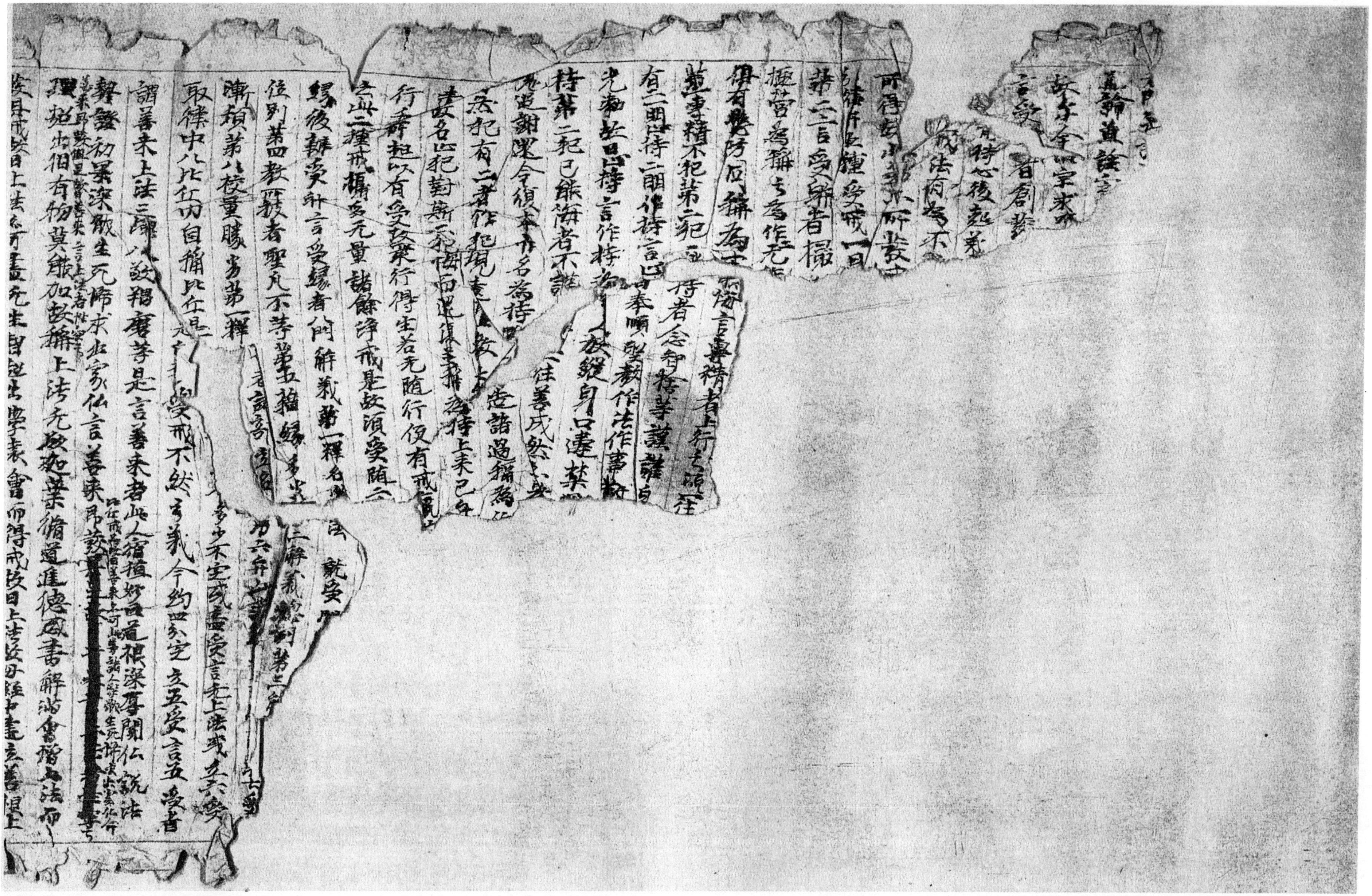

BD03134號　四分戒本疏卷一

（19–1）

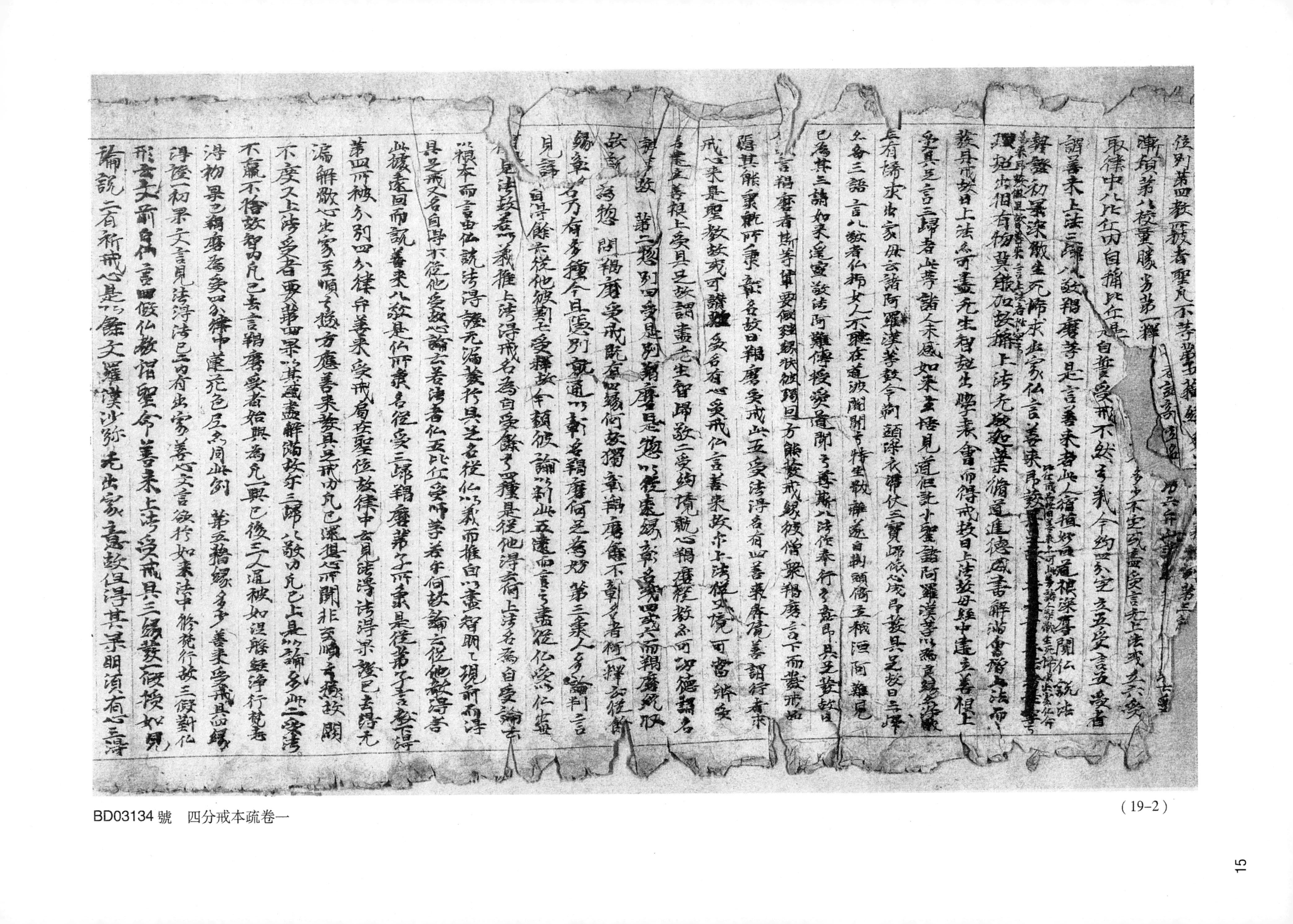

BD03134號　四分戒本疏卷一

（19–2）

得初果已羯磨為受四分律中蓮花色尼亦同此例　第五稱緣多少善來受戒具四緣
得證一初果文言見法得法已二白有出家善心文言欲於如來法中修梵行故三假對佛
形容文前自佛言四假佛教留聖命善來上法受戒具三緣發一假授如見
論說二有祈戒心是以餘文羅漢沙彌无出家意故但得其果明須有心三得
无漏空解謂盡智現前即得具戒三語受戒亦具三緣一假弟子求勤請
羅漢二假弟子數謂口稱三歸言辭无缺三歸依心成領前學依教能得戒
具四緣發一假仏八敬之教二假弟子形三弟子敬謂口宣八敬四奉行之意受道
自陳我等願受羯磨受戒具四緣如律所說一僧數滿足緣二教法成就緣三
結界成就緣四身无遮難緣若具此四是大比丘得成戒本犯戒六人四罪若關非
大比丘故須此四方成比丘　問善來等受心為緣羯磨一受何故不爾答羯磨非
不有心以假外緣作法從強以彰受歎回名又可羯磨四心俱得然證不弁心緣又准毋
論前四以心為緣羯磨一受雖文不列要亦須心故律文云眠醉狂等不得戒故　第六
得戒時節善來受者唱善來竟即發具足故律文云至得盡苦原上法受戒盡羯
現前時得以小乘分齊羅漢梵行已立自然戒淨故更不從他受戒　問此上法得
者得作无作不答以非作法但得无作　問既非作戒何因得發无作戒者答以非學為
故无其作以道力故得无作戒三歸受戒者三語竟即發具足八敬受戒說第八訖即得戒
品羯磨一受羯磨竟便發具戒諸論大同　第七受捨漸頓先明受漸頓羯磨一受亦
漸名頓餘之四受頓而非漸如何羯磨漸頓先受五戒次受十戒後受具戒是多為漸若
不受五十直受具戒得三種戒說之為頓　問若一時受得三種戒者何須漸受答欲留佛法
必須次第先受五戒以自調伏信樂漸增次受十戒善心轉淨次受具戒如是次第得
佛法味好樂堅固難可退敗不失第五不破威儀如從大海漸漸深入一時受者既失次
第破威儀故須漸受　問一時頓受得三戒者其无作體為若一為三答但發具戒一
无作體更无餘二无作之體若亦便是一戒如何言三答如女受得防體无作与沙彌俗
人同戒者其實體一是以多論家據其體說三人始終位別言得三戒理實无三　問於
以得知但一无三答即此論文解次第受中俗人下品五戒次中品心受沙彌戒前五戒仍本下
品五戒外發方為中品上品心受具本前二品仍猶下中更外發始為上品據斯以驗次第
漸受三時心別同戒无作尚不發三起況一時受者而得有三故知次漸望位列作
非三體有三亦可此論云一切受得三戒者三時漸受之既時別重發无作有三體
故若論頓受之既一時方可名為望作為三非體有三次解捨之漸頓若望四受
之捨但頓羯磨捨受並會漸頓為但羯磨一受之初局漸捨兼漸頓受既得三戒
捨時云何答義含漸頓若也果心三戒俱捨則頓失三是名頓捨若言我作沙弥但捨

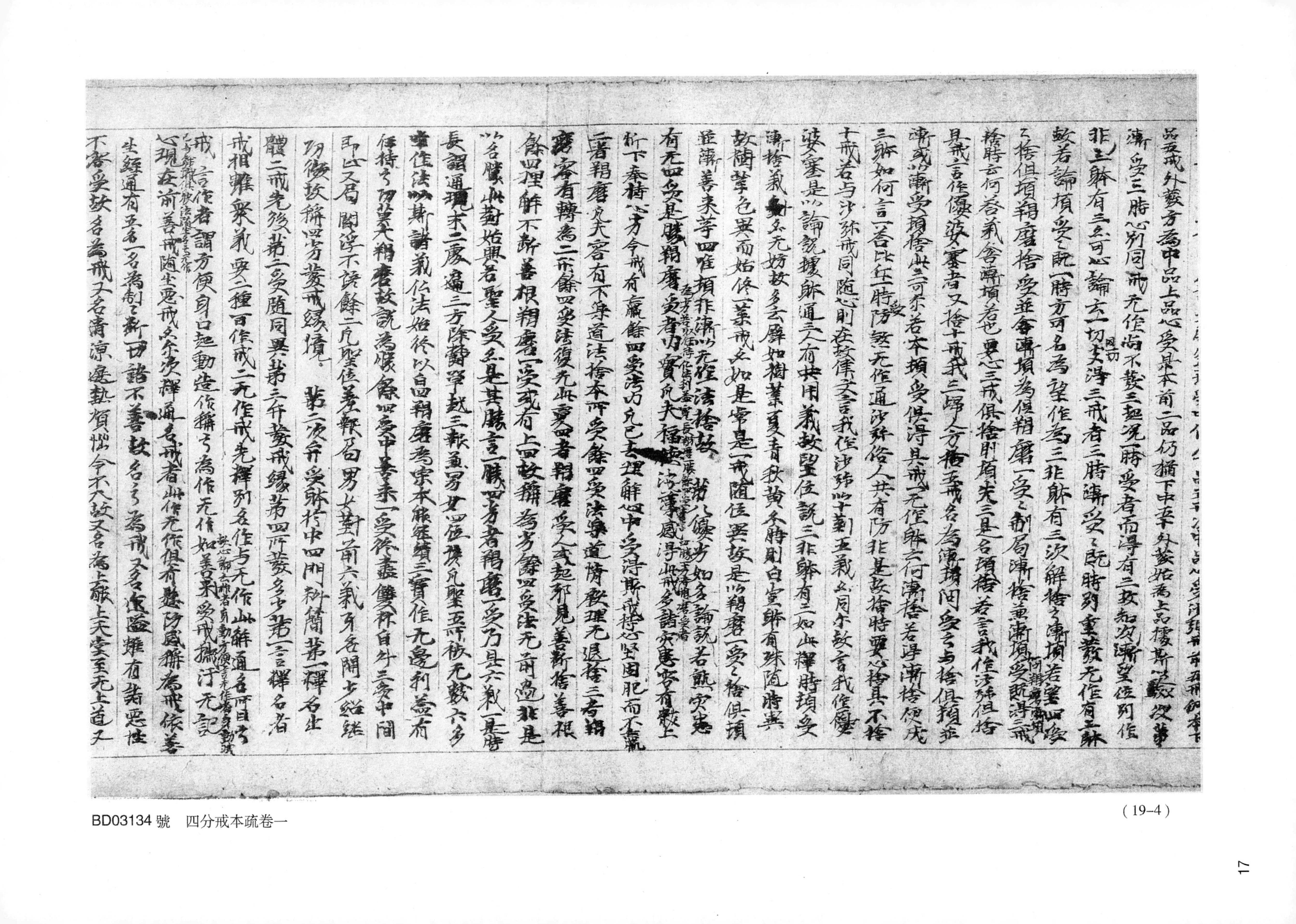

BD03134 號　四分戒本疏卷一

（19–4）

體二戒先後第二受隨同異第三弁發戒緣第四所發多少第一言釋名者
戒相雖衆義要二種一作戒二无作戒先釋別名作與无作此解通名所目之
戒言作者謂方便身口起動造作稱之為作无作如善惡受戒攝持无記
心現在前善戒隨生惡戒亦尒次釋通名戒者此作无作俱有禁防威稱為戒依善
生經通有五名一名為制々斷一切諸不善故名之為戒又名尸羅雖有諸惡性
不容受故名為戒又名清涼處熱煩惱令不入故又名為上能上天受至无上道又
名學調伏心故智名為戒此之五義是義用釋名是故從用立名稱之為戒然
於五中尸羅清涼是義名餘三用名問何故得知有作无作答諸論廣明二
種戒體一如心論第三羯磨剎那作及无作根本業道又云身口作前二有對身口
无作俱不可見无對二多論云初一念戒有身口發及无教二念雖有无教无有教
十住毗婆沙云律儀善根有其二種一者有作二者无作者是色无作非色悲
斯要故明智戒有二種問何須作无作答若无其作无作无作无所從生若
疑不可一所防非故須兩戒此經言可如上法得戒以道力故得无作戒　次弁戒體
若依多論作无作戒並是色法為體此義可謂言種分別一有為无為
分別二戒俱是為法聚非三无為故　第二有為聚中三聚分別作无作戒並色
法為體心及心相不相應是其戒因故論云作及无作假色是分別色陰　第
三色聚中三色分別一可見有對色謂色入二不可見有對色謂五根四塵三
不可見无對色謂法入中无作若言作戒前二色收无作戒者第三色攝故
伽心二論云身作可見有對口作不可見有對身口无作俱不可見无對
論其身作前二色中唯色入攝口作戒者是聲入攝非餘八色其二无作並法
入攝此作无作俱是色蘊　第四色聲十報方便分別色聲通報及方便然
身作是方便非報故心論云作者身動身方便口作唯方便聲非報
法故身口二无作非報非方便　第五三性分別身口色聲是善非餘而故
心論云以清淨心動身口名善作等即為初色有廿種前十二雖无記後八高下
長短方圓正不正通三性局取善邊身作戒體三聲之中謂除第二因不受四大
聲如風雷等唯无記故初因受四大聲第三因俱聲此二通三性中亦取善
聲邊為口作體於論身口无作通於三性今論戒故是善性攝　第六始終
分別先善作中通於終始不取始謂始從請師終至羯磨未竟要至未竟
善而非戒第三羯磨一剎那頃要期心滿思願成就善而是戒故唯取終然
依得宗无作之戒定用非色非心為體作戒者取文不定或有取文色心為體
故論文言業者非直音聲要以心力助成故知身業亦以心力助成明知二業色

聲還為口作躰況論身口无作通於二種今論戒故是善性攝第六始終
分別先善作中通於終始不取始謂始從請師終至羯磨未竟要心未變
善而非戒第三羯磨一剎那須要期心滿足願成就善而是戒故但取終焉
依得宗无作之戒定用非色非心為躰作戒者取文不定或有取文色心為躰
故論文言業者非直音聲要以心力助成故知身業亦以心力助成明知二業色
心為躰又引論文以心為躰是故論言離心无思无身口業故知二業用心為
躰又假色為身口業躰故論云身口業依止四大意業依心若身口業非四
大為躰住者意業依心亦不應以心為躰住業依心故即說意業用心為躰故
知身業以四大動為業々无別躰即用四大作躰口業者四大相擊於中出聲々成
音曲有所表顯以為字句為口作業々无別躰用聲作躰以論云是法名聲性
法入所攝故以遠從四大即聲成故用聲為躰身業近依四大故即用所依止為躰
次明二戒先後依心論說似一時得故文言第三一念作无作根本業道又多云初念戒有
教无教後次第生戒但有无教无有々教故知時然无作三時有非戒者一者因時无作但是
作俱是非全戒躰二身是果時无作无作有二一是作俱二是形俱形俱一種方是戒躰三
謂果後唯局形俱是戒躰以其果時有形俱故明一時得若依此宗以先後發故實
云問齊何名為无作答第二念須名為无作以作戒為初念故名无作為第二念唯羯
磨竟所有无作是故戒躰前二時中但是作俱所攝又善生經方便心異作時心異衆
緣和合得名為作以作因緣發生无作々已過去雖有无作其心雖在惡无記中本所作業
不名漏失獲斯以前明先後發　第二受隨同異皆解受隨義一譬如一指能得衆
敵為破斯義故先受隨二法并作无作先解无作有其七種一道共无作二定共无作三形
俱四要期如日夜及處中要期等五隨業无作如隨戒无作及處中隨作發者是六事
无作如塔寺橋船等事在時念々發无作等七隨用无作即前事在有人用時須發
无作者是　就此七中形俱定受要期通二餘五定隨次弁同異受隨无作同義有五
謂名躰義異便有六第一受中无作義均一品隨中无作乃有優劣言受中无作一品者
若本上品心受所發无作心增上故戒亦上品或容犯罪或終至羅漢更无增減以斯酬本一
品中故下心受義亦同然三品各定故言義均一品隨无作中作多品不定故優劣對[illegible]高
并下優劣者若就根條初勝乃至至劣若自分勝進五勝乃至初劣即應去漏々第
之義又可下篇下戒心有增微事別下等即有九品之持故隨无作有斯階降　第二體
別受中无作發心總斷一切惡意於生數類得律儀故稱為總隨行无作次第漸成不
可頓起故名為別第三懸對受中无懸有防非未即有行隨中无作對事防非行成
眄繫懷問懸未有非對即隨行受有何用答若无其受隨不成隨以其成一治故

BD03134號　四分戒本疏卷一　（19–6）

弁优劣者若能根條初勝乃至五劣若自分勝進五勝乃至初劣即進五篇次第
之義又可下篇下下戒心有增微事別不等即有九品之持故隨无作有斯階降　第二總
別受中无作發心總斷一切惡意於生類頻得律儀故稱為總隨行无作次第漸成不
可頓起故名為別第三懸對受中无作懸有防非未即有行隨中无作對事防非行成
勝劣果同懸未有非對即隨行受有何用答若无其受隨不成隨與成一治故
第四長短受是形俱說以為長隨行无從循行發非形俱故目之為短　第五有
无者受中无作通三聚唯善隨无作者聚非二性亦不通而此據起性分別受隨俱
善餘二並狹今約有无有通不通受是形俱通在餘二性中故說為寬隨是作俱
等局善性中所以言狹此就一心自作為言若先後心及以教人餘二性中隨亦通有如
教相所詮犯不犯中亦同此狹故犯行中无不犯行若通說先後心及教人犯行中亦
有不犯行也即受隨俱寬作此解者然須約此為三若局善性俱狹受隨同善
性故若隨人等俱寬以分通三性故若以自作隨行對受分別方有寬狹此雖多
論有四五不同若寶論不別寬狹長短出須受中无作定是長寬隨无作者是有
二種以道无作寬長亦然第六受是根本隨是枝條次辨二作同異同義有五謂名體
義寬狹長短等不同有四一品多品二總別三是懸對四根條此說可知既有此殊實
同昔解受隨義一　第三弁發戒緣者若依薩婆多別解脫戒唯約見在以過未
非衆生故若准得宗發戒之時不在過未心得戒以非衆生故現在相續心中發戒以
是衆生故受戒時要須三世境上所有之惡皆作斷意方能發戒還防三世境然者
過去之境能生惡心故論云如人供養過去所尊是亦得福律儀亦爾未來之境生惡
心故須並緣總作斷意方能發戒又若過未不發戒者三世諸仏戒不齊等以其諸
仏戒品齊等故緣三世發戒也　問戒防未非此是已起何故得言緣三世境
發還防三世非也　答境雖過去非非過去等以斯義故猶防未非是以須亦
第四發戒多少諸戒雖衆不過二種謂作无作作已過去唯有无作一形相續此无作
戒乃有多品以所防之惡既有无量戒寧是一故多論云於一切衆生數非衆生數
而發律儀言於衆生數者上至非想下至阿鼻可殺不可殺可誑不可誑等一一衆生乃
至如來就根本而言不過有身口七惡三因緣故一貪故起七二瞋故起七三七廿一惡對防此惡
受戒之時謂從无貪等三善根心各得身口七枝合廿一種戒善乃至三千大千之衆生
皆亦如是若十戒五戒得十種戒故心多二論於一切衆生一切時戒不齊或廿一種故經云衆生
无邊戒亦无邊若非衆生數乃至草木生種大地非法衣食等及下捨處本受戒
時要期不作還得尒所戒善功德故善生經云大地等无邊戒亦无邊出家僧尼仏聖

受戒之時謂從无貪等三善根心各得身口七枝合廿一種戒〃善乃至三千大千〃〃衆生
皆亦如是若十戒五戒得十種戒故心乏二論於一切衆生一切時戒不斷戒廿一種故經云衆生
无邊戒亦无邊若非衆生數乃至草木生種大地非法衣食等及〃諸處本受戒
時要期不作還得示所戒善功德故善生經云大地等无邊戒亦无邊出家僧尼仏聖
弟子位尊人天寔當由於此又唯了論四万二千福河謂四万二千學處一切恒沙其猶河水洗
除破戒煩惱言四万二千者根本戒有四百廿所以示者如婆藪 什律戒有二百多明輕戒優婆塞
會戒有一百廿一多明重戒比丘尼別戒亦无合成四百廿是〃戒有攝僧等十功德〃〃功德能生
十種正行謂信等五根无貪等三及身口二 万二千學處一時並起无〃戒不生故稱无願據此以
驗故知戒量不可勝數 問僧尼二衆戒數各多何以无願比丘尼真言四万二千耶一解〃據二
種通說若取實理各隨本戒二約根轉義釋俱有四万二千 上來受戒法門竟了
隨戒寄文中說 第三正釋戒經題目 言四分者蓋是一百年後五部之內一部之
別名 言戒者是比丘尼部教之宗然大聖如來始從婆羅於說涅槃隨根制戒輕重
差殊雖息有異仏涅槃後優波離等撰仏遺餘言載傳付弟次第住持乃至
鞠多一百餘年並以秉宗无二所化衆生不相是非但為一部大比丘藏僧傳於世然
優波麹多有五弟子各執一見以為楷准至傳聖教不能均融齊於〃是分離遂為
典各相傳並流季世究其宗旨无非仏說如破金杖並為用故別七教咸可受持本下令別
義男於此又依三藏傳云一百年後分為五部二百年後為十二部四百年後分作十八
隨相雖有多種莫不皆是大比丘藏教文殊請經仏說偈曰摩訶僧祇部分別出有七
餘比丘十一是為廿部十八及本二悉從大衆出无是亦无非我說未來起據斯以論明知四分
名者於多部中一部之別名若就能秉應言曇无德戒本今名法誰今約所誦部者
故言四分四誦成部因以名焉今此戒經從彼律出故云四分戒本 隨文解釋中文
雖浩博聖凡見異分釋多種不定今且約一義文分為三一者序分二者正宗三者
流通初之三文第一從稽首禮至如是持已來名為序分第二從四波羅夷
法至七滅諍已來名為正宗第三從七略已下至共成佛道是流通分次釋此三名
題宗由致萌起之端名之為序 此五篇七聚及七滅法正明犯已不犯輕重等
相被持之益正當聖意當於序 異文當機感故日正宗 法傳季世日之為流
之而不擁名之為通故流通次釋所以者說經由序制戒必有由藉故須序以
既宣宣宗本故次正宗正說之文豈唯現在亦欲開演大文流傳像季未
代等聞令渴同悟故須流通 就前序中復分為二初十二偈正明律主諸教流
傳聖教被及遐代恐時不信歸敬三寶嘆戒功能勸信奉循是故自作廣略
二教通序前明持說之言以成就之本 第二從和合已下是二教大宗發

既蒙宣宣宗本故次正宗正說之文上唯現在名敬開演大文治傳像委來
代等聞全渴同悟故須流通　就前序中復分為二初十二偈正明律主將欲流
傳聖教報及遐代恐時不信歸敬三寶嘆戒功能勸信奉脩是故自作廣略
二教通序前開持聽之言以成就聽之本　第二從和合已下是二教大宗發
起之序於斯二序六門解釋一明二序意三義故示一人有師徒謂曇无德如
來之別二時有現未二經體不同如來經者出於金口曇无德經傳於末葉
以斯三異得有二經上有二故須立二序　第二序名不同就法以弁勸信發起
若也約人曇无德如來雖名有殊且約前說　第三總別偈序是別
長行是總總別可知　第四所明旨異源演聖教非信不傳故此偈序寄
歎戒功勸信奉脩以明序義和合已下大聖啟用被時之益輕重等相故顯
發起　第五先後次第問發起前興及在後說勸信偈後迴在前明所以本者
答二種不便故作如是一鄣制戒之相隔於勸信發起不便二顯曇德勸信不具
若勸信前明一頌前而義故迴發起勸信後說有可不學為防理而言之勸信
之偈乃在流通事後何以不對正宗等以弁先後故知不本但勸信辭後法須在
前明　第六隨文料釋偈文分三初稽首禮三字是云何敬敬之儀戒二諸佛已下
七字是何所敬境三今演已下何敬彰其敬意所謂略廣嘆戒勸信　稽首禮
次明能敬之體頭頂至足身業致虔故曰稽首又稽者至也首者頭也故曰稽
首謂律主等行者口業稱揚讚歎意業信敬尊重此就能敬人業具成身
口意弁著局明故能其唯信歎諸佛及法比丘僧次明所敬之境衆聖非一稱
之曰諸置敬教主而兼礼餘佛者顯教道現理均化儀无二諸佛平等故須齊
敬佛者西音此方稱覺具一切智通達諸法自覺覺他三覺圓滿故名為佛已上稽貫
通下二目之為及所言法者有其二義一軌體解法名自體　二軌用釋名法行者軌則所言
比丘名是西音智度論中三義解釋一名乞士二意故乞一為資身長道離邪
命正命自活故曰比丘二為益施主僧田行施獲反報之福是故須乞二名破煩
惱比丘名為破丘名煩惱能破煩惱故名比丘三曰怖魔能怖於魔乃魔人
民故名怖魔具足三義故曰比丘所言僧者名是西音此名和合謂四人已上於理
於事絶去違諍名和合衆比丘者能成之日僧者所成之衆總別合舉故曰比丘
僧此三種境所世珍貴成稱為寶三寶不同略有一體別相住持九種之異義如經
論廣弁今演毗尼法令正法久住從此已下彰其敬意敬意有二說別敬二約
總敬　言別敬者敬佛四意一佛是教主將傳聖教寧不致虔秉師資有在二報恩
供養三開示僧尼尊奉之儀四請威加護敬法三意一法是所傳之首並一

於事絕去處，謂名和合衆比丘者，能成上四僧者所成之衆。總別合舉，皆名比丘
僧。此三種境，是世珎貴，咸稱為寶。三寶不同，略有一體、別相、住持九種之異，義如經
論廣辨。今演毗尼法，令正法久住。從此已下，文有其敬意，敬意有二：一、別敬；二、約
總敬。言別敬者，敬佛四意：一、佛是教主，將傳聖教，事不獨專，表師資有在；二、報恩
供養；三、開示僧尼尊奉之儀；四、請威加護。敬法三意：一、法是所傳之旨，真
益軌範故；二、置敬二，本尊奉之儀；三、
請威加護。次總敬三意：雜心論云：開發衆生三寶心念，是故稽首礼三寶。成實論云
三寶最吉祥，故我經初說。今律主敬者，為演毗尼，勸時生信，尊其化相，傳有久住之益，是
其大意。先解初文，於[illegible]善哉宣敬，白今演毗尼。四者七方[illegible]滅，滅由於行，教說[illegible]名故
說此教為毗尼法。毗尼之名，乃有多義，如藏義說。一、能引生是毗尼義，謂第三[illegible]時
能引生四万二千功德一時並起；二、能教身口清淨及正直，是毗尼義，謂離業[illegible]名身
口清淨正直，故向涅槃；三、有滅義，是毗尼義，性離諸惡業，非不生，故名為滅；四、引勝故名毗尼，
謂引俗入道、引小入大、令凡入聖等，五衆人所行，是毗尼義，謂一切聖人同行此法，總攝律教一
切部。盡既有多義，今翻滅者，謂能得滅，且當第二。第三滅義，但經論廣明滅義，今
且略弁多少。所言正法，正法難有四，今約行、教二法而明正法故。善見云：佛語阿難：我滅度後有五
種法，令法久住：一、毗尼者是汝大師；二、下至五人持律在世；三、若有中國十人、邊地五人如法受戒；四、
乃至有廿人如法出罪；五、以律師持律，故佛法住世五千年。又論說言：衆行之軌，稱為正
法。法由人弘，人能弘法，法在人故，更無不滅，故曰正法久住。　戒如海無涯，如寶求無猒，欲護
聖法財，衆集聽我說。　此一偈略嘆戒功，勸信奉脩。所防之惡既有無量，能防之戒章
有涯際，故經云：說言衆生無邊，戒亦無邊。七寶之珎，世俗所貴，求之無猒，七善律儀
聖人所尊，智者脩學而無厭，勢求之無猒。五[illegible]珎寶，躰性不淨，愚人常讚，勸令脩
信等七法，能資聖道，故名為財。智者所讚，勸令脩學戒律法門，皆聽我說。
欲除四弃法，及滅僧殘法，障卅捨墮，衆集聽我說。　此一偈文，勸捨極惡不善
之業而令脩[illegible]卅正回，故多論說戒有四義，餘經所無：一者戒是佛法平地，万善由之
生長；二者諸佛弟子皆依戒住，一切衆生由戒而有；三是趣涅槃之初門；四是佛法瓔珞，
而能莊嚴諸佛正法。以此義故，持戒之力能滅諸惡，故勸聽說。　毗婆尸、式弃、毗舍
拘留孫、俱那含牟尼、迦葉、釋迦文，諸世尊大德，為我說是事，我今欲善說，諸賢咸
共聽。　此一偈之文，列佛為證，廣略二教，七佛同說，是故我今奉脩聽往，非一日諸，並有知
直之行，稱之賢善，仁齊志[illegible]，故言咸共聽。　譬如人毀足，不堪有所涉，毀戒亦如
是，不得生天人，欲得生天上，若生人間者，常當護戒足，勿令有毀損。　此二偈文而明持
犯兩法前後[illegible]，其毀犯後，乃況其護持。人欲遠涉，事必須脚足；若欲遠至涅槃
[illegible]

拘留孫俱那含牟尼迦葉釋迦文諸世尊大德為我說是事我今欲善說諸賢咸
共聽　此偈之文列仏為證廣略二教七仏同說是故我今奉循聽往非一日諸並有和
直之行稱之賢冀仁齊志詳審故言咸共聽　譬如人毀足不堪有所涉毀戒亦如
是不得生天人欲得生天上若生人間者常當護戒足勿令有毀損　此二偈文而明持
犯兩法前則彰其毀犯後乃況其護持人欲遠涉事必須脚足若欲遠至泥洹
應存戒品具足人足既損難旋遠涉若戒足闕沉溺三塗故今勸令護戒如
足是以經說如人欲行遠路如鳥无翅欲飛昇高如海无船欲渡彼岸是不可得若无
淨戒欲得聖果无有是處是故護戒勿令毀損　如御入險道失轄折軸憂毀戒亦如
是死時懷恐懼　此偈明毀戒之義御以喻身轄喻律儀軸喻根本若失小戒即犯根
本故律云勿輕小罪以為无殃水渧雖微漸盈大器毀戒喻亦復如是不護小罪即有犯
重之憂故四分律云破戒之人有五種過一者自害二智者所呵三惡名流布四臨終生悔五死
墮地獄以此義故勸令奉循　如人自照鏡好醜生欣戚說戒亦如是全毀生憂喜
此偈法喻如相合鏡喻淨戒好醜喻持犯若戒全時便生喜悅若毀戒行乃
有憂悲故毗婆沙云戒如明鏡无我像現戒如瓔珞能嚴相好若照淨
戒毀犯乃見故言憂喜　如兩陣共戰勇怯有進退說戒亦如是淨穢
生安畏　此偈明進循持犯二門兩陣喻持犯勇怯喻時方戒行若全便進
聖果以毀戒故退墮惡道持戒不犯便有世安樂惡戒因緣累失證勝果智
度論云破戒之人人所不敬其處如冢譬如羅剎惡心可畏如大病人人所不近譬
如毒蛇難可共住常懷怖懼我為仏賊乃至臨終生悔而无安樂持淨戒者諸天常
護正法不斷故花嚴云具足能持諸威儀故教云常和敬善御大眾心无憂苦
來今仏共同讚持戒因緣法久住是人能歎諸仏恩又云戒是无上菩提本應當具足持
淨戒若能堅持於禁戒則是如來所讚歎　世間王為最眾流海為最眾星
月為最眾聖仏為最一切眾律中戒經為最　此偈以勝比方世王能護故名
為最大海深廣是故為最月体圓滿故名為最仏具眾德是故名最戒含多義
是故名最故經說言以因此戒得生諸禪及滅苦智如海潤廓深潤无漏戒善覆深
資潤无窮超於方行喻若於海若就行論定除細亂惠斷煩惱所以是勝根條往
列戒是根本定惠從生戒復是勝約數弁者餘詮定惠故三藏戒若論根本此戶為
勝今言最者根本攻最摩訶論云最有四種一眾善勝名最二滅惡中勝故名為最
三相列故勝依有漏戒得无漏戒是故名勝四相並故勝依非心戒克於心戒一切勝賓非
戒不克故戒經為上最　如來立禁戒半月半月說　此半偈結前歎戒勸信諸
文畢意難明寄言以彰申敬讚美立宗勸信若久誦德即發所通之法宜修已

是故名爲[illegible]言一曰[illegible]生[illegible]稱天滅若智如海廣深滅无漏戒善[illegible]
資潤无窮超於方行喻若於海若就行論定除細亂惠斷煩惱所以是勝根條往
列戒是根本定惠從生戒復是勝約教弁者餘詮定惠故二藏勝若詮根本毗尼爲
勝今言最者根本故最摩夷論云最有四種一生善勝名最二滅惡中勝故名爲最
三相列故勝依有漏戒得无漏戒故是名勝四相益故勝依非心戒起於心戒一切勝資非
戒不起故戒名爲上最　如來立禁戒半月半月說　此半偈結前嘆戒勸信諸
文畢意難明寄言以彰申敬讚美立宗勸信若久談德即廢所通之法置稍已
情息嘆歸禮上來廣略二教通序文畢　自下廣略二教發起之意各分其三謂序
正流通　和合僧集會　從此已上廣明發起序四分律云時有与同和識別部說
戒法當尊重奉事恭敬布薩聽一處住和合說戒遠者与罪仏言有三種和合應
來者來應与欲者与欲三現前得訶者不訶反此別衆　言僧集會者謂同界皆應
相喚是仏所教作法之時共集一處若多若少乃至一人心念說戒是名集會
未受大戒者出　此明異衆儀式四分律云時有比丘命餘六衆癡說戒事仏言並令出
不見不聞處除人未受戒者非人來者聽之不應依屋前作也若有異衆乃命遠去下座應
答未受具戒者已出若无異衆應言此處无未受戒人沙彌出時應誦五德十數下者
得吉羅　不來諸比丘說欲及清淨　此明和合之義時有病比丘不來聽戒信言
應与欲及清淨隨其廣略若不現身相不口說者不成与欲以要言之一切如法事因
緣仏開与欲若无本緣更陳欲法不成与欲障僧說戒翻上成欲
誰遣比丘尼來請教戒　此明請義或若有尼求請教戒者此時應起僧中爲
諸衆中若有具足德者即應受遣必若无者上座應作略教授法語請人令尼衆等
无堪教授尼人又无善說法者尼衆應一心行道謹慎莫放逸答無言亦若无請者
下座應答此處无尼來請教戒　僧今和合何所作爲　此句明同僧所作儀
式若更有餘法事皆應此時先作若无餘事之人應答說戒羯磨　上來是衆法
方便自下正作二同　大德僧聽今白月十五日衆僧說戒若僧時到僧忍聽和合
說戒白如是　此明作法儀式四分律中仏語比丘當依王法黑白二月大小兩日隨國所
稱言若僧時到謂言作法時到僧忍聽者勸衆祥和下白衆知故曰白如是四分律云若有
四人應作此白三人已下當三語說戒獨住比丘心念布薩若不如是皆得吉羅
諸大德我今欲說波羅提木叉戒　此句明發起正說戒序將欲說戒故標勝
名諸大德者先告衆也　波羅提木叉者西音此翻爲別解脫皆由受中戒別弃捨種
惡故又能越解脫果名得名爲解脫律儀亦不爲惡衆縛故名解脫又處處隨順解
脫故名波羅提木叉是則因標果稱又標中仏語比丘新受戒者未得聞戒不知何等
聽集一處和合說之　波羅提木叉者戒也　自[illegible]

四人應作上白三人巳下當三語說戒獨住比丘心念布薩若不如是皆得吉羅
諸大德我今欲說波羅提木叉戒　上句明發起正說戒序務欲說戒故標悕
之諸大德者先告衆也　波羅提木叉者西音此翻為別解脫由受此戒別別棄捨種種
惡故又能免解脫果名得名為解脫律儀亦不為惡衆縛故名解脫又最初隨順解
脫故名波羅提木叉又是則因標果稱又律中佛語比丘新受戒者未得聞戒不知何等
聽集一處和合說之　波羅提木叉者戒也　自攝持攝威儀住處行根面首集衆善法三
昧成就當結當說當發起演布開現反覆分別　衆集現前嘿然聽善思念之　此句明
聽法儀式是故律云同羯磨者集在一處乃至應呵者不呵是名如法若衆大聲小聲妙
高座在上而說八難緣隨時略說若客客來集數有多少說至此序皆淨便聽產如律化
籌意專心而聽律法是名善思念之　若自知有犯者即應自懺悔不犯者默默然然者知
諸大德清淨　此句明犯不犯義所言犯者不護之人放縱身口違禁與過不循善
行行本所受名之為犯慚愧追謝還令復本亦名為持雖非一往善成然亦毀而溺須
第二白法故名犯已能悔是故律云有二種智人有罪能見見已如法懺悔　所言不犯者
上行之流一往順教離惡善行故名不犯所以律云無犯有二若本不犯犯已能悔同名無犯若欲
懺者當詣清淨比丘說名字如法除已方得聞戒者無犯者即當嘿然表心淨故
若有他問者亦如是答　此句明相問義律云非但誦戒之時須如是答若有餘人問當
如是答四分律言如是答者譬如比丘相問答世是名亦如是　如是比丘在於衆中乃至三
問憶念有罪不懺悔者得故妄語罪　此明違教罪四分律云嘿妄語者得吉羅罪
是故衆中問時憶念有罪即應發露若妄不憶雖嘿無罪若正說戒時彼時憶念然
亂大衆即應心念發露說戒已後如法懺悔　故妄語者佛說障道法　此句明違罪
果報言障道者妄語之罪能令衆僧墮三惡道不獲聖果亦障四禪及三三昧乃至四
果是故律云佛告比丘如彼大海不受死屍設有穢出我法亦不受死屍謂死屍者非沙門
梵行自言沙門梵行犯戒惡法不淨穢污邪見覆善內懷腐爛外現自淨如空中樹雖在衆
坐常離衆遠衆亦遠彼故知懺罪方成聞戒　若彼比丘憶念有罪欲求清淨者應懺悔
得安樂　此明懺法若憶知初篇犯罪即應依大乘懺若憶僧殘如律廣懺乃至吉羅類
之可知由懺因緣三業得淨是故律中佛告比丘以戒淨淨使得淨定乃至智慧亦復清
淨故能列諸禪及聖果故曰懺悔得安樂　諸大德我已說戒經序今問
諸大德是中清淨不三說　諸大德是中淨清嘿然故是事如是持　此句結戒成受
持也由衆嘿然故法事皆成雖有三問共是一法故但得一罪　上明廣略兩教發起別序從此已
下即明廣教正序　諸大德是四波羅夷法半月半月說戒經中來　自下正宗
之內總有八門以階理乘此一初明第一篇夷一篇之中皆有三段初標說儀次陳本戒後問清淨

之可知由識因緣三業業得淨是故律中佛告比丘以戒清淨便得淨定乃至智慧亦復清
淨故能列諸禪及聖眾故日識喻得安樂　諸大德我已說戒經序今問
諸大德是中清淨不三說　諸大德是中淨清默然故是事如是持　此句結戒成受
持也由眾默然故法事皆成雖有三問共是一法故但得一罪　上明廣略兩教發起別序從此已
下即明廣教正序　諸大德是四波羅夷法半月半月說戒經中來　自下正宗
文內總有八問以階經文此一初明第一篇義一篇之中皆有三段初標說儀次陳本戒後問清淨
此前句文是其標也下至七問皆准於此　問所以得與廣教者　答僧尼不勝名利
廣生有漏懷其略教是以如來隨有緣犯制廣補之使犯相班輕重但人多釋不可是録今且
略據宗求分為二種一者止持行相二者作持行相此二種持能攝戒經始終總盡戒本之由具從
八節科義此八為五犯三千九十合為五犯既說共為一犯不定含在七滅故但為五行此五犯兩種解釋
第一總相解釋第二各別釋義總相之中四門分別第一五篇第二七聚第三方便第四持犯此
四僅中五篇雖是究竟以其根本究竟業道是以明難此究竟前後眷屬相亦須識是故
七聚第二七聚之義亦含輕重下七之過成本由因速緣妄可不可有盡暢思業故方便以為第三
立五所以第四次第　第一釋位者此尼以正善為宗故用能治戒行以為所明四分律中名五
犯聚僧祇以為五篇科以一名說四棄名初篇十三僧殘以為第二篇三十九十共為第三篇
四提舍尼為第四篇眾學及滅諍為第五篇所言篇者輕重相形是故名篇又云篇者
類也又云均等名篇各具三均故名為篇一者名均齊二者體均齊三者究竟均齊具之
三均齊等故得篇名如前篇戒俱波羅夷輕重義等有此相似錄為初篇餘非類者理
不得同乃至第五類亦同爾　第二弁得名者夷當體得名祇云極惡三義故惡一者退
沒謂退失道果二者不共住非僧攝故三者墮落捨此身已墮阿鼻地獄故曰極惡十善
當罪人是故當體得名僧殘者境體受名犯此罪已指經行者非全堪用故名僧殘有
殘之者由僧除滅故名僧殘　言墮者從體及境作名又云墮義墮罪有此能故諸立
名故見論云吉羅名惡作　第三立五之意或含業有五故立為五篇亦可唯俗制道如
五形罪或可如來隨根之數略標此五　第四次第先既可防罪解推罪本制之興而犯
而隸輕重事亂无定今明次第所依准義是大聖啟令斯法給傳理代故令夷為難
曲宣方軌亦以重輕次比於後故夷為難佛滅後一依聖教集佛所制四死之罪是名先勸故
弁在初餘次輕者依其階位乃至第五類之可知若據能防行次第者初篇是行根本故
須先明初篇行壞下四枝條焉能得生是故初篇先立根本行既立已不備眾之法不成細行
之何能衆法故立眾行為第二篇眾法雖成若不備律儀理網難立故明第三自己威儀之
既年若不離譏過若不敬順三寶除德非諍及成滿身縛在三有焉能出離是故第
五篇敬順三寶成儀導出趣道之行此據根本所以初勝若據難防第五最勝乃至初方
第二七聚者聚罪非一聚[illegible]

云何能秉法故立衆行為第二衆法雖成若不循律儀理綱難立故明第三身口威儀々
既成若不離譏過若不敬順三寶深德弥静及成滞早縛在三有焉能出離是故第
五篇明敬順三寶威儀淳熟趣道之行此壞根本所以初勝若犯難防第五最勝乃至初方
第二七聚者衆罪非一聚在一處名之為聚 言立名者第二七聚四門分別一約位二立名三偷蘭先後
四入篇不入言約位者四波羅夷為第一十三為第二一切偷蘭為第三捨墮為第四提舍為第五惡作為第
六惡說為第七 所言聚者衆罪非一聚在一處名之為聚 言立名者初篇當體殘約境義蘭觸所防
罪立名餘唯不善故見論偷蘭名大麤能障道故名為偷蘭復隨功能可呵約責立名第六約作
得名故曰惡作第七就說為名故言惡說 言偷蘭先後者偷蘭過麤故能治之行在戒門攝若約
防難往分須在第五以辦舍方便究竟之異雜門所收麁重是故須在約下雜上位當第五文辦
作曰故三為果故五為弁成他成故不 言入不入者凡入五篇皆具三義一名均二辦均三究竟均異此四
聚並具此義蘭中但有名均辦是蘭聚閑餘二均以通因果含輕重故不入五篇 所言輕重有此四種列
一不可識如二逕是 二大衆蘭初二篇下是 三小衆蘭四到手蘭一人染識輕者出界四人中識殘邊重者同喪
生殘輕重等者到手識有此差別故不入篇 第三方便於中有三一者遠方便二者進趣方便三者闕緣方便
遠者有果而不成 進趣者以因果闕緣者无果而可成 言遠者如身覆藏罪是非不搭此覆藏生於後犯
名曰方便終不穢此以成於彼故曰為遠 論其正體其雖究竟教人蘭吉類名曰不廣論五犯悉可為
遠如白衣得聖遠賢犯盜如初五錢不淨行緣境中究故取衣同行宿坐資犯初戒下准說
可知舉此五犯與衆為緣如餘類相望容有由籍如斯等類名遠方便 二進趣方便者謂前
事身口運動造境求成故名進趣如律所明步步偷蘭是名進趣方便 三闕緣方便於
中有七一者闕緣二者境强三者緣差四者境差五者想心六者疑心七者善心息想名闕緣餘故名
闕緣方便 二境强方便者如欲殺人前境人定或言害我以彼緣强差此進趣權思不成皆
境强 三緣差方便者欲害前人更有異人突伏起事殺竟或有緣來差此心不遂害事
者故曰緣差方便 四境差方便者如非人相非人疑等是如下廣說欲殺王人張人來替者是
五想心方便者起心殺人心非人者是六疑心方便起心殺人而生疑心為人非人而人雖无緣於而境疑心殺者
從而境結罪七善心息方便者可知此七方便諸部不定一械律性惡但方便謂從境判闕无
想疑丈夫黃門想疑摩觸女人名殘故麁應具七如生非想疑等吉若衣五分亦問遮性一切
是六謂无疑故以疑是而緣順有緣本心故便從境制其正罪是以文宣是故疑殘非賊藝
不滿疑皆得提羅故想宛儀故不問境心境相應犯不相應輕或蘭吉故人非人相殺蘭女
男相黃門想觸蘭 若就四分具足七方便 第四持犯此戒所明不過二種持犯就此二種各有其兩
言二犯者廣造諸惡而作成犯名為作犯於善不修正而有違名曰止犯對此二過故立兩持若不作
斷一切惡意離苦不究竟為欲離苦究竟須明止持以止作犯若復不與修一切善心得果滿足故須
併作持以觸心果故具二種具名自文說可知若為身口作持犯皆雖支隨觸等身心等如應

不滿疑皆得提羅故想向徹故不問性癡心境相應犯不相應輕或蘭吉故人非人相皆蘭女
男相黄門想轂蘭　若就四分具足七方便
言二犯者廣造諸惡而作成犯名為作犯於善不修此而有違名曰止犯對此二過故立兩持若不作
斷一切惡意離苦不究竟為欲離苦究竟須明止持以蘇作犯若復不興修一切善心得果滿足故須
作作持以翻止犯故具二種此且對文說可知若約身口作持犯者離殺婬觸等身止持如應來者
者衣鉢臥具然燈不坐坐食等類是身作持離口四過如妄罵等可是口止犯者底悉止故是口止
持如受持衣鉢處分說淨離衣六年伏囊二年六法作知淨語復他癡生二八衆諸及
頌教脩習等是口作持身口合者雀說可知身口雨犯及前如說意成身口故不須別說意
雖有持犯如律所言六犯所起中由身心及當審觀其意以何心等皆是助成身口論云然獨
意无持犯故文但意不犯及六犯中由身口不由心等是故心業成論十不善業道品同一切業意
業大所以唯戹不結罪者得罪福果結戒法異故不立二種持犯義如律疏廣明
從此已下隨文一一別釋先就初篇兩種分別第一總相分別第二依文各各別說先就總
相十門分別一業不孤起要由等發等雖无量不出三毒故以初四配於三毒成犯之相發
雖由等暢必在具之論之所謂身口是以第二辨身口成犯身口之業不過自作教人故此
第三自作教人業不自成要由託境是以第四犯竟究捉境犯雖衆莫過自他為是第五
境有自他境緣雖具无心不成心有克得所願不同對境差殊犯不犯已故次第六辨其犯
得不同雖心所標託得之殊及至造趣境有善不心有謬互有犯不犯故次第七錯誤同
異八下衆任運九互意次第十對治持犯
言起由三毒者不淨行戒雖已利已為毒故以三
起貪成盜殺二戒遠損益以三事起是以三事成長語一戒亦為利已為吏与初不同貪是處
起成媱三事起者善生云若自樂行非梵行是名從貪若嫉惡家眷屬從瞋於所生母行
非梵行名從癡而境悅暢思故並貪心成盜三事起成者貪心起成可知若盜惡家財物
及燒埋等與起瞋成若盜下性是名從癡又祇律云摩摩帝云用仏僧物定癡起癡成殺
三起成准說可知長語親利瞋順情故无瞋發果成業若小長語理即通三二身口者位
三婬戒身犯口非事决形受非身不弁故不盜殺二戒並之雜處殺斷相續故身業犯自作
遣使彼此具弁故口亦犯如呪物過關教人益殺等是長語口業正犯頭已得聖得妃
名利非言不宣故口正犯如作書現相亦在犯限故身亦有成此依成論身口有造
二自作教他人任亦有三婬戒自重教輕教人為非樂在前人適非我故能教不重此家亦亡
人應勸人脩善及更財惡故能教蘭盜殺二戒遠通損益自作教人損境无殊暢思
亦齊故曰自作教人彼我俱犯長語自作正犯教人同不同若遣人稱已得聖名利離已与
自作无殊故得同犯所教人犯輕若直教人自稱稻利離彼於我无關故俱犯蘭此局初篇說
若因處況論自重教輕初戒是自輕教重后教僧漏失是自他俱重盜殺損壞及一切同犯者是

二自作教他人作亦有三婬戒自重教輕教人者非即能前人逼非我故亦教不重也亦易之
人應勸人循善反更助惡故能教蘭盜無二戒違通損三並自作教人損境无殊暢思
之齊故曰自作教人彼我俱犯長語自作自犯教人同不同若違人稱己得聖名利擁已与
自作无殊故得同犯所教人犯輕若自教人自稱裕利擁彼於我无爾故俱犯蘭此為初篇說
若因生況論自重教輕初戒是自輕教重盜教傳涌失是自他俱重盜煞損壞及一切同犯者是
自他俱輕足勸足是若犯不犯說亦有四句可知若約能所以說作兩人四句亦可知　問自他能所
之義何異　答自他者不論所教七衆之業但取能教之業對治作弁若言能所以能教罪
与所教五衆有罪者對說淺異　四犯境寬狹任二婬戒該三境是故名寬餘三為在人境故
狹良以婬欲之性順情而造若心厚重不擇人境之交惡誰同人畜但使正道暢思不殊故三取犯以
道相制故又下云三戒事益於外損在前境趣別報殊增微優劣暢思階降故人之犯之或餘趣
爲輕　五自他使二不淨行戒自他境犯如緣育等是下云三戒要在他境盜以損主故所以重
自盜无別可損故聖不制　問何明盜得己衣蘭　答他衣已衣共在一處意取他衣錯得己衣望
望他衣上境差得蘭之由己衣作境差而得妄言已衣蘭而已衣无罪以自飾自檢等妨可知
煞他犯戒故成犯境𧦬欲規利何須自𧦬　第六趣淨亦亦別若望初戒趣淨俱犯下云三
戒如其天淨隨三取境重輕結犯若世專就生之三戒各稱境犯或等若境差蘭若論
同趣爲異境單闕并无犯雙闕但犯輕若非情无主物爲異境單雙俱不犯一境既尔廣說即无量
餘亦亦然　若其就趣弁淨隨意在人報不蘭張主者是若望同趣趣淨俱犯夷若非畜爲異
境上半單闕境趣淨俱无犯下半雙闕故就淨並犯輕若非情无主物之差異境趣淨
俱无犯一趣既尔餘非亦然　七錯誤先言錯誤皆是殊謬不當之誼若逐事與異事
在雜久若隨名就定位容有別彼錯就境差癡心謬凡現緣之境相別歷然及差遂趣成事
有殊二境交涉名之爲錯若緣此隨彼心想謬長稱之爲誤就四戒略位分爲四第一以對
婬戒錯誤俱犯良以道趣內情但得正道暢適不殊不隨餘相是故五犯文言道起道
非道相亦亦又不關三趣縱有交涉但當正道錯亦成重　第二以誤對三之戒之俱重以其誤无
而並不得云无心故誤俱犯文言男想益煞謬女仏言衆第三以錯對三戒俱不犯以望餘境
本无心故如墮胎類故所以知　第四錯誤對妄語所稱法錯誤俱不犯如欲稱聖而言凡錯稱
非境如增上慢人迷凡謂聖俱心非誑故並不犯　第八衆任運如沙彌時教人煞盜及
稱己聖教已受具所教之人遂本言教犯時斷命其前命斷能教沙彌三種中任運
犯三波羅夷若受戒竟所教事成犯戒俱得以其善因圓滿惡業成就故婬无任運可知
九五意次第者但聖制戒欲令調伏貪嗔癡盡故爲諸比丘說增戒學　問戒能防非
不斷煩惑結何以而言對之制戒　答若舉對治而言戒能防非定能除細亂惠能
斷結但惠不孤興要因禪定之由淨戒推功歸本故言制戒爲斷三毒辟如有人欲出
長江先塞泉源之如是為持戒故能斷三毒乃至菩提名成就諸戒同也

謂已聞竟已受其所教之人遂本言教攝聽斷命其前令解能教沙彌三住之中任運
犯三波羅夷若受戒竟所教重戒羅戒但得以甚善回圓滿惡業成就姤婬无任運可知
九丘意次第者但聖制戒欲令調伏貪嗔癡盡故為諸比丘說增戒學　問戒能防非
不斷結何以而言對之制戒　答若舉對治而言戒能防非定能除細乱惠能
斷結但惠不孤興必因禪定之由淨戒推功歸本故言制戒為斷三毒譬如有人欲止
長城先塞泉源之戒之如是為持戒故能斷三毒乃至菩提名成能乾諸戒同此
言次第者僧祇律云五年冬分第五半月十二日制此初戒即是十月廿七日餘三
戒六年並冬分盡第二半月十日謂九月十日　餘第三半月九日即是九月廿四日長
語第四半月十三日謂十月十日　又釋次第謂障道輕重障意其次第之第持犯對
治故實語云除妄等是　婬戒第一　從此已下別解初戒於中有四一制戒意　二釋名字
三具緣成犯　四闕緣義　此之四者並有通別　諸戒例然一制戒意二通二別　言通意者如
多論云以結戒故滅得未生非法二滅得已起疑網能知輕重識別識除對治故以善離偽
中不分輕重名種　三招生十利功德正當制意故四分律云如來出世見衆過患謂十種
利與諸比丘制戒乃至正法久住此是通意義該諸戒下不更說　第二別說意
婬欲之性躰是雜穢生死根本若不斷除沉淪三有莫能出離障道之源勿過
於此結遠之深寧容不禁是以聖制　二釋名字亦有通別　通者戒是通名不淨
行等是別號　言不淨之行是婬欲之法是所防過戒是能持之行但治行既通
戒相雜多寄緣以彰欲使觀過興厭脩不淨觀

於此結遮之深寧容不禁是以聖制　二釋名字名有通別通者戒是通名不淨
行等是別名　言不淨之行是婬欲之法是所防過戒是能持之行但治行既通
戒相雜之寄緣以彰欲使觀過興厭脩不淨觀

佛名經卷第七

BD03135號背　佛名經（二十卷本）卷七護首　（1–1）

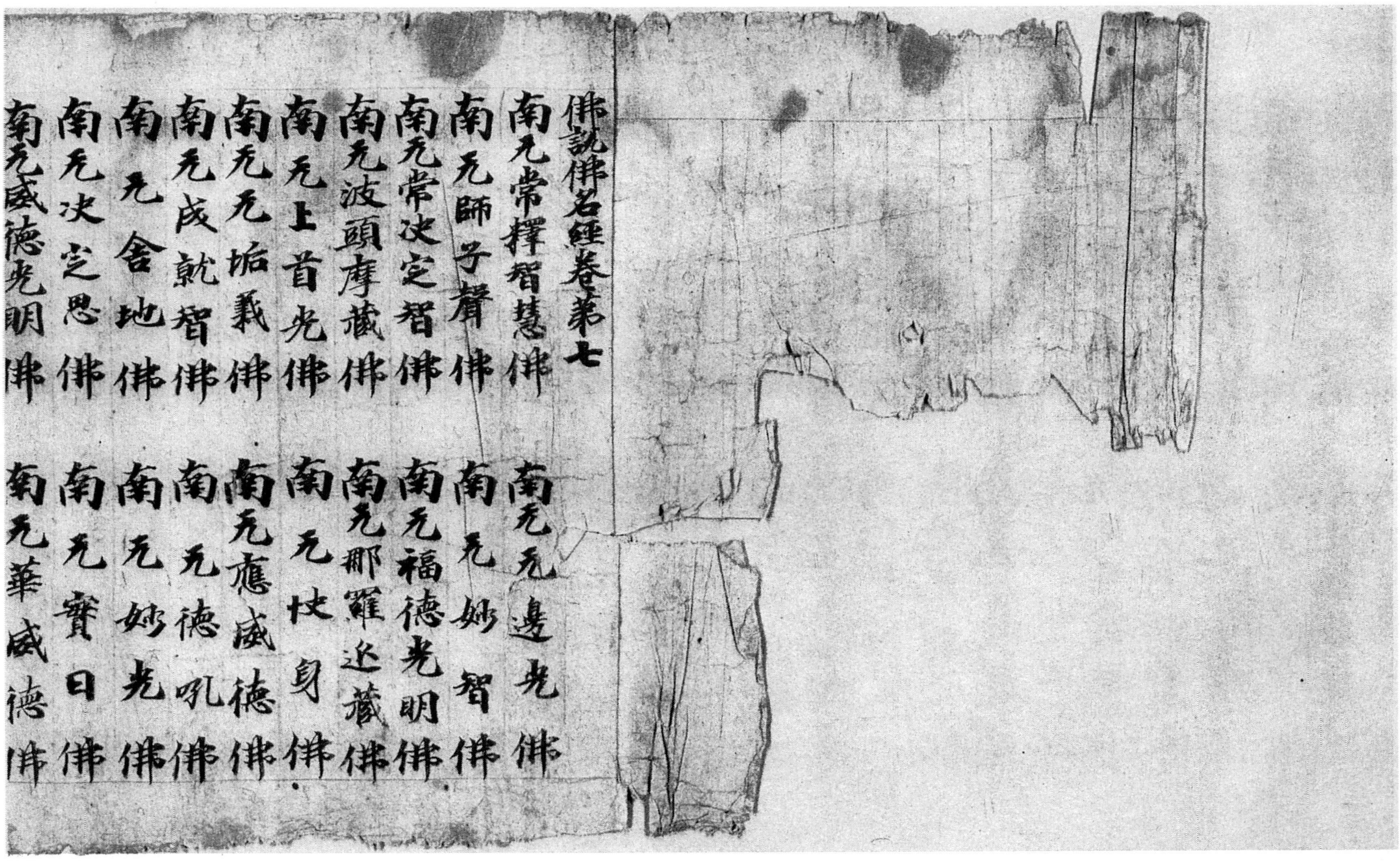

佛說佛名經卷第七

南无常擇智慧佛　南无邊光佛
南无師子聲佛　南无妙智佛
南无常決定智佛　南无福德光明佛
南无波頭摩藏佛　南无那羅延藏佛
南无上首光佛　南无杖身佛
南无无垢義佛　南无應威德佛
南无成就智佛　南无德吼佛
南无舍地佛　南无妙光佛
南无決定思佛　南无寶日佛
南无威德光明佛　南无華威德佛

BD03135號　佛名經（二十卷本）卷七　（23–1）

南无上首光佛　南无杖身佛
南无无垢義佛　南无應威德佛
南无成就智佛　南无德吼佛
南无舍地佛　南无妙光佛
南无决定思佛　南无寶日佛
南无威德光明佛　南无華威德佛
南无勝成佛　南无稱高佛
南无信功德佛　南无法燈佛
南无信勝佛　南无上愛面佛　三千九百
南无師子奮迅佛　南无衆山天佛
南无海智佛　南无華藏佛
南无寶仙佛　南无莎羅佛
南无日光明佛　南无趣菩提佛
南无寂根佛　南无日光佛
南无菂隨利香佛　南无弥留光佛
南无月面佛　南无妙步佛
南无觀十方佛　南无德光明佛
南无清淨式佛　南无无邊智佛
南无无邊步佛　南无堅精進佛
南无天供養佛　南无普智佛
南无寂光佛　南无仁威德佛
南无功德橋梁佛　南无堅固脩佛
南无稱聖佛　南无稱幢佛
南无不異心佛　南无普信佛
南无大威德佛　南无應供養佛

BD03135號　佛名經（二十卷本）卷七　（23–2）

南无功德橋梁佛　南无堅固脩佛
南无稱聖佛　南无稱幢佛
南无不異心佛　南无普信佛
南无大威德佛　南无應供養佛
南无上功德佛　南无成就義脩行佛
南无愛供養佛　南无普護佛
南无信菩提佛　南无心意佛
南无出智佛　南无山聲佛
南无性日佛　南无雲聲佛
南无大聚佛　南无勝積佛
南无无憂佛　南无天國土佛
南无師子欣聲佛　南无无量明佛
南无見愛佛　南无燈王佛
南无勝高佛　南无十方聞名佛
南无愛眼佛　南无月高佛
南无能与无畏佛　南无星宿王佛
南无月天佛　南无光明日佛
南无大稱佛　南无真聲佛
南无愛説佛　南无稱上佛
南无天王佛　南无甘露明佛
南无樂聲佛　南无心意佛
南无地住佛　南无寂過佛
南无多羅王佛　南无无畏佛
南无清淨智佛　南无能破疑佛
南无慈[illegible]佛　南无[illegible]佛

BD03135號　佛名經（二十卷本）卷七　（23–3）

南无……佛　南无……心意佛
南无地住佛　南无舜過佛
南无多羅王佛　南无无畏佛
南无清淨智佛　南无能破疑佛
南无慈勝佛　南无勝上佛
南无佛　南无普見佛
南无見月佛　南无降伏魔佛
南无大首佛　南无師子奮迅去佛
南无威德光佛　南无普讓佛
南无成就義威德佛　南无光明日佛
南无見聚佛　南无清淨意佛
南无香山佛　南无摩尼清淨佛
南无功德明佛　南无日然燈佛
南无成就光佛　南无樂說法佛
南无善思惟義佛　南无普現見佛
南无師子幢佛　南无苦行佛　四千
南无大步佛　南无蓮華眼佛
南无照光佛　南无信无量佛
南无无量色佛　南无蓋天佛
南无寶光明佛　南无上首佛
南无善見佛　南无親味佛
南无德味佛　南无日面佛
南无无障导眼佛　南无師子步佛
南无大燈佛　南无生佛
南无信功德佛　南无福德藏佛

BD03135 號　佛名經（二十卷本）卷七　（23–4）

南无……佛　南无……佛
南无德味佛　南无日面佛
南无无障导眼佛　南无師子步佛
南无大燈佛　南无生佛
南无信功德佛　南无福德藏佛
南无法佛　南无天愛佛
南无天畏佛　南无愛佛
南无智勝佛　南无威德光佛
南无月德佛　南无功德聚佛
南无无邊光佛　南无安樂佛
南无幢佛　南无光明吼佛
南无普功德佛　南无上幢佛
南无那羅延佛　南无寶信佛
南无普思惟佛　南无善思惟佛
南无善智佛　南无不可量威德佛
南无師子觧佛　南无光明意佛
南无王天佛　南无寶幢佛
南无善住意佛　南无无量天佛
南无大幢佛　南无大光日佛
南无真法佛　南无日月佛
南无真報佛　南无勝天佛
南无觀解脫佛　南无寶光明佛
南无雀聲佛　南无普行佛
南无成就光佛　南无无量眼佛
南无稱愛佛　南无善讓佛

BD03135 號　佛名經（二十卷本）卷七　（23–5）

南无觀解脫佛　南无寶光明佛
南无雀聲佛　南无普行佛
南无成就光佛　南无无量眼佛
南无稱愛佛　南无善讃佛
南无信天佛　南无不可量步佛
南无火威佛　南无心智佛
南无仙步佛　南无月形佛
南无火聚佛　南无大脩佛
南无大步佛　南无勝天佛
南无成就義脩佛　南无月愛佛
南无師子聲佛　南无信說佛
南无智光佛　南无華威德佛
南无明聚佛　南无神通光佛
南无无量威德佛　南无无量光佛
南无勝藏佛　南无普照稱佛
南无聖化佛　南无大功德佛
南无寶幢佛　南无勝威德佛
南无日幢佛　南无火弥留佛
南无供養莊嚴佛　南无世間聞名佛
南无勝德佛　南无勝稱佛
南无成就步佛　南无天供養佛
南无寶佛　南无不可降伏稱佛
南无應光明佛　南无大燈佛
南无行威儀畏佛　南无奮迅佛
南无无障导見佛　南无離疑佛 四千一百

BD03135號　佛名經（二十卷本）卷七　（23–6）

南无寶佛　南无不可降伏稱佛
南无應光明佛　南无大燈佛
南无行威儀畏佛　南无奮迅佛
南无无障导見佛　南无離疑佛 四千一百
南无大行佛　南无不失步佛
南无天國土佛　南无喜喜佛
南无華光佛　南无觖与光明佛
南无天愛佛　南无解脫光明佛
南无放光明佛　南无作功德佛
南无成智佛　南无道光佛
南无海佛　南无喜菩提佛
南无法光佛　南无大天佛
南无深智佛　南无法自在佛
南无大信佛　南无心意佛
南无智光佛　南无不謵思佛
南无起稱德佛　南无涌稱佛
南无大莊嚴佛　南无月光佛
南无天光佛　南无清淨行佛
南无功德愛佛　南无師子意佛
南无地清淨佛　南无寶光明佛
南无杖光明佛　南无種種日佛
南无月愛佛　南无月蓋佛
南无普觀佛　南无无深佛
南无稱勝佛　南无月面佛

BD03135號　佛名經（二十卷本）卷七　（23–7）

南无月愛佛　南无月蓋佛
南无普觀佛　南无无涂佛
南无稱勝佛　南无月面佛
南无龍天佛　南无功德聚佛
南无功德智佛　南无華勝佛
南无世愛佛　南无甘露威德佛
南无寶幢佛　南无日光明佛
南无甘露光佛　南无說法愛佛
南无應愛佛　南无地光佛
南无功德作佛　南无華勝佛
南无功德辯佛　南无法燈佛
南无普光佛　南无梵聲佛
南无大莊嚴佛　南无解脫日佛
南无堅精進佛　南无佛光明佛
南无功德稱佛　南无善智慧佛
南无不可稱莊嚴佛　南无師子愛佛
南无功德步佛　南无上天佛
南无觀行佛　南无日天佛
南无雷光佛　南无勝愛佛
南无弥留幢佛　南无華光佛
南无上意佛　南无香山佛
南无功德奮迅佛　南无勝意佛
南无信聖佛　南无寶洲佛
南无上德佛　南无最後見佛
南无歡喜莊嚴佛　南无功德藏[illegible]

BD03135號　佛名經（二十卷本）卷七　（23-8）

南无上意佛　南无香山佛
南无功德奮迅佛　南无勝意佛
南无信聖佛　南无寶洲佛
南无上德佛　南无最後見佛
南无歡喜莊嚴佛　南无功德藏勝佛
南无无垢境佛　南无威德力佛
南无清淨眼佛　南无智行佛
南无不謬足佛　南无聖眼佛
南无樂解脫佛　南无大聲佛
南无上國土佛　南无脩行光明佛
南无念業佛　南无信功德佛
南无盧念稱佛　南无照闇佛
南无愛自在佛　南无月光佛 四千二百
南无上聲佛　南无功德勝佛
南无攝愛釋佛　南无相王佛
南无離熱病智佛　南无觗与聖佛
南无法洲佛　南无甘露功德佛
南无无瞋恨佛　南无甘露香佛
南无月明佛　南无吼聲佛
南无无畏日佛　南无得无畏佛
南无喜愛佛　南无不錯智佛
南无世愛佛　南无天燈佛
南无信聖佛　南无天蓋佛
南无龍光佛　南无勝步佛
南无法威德佛　南无見有佛

BD03135號　佛名經（二十卷本）卷七　（23-9）

南无世愛佛 南无天燈佛
南无信聖佛 南无天蓋佛
南无龍光佛 南无勝步佛
南无法威德佛 南无見有佛
南无慚愧面佛 南无勝色佛
南无普眼佛 南无功德光佛
南无月勝佛 南无定寶佛
南无功德幢佛 南无世自在劫佛
南无无畏親佛 南无攝智佛
南无降怨佛 南无去光明佛
南无勝積佛 南无一念光佛
南无力士奮迅佛 南无師子足佛
南无貳愛佛 南无信世間佛
南无勝威德光明佛 南无師子奮迅頻佛
南无无垢去佛 南无決定智佛
南无離无明佛 南无功德聚佛
南无攝慧佛 南无大智味佛
南无寶步佛 南无心日佛
南无觀方佛 南无信說佛
南无思惟忍佛 南无法蓋佛
南无不可降伏月佛 南无天華佛
南无天波頭摩佛 南无普威德佛
南无月明佛 南无功德莊嚴佛
南无相王佛 南无彌思惟佛

BD03135號 佛名經（二十卷本）卷七 （23-10）

南无不可降伏月佛 南无天華佛
南无天波頭摩佛 南无普威德佛
南无月明佛 南无功德莊嚴佛
南无相王佛 南无彌思惟佛
南无樹幢佛 南无淨行佛
南无威德步佛 南无信衆佛
南无善香佛 南无智者讚歎佛
南无智光明佛 南无智鎧佛
南无威德力佛 南无勝威德佛
南无佛歡喜佛 南无勝信佛
南无一切愛佛 南无離諸佛
南无思義佛 南无大高佛
南无聖人面佛 南无黠慧信佛
南无攝菩提佛 南无妙聲佛
南无大威德佛 南无樂師子佛
南无普賢佛 南无一切世百佛
南无分金剛佛 南无師子聲佛
南无過大佛 南无導師佛
南无人月佛 南无大莊嚴佛
南无日光佛 南无快佛
南无普摩尼香佛 南无舜行佛
南无攝稱佛 南无梵供養佛 四千三百
南无大吼佛 南无應供佛
南无黠慧信佛 南无无量頭佛

BD03135號 佛名經（二十卷本）卷七 （23-11）

南无普摩尼香佛　南无舜行佛
南无攝稱佛　南无梵供養佛 四千三百
南无大吼佛　南无應供佛
南无黠慧信佛　南无无量顏佛
南无世光佛　南无見忍佛
南无大華佛　南无有我佛
南无如意佛　南无善菩提根佛
南无地德佛　南无天德佛
南无不怯弱聲佛　南无普現佛
南无月光明佛　南无勝信佛
南无决定色佛　南无方便心佛
南无智味佛　南无功德信佛
南无難降伏佛　南无普見佛
南无月光明佛　南无月蓋佛
南无世槁佛　南无信供養佛
南无樂勝佛　南无善蓋佛
南无慚愧賢佛　南无能觀佛
南无師子聲佛　南无丈行佛
南无普信佛　南无器聲佛
南无勝愛佛　南无普行佛
南无普智佛　南无大奮迅佛
南无月幢佛　南无堅行佛
南无天供養佛　南无能驚怖佛
南无勝稱佛　南无成就一切功德佛

BD03135 號　佛名經（二十卷本）卷七　（23–12）

南无月幢佛　南无堅行佛
南无天供養佛　南无能驚怖佛
南无勝稱佛　南无成就一切功德佛
南无堅固佛　南无甘露光佛
南无大聲佛　南无高聲佛
南无大力佛　南无大蓋佛
南无信甘露佛　南无行菩提佛
南无勝聲思惟佛　南无高光佛
南无怖勝佛　南无樂種種聲佛
南无愛義佛　南无循行信佛
南无離愛佛　南无善生佛
南无威德力佛　南无信功德佛
南无聲稱佛　南无放光明佛
南无疑奮迅佛　南无勝王佛
南无林華佛　南无功德華佛
南无捨諍佛　南无大廣佛
南无大稱佛　南无虛空愛佛
南无甘露奮迅佛　南无日聚佛
南无月聲佛　南无天幢佛
南无興清淨佛　南无能日佛
南无快可見佛　南无堅意勝聲佛
南无雨甘露佛　南无无畏聲佛
南无善根聲佛　南无勝聲佛
南无勝愛佛　南无甘露稱佛

BD03135 號　佛名經（二十卷本）卷七　（23–13）

南无快可見佛　南无堅意勝聲佛
南无雨甘露佛　南无无畏聲佛
南无善根聲佛　南无勝聲佛
南无勝愛佛　南无甘露稱佛
南无法華佛　南无大莊嚴佛
南无世間尊重佛　南无勝意佛
南无弥留光佛　南无清淨思惟佛
南无高光明佛　南无破怨佛
南无甘露城佛　南无華佛
南无大稱佛　南无安隱息佛
南无道威德佛　南无清淨心佛　四千四百
南无天供養佛　南无渡涯佛
南无離有佛　南无法華佛
南无大勝佛　南无可樂光明佛
南无大光佛　南无見愛佛
南无光明愛佛　南无喜聲佛
南无大施德佛　南无寶步佛
南无无滯导智佛　南无得威德佛
南无月藏佛　南无淨光明佛
南无大莊嚴佛　南无得樂自在佛
南无妙光明佛　南无寂光佛
南无離疑佛　南无无過智慧佛
南无成就行佛　南无清淨身佛
南无无畏愛佛　南无稱吼佛

BD03135號　佛名經（二十卷本）卷七

（23–14）

南无妙光明佛　南无寂光佛
南无離疑佛　南无无過智慧佛
南无成就行佛　南无清淨身佛
南无无畏愛佛　南无稱吼佛
南无大吼佛　南无善思佛
南无大思佛　南无清淨色佛
南无大奮迅佛　南无樂眼佛
南无命清淨佛　南无行清淨佛
南无離熱智佛　南无應橋佛
南无善集智佛　南无普信佛
南无設尸威德佛　南无不死成佛
南无不讚聲佛　南无化日佛
南无善住思惟佛　南无高信佛
南无須摩耶光明佛　南无光明力佛
南无功德希佛　南无法俱蘇摩佛
南无淨威德佛　南无淨行佛
南无天色心佛　南无力佛
南无普觀佛　南无聖華佛
南无降伏聲弥佛　南无梵供養佛
南无虛空佛　南无无辟智佛
南无應愛佛　南无降伏城佛
南无降伏剌佛　南无戒功德佛
南无平等勿思佛　南无不怯弱心佛
南无精進信佛　南无高光明佛
南无聞智佛　南无无导心佛

BD03135號　佛名經（二十卷本）卷七

（23–15）

南无應愛佛　南无降伏城佛
南无降伏刺佛　南无戒功德佛
南无平等勿思佛　南无不怯弱心佛
南无精進信佛　南无高光明佛
南无聞智佛　南无无导心佛
南无无畏光佛　南无甘露聲佛
南无種種日佛　南无勝黠慧佛
南无可備敬佛　南无功德王佛
南无讓根佛　南无禪解脱佛
南无大威德佛　南无旃檀香佛
南无見信佛　南无妙橋梁佛
南无可觀佛　南无不可量智佛
南无千日威德佛　南无捨重擔佛
南无稱信佛　南无諸方聞佛
南无自在佛　南无无邊智佛
南无无始光佛　南无甘露信佛
南无妙眼佛　南无解脱行佛
南无可樂見佛　南无高光明佛
南无大聲佛　南无大威德聚佛
南无光明幢佛　南无應供養佛
南无福德積佛　南无信相佛 四千五百
南无大炎佛　南无應信佛
南无善任思惟佛　南无須提他佛
南无智作佛　南无普寶佛
南无日光佛　南无說提他佛

BD03135號　佛名經（二十卷本）卷七　（23–16）

南无大炎佛　南无應信佛
南无善任思惟佛　南无須提他佛
南无智作佛　南无普寶佛
南无日光佛　南无說提他佛
南无炎眼佛　南无師子身佛
南无稱親光佛　南无清淨聲佛
南无怖樂佛　南无寂靜增上佛
南无寶威德佛　南无善威德供養佛
南无毛光佛　南无世間尊佛
南无善行淨佛　南无善提他威德佛
南无應眼佛　南无大步佛
南无成義佛　南无安隱愛佛
南无天摩柆多佛　南无捨濁流佛
南无捨寶佛　南无智滿佛
南无橋佛　南无解脱賢佛
南无衆步佛　南无光明威德佛
南无慈力佛　南无月勝佛
南无寂光佛　南无愛眼佛
南无賒尸羅聲佛　南无不死色佛
南无樂法佛　南无大月佛
南无无障导聲佛　南无功德奮迅佛
南无不死華佛　南无平等見佛
南无大月佛　南无功德味佛
南无十光佛　南无種種光佛

BD03135號　佛名經（二十卷本）卷七　（23–17）

南无[illegible]佛　南无大月佛
南无无障㝵聲佛　南无功德奮迅佛
南无不死華佛　南无平等見佛
南无大月佛　南无功德味佛
南无十光佛　南无種種光佛
南无龍德佛　南无雲聲佛
南无功德步佛　南无思功德佛
南无大聲佛　南无了聲佛
南无遠離惡處佛　南无天華佛
南无快眼佛　南无大然燈佛
南无離癡行佛　南无堅固希佛
南无捨邪佛　南无相華佛
南无不思議光明佛　南无普賢佛
南无月妙佛　南无樂德佛
南无清淨聲佛　南无勝慧佛
南无賢光佛　南无堅固華佛
南无光明意佛　南无福德德佛
南无意成就佛　南无樂解脫佛
南无離澍河佛　南无調怨佛
南无不去捨佛　南无甘露光明佛
南无十二部經般若海藏
南无菩薩生死地經　南无私呵味經
南无寶網經　南无无量義經
南无鹿母經　南无鹿子經
南无除恐灾患經　南无温室洗浴衆僧經

BD03135號　佛名經（二十卷本）卷七　　（23–18）

南无寶網經　南无无量義經
南无鹿母經　南无鹿子經
南无除恐灾患經　南无温室洗浴衆僧經
南无四不可得經　南无福田經
南无出家功德經　南无入法界體性經
南无優婆塞戒經　南无佛藏經
南无寶梁經　南无梵網經
南无菩薩藏經　南无决定毗尼經
南无文殊師利悔過經　南无舍利弗悔過經
南无諸大菩薩摩訶薩　四千六百
南无疲倦意菩薩　南无須弥山菩薩
南无大須弥山菩薩　南无心勇猛菩薩
南无師子奮迅行菩薩　南无不可思議菩薩
南无善勝菩薩　南无善意菩薩
南无寶語菩薩　南无愛見菩薩
南无无障㝵菩薩　南无斷諸疑菩薩
南无寶作菩薩　南无廣德菩薩
南无讃賢菩薩　南无寶月菩薩
南无浮陁婆香菩薩　南无樂作菩薩
南无无垢稱菩薩　南无思益菩薩
南无聲聞緣覺一切辟支佛
南无大勢辟支佛　南无脩行不著辟支佛
南无離捨辟支佛　南无寶辟支佛
南无不可比辟支佛　南无聲聞緣覺一切賢聖

BD03135號　佛名經（二十卷本）卷七　　（23–19）

南无聲聞緣覺一切辟支佛
南无大勢辟支佛　南无備行不著辟支佛
南无難捨辟支佛　南无寶辟支佛
南无不可比辟支佛　南无聲聞緣覺一切賢聖
南无過現未來三世諸佛歸命懺悔
次復懺悔貪愛之罪經中說言但爲貪欲
閉在癡獄没生死河莫之能出衆生爲是五
欲因緣從昔以來流轉生死一一衆生一劫之中
所積身骨如王舍城毗富羅山所飲母乳如四
海水身所出血復過於此父母兄弟六親
眷屬命終哭泣所出目淚如四海水是故
說言有愛則生愛盡則滅故知生死貪愛爲
本所以經言婬欲之罪能令衆生墮於地獄
餓鬼受苦若在畜生則受鴿雀鴛鴦等身
若生人中妻不貞良得不隨意眷屬婬欲
既有如此惡果是故弟子今日稽顙歸依
十方諸佛
南无東方師音王佛　南无南方大雲藏佛
南无西方无量壽佛　南无北方紅蓮花光佛
南无東南方无垢瑠璃佛　南无西南方滕調伏上佛
南无西北方散花生得佛　南无東北方心同虛空佛
南无上方淨智慧海佛　南无下方无垢稱王佛
如是十方盡虛空界一切三寶
弟子等從无始以來至于今日或通人妻妾
奪他婦女侵淩貞潔汙比丘尼破他梵行

BD03135號　佛名經（二十卷本）卷七　（23–20）

南无上方淨智慧海佛　南无下方无垢稱王佛
如是十方盡虛空界一切三寶
弟子等從无始以來至于今日或通人妻妾
奪他婦女侵陵貞潔汙比丘尼破他梵行
逼迫不道濁心邪視言語嘲調或復恥他門
户汙辱善名或於男子五種人所起不淨行
如是等罪今悉懺悔
又復无始以來至于今日或眼爲色惑愛染
玄黄紅緑朱紫珎玩寶飾或取男女長短
黑白恣態之相起非法想耳貪好聲宫
商絃管妓樂歌唱或取男女音聲語言啼
笑之相起非法想或鼻嗅名香藴麝幽蘭欝
金蘇合起非法想或舌貪好味鮮美甘肥衆
生宍血資養四大更增苦本起非法想身樂
華綺錦繡繒縠一切細滑七珎服起非法想
或意多乱想觸向非法有此六想造罪尤甚如
是等罪无量无邊今日慙愧重向十方佛尊法
聖衆皆悉懺悔
願弟子等承是懺悔婬欲等罪所生功德
願生生世世自然化生不由胞胎清淨皎潔
相好光顯六情開朗聰利分明了達思愛猶
如桎梏覩此六塵如幻如化於五欲境決定
猒離乃至夢中不起邪想内外因緣永不能
動願以懺悔眼根功德願令此眼徹見十方
諸佛菩薩清淨法身不以二相

BD03135號　佛名經（二十卷本）卷七　（23–21）

如枉桔觀此六塵如幻如化於五欲境决定
耿離乃至夢中不起耶想内外因緣永不能
動願以懺悔眼根功德願令此眼徹見十方
諸佛菩薩清淨法身不以二相
願以懺悔耳根功德願令此耳常聞十方諸
佛賢聖所說正法如教奉行
願以懺悔鼻根功德願令此鼻常聞香積入法
位香捨離生死不淨鼻識
願以懺悔舌根功德願令此舌常飡法喜
禪悅之食不貪衆生血肉之味
願以懺悔身根功德願令此身披如來衣
著忍辱鎧卧无畏床坐四禪坐
願以懺悔意根功德願令此意成就十想洞
達五明深觀二諦空平等理從方便慧起十
妙行入法流水念念增明顯發如來大无生忍
大乘蓮華寶達菩薩問答報應沙門經
寶達菩薩復前入一鉤陰地獄此獄中大流灌
注遍布於地其城四壁如上无異獄卒夜叉
手捉鐵鉤望罪人陰而搭鉤中火然上入胷
心心上火然腹背俱徹一日一夜受罪万端千
死千生万死万生寶達菩薩問馬頭羅剎
曰此諸沙門作何等行受罪如是羅剎答
曰此諸沙門受佛淨戒故行婬欲放恣六
情以是因緣得如是罪寶達菩薩聞之
悲泣而去

BD03135號　佛名經（二十卷本）卷七　（23–22）

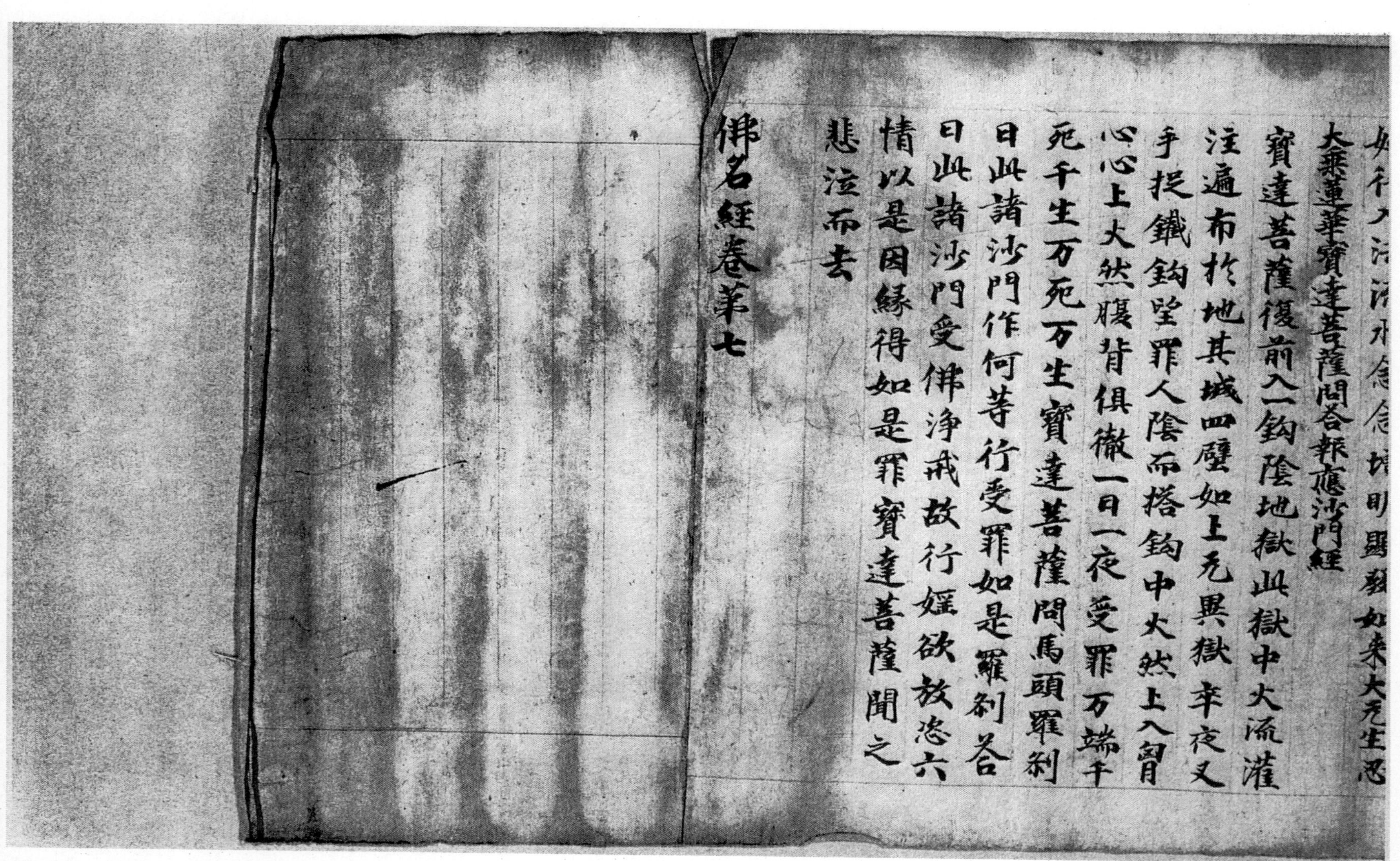
妙行入法流水念念增明顯發如來大无生忍
大乘蓮華寶達菩薩問答報應沙門經
寶達菩薩復前入一鉤陰地獄此獄中大流灌
注遍布於地其城四壁如上无異獄卒夜叉
手捉鐵鉤望罪人陰而搭鉤中火然上入胷
心心上火然腹背俱徹一日一夜受罪万端千
死千生万死万生寶達菩薩問馬頭羅剎
曰此諸沙門作何等行受罪如是羅剎答
曰此諸沙門受佛淨戒故行婬欲放恣六
情以是因緣得如是罪寶達菩薩聞之
悲泣而去
佛名經卷第七

BD03135號　佛名經（二十卷本）卷七　（23–23）

地菩薩不了[illegible]
称如[illegible]至手是隨一物
名非以[illegible]有多體亦非无體大
慧我亦如是於[illegible]世界有三阿僧祇百
千名号諸凡愚[illegible]聞雖說而不知是如來
異名其中或有知如來者知无師者知導師
者知勝導者知普導者知是佛者知牛王
者知梵王者知毗紐者知自在者知是勝者
知迦毗羅者知真實邊者知无盡者知瑞相
者知如風者知如火者知俱毗羅者知如月者
知如日者知如王者知如仙者知戍迦者知因陀
羅者知明星者知大力者知如水者知无滅
者知无生者知性空者知真如者知是諦
者知實性者知實際者知法界者知涅槃者
知常住者知平等者知无二者知无相者知
寂靜者知具相者知因緣者知佛性者知教
導者知解脫者知道路者知一切智者知最
勝者知意成身者如是等滿足三阿僧祇百
千名号不增不減於此及餘諸世界中有能
知我如水中月不入不出但諸凡愚心没二
邊不能解了然亦尊重承事供養而不善解
名字句義執著言教昧於真實謂无生无滅

BD03136號　大乘入楞伽經卷五　（24–1）

導者知解脫者知道路者知一切智者知最
勝者知意成身者如是等滿足三阿僧祇百
千名号不增不減於此及餘諸世界中有能
知我如水中月不入不出但諸凡愚心没二
邊不能解了然亦尊重承事供養而不善解
名字句義執著言教昧於真實謂无生无滅
是无體性不知是佛差別名号如因陀羅釋
揭羅等以信言教昧於真實於一切法如言
取義彼諸凡愚作如是言義如言說義說无
異何以故義无體故是人不了言音自性謂言
即義无別義體大慧彼人愚癡不知言說
是生是滅義不生滅大慧一切言說墮於文
字義則不墮離有離无故无生无體故大慧
如來不說墮文字法文字有无不可得故唯
除不墮於文字者大慧若人說法墮文字者
是虛誑說何以故諸法自性離文字故是故
大慧我經中說我與諸佛及諸菩薩不說一
字不答一字所以者何一切諸法離文字故非
不隨義而分別說大慧若不說者教法則斷
教法斷者則无聲聞緣覺菩薩諸佛若
揔无者誰說為誰是故大慧菩薩摩訶薩
應不著文字隨宜說法我及諸佛皆隨衆生煩
惱解欲種種不同而為開演令知諸法自心所
見无外境界捨二分別轉心意識非為成立
聖自證處大慧菩薩摩訶薩應隨於義莫
依文字依文字者墮於惡見執著自宗而起

BD03136號　大乘入楞伽經卷五　（24–2）

性解欲種種不同而為解說令知諸法自心所
見无外境界捨二分別轉心意識非為成立
聖自證處大慧菩薩摩訶薩應隨於義莫
依文字依文字者墮於惡見執着自宗而起
言說不能善了一切法相文辞章句既自損壞亦
壞於他不能令人心得悟解若能善知一切
法相文辞句義悉皆通達則能令自身受
无相樂亦能令他安住大乘若能令他安住
大慧則得一切諸佛聲聞緣覺及諸菩薩之
所攝受若得諸佛聲聞緣覺及諸菩薩之所
攝受則能攝受一切衆生若能攝受一切衆生
則能攝受一切正法若能攝受一切正法則
不斷佛種若不斷佛種則得勝妙處大慧
菩薩摩訶薩生勝妙處欲令衆生安住大乘
以十自在力現衆色像隨其所宜演真實法
真實法者无異无別不來不去一切戲論悉
皆息滅是故大慧善男子善女人不應如言
執着於義何以故真實之法離文字故大慧
辟如有人以指指物小兒觀指不觀於物愚
癡凡夫亦復如是隨言說指而生執着乃至
盡命終不能捨文字之指取第一義大慧辟
如嬰兒應食熟食有人不解成熟方便而食
生者則發狂亂不生不滅亦復如是不方便
脩則為不善是故宜應善脩方便莫隨言
說如觀指端大慧實義者微妙寂靜是涅槃
因言說者與妄想合流轉生死大慧實義者

BD03136號　大乘入楞伽經卷五

（24–3）

如嬰兒應食熟食有人不解成熟方便而食
生者則發狂亂不生不滅亦復如是不方便
脩則為不善是故宜應善脩方便莫隨言
說如觀指端大慧實義者微妙寂靜是涅槃
因言說者與妄想合流轉生死大慧實義者
從多聞得多聞者謂善於義非善言說善義
者不隨一切外道惡見身自不隨亦令他不隨
是則名曰於義多聞欲求義者應當親近與
此相違著文字者宜速捨離尒時大慧菩薩
摩訶薩承佛威力復白佛言世尊如來演說
不生不滅非為奇特何以故一切外道亦說
作者不生不滅世尊亦說虛空涅槃及非數
滅不生不滅外道亦說作者因緣生於世間
世尊亦說无明愛業生諸世間俱是因緣但
名別耳外物因緣亦復如是是故佛說與外
道說无有差別外道說言微塵勝妙自在衆
生主等如是九物不生不滅世尊亦說一切
諸法不生不滅若有若无皆不可得世尊
大種不壞以其自相不生不滅周流諸趣不捨
自性世尊分別雖稍變異一切无非外道已
說是故佛法同於外道若有不同願佛為演
有差別義佛說為勝若无別異外道即佛以
其亦說不生不滅世尊常說一切世界中无有
多佛俱出世者如向所說是則應有佛言大慧
我之所說不生不滅不同外道不生不滅不生无
常論何以故外道所說有實性相不生不變我

BD03136號　大乘入楞伽經卷五

（24–4）

其亦說不生不滅世尊常說一切世界中无有
多佛俱出世者如向所說是則應有佛言大慧
我之所說不生不滅不同外道不生不滅不生无
常論何以故外道所說有實性相不生不變義
不如是墮有无品我所說法非有非无離生離
滅云何非无如幻夢色種種見故云何非有
色相自性非是有故見不見故取不取故是
故我說一切諸法非有非无若覺唯是自心
所見住於自性分別不生世間所作悉皆永
息分別者是凡愚事非賢聖耳大慧妄心分
別不實境界如乾闥婆城幻所作人大慧譬
如小兒見乾闥婆城及以幻人商賈入出迷
心分別言有實事凡愚所見生與不生有為
无為悉亦如是如幻人生如幻人滅幻人其
實不生不滅諸法亦尒離於生滅大慧凡愚
虛妄起生滅見非諸聖人言虛妄者不如法
性起顛倒見顛倒見者執法有性不見寂滅
不見寂滅故不能遠離虛妄分別是故大慧
无相見勝非是相見相是生因若无有相則
无分別不生不滅則是涅槃大慧言涅槃者
見如實處捨離分別心心所法獲於如來內
證聖智我說此是寂靜涅槃尒時世尊重
說頌言

為除有生執 成立无生義 我說无因論 非愚所能了
一切法无生 亦非是无法 如乾城幻夢 雖有而无因
空无生无性 云何為我說 離諸和合緣 智慧不能見

BD03136號　大乘入楞伽經卷五　（24–5）

說頌言

為除有生執 成立无生義 我說无因論 非愚所能了
一切法无生 亦非是无法 如乾城幻夢 雖有而无因
空无生无性 云何為我說 離諸和合緣 智慧不能見
以是故我說 空无生无性 一一緣和合 雖現而非有
分析无和合 非如外道見 幻夢及垂髮 野馬與乾城
无因而妄見 世事皆如是 折伏有因論 申述无生旨
无生義若存 法眼恒不滅 我說无因論 外道咸驚怖
云何何所因 復以何故生 於何處和合 而作无因論
觀察有為法 非因非无因 彼生滅論者 所見從是滅
為无故不生 為待於衆緣 為有名无義 願為我宣說
非无法不生 亦非以待緣 非有物而名 亦非名无義
一切諸外道 聲聞及緣覺 七住非所行 此是无生相
遠離諸因緣 无有能作者 唯心所建立 我說是无生
諸法非因生 非无亦非有 能所分別離 我說是无生
唯心无所見 亦離於二性 如是轉所依 我說是无生
外物有非有 其心无所取 一切見咸斷 此是无生相
空无性等句 其義皆如是 非以空故空 无生故說空
因緣共集會 是故有生滅 分散於因緣 生滅則无有
若離諸因緣 則更无有法 一性及異性 凡愚所分別
有无不生法 俱非亦復然 唯除衆緣會 於中見起滅
隨俗假言說 因緣遞鉤鎖 若離因緣瑣 生義不可得
我說唯鉤瑣 生无故不生 離諸外道過 非凡愚所了
若離緣鉤瑣 別有生法者 是則无因論 破壞鉤瑣義
如燈能照物 鉤瑣現若然 此則離鉤瑣 別有於諸法
无生則无性 體相如虛空 離鉤瑣求法 愚夫所分別

BD03136號　大乘入楞伽經卷五　（24–6）

随俗假言説　因緣互鉤鎖　若離因緣瑣　生義不可得
我説唯鉤瑣　生无故不生　離諸外道過　非凡愚所了
若離緣鉤瑣　別有生法者　是則无因論　破壞鉤瑣義
如燈能照物　鉤瑣現若然　此則離鉤瑣　別有於諸法
无生則无性　體相如虛空　離鉤瑣求法　愚夫所分別
復有餘无生　衆聖所得法　彼生无生者　是則无生忍
一切諸世間　无非是鉤瑣　若能如是解　此人心得定
无明與愛業　是則内鉤瑣　種子泥輪等　如是名爲外
若言有他法　而從因緣生　離於鉤瑣義　此則非教理
生法若非有　彼爲誰因緣　展轉而相生　此是因緣義
堅濕煖動等　凡愚所分別　但緣无有法　故説无自性
如醫療衆病　其論无差別　以病不同故　方藥種種殊
我爲諸衆生　滅除煩惱病　知其根勝劣　演説諸法門
非煩惱根異　而有種種法　唯有一大乘　清涼八支道
尒時大慧菩薩摩訶薩復白佛言世尊一切外
道悉説无常世尊亦言諸行无常是生滅法
未知此説是邪是正所言无常復有幾種
佛言大慧外道説有七種无常非是我法何
等爲七謂説始起即捨是名无常生已不生
无常性故有説形處變壞是名无常有説
色即无常有説色之變異是名无常一切諸
法相續不斷能令變異自然歸滅猶如乳酪
前後變異雖不可見然在法中壞一切法有説
物无常有説物无物无常有説不生无常遍
住一切諸法之中其中物无物无常者謂能
造所造其相滅壞大種自性本來无起不生

BD03136號　大乘入楞伽經卷五　（24–7）

法相續不斷能令變異自然歸滅猶如乳酪
前後變異雖不可見然在法中壞一切法有説
物无常有説物无物无常有説不生无常遍
住一切諸法之中其中物无物无常者謂能
造所造其相滅壞大種自性本來无起不生
无常者謂常與无常有无等法如是一切皆
无有起乃至分析至於微塵亦无所見以不
起故説名无生此是不生无常相若不了此
則墮外道生无常義有物无常者謂於非
常非无常處自生分別其義云何彼立无常
自不滅壞能壞諸法若无无常壞一切法法
終不滅成於无有如杖棰瓦石能壞於物而自
不壞此亦如是大慧現見无常與一切法无
有能作所作差別云此是无常此是所作无
差別故能作所作應俱是常不見有因能令
諸法成於无故大慧諸法壞滅實亦有因但
非凡愚之所能了大慧異因不應生於異果
若能生者一切異法應並相生彼法此法能
生所生應无有別現見有別云何異因生於
異果大慧若无常性是有法者應同所作自
是无常自无常故所无常法皆應是常大慧
若无常性住諸法中應同諸法墮於三世與
過去色同時已滅未來不生現在俱壞一切
外道計四大種體性不壞色者即是大種差
別大種造色離異不異故其自性亦不壞滅
大慧三有之中能造所造莫不皆是生住滅

BD03136號　大乘入楞伽經卷五　（24–8）

若无常性住諸法中應同諸法墮於三世與
過去色同時已滅未來不生現在俱壞一切
外道計四大種體性不壞色者即是大種差
別大種造色離異不異故其自性亦不壞滅
大慧三有之中能造所造莫不皆是生住滅
相豈更別有无常之性能生於物而不滅耶
始造即捨无常者非大種互造大種以各別
故非自相造以无異故非復共造以乖離故
當知非是始造无常形狀壞无常者此非
能造及所造壞但形狀壞其義云何謂分析
色乃至微塵但滅形狀長短等見不滅
能造所造色體此見墮在數論之中色即
是无常者謂此即是形狀无常非大種性若
大種性亦无常者則无世事无世事者當知
則墮盧迦耶見以見一切法自相生唯有言說
故轉變无常者謂色體變非諸大種譬如以
金作莊嚴具嚴具有變而金无改此亦如是
大慧如是等種種外道虛妄分別見无常性
彼作是說火不能燒諸火自相但各分散若
能燒者能造所造則皆斷滅大慧我說諸法
非常无常何以故不取外法故三界唯心故不
說諸相故大種性處種種差別不生不滅
故非能造所造故能取所取二種體性一切
皆從分別起故如實而知二取性故了達
唯是自心現故離外有无二種見故離有
无見則不分別能所造故大慧世間出世間

BD03136號　大乘入楞伽經卷五　（24–9）

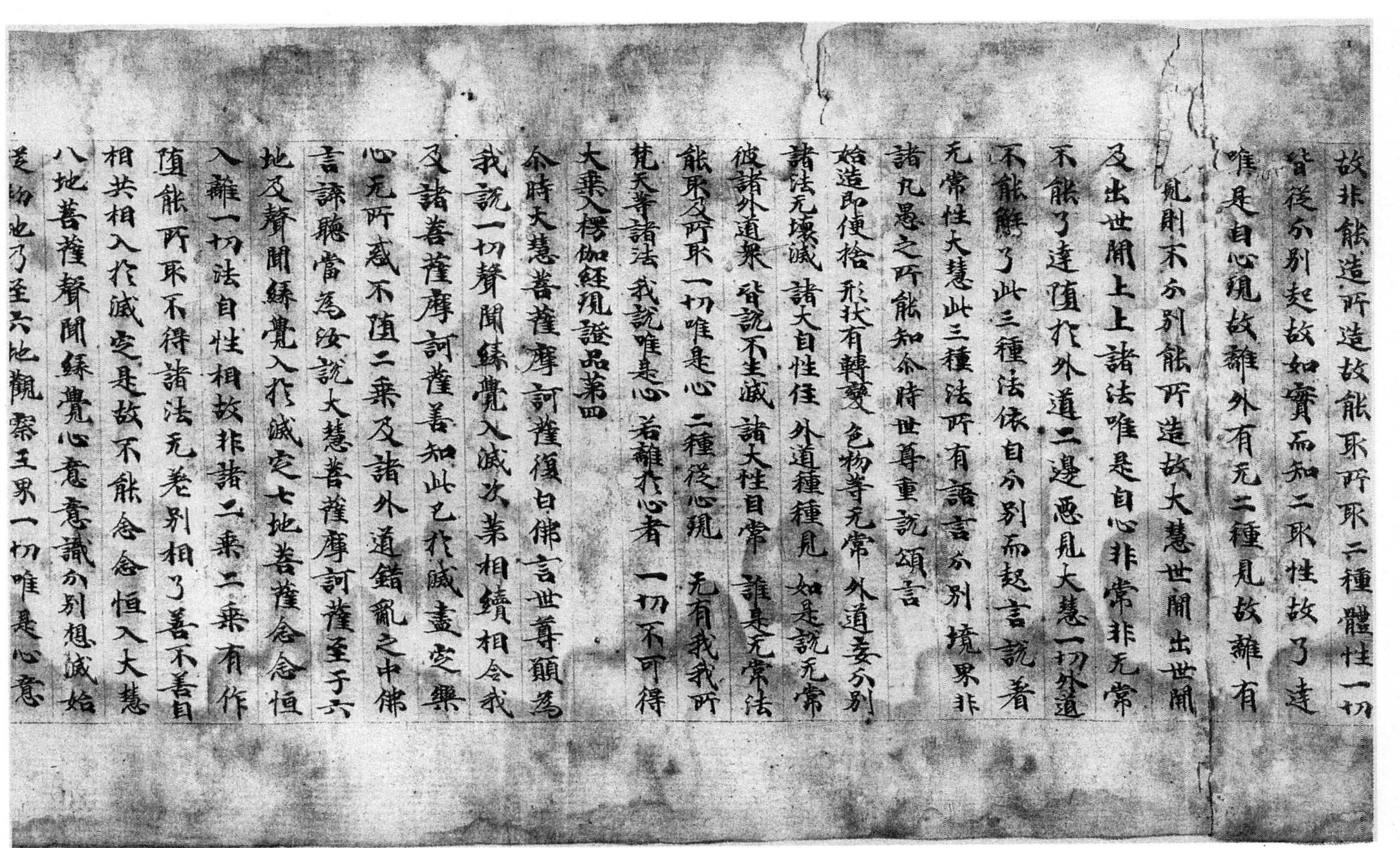

故非能造所造故能取所取二種體性一切
皆從分別起故如實而知二取性故了達
唯是自心現故離外有无二種見故離有
无見則不分別能所造故大慧世間出世間
及出世間上上諸法唯是自心非常非无常
不能了達墮於外道二邊惡見大慧一切外道
不能解了此三種法依自分別而起言說著
无常性大慧此三種法所有語言分別境界非
諸凡愚之所能知尒時世尊重說頌言
始造即便捨　形狀有轉變　色物等无常　外道妄分別
諸法无壞滅　諸大自性住　外道種種見　如是說无常
彼諸外道衆　皆說不生滅　諸大性自常　誰是无常法
能取及所取　一切唯是心　二種從心現　无有我我所
梵天等諸法　我說唯是心　若離於心者　一切不可得
大乘入楞伽經現證品第四
尒時大慧菩薩摩訶薩復白佛言世尊願為
我說一切聲聞緣覺入滅次第相續相令我
及諸菩薩摩訶薩善知此已於滅盡定樂
心无所惑不墮二乘及諸外道錯亂之中佛
言諦聽當為汝說大慧菩薩摩訶薩至于六
地及聲聞緣覺入於滅定七地菩薩念念恒
入離一切法自性相故非諸二乘二乘有作
墮能所取不得諸法无差別相了善不善自
相共相入於滅定是故不能念念恒入大慧
八地菩薩聲聞緣覺心意意識分別想滅始
從初地乃至六地觀察三界一切唯是心意

BD03136號　大乘入楞伽經卷五　（24–10）

隨能所取不得諸法无差別相了善不善自
相共相入於滅定是故不能念念恒入大慧
八地菩薩聲聞緣覺心意意識分別想滅始
從初地乃至六地觀察三界一切唯是心意
意識自分別起離我我所不見外法種種諸
相凡愚不知由无始來過惡熏習於自心內
變作能取所取之相而生執著大慧八地菩
薩所得三昧同諸聲聞緣覺涅槃以諸佛力
所加持故於三昧門不入涅槃若不持者便
不化度一切眾生不能滿足如來之地亦則
斷絕如來種性是故諸佛為說如來不可思
議諸大功德令其究竟不入涅槃聲聞緣覺
著三昧樂是故於中生涅槃想大慧七地菩
薩善能觀察心意意識我我所執生法无
我若生若滅自相共相四无礙辯善巧決定於
三昧門而得自在漸入諸地具菩提分法大
慧我恐諸菩薩不善了知自相共相不知諸
地相續次第墮於外道諸惡見中故如是說
大慧彼實无有若生若滅諸地次第三界往
來一切皆是自心所見而諸凡愚不能了知以
不知故我及諸佛為如是說大慧聲聞緣
覺至於菩薩第八地中為三昧樂之所昏
醉未能善了唯心所見自共相習纏覆其心著
二无我生涅槃覺非寂滅慧大慧諸菩薩摩
訶薩見於寂滅三昧樂門即便憶念本願大

覺至於菩薩第八地中為三昧樂之所
醉未能善了唯心所見自共相習纏覆其心著
二无我生涅槃覺非寂滅慧大慧諸菩薩摩
訶薩見於寂滅三昧樂門即便憶念本願大
悲具足脩行十无盡句是故不即入於涅槃
以入涅槃不生果故離能所取故了達唯心
故於一切法无分別故不墮心意及以意識
外法性相執著中故然非不起佛法正因隨智
慧行如是起故得於如來自證地故大慧如
人夢中方便度河未度便覺覺已思惟向之
所見為是真實為是虛妄復自念言非實非
妄如是但是見聞覺知曾所更事分別習氣
離有无念意識夢中之所現耳大慧菩薩
摩訶薩亦復如是始從初地而至七地乃至增
進入於第八得无分別見一切法皆如幻等離
能所取見心心所廣大力用勤脩佛法未證
令證離心意意識妄分別想獲无生忍此是
菩薩所得涅槃非滅壞也大慧第一義中
无有次第亦无相續遠離一切境界分別此
則名為寂滅之法尒時世尊重說頌言
諸住及佛地　唯心无影像　此是去來今　諸佛之所說
七地是有心　八地无影像　此二地名住　餘則我所得
自證及清淨　此則是我地　摩醯最勝處　色究竟莊嚴
譬如大火聚　光焰熾然發　化現於三有　悅意而清涼
或有現變化　或有先時化　於彼說諸乘　皆是如來地
十地則為初　初則為八地　第九則為七　第七復為八

自證之清淨　此則是我地　摩醯首羅處　色究竟莊嚴
譬如大火聚　光焰熾然發　化現於三有　悅意而清涼
或有現變化　或有先時化　於彼說諸乘　皆是如來地
十地則為初　初則為八地　第九則為七　第七復為八
第二為第三　第四為第五　第三為第六　无相有何次

大乘入楞伽經如來常无常品第五

尒時大慧菩薩摩訶薩復白佛言世尊如來應正等覺為常為无常佛言大慧如來應正等覺非常非无常何以故俱有過故云何有過大慧若如來常者有能作過一切外道說能作常若无常者有所作過同於諸蘊為相所相畢竟斷滅而成无有然佛如來實非斷滅大慧一切所作如瓶衣等皆是无常是則如來有无常過所脩福智悉空无益又諸作法應是如來无異因故是故如來非常非无常復次大慧如來非常若是常者應如虛空不待因成大慧譬如虛空非常非无常何以故離常无常若一若異俱不俱等諸過失故復次大慧如來非常若是常者則是不生同於兔馬魚蛇等角復次大慧以別義故亦得言常何以故謂以現智證常法故證智是常如來亦常大慧諸佛如來所證法性法住法位如來出世若不出世常住不易在於一切二乘外道所得法中非是空无然非凡愚之所能知大慧夫如來者以清淨慧內證法性而得其名非以心意意識蘊界處法妄習得名

BD03136 號　大乘入楞伽經卷五　（24–13）

如來出世若不出世常住不易在於一切二乘外道所得法中非是空无然非凡愚之所能知大慧夫如來者以清淨慧內證法性而得其名非以心意意識蘊界處法妄習得名一切三界皆從虛妄分別而生如來不從妄分別生大慧若有於二有常无常如來无二證一切法无生相故是故非常亦非无常大慧乃至少有言說分別生即有常无常過是故應除二分別覺勿令少在尒時世尊重說頌言

遠離常无常　而現常无常　恒如是觀佛　不生於惡見
若常无常者　所集皆无益　為除分別覺　不說常无常
乃至有所立　一切皆錯亂　若見唯自心　是則无違諍

大乘入楞伽經剎那品第六

尒時大慧菩薩摩訶薩復白言世尊唯願為我說蘊界處生滅之相若无有我誰生誰滅而諸凡夫依於生滅不求盡苦不證涅槃佛言大慧諦聽諦聽當為汝說大慧如來藏是善不善因能遍興造一切趣生譬如伎兒變現諸趣離我我所以不覺故三緣和合而有果生外道不知執為作者无始虛偽惡習所熏名為藏識生於七識无明住地譬如大海而有波浪其體相續恒住不斷本性清淨離无常過離於我論其餘七識意意識等念念生滅妄想為因境相為緣和合而生不了色等自心所現計著名相起苦樂受名相纏縛

BD03136 號　大乘入楞伽經卷五　（24–14）

海而有波浪其體相續恒住不斷本性清淨
離无常過離於我論其餘七識意意識等念
念生滅妄想為因境相為緣和合而生不了色
等自心所現計著名相起苦樂受名相纏縛
既從貪生復生於貪若因及所緣諸取根
滅不相續生自慧分別苦樂受者或得滅
定或得四禪或復善入諸諦解脫便妄生於
得解脫想而實未捨未轉如來藏中藏識之
名若无藏識七識則滅何以故因彼及所緣
而得生故然非一切外道二乘諸脩行者所知
境界以彼唯了人无我性於蘊界處取於自相
及共相故若見如來藏五法自性諸法无我
隨地次第而漸滅不為外道惡見所動住
不動地得於十種三昧樂門為三昧力諸佛
所持觀察不思議佛法及本願力不住實際
及三昧樂獲自證智不與二乘諸外道共得
十聖種性道及意生智身離於諸行是故大
慧菩薩摩訶薩欲得勝法應淨如來藏藏識
之名大慧若无如來藏名藏識者則无生滅
然諸凡夫及以聖人悉有生滅是故一切諸脩
行者雖見內境住現法樂而不捨於勇猛
精進大慧此如來藏藏識本性清淨客塵所
染而為不淨一切二乘及諸外道臆度起見
不能現證如來於此分明現見如觀掌中菴
摩勒果大慧我為勝鬘夫人及餘深妙淨

BD03136號　大乘入楞伽經卷五

（24–15）

精進大慧此如來藏藏識本性清淨客塵所
染而為不淨一切二乘及諸外道臆度起見
不能現證如來於此分明現見如觀掌中菴
摩勒果大慧我為勝鬘夫人及餘深妙淨
智菩薩說如來藏名藏識與七識俱起令
諸聲聞見法无我大慧為勝鬘夫人說佛境
界非是外道二乘境界大慧此如來藏藏識
是佛境界令與汝等淨智菩薩隨順義者所
行之處非是一切執著文字外道二乘之所行
處是故汝及諸菩薩摩訶薩於如來藏藏
識當勤觀察莫但聞已便生足想尒時世
尊重說頌言
甚深如來藏　而與七識俱　執著二種生　了知則遠離
无始習所熏　如像現於心　若能如實觀　境相悉无有
如愚見指月　觀指不觀月　計著文字者　不見我真實
心如工伎兒　意如和伎者　五識為伴侶　妄想觀伎衆
尒時大慧菩薩摩訶薩復白佛言世尊願為
我說五法自性諸識无我差別之相我及諸
菩薩摩訶薩善知此已漸修諸地具諸佛
法至於如來自證之位佛言諦聽當為汝說
大慧五法自性諸識无我所謂名相分別正智
如如若脩行者觀察此法入於如來自證境
界遠離常斷有无等見得現法樂甚深三昧
大慧凡愚不了五法自性諸識无我於心所
現見有外物而起分別非諸聖人大慧白言云
何不了而起分別佛言大慧凡愚不知名是

BD03136號　大乘入楞伽經卷五

（24–16）

界遠離常斷有无等見得現法樂甚深三昧
大慧凡愚不了五法自性諸識无我於心所
現見有外物而起分別非諸聖人大慧白言云
何不了而起分別佛言大慧凡愚不知名是
假立心隨流動見種種相計我我所染著於
色覆障聖智起貪瞋癡造作諸業如蠶作
繭妄想自纏墮於諸趣生死大海如汲水輪
循環不絕不知諸法如幻如焰如水中月自心
所見妄分別起離能所取及生住滅謂從自
在時節微塵勝性而生隨名相流大慧此
中相者謂眼識所見名之為色耳鼻舌身意
識得者名之為聲香味觸法如是等我說為
相分別者施設衆名顯示諸相謂以象馬車
步男女等名而顯其相此事如是決定不異
是名分別正智者謂觀名相互為其客識心
不起不斷不常不隨外道二乘之地是正智
智大慧菩薩摩訶薩以其正智觀察名相
非有非无遠離損益二邊惡見名相及識本來
不起我說此法名為如如大慧菩薩摩訶薩
住如如已得无照現境昇歡喜地離外道惡
趣入出世法法相淳熟知一切法猶如幻等證自
聖智所行之法離臆度見如是次第乃至法
雲至法雲已三昧諸力自在神通開敷滿足
成於如來成如來已為衆生故如水中月
普現其身隨其欲樂而為說法其身清淨

雲至法雲已三昧諸力自在神通開敷滿足
成於如來成如來已為衆生故如水中月
普現其身隨其欲樂而為說法其身清淨
離心意識被弘誓甲具足成滿十无盡願是
名菩薩摩訶薩入於如如之所獲得
尒時大慧菩薩摩訶薩復白佛言世尊為三
性入五法中為各有自相佛言大慧三性八
識及二无我悉入五法其中名及相是妄計
性以依彼分別心心所法俱時時而起如日與
光是緣起性正智如如不可壞故是圓成性
大慧於自心所現生執著時有八種分別起此
差別相皆是不實唯妄計性若能捨離二
種我執二无我智即得生長大慧聲聞緣覺
菩薩如來自證聖智諸地位次一切佛法悉
皆攝入此五法中復次大慧五法者所謂相名
分別如如正智此中相者謂所見色等形狀
各別是名為相依彼諸相立瓶等名此如是
此不異是名為名施設衆名顯示諸相心心
所法是名分別彼名彼相畢竟无有但是妄
心展轉分別如是觀察乃至覺滅是名如如
大慧真實決定究竟根本自性可得是如
如相我及諸佛隨順證入如其實相開示演
說若能於此隨順悟解離斷離常不生分
別入自證處出於外道二乘境界是名正智大
慧此五種法三性八識及二无我一切佛法普
皆攝盡大慧於此法中汝應以自智善巧通

說若能[illegible]此隨順相解[illegible]不生分
別入自證處出於外道二乘境界是名正智大
慧此五種法三性八識及二无我一切佛法普
皆攝盡大慧於此法中汝應以自智善巧通
達亦勸他人令其通達通達此已心則決定
不隨他轉尒時世尊重說頌言
五法三自性　及與八種識　二種无我法　普攝於大乘
名相及分別　二種自性攝　正智與如如　是則圓成相
尒時大慧菩薩摩訶薩復白佛言世尊如經
中說過去未來現在諸佛如恒河沙此當云
何為如言而受為別有義佛告大慧勿如言
受大慧三世諸佛非如恒沙何以故如來最
勝超諸世間无與等者非喻所及唯以少分為
其喻耳我以凡愚諸外道等心恒執著常與
无常惡見增長生死輪迴令其厭離發勝希
望言佛易成易可逢值若言難遇如優曇
花彼便退怯不勤精進是故我說如恒河沙我
復有時觀受化者說佛難值如優曇花大慧
優曇鉢花无有曾見現見當見如來則有已
現當見大慧如是譬喻非說自法自法者內
證聖智所行境界世間无等過諸譬喻一切
凡愚不能信受大慧真實如來超心意意
識所見之相不可於中而立譬喻然亦有時而
為建立言恒沙等无有相違大慧譬如恒沙
龜魚象馬之所踐蹋不生分別恒淨无垢如
來聖智如彼恒河力通自在以為其沙外道

BD03136號　大乘入楞伽經卷五　（24－19）

識所見之相不可於中而立譬喻然亦有時而
為建立言恒沙等无有相違大慧譬如恒沙
龜魚象馬之所踐蹋不生分別恒淨无垢如
來聖智如彼恒河力通自在以為其沙外道
龜魚競來擾亂而佛不起一念分別何以故
如來本願以三昧樂普安眾生如恒河沙无
有愛憎无分別故大慧譬如恒沙是地自性
劫盡燒時燒一切地而彼地大不捨本性恒
與火大俱時生故諸凡愚人謂地被燒而實
不燒火所因故如來法身亦復如是如恒河沙
終不壞滅大慧譬如恒沙无有限量如來光明
亦復如是為欲成就无量眾生普照一切諸
佛大會大慧譬如恒沙住沙自性不更改變
而作餘物如來亦尒於世間中不生不滅諸
有生因悉已斷故大慧譬如恒沙取不知減
投不見增諸佛亦尒以方便智成熟眾生无
減无增何以故如來法身无有身故大慧以
有身故而有滅壞法身无身故无滅壞大慧
譬如恒沙雖苦壓治欲求蘇油終不可得如
來亦尒雖為眾生眾苦所壓乃至蠢動未盡
涅槃欲令捨離於法界中深心願樂亦不可得
何以故具足成就大悲心故大慧譬如恒沙
隨水而流非无水也如來亦尒所有說法莫
不隨順涅槃之流以是說言諸佛如來如恒河
沙大慧如來說法不隨於趣趣是壞義生

BD03136號　大乘入楞伽經卷五　（24－20）

何以故具足成就大悲心故大慧譬如恒沙
随水而流非无水也如来亦尒所有説法莫
不随順涅槃之流以是説言諸佛如来如恒河
沙大慧如来説法不随於趣趣是壊義生
死本際不可得知既不可知云何説趣大慧
趣義是断凡愚莫知大慧菩薩復白佛言
若生死本際不可知者云何衆生在生死中
而得解脱佛言大慧无始虚僞過習因滅了
知外境自心所現分別轉依名為解脱非滅壊
是故不得言无邊際大慧无邊際者但是
分別異名大慧離分別心无別衆生以智觀
察内外諸法知與所知悉皆寂滅大慧一切
諸法唯是自心分別所見不了知故分別心
起了心則滅尒時世尊重説頌言
觀察諸導師　譬如恒河沙　非壊亦非趣　是人能見佛
譬如恒河沙　悉離一切過　而恒随順流　佛體亦如是
尒時大慧菩薩摩訶薩復白佛言世尊願為
我説一切諸法刹那壊相何等諸法名有刹
那佛言諦聽當為汝説大慧一切法者所謂
善法不善法有為法无為法世間法出世間
法有漏法无漏法有受法无受法大慧舉要
言之五取蘊法以心意意識習氣為因而得
増長凡愚於此而生分別謂善不善聖人現
證三昧樂住是則名為善无漏法復次大慧
善不善者所謂八識何等為八謂如来藏名

BD03136號　大乘入楞伽經卷五　（24–21）

言之五取蘊法以心意意識習氣為因而得
増長凡愚於此而生分別謂善不善聖人現
證三昧樂住是則名為善无漏法復次大慧
善不善者所謂八識何等為八謂如来藏名
藏識意及意識并五識身大慧彼五識身與
意識俱善不善相展轉差別相續不断无異
體生生已即滅不了於境自心所現次第滅
時別識生起意識與彼五識共俱取於種種
差別形相刹那不住我説此等名刹那法大
慧如来藏名藏識所與意等諸習氣俱是刹
那法无漏習氣非刹那法此非凡愚刹那論者
之所能知彼不能知一切諸法有是刹那非刹
那故彼計无為同諸法壊堕於斷見大慧五
識身非流轉不受苦樂非涅槃因如来藏受
苦樂與因俱有生滅四種習氣之所迷覆而
諸凡愚分別熏心不能了知起刹那見大慧
如金金剛佛之舍利是奇特性終不損壊
若得證法有刹那者聖應非聖而彼聖人未
曾非聖如金金剛雖經劫住稱量不減云何
凡愚不解於我秘密之説於一切法作刹那想大
慧菩薩復白佛言世尊常説六波羅蜜若得
滿足便成正覺何者為六云何滿足佛言大慧
波羅蜜者差別有三所謂世間出世間出世
間上上大慧世間波羅蜜者謂諸凡愚著我
我所執取二邊求諸有身貪色等境如是脩
行檀波羅蜜持戒忍辱精進禪定成就神通

BD03136號　大乘入楞伽經卷五　（24–22）

波羅蜜者差別有三所謂世間出世間出世
間上上大慧世間波羅蜜者謂諸凡愚著我
我所執取二邊求諸有身貪色等境如是修
行檀波羅蜜持戒忍辱精進禪定成就神通
生於梵世大慧出世間波羅蜜者謂聲聞緣
覺執著涅槃希求自樂如是修習諸波羅蜜
大慧出世間上上波羅蜜者謂菩薩摩訶
薩於自心二法了知唯是分別所現不起妄想
不生執著不取色相為欲利樂一切衆生而
恒修行檀波羅蜜於諸境界不起分別是則
修行尸波羅蜜即於不起分別之時忍知能
取所取自性是則名為羼提波羅蜜初中後
夜勤修匪懈隨順實解不生分別是則名為
毗梨耶波羅蜜不生分別不起外道涅槃之見
是則名為禪那波羅蜜以智觀察心无分別
不墮二邊轉淨所依而不壞滅獲於聖智內
證境界是則名為般若波羅蜜尒時世尊重
說頌言
愚分別有為　空无常剎那　分別剎那義　如河燈種子
一切法不生　寂靜无所作　諸事性皆離　是我剎那義
生无間即滅　不為凡愚說　无間相續法　諸趣分別起
无明為其因　心則從彼生　未能了色來　中間何所住
无間相續滅　而有別心起　不住於色時　何所緣而生
若緣彼而起　其因則虛妄　因妄體不成　云何剎那滅
修行者正受　金剛佛舍利　及以光音宮　世間不壞事

BD03136號　大乘入楞伽經卷五　（24–23）

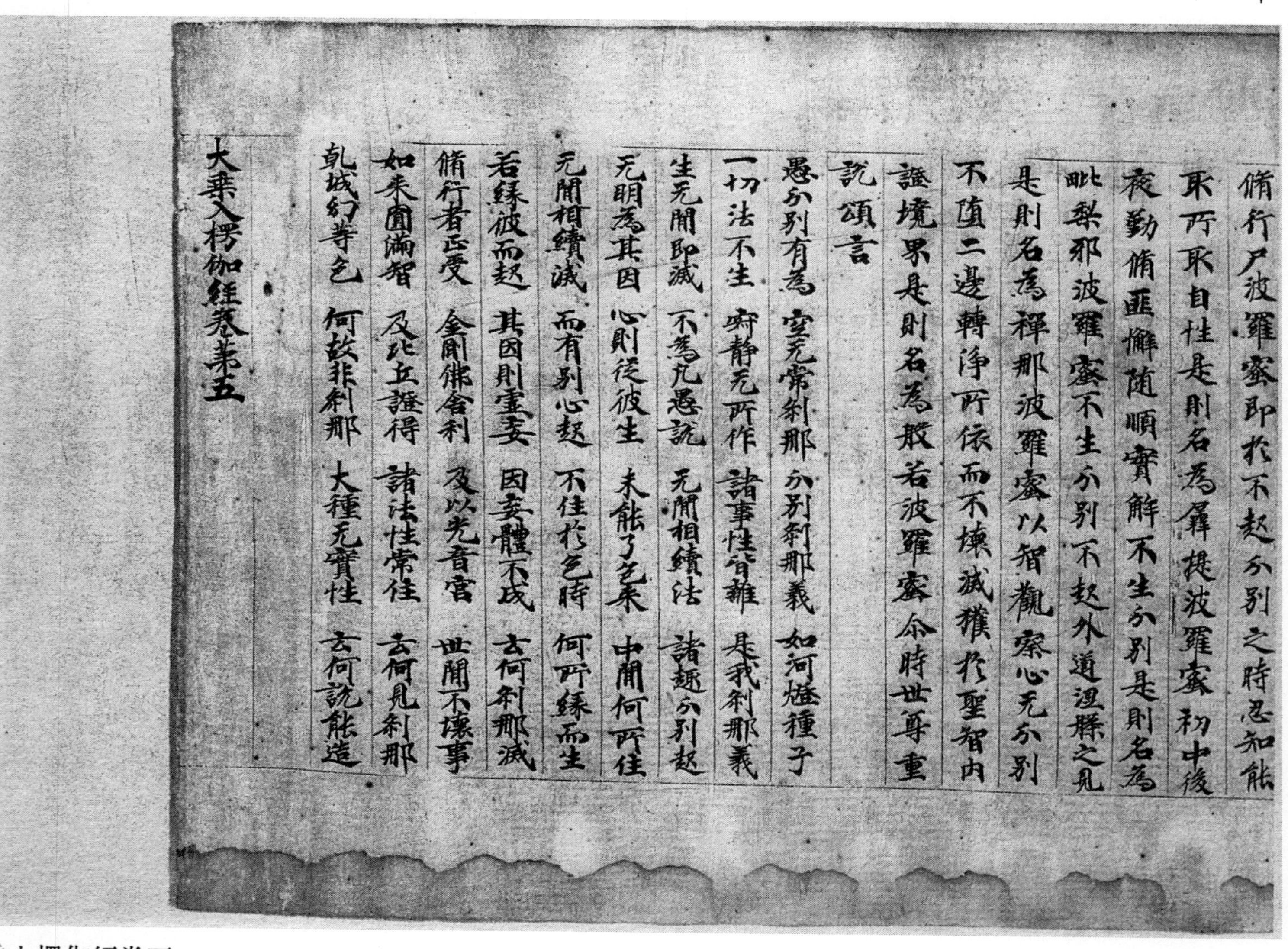
修行尸波羅蜜即於不起分別之時忍知能
取所取自性是則名為羼提波羅蜜初中後
夜勤修匪懈隨順實解不生分別是則名為
毗梨耶波羅蜜不生分別不起外道涅槃之見
是則名為禪那波羅蜜以智觀察心无分別
不墮二邊轉淨所依而不壞滅獲於聖智內
證境界是則名為般若波羅蜜尒時世尊重
說頌言
愚分別有為　空无常剎那　分別剎那義　如河燈種子
一切法不生　寂靜无所作　諸事性皆離　是我剎那義
生无間即滅　不為凡愚說　无間相續法　諸趣分別起
无明為其因　心則從彼生　未能了色來　中間何所住
无間相續滅　而有別心起　不住於色時　何所緣而生
若緣彼而起　其因則虛妄　因妄體不成　云何剎那滅
修行者正受　金剛佛舍利　及以光音宮　世間不壞事
如來圓滿智　及比丘證得　諸法性常住　云何見剎那
乾城幻等色　何故非剎那　大種无實性　云何說能造

大乘入楞伽經卷第五

BD03136號　大乘入楞伽經卷五　（24–24）

BD03137 號　無量壽宗要經　（5–1）

BD03137 號　無量壽宗要經　（5–2）

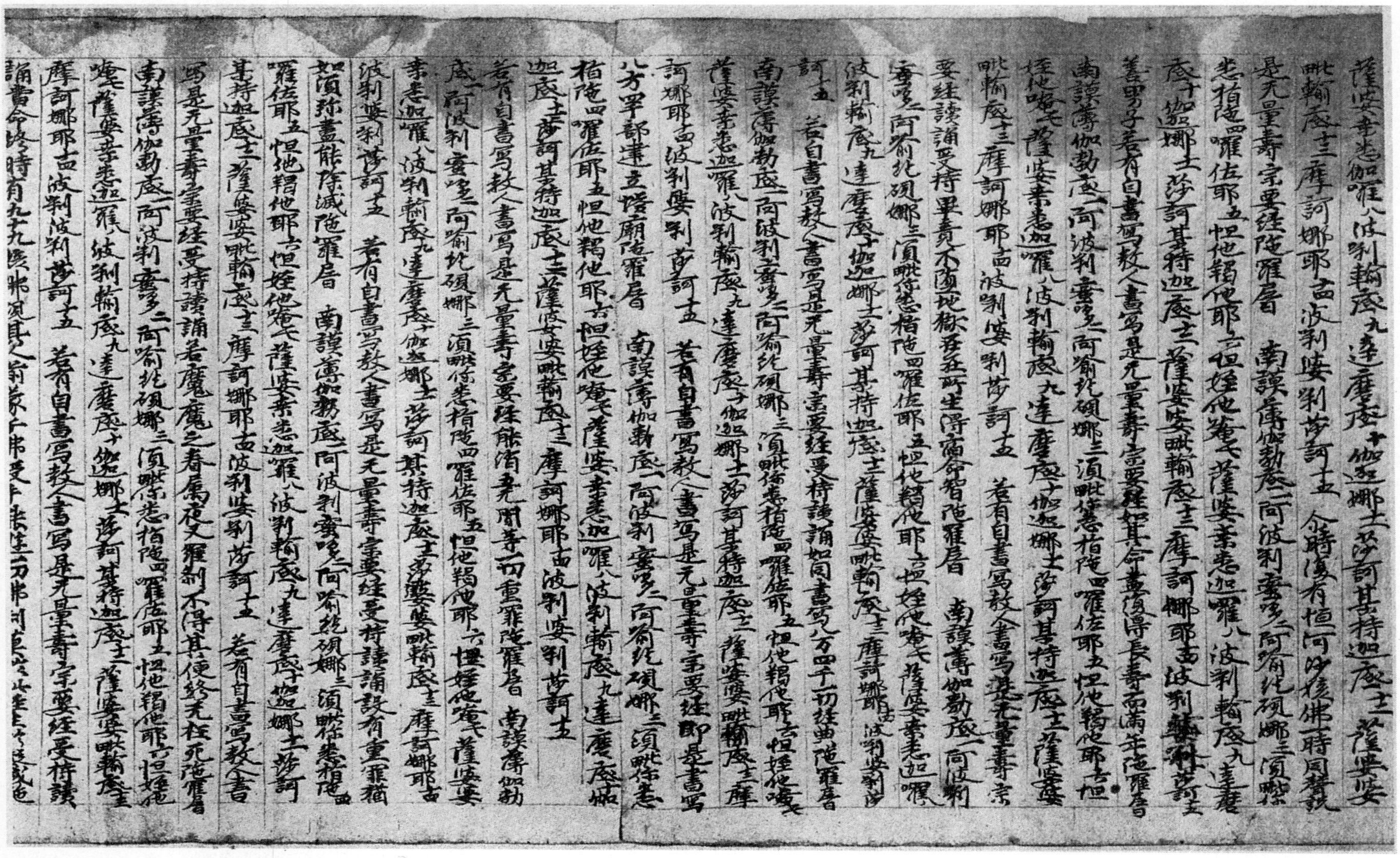

BD03137號　無量壽宗要經　（5–3）

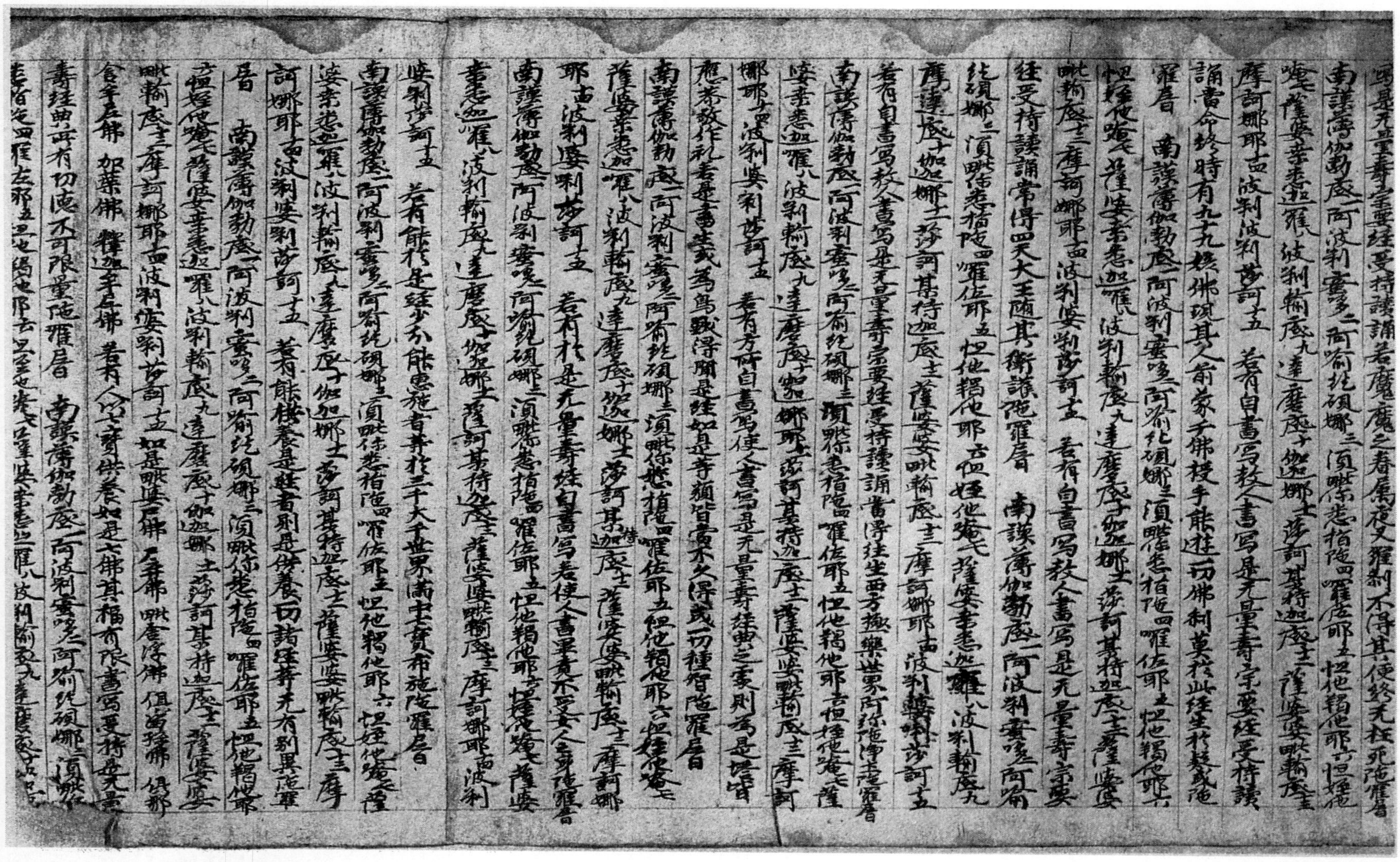

BD03137號　無量壽宗要經　（5–4）

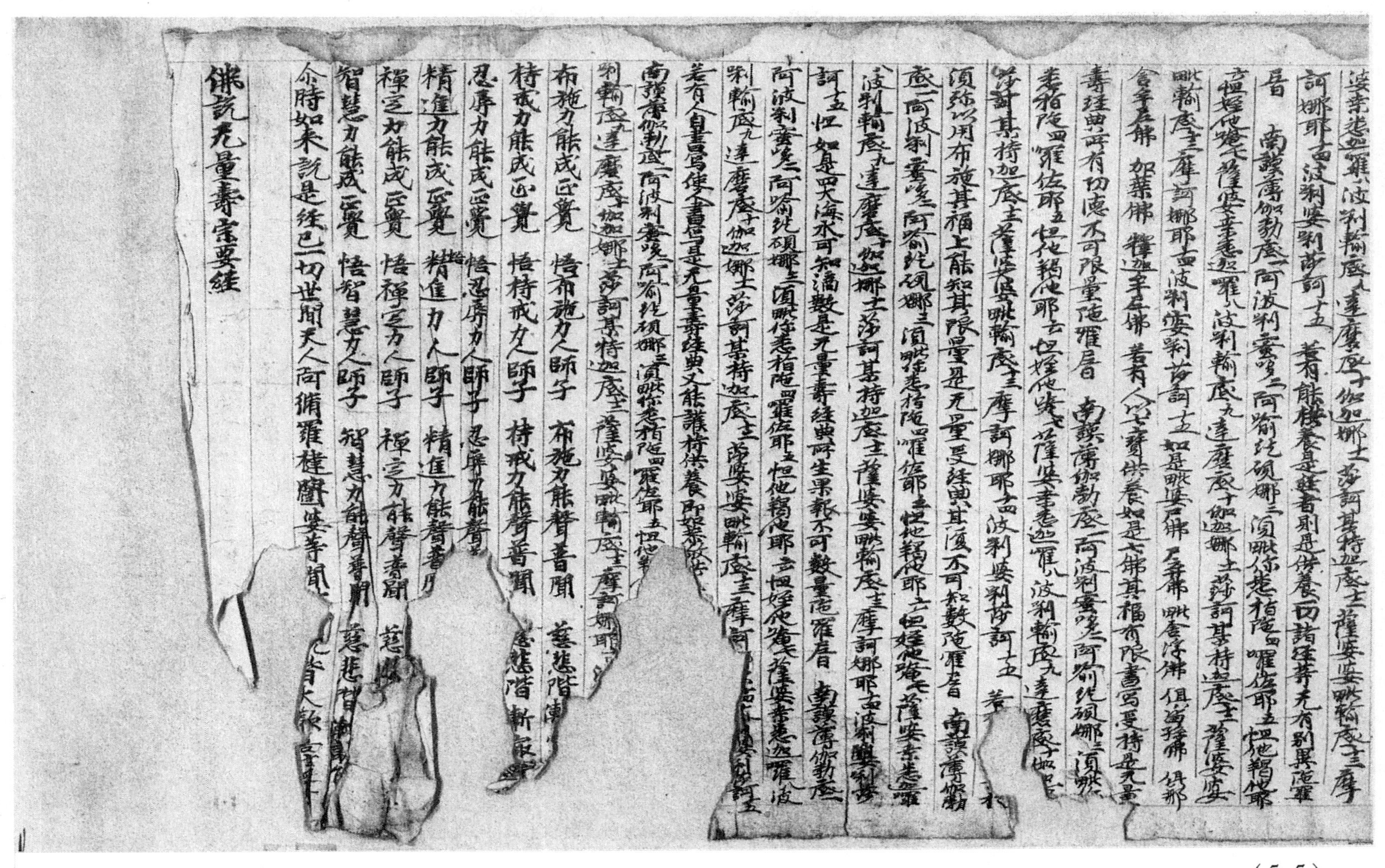

布施力能成正覺　悟布施力人師子　布施力能聲普聞　慈悲階入

持戒力能成正覺　悟持戒力人師子　持戒力能聲普聞　慈悲階入

忍辱力能成正覺　悟忍辱力人師子　忍辱力能聲普聞

精進力能成正覺　悟精進力人師子　精進力能聲普聞

禪定力能成正覺　悟禪定力人師子　禪定力能聲普聞　慈悲

智慧力能成正覺　悟智慧力人師子　智慧力能聲普聞　慈悲

尒時如來說是經已，一切世間天人阿脩羅揵闥婆等，聞……皆大歡……

佛說无量壽宗要經

BD03137 號　無量壽宗要經　　（5–5）

生若化生若有色若无色若有想若无想若非有想非无想

弟　潤

BD03137 號背　雜寫　　（2–1）

BD03137號背　雜寫

大佛无量壽經　如是我聞一時佛
大棄百論那論論千問信戸一自聞不

BD03138號　金光明最勝王經卷一

喜各於晡時往詣佛所頂礼佛足右繞三帀
退坐一面
復有四万二千天子其名曰喜見天子喜悦
天子日光天子月讀天子明慧天子虛空淨
慧天子除煩惱天子吉祥天子如是等天而
為上首皆發弘願護持大乘紹隆正法能使
不絕各於晡時往詣佛所頂礼佛足右繞三帀
退坐一面
復有二万八千龍王大龍花龍王醫羅葉龍王
大力龍王大吼龍王小波龍王持駛水龍王
金面龍王如意龍王是等龍王而為上首於
大乘法常樂護持發誠信心擁楊擁護各
於晡時往詣佛足有繞三帀退坐

雲除闇菩薩大雲破瞖菩
菩薩衆各於晡時往詣佛足右繞三帀退坐一面
五億八千其名曰師子光童
法授童子因陁羅授童子
猛童子佛護童子護童子
護童子虛空讃童子虛空
佛護童子吉祥地藏童子如是等人而
賤童子菩提地藏童子
安住無上菩提於大乘中諸信歡

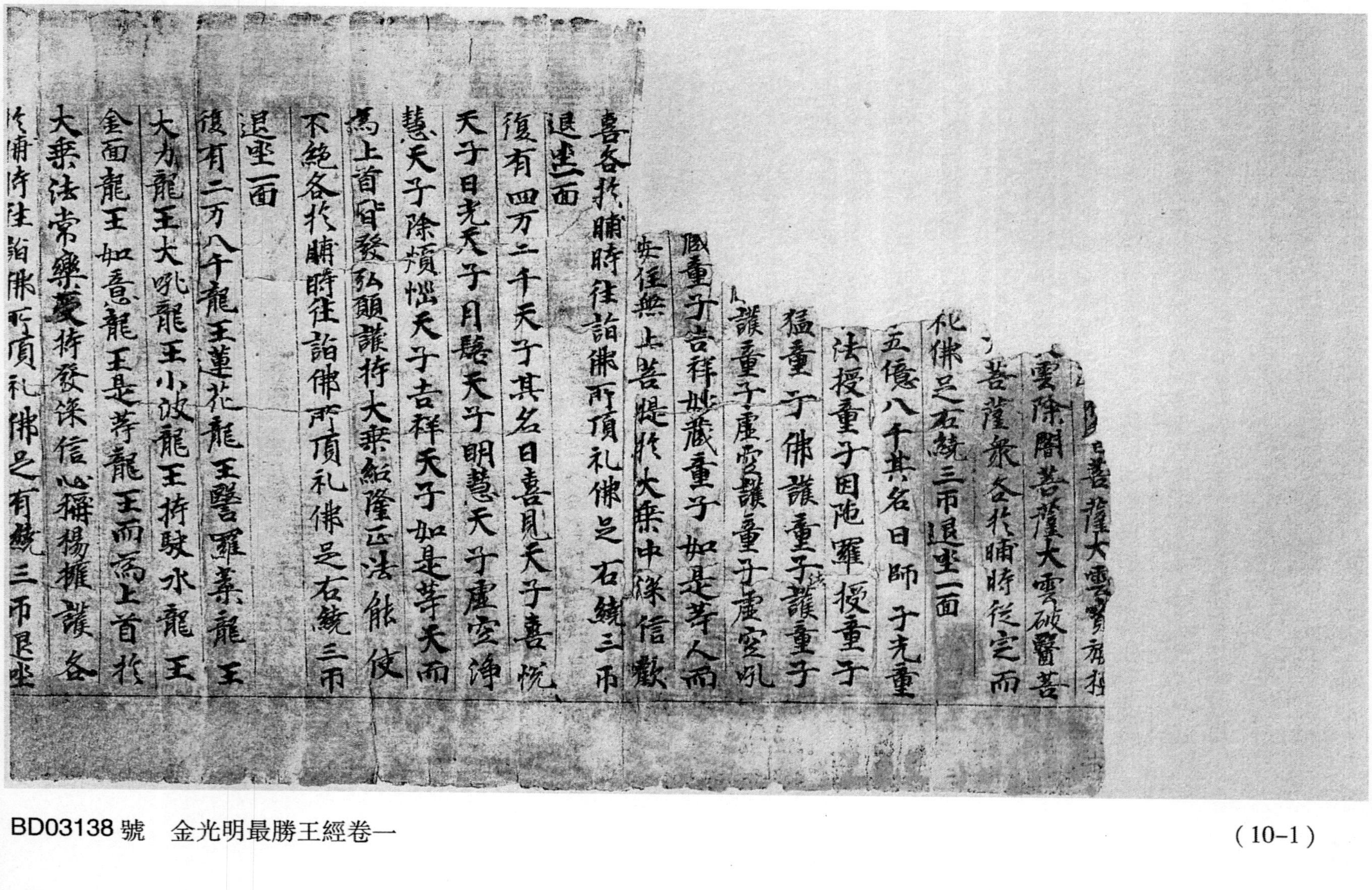

退坐一面
復有二万八千龍王蓮花龍王翳羅葉龍王
大力龍王大吼龍王小波龍王持駃水龍王
金面龍王如意龍王是等龍王而為上首於
大乘法常樂受持發深信心稱揚擁護各
於晡時往詣佛所頂礼佛足右繞三帀退坐
一面
復有三万六千諸藥叉衆毗沙門天王而為上
首其名曰菴婆藥叉持菴婆藥叉蓮花光
藏藥叉蓮花面藥叉頻眉藥叉現大怖藥叉
動地藥叉呑食藥叉是等藥叉悉皆愛樂如
來正法深心護持不生疲懈各於晡時往詣
佛所頂礼佛足右繞三帀退坐一面
復有四万九千揭路荼王香象勢力王而為
上首及餘揵闥婆阿蘇羅緊那羅莫呼洛
伽等山林河海一切神仙并諸大國所有王
衆中宮后妃淨信男女人天大衆悉皆雲
集咸願擁護無上大乘讀誦受持書寫流
布各於晡時往詣佛所頂礼佛足右繞三帀
退坐一面
如是等聲聞菩薩人天大衆龍神八部既雲
集已各各至心合掌恭敬瞻仰尊容目未曾
捨願樂欲聞殊勝妙法尒時薄伽梵於日晡
時從定而起觀察大衆而說頌曰
金光明妙法　最勝諸經王　甚深難得聞　諸佛之境界
我當為大衆　宣說如是經　并四方四佛　威神共加護
東方阿閦尊　南方寶相佛　西方无量壽　北方天鼓音

BD03138號　金光明最勝王經卷一　（10–2）

我當為大衆　宣說如是經　并四方四佛　威神共加護
東方阿閦尊　南方寶相佛　西方无量壽　北方天鼓音
我復演妙法　吉祥懺中勝　能滅一切罪　淨除諸惡業
及消衆苦患　常與無量樂　一切智根本　諸功德莊嚴
衆生身不具　壽命將損減　諸惡相現前　天神皆捨離
親友懷瞋恨　眷屬悉分離　彼此共乖違　珍財皆散失
惡星為變怪　或被邪蠱侵　若復多憂愁　衆苦之所逼
睡眠見惡夢　因此生煩惱　是人當澡浴　應著鮮潔衣
於此妙經王　甚深佛所讚　專注心無亂　讀誦聽受持
由此經威力　能離諸災橫　及餘衆苦難　無不皆除滅
護世四王衆　及大臣眷屬　無量諸藥叉　一心皆擁衛
大辯才天女　尼連河水神　訶利底母神　堅牢地神衆
梵王帝釋主　龍王緊那羅　及金翅鳥王　阿蘇羅天衆
如是天神等　并將其眷屬　皆來護是人　晝夜常不離
我當說是經　甚深佛行處　諸佛秘密教　千万劫難逢
若有聞是經　能為他演說　若心生隨喜　或設於供養
如是諸人等　當於无量劫　常為諸天人　龍神所恭敬
此福聚无量　數過於恒沙　讀誦是經者　當獲斯功德
亦為十方尊　深行諸菩薩　擁護持經者　令離諸苦難
供養是經者　如是澡浴身　飲食及香花　恒起慈悲意
若欲聽是經　令心淨无垢　常生歡喜念　能長諸功德
若以尊重心　聽聞是經者　善生於人趣　遠離諸苦難
彼人善根熟　諸佛之所讚　方得聞是經　及以懺悔法
金光明最勝王經如來壽量品第二
尒時王舍大城有一菩薩摩訶薩名曰妙幢已
於過去無量俱胝那庾多百千佛所承事供養
殖諸善根是時妙幢菩薩獨於靜處作是

BD03138號　金光明最勝王經卷一　（10–3）

金光明最勝王經如來壽量品第二
尒時王舍大城有一菩薩摩訶薩名曰妙幢已
於過去無量俱胝那庾多百千佛所承事供養
殖諸善根是時妙幢菩薩獨於靜處作是
思惟以何因緣釋迦牟尼如來壽命短促唯八
十年復作是念如佛所說有二因緣得壽
命長云何為二一者不害生命二者施他飲
食然釋迦牟尼如來曾於無量百千万億無
數大劫不害生命行十善道常以飲食惠
施一切飢餓眾生乃至己身血肉骨髓亦持
施與令得飽滿況餘飲食時彼菩薩於世尊
所作是念時以佛威力其室忽然廣博嚴淨
帝青瑠璃種種眾寶雜彩間飾如佛淨土有
妙香氣過諸天香芬馥充滿於其四面各有
上妙師子之座四寶所成以天寶衣而敷其上
復於此座有妙蓮華種種珍寶以為嚴飾
量等如來自然顯現於蓮華上有四如來東
方不動南方寶相西方無量壽北天鼓音是四
如來各於其座跏趺而坐放大光明周遍照耀
王舍大城及此三千大千世界乃至十方
恒河沙等諸佛國土雨諸天華奏諸天樂尒
時於此贍部洲中及三千大千世界所有眾
生以佛威力受勝妙樂無有乏少若身不具
皆蒙具足盲者能視聾者得聞瘂者能言
愚者得智若心亂者得本心若衣無者得衣
服被惡賤者人所敬有垢穢者身清潔於此
世間所有利益未曾有事悉皆顯現

BD03138號　金光明最勝王經卷一　（10–4）

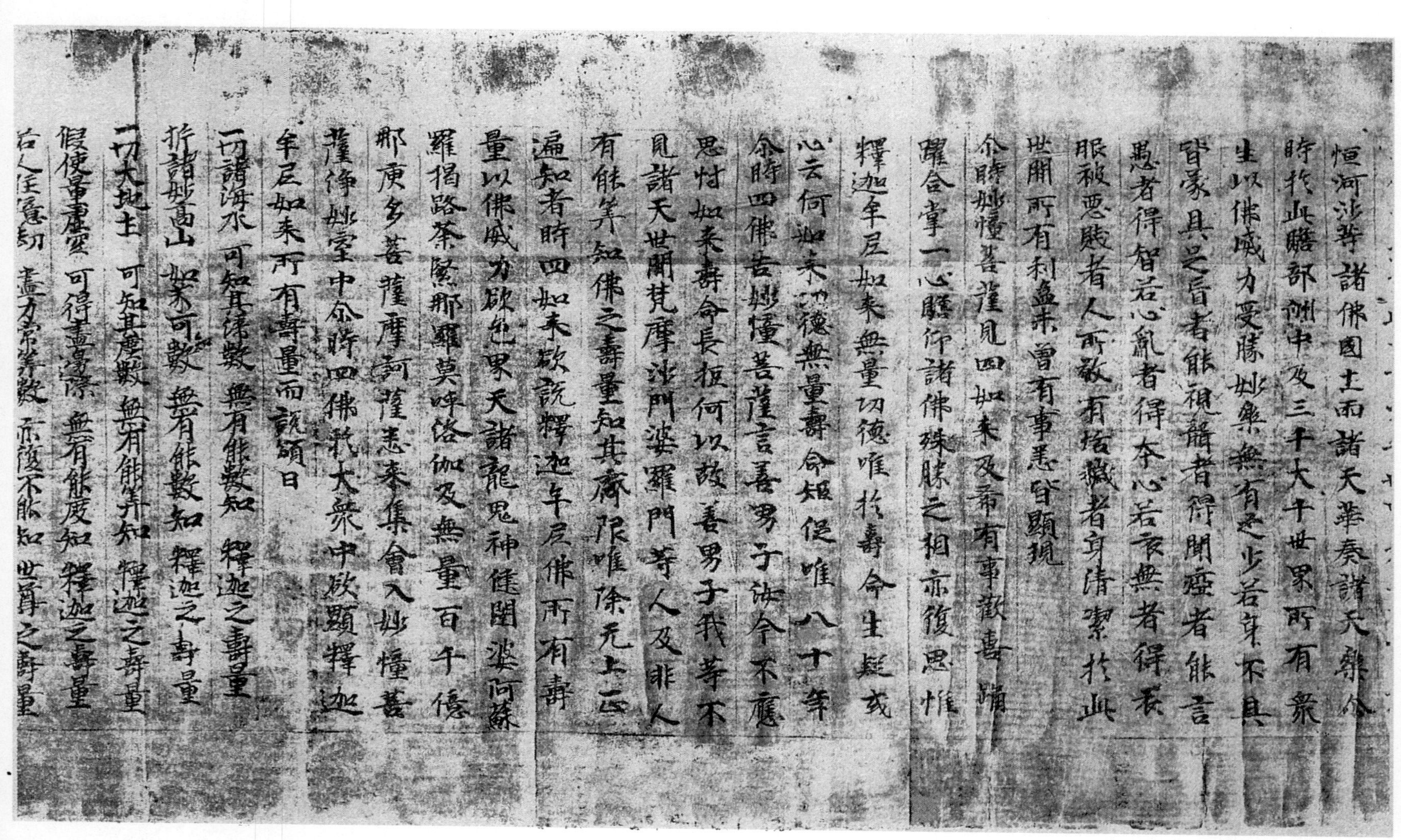

恒河沙等諸佛國土雨諸天華奏諸天樂尒
時於此贍部洲中及三千大千世界所有眾
生以佛威力受勝妙樂無有乏少若身不具
皆蒙具足盲者能視聾者得聞瘂者能言
愚者得智若心亂者得本心若衣無者得衣
服被惡賤者人所敬有垢穢者身清潔於此
世間所有利益未曾有事悉皆顯現
尒時妙幢菩薩見四如來及希有事歡喜踊
躍合掌一心瞻仰諸佛殊勝之相亦復思惟
釋迦牟尼如來無量功德唯於壽命生疑惑
心云何如來功德無量壽命短促唯八十年
尒時四佛告妙幢菩薩言善男子汝今不應
思忖如來壽命長短何以故善男子我等不
見諸天世間梵摩沙門婆羅門等人及非人
有能算知佛之壽量知其齊限唯除無上正
遍知者時四如來欲說釋迦牟尼佛所有壽
量以佛威力欲色界天諸龍鬼神健闥婆阿蘇
羅揭路荼緊那羅莫呼洛伽及無量百千億
那庾多菩薩摩訶薩悉來集會入妙幢菩
薩淨妙室中尒時四佛於大眾中欲顯釋迦
牟尼如來所有壽量而說頌曰
一切諸海水　可知其渧數　無有能數知　釋迦之壽量
折諸妙高山　如芥可數　無有能數知　釋迦之壽量
一切大地土　可知其塵數　無有能筭知　釋迦之壽量
假使量虛空　可得盡邊際　無有能度知　釋迦之壽量
若人住億劫　盡力常筭數　亦復不能知　世尊之壽量

BD03138號　金光明最勝王經卷一　（10–5）

假使算盡虛空　可得盡邊際　無有能度知　釋迦之壽量
若人住億劫　盡力常算數　亦復不能知　世尊之壽量
不害衆生命　及施於飲食　由斯二種因　得壽命長遠
是故大覺尊　壽命難知數　如劫無邊際　壽量亦如是
妙幢汝當知　不應起疑惑　最勝壽無量　莫能知數者
爾時妙幢菩薩聞四如來說釋迦牟尼佛壽
量無限，白言：世尊！云何如來現如是短促
壽量？時四世尊告妙幢菩薩言：善男子！彼釋
迦牟尼佛於五濁世出現之時，人壽百年，稟
性下劣，善根微薄，復無信解。此諸衆生多有
我見、人見、衆生、壽者、養育、邪見、我我所見、斷
常見等。為欲利益此諸異生及衆外道，如是
等類，令生正解，速得成就無上菩提，是故釋迦
牟尼如來示現如是短促壽命。善男子！然
彼如來欲令衆生見涅槃已，生難遭想、憂苦
等想，於佛世尊所說經教，速當受持讀誦通
利，為人解說，不生謗毀。是故如來現斯短壽。何
以故？彼諸衆生若見如來不般涅槃，不生恭
敬難遭之想，如來所說甚深經典，亦不受持
讀誦通利，為人宣說。所以者何？以常見佛，不
尊重故。善男子！譬如有人見其父母多有財
產，珍寶豐盈，便於財物不生希有難遭之
想。所以者何？於父財物生常想故。善男子！彼
諸衆生亦復如是，若見如來不入涅槃，不生
希有難遭之想。所以者何？由常見故。善男子！
譬如有人父母貧窮，資財乏少，然彼貧人或

BD03138號　金光明最勝王經卷一　（10–6）

讀誦通利，為人宣說。所以者何？以常見佛，不
尊重故。善男子！譬如有人見其父母多有財
產，珍寶豐盈，便於財物不生希有難遭之
想。所以者何？於父財物生常想故。善男子！彼
諸衆生亦復如是，若見如來不入涅槃，不生
希有難遭之想。所以者何？由常見故。善男子！
譬如有人父母貧窮，資財乏少，然彼貧人或
詣王家或大臣舍，見其倉庫種種珍財悉皆
盈溢，生希有心難遭之想。時彼貧人為欲求
財，廣設方便，策勤無怠。所以者何？為捨貧
窮，受安樂故。善男子！彼諸衆生亦復如是，若
見如來入於涅槃，生難遭想，乃至憂苦等想。復
作是念：於無量劫諸佛如來出現於世，如烏
曇跋花，時乃一現。彼諸衆生發希有心，起難
遭想，若遇如來，心生敬信，聞說正法，生實語
想，所有經典悉皆受持，不生毀謗。善男子！以
是因緣，彼佛世尊不久住世，速入涅槃。善男
子！是諸如來以如是等善巧方便成就衆生。
時四佛說是語已，忽然不現。
爾時妙幢菩　可　與無量百千菩薩及
無量億
中釋迦牟尼如來正遍知所，頂禮佛足，在一面
立。時妙幢菩薩以如上事具白世尊。時四如
來亦詣鷲峯，至釋迦牟尼佛所，各隨本方
就座而坐，告侍者菩薩言：善男子！汝今可詣
釋迦牟尼佛所，為我致問：少病少惱，起居輕

BD03138號　金光明最勝王經卷一　（10–7）

釋迦牟尼佛所爲我致問少病少惱起居輕
利安樂行不復作是言善哉善哉釋迦牟尼
如來今可演說金光明經甚深法要爲欲饒益
一切衆生除去飢饉令得安樂我當隨喜
時彼侍者各詣釋迦牟尼佛所頂礼雙足却
住一面俱白佛言彼天人師致問无量少病少
惱起居輕利安樂行不復作是言善哉善
哉釋迦牟尼如來今可演說金光明經甚深
法要爲欲利益一切衆生除去飢饉令得安
樂尒時釋迦牟尼如來應正等覺告彼侍者
諸菩薩言善哉善哉彼四如來乃能爲諸衆
生饒益安樂勸請於我宣揚正法尒時世尊而
說頌曰
我常在鷲山　宣說此經寶　成就衆生故　示現般涅槃
凡夫起邪見　不信我所說　爲成就彼故　示現般涅槃
時大會中有婆羅門姓憍陳如名曰法師授
記與无量百千婆羅門衆供養佛已聞世尊
說入般涅槃涕淚交流前礼佛足白言世尊若
實如來於諸衆生有大慈悲憐愍利益令得
安樂猶如父母无等等者能與世間作歸依
處如淨滿月以大知慧能爲照明如日初出
普觀衆生愛無偏黨如羅怙羅願世尊施
我一願尒時世尊黙然而止佛威力故於此衆
中有梨車毗童子名一切衆生喜見語婆
羅門憍陳如言大婆羅門汝從佛欲乞何
願我能與汝婆羅門言童子我欲供養无上

BD03138號　金光明最勝王經卷一　（10-8）

我一願尒時世尊黙然而止佛威力故於此衆
中有梨車毗童子名一切衆生喜見語婆
羅門憍陳如言大婆羅門汝從佛欲乞何
願我能與汝婆羅門言童子我欲供養无上
世尊今從如來求請舍利如芥子許何以故
我曾聞說若善男子善女人得佛舍利如芥
子許恭敬供養是人當生三十三天而爲帝
釋是時童子語婆羅門曰若欲願生三十三
天受勝報者應當至心聽是金光明最勝王
經於諸經中最爲殊勝難解難入聲聞
獨覺所不能知此經能生無量无邊福德果
報乃至成辨無上菩提我今爲汝略說其事
婆羅門言善哉童子此金光明甚深最上難
解難入聲聞獨覺尚不能知何況我等邊鄙
之人智慧微淺而能解了是故我今求佛舍
利如芥子許持還本處置寶函中恭敬供
養命終之後得爲帝釋常受安樂云何汝今
不能爲我從明行足求斯一願作是語已尒時
童子即爲婆羅門而說頌曰
恒河駛流水　可生白蓮花　黃鳥作白形　黑鳥變爲赤
假使贍部樹　可生多羅果　朅樹羅枝中　能生菴羅葉
斯等希有物　或容可轉變　世尊之舍利　畢竟不可得
假使用龜毛　織成上妙服　寒時可被著　方求佛舍利
假使蚊蚋足　可使成樓觀　堅固不搖動　方求佛舍利
假使水蛭蟲　口中生白齒　長大利如鋒　方求佛舍利
假使持兔角　用成於梯隥　可昇上天宮　方求佛舍利

BD03138號　金光明最勝王經卷一　（10-9）

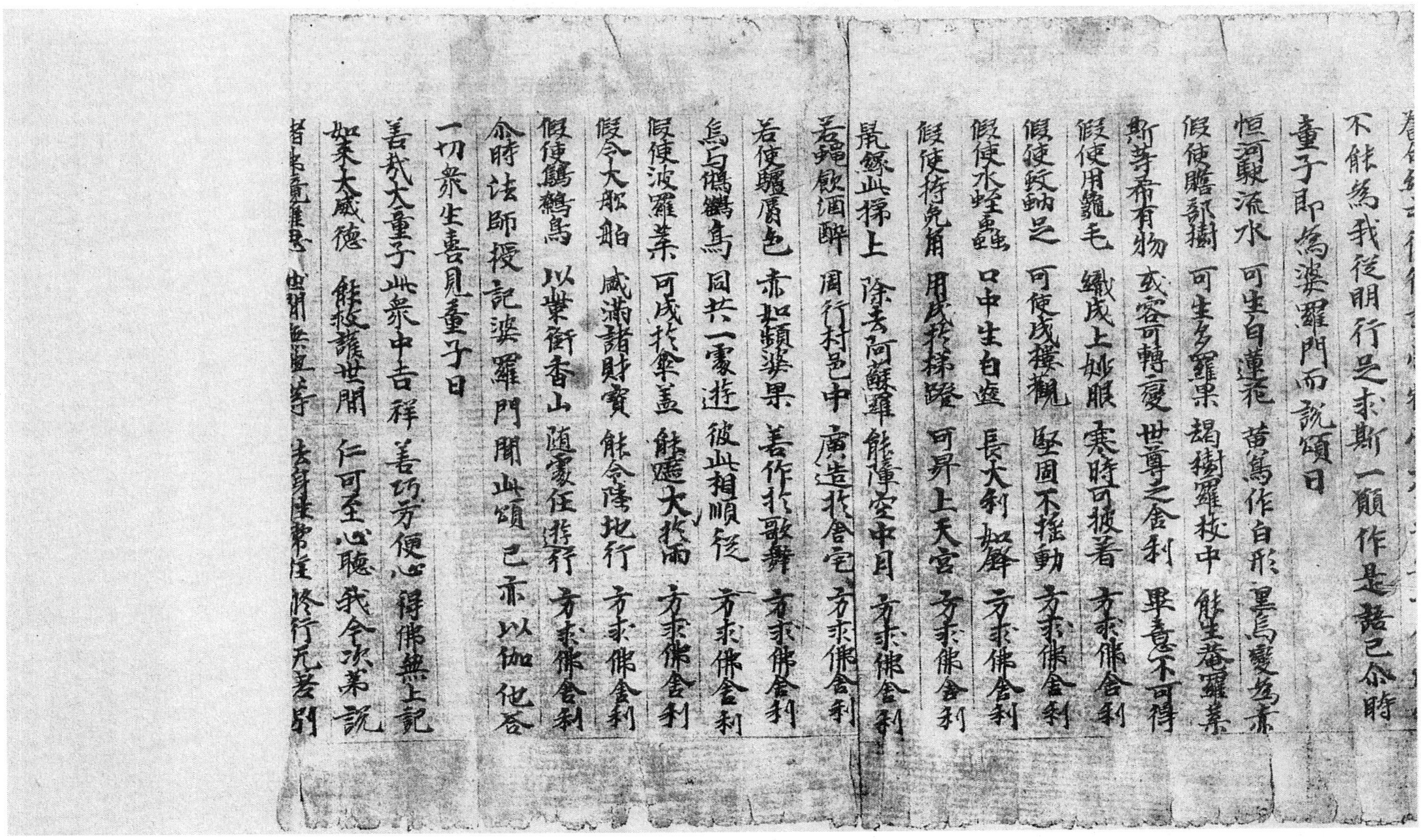

不能為我從明行足求斯一顆作是語已尒時
童子即為婆羅門而說頌曰
恒河駛流水　可生白蓮花　黃鳥作白形　黑鳥變為赤
假使贍部樹　可生多羅果　朅樹羅枝中　能生菴羅葉
斯等希有物　或容可轉變　世尊之舍利　畢竟不可得
假使用龜毛　織成上妙服　寒時可披著　方求佛舍利
假使蚊蚋足　可使成樓觀　堅固不搖動　方求佛舍利
假使水蛭蟲　口中生白齒　長大利如觧　方求佛舍利
假使持兔角　用成於梯隥　可昇上天宮　方求佛舍利
鼠緣此梯上　除去阿蘇羅　能障空中月　方求佛舍利
若蠅飲酒醉　周行村邑中　廣造於舍宅　方求佛舍利
若使驢脣色　赤如頻婆果　善作於歌舞　方求佛舍利
烏與鵂鶹鳥　同共一處遊　彼此相順從　方求佛舍利
假使波羅葉　可成於傘蓋　能遮大於雨　方求佛舍利
假令大船舶　盛滿諸財寶　能令陸地行　方求佛舍利
假使鷦鷯鳥　以觜銜香山　隨處任遊行　方求佛舍利
尒時法師授記婆羅門聞此頌已亦以伽他答
一切眾生喜見童子曰
善哉大童子　此眾中吉祥　善巧方便心　得佛無上記
如來大威德　能救護世間　仁可至心聽　我今次第說
皆佛境難思　世間無與等　法身性常住　修行無差別

BD03138號　金光明最勝王經卷一　（10–10）

BD03139號　無量壽宗要經　（5–1）

南謨薄伽勃底阿波唎蜜多阿喻紇硯娜須毗你悉指陀囉佐
薩婆桒悉迦羅波唎輸底達磨底伽迦娜莎訶某特迦底薩婆婆毗輸底
摩訶娜耶波唎婆囉莎訶 尒時復有卌五姟佛一時同聲說是无量壽宗要經陀羅尼曰
南謨薄伽勃底阿波唎蜜多阿喻紇硯娜須毗你悉指陀囉佐耶怛他羯他耶怛姪他唵
薩婆桒悉迦羅波唎輸底達磨底伽迦娜莎訶某特迦底薩婆婆毗輸底摩
訶娜耶波唎婆囉莎訶 尒時復有三十六姟佛一時同聲說是无量壽宗要經陀羅尼曰
南謨薄伽勃底阿波唎蜜多阿喻紇硯娜須毗你悉指陀囉佐耶怛他羯他耶怛姪他唵
薩婆桒悉迦羅波唎輸底達磨底伽迦娜莎訶某特迦底薩婆婆毗輸底
摩訶娜耶波唎婆囉莎訶 尒時復有廿五姟佛一時同聲說是无量壽宗要經陀羅尼曰
南謨薄伽勃底阿波唎蜜多阿喻紇硯娜須毗你悉指陀囉佐耶怛他羯他耶怛姪他唵
薩婆桒悉迦羅波唎輸底達磨底伽迦娜莎訶某特迦底薩婆婆毗輸底
摩訶娜耶波唎婆囉莎訶 尒時復有恒河沙姟佛一時同聲說是无量壽宗要經陀羅尼曰
南謨薄伽勃底阿波唎蜜多阿喻紇硯娜須毗你悉指陀囉佐耶怛他羯他耶怛姪他唵
薩婆桒悉迦羅波唎輸底達磨底伽迦娜莎訶某特迦底薩婆婆毗輸底
摩訶娜耶波唎婆囉莎訶 善男子若有自書寫教人書寫是无量
壽宗要經如其命盡復得長壽而滿年陀羅尼曰 南謨薄伽勃底阿波唎蜜多
阿喻紇硯娜須毗你悉指陀囉佐耶怛他羯他耶怛姪他唵薩婆桒悉迦羅波唎輸底
達磨底伽迦娜莎訶某特迦底薩婆婆毗輸底摩訶娜耶波唎婆囉莎訶
若有自書寫教人書寫是无量壽宗要經讀誦受持畢竟不墮地獄在在所生得
命智陀羅尼曰 南謨薄伽勃底阿波唎蜜多阿喻紇硯娜須毗你悉指陀囉佐耶
怛他羯他耶怛姪他唵 薩婆桒悉迦羅波唎輸底達磨底伽迦娜莎訶某特迦底
薩婆婆毗輸底摩訶娜耶波唎婆囉莎訶 若有自書寫教人書寫是无量壽宗要
經受持讀誦如同書寫八万四千一切經典陀羅尼曰 南謨薄伽勃底阿波唎蜜多
阿喻紇硯娜須毗你悉指陀囉佐耶怛他羯他耶怛姪他唵薩婆桒悉迦羅波唎輸
底達磨底伽迦娜莎訶某特迦底薩婆婆毗輸底摩訶娜耶波唎婆囉莎訶
若有自書寫教人書寫是无量壽宗要經即是書寫八万四千部立建塔廟陀羅尼曰
南謨薄伽勃底阿波唎蜜多阿喻紇硯娜須毗你悉指陀囉佐耶怛他羯他耶怛姪他唵
薩婆桒悉迦羅波唎輸底達磨底伽迦娜莎訶某特迦底薩婆婆毗輸底摩
訶娜耶波唎婆囉莎訶 若有自書寫教人書寫是无量壽宗要能消五无間等一切
重罪陀羅尼曰 南謨薄伽勃底阿波唎蜜多阿喻紇硯娜須毗你悉指陀囉佐耶怛他羯他
耶怛姪他唵 薩婆桒悉迦羅波唎輸底達磨底伽迦娜莎訶某特迦底薩婆婆毗輸
底摩訶娜耶波唎婆囉莎訶
若有自書寫教人書寫是无量壽宗要經受持讀誦設有重罪猶如須弥盡能除滅

BD03139 號　無量壽宗要經　（5–2）

若有自書寫教人書寫是无量壽宗要經即是書寫八万四千部立建塔廟陀羅尼曰
南謨薄伽勃底阿波唎蜜多阿喻紇硯娜須毗你悉指陀囉佐耶怛他羯他耶怛姪他唵
薩婆桒悉迦羅波唎輸底達磨底伽迦娜莎訶某特迦底薩婆婆毗輸底摩
訶娜耶波唎婆囉莎訶 若有自書寫教人書寫是无量壽宗要能消五无間等一切
重罪陀羅尼曰 南謨薄伽勃底阿波唎蜜多阿喻紇硯娜須毗你悉指陀囉佐耶怛他羯他
耶怛姪他唵 薩婆桒悉迦羅波唎輸底達磨底伽迦娜莎訶某特迦底薩婆婆毗輸
底摩訶娜耶波唎婆囉莎訶
若有自書寫教人書寫是无量壽宗要經受持讀誦設有重罪猶如須弥盡能除滅
陀羅尼曰 南謨薄伽勃底阿波唎蜜多阿喻紇硯娜須毗你悉指陀囉佐耶怛他羯他耶怛姪
他唵 薩婆桒悉迦羅波唎輸底達磨底伽迦娜莎訶某特迦底薩婆婆毗輸底
摩訶娜耶波唎婆囉莎訶 若有自書寫教人書寫是无量壽宗要經受持讀誦若
魔魔之眷屬夜叉羅刹不得其便終无枉死陀羅尼曰 南謨薄伽勃底阿波唎蜜多
阿喻紇硯娜須毗你悉指陀囉佐耶怛他羯他耶怛姪他唵薩婆桒悉迦羅波唎輸底達
磨底伽迦娜莎訶某特迦底薩婆婆毗輸底摩訶娜耶波唎婆囉莎訶
若有自書寫教人書寫是无量壽宗要經受持讀誦當命終時有九十九姟佛現其人前
家千佛授手能一切佛刹 莫於此經生於疑惑陀羅尼曰
南謨薄伽勃底阿波唎蜜多阿喻紇硯娜須毗你悉指陀囉佐耶怛他羯他耶
怛姪他唵 薩婆桒悉迦羅波唎輸底達磨底莎訶某特迦底薩婆婆毗輸底
摩訶娜耶波唎婆囉莎訶 若有自書寫教人書寫是无量壽宗要經受持讀誦
常得四天大王隨其衛護陀羅尼曰 南謨薄伽勃底阿波唎蜜多阿喻紇硯娜
須毗你悉指陀囉佐耶怛他羯他耶怛姪他唵 薩婆桒悉迦羅波唎輸底達磨
底伽迦娜莎訶某特迦底薩婆婆毗輸底摩訶娜耶波唎婆囉莎訶
若有自書寫教人書寫是无量壽宗要經受持讀誦當得往生西方極樂世界阿弥陀
淨土陀羅尼曰 南謨薄伽勃底阿波唎蜜多阿喻紇硯娜須毗你悉指陀囉佐耶怛他羯他
耶怛姪他唵 薩婆桒悉迦羅波唎輸底達磨底伽迦娜莎訶某特迦底薩婆婆
毗輸底摩訶娜耶波唎婆囉莎訶 若有方所自書寫使人書是无量壽經典之處則爲
是塔皆應恭敬作礼 若是畜生或爲鳥獸得聞是經如是等類皆不久得成一切種
智陀羅尼曰 南謨薄伽勃底阿波唎蜜多阿喻紇硯娜須毗你悉指陀囉佐耶怛他羯他
怛姪他唵 薩婆桒悉迦羅波唎輸底達磨底伽迦娜莎訶某特迦底薩婆婆毗
輸底摩訶娜耶波唎婆囉莎訶 若有於是无量壽經自書寫若使人書畢竟
不受女人之身陀羅尼曰 南謨薄伽勃底阿波唎蜜多阿喻紇硯娜須毗你悉指陀囉佐
耶怛他羯他耶怛姪他唵 薩婆桒悉迦羅波唎輸底達磨底伽迦娜莎訶某特迦底
薩婆婆毗輸底摩訶娜耶波唎婆囉莎訶 若有能於是經少分惠施有等於三
千大千世界滿中七寶布施陀羅尼曰

BD03139 號　無量壽宗要經　（5–3）

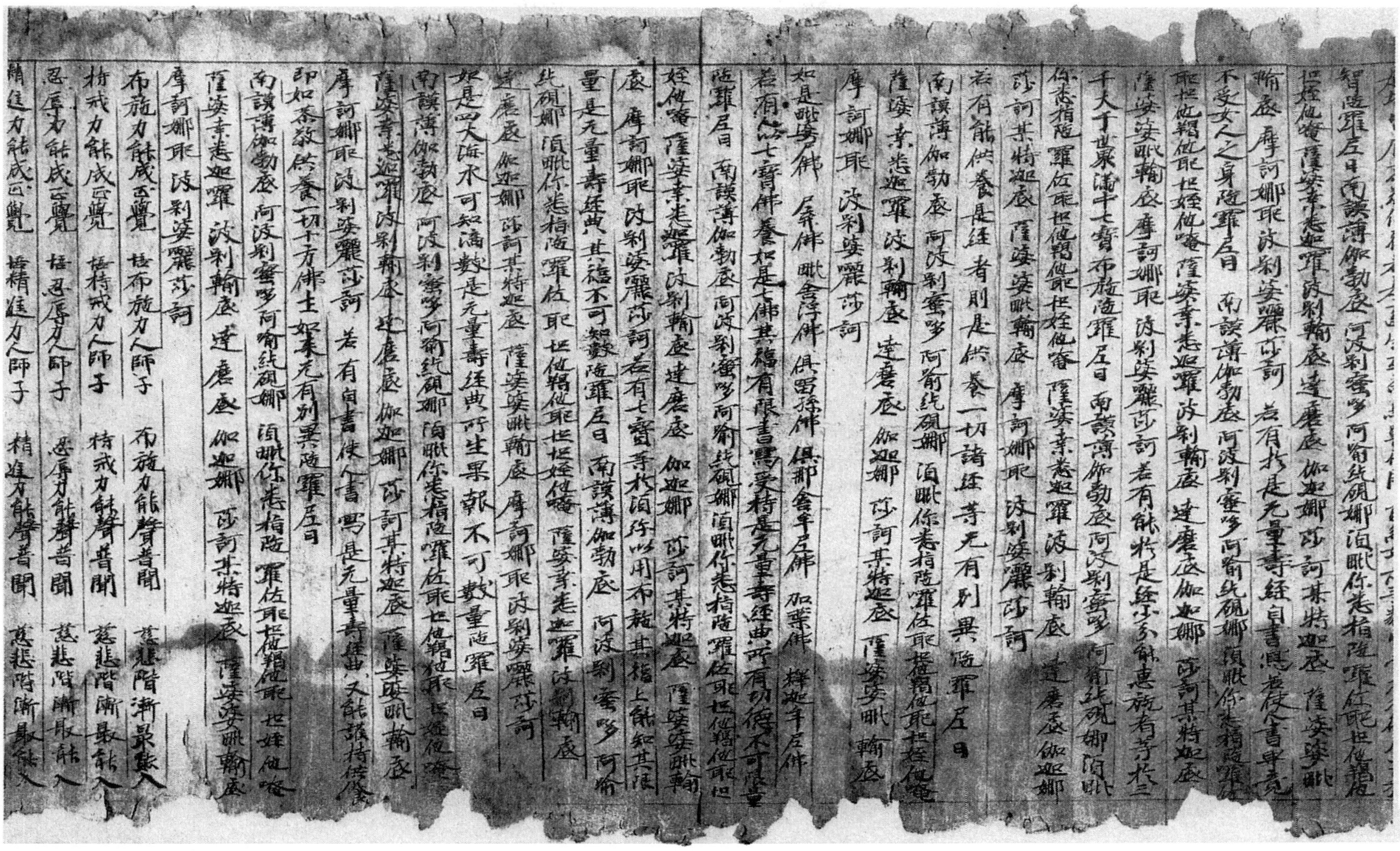
智陀羅尼曰 南謨薄伽勃底 阿波唎蜜哆 阿喻紇硯娜 須毗你悉指陀羅佐耶 怛他羯他耶
怛姪他唵 薩婆桑悉迦羅 波唎輸底 達磨底 伽伽娜 莎訶某特迦底 薩婆婆毗
輸底 摩訶娜耶 波唎婆唎 莎訶 若有於是無量壽經自書寫若使人書畢竟
不受女人之身陀羅尼曰 南謨薄伽勃底 阿波唎蜜哆 阿喻紇硯娜 須毗你悉指陀羅佐
耶 怛他羯他耶 怛姪他唵 薩婆桑悉迦羅 波唎輸底 達磨底 伽伽娜 莎訶某特迦底
薩婆婆毗輸底 摩訶娜耶 波唎婆唎 莎訶 若有能於是經少分惠施者於三
千大千世界滿中七寶布施陀羅尼曰 南謨薄伽勃底 阿波唎蜜哆 阿喻紇硯娜 須毗
你悉指陀羅佐耶 怛他羯他耶 怛姪他唵 薩婆桑悉迦羅 波唎輸底 達磨底 伽伽娜
莎訶某特迦底 薩婆婆毗輸底 摩訶娜耶 波唎婆唎 莎訶
若有能供養是經者則是供養一切諸經等無有別異陀羅尼曰
南謨薄伽勃底 阿波唎蜜哆 阿喻紇硯娜 須毗你悉指陀羅佐耶 怛他羯他耶 怛姪他唵
薩婆桑悉迦羅 波唎輸底 達磨底 伽伽娜 莎訶某特迦底 薩婆婆毗輸底
摩訶娜耶 波唎婆唎 莎訶
如是毗婆尸佛 尸棄佛 毗舍浮佛 俱留孫佛 俱那含牟尼佛 迦葉佛 釋迦牟尼佛
若有人以七寶供養如是七佛其福有限書寫受持是無量壽經典所有功德不可限量
陀羅尼曰 南謨薄伽勃底 阿波唎蜜哆 阿喻紇硯娜 須毗你悉指陀羅佐耶 怛他羯他耶 怛
姪他唵 薩婆桑悉迦羅 波唎輸底 達磨底 伽伽娜 莎訶某特迦底 薩婆婆毗輸
底 摩訶娜耶 波唎婆唎 莎訶 若有七寶等於須彌山用布施其福上能知其限
量是無量壽經典其福不可知數陀羅尼曰 南謨薄伽勃底 阿波唎蜜哆 阿喻
紇硯娜 須毗你悉指陀羅佐耶 怛他羯他耶 怛姪他唵 薩婆桑悉迦羅 波唎輸底
達磨底 伽伽娜 莎訶某特迦底 薩婆婆毗輸底 摩訶娜耶 波唎婆唎 莎訶
如是四大海水可知滴數是無量壽經典所生果報不可數量陀羅尼曰
南謨薄伽勃底 阿波唎蜜哆 阿喻紇硯娜 須毗你悉指陀羅佐耶 怛他羯他耶 怛姪他唵
薩婆桑悉迦羅 波唎輸底 達磨底 伽伽娜 莎訶某特迦底 薩婆婆毗輸底
摩訶娜耶 波唎婆唎 莎訶 若有自書使人書寫是無量壽經典又能讀持供養
即如恭敬供養一切十方佛土如來無有別異陀羅尼曰
南謨薄伽勃底 阿波唎蜜哆 阿喻紇硯娜 須毗你悉指陀羅佐耶 怛他羯他耶 怛姪他唵
薩婆桑悉迦羅 波唎輸底 達磨底 伽伽娜 莎訶某特迦底 薩婆婆毗輸底
摩訶娜耶 波唎婆唎 莎訶
布施力能成正覺 悟布施力人師子 布施力能聲普聞 慈悲階漸最能入
持戒力能成正覺 悟持戒力人師子 持戒力能聲普聞 慈悲階漸最能入
忍辱力能成正覺 悟忍辱力人師子 忍辱力能聲普聞 慈悲階漸最能入
精進力能成正覺 悟精進力人師子 精進力能聲普聞 慈悲階漸最能入

BD03139 號　無量壽宗要經　（5–4）

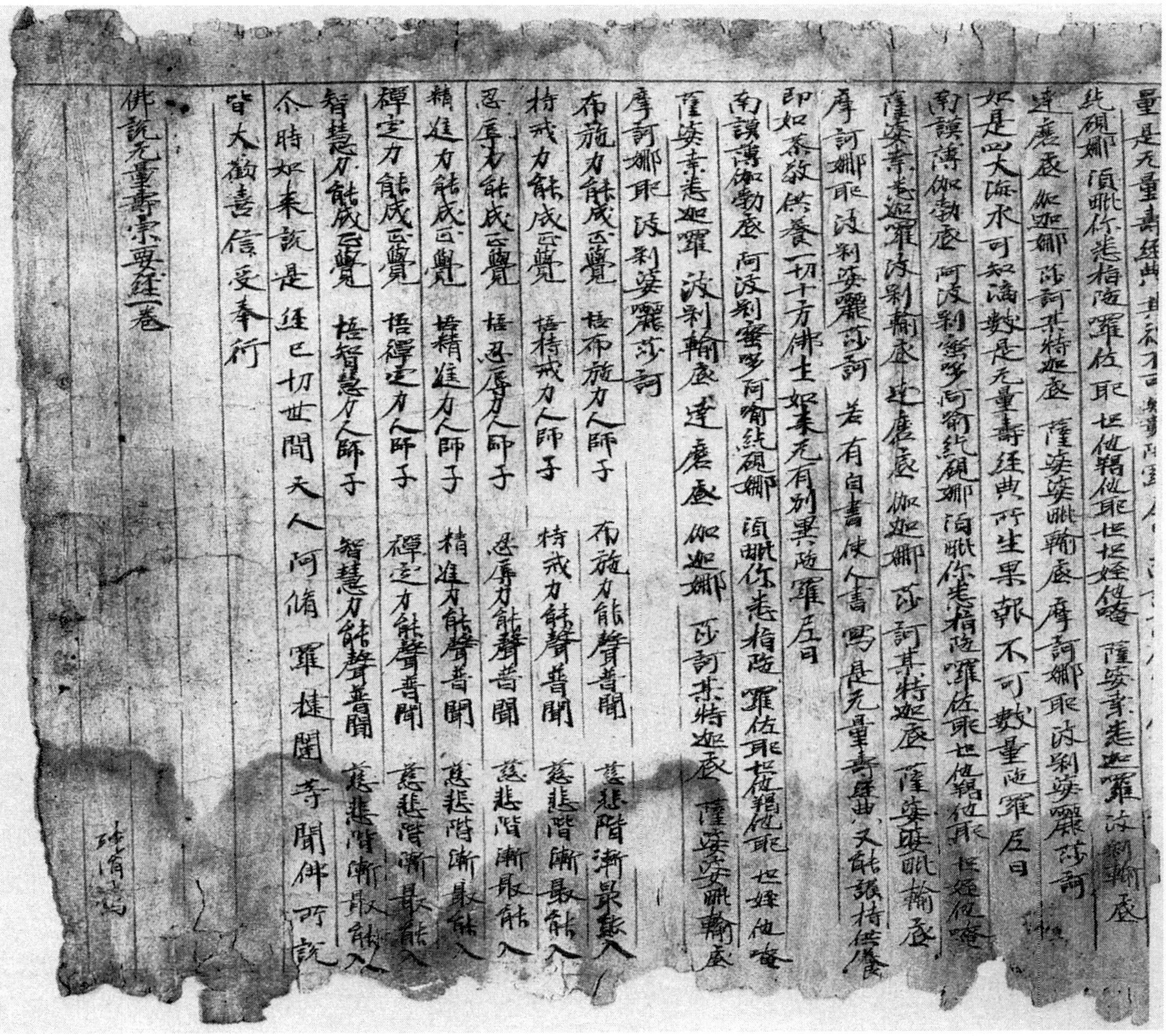
量是無量壽經典其福不可[illegible]
紇硯娜 須毗你悉指陀羅佐耶 怛他羯他耶 怛姪他唵 薩婆桑悉迦羅 波唎輸底
達磨底 伽伽娜 莎訶某特迦底 薩婆婆毗輸底 摩訶娜耶 波唎婆唎 莎訶
如是四大海水可知滴數是無量壽經典所生果報不可數量陀羅尼曰
南謨薄伽勃底 阿波唎蜜哆 阿喻紇硯娜 須毗你悉指陀羅佐耶 怛他羯他耶 怛姪他唵
薩婆桑悉迦羅 波唎輸底 達磨底 伽伽娜 莎訶某特迦底 薩婆婆毗輸底
摩訶娜耶 波唎婆唎 莎訶 若有自書使人書寫是無量壽經典又能讀持供養
即如恭敬供養一切十方佛土如來無有別異陀羅尼曰
南謨薄伽勃底 阿波唎蜜哆 阿喻紇硯娜 須毗你悉指陀羅佐耶 怛他羯他耶 怛姪他唵
薩婆桑悉迦羅 波唎輸底 達磨底 伽伽娜 莎訶某特迦底 薩婆婆毗輸底
摩訶娜耶 波唎婆唎 莎訶
布施力能成正覺 悟布施力人師子 布施力能聲普聞 慈悲階漸最能入
持戒力能成正覺 悟持戒力人師子 持戒力能聲普聞 慈悲階漸最能入
忍辱力能成正覺 悟忍辱力人師子 忍辱力能聲普聞 慈悲階漸最能入
精進力能成正覺 悟精進力人師子 精進力能聲普聞 慈悲階漸最能入
禪定力能成正覺 悟禪定力人師子 禪定力能聲普聞 慈悲階漸最能入
智慧力能成正覺 悟智慧力人師子 智慧力能聲普聞 慈悲階漸最能入
爾時如來說是經已 一切世間天人阿脩羅揵闥婆等 聞佛所說
皆大歡喜信受奉行
佛說無量壽宗要經一卷
[illegible]寫

BD03139 號　無量壽宗要經　（5–5）

BD03139 號背　雜寫

（1–1）

薩有如
生常應心念若有女人
養觀世音菩薩便生
求女便生端正有相之
愛敬无盡意觀世音
有衆生恭敬礼拜觀
捐是故衆生皆應受
号无盡意若有人受
菩薩名字復盡形供養飲食
具醫藥於汝意云何是善男子善女人
功德多不无盡意言甚多世尊佛言若
復有人受持觀世音菩薩名号乃至一
時礼拜供養是二人福正等无異於百
千万億劫不可窮盡无盡意受持觀
世音菩薩名号得如是无量无邊福德
之利无盡意菩薩白佛言世尊觀世
音菩薩云何遊此娑婆世界云何而爲
衆生說法方便之力其事云何佛告
无盡意菩薩善男子若有國土衆
生應以佛身得度者觀世音菩薩
即現佛身而爲說法應以辟支佛身得
度者即現辟支佛身而爲說法應以聲
而爲說法應

BD03140 號　觀世音經

（5–1）

衆生說法方便之力其事云何
无盡意菩薩善男子若有國土衆
生應以佛身得度者觀世音菩薩
即現佛身而為說法應以辟支佛身得
度者即現辟支佛身而為說法應以聲
聞身得度者即現聲聞身而為說法應
以梵王身得度者即現梵王身而為說
法應以帝釋身得度者即現帝釋身而
為說法應以自在天身得度者即現自
在天身而為說法應以大自在天身得度
者即現大自在天身而為說法應以天大將
軍身得度者即現天大將軍身而為說法
應以毗沙門身得度者即現毗沙門身而為
說法應以小王身得度者即現小王身而為
說法應以長者身得度者即現長者身
而為說法應以居士身得度者即現居士
身為說法應以宰官身得度者即現宰
官身而為說法應以婆羅門身得度者
即現婆羅門身而為說法應以比丘比丘尼
優婆塞優婆夷身得度者即現比丘比丘
尼優婆塞優婆夷身而為說法應以長
者居士宰官婆羅門婦女身得度者即
現婦女身而為說法應以童男童女身得
度者即現童男童女身而為說法應以天
龍夜叉乾闥婆阿脩羅迦樓羅緊那羅
摩睺羅伽人非人等身得度者即皆現
之而為說法應以執金剛神得度者即

BD03140 號　觀世音經　（5–2）

龍夜叉乾闥婆阿脩羅迦樓羅緊那羅
摩睺羅伽人非人等身得度者即皆現
之而為說法應以執金剛神得度者即
現執金剛神而為說法无盡意是觀世音
菩薩成就如是功德以種種形遊諸國土度
脫衆生是故汝等應當一心供養觀世音
菩薩是觀世音菩薩摩訶薩於怖畏
急難之中能施无畏是故此娑婆世界
皆號之為施无畏者无盡意菩薩白佛
言世尊我今當供養觀世音菩薩即
解頸衆寶珠瓔珞價直百千兩金而以
與之作是言仁者受此法施珎寶瓔珞
時觀世音菩薩不肯受之无盡意復白
觀世音菩薩言仁者愍我等故受此瓔珞
尒時佛告觀世音菩薩當愍此无盡意菩
薩及諸四衆天龍夜叉乾闥婆阿脩羅迦樓
羅緊那羅摩睺羅伽人非人等故受是瓔珞
即時觀世音菩薩愍諸四衆及於天龍
人非人等受其瓔珞分作二分一分奉釋迦
牟尼佛一分奉多寶佛塔无盡意觀世音
菩薩有如是自在神力遊於娑婆世界
尒時无盡意菩薩以偈問曰
世尊妙相具　我今重問彼　佛子何因緣　名為觀世音
具足妙相尊　偈荅无盡意　汝聽觀音行　善應諸方所
弘誓深如海　歷劫不思議　侍多千億佛　發大清淨願
我為汝略說　聞名及見身　心念不空過　能滅諸有苦
假使興害意　推落大火坑　念彼觀音力　火坑變成池

BD03140 號　觀世音經　（5–3）

世尊妙相具　我今重問彼　佛子何因緣　名爲觀世音
具足妙相尊　偈答无盡意　汝聽觀音行　善應諸方所
弘誓深如海　歷劫不思議　侍多千億佛　發大清淨願
我爲汝略說　聞名及見身　心念不空過　能滅諸有苦
假使興害意　推落大火坑　念彼觀音力　火坑變成池
或漂流巨海　龍魚諸鬼難　念彼觀音力　波浪不能沒
或在須弥峯　爲人所推墮　念彼觀音力　如日虛空住
或被惡人逐　墮落金剛山　念彼觀音力　不能損一毛
或值怨賊繞　各執刀加害　念彼觀音力　咸即起慈心
或遭王難苦　臨刑欲壽終　念彼觀音力　刀尋段段壞
或囚禁枷鎖　手足被杻械　念彼觀音力　釋然得解脫
呪詛諸毒藥　所欲害身者　念彼觀音力　彼即轉迴去
或遇惡羅刹　毒龍諸鬼等　念彼觀音力　時悉不敢害
若惡獸圍繞　利牙爪可怖　念彼觀音力　疾走无邊方
蚖蛇及蝮蠍　氣毒烟火然　念彼觀音力　尋聲自迴去
雲雷鼓掣電　降雹澍大雨　念彼觀音力　應時得消散
衆生被困厄　无量苦逼身　觀音妙智力　能救世間苦
具足神通力　廣修智方便　十方諸國土　无刹不現身
種種諸惡趣　地獄鬼畜生　生老病死苦　以漸悉令滅
真觀清淨觀　廣大智慧觀　悲觀及慈觀　常願常瞻仰
无垢清淨光　慧日破諸闇　能伏灾風火　普明照世間
悲體戒雷震　慈意妙大雲　澍甘露法雨　滅除煩惱焰
諍訟經官處　怖畏軍陣中　念彼觀音力　衆怨悉退散
妙音觀世音　梵音海潮音　勝彼世間音　是故須常念
念念勿生疑　觀世音淨聖　於苦惱死厄　能爲作依怙
具一切功德　慈眼視衆生　福聚海无量　是故應頂禮
尒時持地菩薩即從座起　前白佛言世尊若

BD03140 號　觀世音經

（5–4）

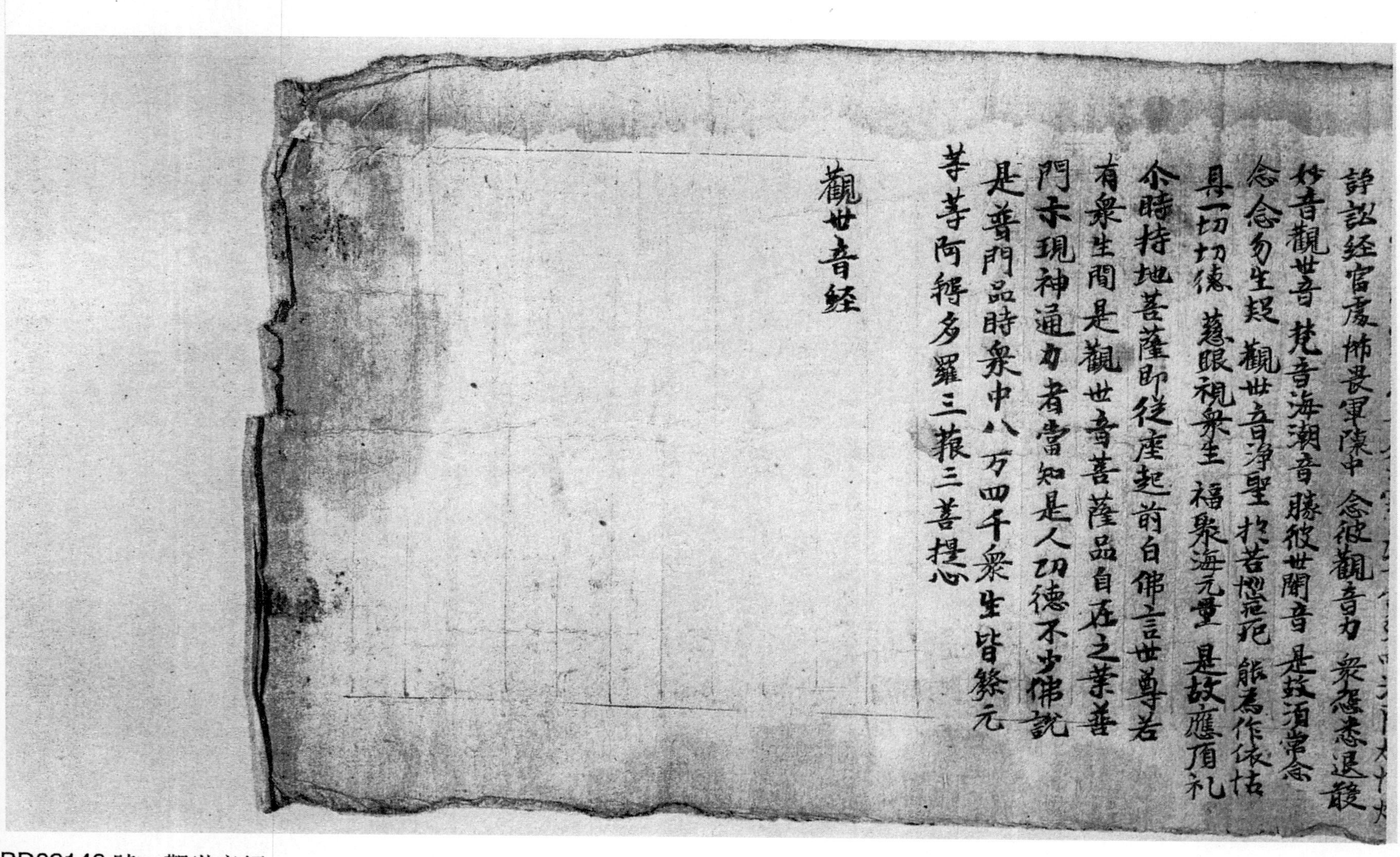
諍訟經官處　怖畏軍陣中　念彼觀音力　衆怨悉退散
妙音觀世音　梵音海潮音　勝彼世間音　是故須常念
念念勿生疑　觀世音淨聖　於苦惱死厄　能爲作依怙
具一切功德　慈眼視衆生　福聚海无量　是故應頂禮
尒時持地菩薩即從座起前白佛言世尊若
有衆生聞是觀世音菩薩品自在之業普
門示現神通力者當知是人功德不少佛說
是普門品時衆中八万四千衆生皆發无
等等阿耨多羅三藐三菩提心

觀世音經

BD03140 號　觀世音經

（5–5）

BD03141 號　無量壽宗要經　（5–1）

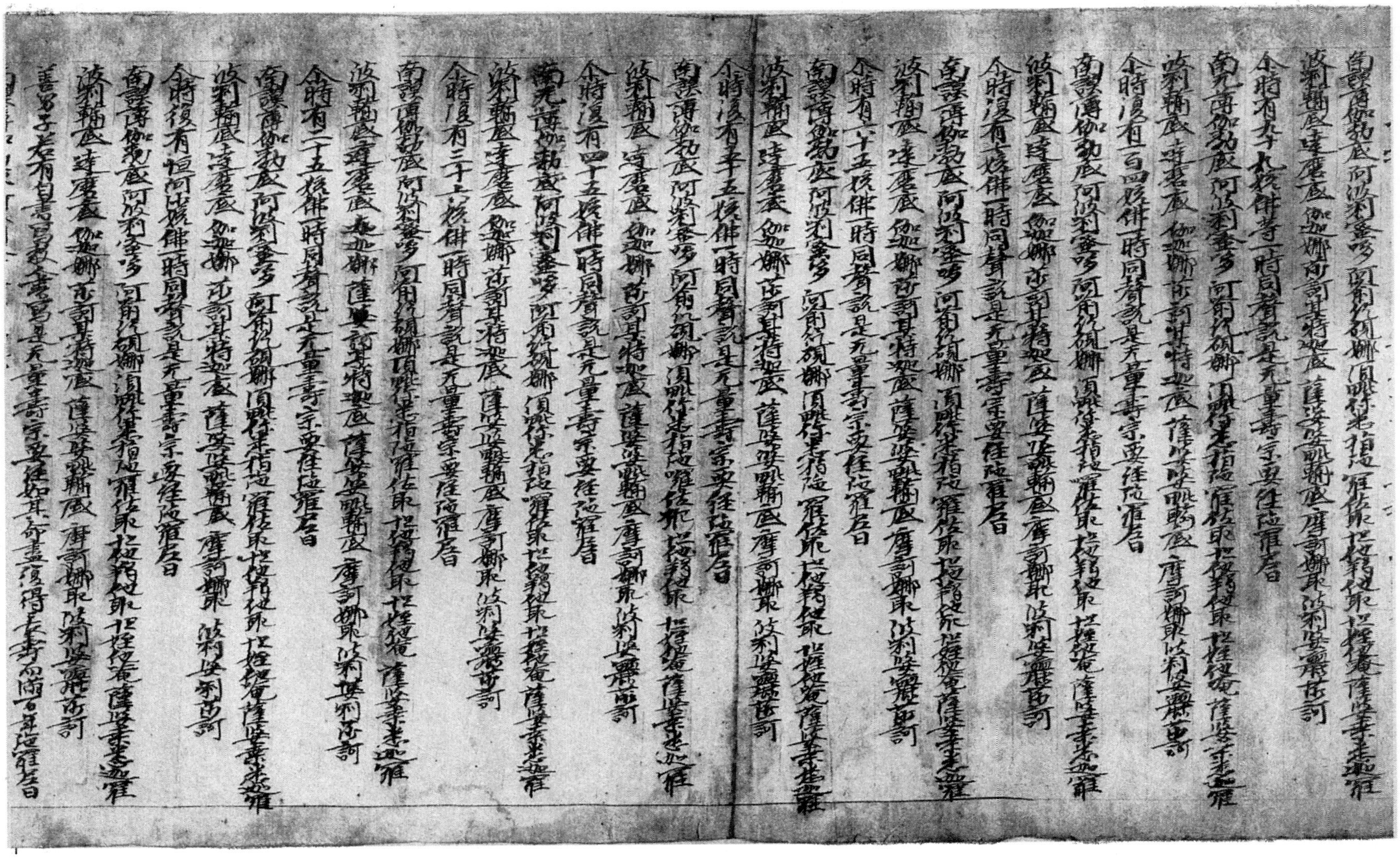

BD03141 號　無量壽宗要經　（5–2）

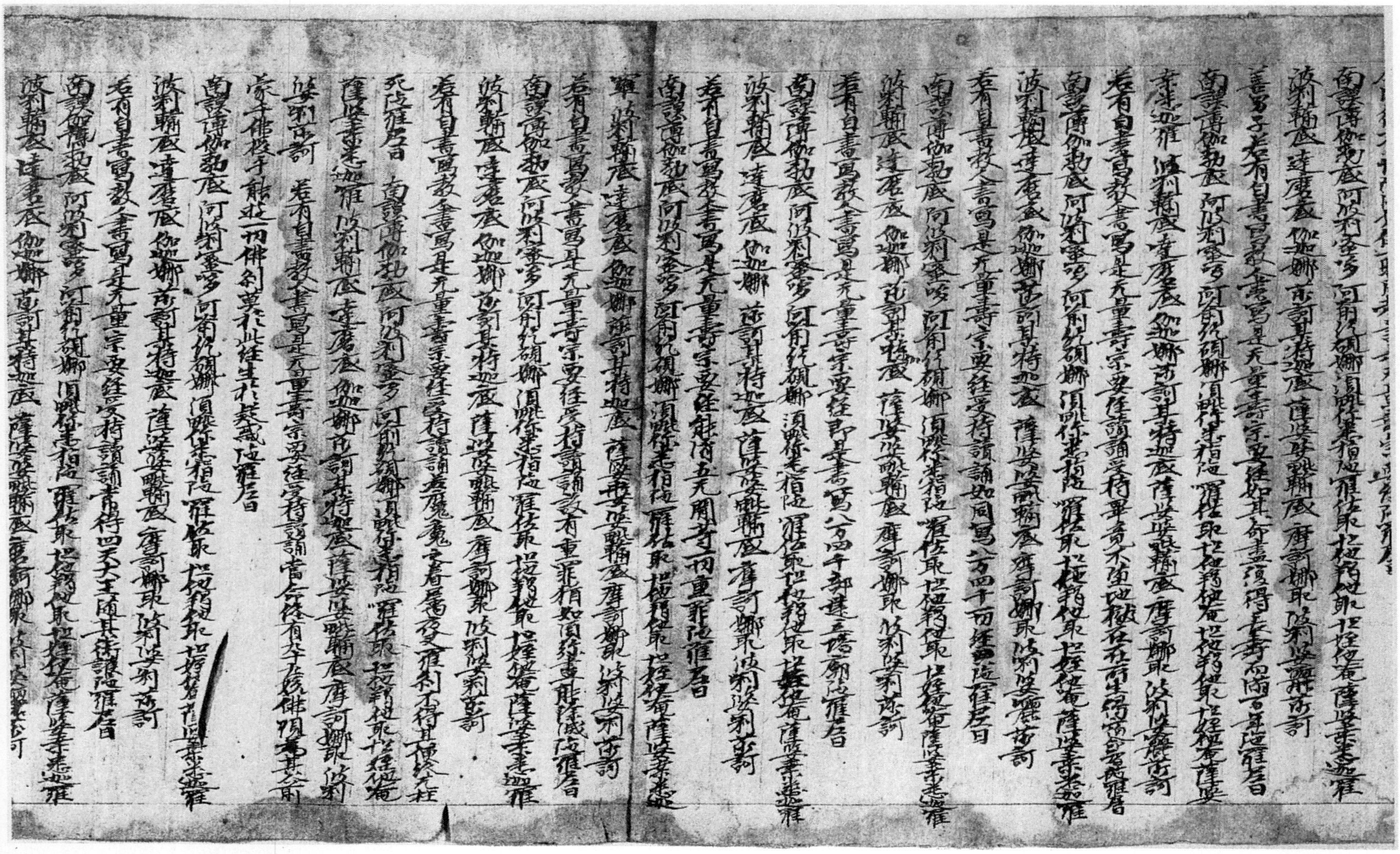

BD03141 號　無量壽宗要經　　　　　　　　　　　　　　　　（5–3）

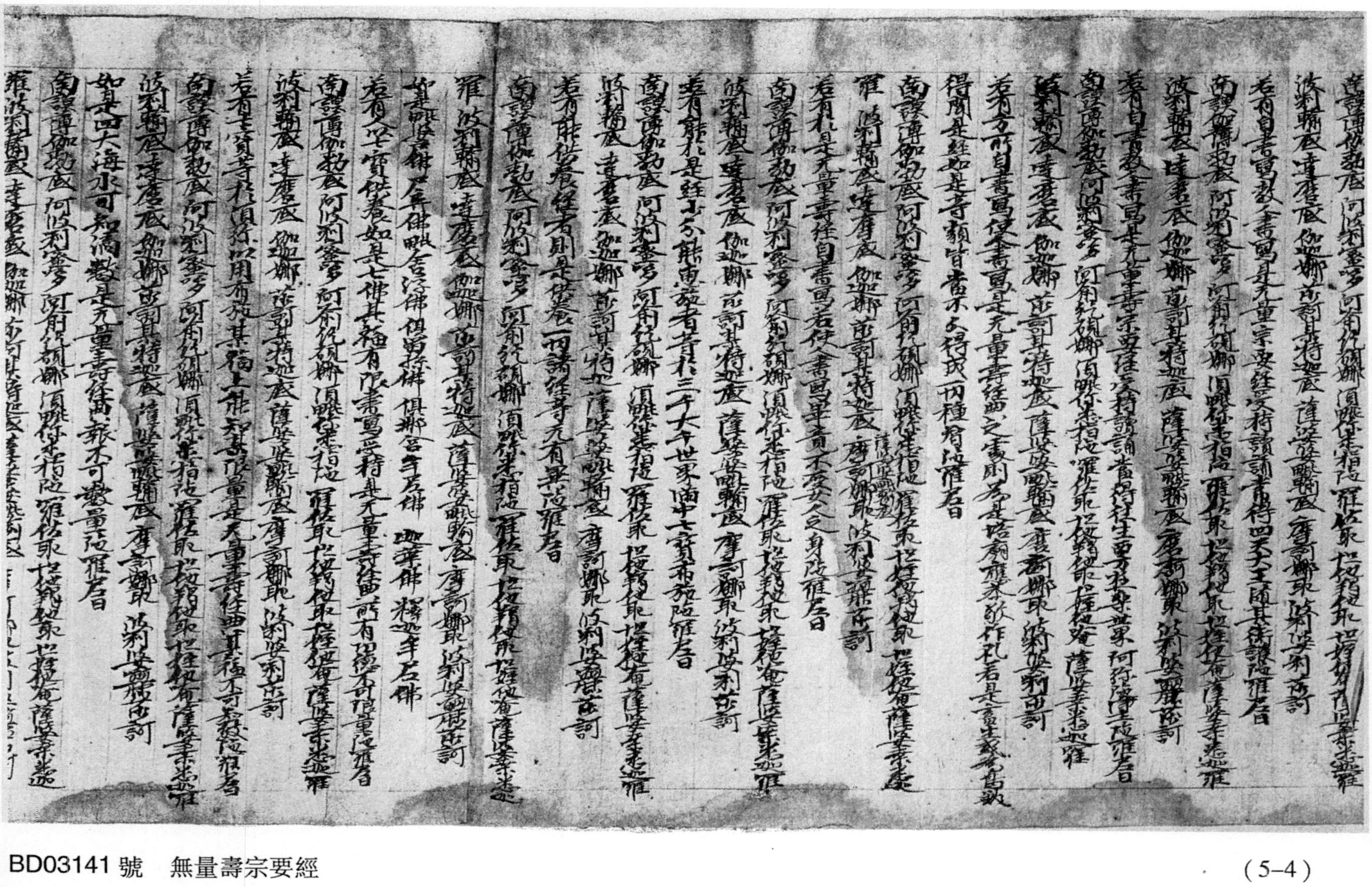

BD03141 號　無量壽宗要經　　　　　　　　　　　　　　　　（5–4）

波利輸底 達磨底 伽伽娜 娑摩訶伽底 薩婆婆 毗輸底 摩訶娜耶 波利婆利 莎訶
若有七寶等於須彌山用布施其福尚能知其限量是无量壽經其福不可數量陀羅尼曰
南謨薄伽勃底 阿波利蜜多 阿喻紇硯娜 須毗你悉指陀 囉佐耶 怛他羯他耶 怛姪他 唵 薩婆桑悉迦哩
波利輸底 達磨底 伽伽娜 娑摩訶伽底 薩婆婆 毗輸底 摩訶娜耶 波利婆利 莎訶
如是四大海水可知滴數是无量壽經其福不可數量陀羅尼曰
南謨薄伽勃底 阿波利蜜多 阿喻紇硯娜 須毗你悉指陀 囉佐耶 怛他羯他耶 怛姪他 唵 薩婆桑悉迦
囉 波利輸底 達磨底 伽伽娜 娑摩訶伽底 薩婆婆 毗輸底 摩訶娜耶 波利婆利 莎訶
若有自書寫教人書寫是无量壽宗要經而又能讀誦持受供養即如恭敬供養一切十方佛如來无有別
異陀羅尼曰 南謨薄伽勃底 阿波利蜜多 阿喻紇硯娜 須毗你悉指陀 囉佐耶 怛他羯他耶 怛姪他 唵 薩婆桑悉迦
波利輸底 達磨底 伽伽娜 娑摩訶伽底 薩婆婆 毗輸底 摩訶娜耶 波利婆利 莎訶
布施力能成正覺 悟布施力人師子 布施力能聲普聞 慈悲階漸最能入
持戒力能成正覺 悟持戒力人師子 持戒力能聲普聞 慈悲階漸最能入
忍辱力能成正覺 悟忍辱力人師子 忍辱力能聲普聞 慈悲階漸最能入
精進力能成正覺 悟精進力人師子 精進力能聲普聞 慈悲階漸最能入
禪定力能成正覺 悟禪定力人師子 禪定力能聲普聞 慈悲階漸最能入
智慧力能成正覺 悟智慧力人師子 智慧力能聲普聞 慈悲階漸最能入
今時佛說是經已一切世間天人阿修羅揵闥婆等聞佛所說皆大歡喜信受奉行
佛說无量壽宗要經
張瀛

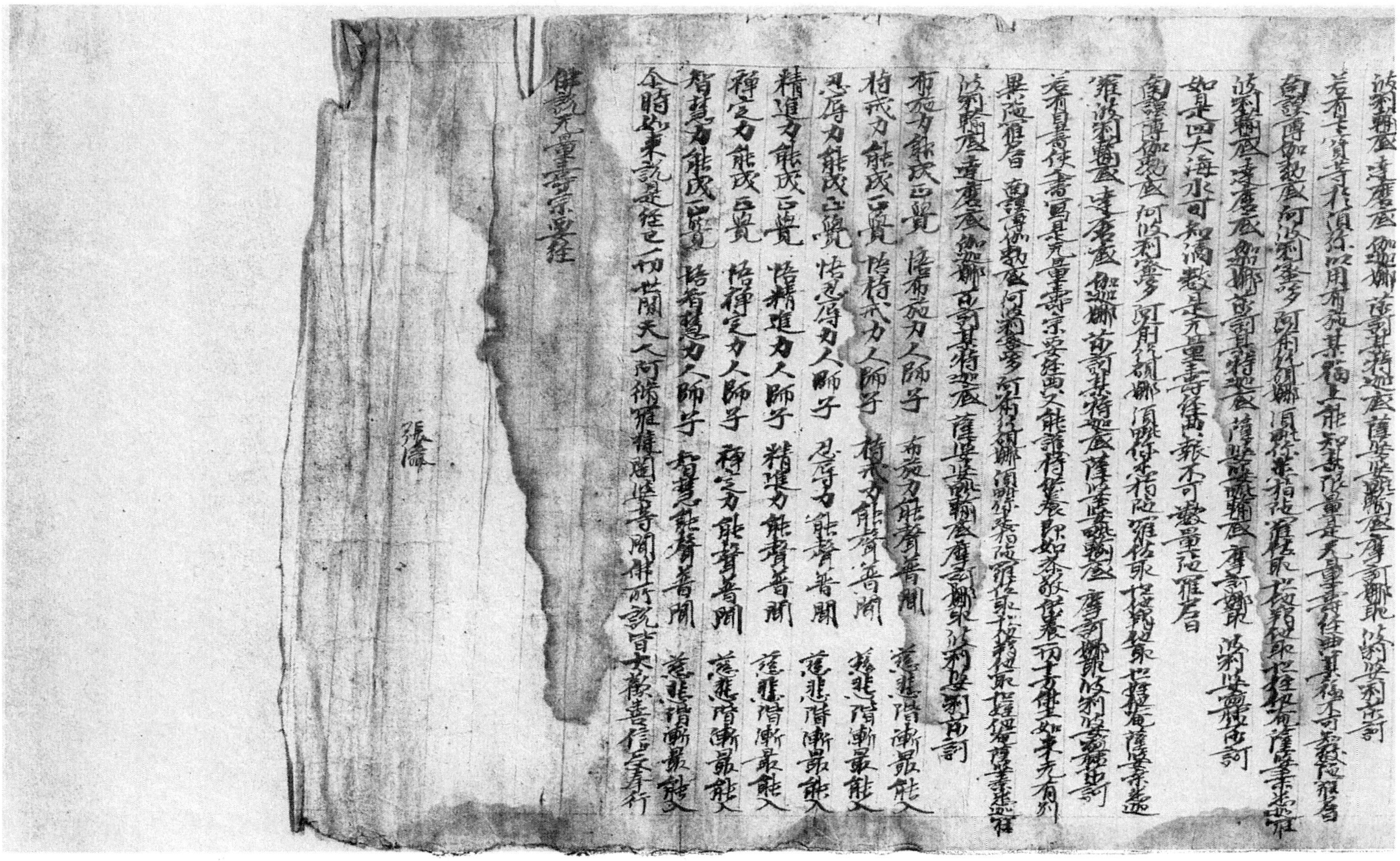

BD03141 號　無量壽宗要經　　　（5–5）

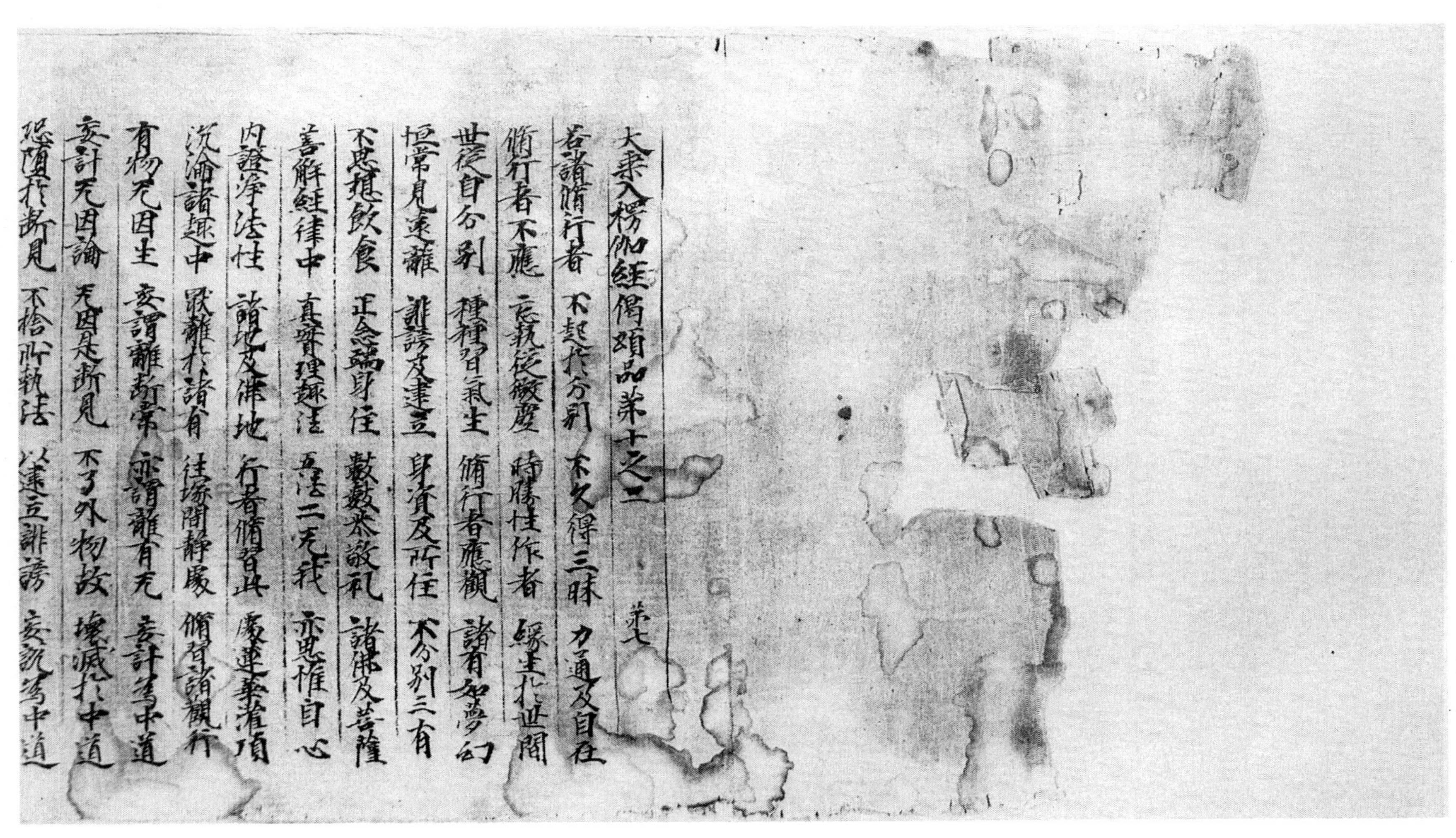

大乘入楞伽經偈頌品第十之二　弟七
若諸修行者 不起於分別 不久得三昧 力通及自在
修行者不應 妄想從緣覺 時勝性作者 緣生於世間
世從自分別 種種習氣生 修行者應觀 諸有如夢幻
恒常見遠離 誹謗及建立 身資及所住 不分別三有
不思想飲食 正念端身住 數數恭敬禮 諸佛及菩薩
善解經律中 真實理趣法 五法二无我 亦思惟自心
內證淨法性 諸地及佛地 行者修習此 處蓮華灌頂
沉淪諸趣中 厭離於諸有 往詣閑靜處 修習諸觀行
有物无因生 妄謂離斷常 亦謂離有无 妄計為中道
妄計无因論 无因是斷見 不了外物故 壞滅於中道
恐墮於斷見 不捨所執法 以建立誹謗 妄說為中道

BD03142 號　大乘入楞伽經卷七　　　（21–1）

內證淨法性 諸地及佛地 行者脩習此 處速乘淨境
沉淪諸趣中 永離於諸有 住於閑靜處 脩習諸觀行
有物无因生 妄謂離斷常 亦謂離有无 妄計為中道
妄計无因論 无因是斷見 不了外物故 壞滅於中道
恐墮於斷見 不捨所執法 以建立誹謗 妄說為中道
以覺了唯心 捨離於外法 亦離妄分別 此行契中道
唯心无有境 无境心不生 我及諸如來 說此為中道
若生若不生 自性无自性 有无等皆空 不應分別二
不能起分別 愚夫謂解脫 以无覺智生 豈能斷二執
以覺自心故 能斷二所執 了知故能斷 非不能分別
了知心所現 分別即不起 分別不起故 真如心轉依
若見所起法 離諸外道過 是智者所取 涅槃非滅壞
我及諸佛說 覺此即成佛 若更異分別 是則外道論
不生而現生 不滅而現滅 普於諸億剎 頓現如水月
一身為多身 然火及注雨 隨機心中現 是故說唯心
心亦是唯心 非心亦心起 種種諸色相 通達皆唯心
諸佛與聲聞 緣覺等形相 及餘種種色 皆說是唯心
從於无色界 乃至地獄中 普現為眾生 皆是唯心作
如幻諸三昧 及以意生身 十地與自在 皆由轉依得
愚夫為相縛 隨見聞覺知 自分別顛倒 戲論之所動
一切空无生 我實不涅槃 化佛於諸剎 演三乘一乘
佛有三十六 復各有十種 隨眾生心器 而現諸剎土
法佛於世間 猶如妄計性 雖見有種種 而實无所有
法佛是真佛 餘皆是化佛 隨眾生種子 見佛所現身
以迷惑諸相 而起於分別 分別不異真 相不即分別

BD03142 號　大乘入楞伽經卷七

(21–2)

法佛於世間 猶如妄計性 雖見有種種 而實无所有
法佛是真佛 餘皆是化佛 隨眾生種子 見佛所現身
以迷惑諸相 而起於分別 分別不異真 相不即分別
自性及受用 化身復現化 佛德三十六 皆自性所成
由外熏習種 而生於分別 不取於真實 而取妄所執
迷惑依內心 及緣於外境 但由此二起 更无第三緣
迷惑依內外 而得生起已 六十二十八 故我說為心
知但有根境 則離於我執 悟心无境界 則離於法執
由依本識故 而有諸識生 由依內處故 有似外影現
无智恒分別 有為及无為 皆悉不可得 如夢見毛輪
如乾闥婆城 如幻如陽水 非有而見有 緣起法亦然
我依三種心 假說根境我 而彼心意識 自性无所有
心意及與識 无我有二種 五法與自性 是諸佛境界
習氣因為一 而成於三相 如以一彩色 畫壁見種種
五法二无我 自性心意識 於佛種性中 皆悉不可得
遠離心意識 亦離於五法 復離於自性 是為佛種性
若身語意業 不脩白淨法 如來淨種性 則離於現行
神通力自在 三昧淨莊嚴 種種意生身 是佛淨種性
內自證无垢 遠離於因相 八地及佛地 如來性所成
遠行與善慧 法雲及佛地 皆是佛種性 餘悉二乘攝
如來心自在 而為諸愚夫 心相差別故 說於七種地
第七地不起 身語意過失 第八地所依 如夢渡河等
八地及五地 解了工巧明 諸佛子能作 諸有中之王
智者不分別 若生若不生 空及與不空 自性无自性
但唯是心量 而實不可得
為諸二乘說 此實此虛妄 非為諸佛子 故不應分別

BD03142 號　大乘入楞伽經卷七

(21–3)

智者不分別　若生若不生　空及與不空　自性无自性
但唯是心量　而實不可得
為諸二乘說　此實此虛妄　非為諸佛子　故不應分別
有非有悉非　亦无刹那相　假實法亦无　唯心不可得
有法是俗諦　无性第一義　迷惑於无性　是則為世俗
一切法皆空　我為諸凡愚　隨俗假施設　而彼无真實
由言所起法　則有所行義　觀見言所生　皆悉不可得
如離壁无畫　離質亦无影　藏識若清淨　諸識浪不生
依法身有報　從報起化身　此為根本佛　餘皆化所現
不應妄分別　空及以不空　妄計於有无　言義不可得
凡愚妄分別　德實塵聚色　一一塵皆无　是故无境界
眾生見外相　皆由自心現　所見既非有　故无諸外境
如為溺深泥　不能復移動　聲聞住三昧　昏醉亦復然
若見諸世間　習氣以為因　離有无俱非　法无我解脫
自性名妄計　緣起是依他　真如是圓成　我經中常說
心意及與識　分別與表示　本識作三有　皆心之異名
壽及於煖識　阿賴耶命根　意及與意識　皆分別異名
心能持於身　意恒審思慮　意識諸識俱　了自心境界
若實有我體　異蘊及蘊中　於彼求我體　畢竟不可得
一一觀世間　皆是自心現　於煩惱隨眠　離苦得解脫
聲聞為盡智　緣覺寂靜智　如來之智慧　生起无窮盡
外實无有色　唯自心所現　愚夫不覺知　妄分別有為
不知外境界　種種皆自心　愚夫以因喻　四句而成立
智者悉了知　境界自心現　不以宗因喻　諸句而成立
分別所分別　是為妄計相　依止於妄計　而復起分別
展轉互相依　皆因一習氣　此二俱為客　非眾生心起

BD03142號　大乘入楞伽經卷七　（21-4）

外實无有色　唯自心所現　愚夫不覺知　妄分別有為
不知外境界　種種皆自心　愚夫以因喻　四句而成立
智者悉了知　境界自心現　不以宗因喻　諸句而成立
分別所分別　是為妄計相　依止於妄計　而復起分別
展轉互相依　皆因一習氣　此二俱為客　非眾生心起
安住三界中　心心所分別　所起似境界　是妄計自性
影像與種子　合為十二處　所依所緣合　說有所作事
猶如鏡中像　翳眼見毛輪　習氣覆亦然　凡愚起妄見
於自分別境　而起於分別　如外道分別　外境不可得
如愚不了繩　妄取以為蛇　不了自心現　妄分別外境
如是繩自體　一異性皆離　但自心倒惑　妄起繩分別
妄計分別時　而彼性非有　云何見非有　而起於分別
色性无所有　瓶衣等亦然　但由分別生　所見終无有
无始有為中　迷惑起分別　何法令迷惑　願佛為我說
諸法无自性　但唯心所現　不了於自心　是故生分別
如愚所分別　妄計實非有　異此之所有　而彼不能知
諸聖者所有　非愚所分別　若聖同於凡　聖應有虛妄
以聖治心淨　是故无迷惑　凡愚心不淨　故有妄分別
如母語嬰兒　汝勿須啼泣　空中有菓來　種種任汝取
我為眾生說　種種妄計菓　令彼愛樂已　法實離有无
諸法先非有　諸緣不和合　本不生而生　自性无所有
未生法不生　離緣无生處　現生法亦尒　離緣不可得
觀實緣起要　非有亦非无　非有无俱非　智者不分別
外道諸愚夫　妄說一異性　不了諸緣起　世間如幻夢
我无上大乘　超越於名言　其義甚明了　愚夫不覺知
聲聞及外道　所說皆憔悴　令義悉改變　皆由妄計起

BD03142號　大乘入楞伽經卷七　（21-5）

觀實緣起要　非有亦非无　非有无俱非　智者不分別
外道諸愚夫　妄說一異性　不了諸緣起　世間如幻夢
我无上大乘　超越於名言　其義甚明了　愚夫不覺知
聲聞及外道　所說皆偏壞　令義悉改變　皆由妄計起
諸相及自體　形狀及與名　藉緣此四種　而起諸分別
計梵自在作　一身與名身　及日月運行　彼非是我子
具足於聖見　通達如實法　善巧轉諸想　到於識彼岸
以此解脫印　永離於有无　及離於去來　是我法中子
若色識轉滅　諸業失壞者　是則无生死　亦无常无常
而彼轉滅時　色處雖捨離　業住阿賴耶　離有无過失
色識雖轉滅　而業不失壞　令於諸有中　色識復相續
若彼諸衆生　所起業失壞　是則无生死　亦无有涅槃
若業與色識　俱時而滅壞　生死中若生　色業應无別
色心與分別　非異非不異　愚夫謂滅壞　而實離有无
緣起與妄計　展轉无別相　如色與无常　展轉生亦尒
既離異非異　妄計不可知　如色无常性　云何說有无
善達於妄計　緣起則不生　由見於緣起　妄計則真如
若滅妄計性　是則壞法眼　便於我法中　建立及誹謗
如是色類人　當毀謗正法　彼皆以非法　滅壞我法眼
智者勿共語　比丘事亦弃　以滅壞妄計　建立誹謗故
善隨於分別　起於有无見　彼如幻毛輪　夢𧗠婆城
彼非學能法　不應與同住　以自墮二邊　亦壞他人故
若有修行者　觀於妄計性　寂靜離有无　攝取與同住
如世間有處　出金摩尼珠　彼雖无造作　而衆生受用
業性亦如是　遠離種種性　所見業非有　非不生諸趣
如聖所了知　法皆无所有　愚夫所分別　妄計法非无

若有修行者　觀於妄計性　寂靜離有无　攝取與同住
如世間有處　出金摩尼珠　彼雖无造作　而衆生受用
業性亦如是　遠離種種性　所見業非有　非不生諸趣
如聖所了知　法皆无所有　愚夫所分別　妄計法非无
若愚所分別　彼法非有者　既无一切法　衆生无雜染
以有雜染法　无明愛所縛　能起生死身　諸根悉具足
若謂愚分別　此法皆无者　則无諸根生　彼非正修行
若无有此法　而為生死因　愚夫不待修　自然而解脫
若无有彼法　凡聖云何別　亦則无聖人　修行三解脫
諸蘊及人法　自共相无相　諸緣及諸根　我為聲聞說
唯心及非因　諸地與自在　內證淨真如　我為佛子說
未來世當有　身著於袈裟　妄說於有无　毀壞我正法
緣起法无性　是諸聖所行　妄計性无物　計度者分別
未來有愚癡　傴邪諸外道　說於无因論　惡見壞世間
妄說諸世間　從於微塵生　而彼塵无因　九種實物常
從實能成實　從德能生德　真法性異此　毀謗說言无
若本无而生　世間則有始　生死无前際　是我之所說
三界一切物　本无而生者　驢騾駝生角　亦應无有疑
眼色識本无　而今有生者　衣甕及席等　應從泥團生
如疊中无席　蒲中亦无疊　何不諸緣中　一一皆生席
彼命者與身　若本无而生　我先已說彼　皆是外道論
我先所說宗　為遮於彼意　既遮於彼已　然後說自宗
恐諸弟子衆　迷著有无宗　是故我為其　先說外道論
迦毗羅惡慧　為諸弟子說　勝性生世間　求那所轉變
諸緣无有故　非已生現生　諸緣既非緣　非生非不生
我宗離有无　亦離能所作　[illegible]

我无所說宗 為遮於彼意 既遮於彼已 然後說自宗
愍諸弟子衆 述著有无宗 是故我為其 先說外道論
迦毗羅惡慧 為諸弟子說 勝性生世間 求那所轉變
諸緣无有故 非已生現生 諸緣既非緣 非生非不生
我宗離有无 亦離諸因緣 生滅及所相 一切皆遠離
世間如幻夢 因緣皆无性 常作如是觀 分別永不起
若能觀諸有 如焰及毛輪 亦如尋香城 常離於有无
因緣俱捨離 令心悉清淨
若言无外境 而唯有心者 无境則无心 云何成唯識
以有所緣境 衆生心得起 无因心不生 云何成唯識
真如及唯識 是衆聖所行 此有言非有 彼非解我法
由能取所取 而心得生起 世間心如是 故非是唯心
身資生影像 如夢從心生 心雖成二分 而心无二相
如刀不自割 如指不自觸 而心不自見 其事亦如是
无有影像處 則无依他起 妄計性亦无 五法二心盡
能生及所生 皆是自心相 密意說能生 而實无自性
種種境形狀 若由妄計生 虛空與兔角 亦應成境相
似境從心起 此境非妄計 然彼妄計境 離心不可得
无始生死中 境界悉非有 心无有起處 云何成影像
若无物有生 兔角亦應生 不可无物生 而起於分別
如境現非有 彼則无亦无 云何无境中 而心緣境起
真如空實際 涅槃及法界 一切法不生 是第一義性
愚夫墮有无 分別諸因緣 不能知諸有 无生无作者
无始心所因 唯心无所見 既无无始境 心從何所生
无物而得生 如有應是常 无境而生心 願佛為我說
一切若无因 无心亦无境 心既无所生 離三有所作

如境現非有 彼則无亦无 云何无境中 而心緣境起
真如空實際 涅槃及法界 一切法不生 是第一義性
愚夫墮有无 分別諸因緣 不能知諸有 无生无作者
无始心所因 唯心无所見 既无无始境 心從何所生
无物而得生 如有應是常 无境而生心 願佛為我說
一切若无因 无心亦无境 心既无所生 離三有所作
因瓶衣角等 而說无角无 是故不應言 无彼相因法
无因有故无 是无不成无 有待无亦尒 展轉相因起
若依至少法 而有少法起 是則前所依 无因而自有
若彼別有法 彼依復有依 如是則无窮 亦无有少法
如依大葉等 現種種幻相 衆生亦如是 依事種種現
依於幻師力 令愚見幻相 而於木葉等 實无幻可得
若依止於事 此法則便壞 所見既无二 何有少分別
分別无妄計 分別亦无有 以分別无故 无生死涅槃
由无所分別 分別則不起 云何心不起 而得有唯心
意差別无量 皆无真實法 无實无解脫 亦无諸世間
如愚所分別 外所見皆无 習氣擾濁心 似影像而現
有无等諸法 一切皆不生 但唯自心現 遠離於分別
說諸法從緣 為愚非智者 心自性解脫 淨心聖所住
數勝及露形 梵志與自在 皆墮於无見 遠離寂靜義
无生无自性 離垢空如幻 諸佛及今佛 為誰如是說
淨心修行者 離諸見計度 諸佛為彼說 我亦如是說
若一切皆心 世間何處住 何因見大地 衆生有去來
如鳥遊虛空 隨分別而去 无依亦无住 如履地而行
衆生亦如是 隨於妄分別 遊履於自心 如鳥在虛空
身資國土影 佛說唯心起 願說影唯心 何因云何起

无生无自性　離垢空如幻　諸佛及佛子　皆說如是說
淨心脩行者　離諸見計度　諸佛為彼說　我亦如是說
若一切皆心　世間何處住　何因見大地　眾生有去來
如鳥遊虛空　隨分別而去　无依亦无住　如履地而行
眾生亦如是　隨於妄分別　遊履於自心　如鳥在虛空
身資國土影　佛說唯心起　願說影唯心　何因云何起
身資國土影　皆由習氣轉　亦因不如理　分別之所生
外境是妄計　心緣彼境生　了境是唯心　分別則不起
若見妄計性　名義不和合　遠離覺所覺　解脫諸有為
名義皆捨離　此是諸佛法　若異此求悟　彼无覺自他
若能見世間　離能覺所覺　是時則不起　名所名分別
由見自心故　妄作名字滅　不見於自心　則起彼分別
四蘊无色相　彼數不可得　大種性各異　云何共生色
由離諸相故　能所造非有　異色別有相　諸蘊何不生
若見於无相　蘊處皆捨離　是時心亦離　見法无我故
由根境差別　生於八種識　於彼无相中　是三相皆離
意緣阿賴耶　起我我所執　及識二執取　了知皆遠離
觀見離一異　是則无所動　離於我我所　二類妄分別
无生无增長　亦不為識因　既離能所作　滅已不復生
世間无能作　及離能所相　妄計及唯心　云何願為說
自心現種種　分別諸形相　不了心所現　妄取謂心外
由无覺智故　而起於无見　云何於有性　而心不生著
分別非有无　亦非有不生　了所見唯心　分別則不起
分別不起故　轉依无所著　則遮於四宗　謂法有因等
此但異名別　所立皆不成　應知能作因　亦復不成立
為遮於能作　說因緣和合　為遮於常過　說緣是无常

BD03142號　大乘入楞伽經卷七

（21-10）

分別非有无　亦非有不生　了所見唯心　分別則不起
分別不起故　轉依无所著　則遮於四宗　謂法有因等
此但異名別　所立皆不成　應知能作因　亦復不成立
為遮於能作　說因緣和合　為遮於常過　說緣是无常
愚夫謂无常　而實不生滅　不見滅壞法　而能有所作
何有无常法　而能有所生
天人阿脩羅　鬼畜閻羅等　眾生在中生　我說為六道
由業上中下　於中而受生　守護諸善法　而得勝解脫
佛為諸比丘　說於所受生　念念皆生滅　諸為我宣說
色色不暫停　心心亦生滅　我為弟子說　受生念遷謝
色色中分別　生滅亦復然　分別是眾生　離分別非有
我為此緣故　說於念念生　若離取著色　不生亦不滅
緣生非緣生　无明真如等　二法故有起　无二即真如
若彼緣非緣　生法有差別　常等與諸緣　有能作所作
是則大牟尼　及諸佛所說　有能作所作　與外道无異
我為弟子說　身是苦聚　亦是世間集　滅道皆悉真
凡夫妄分別　取三自性故　見有能所取　世及出世法
我无觀待故　說取於自性　今為遮諸見　不應妄分別
求過為非法　亦令心不定　皆由二取起　无二即真如
若无明愛業　而生於識等　耶念復有因　是則无窮過
无智說諸法　有四種滅壞　妄起二分別　法實離有无
遠離於四句　亦離於二見　分別所起二　了已不復生
不生中知生　生中知不生　彼法同等故　不應起分別
願佛為我說　遮二見之理　令我及餘眾　恒不墮有无
不離諸外論　亦離於二乘　諸佛證所行　佛子不退處
非因非因同　一无生相　遠彼執異名　智者應常離

BD03142號　大乘入楞伽經卷七

（21-11）

遠離於四句　亦離於二見　分別所起二　了已不復生
不生中知生　生中知不生　彼法同等故　不應起分別
爲佛爲我說　遮二見之理　令我及餘乘　恒不墮有无
不離諸外論　亦離於二乘　諸佛證所行　佛子不退處
解脫因非因　同无生相　迷惑執異名　智者應常離
法從分別生　如毛輪幻夢　外道妄分別　世從自性生
无生及真如　性空與實際　此等異名說　不應執爲无
如手有多名　帝釋名亦尒　諸法亦如是　不應執爲无
色與空无異　无生亦復然　不應執爲異　成諸見過失
以惣別分別　及遍分別故　執著諸事相　長短方圓等
惣分別是心　遍分別爲意　別分別是識　皆離能所相
我法中起見　及外道无生　皆是妄分別　過失等无異
若有能解了　我所說无生　及无生所爲　是人解我法
爲破於諸見　无生无住處　令知此二義　故我說无生
佛說无生法　若是有是无　則同諸外道　无因不生論
我說唯心量　遠離於有无　若生若不生　是見應皆離
无因論不生　生則著作者　作即離諸見　无即自然生
佛說諸方便　正見大願等　一切法若无　道場何所成
離能取所取　非生亦非滅　所見法非法　皆從自心起
牟尼之所說　前後自相違　云何說諸法　而復言不生
衆生不能知　願佛爲我說　得離外道過　及彼顛倒因
唯願勝說者　說生及與滅　皆離於有无　而不壞因果
世間墮二邊　諸見所迷惑　唯願青蓮眼　說諸地次第
取生不生等　不了寂滅因　道場无所得　我亦无所說
剎那法皆空　无生无自性　諸佛已淨二　有二即成過
惡見之所覆　分別非如來　妄計於生滅　願爲我等說

世間墮二邊　諸見所迷惑　唯願青蓮眼　說諸地次第
取生不生等　不了寂滅因　道場无所得　我亦无所說
剎那法皆空　无生无自性　諸佛已淨二　有二即成過
惡見之所覆　分別非如來　妄計於生滅　願爲我等說
積集於戲論　和合之所生　隨其類現前　色境皆具足
見於外色已　而起於分別　若能了知此　則見真實義
若離於大種　諸物皆不成　大種既唯心　當知无所生
此心亦不生　則順聖種性
切分別分別　无分別是智　分別於分別　是二非涅槃
若立无生宗　則壞於幻法　亦无因起幻　損減於自宗
猶如鏡中像　雖離一異性　所見非是无　生相亦如是
如乾城幻等　悉待因緣有　諸法亦如是　是生非不生
分別於人法　而起二種我　皆但世俗說　愚夫不覺知
由煩與緣習　自力及衆勝　聲聞法第五　而有羅漢等
時隔及滅壞　勝義與遷還　是四種无常　愚分別非智
愚夫墮二邊　德塵自性作　以取有无宗　不知解脫因
大種互相違　安能起於色　但是大種性　无大所造色
火乃燒於色　水復爲爛壞　風能令散滅　云何色得生
色蘊及識蘊　唯此二非五　餘但是異名　我說彼如兔
心心所差別　而起於現法　分析於諸色　唯心无所造
青白等相待　作所作亦然　所生及性空　論執相所相
有无等一切　妄計不成立
心意及餘六　諸識共相應　皆依藏識生　非一亦非異
數勝及露形　計自在能生　皆墮有无宗　遠離寂靜義
大種生形相　非生於大種　外道說大種　生大種及色
於无生法外　外道計作者　依止有无宗　愚夫不覺知

心意及餘六　諸識共相應　皆依藏識生　非一亦非異
數勝及露形　計自在能生　皆隨有无宗　遠離寂靜義
大種生形相　非生於大種　外道說大種　生大種及色
於无生法外　外道計作者　依止有无宗　愚夫不覺知
清淨真實相　而與大智俱　但共心相應　非意等和合
若業皆生色　則違諸蘊因　衆生應无取　无有住无色
說色爲无者　衆生亦應无　无色論是斷　諸識不應生
識依四種住　无色云何成　內外既不成　識亦不應起
衆生識若无　皆然得解脫　於是外道論　妄計者不知
或有隨業執　中有中諸蘊　如生於无色　无色云何有
无色中之色　彼非是可見　无色則違宗　非乘及乘者
識從習氣生　與諸根和合　八種於刹那　取皆不可得
若諸色不起　諸根則非根　是故世尊說　根色刹那起
云何不了色　而得有識生　云何識不生　而得受生死
諸根及根境　聖者了其義　愚癡无智者　妄執取其名
不應執第六　有取及无取　爲離諸過失　聖者无定說
諸外道无智　怖畏於斷常　計有爲无爲　與我无差別
或計與心一　或與意等異　一性有可取　異性有亦然
若取是決了　名爲心心所　此取何不能　決了於一性
有取及作業　可得而受生　猶如火所成　理趣似非似
如火頓燒時　然可然皆具　妄取我亦然　云何无所取
若生若不生　性常清淨　外道所立我　何不以爲喻
迷惑識稠林　妄計離真法　樂於我論故　馳求於彼此
內證智所行　清淨真我相　此即如來藏　非外道所知
分析於諸蘊　能取及所取　若能了此相　則生真實智

如火頓燒時　然可然皆具　妄取我亦然　云何无所取
若生若不生　性常清淨　外道所立我　何不以爲喻
迷惑識稠林　妄計離真法　樂於我論故　馳求於彼此
內證智所行　清淨真我相　此即如來藏　非外道所知
分析於諸蘊　能取及所取　若能了此相　則生真實智
是諸外道等　於賴耶藏處　計意與我俱　此非佛所說
若能辯了此　解脫見真諦　見修諸煩惱　斷除悉清淨
本性清淨心　衆生所迷取　无垢如來藏　遠離於二邊
本識在蘊中　如金銀在鑛　陶冶鍊治已　金銀皆顯現
佛非人非蘊　但是无漏智　了知常寂靜　是我之所歸
本性清淨心　隨煩惱意等　及與我相應　願佛爲解說
自性清淨心　意等以爲他　彼所積集業　雜染故爲二
意等我煩惱　染汙於淨心　猶如彼淨衣　而有諸垢染
如衣得離垢　亦如金出鑛　衣金俱不壞　蘊中我亦尒
无智者推求　箜篌螺鼓等　而覓妙音聲　蘊中我亦尒
猶如伏藏寶　亦如地下水　雖有不可見　蘊真我亦然
心心所功德　聚集蘊相應　无智不能取　蘊中我亦尒
如女懷胎藏　雖有不可見　蘊中真實我　无智不能知
如藥中勝力　亦如木中火　蘊中真實我　无智不能知
諸法中空性　及以无常性　蘊中真實我　无智不能知
諸地自在通　灌頂勝三昧　若无此真我　是等悉皆无
有人破壞言　若有應示我　智者應答言　汝分別示我
說无真我者　謗法著有无　比丘應羯磨　擯棄不共語
說真我熾然　猶如劫火起　燒无我稠林　離諸外道過
如酥酪石蜜　及以麻油等　彼皆悉有味　未嘗者不知
於諸蘊身中　五種推求我　愚者不能了　智見即解脫

說无真我者　謗法著有无　比丘應羯磨　擯弃不共語
說真我熾然　猶如劫火起　燒无我稠林　離諸外道過
如酥酪石蜜　及以麻油等　彼皆悉有味　未嘗者不知
於諸蘊身中　五種推求我　愚者不能了　智見即解脫
明智所立喻　猶未顯於心　其中所集義　豈能使明了
諸法別異相　不了唯一心　計度者妄執　无因及无起
定者觀於心　心不見於心　見從所見生　所見何因起
我姓迦旃延　淨居天中出　為衆生說法　令入涅槃城
緣於本住法　我及諸如來　於三千經中　廣說涅槃法
欲界及无色　不於彼成佛　色界究竟天　離欲得菩提
境界非縛因　因縛於境界　脩行利智劍　割斷彼煩惱
无我云何有　幻等法有无　愚應顯真如　云何无真我
已作未作法　皆非因所起　一切悉无生　愚夫不能了
能作者不生　所作及諸緣　此二皆无生　云何計能作
妄計者說有　先後一時因　顯現第子等　說諸物生起
佛非是有為　所具諸相好　是輪王功德　非此名如來
佛以智為相　遠離於諸見　自內證所行　一切過皆斷
聾盲瘖瘂等　老小及懷怨　是等无重者　皆无梵行分
隨好隱為天　相隱為輪王　此二著放逸　唯顯者出家
我釋迦滅後　當有毗耶娑　迦那梨沙婆　劫比羅等出
我滅百年後　毗耶娑所說　婆羅多等論　次有半釋迦
憍拘婆羅摩　次有冒律王　難陀及毱多　次蔑利車王
於後刀兵起　次有極惡時　彼時諸世間　不脩行正法
如是等過後　世間如輪轉
日火共和合　焚燒於欲界　復立於諸天　世間還成就
諸王及四姓　諸仙垂法化　韋陀祠祀等　當有此法興

BD03142號　大乘入楞伽經卷七　（21–16）

於後刀兵起　次有極惡時　彼時諸世間　不脩行正法
如是等過後　世間如輪轉
日火共和合　焚燒於欲界　復立於諸天　世間還成就
諸王及四姓　諸仙垂法化　韋陀祠祀等　當有此法興
談論戲笑法　長行與解釋　我聞如是等　迷惑於世間
所受種種衣　若有正色者　青泥牛糞等　染之令壞色
所服一切衣　令離外道相　現我脩行者　諸佛之幢相
亦鑿於要絡　濾水而飲用　次第而乞食　不往於非處
生於勝妙天　及生於人中　寶相具足者　生天及人王
王有四天下　法教久臨御　上昇於天宮　由貪皆退失
純善及三時　二時并極惡　餘佛出善時　釋迦出惡世
於我涅槃後　釋種悉達多　毗紐大自在　外道等俱出
如是我聞等　釋師子所說　談古及笑語　毗夜婆仙說
於我涅槃後　毗紐大自在　彼說如是言　我能作世間
我名離塵佛　姓迦多衍那　父名世間主　母號為具財
我生瞻波國　我之先祖父　從於月種生　故號為月藏
出家脩苦行　演說千法門　與大慧授記　然後當滅度
大慧付達摩　次付彌佉梨　彌佉梨惡時　劫盡法當滅
迦葉拘留孫　拘那含牟尼　及我離塵垢　皆出純善時
純善漸減時　有導師名慧　成就大勇猛　覺悟於五法
非二時三時　亦非極惡時　於彼純善時　現成等正覺
衣雖不割縷　雜碎而補納　如孔雀尾目　无有人侵奪
或二指三指　間錯而補成　異此之所作　愚夫生貪著
唯畜於三衣　恒滅貪欲火　沐以智慧水　日夜三時脩
如放箭勢極　一墮還放一　亦如杯酪水　善不善亦然
若一能生多　則有別異相　施者應如田　受者應如風

BD03142號　大乘入楞伽經卷七　（21–17）

唯當於三衣　恒滅貪欲火　沐以智慧水　日夜三時脩
如放箭勢救　一墮還放一　亦如杯酪水　善不善亦然
若一能生多　則有別異相　施者應如田　受者應如風
若一能生多　一切无因有　所作因滅壞　是妄計所立
是妄計所立　如燈及種子　一能生多者　但相似非多
胡麻不生豆　稻非穬麦因　小豆非穀種　云何一生多
名手作聲論　廣主造王論　順世論妄說　當生梵藏中
迦多延造經　樹皮仙說祀　鵂鶹出天文　惡世時當有
世間諸衆生　福及感於王　如法御一切　守護於國土
青蟻及赤豆　側辟與馬行　此等大福仙　未來世當出
釋子悉達多　步多五髻者　口力及聰慧　亦於未來出
我在於林野　梵王來惠我　鹿皮三歧杖　膊絛及軍持
此大脩行者　當成離垢尊　說於真解脫　牟尼之幢相
梵王與梵衆　諸天及天衆　施我鹿皮衣　還歸自在宮
我在林樹間　帝釋四天王　施我妙衣服　及以乞食鉢
若立不生論　是因生復生　如是立无生　唯是虛言說
无始所積集　无明為心因　生滅而相續　妄計所分別
僧佉論有二　勝性及變異　勝中有所作　所作應自成
勝性與物俱　求那說差別　作所作種種　變異不可得
如水銀清淨　塵垢不能染　藏識淨亦然　衆生所依止
如興渠葱氣　鹽味及胎藏　種子亦如是　云何而不生
一性及異性　俱不俱亦然　非所取之有　非无非有為
馬中牛性離　蘊中我亦然　所說為无為　悉皆无自性
理教等求我　是妄垢惡見　不了故說有　唯妄取无餘
諸蘊中之我　一異皆不成　彼過失顯然　妄計者不覺
如水鏡及眼　現於種種影　遠離一異性　蘊中我亦然

BD03142號　大乘入楞伽經卷七　（21–18）

一性及異性　俱不俱亦然　非所取之有　非无非有為
馬中牛性離　蘊中我亦然　所說為无為　悉皆无自性
理教等求我　是妄垢惡見　不了故說有　唯妄取无餘
諸蘊中之我　一異皆不成　彼過失顯然　妄計者不覺
如水鏡及眼　現於種種影　遠離一異性　蘊中我亦然
行者脩於定　見諦及以道　勤脩此三種　解脫諸惡見
猶如孔隙中　見電光速滅　法遷變亦然　不應起分別
愚夫心迷惑　取涅槃有无　若得聖見者　如實而能了
應知變異法　遠離於生滅　亦離於有无　及以能所相
應知變異法　遠離外道論　亦離於名相　內我見亦滅
諸天樂觸身　地獄苦逼體　若无彼中有　諸識不得生
應知諸趣中　衆生種種身　胎卵溼生等　皆隨中有生
離聖教正理　欲滅惑及增　是外道狂言　智者不應說
先應決了我　及分析諸取　以如石女兒　无決了分析
我離於肉眼　以天眼慧眼　見諸衆生身　離諸行諸蘊
觀見諸行中　有好色惡色　解脫非解脫　有住天中者
諸趣所受身　唯我能了達　超過世所知　非計度境界
无我而生心　此心云何生　豈不說心生　如河燈種子
若无无明等　心識則不生　離无明无識　云何生相續
妄計者所說　三世及非世　第五不可說　諸佛之所知
諸行取所住　彼亦為智因　不應說智慧　而名為諸行
有此因緣故　則有此法生　无別有作者　是我之所說
風不能生火　而令火熾然　亦由風故滅　云何喻於我
所說為无為　皆離於諸取　云何愚分別　以火成立我
諸緣展轉力　是故能生火　若分別如火　是我從誰生
蘊等為因故　諸蘊處積集　无我之商主　常與心俱起

BD03142號　大乘入楞伽經卷七　（21–19）

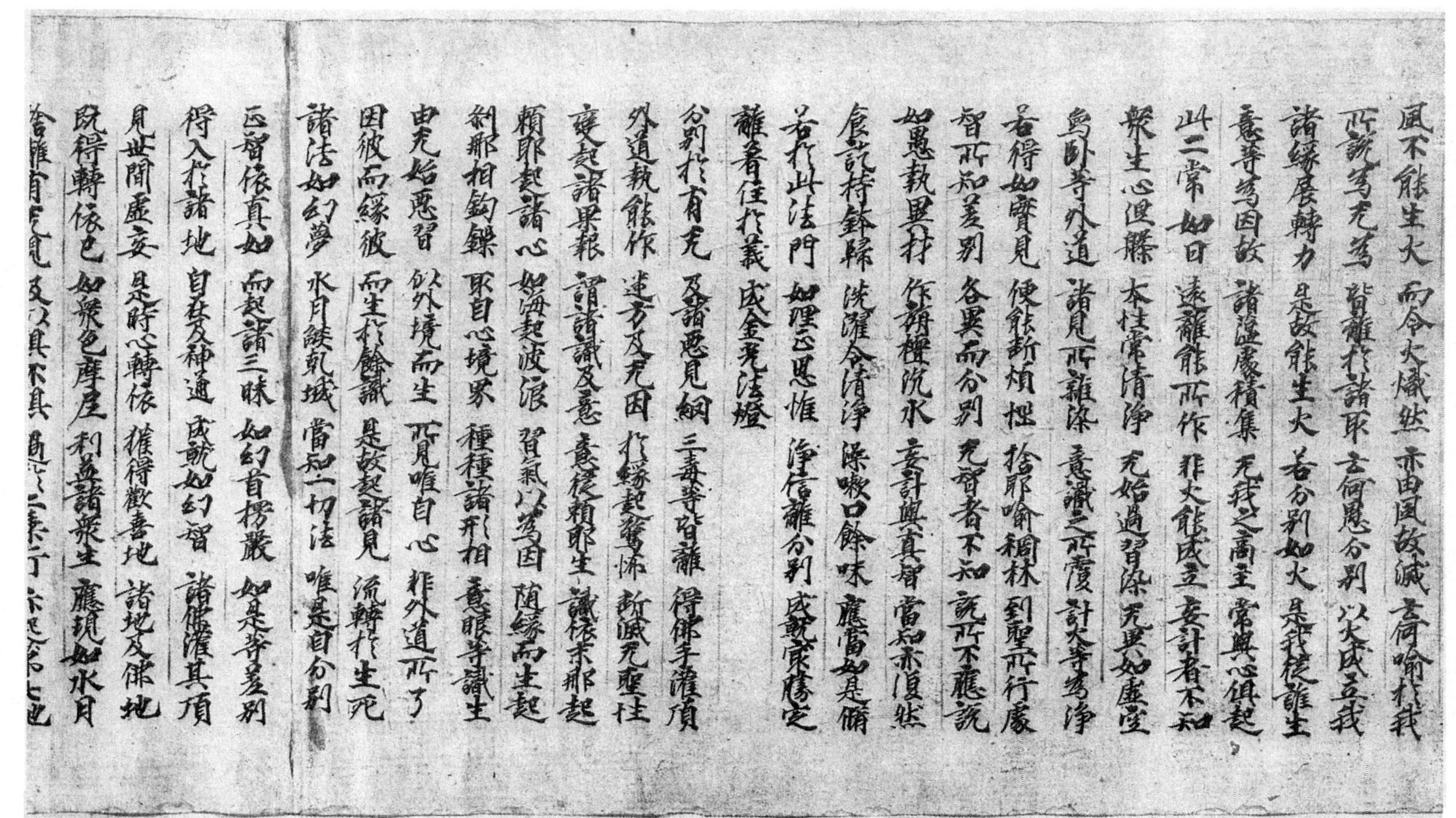

風不能生火 而令火熾然 亦由風故滅 云何喻扵我
所說為无為 皆離扵諸取 云何愚分別 以火成立我
諸緣展轉力 是故能生火 若分別如火 是我從誰生
蘊等為因故 諸陰處積集 无我之商主 常與心俱起
此二常如日 遠離能所作 非火能成立 妄計者不知
衆生心涅槃 本性常清淨 无始過習染 无異如虛空
烏卧等外道 諸見所雜染 意識之所覆 計火等為淨
若得如實見 便能斷煩惱 捨耶喻稠林 到聖所行處
智所知差別 各異而分別 无智者不知 說所不應說
如愚執異材 作諸檀沈水 妄計與真智 當知亦復然
食訖持鉢歸 洗濯令清淨 澡漱口餘味 應當如是脩
若扵此法門 如理正思惟 淨信離分別 成就最勝定
離著住扵義 成金光法燈
分別扵有无 及諸惡見網 三毒等皆離 得佛手灌頂
外道執能作 迷方及无因 扵緣起驚怖 斷滅无聖住
寢起諸果報 謂諸識及意 意從賴耶生 識依末那起
賴耶起諸心 如海起波浪 習氣以為因 隨緣而生起
剎那相鉤鎖 取自心境界 種種諸形相 意眼等識生
由无始惡習 似外境而生 所見唯自心 非外道所了
因彼而緣彼 而生扵餘識 是故起諸見 流轉扵生死
諸法如幻夢 水月鏡乾城 當知一切法 唯是自分別
正智依真如 而起諸三昧 如幻首楞嚴 如是等差別
得入扵諸地 自在及神通 成就如幻智 諸佛灌其頂
見世間虛妄 是時心轉依 獲得歡喜地 諸地及佛地
既得轉依已 如衆色摩尼 利益諸衆生 應現如水月
捨離有无見 及以俱不俱 過扵二乘行 亦超第七地

BD03142號　大乘入楞伽經卷七　（21–20）

因彼而緣彼 而生扵餘識 是故起諸見 流轉扵生死
諸法如幻夢 水月鏡乾城 當知一切法 唯是自分別
正智依真如 而起諸三昧 如幻首楞嚴 如是等差別
得入扵諸地 自在及神通 成就如幻智 諸佛灌其頂
見世間虛妄 是時心轉依 獲得歡喜地 諸地及佛地
既得轉依已 如衆色摩尼 利益諸衆生 應現如水月
捨離有无見 及以俱不俱 過扵二乘行 亦超第七地
自内現證法 地地而脩治 遠離諸外道 應說是大乘
說解脫法門 如兔角摩尼 捨離扵分別 離死及遷滅
教由理故成 理由教故顯 當依此教理 勿更餘分別

大乘入楞伽經卷第七

BD03142號　大乘入楞伽經卷七　（21–21）

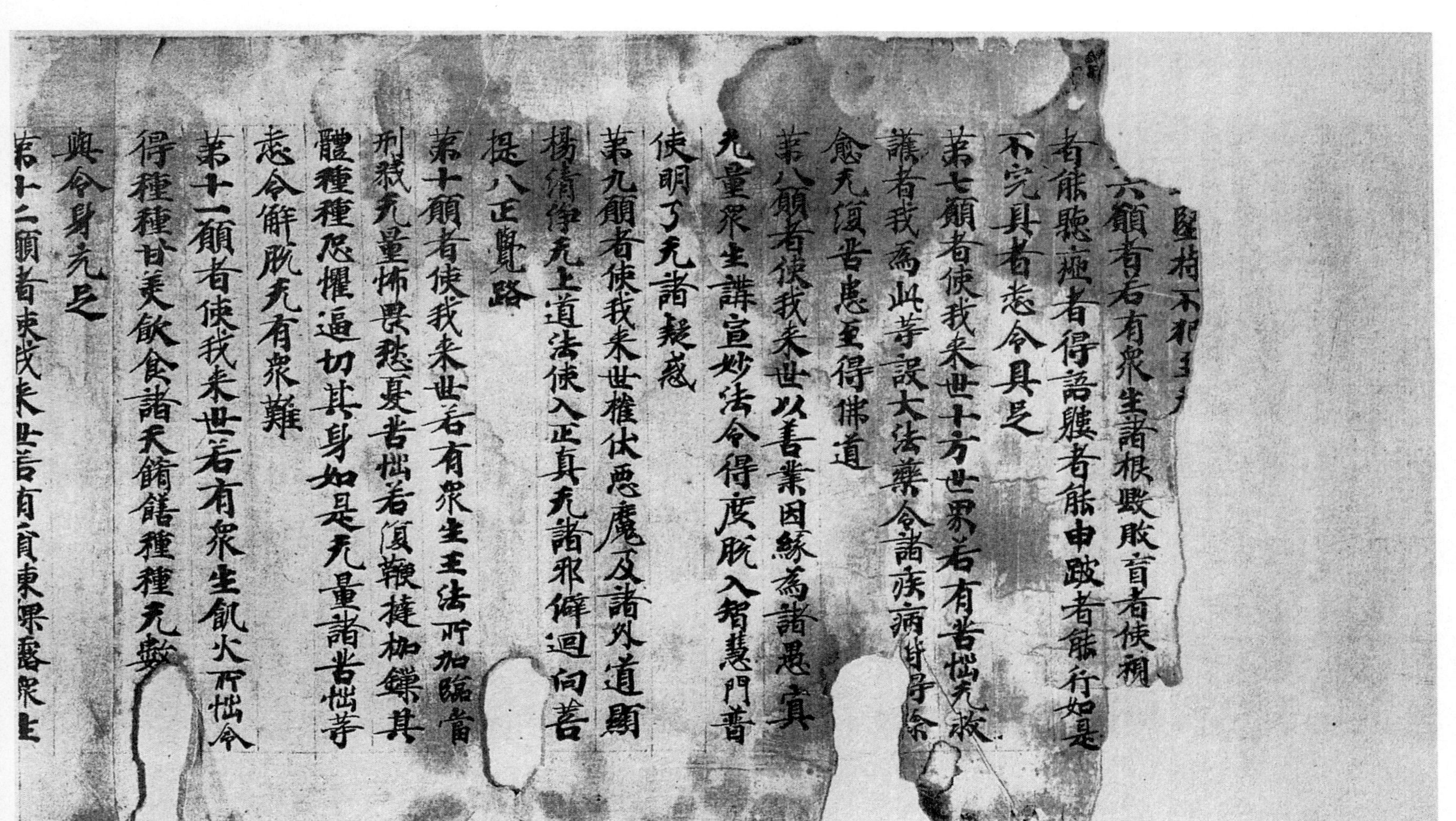

堅持不犯王

六願者若有衆生諸根毀敗盲者使視

者能聽瘂者得語僂者能申跛者能行如是

不完具者悉令具足

第七願者使我來世十方世界若有苦惱无救

護者我爲此等設大法藥令諸疾病皆得除

愈无復苦患至得佛道

第八願者使我來世以善業因緣爲諸愚冥

无量衆生講宣妙法令得度脱入智慧門普

使明了无諸疑惑

第九願者使我來世摧伏惡魔及諸外道顯

揚清淨无上道法使入正真无諸邪僻迴向菩

提八正覺路

第十願者使我來世若有衆生王法所加臨當

刑戮无量怖畏愁憂苦惱若復鞭撻枷鏁其

體種種恐懼逼切其身如是无量諸苦惱等

悉令解脱无有衆難

第十一願者使我來世若有衆生飢火所惱令

得種種甘美飲食諸天餚饍種種无數

與令身充足

第十二願者使我來世若有貧凍裸露衆生

BD03143 號　灌頂章句拔除過罪生死得度經　（15–1）

第十一願者使我來世若有衆生飢火所惱令

得種種甘美飲食諸天餚饍種種无數

與令身充足

第十二願者使我來世若有貧凍裸露衆生

即得衣食窮之之者施以珎寶倉庫盈溢无

所乏少一切皆受无量快樂乃至无有一人受

苦使諸衆生和顔悦色形貌端嚴人所喜

見琴瑟鼓吹如是无量最上音聲施與

切无量衆生是爲十二微妙上願

佛告文殊師利此藥師琉璃光本願功德如

是我今爲汝略說其國莊嚴之事此藥師琉

璃光如來國土清淨无五濁无愛欲无意垢

以白銀琉璃爲地宮殿樓閣悉用七寶亦如

西方无量壽國无有異也有二菩薩一名

曜二名月淨是二菩薩次補佛處諸善男子

及善女人亦當願生彼國土也文殊師利白

佛言唯願演說藥師琉璃光如來无量功德

饒益衆生令得佛道佛言若有善男子善女

人新破衆魔來入正道得聞我說藥師琉璃光如

來名字者魔家眷屬退散馳走如是无量

衆生苦我今說之佛告文殊師利世間有人不

解罪福慳貪不知布施令世後世當得其

福世人愚癡但知貪惜寧自割身肉而噉食

之不肯持錢財布施求後世之福世又有慳人

BD03143 號　灌頂章句拔除過罪生死得度經　（15–2）

衆生皆我今說之佛告文殊師利世間有人不
解罪福慳貪不知布施今世後世當得其
福世人愚癡但知貪惜寧自割身肉而噉食
之不肯持錢財布施求後世之福世又有慳人
身不能衣食此大慳貪命終以後當墮餓鬼及
在畜生中聞我說是藥師琉璃光如來名
之時无不解脫憂苦者也皆作信心貪福畏
罪人從索頭與頭索眼與眼乞妻與妻乞子
與子求金銀珍寶皆大布施一時歡喜即發
无上正真道意
佛言若復有人受佛淨戒遵奉明法不[illegible]
福雖知明經不及中義不能分別曉了中事
以自貢高恒當憎憤乃與世間衆魔從事更
作縛著不解行之戀著婦女恩愛之情口爲
說空行在有中不能發覺復不自知但能論
說他人是非如此人輩皆當墮三惡道中聞
我說是藥師瑠璃光本願功德无不歡喜念
欲捨家行作沙門者也
佛言世間有人好自稱譽皆是貢高當墮三
惡道中後還爲人牛馬奴婢生下賤中人當
乘其力負重而行困苦疲極亡失人身聞我
說是藥師瑠璃光如來本願功德者皆
心歡喜踊躍更作議欲即得解脫衆苦之患
長得歡樂聰明智慧遠離惡道得生善家

BD03143 號　灌頂章句拔除過罪生死得度經　（15–3）

乘其力負重而行困苦疲極亡失人身聞我
說是藥師瑠璃光如來本願功德者皆
心歡喜踊躍更作議欲即得解脫衆苦之患
長得歡樂聰明智慧遠離惡道得生善家
善知識共相值遇无復憂惱離諸魔縛佛言
世間愚癡人輩兩舌鬪諍惡口罵詈更相嫌
恨或就山神樹下鬼神日月之神南斗北辰
諸鬼神所作諸呪禱或作人名字或作人形[illegible]
或作符書以相厭禱呪咀言說聞我說是藥
師瑠璃光本願功德无不兩作和解俱生慈心
惡意悉滅各各歡喜无復惡念
佛言若有四輩弟子比丘比丘尼清信士清信
女常脩月六齋年三長齋或晝夜精勤一心
皆行願欲往生西方阿弥陁佛國者憶念晝
夜若一日二日三日四日五日六日七日或復
中悔聞我說是藥師瑠璃光本願功德盡其
壽命欲終之日有八菩薩
文殊師利菩薩　觀世音菩薩　大勢至菩薩　无盡意菩薩
寶檀華菩薩　藥王菩薩　藥上菩薩　弥勒菩薩
是八菩薩皆當飛往迎其精神不逕八難生
蓮華中自然音樂而相娛樂
佛言假使壽命自欲盡時臨終之日得聞我
說是藥師瑠璃光佛本願功德者命終皆得
上生天上不復逕歷三惡道中天上福盡若
下生人間當爲帝王家[illegible]

BD03143 號　灌頂章句拔除過罪生死得度經　（15–4）

蓮華中自然音樂而相娛樂
佛言假使壽命自欲盡時臨終之日得聞我
說是藥師瑠璃光佛本願功德者命終皆得
上生天上不復延歷三惡道中天上福盡若
下生人間當為帝王家作子或生豪姓長者
居士富貴家生皆當端正聰明智慧高才勇
猛若是女人化成男子无復憂苦患難者也
佛語文殊師利我稱譽顯說瑠璃光佛至真
等正覺本所脩集无量行願功德如是文殊
師利從坐而起長跪叉手白佛言世尊佛去世
後當以此法開化十方一切衆生使其受持
是經典者若有善男子善女人愛樂是經
受持讀誦宣通之者復能專念若一日二日
三日四日乃至七日憶念不忘能以好素帛書
取是經五色雜綵作囊盛之者是時當有
諸天善神四天大王龍神八部當來營衛愛
敬此經能日日作礼持是經者不墮橫死所
在安隱惡氣消滅諸魔鬼神亦不中害佛
言如是如是如汝所說文殊師利言天尊所
說言无不善
佛告文殊師利若有善男子善女人等發心
造立藥師瑠璃光如來形像供養礼拜懸雜
色幡蓋燒香散華歌詠讚歎圍繞百匝還至
本處端坐思惟念藥師瑠璃光佛无量功德
若有男子女人七日七夜菜食長齋供養礼

BD03143號　灌頂章句拔除過罪生死得度經　（15–5）

造立藥師瑠璃光如來形像供養礼拜懸雜
色幡蓋燒香散華歌詠讚歎圍繞百匝還至
本處端坐思惟念藥師瑠璃光佛无量功德
若有男子女人七日七夜菜食長齋供養礼
拜藥師瑠璃光佛求心中所願者无不獲得
求長壽得長壽求富饒得富饒求安隱得
安隱求男女得男女求官位得官位若命過以
後欲生妙樂天上者亦當礼敬琉璃光佛至
真等正覺若欲上生三十三天者亦當礼敬
琉璃光佛必得往生若欲與明師世世相值
者亦當礼敬琉璃光佛
佛告文殊師利若欲生十方妙樂國土者亦當礼
敬琉璃光佛欲得生兜率天上見弥勒者亦
當礼敬琉璃光佛若欲遠諸耶道亦當礼敬
琉璃光佛若夜惡夢鳥鳴百佐蜚尸邪忤魍
魎鬼神之所嬈者亦當礼敬琉璃光佛若為
水火之所焚漂者亦當礼敬琉璃光佛若入山
谷為虎狼熊羆蒺蔾諸狩為龍蛇蚖蝮蝎種
種雜類若有惡心來相向者心當存念琉
璃光佛山中諸難不能為害若他方怨賊偷
竊惡人怨家債主欲來侵陵心當存念琉璃
光佛則不為害以善男子女人礼敬琉璃光如來
功德所致華報如是況得果報也是故吾今勸
諸四輩礼事琉璃光佛至真等正覺

BD03143號　灌頂章句拔除過罪生死得度經　（15–6）

光佛則不爲害以善男子女人礼敬流璃光如来
功德所致華報如是况得果報也是故吾今勸
諸四輩礼事流璃光佛至真等正覺
佛告文殊師利我但爲汝略説流璃光佛礼敬功
德若使我廣説是流璃光佛无量功德與一
切人求心中所願者從一劫至一劫故不周遍
其世間人若有著林瘻黄困篤惡病連年
累月不差者聞我説是流璃光佛名字之時
撗病之厄无不除愈唯除宿殃不請耳
佛告文殊師利若有男子女人受三自歸戒若五
戒若十戒若善信菩薩卅四戒若沙門二百五
十戒若比丘尼五百戒若菩薩戒若破是諸
戒若能至心一懺悔者復聞我説流璃光佛
終不墮三惡道中必得解脱若人愚癡不受
父母師友教誨不信佛不信經戒不信聖僧
應墮三惡道中者亡失人種受畜生身聞我
説是流璃光佛善願功德者即得解脱
佛告文殊師利世有惡人雖受佛禁戒觸事違
犯或煞无道偷竊他人財實欺詐妄語婬他婦
女飲酒鬭亂兩舌惡口罵詈罵人犯戒爲惡更
復祠祀鬼神有如是過罪當墮地獄中若當
屠割若抱銅柱若鐵鉤出舌若洋銅灌口者
聞我説是藥師流璃光佛无不即得解脱者也
佛告文殊師利其世間人豪貴下賤不信佛不
信經道不信沙門不信有須陁洹不信有斯陁
含不言有阿那含不言有阿羅漢不言有辟

BD03143號　灌頂章句拔除過罪生死得度經　（15-7）

屠割若抱銅柱若鐵鉤出舌若洋銅灌口者
聞我説是藥師流璃光佛无不即得解脱者也
佛告文殊師利其世間人豪貴下賤不信佛不
信經道不信沙門不信有須陁洹不信有斯陁
含不信有阿那含不信有阿羅漢不信有辟
支佛不信有十住菩薩不信有三世之事不
信有十方諸佛不信有本師釋迦文佛不信
人死神明更生善者受福惡者受殃有如是
之罪應墮三惡道聞我説是藥師流璃光佛名
字之者一切過罪自然消滅
佛告文殊師利若有善男子善女人聞我説是
藥師流璃光佛至真等正覺其誰不發无上正
真道意後皆當得作佛人居世間仕官不遷
治生不得飢寒困厄忘失財産无復方計聞
我説是藥師流璃光佛各各得心中所願者仕
官皆得高遷財物自然長益飲食无饒皆
得富貴若爲縣官之所枸録惡人侵枉若爲
怨家所得便者心當存念流璃光佛若他婦
女産生難者皆當存念是流璃光佛兒則易
生身體平正无諸疾痛六情完具聰明智慧
壽命得長不遭枉橫善神擁護不爲惡鬼䬾
其頭也
佛説是語時阿難在佛右邊佛顧語阿難言
汝信我爲文殊師利説往昔東方過十恒河沙
世界有佛名曰藥師流璃光本願功德者不阿
難白佛言唯天中天佛之所言何敢不信邪
佛復語阿難言世間人等雖有眼耳鼻舌身

BD03143號　灌頂章句拔除過罪生死得度經　（15-8）

佛說是語時阿難不信佛所言阿難一
汝信我爲文殊師利說往昔東方過十恒河沙
世界有佛名曰藥師流璃光本願功德者不阿
難白佛言唯天中天佛之所言何敢不信邪
佛復語阿難言世間人等雖有眼耳鼻舌身
意人常用是六事以自迷惑但信世間魔邪之
言不信至真至誠度世苦切之語如是人輩
難可開化
阿難白佛言世尊世人多有惡逆下賤之者
若聞佛說是經開人耳目破治人病除人陰
冥使覩光明解人疑結去人重罪千劫万劫
无復憂患皆因佛說是藥師流璃光本願功德
悉令安隱得其福也
佛言阿難汝口爲言善而汝内心狐疑不信
我言阿難汝莫作是念以自毁敗佛言阿難
我見汝心我知汝意汝知之不阿難即以頭面
著地長跪白佛言審如天中天所說我造
次聞佛說是藥師流璃光極大尊貴智慧巍
巍難可度量我心有小疑耳敢不首伏佛言
汝智慧狹劣少見少聞汝聞我說深妙之法
无上空義應生信敬貴重之心必當得至无
上正真道也
文殊師利問佛言世尊佛說是藥師流璃光如
來无量功德如是不審誰肯信此言者佛答
文殊言唯有百億諸菩薩摩訶薩當信是
言耳唯有十方三世諸佛當信是言
佛言我說是藥師流璃光如來本願功德難

文殊師利問佛言世尊佛說是藥師流璃光如
來无量功德如是不審誰肯信此言者佛答
文殊言唯有百億諸菩薩摩訶薩當信是
言耳唯有十方三世諸佛當信是言
佛言我說是藥師流璃光如來本願功德難
可得見何况得聞亦難得說亦難得書寫
難得讀誦文殊師利若有善男子善女人能信
是經受持讀誦書著竹帛復能爲他人解說
中義此皆先世以發道意今復得聞此微妙
法開化十方无量衆生當知此人必當得至
无上正真道也
佛告阿難我作佛以來從生死至生死勤苦
累劫无所不逕无所不歷无所不作无所不
爲如是不可思議況復流璃光佛本願功德
者乎汝所以有小疑者亦復如是阿難汝聞
佛所說汝諦聽信之莫作疑惑佛語至誠无有
虚矯亦无二言佛爲信者施不爲疑者說阿
難汝莫作小疑以毁大乘之業汝却後亦當
發摩訶衍莫以小道毁汝功德阿難白佛言
唯天中天我從今日以去无復尒心唯佛自當
知我心耳
佛語阿難此經能照諸天宫宅若三灾起時
中有天人發心念此琉璃光佛本願功德經者
皆得離於彼處之難是經能除水涸不調是
經能除他方逆賊悉令消滅四方夷狄谷
還正治不相嬈惱國土交通人民歡喜是經
能除穀貴飢涷是經能滅惡星變怪是經能

中有天人發心念[illegible]佛本願功德經
皆得離於彼處之難是經能除水涸不調是
經能除他方逆賊悉令消滅四方夷狄谷
還正治不相嬈惱國土交通人民歡喜是經
能除穀貴飢凍是經能滅惡星變怪是經能
除疫毒之病是經能救三惡道地獄餓鬼
畜生等苦若人得聞此經典者无不解脫厄
難者也
介時眾中有一菩薩名曰救脫從坐而起整
衣服叉手合掌而白佛言我等今日聞佛世
尊演說過去東方十恒河沙世界佛号琉
璃光佛一切眾會靡不歡喜救脫菩薩又白
佛言若族姓男女其有𤸎羸著牀痛惱无救
護者我今當勸請諸眾僧七日七夜齋戒一
心受持八禁六時行道卌九遍讀是經典勸
然七層之燈亦勸懸五色雜綵續命神幡阿
難問救脫菩薩言續命幡燈法則云何救脫
菩薩語阿難言神幡五色卌九尺燈亦復尒
七層之燈一層七燈燈如車輪若遭厄難閉
在牢獄枷鏁著身亦應造立五色神幡然卌
九燈應放雜類眾生至卌九可得過度危厄
之難不為諸橫惡鬼所持
救脫菩薩語阿難言若天王太臣及諸輔相
王子妃主中宮綵女若為病苦所惱亦應造立
五色繒幡然燈續明放諸生命散雜色華
燒眾名香王當放赦屈厄之人徒鏁解脫王得
其福天下太平雨澤以時人民歡樂惡龍

BD03143號　灌頂章句拔除過罪生死得度經　（15–11）

救脫菩薩語阿難言若天王太臣及諸輔相
王子妃主中宮綵女若為病苦所惱亦應造立
五色繒幡然燈續明放諸生命散雜色華
燒眾名香王當放赦屈厄之人徒鏁解脫王得
其福天下太平雨澤以時人民歡樂惡龍
攝毒无病苦者四方夷狄不生逆害國土通
同慈心相向无諸惡害四海歌詠稱王之德乘
此福祿在意所生見佛聞法信受教誨從是
福報至无上道
阿難又問救脫菩薩言命可續也救脫菩薩
荅阿難言我聞世尊說有諸橫勸造幡蓋令
其脩福又言阿難昔汝孫救蠕蟻已脩福故盡其
壽命不更苦患身體安寧福德力強使之然也
阿難因復問救脫菩薩言橫有幾種世尊說
言橫乃无數略而言之大橫有九一者橫病
二者橫有口舌三者橫遭縣官四者身羸无
福又持戒不完橫為鬼神之所得便五者橫
為劫賊所剝六者橫為水火焚溺七者橫為
雜類禽獸所噉食八者橫為怨讎符書厭禱
邪神牽引未得其福但受其殃先亡牽引亦
名橫死九者有病不治又不脩福湯藥不慎針
灸失度不值良醫為病所困於是滅亡又信世
間妖孽之師為作恐動寒熱言語妄發禍
福所祀者多心不自正不能自定卜問見禍
殺牲狗牛羊種種眾生解奏神明呼諸邪妖
魍魎鬼神請乞福祚欲望長生終不能得愚
癡迷惑信邪倒見死入地獄展轉其中无解脫

BD03143號　灌頂章句拔除過罪生死得度經　（15–12）

福所犯者多心不自正不能自定卜問見禍
殺豬狗牛羊種種衆生解奏神明呼諸邪妖
魍魎鬼神請乞福祚欲望長生終不能得愚
癡迷惑信邪倒見死入地獄展轉其中无解脫
時是名九横
救脫菩薩語阿難言其世間人痿黄之病困
篤著牀求生不得求死不得考楚万端此病
人者或其前世造作惡業罪過所招殃咎所
引故使然也救脫菩薩語阿難言閻羅王者
主領世間名籍之記若人爲惡作諸非法无
孝順心造作五逆破滅三寶无君臣法又有
衆生不持五戒不信正法設有受者多所毀
犯於是地下鬼神及伺候者奏上伍官伍官
料簡除死定生或注録精神未判是非若已
定者奏上閻羅閻羅監察隨罪輕重考而治
之世間痿黄之病困篤不死一絶一生猶其
罪福未得料簡録其精神在彼王所或七日
五三七日乃至七七日名籍定者放其精神
還其身中如從夢中見其善惡其人若明了
者信驗罪福是故我今勸諸四輩造續命神
幡然卌九燈放諸生命以此幡燈放生功德拔
彼精神令得度苦令世後世不遭厄難
救脫菩薩語阿難言如來世尊說是經典威
神功德利益不少坐中諸鬼神有十二神王從
坐而起往到佛所胡跪合掌白佛言我等十
二鬼神在於作讓若城邑聚落空閑林中
若四輩弟子誦持此經令所結願无求不得向

BD03143 號　灌頂章句拔除過罪生死得度經　（15–13）

救脫菩薩語阿難言如來世尊說是經典威
神功德利益不少坐中諸鬼神有十二神王從
坐而起往到佛所胡跪合掌白佛言我等十
二鬼神在於作讓若城邑聚落空閑林中
若四輩弟子誦持此經令所結願无求不得向
難問言其名云何爲我說之救脫菩薩言灌頂
章句其名如是
神名金毗羅　神名和耆羅　神名安陀羅　神名摩尼羅
神名宋林羅　神名彌佉羅　神名因持羅　神名婆耶羅
神名摩休羅　神名真陀羅　神名照頭羅　神名毗伽羅
救脫菩薩語阿難言此諸鬼神別有七千以
爲眷屬皆悉叉手低頭聽佛世尊說是瑠璃
光如來本願功德莫不一時捨鬼神形得受人
身長得度脫无衆惱患若人疾急熱病厄難
之日當以五色縷結其名字得如願已然後解
結令人得福灌頂章句法應如是
佛說是經時比丘僧八千人諸菩薩三万六
千人俱諸天龍鬼神八部大王无不歡喜向
難從坐而起前白佛言演說此法當何名之
佛言此經凡有三名一名藥師瑠璃光本願
功德二名灌頂章句十二神王結願神呪三名
拔除過罪生死得度經佛說經竟大衆人民
作礼奉行

佛說藥師經

BD03143 號　灌頂章句拔除過罪生死得度經　（15–14）

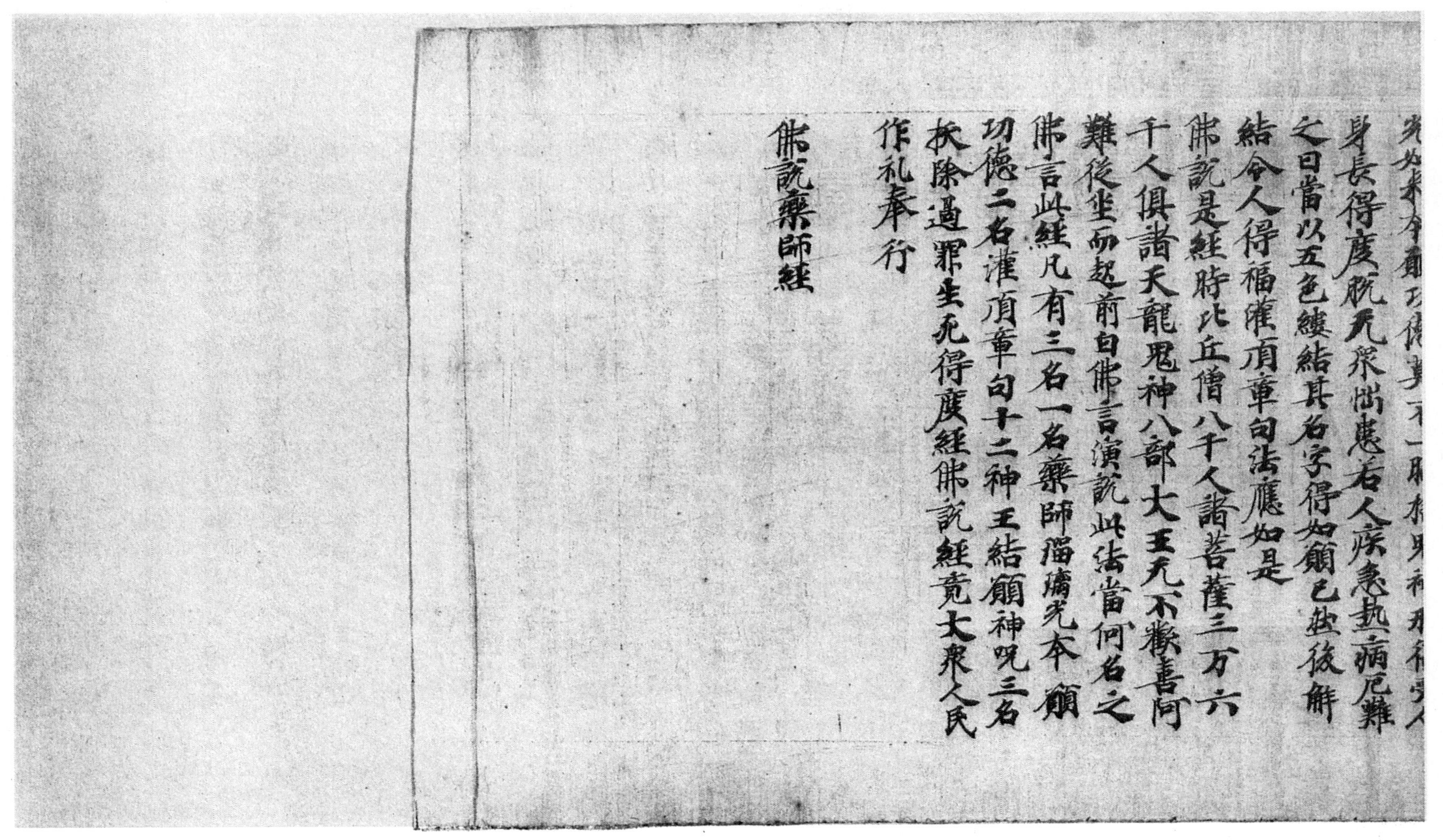

身長得度脫无衆惱患若人疾急熱病厄難
之日當以五色縷結其名字得如願已然後解
結令人得福灌頂章句法應如是
佛說是經時比丘僧八千人諸菩薩三万六
千人俱諸天龍鬼神八部大王无不歡喜阿
難從坐而起前白佛言演說此法當何名之
佛言此經凡有三名一名藥師瑠璃光本願
功德二名灌頂章句十二神王結願神呪三名
拔除過罪生死得度經佛說經竟大衆人民
作礼奉行

佛說藥師經

BD03143 號　灌頂章句拔除過罪生死得度經　　（15–15）

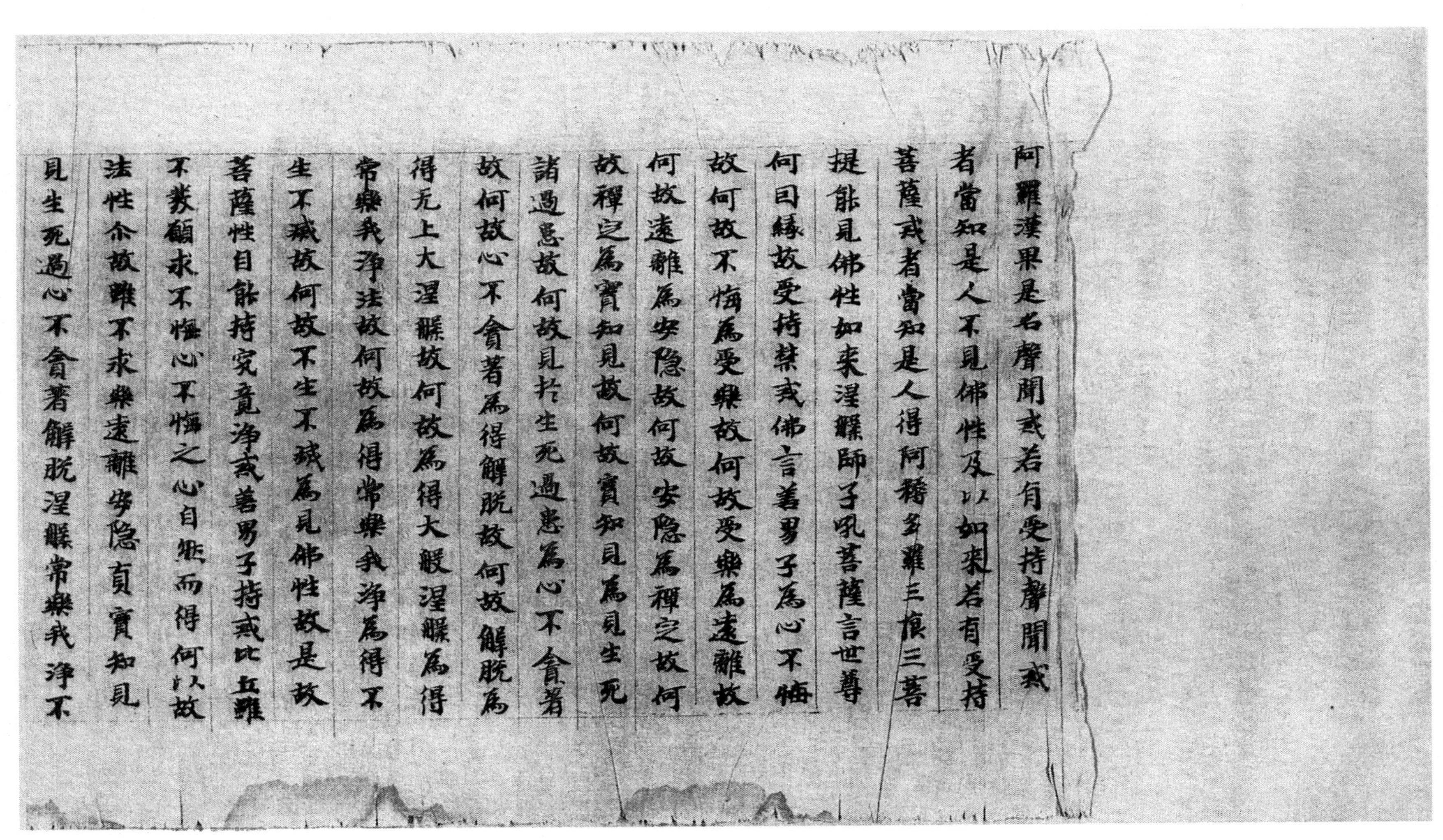

阿羅漢果是名聲聞戒若有受持聲聞戒
者當知是人不見佛性及以如來若有受持
菩薩戒者當知是人得阿耨多羅三藐三菩
提能見佛性如來涅槃師子吼菩薩言世尊
何因緣故受持禁戒佛言善男子為心不悔
故何故不悔為受樂故何故受樂為遠離故
何故遠離為安隱故何故安隱為禪定故何
故禪定為實知見故何故實知見為見生死
諸過患故何故見於生死過患為心不貪著
故何故心不貪著為得解脫故何故解脫為
得无上大涅槃故何故為得大般涅槃為得
常樂我淨法故何故為得常樂我淨為得不
生不滅故何故不生不滅為見佛性故是故
菩薩性自能持究竟淨戒善男子持戒比丘雖
不發願求不悔心不悔之心自然而得何以故
法性尒故雖不求樂遠離安隱真實知見
見生死過心不貪著解脫涅槃常樂我淨不

BD03144 號　大般涅槃經（北本　思溪藏本）卷二八　　（22–1）

菩薩性自能持究竟淨戒善男子持戒比丘雖
不發願求不悔心不悔之心自然而得何以故
法性尒故雖不求樂遠離安隱真實知見
見生死過心不貪著解脫涅槃常樂我淨不
生不滅見於佛性而自然得何以故法性尒
故師子吼菩薩言世尊若因持戒得不悔果
因於解脫得涅槃果者戒則无因涅槃无果
戒若无因則名爲常涅槃有因則是无常若
尒者涅槃則爲本无今有若本无今有是爲
无常猶如燃燈涅槃若尒云何得名我樂淨
耶佛言善男子善哉善哉汝已曾於无量
佛所種諸善根能問如來如是深義善男子
不失本念乃如是耶我憶往昔過无量劫波
羅㮈城有佛出世号曰善得尒時彼佛三億
歲中演說如是大涅槃經我時与汝俱在彼
會我以是事諮問彼佛尒時如來爲衆生故
三昧正受未答此義善哉大士乃能憶念如是
本事諦聽諦聽當爲汝說戒亦有因謂聽
正法聽正法者是亦有因謂近善友近善友者
是亦有因所謂信心信心者是亦有因因有二
種一者聽法二思惟義善男子信心者因於
聽法聽法者因於信心如是二法亦因亦因
亦果亦果善男子譬如尼乾立拒舉瓶
互爲因果不得相離善男子如无明緣行行

BD03144號　大般涅槃經（北本　思溪藏本）卷二八　（22–2）

是亦有因所謂信心信心者是亦有因因有二
種一者聽法二思惟義善男子信心者因於
聽法聽法者因於信心如是二法亦因亦因
亦果亦果善男子譬如尼乾立拒舉瓶
互爲因果不得相離善男子如无明緣行行
緣无明是无明行亦因亦因亦果亦果
乃至生緣老死老死緣生是生老死亦因亦
因亦果亦果善男子生能生法不能自
生不自生故由生生生生不自生復賴生故生
是故二生亦因亦因亦果亦果善男子信
心聽法亦復如是善男子是果非因謂大涅
槃何故名果是上果故沙門果故婆羅門果
故斷生死故破煩惱故是故名果爲諸煩惱
之所呵責是故涅槃名果煩惱者名爲過過
善男子涅槃无因而體是果何以故无生滅
故无所作故非有爲故是无爲故常不變故
无處所故无始終故善男子若涅槃有因則
不得稱爲涅槃也槃者言因般涅言无无有
因故故稱涅槃師子吼菩薩言如佛所說涅
槃无因是義不然何以故若言无者則合六
義一者畢竟无故故名爲无如一切法无我
无我所二者有時无故故名爲无如世人言
河池无水无有日月三者少故故名爲无如
世人言食中少鹹名爲无鹹甘漿少甜名爲

BD03144號　大般涅槃經（北本　思溪藏本）卷二八　（22–3）

義一者畢竟无故故名爲无如一切法无我
无我所二者有時无故故名爲无如世人言
河池无水无有日月三者少故故名爲无如
世人言食中少鹹名爲无鹹甘蔗少甜名爲
无甜四者无受故故名爲无如栴陁羅不能
受持婆羅門法是故名爲无婆羅門五者受
惡法故故名爲无如世間言人受惡法不名
沙門及婆羅門是故名爲无有沙門及婆羅
門六者不對故故名爲无譬如无白名之爲
黑无有明故名之无明世尊涅槃亦尒有時
无因故名涅槃佛言善男子汝今所說如是
六義何故不引畢竟无者以喻涅槃乃取有
時无耶善男子涅槃之體畢竟无因猶如无
我及无我所善男子世法涅槃終不相對是
故六事不得爲喻善男子一切諸法悉无有
我而此涅槃真實有我以是義故涅槃无
因而體是果是因非果爲名佛性非因生故是因非
果非沙門果故名非果何故名因以了因故
善男子因有二種一者生因二者了因能生
法者是名生因燈能了物故名了因煩惱諸
結是名生因衆生父母是名了因如穀子等
是名生因地水糞等是名了因復有生因謂
六波羅蜜阿耨多羅三藐三菩提復有了因
所謂佛性阿耨多羅三藐三菩提復有了因

BD03144號　大般涅槃經（北本　思溪藏本）卷二八　（22–4）

結是名生因衆生父母是名了因如穀子等
是名生因地水糞等是名了因復有生因謂
六波羅蜜阿耨多羅三藐三菩提復有了因
所謂佛性阿耨多羅三藐三菩提復有了因
謂六波羅蜜佛性復有生因謂首楞嚴三
昧阿耨多羅三藐三菩提復有了因謂八聖
道阿耨多羅三藐三菩提復有生因所謂信
心六波羅蜜師子吼菩薩言世尊如佛所說
見於如來及以佛性是義云何世尊如來之
身无有相貌非長非短非白非黑无有方所
不在三界非有爲相非眼識識云何可見佛
性亦尒佛言善男子佛身二種一者常二者无
常无常者爲欲度脫一切衆生方便示現是
名眼見常者如來世尊解脫之身亦名眼見
二名聞見佛性亦二一者可見二可不見可
見者十住菩薩諸佛世尊不可見者一切衆
生眼見者謂十住菩薩諸佛世尊眼見衆生
所有佛性聞見者一切衆生九住菩薩聞有
佛性如來之身復有二種一者是色二者非
色色者如來解脫非色者如來永斷諸色相
故佛性二種一者是色二者非色色者阿耨
多羅三藐三菩提非色者凡夫乃至十住菩
薩十住菩薩見不了了故名非色善男子佛
性者復有二種一者是色二者非色色者謂
佛菩薩非色者一切衆生色者名爲眼見非

BD03144號　大般涅槃經（北本　思溪藏本）卷二八　（22–5）

多羅三藐三菩提非色者凡夫乃至十住菩
薩十住菩薩見不了了故名非色善男子佛
性者復有二種一者是色二者非色色者謂
佛菩薩非色者一切衆生色者名為眼見非
色者名為聞見佛性者非内非外雖非内外
然非失壞故名衆生悉有佛性師子吼菩薩
言世尊如佛所說一切衆生悉有佛性如乳
中有酪金剛力士諸佛佛性如清提瑚云何
如來說言佛性非内非外佛言善男子我亦
不說乳中有酪酪從乳生故言有酪世尊一
切生法各有時節善男子乳時无酪亦无生
蘇熟蘇提瑚一切衆生亦謂是乳是故我言乳
中无酪如其有者何故不得二種名字如人
二能言金鐵師酪時无乳生蘇熟蘇及以提
瑚衆生亦謂是酪非乳非生熟蘇及以提瑚
乃至提瑚亦復如是善男子因有二種一
者正因二者緣因正因者如乳生酪緣因者
如煖酥等從乳生故故言乳中而有酪性師
子吼菩薩言世尊若乳无酪性角中亦无何
故不從角中生耶善男子角亦生酪何以故
我亦說言緣因有二一醪二煖角性煖故亦
能生酪師子吼言世尊若角能生酪求酪之
人何故求乳而不取角佛言善男子是故我
說正因緣因師子吼菩薩言若使乳中本无
酪性今方有者乳中本无菴摩羅樹何故不

BD03144號　大般涅槃經（北本　思溪藏本）卷二八　（22-6）

能生酪師子吼言世尊若角能生酪求酪之
人何故求乳而不取角佛言善男子是故我
說正因緣因師子吼菩薩言若使乳中本无
酪性今方有者乳中本无菴摩羅樹何故不
生二俱无故善男子乳亦能生菴摩羅樹若
以乳灌一夜之中增長五尺以是義故我說
二因善男子若一切法一因生者可得難言
乳中何故不能出生菴摩羅樹善男子猶
如四大為一切色而作因緣然色各異差別不
同以是義故乳中不生菴摩羅樹世尊如佛
所說有二因者正因緣因衆生佛性為是何
因善男子衆生佛性亦二種因一者正因二
者緣因正因者謂諸衆生緣因者謂六波羅
蜜師子吼言世尊我今定知乳有酪性何以
故我見世間求酪之人唯取於乳終不取水
是故當知乳有酪性善男子如汝所問是義
不然何以故一切衆生欲見面像即便取刀
師子吼言世尊以是義故乳有酪性若刀
无面像何故取刀佛言善男子若此刀中定有
面像何故顛倒竪則見長横則見闊若是自
面何故見長若是他面何得稱言是己面像
若因己面見他面者何故不見驢馬面像師
子吼言世尊眼光到彼故見面長佛言善男
子而此眼光實不到彼何以故遠近一時俱得

BD03144號　大般涅槃經（北本　思溪藏本）卷二八　（22-7）

面何故見長若是他面何得稱言是己面像
若因己面見他面者何故不見驢馬面像師
子吼言世尊眼光實到彼故見面長佛言善男
子而此眼光實不到彼何以故遠近一時俱得
見故不見中間所有物故善男子光若到彼
而得見者一切衆生悉見於火何故不燒如
人遠見白物不應生疑鵠耶幡耶人耶樹耶若
光到者云何得見水精中物淵中魚石若不
到見何故得見水精中物而不得見壁外之
色是故若言眼光到彼而見長者是義不然
何以故善男子如汝所言乳有酪者何故賣
乳之人但取乳賈不責酪直賣草馬者但取
母賈不責駒直善男子世間之人无子息故
故求娉婦婦若懷任不得言女若言是女有
兒性故應娉者是義不然何以故若有兒性亦
應有孫若有孫者則是兄弟何以故一腹生故
是故我言女无兒性若其乳中有酪性者何故
一時不見五味若樹子中有尼拘陁五丈質
者何故一時不見牙莖枝葉華菓形色之異
善男子乳色時異菓味時異乃至提湖亦復
如是云何可說乳有酪性善男子譬如有人明
當服蘇今已患臭若言乳中定有酪性亦復
如是善男子譬如有人有筆紙墨和合成字
而是紙中本无有字以本无故假緣而成若
本有者何須衆緣譬如青黃合成綠色當知
是二本无綠性若本有者何須合成善男子

BD03144號　大般涅槃經（北本　思溪藏本）卷二八　（22–8）

如是善男子譬如有人有筆紙墨和合成字
而是紙中本无有字以本无故假緣而成若
本有者何須衆緣譬如青黃合成綠色當知
是二本无綠性若本有者何須合成善男子
譬如衆生因食得命而此食中實无有命若
本有命未食之時食應是命善男子一切諸
法本无有性以是義故我說是偈
本无今有　本有今无　三世有法　无有是處
善男子一切諸法因緣故生因緣故滅善男
子若衆生內有佛性者一切衆生應有佛身
如我今也衆生佛性不破不壞不牽不捉不
繫不縛如衆生中所有虛空一切衆生悉有
虛空无罣㝵故各不自見有此虛空若使衆
生无虛空者則无去來行住坐卧不生不長
以是義故我經中說一切衆生有虛空界虛
空界者是名虛空衆生佛性亦復如是十住
菩薩少能見之如金剛珠善男子衆生佛性
諸佛境界非是聲聞緣覺所知一切衆生不
見佛性是故常爲煩惱繫縛流轉生死見佛
性故諸結煩惱所不能繫解脫生死得大涅
槃師子吼菩薩言世尊一切衆生有佛性性如
乳中酪性若乳无酪性云何佛說有二種因
一者正因二者緣因緣因者一酵二煖虛空
无性故无緣因佛言善男子若使乳中定有

BD03144號　大般涅槃經（北本　思溪藏本）卷二八　（22–9）

性故諸結煩惱所不能繫解脫生死得大涅
槃師子吼菩薩言世尊一切衆生有佛性性如
乳中酪性若乳无酪性云何佛說有二種因
一者正因二者緣因緣因者一醪二煖虛空
无性故无緣因佛言善男子若使乳中定有
性者何須緣因師子吼菩薩言世尊以有性
故故須緣因何以故欲明見緣因者即是了因世尊
譬如闇中先有諸物為欲見故以燈照了若本无者
燈何所照如泥中有瓶故須人水輪繩杖等而為了因
如尼拘陀子須地水糞而作了因乳中醪煖亦復如是
須作了因是故雖先有性要假了因然後得
見以是義故定知乳中先有酪性善男子若
使乳中定有性者即是了因若是了因復何
須了善男子若是了因性是了者常應自了
若自不了何能了他若言了因有二種性一
者自了二者了他是義不然何以故了因
一法云何有二若有二者乳亦應二若使乳
中无二相者云何了因而獨有二師子吼言
世尊如世人言我共八人了因亦尒自了了
他佛言善男子了因若尒則非了因何以故
數者能數自色他色故得言八而此色性自
无了相无了相故要須智性乃數自他是故
了因不能自了亦不了他善男子一切衆生
有佛性性者何故脩習无量功德若言脩習
是了因者已同酪壞若言因中定有果者戒

BD03144號　大般涅槃經（北本　思溪藏本）卷二八　（22–10）

无了相无了相故要須智性乃數自他是故
了因不能自了亦不了他善男子一切衆生
有佛性性者何故脩習无量功德若言脩習
是了因者已同酪壞若言因中定有果者戒
定智慧則无增長我見世人本无禁戒禪定
智慧從師受已漸漸增益若言師教是了
因者當師教時受者未有戒定智慧若是了
者應了未有云何乃了戒定智慧令得增長
師子吼菩薩言世尊若了因无者云何得名
有乳有酪善男子世間荅難凡有三種一者
轉荅如先所說何故名戒以不悔故乃至為
得大涅槃故二者默然荅如有梵志來問我
言我是常耶我時默然三者疑荅如此經中
若了因有二乳中何故不得有二善男子我
今轉荅如世人言有乳酪者以定得故是故
得名有乳有酪佛性亦尒有衆生有佛性以
當見故師子吼言世尊如佛所說是義不然
何以故過去已滅未來未到云何名有若言
當有名為有者是義不然如世間人見无兒息
便言无兒一切衆生无佛性者云何說言一
切衆生悉有佛性佛言善男子過去名有
譬如種橘牙生子滅牙亦甘甜乃至生菓味亦
如是熟已乃酢善男子而是酢味子牙乃至
生菓悉无隨本熟時形色相貌則生酢味而
是酢味本无今有雖本无今有非不因本如

BD03144號　大般涅槃經（北本　思溪藏本）卷二八　（22–11）

切衆生悉有佛性佛言善男子過去名有
譬如種橘牙生子滅牙亦甘甜乃至生菓味亦
如是熟已乃酢善男子而是酢味子牙乃至
生菓悉无隨本熟時形色相貌則生酢味而
是酢味本无今有雖本无今有非不因本如
是本子雖復過去故得名有以是義故過去
名有云何復名未來爲有譬如有人種殖胡
麻有人問言何故種此答言有油實未有油
胡麻熟已收子熬之擣押然後乃得出油當
知是人非虛妄也以是義故名未來有云何
復名過去有耶善男子譬如有人私屛罵王
逕歷年歲王乃聞之聞已即問何故見罵答
言大王我不罵也何以故罵者已滅王言罵
者我身二俱存在云何言滅以是因緣喪失
身命善男子是二實无而果不滅是名過去
有云何復名未來有耶譬如有人往陶師所
問有瓶不答言有瓶而是陶師實未有瓶以
有泥故故言有瓶當知是人非妄語也乳中
有酪衆生佛性亦復如是欲見佛性應當觀
察時節形色是故我說一切衆生悉有佛性
實不虛妄師子吼言一切衆生无佛性者云
何而得阿耨多羅三藐三菩提以正因故令
衆生得阿耨多羅三藐三菩提何等正因所
謂佛性世尊若尼拘陁子无尼樹陁樹者何
故名爲尼拘陁子而不名爲佉陁羅子世尊
如瞿曇姓不得稱爲阿坻耶姓阿坻耶姓亦復

實不虛妄師子吼言一切衆生无佛性者云
何而得阿耨多羅三藐三菩提以正因故令
衆生得阿耨多羅三藐三菩提何等正因所
謂佛性世尊若尼拘陁子无尼樹陁樹者何
故名爲尼拘陁子而不名爲佉陁羅子世尊
如瞿曇姓不得稱爲阿坻耶姓阿坻耶姓亦復
不得稱瞿曇姓尼拘陁子亦復如是不得稱
爲佉陁羅子佉陁羅子不得稱爲尼拘陁子
猶如世尊不得捨離瞿曇種姓衆生佛性亦
復如是以是義故當知衆生悉有佛性佛言
善男子若言子中有尼拘陁者是義不然
如其有者何故不見善男子如世間物有因
緣故不可得見云何因緣謂遠不可見如空
中鳥迹不可見如人眼睛壞故不見如根敗
者亂想故不見如心不專一細故不見如小
微塵鄣故不見如雲表星多故不見如稻聚
中麻相似故不見如豆在豆聚尼拘陁樹不
同如是八種因緣如其有者何故不見若
言細鄣故不見者是義不然何以故樹相麁
故若言性細云何增長若言鄣故不可見
者常應不見本无麁相今則見麁當知是
麁本无其性本无見性今則可見當知是
見亦本无性子亦如是本无有樹今則有之
當有何咎師子吼言如佛所說有二種因一
者正因二者了因尼拘陁子以地水糞作了

麁本无其性本无見性今則可見當知是
見亦本无性子亦如是本无有樹今則有之
當有何咎師子吼言如佛所說有二種因一
者正因二者了因尼拘陀子以地水糞作了
因故令細得麁佛言善男子若本有者何須
了因若本无性了何所了若尼拘陀中本无
麁相以了因故乃至麁者何故不生佉陀羅
樹二俱无故善男子若細不見者麁應可見
譬如一塵則不可見多塵和合則應可見如
是子中麁應可見何以故是中已有芽莖華
葉一一葉中有无量子一一子中有无量樹
是故名麁有是麁故故應可見善男子若尼
拘陀子有尼拘陀性而生樹者眼見是子為
火所燒如是燒性亦應本有若本有者樹不
應生若一切法本有生滅何故先生後滅不
一時耶以是義故當知无性師子吼菩薩言
世尊若尼拘陀子本无樹性而生樹者是
子何故不出於油二俱无故善男子如是子
中亦能出油雖无本性因緣故有師子吼言
何故不名胡麻油耶善男子非胡麻故善男
子如火緣生火水緣生水雖俱從緣不能相
有尼拘陀子及胡麻油亦復如是雖俱從緣
各不相生尼拘陀子性能治冷胡麻油者性
能治風善男子譬如甘蔗因緣故生石蜜黑
蜜雖俱一緣色相各異石蜜治熱黑蜜治冷

BD03144號　大般涅槃經（北本　思溪藏本）卷二八　（22–14）

子如火緣生火水緣生水雖俱從緣不能相
有尼拘陀子及胡麻油亦復如是雖俱從緣
各不相生尼拘陀子性能治冷胡麻油者性
能治風善男子譬如甘蔗因緣故生石蜜黑
蜜雖俱一緣色相各異石蜜治熱黑蜜治冷
師子吼菩薩言世尊如其乳中无有酪性麻
无油性尼拘陀子无有樹性泥无瓶性一切
衆生无佛性者如佛先說一切衆生悉有佛
性是故應得阿耨多羅三藐三菩提者是義
不然何以故人天无性以无性故人可作天
天可作人以業因緣不以性故菩薩摩訶薩
以業緣故得阿耨多羅三藐三菩提若諸衆
生有佛性者何因緣故一闡提等斷諸善根
亍隨地獄若菩提心是佛性者一闡提等不
應能斷若可斷者云何得言佛性是常若非
常者不名佛性若諸衆生有佛性者何故
名為初發心耶云何而言是毗跋致阿毗跋
致毗跋致者當知是人无有佛性世尊菩薩
摩訶薩一心趣向阿耨多羅三藐三菩提大
慈大悲見生老死煩惱過患觀大涅槃无
生老死煩惱諸過信於三寶及業果報受
持禁戒如是等法名為佛性若離是法有佛
性者何須是法而作因緣世尊如乳不假緣
必當成酪生穌不尒要待因緣所謂人功水
瓶攢繩衆生亦尒有佛性者應離因緣得
阿耨多羅三藐三菩提若定有者亍人可

BD03144號　大般涅槃經（北本　思溪藏本）卷二八　（22–15）

性者何須是法而作因緣世尊如乳不假緣
必當成酪生穌不尒要待因緣所謂人功水
瓶攢繩衆生亦尒有佛性者應離因緣得
阿耨多羅三藐三菩提若定有者何人何
故見三惡苦生老病死而生退心亦復不須
脩六波羅蜜即應得成阿耨多羅三藐三
菩提如乳非緣而得成酪然非不因六波
羅蜜而得成於阿耨多羅三藐三菩提以
是義故當知衆生悉无佛性如佛先說
僧寶是常如其常者則非无常非无常
者云何而得阿耨多羅三藐三菩提僧若
常者云何復言一切衆生悉有佛性世尊
若使衆生從本已來无菩提心亦无阿耨多
羅三藐三菩提後方有者衆生佛性亦應如
是本无後有以是義故一切衆生必无佛性
佛言善哉善哉善男子汝已久知佛性之
義為衆生故作如是問一切衆生實有佛性汝
言衆生若有佛性不應而有初發心者善男
子心非佛性何以故心是无常佛性常故汝
言何故有退心者實无退心心若有退終不
能得阿耨多羅三藐三菩提以遲得故名之
為退此菩提心實非佛性何以故一闡提等
斷於善根墮地獄故若菩提心是佛性者一
闡提輩則不得名一闡提也菩提之心亦不
得名為无常也是故定知菩提之心實非佛

BD03144號　大般涅槃經（北本　思溪藏本）卷二八　（22–16）

為退此菩提心實非佛性何以故一闡提等
斷於善根墮地獄故若菩提心是佛性者一
闡提輩則不得名一闡提也菩提之心亦不
得名為无常也是故定知菩提之心實非佛
性善男子汝言衆生若有佛性不應假緣如
乳成酪者是義不然何以故若言五緣成於
生穌當知佛性亦復如是譬如衆石有金有
銀有銅有鐵俱稟四大一名一實而其所出
各各不同要假衆因緣衆生福德爐冶人功
然後出生是故當知本无金性衆生佛性不
名為佛以諸功德因緣和合得見佛性然後
得佛汝言衆生悉有佛性何故不見者是義
不然何以故以諸因緣未和合故善男子以
是義故我說二因正因緣因正因者名為佛
性緣因者發菩提心以二因緣得阿耨多羅
三藐三菩提如石出金善男子汝言僧常一
切衆生无佛性者善男子僧名和合和合有
二一者世和合二者第一義和合世和合者
名聲聞僧義和合者名菩薩僧世僧无常
佛性是常如佛性常義僧亦尒復次有僧謂
法和合法和合者謂十二部經十二部經常
是故我說法僧是常善男子僧名和合和合
者名十二因緣十二緣中亦有佛性十二緣常
佛性亦尒是故我說僧有佛性又復僧者

BD03144號　大般涅槃經（北本　思溪藏本）卷二八　（22–17）

佛性二介是故我說僧有佛性又復僧者
諸佛和合是故我說僧有佛性善男子汝
言衆生若有佛性云何有退有不退者諦
聽諦聽我當爲汝分別解說善男子菩薩
摩訶薩有十三法則便退轉何等十三一者心
不信二者不作心三者疑心四者悋惜身財
五者於涅槃中生大怖畏云何乃令衆生永滅
六者心不堪忍七者心不調柔八者愁惱九者
不樂十者放逸十一者自輕己身十二者自見
煩惱无能壞者十三者不樂進趣菩提之法
善男子是名十三法令諸菩薩退轉菩提復
有六法壞菩提心何等爲六一者悋法二者
於諸衆生起不善心三者親近惡友四者不
懃精進五者自大憍慢六者營務世業如
是六法則能破壞菩提之心善男子有人得
聞諸佛世尊是人天師於衆生中最上无比
勝於聲聞辟支佛等法眼明了見法无㝵能
度衆生於大苦海聞已即復發大誓願如
其世間有如是人我亦當得以是因緣發阿
耨多羅三藐三菩提心或復爲他之所教誨
發菩提心或聞菩薩阿僧祇劫脩行苦行然
後乃得阿耨多羅三藐三菩提聞已思惟我
今不堪如是苦行云何能得阿耨多羅三
藐三菩提是故有退善男子復有五法退

BD03144 號　大般涅槃經（北本　思溪藏本）卷二八　（22–18）

發菩提心或聞菩薩阿僧祇劫脩行苦行然
後乃得阿耨多羅三藐三菩提聞已思惟我
今不堪如是苦行云何能得阿耨多羅三
藐三菩提是故有退善男子復有五法退
菩提心何等爲五一者樂在外道出家二者
不脩大慈之心三者好求法師過罪四者常
樂處在生死五者不喜受持讀誦書寫解
說十二部經是名五法退菩提心復有二法退
菩提心何等爲二一者貪樂五欲二者不能
恭敬尊重三寶以如是等衆因緣故退菩提
心云何復名不退之心有人聞佛能度衆生
生老病死不從師諮自然脩習得阿耨多羅
三藐三菩提若菩提道是可得者我當脩習
必令得之以是因緣發菩提心所作功德若
多若少悉以迴向阿耨多羅三藐三菩提作
是誓願願我常得親近諸佛及佛弟子常
聞深法五情完具若遇苦難不失是心復願諸
佛及諸弟子常於我所生歡喜心具五善根
若諸衆生斫伐我身斬截手足頭目支體
當於是人生大慈心深自欣慶如是諸人爲我
增長菩提因緣若无是者我當何緣而得成
就阿耨多羅三藐三菩提復發是願莫令
我得无根二根女人之身不繫屬他不遭惡

BD03144 號　大般涅槃經（北本　思溪藏本）卷二八　（22–19）

增長菩提因緣若无是者我當何緣而得成
就阿耨多羅三藐三菩提復發是願莫令
我得无根二根女人之身不繫屬他不遭惡
主不屬惡王不生惡國若得好身種姓真正
多饒財寶不生憍慢令我常聞十二部經受
持讀誦書寫解說若爲衆生有所演說願
令受者敬信无疑常於我所不生惡心寧當少
聞多解義味不願多聞於義不了願作心師
不師於心身口意業不与惡交能施一切衆生
安樂身戒心慧不動如山爲欲受持无上正
法於身命財不生慳恡不淨之物不爲稸業
正命自活心无耶諂受恩常念小恩大報善
知世中所有事藝善解衆生方俗之言讀誦
書寫十二部經不生懈怠懶惰之心若諸衆
生不樂聽聞方便引接令彼樂聞言常柔濡
口不宣惡不和合衆能令和合有憂怖者
令離憂怖飢饉之世令得豊足疫病之世作
大醫王病藥所須財寶自在令疾病者悉
得除愈刀兵之劫有大力勢斷其殘害令
无遺餘能斷衆生種種怖畏所謂若死閉繫
打擲水火王賊貧窮破戒惡名惡道如是等
畏悉當斷之父母師長深生恭敬怨憎之中生
大慈心常脩六念空三昧門十二因緣生滅

BD03144號　大般涅槃經（北本　思溪藏本）卷二八　（22–20）

无遺餘能斷衆生種種怖畏所謂若死閉繫
打擲水火王賊貧窮破戒惡名惡道如是等
畏悉當斷之父母師長深生恭敬怨憎之中生
大慈心常脩六念空三昧門十二因緣生滅
等觀出息入息天行梵行及以聖行金剛三
昧首楞嚴定无三寶處令我自得寂靜之
心若其身心受大苦時莫失无上菩提之心莫
以聲聞辟支佛心而生知足无三寶處常在
外道法中出家爲破耶見不習其道得法
自在得心自在於有爲法了了見過令我怖
畏二乘道果如惜命者怖畏捨身爲衆生
故樂處三惡如諸衆生樂忉利天爲一一人於
无量劫受地獄苦心不生悔見他得利不生
妬心常生歡喜如自得樂若值三寶當以
衣服飲食臥具房舍醫藥燈明華香伎樂
幡蓋七寶供養若受佛戒堅固護持終不生於
毀犯之想若聞薩菩難行苦行其心歡喜不
生悔恨自識往世宿命之事終不造作貪瞋
癡業不爲果報而習因緣於現在樂不生貪
著善男子若有能發如是願者是名菩薩
終不退失菩提之心亦名施主能見如來明了
佛性能調衆生度脫生死善能護持无上正
法能得具足六波羅蜜善男子以是義故不

BD03144號　大般涅槃經（北本　思溪藏本）卷二八　（22–21）

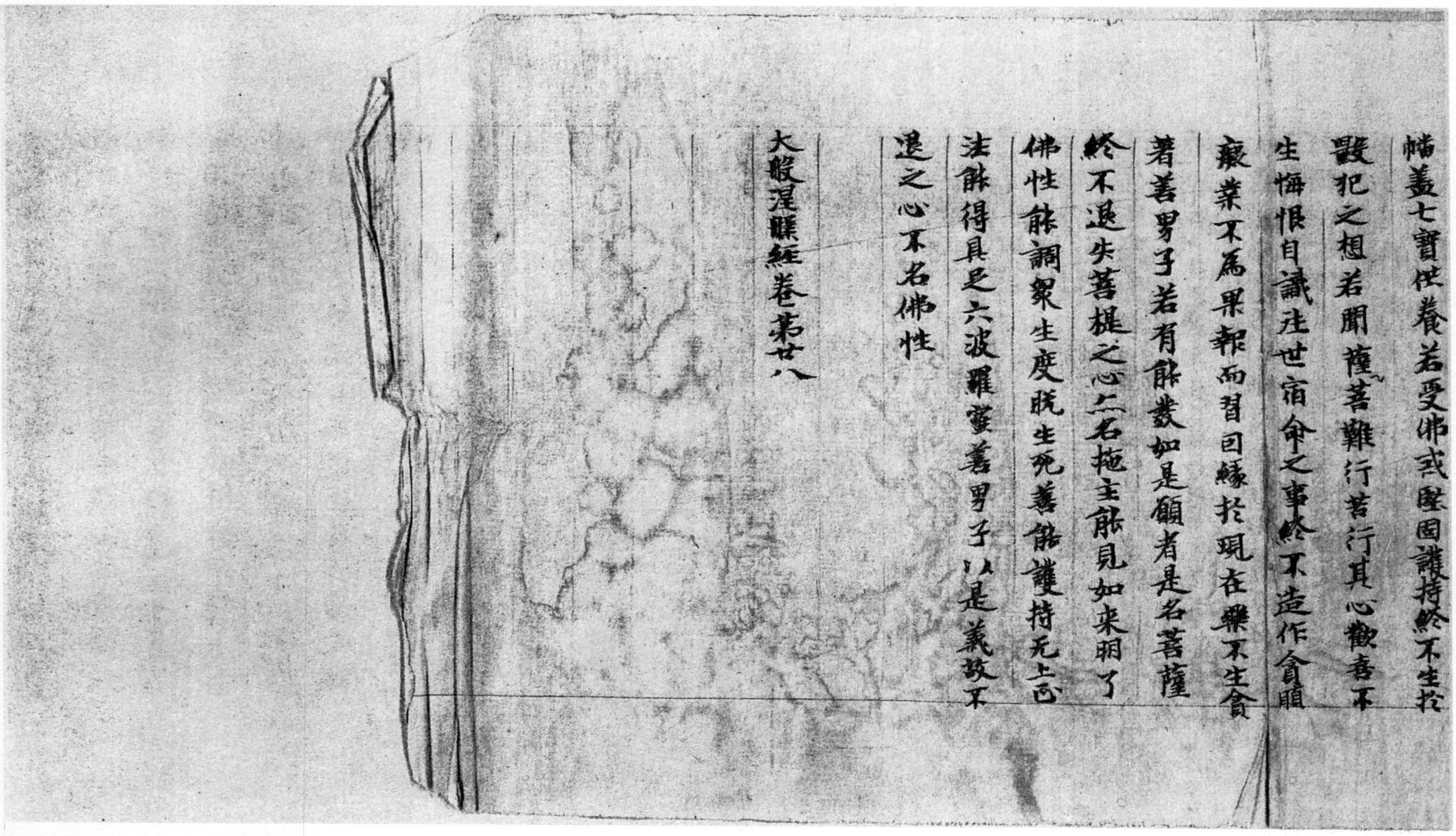

幡蓋七寶供養若受佛戒堅固護持終不生於
毀犯之想若聞菩薩難行苦行其心歡喜不
生悔恨自識往世宿命之事終不造作貪瞋
癡業不爲果報而習因緣於現在樂不生貪
著善男子若有能數如是願者是名菩薩
終不退失菩提之心亦名施主能見如來明了
佛性能調衆生度脫生死善能護持无上正
法能得具足六波羅蜜善男子以是義故不
退之心不名佛性

大般涅槃經卷第廿八

BD03144號　大般涅槃經（北本　思溪藏本）卷二八　（22–22）

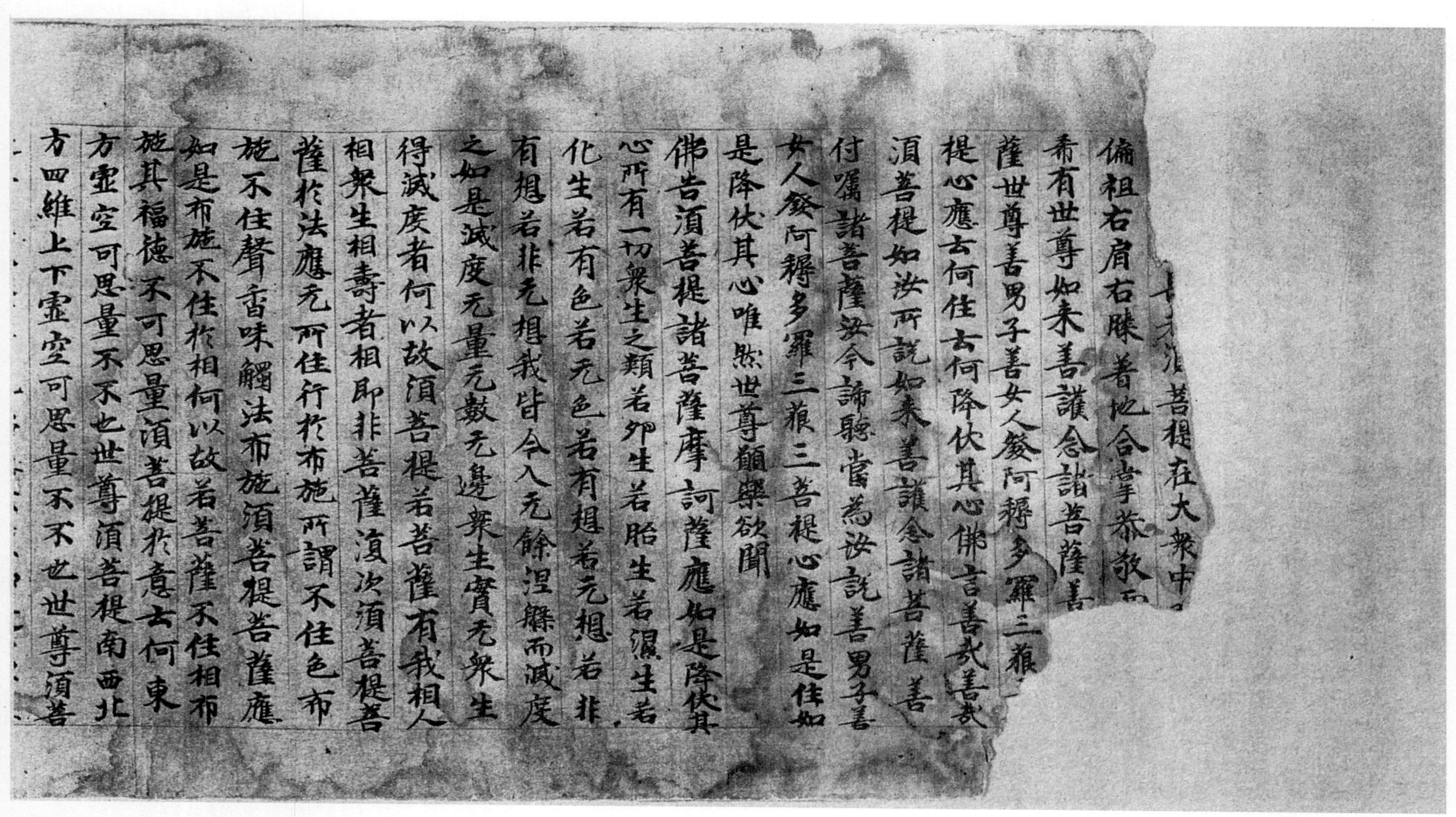
長老須菩提在大衆中
偏袒右肩右膝著地合掌恭敬而
希有世尊如來善護念諸菩薩善
薩世尊善男子善女人發阿耨多羅三藐
提心應云何住云何降伏其心佛言善哉善哉
須菩提如汝所說如來善護念諸菩薩善
付囑諸菩薩汝今諦聽當爲汝說善男子善
女人發阿耨多羅三藐三菩提心應如是住如
是降伏其心唯然世尊願樂欲聞
佛告須菩提諸菩薩摩訶薩應如是降伏其
心所有一切衆生之類若卵生若胎生若濕生若
化生若有色若无色若有想若无想若非
有想若非无想我皆令入无餘涅槃而滅度
之如是滅度无量无數无邊衆生實无衆生
得滅度者何以故須菩提若菩薩有我相人
相衆生相壽者相即非菩薩復次須菩提菩
薩於法應无所住行於布施所謂不住色布
施不住聲香味觸法布施須菩提菩薩應
如是布施不住於相何以故若菩薩不住相布
施其福德不可思量須菩提於意云何東
方虛空可思量不不也世尊須菩提南西北
方四維上下虛空可思量不不也世尊須菩

BD03145號　金剛般若波羅蜜經　（14–1）

施不住聲香味觸法布施須菩提菩薩應
如是布施不住於相何以故若菩薩不住相布
施其福德不可思量須菩提於意云何東
方虛空可思量不不也世尊須菩提南西北
方四維上下虛空可思量不不也世尊須菩
提菩薩无住相布施福德亦復如是不可思
量須菩提菩薩但應如所教住須菩提於意
云何可以身相見如來不不也世尊不可以身
相得見如來何以故如來所說身相即非身
相佛告須菩提凡所有相皆是虛妄若見
諸相非相則見如來須菩提白佛言世尊頗
有眾生得聞如是言說章句生實信不佛告
須菩提莫作是說如來滅後後五百歲有持
戒脩福者於此章句能生信心以此為實當
知是人不於一佛二佛三四五佛而種善根
已於无量千万佛所種諸善根聞是章句乃
至一念生淨信者須菩提如來悉知悉見是
諸眾生得如是无量福德何以故是諸眾生
无復我相人相眾生相壽者相无法相亦无
非法相何以故是諸眾生若心取相則為著
我人眾生壽者若取法相即著我人眾生
壽者何以故若取非法相即著我人眾生壽者
是故不應取法不應取非法以是義故如來
常說汝等比丘知我說法如筏喻者法尚應
捨何況非法須菩提於意云何如來得阿耨
多羅三藐三菩提耶如來有所說法耶須菩
提言如我解佛所說義无有定法名阿耨多

BD03145號　金剛般若波羅蜜經　（14–2）

常說汝等比丘知我說法如筏喻者法尚應
捨何況非法須菩提於意云何如來得阿耨
多羅三藐三菩提耶如來有所說法耶須菩
提言如我解佛所說義无有定法名阿耨多
羅三藐三菩提亦无有定法如來可說何以
故如來所說法皆不可取不可說非法非非
法所以者何一切賢聖皆以无為法而有差
別須菩提於意云何若人滿三千大千世界
七寶以用布施是人所得福德寧為多不須
菩提言甚多世尊何以故是福德即非福德
性是故如來說福德多若復有人於此經中
受持乃至四句偈等為他人說其福勝彼何
以故須菩提一切諸佛及諸佛阿耨多羅三
藐三菩提法皆從此經出須菩提所謂佛
法者即非佛法須菩提於意云何須陀洹能
作是念我得須陀洹果不須菩提言不也世尊
何以故須陀洹名為入流而无所入不入色聲
香味觸法是名須陀洹須菩提於意云何
斯陀含能作是念我得斯陀含果不須菩
提言不也世尊何以故斯陀含名一往來而實
无往來是名斯陀含須菩提於意云何阿那
含能作是念我得阿那含果不須菩提言不
也世尊何以故阿那含名為不來而實无來
是故名阿那含須菩提於意云何阿羅漢能
作是念我得阿羅漢道不須菩提言不也世
尊何以故實无有法名阿羅漢世尊若阿羅
漢作是念我得阿羅漢道即為著我人眾生

BD03145號　金剛般若波羅蜜經　（14–3）

也世尊何以故阿那含名為不来而實无来
是故名阿那含須菩提於意云何阿羅漢能
作是念我得阿羅漢道不須菩提言不也世
尊何以故實无有法名阿羅漢世尊若阿羅
漢作是念我得阿羅漢道即為著我人衆生
壽者世尊佛說我得无諍三昧人中最為第
一是第一離欲阿羅漢我不作是念我是離
欲阿羅漢世尊我若作是念我得阿羅漢道
世尊則不說須菩提是樂阿蘭那行者以須
菩提實无所行而名須菩提是樂阿蘭那行
佛告須菩提於意云何如来昔在燃燈佛所
於法有所得不世尊如来在燃燈佛所於法
實无所得須菩提於意云何菩薩莊嚴佛土
不不也世尊何以故莊嚴佛土者則非莊嚴
是名莊嚴是故須菩提諸菩薩摩訶薩應
如是生清淨心不應住色生心不應住聲香
味觸法生心應无所住而生其心須菩提譬如
有人身如須弥山王於意云何是身為大不
須菩提言甚大世尊何以故佛說非身是
名大身須菩提如恒河中所有沙數如是沙等
恒河於意云何是諸恒河沙寧為多不須菩
提言甚多世尊但諸恒河尚多无數何況其
沙須菩提我今實言告汝若有善男子善女
人以七寶滿尒所恒河沙數三千大千世界
以用布施得福多不須菩提言甚多世尊佛
告須菩提若善男子善女人於此經中乃至
受持四句偈等為他人說而此福德勝前福

BD03145號　金剛般若波羅蜜經　（14–4）

人以七寶滿尒所恒河沙數三千大千世界
以用布施得福多不須菩提言甚多世尊佛
告須菩提若善男子善女人於此經中乃至
受持四句偈等為他人說而此福德勝前福
德復次須菩提隨說是經乃至四句偈等當
知此處一切世間天人阿脩羅皆應供養如
佛塔廟何況有人盡能受持讀誦須菩提當
知是人成就最上第一希有之法若是經典
所在之處則為有佛若尊重弟子尒時須菩
提白佛言世尊當何名此經我等云何奉持
佛告須菩提是經名為金剛般若波羅蜜以
是名字汝當奉持所以者何須菩提佛說般
若波羅蜜則非般若波羅蜜須菩提於意云
何如来有所說法不須菩提白佛言世尊如
来无所說須菩提於意云何三千大千世界所
有微塵是為多不須菩提言甚多世尊須菩
提諸微塵如来說非微塵是名微塵如来說
世界非世界是名世界須菩提於意云何可
以三十二相見如来不不也世尊不可以三
十二相得見如来何以故如来說三十二相即
是非相是名三十二相須菩提若有善男子
善女人以恒河沙等身命布施若復有人於
此經中乃至受持四句偈等為他人說其
福甚多尒時須菩提聞說是經深解義趣涕
淚悲泣而白佛言希有世尊佛說如是甚深
經典我從昔来所得慧眼未曾得聞如是之
經世尊若復有人得聞是經信心清淨則

BD03145號　金剛般若波羅蜜經　（14–5）

福甚多尒時須菩提聞說是經深解義趣涕
淚悲泣而白佛言希有世尊佛說如是甚深
經典我從昔來所得慧眼未曾得聞如是之
經世尊若復有人得聞是經信心清淨則
生實相當知是人成就第一希有功德世尊是
實相者則是非相是故如來說名實相世尊
我今得聞如是經典信解受持不足為難
若當來世後五百歲其有眾生得聞是經信
解受持是人則為第一希有何以故此人无我
相人相眾生相壽者相所以者何我相即
是非相人相眾生相壽者相即是非相何以
故離一切諸相則名諸佛佛告須菩提如是如
是若復有人得聞是經不驚不怖不畏當知
是人甚為希有何以故須菩提如來說第
一波羅蜜非第一波羅蜜是名第一波羅蜜
須菩提忍辱波羅蜜如來說非忍辱波羅蜜
何以故須菩提如我昔為歌利王割截身體
我於尒時无我相无人相无眾生相无壽者
相何以故我於往昔節節支解時若有我
相人相眾生相壽者相應生瞋恨須菩提又
念過去於五百世作忍辱仙人於尒所世无
我相无人相无眾生相无壽者相是故須菩
提菩薩應離一切相發阿耨多羅三藐三菩
提心不應住色生心不應住聲香味觸法生
心應生无所住心若心有住則為非住是故佛

BD03145號　金剛般若波羅蜜經　（14–6）

提心不應住色生心不應住聲香味觸法生
心應生无所住心若心有住則為非住是故佛
說菩薩心不應住色布施須菩提菩薩為利益
一切眾生應如是布施如來說一切諸相即是非
相又說一切眾生則非眾生須菩提如來是真
語者實語者如語者不誑語者不異語者須
菩提如來所得法此法无實无虛須菩提若菩
提若菩薩心住於法而行布施如人入闇則无所
見若菩薩心不住法而行布施如人有目日光明照
見種種色須菩提當來之世若善男子善女人能
於此經受持讀誦則為如來以佛智慧悉知是人
悉見是人皆得成就无量无邊功德
須菩提若有善男子善女人初日分以恒河沙
等身布施中日分復以恒河沙等身布施後
日分亦以恒河沙等身布施如是无量百千
万億劫以身布施若復有人聞此經典信心
不逆其福勝彼何況書寫受持讀誦為人解說
須菩提以要言之是經有不可思議不可稱
量无邊功德如來為發大乘者說為發最上
乘者說若有人能受持讀誦廣為人說如來悉
知是人悉見是人皆得成就不可量不可稱
无有邊不可思議功德如是人等則為荷擔
如來阿耨多羅三藐三菩提何以故須菩提
若樂小法者著我見人見眾生見壽者見則
於此經不能聽受讀誦為人解說須菩提在

BD03145號　金剛般若波羅蜜經　（14–7）

如來阿耨多羅三藐三菩提何以故須菩提
若樂小法者著我見人見衆生見壽者見則
於此經不能聽受讀誦爲人解說須菩提在
在處處若有此經一切世間天人阿脩羅所
應供養當知此處則爲是塔皆應恭敬作
禮圍遶以諸華香而散其處復次須菩提善
男子善女人受持讀誦此經若爲人輕賤是人先
世罪業應墮惡道以今世人輕賤故先世
罪業則爲消滅當得阿耨多羅三藐三菩
提須菩提我念過去无量阿僧祇劫於然燈佛
前得值八百四千万億那由他諸佛悉皆供
養承事无空過者若復有人於後末世能受
持讀誦此經所得功德於我所供養諸佛功
德百分不及一百千万億分乃至筭數譬喻
所不能及須菩提若善男子善女人於後末
世有受持讀誦此經所得功德我若具說者
或有人聞心則狂亂狐疑不信須菩提若知
是經義不可思議果報亦不可思議
尒時須菩提白佛言世尊善男子善女人發
阿耨多羅三藐三菩提心云何應住云何降
伏其心佛告須菩提善男子善女人發阿耨
多羅三藐三菩提者當生如是心我應滅度
一切衆生滅度一切衆生已而无有一衆生
實滅度者何以故若菩薩有我相人相衆生
相壽者相則非菩薩所以者何須菩提實无
有法發阿耨多羅三藐三菩提者須菩提於

一切衆生滅度一切衆生已而无有一衆生
實滅度者何以故若菩薩有我相人相衆生
相壽者相則非菩薩所以者何須菩提實无
有法發阿耨多羅三藐三菩提者須菩提於
意云何如來於然燈佛所有法得阿耨多羅
三藐三菩提不不也世尊如我解佛所說義佛
於然燈佛所无有法得阿耨多羅三藐三菩
提佛言如是如是須菩提實无有法如來得
阿耨多羅三藐三菩提須菩提若有法如來得
阿耨多羅三藐三菩提者然燈佛則不與我
受記汝於來世當得作佛号釋迦牟尼以實
无有法得阿耨多羅三藐三菩提是故然燈
佛與我受記作是言汝於來世當得作佛号
釋迦牟尼何以故如來者即諸法如義若有人
言如來得阿耨多羅三藐三菩提須菩提
實无有法佛得阿耨多羅三藐三菩提須菩
提如來所得阿耨多羅三藐三菩提於是中
无實无虛是故如來說一切法皆是佛法須
菩提所言一切法者即非一切法是故名一切
法須菩提譬如人身長大須菩提言世尊如
來說人身長大則爲非大身是名大身須
菩提菩薩亦如是若作是言我當滅度无量
衆生則不名菩薩何以故須菩提實无有法
名爲菩薩是故佛說一切法无我无人无衆
生无壽者須菩提若菩薩作是言我當莊嚴
佛土是不名菩薩何以故如來說莊嚴佛土

名為菩薩是故佛說一切法[illegible]
生无壽者須菩提若菩薩作是言我當莊嚴
佛土是不名菩薩何以故如来說莊嚴佛土
者即非莊嚴是名莊嚴須菩提若菩薩通達
无我法者如来說名真是菩薩須菩提於意云
何如来有肉眼不如是世尊如来有肉眼須菩
提於意云何如来有天眼不如是世尊如
来有天眼須菩提於意云何如来有慧眼不
如是世尊如来有慧眼須菩提於意云何如
来有法眼不如是世尊如来有法眼須菩提
於意云何如来有佛眼不如是世尊如来有
佛眼須菩提於意云何如恒河中所有沙佛說是
沙不如是世尊如来說是沙須菩提於意
云何如一恒河中所有沙有如是等恒河是諸
恒河所有沙數佛世界如是寧為多不甚
多世尊佛告須菩提尒所國土中所有衆生
若干種心如来悉知何以故如来說諸心皆
為非心是名為心所以者何須菩提過去心不
可得現在心不可得未来心不可得須菩提
於意云何若有人滿三千大千世界七寶以
用布施是人以是因緣得福多不如是世尊
此人以是因緣得福甚多須菩提若福德有
實如来不說得福德多以福德无故如来說
得福德多須菩提於意云何佛可以具足色
身見不不也世尊如来不應以具足色身見何以
故如来說具足色身即非具足色身是名具
足色身須菩提於意云何如来可以具足諸

實如来不說[illegible]
得福德多須菩提於意云何佛可以具足色
身見不不也世尊如来不應以具足色身見何以
故如来說具足色身即非具足色身是名具
足色身須菩提於意云何如来可以具足諸
相見不不也世尊如来不應以具足諸相見
何以故如来說諸相具足即非具足是名諸
相具足須菩提汝勿謂如来作是念我當有
所說法莫作是念何以故若人言如来有所
說法即為謗佛不能解我所說故須菩提說
法者无法可說是名說法須菩提白佛言世
尊佛得阿耨多羅三藐三菩提為无所得耶
如是如是須菩提我於阿耨多羅三藐三菩
提乃至无有少法可得是名阿耨多羅三藐
三菩提復次須菩提是法平等无有高下是
名阿耨多羅三藐三菩提以无我无人无衆
生无壽者脩一切善法則得阿耨多羅三藐
三菩提須菩提所言善法者如来說則非善
法是名善法須菩提若三千大千世界中所有
諸須弥山王如是等七寶聚有人持用布施
若人以此般若波羅蜜經乃至四句偈等受
持讀誦為他人說於前福德百分不及一百千
万億分乃至筭數譬喻所不能及須菩提於意
云何汝等勿謂如来作是念我當度衆生須
菩提莫作是念何以故實无有衆生如来度
者若有衆生如来度者如来則有我人衆生
壽者須菩提如来說有我者則非有我而凡

云何汝等勿謂如来作是念我當度衆生須
菩提莫作是念何以故實无有衆生如来度
者若有衆生如来度者如来則有我人衆生
壽者須菩提如来説有我者則非有我而凡
夫之人以為有我須菩提凡夫者如来説則非
凡夫須菩提於意云何可以三十二相觀如
来不須菩提言如是如是以三十二相觀
如来佛言須菩提若以三十二相觀如来者
轉輪聖王則是如来須菩提白佛言世尊如
我解佛所説義不應以三十二相觀如来尒
時世尊而説偈言
若以色見我　以音聲求我　是人行耶道　不能見如来
須菩提汝若作是念如来不以具足相故得
阿耨多羅三藐三菩提須菩提莫作是念如
来不以具足相故得阿耨多羅三藐三菩提
須菩提汝若作是念發阿耨多羅三藐三菩
提者説諸法斷滅莫作是念何以故發阿耨
多羅三藐三菩提者於汝不説斷滅相須菩提
若菩薩以滿恒河沙等世界七寳持用布施若
復有人知一切法无我得成於忍此菩薩勝
前菩薩所得切徳須菩提以諸菩薩不受
福徳故須菩提白佛言世尊云何菩薩不受福
徳須菩提菩薩所作福徳不應貪著是故説
不受福徳須菩提若有人言如来若来若去
若坐若卧是人不解我所説義何以故如来
者无所從来亦无所去故名如来須菩提若

不受福徳須菩提若有人言如来若来若去
若坐若卧是人不解我所説義何以故如来
者无所從来亦无所去故名如来須菩提若
善男子善女人以三千大千世界碎為微塵
於意云何是微塵衆寧為多不甚多世尊
何以故若是微塵衆實有者佛則不説是微
塵衆所以者何佛説微塵衆則非微塵衆
是名微塵衆世尊如来所説三千大千世界則
非世界是名世界何以故若世界實有者則
是一合相如来説一合相則非一合相是名一
合相須菩提一合相者則是不可説但凡夫
之人貪著其事須菩提若人言佛説我見人
見衆生見壽者見須菩提於意云何是人解
我所説義不世尊是人不解如来所説義何
以故世尊説我見人見衆生見壽者見即非
我見人見衆生見壽者見是名我見人見衆
生見壽者見須菩提發阿耨多羅三藐三菩
提心者於一切法應如是知如是見如是信解
不生法相須菩提所言法相者如来説即
非法相是名法相須菩提若有人以滿无量阿
僧祇世界七寳持用布施若有善男子善女
人發菩薩心者持於此經乃至四句偈等受
持讀誦為人演説其福勝彼云何為人演説
不取於相如如不動何以故
一切有為法　如夢幻泡影　如露亦如電　應作如是觀
佛説是經已長老須菩提及諸比丘比丘尼優
婆塞優婆夷一切世間天人阿修羅聞佛

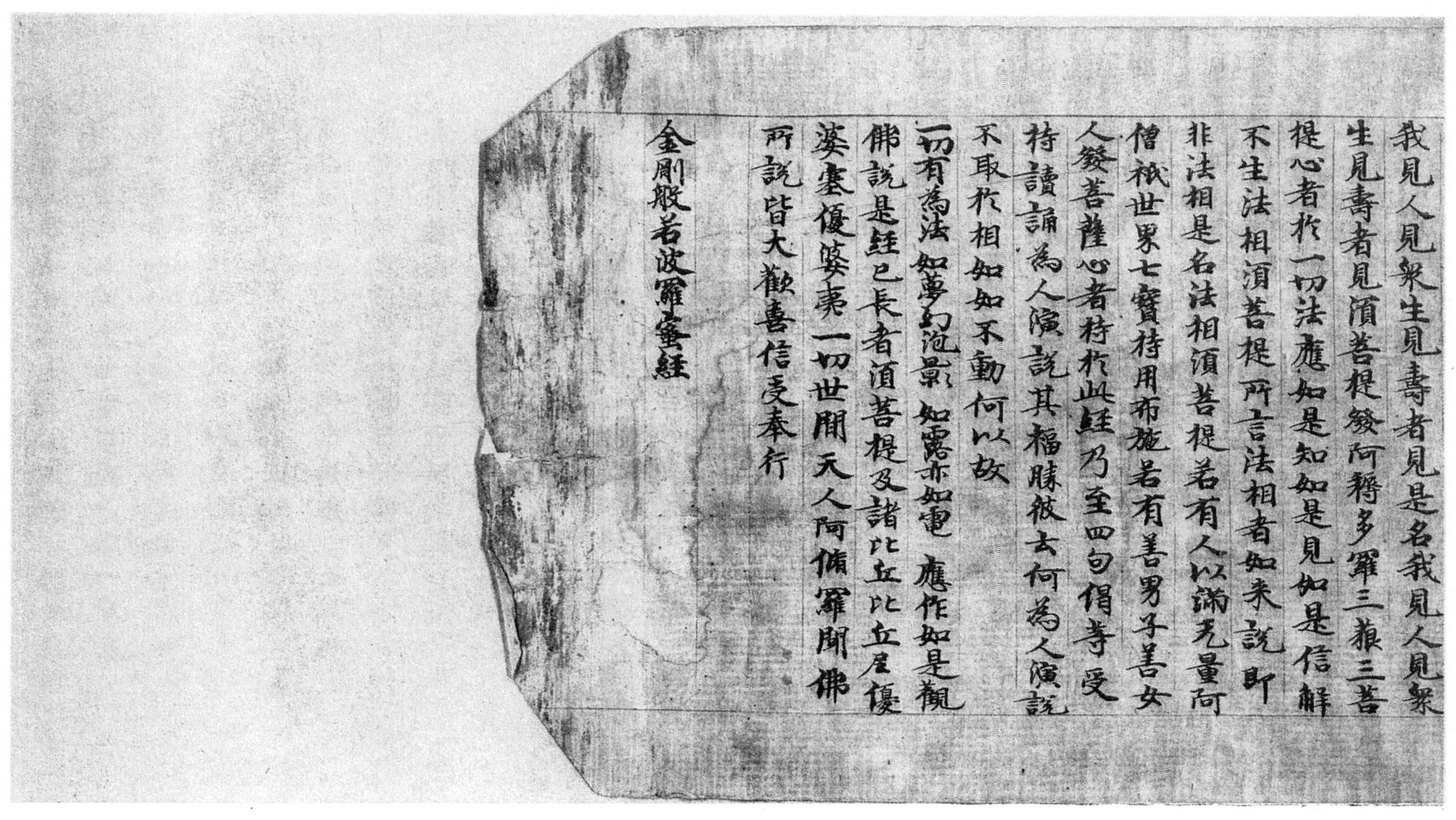

我見人見衆生見壽者見是名我見人見衆
生見壽者見須菩提發阿耨多羅三藐三菩
提心者於一切法應如是知如是見如是信解
不生法相須菩提所言法相者如來說即
非法相是名法相須菩提若有人以滿无量阿
僧祇世界七寶持用布施若有善男子善女
人發菩薩心者持於此經乃至四句偈等受
持讀誦為人演說其福勝彼云何為人演說
不取於相如如不動何以故
一切有為法　如夢幻泡影　如露亦如電　應作如是觀
佛說是經已長者須菩提及諸比丘比丘尼優
婆塞優婆夷一切世間天人阿脩羅聞佛
所說皆大歡喜信受奉行
金剛般若波羅蜜經

BD03145號　金剛般若波羅蜜經　（14–14）

不見因去當來因緣見非无因緣汝言
非因五塵生貪解脫是義不然何以故善男
子生貪解脫雖復不因五塵因緣惡覺觀故
則生貪欲善覺觀故則得解脫善男子內因
緣故生貪解脫外因緣故則能增長是故汝
言一切諸法各有自性不因五塵生貪解脫
无有是處善男子汝言具足諸根乏於財物
不得自在諸根殘缺多饒財寶得大自在因
此以明有自性故不從因緣者是義不然何
以故善男子衆生從業而有果報如是果報
則有三種一者現報二者生報三者後報貧
窮巨富根具不具是業各異若有自性具諸
根者應饒財寶饒財寶者應具諸根今則不
介是故定知无有自性皆從因緣如汝所言
世間小兒未能分別五塵因緣二啼二咲是
故一切有自性者是義不然何以故若自性
者咲應常咲啼應常啼不應一咲一啼若一
咲一啼當知一切悉從因緣是故不應說一
切法有自性故不從因緣梵志言世尊若一
切法從因緣有如是身者從何因緣佛言善
男子是身因緣煩惱與業梵志言世尊如是

BD03146號　大般涅槃經（北本）卷四〇　（15–1）

故一切有自性者是義不然何以故若自性
者咲應常咲啼應常啼不應一咲一啼若一
咲一啼當知一切悉從因緣是故不應說一
切法有自性故不從因緣梵志言世尊若一
切法從因緣有如是身者從何因緣佛言善
男子是身因緣煩惱與業梵志言世尊如是
其身從煩惱業是煩惱業可斷不也佛言如
是如是梵志復言世尊唯願為我分別解說
令我聞已不移是處悉得斷之佛言善男子
若知二邊中間无身是人則能斷煩惱業世
尊我以知解得正法眼佛言汝云何知世尊
二邊即色及色解脫中間即是八正道也受
想行識亦復如是佛言善哉善哉善男子善
知二邊斷煩惱業世尊唯願聽我出家受戒
佛言善来比丘即時斷除三界煩惱得阿羅
漢果尒時復有一婆羅門名曰弘廣復作是
言瞿曇知我今所念不佛言善男子涅槃是
常有為无常曲即耶見直即聖道婆羅門言
瞿曇何因緣故作如是說善男子汝意無謂
乞食是常別請无常曲即户鑰直是帝幢是
故我說涅槃是常有為无常曲謂耶見直謂
八正非如汝先所思惟也婆羅門言瞿曇實
知我心是八正道悉令衆生得盡滅不尒時
世尊嘿然不荅婆羅門言瞿曇已知我心我
今所問何故嘿然而不見荅時憍陳如即作

BD03146號　大般涅槃經（北本）卷四〇　（15-2）

故我說涅槃是常有為无常曲謂耶見直謂
八正非如汝先所思惟也婆羅門言瞿曇實
知我心是八正道悉令衆生得盡滅不尒時
世尊嘿然不荅婆羅門言瞿曇已知我心我
今所問何故嘿然而不見荅時憍陳如即作
是言大婆羅門若有問世有邊无邊如来常
尒嘿然不荅八聖道是直涅槃是常若脩八
聖即得滅盡若不脩集則不能得大婆羅門
辟如大城其城四壁都无孔竅唯有一門其
守門者聰明有智能善分別可放則放可遮
則遮雖不能知出入多少定知一切有入出
者皆由此門善男子如来亦尒城喻涅槃門
喻八正守門之人喻於如来善男子如来今
者雖不荅汝盡與不盡其有盡者要當脩集
具八正道婆羅門言善哉善哉大德憍陳如
如来善能說微妙法我今實欲知城知道自
作守門憍陳如言善哉善哉汝婆羅門能發
无上廣大之心佛言止止憍陳如是婆羅門
非適今日發是心也憍陳如乃往過去過无
量佛有佛世尊名普光明如来應正遍知明
行足善逝世間解无上士調御丈夫天人師
佛世尊是人先已於彼佛所發阿耨多羅三
藐三菩提心此賢劫中當得作佛久已通達
了知法相為衆生故現處外道示无所知已
是因緣汝憍陳如不應讚言善哉善哉汝今
能發如是大心尒時世尊知已即告憍陳如

BD03146號　大般涅槃經（北本）卷四〇　（15-3）

是因緣汝憍陳如不應讚言善哉善哉汝今
能發如是大心爾時世尊知已即告憍陳如
言阿難比丘今為所在憍陳如言世尊阿難
比丘在娑羅林外去此大會十二由旬而為
六万四千億魔之所嬈乱是諸魔衆悉自變
身為如來像或有宣說一切諸法從因緣生
或有說言一切諸法不從因生或有說言一
切因緣皆是常法從緣生者悉是无常或有
說言五陰是實或說虛假入界亦爾或有說
言十二因緣或有說言正有四緣或說諸法
如幻如化如熱時炎或有說言因聞得法或
有說言因思得法或有說言因脩得法或復
有說不淨觀法或復有說出息入息或有說
言四念處觀或復有說三種觀義七種方便
或復有說煖法頂法忍法世間第一法學无
學地菩薩初住乃至十住或有說空无相无
作或復有說脩多羅祇耶毗伽羅那伽陀憂
陀那尼陀那阿波陀那伊帝曰多伽闍陀伽毗
佛略阿浮陀達磨憂波提舍或說四念處四
正懃四如意足五根五力七覺八聖道或說
內空外空內外空有為空无為空无始空性
空遠離空散空自相空无相空陰空入空界
空善空不善空无記空菩提空道空涅槃空
行空得空第一義空空空大空或有示現神
通變化身出水火或身上出水身下出火身

BD03146 號　大般涅槃經（北本）卷四〇　（15–4）

空善空不善空无記空菩提空道空涅槃空
行空得空第一義空空空大空或有示現神
通變化身出水火或身上出水身下出火身
下出水身上出火右脅在下右脅出水右脅
在下左脅出水一脅震雷一脅降雨或有示
現諸佛世界或復示現菩薩初生行至七步
處在深宮受五欲時初始出家脩苦行時往
菩提樹坐三昧時壞魔軍衆轉法輪時亦大
神通入涅槃時世尊阿難比丘見是事已作
是念言如是神變昔来未見誰之所作將非
世尊釋迦作耶欲起欲語都不從意阿難比
丘入魔羂故復作是念諸佛所說各各不同
我於今者當受誰語世尊阿難今者極大受
苦雖念如來无能救者以是因緣不來至此
大衆之中爾時文殊師利菩薩摩訶薩白佛
言世尊此大衆中有諸菩薩已於一生發阿
耨多羅三藐三菩提心至无量生發菩提心
已能供養无量諸佛具心堅固具足脩行檀
波羅蜜乃至般若波羅蜜成就功德久已親
近无量諸佛淨脩梵行得不退轉菩提之心
得不退忍不退轉持得如法忍首楞嚴等无
量三昧如是等輩聞大乘經終不生疑善能
分別宣說三寶同一性相常住不變聞不思
議不生驚怪聞種種空心不怖懅了了通達一
切法性能持一切十二部經廣解其義亦能

BD03146 號　大般涅槃經（北本）卷四〇　（15–5）

識不生驚怖聞種種空心不怖慄了了通達一
切法性能持一切十二部經廣解其義亦能
受持无量諸佛十二部經何憂不能受持如
是大涅槃典何因緣故問憍陳如阿難所在
尒時世尊告文殊師利諦聽諦聽善男子我
成佛已過三十年住王舍城尒時我告諸比
丘言諸比丘今此衆中誰能為我受持如来
十二部經供給左右所須之事亦使不失自
身善利時憍陳如在彼衆中来白我言我能
受持十二部經供給左右不失所作自利益
事我言憍陳如汝已朽邁當須使人云何方
欲為我給使時舍利弗復作是言我能受持
佛一切語供給所須不失所作自利益事我
言舍利弗汝已朽邁當須使人云何方欲為
我給使乃至五百阿羅漢皆亦如是佛悉不
受尒時目連在大衆中作是思惟如来今者
不受五百比丘給使佛意為欲令誰作耶思
惟是已即便入定見如来心在阿難許如日
初出光照西壁見是事已即從定起語憍陳
如大德我觀如来欲令阿難給事左右尒時
憍陳如與五百阿羅漢往阿難所作如是言
阿難汝今當為如来給使請受是事阿難言
諸大德我實不堪給使如来何以故如来尊
重如師子王如龍如火我今穢弱云何能辦
諸比丘言阿難汝受我語給事如来得大利

BD03146號　大般涅槃經（北本）卷四〇　（15-6）

諸大德我實不堪給使如来何以故如来尊
重如師子王如龍如火我今穢弱云何能辦
諸比丘言阿難汝受我語給事如来得大利
益弟二弟三亦復如是阿難言諸大德我亦
不求大利益事實不堪任奉給左右時目揵
連復作是言阿難汝今未知阿難言大德唯
願說之目揵連言如来先日僧中求使五百
羅漢皆求為之如来不聽我即入定見如来
意欲令汝為汝今云何反更不受阿難聞已
合掌長跪作如是言諸大德若有是事如来
世尊與我三願當順僧命給事左右目揵連
言何等三願阿難言一者如来設以故衣賜
我聽我不受二者設受檀越別請聽我不往
三者聽我出入无有時節如是三事佛若聽
者當順僧命時憍陳如五百比丘還来我所
作如是言我等已勸阿難比丘唯求三願若
佛聽者當順僧命
文殊師利我於尒時讃阿難言善哉善哉阿
難比丘具足智慧豫見譏嫌何以故當有人
言汝為衣食奉給如来是故先求不受故衣
不隨別請憍陳如阿難比丘具足智慧入出
有時則不能得廣作利益四部之衆是故求
欲出入无時憍陳如我為阿難開是三事隨
其意願時目揵連還阿難所語阿難言吾已
為汝啓請三事如来大慈皆已聽許阿難言

BD03146號　大般涅槃經（北本）卷四〇　（15-7）

不問别請憍陳如阿難比丘具足智慧入出
有時則不能得廣作利益四部之衆是故求
欲出入无時憍陳如如為阿難聞是三事隨
其意願時目揵連還阿難所語阿難言吾已
為汝啓請三事如来大慈皆已聽許阿難言
大德若能聽者請法給侍文殊師利阿難事
我廿餘年具足八種不可思議何等為八一
者事我以来廿餘年初不隨我受别請食二
者事我已来初不受我陳故衣服三者自事
我已来至我所時終不非時四者自事我来
具足煩惱隨我入出諸王刹利豪貴大姓見
諸女人及天龍女不生欲心五者自事我来
持我所說十二部經一逕於耳曽不再問如
寫瓶水置之一瓶唯除一問善男子流璃太
子煞諸釋氏壞迦毗羅城阿難尒時心懷愁
惱發聲大哭来至我所作如是言我與如来
俱生此城同一釋種云何如来光顔如常我
則燋悴我時荅言阿難我脩空定故不同汝
過三年已還来問我世尊我往於彼迦毗羅
城曽聞如来脩空三昧是事虛實我言阿難
如是如是如汝所說六者自事我来雖未獲
得他知心智常知如来所入諸定七者自事
我来未得願智而能了知如是衆生到如来
所現在能得四沙門果有後得者有得人身
有得天身八者自事我来如来所有秘密之

BD03146號　大般涅槃經（北本）卷四〇　（15-8）

得他知心智常知如来所入諸定七者自事
我来未得願智而能了知如是衆生到如来
所現在能得四沙門果有後得者有得人身
有得天身八者自事我来如来所有秘密之
言悉能了知善男子阿難比丘具足如是八
不思議是故我稱阿難比丘為多聞藏善男
子阿難比丘具足八法能具足持十二部經
何等為八一者信根堅固二者具心質直三
者身无病苦四者常懃精進五者具足念心
六者心无憍慢七者成就定慧八者具足從
聞生智文殊師利毗婆尸佛侍者弟子名阿
叛迦亦復具足如是八法尸棄如来侍者弟
子名差摩迦羅毗舍浮佛侍者弟子名憂波
扇他迦羅鳩村大佛侍者弟子名曰㧞提迦
那牟尼佛侍者弟子名曰蘓嘘迦葉佛侍者
弟子名葉波蜜多皆亦具足如是八法我今
阿難亦復如是具足八法是故我稱阿難比
丘為多聞藏善男子如汝所說此大衆中雖
有无量无邊菩薩是諸菩薩皆有重任所謂
大慈大悲如是慈悲之因緣故各各忩務調
伏眷屬莊嚴自身以是因緣我涅槃後不能
宣通十二部經若有菩薩或時能說人不信
受文殊師利阿難比丘是吾之弟給事我来
廿餘年所可聞法具足受持喻如寫水置之一
器是故我今顧問阿難為何所在欲令受持

BD03146號　大般涅槃經（北本）卷四〇　（15-9）

受文殊師利阿難比丘是吾之弟給事我來
廿餘年所可聞法具足受持喻如寫水置之一
器是故我今顧問阿難為何所在欲令受持
是涅槃經善男子我涅槃後阿難比丘所未
聞者弘廣菩薩當能流布阿難所聞自能宣
通文殊師利阿難比丘今在他處去此會外
十二由旬而為六万四千億魔之所惱亂汝
可往彼發大聲言一切諸魔諦聽諦聽如來
今說大陀羅尼一切天龍乾闥婆阿脩羅迦
樓羅緊那羅摩睺羅伽人與非人山神樹神
河神海神舍宅等神聞是持名无不恭敬受
持之者是陀羅尼十恒河沙諸佛世尊所共
宣說能轉女身自識宿命若受五事一者梵
行二者斷宍三者斷酒四者斷辛五者樂在
寂靜受五事已至心信受讀誦書寫是陀羅
尼當知是人則得超越七十七億弊惡之身
尒時世尊即便說之
阿磨隸　毗磨隸　涅磨隸　瞢伽隸　醯磨羅
若竭鞞　三曼那跋提　婆跋陀沙穪尼　波羅磨他
沙穪尼　摩那斯　阿拙啼比羅祇　菴羅賴坻
婆嵐弥　婆嵐摩　莎隸富泥　富那摩奴賴綈
尒時文殊師利從佛受是陀羅尼已至阿難
所在魔衆中作如是言諸魔眷屬諦聽我說
所從佛受陀羅尼呪魔聞是陀羅尼已悉發
阿耨多羅三藐三菩提心捨於魔業即放阿

BD03146號　大般涅槃經（北本）卷四〇　（15–10）

所在魔衆中作如是言諸魔眷屬諦聽我說
所從佛受陀羅尼呪魔聞是陀羅尼已悉發
阿耨多羅三藐三菩提心捨於魔業即放阿
難文殊師利與阿難俱來至佛所阿難見佛
至心礼敬却住一面佛告阿難是娑羅林外
有一梵志名須跋陀其年極老已百廿雖得
五通未捨憍慢獲得非想非非想定生一切
智起涅槃想汝可往彼語須跋陀言如來出
世如優曇華於今中夜當般涅槃若有所作
可及時作莫於後日而生悔心阿難汝之所
說彼定信受何以故汝曾往昔五百世中作
須跋陀子其人愛心習猶未盡以是因緣信
受汝語尒時阿難受佛勑已往須跋陀所作
如是言仁者當知如來出世如優曇華於今
中夜當般涅槃欲有所作可及時作莫於後
日生悔心也須跋陀言善哉阿難我今當往
至如來所尒時阿難與須跋陀還至佛所時
須跋陀到已問訊作如是言瞿曇我今欲問
隨我意荅佛言須跋今正是時隨汝所問我
當方便隨汝意荅瞿曇有諸沙門婆羅門等
作如是言一切衆生受苦樂報皆隨往日本
業因緣是故若有持戒精進受身心苦能壞
本業本業既盡衆苦盡滅衆苦盡滅即得涅
槃是義云何佛言善男子若有沙門婆羅門
等作是說者我為憐愍常當往來如是人所

BD03146號　大般涅槃經（北本）卷四〇　（15–11）

業因緣是故若有持戒精進受身心苦能壞
本業本業既盡衆苦盡滅衆苦盡滅即得涅
槃是義云何佛言善男子若有沙門婆羅門
等作是說者我為憐愍常當往來如是人所
既至彼已我當問之仁者實作如是說不彼
若見答我如是說何以故瞿曇我見衆生習
行諸惡多饒財寶身得自在又見脩善貧窮
多乏不得自在又見有人多役力用求財不
得又見不求自然得之又見有人慈心不煞
及更中夭又見喜煞終保年壽又見有人淨
脩梵行精進持戒有得解脫有不得者是故
我說一切衆生受苦樂報皆由往日本業因
緣須拔我復當問仁者實見過去業不若有
是業為多少耶現在苦行能破多少耶能知
是業已盡不盡耶是業既盡一切盡耶彼若
見答我實不知我便當為彼人引喻辟如有
人身被毒箭其家眷屬為請醫師令拔是箭
既拔箭已身得安隱其後十年是人猶憶了
了分明是醫為我拔出毒箭以藥塗拊令我
得差安隱受樂仁既不知過去本業云何能
知現在苦行定能破壞過去業耶彼若復言
瞿曇汝今亦有過去本業何故獨責我過去
業瞿曇經中亦作是說若見有人豪富自在
當知是人先世好施如是不名過去業耶我

BD03146號　大般涅槃經（北本）卷四〇　（15–12）

知現在苦行定能破壞過去業耶彼若復言
瞿曇汝今亦有過去本業何故獨責我過去
業瞿曇經中亦作是說若見有人豪富自在
當知是人先世好施如是不名過去業耶我
復答言仁者如是知者名為比知不名真知
我佛法中或有因知果或有從果知因我
佛法中有過去業有現在業汝則不尒唯有
過業无現在業汝法不從方便斷業我法不
尒從方便斷汝業盡已則得苦盡我則不尒
煩惱盡已業苦則盡是故我今責汝過業彼
人若言瞿曇我實不知從師受之師作是說
我實无咎我言仁者汝師是誰彼若見答是
富蘭那我復言曰汝昔何不一一諮啓大師
實知過去業不汝師若言我不知者汝復云
何受是師語若我言知復應問言下苦因緣
受中上苦不中苦因緣受下上苦不上苦因
緣受中下苦不若言不者復應問言師云何
說苦樂之報唯過去業非現在耶復應問言
是現在苦過去有不若過去有過去之業悉
已都盡若都盡者云何復受今日之身若過
去无唯現前有云何復言衆生苦樂皆過去
業仁者若知現在苦行能壞過去業現在苦
行復以何破如其不破苦即是常苦若是常
云何說言得苦解脫若更有行壞苦行者過
去已盡云何有苦仁者如是苦行能令樂業
受苦果不復令苦業受樂果不能令无苦无

BD03146號　大般涅槃經（北本）卷四〇　（15–13）

行復以何破如其不破苦即是常苦若是常
云何說言得苦解脫若更有行壞苦行者過
去已盡云何有苦仁者如是苦行能令樂業
受苦果不須令苦業受樂果不能令无苦无
樂業作不受果不能令現報作生報不能令
生報作現報不令是二報作无報不能令定
報作无報不能令无報作定報不彼若須言
瞿曇不能我須當言仁者如其不能何因緣
故受是苦行仁者當知定有過業現在因緣
是故我言因緣煩惱生業因業受報仁者當
知一切衆生有過去業有現在因衆生雖有
過去壽業要賴現在飲食因緣仁者若說衆
生受苦受樂定由過去本業因緣是事不然
何以故仁者譬如有人為王除怨以是因緣
多得財寶因是財寶受現在樂如是之人現
作樂因現受樂報譬如有人煞王愛子以是
因緣喪失身命如是之人現作苦因現在苦
報仁者一切衆生現在因於四大時節土地
人民受苦受樂是故我說一切衆生不必盡
因過去本業受苦樂也仁者若以斷業因緣
力故得解脫者一切聖人不得解脫何以故
一切衆生過去本業无始終故是故我說脩
聖道時是道能遮无始終業仁者若受苦行
便得道者一切畜生悉應得道是故先當調
伏其心不調伏身以是因緣我經中說斫伐
此林莫斫伐樹何以故從林生怖不從樹生

BD03146號　大般涅槃經（北本）卷四〇　（15–14）

一切衆生過去本業无始終故是故我說脩
聖道時是道能遮无始終業仁者若受苦行
便得道者一切畜生悉應得道是故先當調
伏其心不調伏身以是因緣我經中說斫伐
此林莫斫伐樹何以故從林生怖不從樹生
欲調伏身先當調心心喻於林身喻於樹須
拔陁言世尊我以先調伏心佛言善男子汝
今云何能先調心須拔陁言世尊我先思惟
欲是无常无樂无淨觀色即是常樂清淨作
是觀已欲界結斷獲得色處是故名為先調
伏心次復觀色色是无常如癰如瘡如毒如
箭見无色常清淨寂靜如是觀已色界結盡
得无色處是故名為先調伏心次復觀想即
是无常癰瘡毒箭如是觀已獲得非想非非
想處是非非想處即一切智寂靜清淨无有
墮墜常恒不變是故我能調伏其心佛言善
男子汝云何能調伏心耶汝今所得非想非
定猶名為想涅槃无想汝云何言獲得

BD03146號　大般涅槃經（北本）卷四〇　（15–15）

功成量廣被德盈海岳无所不通无所不詣託化群方義肯
等覺故次明　香積佛品利他既熟功資於己德行之立
故能息亂化玄貞而妙用踰彰絕慮幽凝而顯默喻明至道
之妙義備在茲故次明　菩薩行品十一菩薩之道正以仰求菩
提習同為要如不剋證相應非勝非妙今明菩薩所行盡无
盡解脫之道雖未窮於宗極而分階佛境故轉為見阿閦佛
品結之以成義顯於此就此品中有四段弁義從初至且置是
事明文殊將欲承旨慰問彼疾先明發遣見之因緣義二從居
士是疾寧可忍不至以真有病是故我病明問起之由致三從
爾時文殊師利問維摩詰至今其歡喜明十種慰喻方便入
行義四從文殊師利居士說品明備調伏不住道真實行義
就前第一明承旨問疾發遣相見因緣中有三句義從初至入
毗耶離大城明如來命之問疾　文殊襃嘆於彼遜言自畢
仰承聖旨竭窮引衆造詣於彼義二從爾時長者維摩詰心
念至无諸所有獨寢一杖明斯之問疾之會顯其一化方便利畢
於此維摩既為本坐故宜顯其論宗之相關發所由互相影、
觸寄興言說之緒義三從爾時維摩詰言善來文殊說此段
明言必有端宗必有本故因顏來見之抵以明因緣无主實相之

BD03147號　淨名經科要（擬）　（8–1）

念至无諸所有獨寢一杖明斯之問疾之會顯其一化方便利畢
於此維摩既為本坐故宜顯其論宗之相關發所由互相影、
觸寄興言說之緒義三從爾時維摩詰言善來文殊說此段
明言必有端宗必有本故因顏來見之抵以明因緣无主實相之
義　大段第二明病起之由中有三句義從初至以大悲起患之由二
從此室何以空至菩薩於諸見而不動明滅患之方三從居士
所疾為何等相患次本无為有起滅俱以對治因緣故示之有疾
大段　第三明十種慰喻方便入行相別歷然文約義顯可知大
段　第四明調伏行中有四子句從初至空病亦空明真觀實患
行二從是有疾菩薩以无所受至甚除老病死者菩薩之謂明
教導方便行三從彼有疾菩薩至設身有病而不永滅是名
方便明備對治二鄣患方便无导行四從菩薩應如是調伏其
心說品　正明真實調伏不住道行不可思議品・　第六真實不
住道行既善調伏躰悲分別離於分別故曰不思議就中有三段
一從初至於諸法中得法眼淨明不思議躰狠德　二從爾時長者
維摩詰問文殊師利至若廣說者明不思議行德　三從是時大
迦葉聞說以下說品　明不思議境界相就前明不思議躰狠中有三
子句一從初至是則勵論非求法也明不思議躰離分別義　第
二從唯舍利弗法名寂滅說此明不思議躰離於分別義就第
二不思議行中有二從初至鬼神宮亦不迫迮明不思議智惠自
在行二從維摩詰言唯舍利弗說此段明不思議方便无导行
第三明不思議境界中有二從初至三菩提心明非二乘人境
界義二從爾時維摩詰語大迦葉說未明非信相境界義也
觀衆生品第七　不思議之妙本於真際而真際无際豈有集

BD03147號　淨名經科要（擬）　（8–2）

苐三明不思議境界中有二從初至三菩提心明非二乘人境
界義二從尒時維摩詰語大迦葉說未明非信相境界義也
觀衆生品苐七　不思議之妙本於真際而真際元際豈有衆
生滅之相哉故次觀衆生品　廣上真觀實恵證道行義
就中有三段弁義一從初至從元住本立一切法明真際元際
行義二從尒時維摩詰室中有一天女至而復樂於聲聞法乎
明際元所際而元所不際行三從舍利弗言汝何以不轉汝身說
品明元所不際故窮亘實際而實際本寂妙絕衆相元所得
義證道玄寂義於然矣就前明實際元際行中有二從初至菩薩
觀衆生為若此也明衆生際即是實際元際義二從文殊師利
言說此段明脩實際元際行義就大段苐二明際元所不際行
中有二從初至則於佛法為增上慢明脩元所際雖相真寂行
義二從舍利弗問天女說此段明際元所際而元所不際廣大
行義就苐三明窮亘實際行元得所得義有三從初至元不
在者佛所說也明元轉(不轉)義二從舍利弗問天女於此没至衆生猶然
元没生也明元出没義三從舍利弗問天女久如當得已下說未
明元得所得義　佛道品苐八　上明真際元際而元不際
故能洞達窮亘為元不為返而舍契單緣斯通義均如來所
行之跡故次明之　佛道品就中有三段弁義一從初至行於非道
是為通達佛道明既達窮亘而元不為故能於㝵元㝵違而顯
順以彰元㝵行義　二從於維摩詰問文殊師利至永不能發元
上道意明行既元㝵故能於鄣元鄣即彰除鄣以隆道業樹德
於菩提義三從尒時會中有菩薩說品明德行自在元鄣元㝵
故能為而為而元為(不)功元不備通達佛道義顯於此耳就前弁

順以彰元㝵行義　二從於維摩詰問文殊師利至永不能發元
上道意明行既元㝵故能於鄣元鄣即彰除鄣以隆道業樹德
於菩提義三從尒時會中有菩薩說品明德行自在元鄣元㝵
故能為而為而元為(不)功元不備通達佛道義顯於此耳就前弁
元㝵行中有三子句初義問中正弁元際行後結文約可知就苐
二弁元鄣行中有三子句從初至一切煩惱皆是佛種正弁元鄣
㝵行樹德於塵勞二從日何謂也至則不能生一切智寶心釋非
塵勞元以樹斯妙德義三從尒時大迦葉說此段明敬嘆其美
慨之自絕以膺於下滞是之流義就大段苐三弁自在行元鄣
元㝵元不通達義中有二初長行明普現色身發問啓發之依
二偈頌以荅實彰自在元鄣元㝵元不通達義也
入不二法門品　既行德自在元鄣元㝵靡不通達故能行融真
極義存元外實契中而玄亘之致故次明入不二法門義故樹之
品自入不二法門義乃非一旦略列卅三名數之別論法門雖卅有三語
其宗要不出於三前卅一就法以明不二、遣之於妄想文殊就教
以明不二遣之於言說維摩就證以明不二遣之於假名融(顯)真際
妙絕圓通冲極真寂於茲曉然矣言不二者蓋是一實之異名
但真相元相非可以相示故一非一是以寄之捨相以樹其況欲令
返而合契故言不二法門義備之常釋香積品苐十
既行融真極妙絕圓通、而元外故能成就利他行為化之善
跡同於佛故借香積飯以為佛事以樹其相故次明香積佛品
就中有四段弁義一從初至如衆香國土諸樹之香正明維摩善
成就利他行取香飯為佛事義　二從尒時維摩詰問衆香菩
薩至昔物之言乃入律明彼此施化方便所為佛事不同義　三從

既同於佛故借香積飯以為佛事以標其相故次明香積佛品
就中有四段弁義一從初至如衆香國土諸樹之香正明維摩善
成就利他行取香飯為佛事義 二從尒時維摩詰問衆香菩
薩至昔初之言乃入律明彼此施化方便可為佛事不同義 三從
彼諸菩薩聞說是已至成就衆生是為十明稱量利他行方便
增勝義四從彼諸菩薩曰說品明往生淨土行義就前第一維
摩詰取香為佛事中有三子句從初至未曾有食明舍利弗應
以生念維摩何而抑之許為取飯 第二從時維摩詰即入三昧
及三千世界明香積取飯義三從時毗耶離城說此段明香飯為
佛事利義就第二明二國佛事方便不同義中有二段從初至皆
悉具足明彼國佛事方便行義二從彼諸菩薩同問說此段明此
土佛事方便行義第三明稱量增勝有二子句從初至多於彼
土百千劫行正明增勝義二從所以者何說此增段釋勝義下明生淨
土行文約知之也

菩薩行品

上明利他行熟又善化方便故能入諸佛法門成就淨土法身行方
便德但學而未窮所以稱為菩薩行故次明之也就此品中有四
段一從初至滅除一切諸煩惱毒然後乃消明上利他行方便香之
飯佛事為益之義二從阿難白佛言未曾有也至是名入一切
諸佛法門明諸佛所行佛事方便法門義三從菩薩入此門者
至盡力變化所不能作明菩薩入諸佛法成就淨土法身行方便
義 第四從尒時衆香世界說未明菩薩所脩盡无盡无㝵
法門以顯不思議解脫功成於此就前明利他方便中有二從至
初皆悉受教衆坐已定非意所圖非度所測明維摩文殊所
論法要將說以會結終之說故与大衆共詣佛所義二從阿難白
[illegible]

BD03147 號　淨名經科要（擬）　（8–5）

[illegible]
法門以顯不思議解脫功成於此就前明利他方便中有二從至
初皆悉受教衆坐已定非意所圖非度所測明維摩文殊所
論法要將說以會結終之說故与大衆共詣佛所義二從阿難白
佛言今所聞香說此段正明上佛事香飯利益義就第二諸佛
方便法門義中有二從初至无作无為而作佛事明略列諸佛
行方便功顯不同殊能差別義二從如是阿難說此段明佛事
非一難可言盡故惣舉其要結之名義就第三明菩薩入諸法
門行方便中有二從初至智慧弁才不可思議正明入諸佛法門
成就淨土法身行方便義二從何日佛我從今已往說此段明校
量增勝義就第四明菩薩所脩明盡无盡无㝵法門義中有四段
義一從初至還於彼土當念如來明衆香菩薩謝已不足抑揚
而請義二從佛告諸菩薩至是名菩薩不住无為廣明脩不盡
有為不住无為行義三從又具福德故至滅衆生病故不盡有
為正明盡不盡行法門差別殊能義四從諸正士說未明結勸
脩行聞法歡喜供養讚嘆辭還本土義

見阿閦佛品第十二

行既淂入諸法門故能分階佛境軆同法性現前相應故稱為
見故次明也實无彼此而求之有方故曰見阿閦佛品就此品中有
三段義一從初至雖生不長諸惠法身平等而身无不身義一從
是時佛告舍利弗至亦不迫隘如本无異明淨土平等而土无
非土義三從尒時釋迦牟尼佛告諸大衆說品明勸發脩行義
就前明法身義中有二從初至若他觀者名為耶觀明法身實
相平等相二從尒時舍利弗問維摩詰汝於何沒說此前段明身
无生滅而无身不身就第二明淨土義中有二從初至但滅衆生煩
惱闇[illegible]明出光非土而真淨无外義二從是時大衆渴仰欲見

BD03147 號　淨名經科要（擬）　（8–6）

就前明法身義中有二從初至若他觀者名為邪觀明法身實
相平等相二從亦時舍利弗問維摩詰汝於何沒說此前段明身
无生滅而无身示身就第二明淨土義中有二從初至但滅眾生煩
惱闇身明土无非土而真淨无外義二從是時大眾渴仰欲見
說此段明淨土平等相融彼此无增无減義就第三勸發循行
中有二從初至還復本處舉眾皆見明如來舉勸循行義二
從佛告舍利弗說此段明舍利弗慶其所遇增敬加嘆勸發循
行義　法供養品
此品部中第三明流通義就中有二初法供養品明勸發循行流
通義囑累品明付囑勸發流通義　行既成就稱曰法性堅固不
動斯乃可謂敬順諸佛教法善習相應稱揚之義要須加此故
曰法供養就此品中有二段弁義從初至以是因緣福不可量明天
帝自慶所聞誓願護持以顯法養義二從佛告天帝過去无
量說品明如來引往昔所循法供養行以彰法供養義就前
天帝與護明法供養中有二從品初至其已信者當為作心護
明天帝自誓興護法行二從佛言善哉善哉說此段明如來述讚其
善校量功德福多少義就如來引往昔所循顯法供養中有
三從初至當為汝說法之供養明出其興法供養人因緣義
二從即時月蓋王子行詣至无量眾生得生天上明王子聞說
法供養現勝法利興法循行三從天帝時王寶蓋豈異人乎既
未明結會古今勸發循行義　囑累品
理教既宣冀以被時集利末代傳之於世故宜委之有在付誡忽
言意存懇懇鍾疊非一故曰囑累就此品中有二從初至復當開
導諸說法者令得是經循行付囑流通二從亦時四天王白佛

BD03147 號　淨名經科要（擬）

（8–7）

量說品明如來引往昔所循法供養行以彰法供養義就前
天帝與護明法供養中有二從品初至其已信者當為作心護
明天帝自誓興護法行二從佛言善哉善哉說此段明如來述讚其
善校量功德福多少義就如來引往昔所循顯法供養中有
三從初至當為汝說法之供養明出其興法供養人因緣義
二從即時月蓋王子行詣至无量眾生得生天上明王子聞說
法供養現勝法利興法循行三從天帝時王寶蓋豈異人乎既
未明結會古今勸發循行義　囑累品
理教既宣冀以被時集利末代傳之於世故宜委之有在付誡忽
言意存懇懇鍾疊非一故曰囑累就此品中有二從初至復當開
導諸說法者令得是經循行付囑流通二從亦時四天王白佛
言說品　明教說付囑流通就前循行付囑流通有三從初
所應得利而為廣說明宜舉宗要付囑傳通義二從弥勒
當知菩薩有二相至而不取相分別是為二法明舉行法勸
發流通三從勒菩薩聞說是以說此段明弥勒及菩薩敬承
聖旨奉行流通義就教說流通中有二前明四天王設外護行
流通後明內護受持流通文約可知下明眾聞經慶悅之義

BD03147 號　淨名經科要（擬）

（8–8）

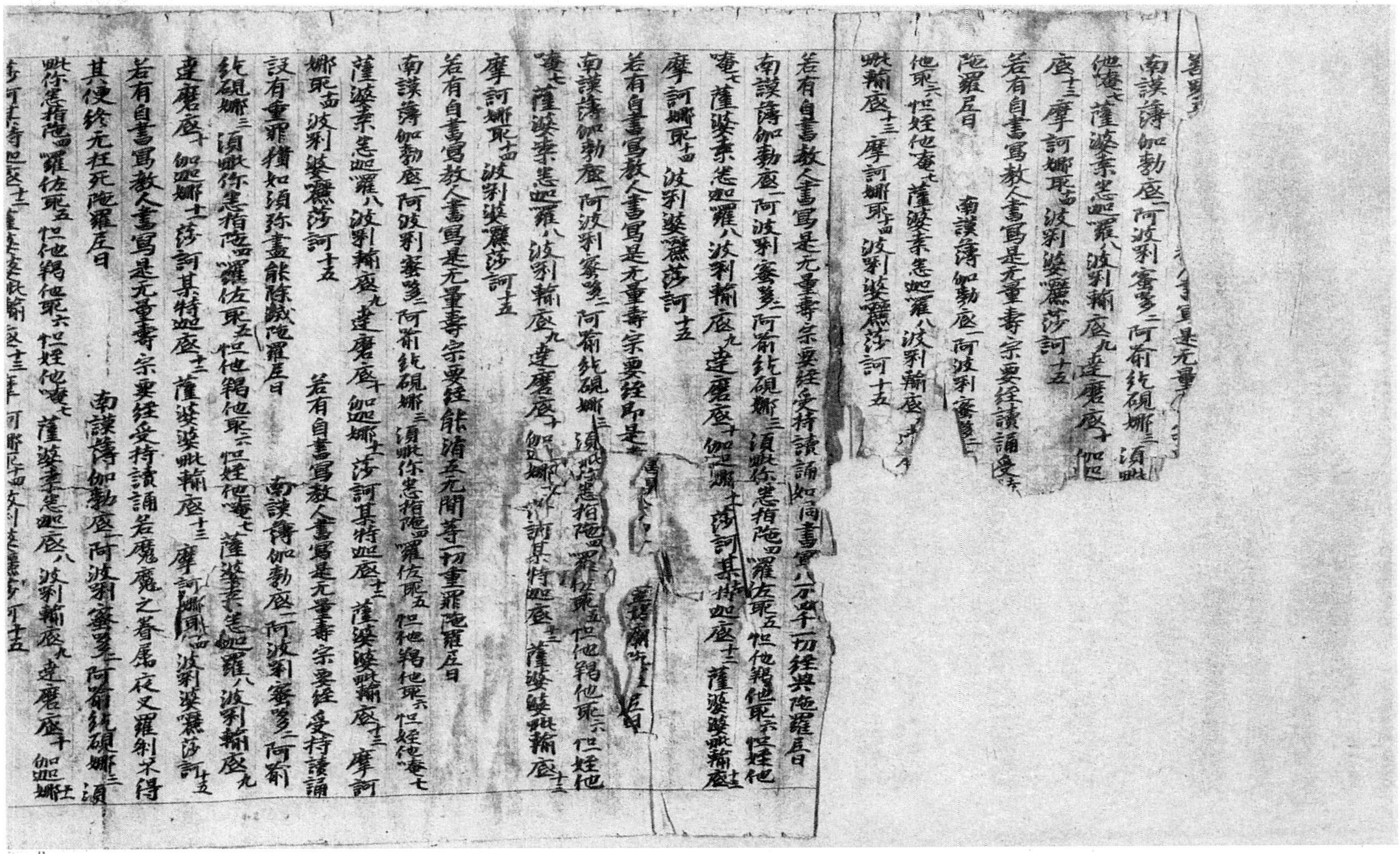

[illegible]是无量[illegible]
南謨薄伽勒底一阿波唎蜜多二阿葪紇硯娜三須毗
他唵七薩婆桒悉迦羅八波唎輸底九達磨底十伽迦
底十三摩訶娜耶十四波唎婆羅莎訶十五
若有自書教人書寫是无量壽宗要経讀誦受持
陁羅尼曰　南謨薄伽勒底一阿波唎蜜多二
他耶六怛姪他唵七薩婆桒悉迦羅八波唎輸底九
毗輸底十三摩訶娜耶十四波唎婆羅莎訶十五
若有自書教人書寫是无量壽宗要経受持讀誦如同書寫八万四千一切経典陁羅尼曰
南謨薄伽勒底一阿波唎蜜多二阿葪紇硯娜三須毗你悉指陁四羅佐耶五怛他羯他耶六怛姪他
唵七薩婆桒悉迦羅八波唎輸底九達磨底十伽迦娜十一莎訶某特迦底十二薩婆婆毗輸底十三
摩訶娜耶十四波唎婆羅莎訶十五
若有自書寫教人書寫是无量壽宗要経即是[illegible]陁羅尼曰
南謨薄伽勒底一阿波唎蜜多二阿葪紇硯娜三須毗你悉指陁四羅佐耶五怛他羯他耶六怛姪他
唵七薩婆桒悉迦羅八波唎輸底九達磨底十伽迦娜十一莎訶某特迦底十二薩婆婆毗輸底十三
摩訶娜耶十四波唎婆羅莎訶十五
若有自書寫教人書寫是无量壽宗要経能消五无間等一切重罪陁羅尼曰
南謨薄伽勒底一阿波唎蜜多二阿葪紇硯娜三須毗你悉指陁四羅佐耶五怛他羯他耶六怛姪他唵七
薩婆桒悉迦羅八波唎輸底九達磨底十伽迦娜十一莎訶某特迦底十二薩婆婆毗輸底十三摩訶
娜耶十四波唎婆羅莎訶十五　若有自書寫教人書寫是无量壽宗要経受持讀誦
設有重罪積如須弥盡能除滅陁羅尼曰　南謨薄伽勒底一阿波唎蜜多二阿葪
紇硯娜三須毗你悉指陁四羅佐耶五怛他羯他耶六怛姪他唵七薩婆桒悉迦羅八波唎輸底九
達磨底十伽迦娜十一莎訶某特迦底十二薩婆婆毗輸底十三摩訶娜耶十四波唎婆羅莎訶十五
若有自書寫教人書寫是无量壽宗要経受持讀誦若魔魔之眷屬夜叉羅刹不得
其便終无枉死陁羅尼曰　南謨薄伽勒底一阿波唎蜜多二阿葪紇硯娜三須
毗你悉指陁四羅佐耶五怛他羯他耶六怛姪他唵七薩婆桒悉迦底八波唎輸底九達磨底十伽迦娜十一
莎訶某特迦底十二薩婆婆毗輸底十三摩訶娜耶十四波唎婆羅莎訶十五

BD03148號　無量壽宗要經　（4–1）

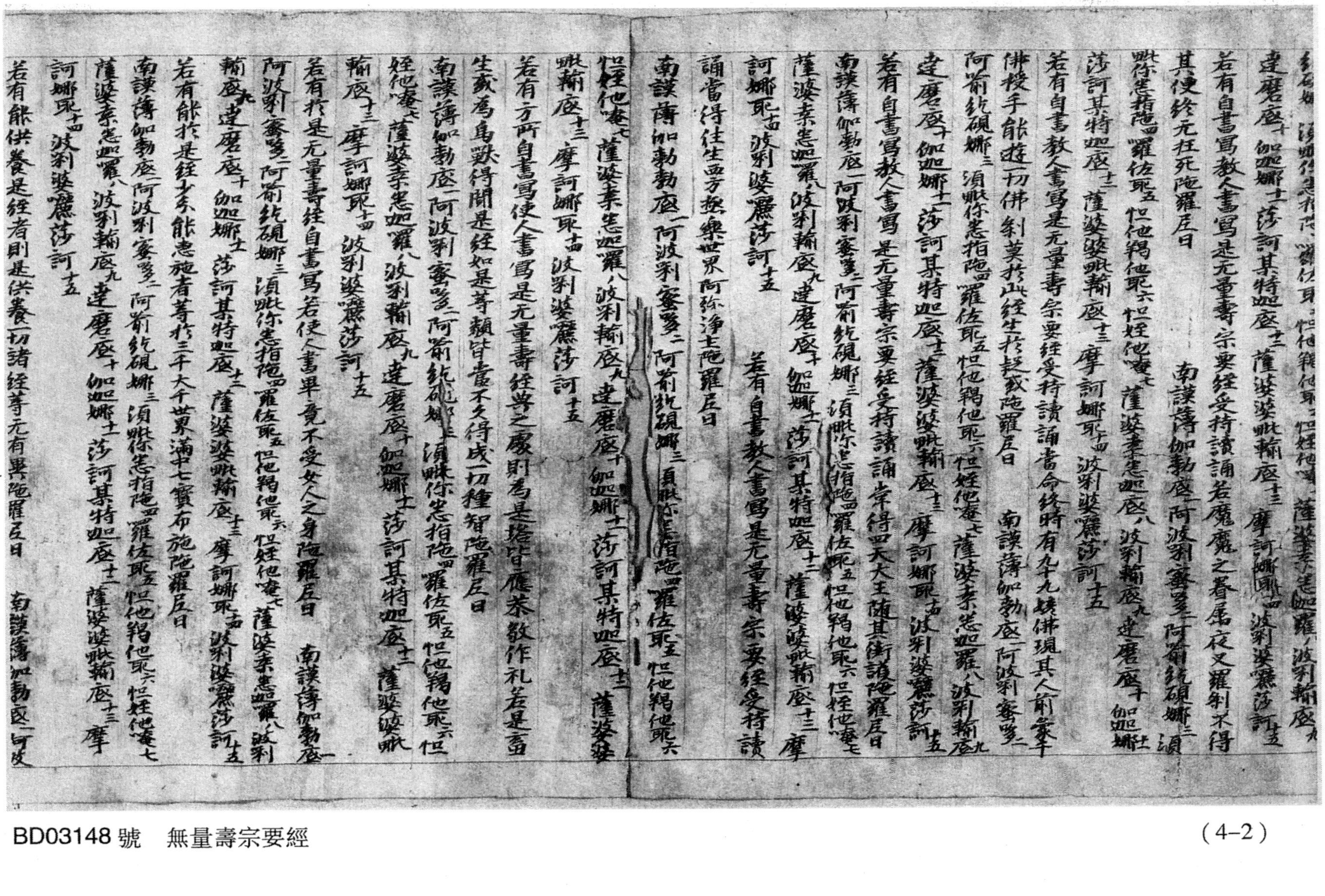

紇硯娜三須毗你悉指陁四羅佐耶五怛他羯他耶六怛姪他唵七薩婆桒悉迦羅八波唎輸底九
達磨底十伽迦娜十一莎訶某特迦底十二薩婆婆毗輸底十三摩訶娜耶十四波唎婆羅莎訶十五
若有自書寫教人書寫是无量壽宗要経受持讀誦若魔魔之眷屬夜叉羅刹不得
其便終无枉死陁羅尼曰　南謨薄伽勒底一阿波唎蜜多二阿葪紇硯娜三須
毗你悉指陁四羅佐耶五怛他羯他耶六怛姪他唵七薩婆桒悉迦底八波唎輸底九達磨底十伽迦娜十一
莎訶某特迦底十二薩婆婆毗輸底十三摩訶娜耶十四波唎婆羅莎訶十五
若有自書教人書寫是无量壽宗要経受持讀誦書命終時有九十九姟佛現其人前來迎
佛授手能遊一切佛刹莫於此経生於疑惑陁羅尼曰　南謨薄伽勒底一阿波唎蜜多二
阿葪紇硯娜三須毗你悉指陁四羅佐耶五怛他羯他耶六怛姪他唵七薩婆桒悉迦羅八波唎輸底九
達磨底十伽迦娜十一莎訶某特迦底十二薩婆婆毗輸底十三摩訶娜耶十四波唎婆羅莎訶十五
若有自書寫教人書寫是无量壽宗要経受持讀誦常得四天大王隨其衛護陁羅尼曰
南謨薄伽勒底一阿波唎蜜多二阿葪紇硯娜三須毗你悉指陁四羅佐耶五怛他羯他耶六怛姪他唵七
薩婆桒悉迦羅八波唎輸底九達磨底十伽迦娜十一莎訶某特迦底十二薩婆婆毗輸底十三摩
訶娜耶十四波唎婆羅莎訶十五　若有自書教人書寫是无量壽宗要経受持讀
誦當得往生西方極樂世界阿弥陁淨土陁羅尼曰
南謨薄伽勒底一阿波唎蜜多二阿葪紇硯娜三須毗你悉指陁四羅佐耶五怛他羯他耶六
怛姪他唵七薩婆桒悉迦羅八波唎輸底九達磨底十伽迦娜十一莎訶某特迦底十二薩婆婆
毗輸底十三摩訶娜耶十四波唎婆羅莎訶十五
若有方所自書寫使人書寫是无量壽経典之處則為是塔皆應恭敬作礼若是畜
生歟為鳥獸得聞是経如是等類皆當不久得成一切種智陁羅尼曰
南謨薄伽勒底一阿波唎蜜多二阿葪紇硯娜三須毗你悉指陁四羅佐耶五怛他羯他耶六怛
姪他唵七薩婆桒悉迦羅八波唎輸底九達磨底十伽迦娜十一莎訶某特迦底十二薩婆婆毗
輸底十三摩訶娜耶十四波唎婆羅莎訶十五
若有於是无量壽経自書寫若使人書畢竟不受女人之身陁羅尼曰　南謨薄伽勒底一
阿波唎蜜多二阿葪紇硯娜三須毗你悉指陁四羅佐耶五怛他羯他耶六怛姪他唵七薩婆桒悉迦羅八波唎
輸底九達磨底十伽迦娜十一莎訶某特迦底十二薩婆婆毗輸底十三摩訶娜耶十四波唎婆羅莎訶十五
若有能於是経少分能惠施者等於三千大千世界滿中七寶布施陁羅尼曰
南謨薄伽勒底一阿波唎蜜多二阿葪紇硯娜三須毗你悉指陁四羅佐耶五怛他羯他耶六怛姪他唵七
薩婆桒悉迦羅八波唎輸底九達磨底十伽迦娜十一莎訶某特迦底十二薩婆婆毗輸底十三摩
訶娜耶十四波唎婆羅莎訶十五
若有能供養是経者則是供養一切諸経等无有異陁羅尼曰　南謨薄伽勒底一阿波

BD03148號　無量壽宗要經　（4–2）

訶娜耶十四波剎婆嚩莎訶十五
若有能供養是經者則是供養一切諸經等无有異陁羅尼曰　南謨薄伽勒底一阿波
剎蜜多二阿喻紇硯娜三須毗你悉指陁四羅佐耶五怛他羯他耶六怛姪他唵七薩婆桒悉迦羅八
波剎輸底九達磨底十伽迦娜十一莎訶其特迦底十二薩婆婆毗輸底十三摩訶娜耶十四波
剎婆嚩莎訶十五　如是毗婆尸佛尸弃佛毗舍浮佛俱留孫佛俱那含牟尼佛
加葉佛　釋迦牟尼佛　若有人以七寶供養如是七佛其福有限書寫受持是无
量壽經典所有功德不可限量陁羅尼曰　南謨薄伽勒底一阿波剎蜜多二阿喻紇
硯娜三須毗你悉指陁四羅佐耶五怛他羯他耶六怛姪他唵七薩婆桒悉迦羅八波剎輸底九達
磨底十伽迦娜十一莎訶其特迦底十二薩婆婆毗輸底十三摩訶娜耶十四波剎婆嚩莎
訶十五　若有七寶等於須弥以用布施其福上能知其限量是无量壽經典其福不可
知數陁羅尼曰　南謨薄伽勒底一阿波剎蜜多二阿喻紇硯娜三須毗你悉指陁四羅
佐耶五怛他羯他耶六怛姪他唵七薩婆桒悉迦羅八波剎輸底九達磨底十伽迦娜十一莎訶
其特迦底十二薩婆婆毗輸底十三摩訶娜耶十四波剎婆嚩莎訶十五
如是四大海水可知滴數是无量壽經典所生果報不可數量陁羅尼曰
南謨薄伽勒底一阿波剎蜜多二阿喻紇硯娜三須毗你悉指陁四羅佐耶五怛他羯他耶六怛姪
他唵七薩婆桒悉迦羅八波剎輸底九達磨底十伽迦娜十一莎訶其特迦底十二薩婆婆毗輸底十三
摩訶娜耶十四波剎婆嚩莎訶十五
若有自書使人書寫是无量壽經典又能誦持供養即如恭敬供養一切十方佛土
如來无有異別陁羅尼曰
南謨薄伽勒底一阿波剎蜜多二阿喻紇硯娜三須毗你悉指陁四羅佐耶五怛他羯他
耶六怛姪他唵七薩婆桒悉迦羅八波剎輸底九達磨底十伽迦娜十一莎訶其特迦底十二
薩婆婆毗輸底十三摩訶娜耶十四波剎婆嚩莎訶十五
若有人自書使人書寫是无量壽經典又能護持供養即如恭敬供養一切十方佛土如
來无有異別陁羅尼曰
南謨薄伽勒底一阿波剎蜜多二阿喻紇硯娜三須毗你悉指陁四羅佐耶五怛他羯他耶六怛
姪他唵七薩婆桒悉迦羅八波剎輸底九達磨底十伽迦娜十一莎訶其特迦底十二薩婆婆
毗輸底十三摩訶娜耶十四波剎婆嚩莎訶十五
布施力能成正覺　悟布施力人師子　布施力能聲普聞　慈悲門漸最能
持戒力能成正覺　悟持戒力人師子　持戒力能聲普聞　慈悲門漸最能
忍辱力能成正覺　悟忍辱力人師子　忍辱力能聲普聞　慈悲門漸最能
精進力能成正覺　悟精進力人師子　精進力能聲普聞　慈悲門漸最能
禪定力能成正覺　悟禪定力人師子　禪定力能聲普聞　慈悲門漸最能

BD03148號　無量壽宗要經　（4–3）

他唵七薩婆桒悉迦羅八波剎輸底九達磨底十伽迦娜十一莎訶其特迦底十二薩婆婆毗輸底十三
摩訶娜耶十四波剎婆嚩莎訶十五
若有自書使人書寫是无量壽經典又能誦持供養即如恭敬供養一切十方佛土
如來无有異別陁羅尼曰
南謨薄伽勒底一阿波剎蜜多二阿喻紇硯娜三須毗你悉指陁四羅佐耶五怛他羯他
耶六怛姪他唵七薩婆桒悉迦羅八波剎輸底九達磨底十伽迦娜十一莎訶其特迦底十二
薩婆婆毗輸底十三摩訶娜耶十四波剎婆嚩莎訶十五
若有人自書使人書寫是无量壽經典又能護持供養即如恭敬供養一切十方佛土如
來无有異別陁羅尼曰
南謨薄伽勒底一阿波剎蜜多二阿喻紇硯娜三須毗你悉指陁四羅佐耶五怛他羯他耶六怛
姪他唵七薩婆桒悉迦羅八波剎輸底九達磨底十伽迦娜十一莎訶其特迦底十二薩婆婆
毗輸底十三摩訶娜耶十四波剎婆嚩莎訶十五
布施力能成正覺　悟布施力人師子　布施力能聲普聞　慈悲門漸最能
持戒力能成正覺　悟持戒力人師子　持戒力能聲普聞　慈悲門漸最能
忍辱力能成正覺　悟忍辱力人師子　忍辱力能聲普聞　慈悲門漸最能
精進力能成正覺　悟精進力人師子　精進力能聲普聞　慈悲門漸最能
禪定力能成正覺　悟禪定力人師子　禪定力能聲普聞　慈悲門漸最能
智慧力能成正覺　悟智慧力人師子　智慧力能聲普聞　慈悲門漸最能
尒時如來說是經已一切世間天人阿脩羅揵闥婆等聞佛所說皆大歡喜信受奉行
佛說无量壽宗要經

BD03148號　無量壽宗要經　（4–4）

法界善女天云何五蘊能現法界如是五蘊
不從因緣生何以故若從因緣生者為已生
故生為未生故生若已生生者何用因緣若
未生生者不可得生何以故未生諸法即是
非有無名無相非校量譬喻之所能及非是
因緣之所生故善女天譬如鼓聲依木依皮
及桴手等故得出聲如是鼓聲過去亦空未
來亦空現在亦空何以故是鼓音聲不從木
生不從皮生及桴手生不於三世生是則不
生若不可生則不可滅若不可滅無所從來
若無所從來亦無所去若無所去則非常非
斷若非常非斷則不一不異何以故此若是
一則不異法界若如是者凡夫之人應見真
諦得於無上安樂涅槃既不如是故知不一
若言異者一切諸佛菩薩行相即是執著未
得解脫煩惱繫縛即不證阿耨多羅三藐三
菩提何以故一切聖人於行非行同真實性
是故不異故知五蘊非有非無不從因緣生
非无因緣生是聖所知非餘境故亦非言說
之所能及無名無相無因無緣亦無譬喻
始終寂靜本來自空是故五蘊能現法界善女

得解脫煩惱繫縛即不證阿耨多羅三藐三
菩提何以故一切聖人於行非行同真實性
是故不異故知五蘊非有非無不從因緣生
非无因緣生是聖所知非餘境故亦非言說
之所能及無名無相無因無緣亦無譬喻
始終寂靜本來自空是故五蘊能現法界善女
天若善男子善女人欲求阿耨多羅三藐三
菩提異真異俗難可思量於凡聖境體非一
異不捨於俗不離於真依於法界行菩提行
尒時世尊作是語已時善女天踊躍歡喜即
從座起偏袒右肩右膝著地合掌恭敬一心
頂礼而白佛言世尊如上所說菩提正行我
今當學是時索訶世界主大梵天王於大衆
中問如意寶光耀善女天曰此菩提行難可
修行汝今云何於菩提行而得自在尒時善
女天答梵王曰大梵王如佛所說實是甚深
一切異生不解其義是聖境界微妙難知若
使我今依於此法得安樂住是實語者願令
一切五濁惡世無量無數無邊衆生皆得金
色卅二相非男非女坐寶蓮花受無量樂雨
天妙花諸天音樂不鼓自鳴一切供養皆悉
具足時善女天說是語已一切五濁惡世所有
衆生皆悉金色具大人相非男非女坐寶蓮
花受無量樂猶如他化自在天宮無諸惡道
寶樹行列七寶蓮花遍滿世界又雨七寶上
妙天花作天伎樂如意寶光耀善女天即轉
女身作梵天身時大梵王問如意寶光耀
菩薩言[illegible]

衆生皆悉金色具大人相非男非女坐寶蓮
花受無量樂猶如他化自在天宮無諸惡道
寶樹行列七寶蓮花遍滿世界又雨七寶上
妙天花作天伎樂如意寶光耀善女天即轉
女身作梵天身時大梵王問如意寶光耀
菩薩言仁者如何行菩提行答言梵王若水
中月行菩提行我亦行菩提行若夢中行菩
提行我亦行菩提行若陽焰行菩提行我亦
行菩提行若谷響行菩提行我亦行菩提行
時大梵王聞此說已白菩薩言仁依何義而
說此語菩言梵王無有一法是實相者但由
因緣而得成故梵王言若如是者諸凡夫人
皆悉應得阿耨多羅三藐三菩提答言仁以
何意而作是說愚癡人異智慧人異菩提異
非菩提異解脫異非解脫異梵王如是諸法
平等無異於此法界真如不異無有中間而
可執著無增無減梵王譬如幻師及幻弟子
善解幻術於四衢道取諸沙土草木葉等聚
在一處作諸幻術使人覩見象衆馬衆車兵
等衆七寶之聚種種倉庫若有衆生愚癡
無智不能思惟不知幻本若見若聞作是思惟
我所見聞象馬等衆此是實有餘皆虛妄
於後更不審察思惟有智之人則不如是了
於幻本若見若聞作如是念如我所見象馬等
衆非是真實唯有幻事惑人眼目妄謂象等
及諸倉庫有名無實如我見聞不執為實後
時思惟知其虛妄是故智者了一切法皆無實

BD03149號　金光明最勝王經卷五

（9-3）

於後更不審察思惟有智之人則不如是了
於幻本若見若聞作如是念如我所見象馬等
衆非是真實唯有幻事惑人眼目妄謂象等
及諸倉庫有名無實如我見聞不執為實後
時思惟知其虛妄是故智者了一切法皆無實
體但隨世俗如見如聞表宣其事思惟諦
理則不如是復由假說顯實義故梵王愚癡
異生未得出世聖慧之眼未知一切諸法真
如不可說故是諸凡愚若見若聞行非行法
如是思惟便生執著謂以為實於第一義不
能了知諸法真如是不可說是諸聖人若見
若聞行非行法隨其力能不生執著以為實
有了知一切無實行法無實非行法但妄思量
行非行相唯有名字無有實體是諸聖人
隨世俗說為欲令他知真實義如是梵王是
諸聖人以聖智見了法真如不可說故行非
行法亦復如是令他證知故說種種世俗名
言時大梵王問如意寶光耀菩薩言有幾衆
生能解如是甚深正法菩言梵王有衆幻人
心心數法能解如是甚深正法梵王曰此幻化
人體是非有此之心數從何而生菩曰若知
法界不有不無如是衆生能解深義
尒時梵王白佛言世尊是如意寶光耀菩薩
不可思議通達如是甚深之義佛言如是如
是梵王如汝所言此如意寶光耀已教汝等
發心修學無生忍法是時大梵天王與諸梵
衆從座而起偏袒右肩合掌恭敬頂禮如意

BD03149號　金光明最勝王經卷五

（9-4）

是梵王如汝所言此如意寶光耀已教汝等
發心修學無生忍法是時大梵天王與諸梵
衆從座而起偏袒右肩合掌恭敬頂礼如意
寶光耀菩薩足作如是言希有希有我等今
日幸遇大士得聞正法
尒時世尊告梵王言是如意寶光耀於未來
世當得作佛号寶燄吉祥藏如來應正遍知
明行圓滿善逝世間解無上士調御丈夫天
人師佛世尊說是品時有三千億菩薩於阿
耨多羅三藐三菩提得不退轉八千億天子
無量無數國王臣民遠塵離垢得法眼淨
尒時會中有五十億苾芻行菩薩行欲退菩
提心聞如意寶光耀菩薩說是法時皆得堅
固不可思議滿足上願更復發起菩提之心
各自脫衣供養菩薩重發無上勝進之心作
如是願願令我等功德善根悉皆不退迴向阿
耨多羅三藐三菩提梵王是諸苾芻依此功
德如說修行過九十大劫當得解悟出離
生死尒時世尊即爲授記汝諸苾芻過卅阿
僧祇劫當得作佛劫名難勝光王國名無垢
光同時皆得阿耨多羅三藐三菩提皆同一
号名願莊嚴聞飾王十号具足梵王是金光
明微妙經典若正聞持有大威力假使有人
於百千大劫行六波羅蜜無有方便若有善
男子善女人書寫如是金光明經半月半月
專心讀誦是功德聚於前功德百分不及一

BD03149號　金光明最勝王經卷五　（9–5）

於百千大劫行六波羅蜜無有方便若有善
男子善女人書寫如是金光明經半月半月
專心讀誦是功德聚於前功德百分不及一
乃至算數譬喻所不能及梵王是故我今令
汝脩學憶念受持爲他廣說何以故我於往
昔行菩薩道時猶如勇士入於戰陣不惜身
命流通如是微妙經王受持讀誦爲他解說
梵王譬如轉輪聖王若王世七寶不滅王若
命終所有七寶自然滅盡梵王是金光明
微妙經王若現在世無上法寶悉皆不滅若
無是經隨所隱沒是故應當於此經王專心
聽聞受持讀誦爲他解說勸令書寫行精進
波羅蜜不惜身命不憚疲勞功德中勝我諸
弟子應當如是精勤修學
尒時大梵天王與無量梵衆帝釋四王及諸
藥叉俱從座起偏袒右肩右膝著地合掌恭
敬而白佛言世尊我等皆願守護流通是金
光明微妙經典及說法師若有諸難我當除
遣令具衆善色力充足辯才無礙身意泰然
時會聽者皆受安樂所在國土若有飢饉怨
賊非人爲惱害者我等天衆皆爲擁護使其
人民安隱豐樂無諸枉橫皆是我等天衆
之力若供養是經典者我等亦當恭敬供
養如佛不異
尒時佛告大梵天王及諸梵衆乃至四王諸藥
叉等善哉善哉汝等得聞甚深妙法復能
於此微妙經王發心擁護及持經者當獲無

BD03149號　金光明最勝王經卷五　（9–6）

之力若供養是經典者我等亦當恭敬供
養如佛不異
尒時佛告大梵天王及諸梵衆乃至四王諸藥
叉等善哉善哉汝等得聞甚深妙法復能
於此微妙經王發心擁護及持經者當獲無
邊殊勝之福速成無上正等菩提時梵王等
聞佛語已歡喜頂受
金光明最勝王經四天王觀察人天品第十一
尒時多聞天王持國天王增長天王廣目天
王俱從座起偏袒右肩右膝著地合掌向佛
禮佛足已白言世尊是金光明最勝王經一
切諸佛常念觀察一切菩薩之所恭敬一切
天龍常所供養及諸天衆常生歡喜一切護
世稱揚讚歎聲聞獨覺皆共受持悉能明照
諸天宮殿能與一切衆生殊勝安樂止息地
獄餓鬼傍生諸趣苦惱一切怖畏悉能除殄
所有怨敵尋即退散飢饉惡時能令豐稔疾
疫病苦皆令蠲愈一切災變百千苦惱咸悉
消滅世尊是金光明最勝王經能爲如是安
隱利樂饒益我等唯願世尊於大衆中廣爲
宣說我等四王并諸眷屬聞此世尊無上法
味氣力充實增益威光精進勇猛神通倍勝
世尊我等四王作行正法常說正法以法化世
我等令彼天龍藥叉健闥婆阿蘇羅揭路
茶俱槃茶緊那羅莫呼羅伽及諸人王常以
正法而化於世遮去諸惡所有鬼神吸人精
氣無慈悲者悉令遠去世尊我等四王與二

BD03149號　金光明最勝王經卷五

（9–7）

世尊我等四王作行正法常說正法以法化世
我等令彼天龍藥叉健闥婆阿蘇羅揭路
茶俱槃茶緊那羅莫呼羅伽及諸人王常以
正法而化於世遮去諸惡所有鬼神吸人精
氣無慈悲者悉令遠去世尊我等四王與二
十八部藥叉大將并與無量百千藥叉以淨天
眼過於世人觀察擁護此贍部洲世尊以
此因緣我等諸王名護世者又復於此洲中
若有國王被他怨賊常來侵擾及多飢饉疾
疫流行無量百千災厄之事世尊我等四王
於此金光明最勝王經恭敬供養若有苾芻法
師受持讀誦我等四王共往覺悟勸請其
人時彼法師由我神通覺悟力故往彼國界
廣宣流布是金光明微妙經典由經力故令
彼無量百千衰惱災厄之事悉皆除遣世尊
若諸人王於其國內有持是經苾芻法師至
彼國時當知此經亦至其國世尊時彼國王
應往法師處聽其所說聞已歡喜於彼法師
恭敬供養深心擁護令無憂惱演說此經利
益一切世尊以是緣故我等四王皆共一心護
是人王及國人民令離災患常得安隱世尊
若有苾芻苾芻尼鄔波索迦鄔波斯迦持是
經者時彼人王隨其所須供給供養令無
乏少我等四王令彼國主及以國人悉皆安隱
遠離災患世尊若有受持讀誦是經典者人
王於此供養恭敬尊重讚歎我等當令彼
王於諸王中恭敬尊重最爲第一諸餘國王

BD03149號　金光明最勝王經卷五

（9–8）

BD03149 號　金光明最勝王經卷五　（9–9）

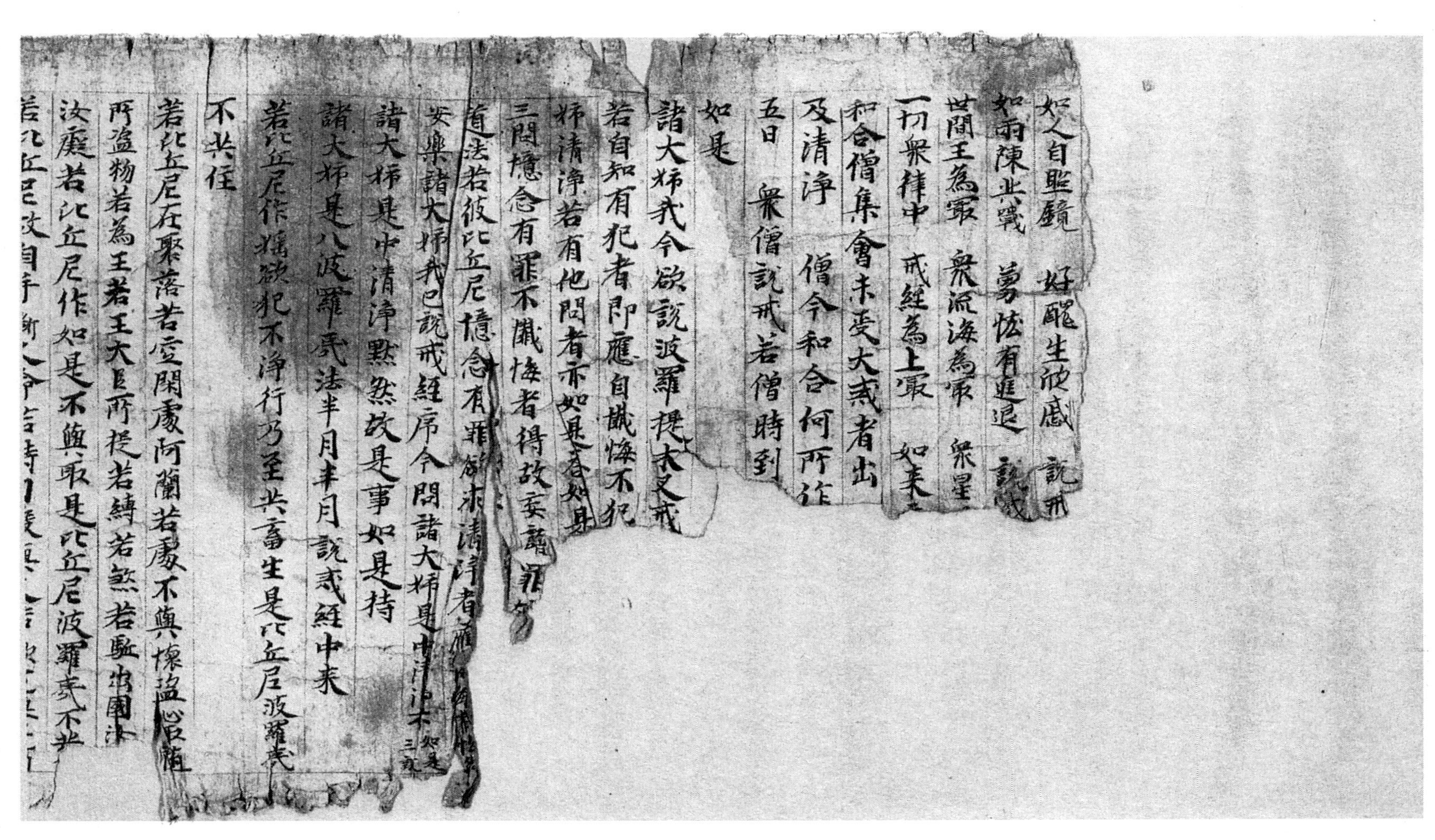

BD03150 號　四分比丘尼戒本　（30–1）

說大姊是八波羅夷法半月半月說戒經中來
若比丘尼作婬欲犯不淨行乃至共畜生是比丘尼波羅夷
不共住
若比丘尼在聚落若空閑處不與懷盜心取隨
所盜物若為王若王大臣所捉若縛若殺若駈出國汝
汝癡若比丘尼作如是不與取是比丘尼波羅夷不共
若比丘尼故自手斷人命若持刀授與人若歎死讚死勸
死咄人用此惡活為寧死不生作如是心念無數方便歎
死讚死勸死此比丘尼波羅夷不共住
若比丘尼實無所知自歎譽言我得過人法入聖智勝法
我知是我見是後於異時若問若不問欲求清淨故作
是言諸大姊我實不知不見而言我知我見虛誑妄語
除增上慢是比丘尼波羅夷不共住
若比丘尼染污心共染污心男子從腋已下膝已上身相觸
若捉若摩若牽若推若上摩若下摩若舉若下若捉
若捺是比丘尼波羅夷不共住
若比丘尼染污心知男子污心受捉手捉衣入屏處共立
共語共行或身相倚或共期是比丘尼波羅夷不共住
若比丘尼知比丘尼犯波羅夷不自發露不語眾人不白大
眾若於異時彼比丘尼或命終或眾中舉或休道或入
外道眾後作是言我先知有如是如是罪是比丘尼波
羅夷不共住
若比丘尼知比丘僧為作舉如法如律如佛所教不順從不
懺悔僧未與作共住而順從諸比丘尼語言大姊此比丘為
僧所舉如法如律如佛所教不順從不懺悔僧未與作共
住汝莫順從如是比丘尼諫彼比丘尼時是事堅持不捨
彼比丘尼應乃至第二第三諫令捨此事故若乃至三諫
者善不捨者是比丘尼波羅夷不住犯隨舉
諸大姊我已說八波羅夷法若比丘尼犯一一波羅夷法不

BD03150號　四分比丘尼戒本

（30–2）

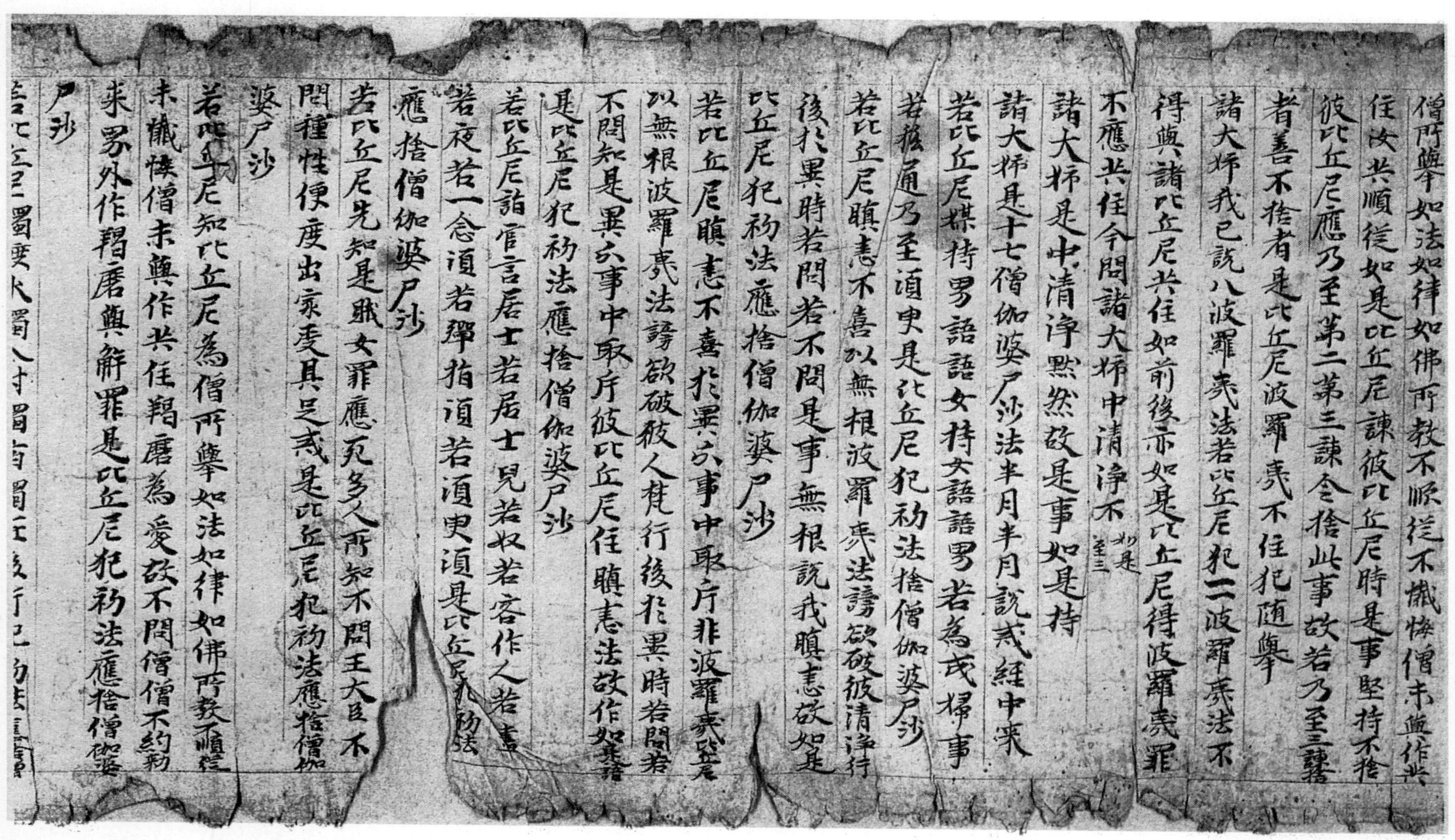
僧所舉如法如律如佛所教不順從不懺悔僧未與作共
住汝莫順從如是比丘尼諫彼比丘尼時是事堅持不捨
彼比丘尼應乃至第二第三諫令捨此事故若乃至三諫
者善不捨者是比丘尼波羅夷不住犯隨舉
諸大姊我已說八波羅夷法若比丘尼犯一一波羅夷法不
得與諸比丘尼共住如前後亦如是比丘尼得波羅夷罪
不應共住今問諸大姊是中清淨不如是至三
諸大姊是中清淨默然故是事如是持
諸大姊是十七僧伽婆尸沙法半月半月說戒經中來
若比丘尼媒持男語語女持女語語男若為成婦事
若私通乃至須臾是比丘尼犯初法捨僧伽婆尸沙
若比丘尼瞋恚不喜以無根波羅夷法謗欲破彼清淨行
後於異時若問若不問是事無根說我瞋恚故如是
比丘尼犯初法應捨僧伽婆尸沙
若比丘尼瞋恚不喜於異分事中取片非波羅夷比丘尼
以無根波羅夷法謗欲破彼人梵行後於異時若問若
不問知是異分事中取片彼比丘尼住瞋恚法故作如是語
是比丘尼犯初法應捨僧伽婆尸沙
若比丘尼詣官言居士若居士兒若奴若客作人若晝
若夜若一念頃若彈指頃若須臾頃是比丘尼犯初法
應捨僧伽婆尸沙
若比丘尼先知是賊女罪應死多人所知不問王大臣不
問種姓便度出家受具足戒是比丘尼犯初法應捨僧伽
婆尸沙
若比丘尼知比丘尼為僧所舉如法如律如佛所教不順從
未懺悔僧未與作共住羯磨為愛故不問僧僧不約勅
求界外作羯磨與解罪是比丘尼犯初法應捨僧伽婆
尸沙

BD03150號　四分比丘尼戒本

（30–3）

若比丘尼知比丘尼為僧所舉如法如律如佛所教不順從
未懺悔僧未與作共住羯磨為愛故不問僧不約勅
棄男外作羯磨與解罪是比丘尼犯初法應捨僧伽婆
尸沙
若比丘尼獨渡水獨入村獨宿獨在後行犯初法應捨僧
伽婆尸沙
若比丘尼染污心知染污心男子從彼受可食者及食
并餘物是比丘尼犯初法應捨僧伽婆尸沙
若比丘尼教比丘尼作如是語大姊彼有染污心無染污
心能那汝何汝自無染污心於彼若得食但以時清淨受
取此比丘尼犯初法應捨僧伽婆尸沙
若比丘尼欲壞和合僧勤方便受破僧法堅持不捨是比
丘尼應諫彼比丘尼言大姊汝莫壞和合僧莫方便壞和合
僧莫受破僧法堅持不捨大姊應與僧和合與僧和合歡喜
不諍同一師學如水乳合於佛法中有增益安樂住是比丘
尼諫彼比丘尼時堅持不捨是比丘尼應三諫捨此事故
至三諫捨者善不捨者是比丘尼犯三法應捨僧伽婆尸沙
若比丘尼有餘比丘尼羣黨若一若二若三乃至無數彼比
丘尼語是比丘尼言大姊汝莫諫此比丘尼此比丘尼法語
比丘尼律語比丘尼此比丘尼所說我等心喜樂此比丘尼所說
等忍可是比丘尼語彼比丘尼言大姊莫作是說言此比丘
尼是法語比丘尼律語比丘尼此比丘尼所說我等喜樂此
比丘尼所說我等忍可何以故此比丘尼所說非法語非律
語大姊莫欲破壞和合僧當樂欲和合僧大姊與僧和合
歡喜不諍同一師學如水乳合於佛法中有增益安樂住是
比丘尼諫彼比丘尼時堅持不捨是比丘尼應三諫捨此事故
至三諫捨者善不捨者是比丘尼犯三法應捨僧伽婆尸沙
若比丘尼依城邑若村落住污他家行惡行行惡行亦見亦

BD03150號　四分比丘尼戒本　（30–4）

歡喜不諍同一師學如水乳合於佛法中有增益安樂住是
比丘尼諫彼比丘尼時堅持不捨是比丘尼應三諫捨此事故
至三諫捨者善不捨者是比丘尼犯三法應捨僧伽婆尸沙
若比丘尼依城邑若村落住污他家行惡行行惡行亦見亦
聞污他家亦見亦聞是比丘尼諫彼比丘尼言大姊汝污他家
行惡行行惡行亦見亦聞污他家亦見亦聞大姊汝污他
家行惡行今可離此村落去不須住此彼比丘尼語此比丘尼
作是言大姊諸比丘尼有愛有恚有怖有癡有如是同罪
比丘尼有驅者有不驅者是諸比丘尼語彼比丘尼言大姊莫
作是語有愛有恚有怖有癡亦莫言有如是同罪比丘尼
有驅者有不驅者何以故而諸比丘尼不愛不恚不怖不癡
如是同罪比丘尼有驅者有不驅者大姊污他家行惡行
行惡行亦見亦聞污他家亦見亦聞是比丘尼諫彼比
丘尼時堅持不捨是比丘尼應三諫捨此事故乃至三諫捨
者善不捨者是比丘尼犯三法應捨僧伽婆尸沙
若比丘尼惡性不受人語於戒法中諸比丘尼如法諫已自身
不受諫語言大姊汝莫向我說若好若惡我亦不向汝說
若好若惡諸姊止莫諫我是比丘尼當諫彼比丘尼言大姊
汝莫自身不受諫語大姊自身當受諫語大姊如法諫
諸比丘尼諸比丘尼亦當如法諫大姊如是佛弟子眾得
增益展轉相諫展轉相教展轉懺悔是比丘尼如是諫
時堅持不捨是比丘尼應三諫捨此事故乃至三諫捨者善
不捨者是比丘尼犯三法應捨僧伽婆尸沙
若比丘相親近住共作惡行惡聲流布展轉共相覆罪
是比丘尼當諫彼比丘尼言大姊汝等莫相親近共作惡
行惡聲流布相覆罪汝等若不相親近於佛法中德增
益安樂住是比丘尼諫比丘尼時堅持不捨是比丘尼應三
諫捨此事故乃至三諫捨者善不捨者是比丘尼犯三
應捨僧伽婆尸沙

BD03150號　四分比丘尼戒本　（30–5）

是比丘尼當諫彼比丘尼言大姊汝等莫相親近共作惡
行惡聲流布相覆罪汝等若不相親近於佛法中德增
益安樂住是比丘尼諫比丘尼時堅持不捨是比丘尼應三
諫捨此事故乃至三諫捨者善不捨者是比丘尼犯三法
應捨僧伽婆尸沙
若比丘尼僧為作呵諫時餘比丘尼教作如是言汝
等莫別住當共住我亦見餘比丘尼不別住共作惡行惡
聲流布共相覆罪僧以恚故教汝等別住是比丘尼應諫
彼比丘尼言大姊汝莫教餘比丘尼言汝等莫別住我見
餘比丘尼共住共作惡行惡聲流布共相覆罪僧恚故教
汝等別住今亦有此二比丘尼共住共作惡行惡聲流布共
相覆罪更無有餘若此比丘尼別住於佛法中有增益安
樂住是比丘尼諫彼比丘尼時堅持不捨是比丘尼應三諫
令捨此事故乃至三諫捨者善不捨者是比丘尼犯三法
應捨僧伽婆尸沙
若比丘尼趣以小事瞋恚不喜便作是語我捨佛捨
法捨僧不獨有此沙門釋子更有餘沙門婆羅門
脩梵行者我等亦可於彼脩梵行是比丘尼當諫彼
比丘尼言大姊汝莫趣以小一事瞋恚不喜便作是
語我捨佛捨法捨僧不獨有此沙門釋子亦更
有沙門婆羅門脩梵行者我等亦可於彼脩
梵行若是比丘尼諫彼比丘尼時堅持不彼比丘尼應
三諫捨此事故乃至三諫捨者善不捨者是比丘尼犯
三法應捨僧伽婆尸沙
若比丘尼喜鬪諍不善憶持諍事後瞋恚住是語僧

BD03150號　四分比丘尼戒本

（30–6）

梵行若是比丘尼諫彼比丘尼時堅持不彼比丘尼應
三諫捨此事故乃至三諫捨者善不捨者是比丘尼犯
三法應捨僧伽婆尸沙
若比丘尼喜鬪諍不善憶持諍事後瞋恚住是語僧
有愛有恚有怖有癡是比丘尼應諫彼比丘尼言姝
女莫喜鬪諍不善憶持諍事後瞋恚作是語僧
有愛有恚有怖有癡而僧不愛不恚不怖不癡
是比丘尼諫彼比丘尼時堅持不捨彼比丘尼應三諫
捨此事故乃至三諫捨者善不捨者是比丘尼犯
三法應捨僧伽婆尸沙
諸大姊我已說十七僧伽婆尸沙法九初犯八乃至三諫
若比丘尼犯一一法應半月二部僧中行摩那埵行摩
那埵已餘有出罪應二部四十人僧中出是比丘尼
罪若少一人不滿四十衆出是比丘尼罪是比丘尼
罪不得除諸比丘尼亦可呵此是時今問諸大姊是
中清淨不如是至三諸大姊是中清淨默然故是事如是持
諸大姊是三十尼薩耆波逸提法半月半月說戒經中
來
若比丘尼衣已竟迦絺那衣已捨畜長衣經十日不
淨施得持若過者尼薩耆波逸提
若比丘尼衣已竟迦絺那衣已捨五衣中若離一一衣
異處宿經一夜除僧羯磨尼薩耆波逸提
若比丘尼衣已竟迦絺那衣已捨若得非時衣欲須便
受受已疾疾成衣若足者善不足者得畜一月為
滿足故若過畜者尼薩耆波逸提
若比丘尼從非親里居士居士婦乞衣除餘時尼
薩耆波逸提餘時者若奪衣失衣燒衣漂衣是

BD03150號　四分比丘尼戒本

（30–7）

受受已疾疾成衣若足者善不足者得畜一月為
滿足故若過畜者尼薩耆波逸提
若比丘尼從非親里居士居士婦乞衣除餘時尼
薩耆波逸提餘時者若奪衣失衣燒衣漂衣是
名時
若比丘尼奪衣失衣燒衣漂衣若非親里居士若
居士婦自恣請多與衣是比丘尼當知足受衣若
過受尼薩耆波逸提
若比丘尼居士居士婦為比丘尼辦衣價具如是衣
價與某甲比丘尼是比丘尼先不受自恣請到士家
作如是說善哉居士為我辦如是衣價與我為
好故若得衣者尼薩耆波逸提
若比丘尼二居士居士婦與比丘尼辦衣價我曹辦
如是衣價與某甲比丘尼是比丘尼先不受自恣請
到二居家作如是言善哉居士辦如是如是衣為
好故若得衣者尼薩耆波逸提
若比丘尼若王若大臣若婆羅門若居士居士婦遣
使為比丘尼送衣價持如是衣價與某甲比丘尼彼使
至比丘尼所語言阿姨為汝送衣價受取是比丘尼語彼
使言我不應受此衣價我若須衣合時清淨
當受彼使語比丘尼言阿姨有執事人不須衣比丘
尼應言有若僧伽藍民若優婆塞此是比丘尼
執事人常為比丘尼執事彼至執事人所與衣價已
還到比丘尼所如是言阿姨所示某甲執事人我
已與衣價大姊知時往彼當得衣比丘尼若須衣者
當往執事人所二反三反語言我須衣若二反三
反為作憶念得衣者善若不得衣四反五反六反

已與衣價大姊知時往彼當得衣比丘尼若須衣者
當往執事人所二反三反語言我須衣若二反三
反為作憶念得衣者善若不得衣四反五反六反
在前默然立令彼憶念若四反五反六反在前
默然住得衣者善若不得衣過是求得衣者
尼薩耆波逸提若不得衣隨彼使所來處若自
往若遣使往語言汝先遣使持衣價與某甲比丘
尼是比丘尼竟不得衣汝還取莫使失此是時
若比丘尼自取金銀若錢若教人取若口可受者尼
薩耆波逸提
若比丘尼種種買物者尼薩耆波逸提
若比丘尼種種販賣者尼薩耆波逸提
若比丘尼鉢減五綴下漏更求新鉢為好故尼薩耆
波逸提是比丘尼當持此鉢於尼衆中捨從次第貿
至下坐以下坐鉢與此比丘尼言妹持此鉢乃至破此是
時
若比丘尼鉢減五綴不漏更求新鉢為好尼薩耆波
逸提是比丘尼當持此鉢於尼衆中捨從次第貿至
下坐以下坐鉢與此比丘尼言妹持此鉢乃至破此是
時
若比丘尼自求縷使非親里織師織作衣者薩耆波
逸提
若比丘尼居士士婦使織師為比丘尼織作衣彼比丘
尼先不受自恣請便往到彼所語織師言此衣為我
織極好織令廣長堅緻齊整好我當少多與汝價
若比丘尼與價乃至一食直得衣者衣者尼薩耆波
若比丘尼與比丘尼衣後瞋恚若自奪若教人奪取

尼先不受自恣請便往到彼所識師言此衣為我
織極好織令廣長堅緻齊整好我當少多與汝價
若比丘尼與價乃至一食直得衣者尼薩耆波逸提
若比丘尼與比丘尼衣後瞋恚若自奪若教人奪取
還我衣來不與汝是比丘尼應還衣彼取衣者尼
薩耆波逸提
若比丘尼有諸病畜藥蘇油生蘇蜜石蜜得食殘宿乃
至七日得服若過七日服尼薩耆波逸提
若比丘尼十日未滿夏三月若有急施衣比丘尼知是急施衣
應受受已乃至衣時應畜若過畜者尼薩耆波逸提
若比丘尼知物向僧自求入己者尼薩耆波逸提
若比丘尼欲索是更索彼者尼薩耆波逸提
若比丘尼知檀越所為僧施異迴作餘者尼薩耆
波逸提
若比丘尼所為施物異自求為僧迴作餘用者尼
薩耆波逸提
若比丘尼檀越所施物異迴作餘用者尼薩耆波逸提
若比丘尼檀越所為施物異自求為僧迴作餘用
者尼薩耆波逸提
若比丘尼畜長鉢者尼薩耆波逸提
若比丘尼多畜好色器者尼薩耆波逸提
若比丘尼許他比丘尼病衣後不與者尼薩耆波逸提
若比丘尼以非時衣受作時衣者尼薩耆波逸提
若比丘尼與比丘尼貿易衣後瞋恚還自奪取若使人
奪妹還我衣來不與汝汝我衣還我者尼薩耆波逸提
若比丘尼乞重衣齊價直四張氎過者尼薩耆波逸
提

BD03150號　四分比丘尼戒本

（30–10）

奪妹還我衣來不與汝汝我衣還我者尼薩耆波逸提
若比丘尼乞重衣齊價直四張氎過者尼薩耆波逸
提
若比丘尼欲乞輕衣極重價直兩張半氎過尼薩
耆波逸提
諸大姊我已說三十尼薩耆波逸提法今問諸大
姊是中清淨不（如是至三）諸大姊是中清淨默然故是
事如是持
諸大姊是一百七十八波逸提法半月半月說戒經中來
若比丘尼故妄語者波逸提
若比丘尼毀呰語者波逸提
若比丘尼兩舌語者波逸提
若比丘尼與男子同室宿者波逸提
若比丘尼共未受大戒女人同一室宿若過三宿波逸提
若比丘尼與未受具戒人共誦法者波逸提
若比丘尼知他有麤惡罪向未受大戒人說除僧羯
磨波逸提
若比丘尼向未受大戒人說過人法言我知是我見是
實者波逸提
若比丘尼與男子說法過五六語除有知女人波
逸提
若比丘尼自掘地若教人掘波逸提
若比丘尼壞鬼神村波逸提
若比丘尼妄作異語惱他者波逸提
若比丘尼嫌罵他者波逸提
若比丘尼取僧繩床若木床若臥具坐褥露地自敷
若教人敷捨去不自舉不教人舉波逸提

BD03150號　四分比丘尼戒本

（30–11）

若比丘尼妄作異語惱他者波逸提
若比丘尼嫌罵他者波逸提
若比丘尼取僧繩床若木林若卧具坐褥露地自敷
若教人敷捨去不自舉不教人舉波逸提
若比丘尼於僧房中取僧卧具自敷若教人敷在中若
坐若從彼處捨去不自舉不教人舉者波逸提
若比丘尼知比丘尼先住處後來於中間敷卧具止宿念
言彼若嫌迮者自當避我去作如是因緣非餘非威
儀波逸提
若比丘尼瞋他比丘尼不喜衆僧房中自牽出者波逸提
若比丘尼若在重閣上脫腳繩林若木林若坐若卧波逸提
若比丘尼知水有虫自澆泥若草若教人澆者波逸提
若比丘尼作大房戶扉窗牖及餘莊飾具指授覆
苫齊二三節若過者波逸提 二十
若比丘尼施一食處無病比丘尼應一食若過受者波逸提
若比丘尼別衆食除時波逸提餘時者病時作衣施衣
時行道時船上時大會時沙門施食時此是時
若比丘尼至檀越家慇懃請與餅麨飯比丘尼欲須者
當二三鉢應受持至寺內分與餘比丘尼食若比丘尼
無病過二三鉢受持至寺中不分與餘比丘尼食者波
逸提
若比丘尼非時食者波逸提
若比丘尼殘宿食噉者波逸提
若比丘尼不受食及藥著口中除水楊枝波逸提
若比丘尼先受請已若前食後食行詣餘家不屬餘
比丘尼除時波逸提餘時者病時作衣時施衣時此是
時

若比丘尼殘宿食噉者波逸提
若比丘尼不受食及藥著口中除水楊枝波逸提
若比丘尼先受請已若前食後食行詣餘家不屬餘
比丘尼除時波逸提餘時者病時作衣時施衣時此是
時
若比丘尼食家中有寶強安坐者波逸提
若比丘尼食家中有寶在屏處坐者波逸提 三十
若比丘尼獨與男子露地一處共坐者波逸提
若比丘尼語比丘尼如是語大姊共汝至聚落當與汝食
彼比丘尼竟不教與是比丘尼食如是言大姊去我與
汝一處共坐共語不樂我獨坐語樂以是因緣非餘
方便遣去者波逸提
若比丘尼請比丘尼四月與藥無病比丘尼應受若過受
除常請更請分請盡形請波逸提
若比丘尼往觀軍陣除時因緣波逸提
若比丘尼有因緣至軍中若二宿三宿過者波逸提
若比丘尼軍中住若二宿三宿或時觀軍陣鬪戰若
觀遊軍象馬勢力波逸提
若比丘尼飲酒者波逸提
若比丘尼水中戲者波逸提
若比丘尼以指相擊攊者波逸提
若比丘尼不受諫者波逸提 卌
若比丘尼恐怖他比丘尼者波逸提
若比丘尼半月洗浴無病比丘尼應受若過受除餘時
波逸提餘時熱時病時作衣時大風時雨時遠行來時
此是時
若比丘尼無病為炙身故露地然火若教人然除時

若比丘尼半月洗浴無病比丘尼應受若過受除餘
波提餘時熱時病時作衣時大風時雨時遠行來時
此是時
若比丘尼無病為炙身故露地然火若教人然除時
波逸提
若比丘尼藏比丘尼若鉢若衣若坐具針筒自藏教人
藏下至戲笑波逸提
若比丘尼淨施比丘比丘尼式叉摩那沙弥沙弥尼衣後
不問主取着者波逸提
若比丘尼得新衣當作三種壞色青黑木蘭若比丘尼
得新衣不作三種染壞色青黑木蘭新衣持波逸提
若比丘尼故斷畜生命者波逸提
若比丘尼知水有虫飲者波逸提
若比丘尼故惱他比丘尼乃至少時不樂者波逸提
若比丘尼知比丘尼有麁惡罪覆藏者波逸提 卒
若比丘尼知淨事如法懺悔已後更發舉者波逸提
若比丘尼知是賊伴共一道行乃至一聚落波逸提
若比丘尼作如是語我知佛所說法行婬欲非是障道法
彼比丘尼諫此比丘尼言大姊莫作是語莫謗世尊者
不善世尊不作是語世尊無數方便說婬欲是障道
法犯婬欲者是障道法彼比丘尼諫此比丘尼時堅持不
捨彼比丘尼乃至三諫令捨是事乃至三諫時捨者善
不捨者波逸提
若比丘尼知如是語人未作法如是惡邪不捨若畜同
一羯磨同一止宿波逸提
若比丘尼知沙弥尼作如是語我知佛所說法行婬非障
道法彼比丘尼諫此沙弥尼汝莫作是語莫謗世尊

BD03150號　四分比丘尼戒本　（30–14）

若比丘尼知如是語人未作法如是惡邪不捨若畜同
一羯磨同一止宿波逸提
若比丘尼知沙弥尼作如是語我知佛所說法行婬非障
道法彼比丘尼諫此沙弥尼汝莫作是語莫謗世尊
者不善世尊不作是語沙弥尼世尊無數方便說婬欲
是障道法犯婬欲者是障道法彼比丘尼諫此沙弥尼
時堅持不捨彼比丘尼應乃至三可諫捨此事故乃至三
諫時若捨者善不捨者彼比丘尼應語應語是沙
弥尼言汝自今已去非佛弟子不得隨餘比丘尼如
諸沙弥尼得與比丘尼二宿汝今無是事汝去滅去不須
此中住若比丘尼知是被擯沙弥尼若畜共同止宿波
逸提
若比丘尼如法諫時作如是語我今不學是戒乃至問有
智慧持律者當難問波逸提若為求解應難問
若比丘尼說戒時作如是語大姊用是雜碎戒為說是戒
時令人惱愧懷疑輕毀戒故波逸提
若比丘尼說戒時作如是語大姊我今始知是戒半月半
月說戒經中來餘比丘尼知是比丘尼若二若三說戒中坐何
況多彼比丘尼無知無解若犯罪應如法治更重增無
知罪大姊汝無利不善得汝說戒時不用心念不一心兩
耳聽法彼無知故波逸提
若比丘尼共同羯磨已後作如是說諸比丘尼隨親厚以眾
僧物與者波逸提
若比丘尼僧斷事時不與欲而起去者波逸提 卒
若比丘尼與欲竟後更呵者波逸提
若比丘尼比丘尼共鬪諍後聽語已欲向彼說者波逸提
若比丘尼瞋恚不喜打比丘尼者波逸提
若比丘尼瞋恚不喜以手搏比丘尼者波逸提

BD03150號　四分比丘尼戒本　（30–15）

若比丘尼與欲竟後更呵者波逸提
若比丘尼比丘尼共闘諍後聽語已欲向彼說者波逸提
若丘比尼瞋恚不喜打比丘尼者波逸提
若比丘尼瞋恚不喜以手搏比丘尼者波逸提
若比丘瞋恚故不喜以无根僧伽婆尸沙謗波逸提
若比丘尼剎利水澆頭王王未出未藏寶若入過宮門閾
者波逸提
若比丘尼寶及寶莊飾具自捉若教人捉僧伽藍中及
寄宿處波逸提若僧伽藍中若寄宿處若寶若以寶
莊飾具自捉教人捉若識者當取如是因緣非餘
若比丘尼非時入聚落又不屬比丘尼波逸提
若比丘尼作繩床若木床足應高如來八指除入陛孔
若截竟過者波逸提
若比丘尼持兜羅綿貯作繩床木床若臥具坐褥波逸
提　十七
若比丘尼噉蒜者波逸提
若比丘尼剃三處毛者波逸提
若比丘尼以水作淨應齊兩指各一節若過者波逸提
若比丘尼以胡膠作男根者波逸提
若比丘尼共相拍者波逸提
若比丘尼共相拍者波逸提
若比丘尼比丘無病食時供給水扇者波逸提
若比丘尼乞生穀者波逸提
若比丘尼在寺內生草上大小便者波逸提
若比丘尼夜便大小便器中晝不看牆外棄者波逸提
若比丘尼往觀看伎樂者波逸提　廿
若比丘尼入村內與男子在屏處共立語立者波逸提
若比丘尼與男子共入屏處者波逸提
若比丘尼入村[illegible]

BD03150號　四分比丘尼戒本　（30–16）

若比丘尼在寺內生草上大小便者波逸提
若比丘尼夜便大小便器中晝不看牆外棄者波逸提
若比丘尼往觀看伎樂者波逸提　廿
若比丘尼入村內與男子在屏處共立語立者波逸提
若比丘尼與男子共入屏處者波逸提
若比丘尼入村內巷陌中遣伴遠去在屏處與男子耳
語者波逸提
若比丘尼入白衣家內坐不語主人捨去波逸提
若比丘尼入白衣家內不語主人輒坐床者波逸提
若比丘尼入白衣家內不語主人輒自敷坐具宿者波逸提
若比丘尼與男子共入闇室中者波逸提
若比丘尼不審諦受語便向人說者波逸提
若比丘尼有小因緣事便呪咀墮三惡不生佛法中若
我有如是事墮三惡道不生佛法中若汝有如是
事亦墮三惡道不生佛法中波逸提
若比丘尼共闘諍不善憶持諍事推匈啼哭者波逸
提　九十
若比丘尼無病二人共床臥者波逸提
若比丘尼共一褥同一被臥除餘時波逸提
若比丘尼知先住後至知後至先住為惱故在前誦經
問義教授者波逸提
若比丘尼同活比丘尼病不瞻視者波逸提
若比丘尼安居初聽餘比丘尼在房中安床後瞋恚驅出者
波逸提
若比丘尼春夏冬一切時人間遊行除因緣者波逸提
若比丘尼夏安居訖不去者波逸提
若比丘尼邊界有疑恐怖處人間遊行者波逸提
若比丘尼非界內有疑恐怖處在人間遊行[illegible]

BD03150號　四分比丘尼戒本　（30–17）

逸提
若比丘尼春夏冬一切時人間遊行除因緣者波逸提
若比丘尼夏安居訖不去者波逸提
若比丘尼邊界有疑恐怖處人間遊行者波逸提
若比丘尼界內有疑恐怖處在人間遊行者波逸提
若比丘尼親近居士居士兒共住作不隨順行餘比丘
尼諫此比丘尼言妹汝莫親近居士居士兒共住作不
不隨順行大姊可別住若別住於佛法中有增益安
樂住彼比丘尼諫此比丘尼時堅持不捨彼比丘尼應
三諫捨此事故乃至三諫捨此事善不捨者波逸提百
若比丘尼往觀王宮文飾畫堂園林浴池者波逸提
若比丘尼露身形在河水泉水渠水池水中浴者波逸提
若比丘尼作浴衣應量作應量作者長佛六搩手廣
二搩手半若過者波逸提
若比丘尼縫僧伽梨過五日除求索僧伽梨出迦絺
那衣六難事起者波逸提
若比丘尼過五日不看僧伽梨波逸提
若比丘尼與眾僧衣作留難者波逸提
若比丘尼不問主便著他衣者波逸提
若比丘尼持沙門衣施與外道白衣者波逸提
若比丘尼作如是意眾僧如法分衣遮令不分恐弟子
不得者波逸提
若比丘尼作如是意令眾僧今不出迦絺那衣
後當出欲令五事久得放捨者波逸提 百十
若比丘尼作如是意遮比丘尼僧不出加絺那衣欲令
久得五事放捨波逸提
若比丘尼餘比丘尼語言為我滅此諍事而不作方
便令滅者波逸提
若比丘尼自手持食與白衣人外道食者波逸提

BD03150號　四分比丘尼戒本　（30–18）

若比丘尼作如是意遮比丘尼僧不出加絺那衣欲令
久得五事放捨波逸提
若比丘尼餘比丘尼語言為我滅此諍事而不作方
便令滅者波逸提
若比丘尼自手持食與白衣人外道食者波逸提
若比丘尼為白衣作使者波逸提
若比丘尼自手紡績者波逸提
若比丘尼入白衣舍內在小床大床上若坐若臥波逸提
若比丘尼至白衣舍語主人敷敷坐止宿明日不辭主人
而去波逸提
若比丘尼誦習世俗呪術者波逸提
若比丘尼教人誦習呪術者波逸提
若比丘尼知女人姙娠度與受具足戒者波逸提 百廿
若比丘尼知婦女乳兒受具足戒者波逸提
若比丘尼知年不滿廿與受具戒者波逸提
若比丘尼年十八童女不與二歲學年滿廿便與受具
足戒波逸提
若比丘尼年十八童女與二歲學戒不與六法滿廿便與受
具足戒者波逸提
若比丘尼年十八童女與二歲學戒與六法滿二十眾僧
不聽與便受具足戒者波逸提
若比丘尼度曾嫁女年十歲與二歲學戒年滿十二聽
與受具足戒若減十與受具戒者波逸提
若比丘尼度他小年曾嫁婦女與受二歲學戒年滿
十二不白眾僧便與受具足戒者波逸提
若比丘尼知如是人與受具足戒者波逸提
若比丘尼多度弟子不教二歲學戒不以二法攝取波
逸提

BD03150號　四分比丘尼戒本　（30–19）

十二不白衆僧便與受具足戒者波逸提
若比丘尼知如是人與受具足戒者波逸提
若比丘尼多度弟子不教二歲學戒不以二法攝取波
逸提
若比丘尼不二歲隨和上尼者波逸提 一百三十
若比丘尼僧不聽而授人具足戒者波逸提
若比丘尼年未滿十二歲授人具足戒者波逸提
若比丘尼年滿十二歲衆僧不聽便授人具足戒者疑
若比丘尼僧不聽授人具戒便言衆僧有愛有恚有
怖有癡欲者便聽不欲聽者便不聽波逸提
若比丘尼父母夫主不聽與受具足戒者波逸提
若比丘尼知女人與童男男子相敬愛愁憂瞋恚女
人度令出家受具足戒者波逸提
若比丘尼語式叉摩那言汝捨是學是當與汝
受具足戒若不方便與受具足戒者波逸提
若比丘尼語式叉摩那言持來我當與汝受具足
戒而不方便與受具足戒波逸提
若比丘尼不滿一歲授人具足戒者波逸提
若比丘尼與人授具足戒已經宿方往比丘僧中與
授具足戒者波逸提 一百四十
若比丘尼不病不往受授者波逸提
若比丘尼半月應往比丘僧中求教授若不求者波逸提
若比丘尼僧夏安居竟應往大比丘尼僧中說三事自
恣見聞疑若不者波逸提
若比丘尼在無比丘處夏安居波逸提
若比丘尼知有比丘僧伽藍不白而入者波逸提
若比丘尼罵比丘者波逸提
若比丘尼喜鬬諍不善憶持諍事後瞋恚不喜罵
比丘尼衆者波逸提

若比丘尼在無比丘處夏安居波逸提
若比丘尼知有比丘僧伽藍不白而入者波逸提
若比丘尼罵比丘者波逸提
若比丘尼喜鬬諍不善憶持諍事後瞋恚不喜罵
比丘尼衆者波逸提
若比丘尼身生癰及種種瘡不白衆及餘人輙使
男子破若裹者波逸提
若比丘尼先受請若足食已後食餅麨乾飯魚及
肉者波逸提
若比丘尼於食家中生嫉妬心者波逸提 一百五十
若比丘尼以香塗摩身者波逸提
若比丘尼以胡麻滓塗身者波逸提
若比丘尼使比丘尼塗摩身者波逸提
若比丘尼使式叉摩那塗摩身者波逸提
若比丘尼使沙彌尼塗摩身者波逸提
若比丘尼使白衣婦女塗摩身者波逸提
若比丘尼著貯髈衣者波逸提
若比丘尼畜婦女莊嚴身具除時因緣波逸提
若比丘尼著革屣持蓋行除時因緣波逸提
若比丘尼無病乘乘行除時因緣波逸提 一百六十
若比丘尼不著僧祇支入村者波逸提
若比丘尼向暮至白衣家先不被喚波逸提
若比丘尼向暮開僧伽藍門不屬授餘比丘尼而
出者波逸提
若比丘尼日沒開僧伽藍門不屬授而出者波逸提
若比丘尼不前安居不後安居者波逸提
若比丘尼知女人常漏大小便涕唾常出者授具足戒
波逸提
若比丘尼知二根之與[illegible]

出者波逸提
若比丘尼日沒開僧伽藍門不屬授而出者波逸提
若比丘尼不前安居不後安居者波逸提
若比丘尼知女人常漏大小便涕唾常出者授具足戒
波逸提
若比丘尼知二形之人與受具足戒波逸提
若比丘尼知二道合者與受具足戒波逸提
若比丘尼知有負債難者病難者與授具足戒波逸提
若比丘尼學世俗伎術以自活命波逸提 一百七十
若比丘尼以世俗伎術教授白衣波逸提
若比丘尼被擯不去者波逸提
若比丘尼欲問比丘義先不求而問者波逸提
若比丘尼知先住後至先住欲惱彼故在前經行若
立若坐臥波逸提
若比丘尼在有比丘僧伽藍內起塔波逸提
若比丘尼見新受戒比丘應起迎逆恭敬禮拜問訊
請與坐不者除因緣波逸提
若比丘尼為好故搖身趨行波逸提
若比丘尼作婦女莊嚴香塗摩身波逸提
若比丘尼使外道女香塗摩身者波逸提
諸大姊我已說一百七十八波逸提法今問諸大姊是中
清淨不如是至三諸大姊是中清淨默然故是事如是持
諸大姊是八波羅提舍尼法半月半月說戒經中來
若比丘尼無病乞蘇而食者犯應懺悔可呵法應向餘
比丘尼說言大姊我犯可呵法所不應為我今向大姊懺
悔是法名悔過法
若比丘尼無病乞油而食者犯應懺悔可呵法應向餘比丘
尼說言大姊我犯可呵法所不應為我今向大姊懺悔是
法名悔過法　若比丘尼無病蜜而食者應懺悔可呵法

BD03150號　四分比丘尼戒本　（30–22）

比丘尼說言大姊我犯可呵法所不應為我今向大姊懺
悔是法名悔過法
若比丘尼無病乞油而食者犯應懺悔可呵法應向餘比丘
尼說言大姊我犯可呵法所不應為我今向大姊懺悔是
法名悔過法　若比丘尼無病蜜而食者應懺悔可呵法
應向餘比丘尼說言大姊我犯可呵法所不應為我今向大姊懺悔
是法名悔過法　若比丘尼無病乞石蜜而食者犯應懺
悔可呵法應向餘比丘尼說言大姊我犯可呵法所不為
我今向大德姊懺悔是法名悔過法
若比丘尼無病乞乳而食者犯應懺悔可呵法應向餘比
丘尼說言大姊我犯可河法所不應為我今向大姊懺
悔是法名悔過法　若比丘尼無病乞酪而食者犯應
向餘比丘尼說言大姊我犯可呵法所不應為我今向大
姊懺悔是法名悔過法
若比丘尼無病乞魚而食者犯應懺悔可呵法應向餘比
丘尼說言大姊我犯可河法所不應為我今向大姊懺悔
是法名悔過法
若比丘尼無病乞肉而食者犯應懺悔可呵法應向餘比
丘尼說言大姊我犯可呵法所不應為我今向大姊懺悔
是法名悔過法
諸大姊我已說八波羅提提舍尼法今問諸大姊是中
清淨不如是至三諸大姊是中清淨默然故是事如是持
諸大姊是眾學戒法半月半月說戒經中來
當齊整著涅槃僧應當學
當齊整著三衣應當學
不得反抄衣行入白衣舍應當學
不得反抄衣入白衣舍坐應當學
不得衣纏頸入白衣舍應當學
不得衣纏頭入白衣舍坐應當學

BD03150號　四分比丘尼戒本　（30–23）

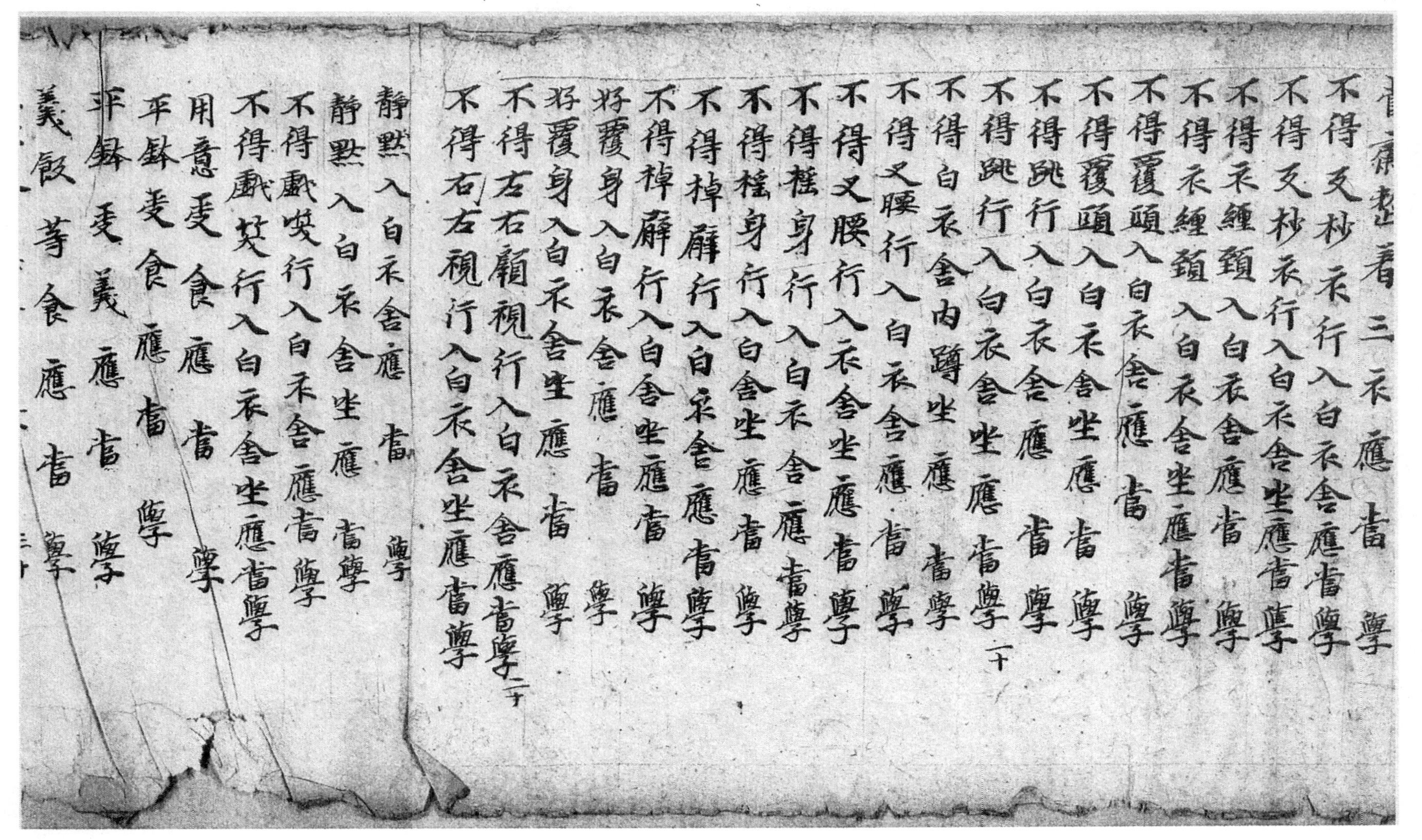
當齊整著三衣應當學
不得反抄衣行入白衣舍應當學
不得反抄衣入白衣舍坐應當學
不得衣纏頸入白衣舍應當學
不得衣纏頸入白衣舍坐應當學
不得覆頭入白衣舍應當學
不得覆頭入白衣舍坐應當學
不得跳行入白衣舍應當學
不得跳行入白衣舍坐應當學 十
不得白衣舍内蹲坐應當學
不得叉腰行入白衣舍應當學
不得叉腰行入衣舍坐應當學
不得搖身行入白衣舍應當學
不得搖身行入白舍坐應當學
不得掉臂行入白衣舍應當學
不得掉臂行入白舍坐應當學
好覆身入白衣舍應當學
好覆身入白衣舍坐應當學
不得左右顧視行入白衣舍應當學 二十
不得左右視行入白衣舍坐應當學
靜默入白衣舍應當學
靜默入白衣舍坐應當學
不得戲笑行入白衣舍應當學
不得戲笑行入白衣舍坐應當學
用意受食應當學
平鉢受食應當學
平鉢受羹應當學
羹飯等食應當學 三十

BD03150號　四分比丘尼戒本　（30–24）

用意受食應當學
平鉢受食應當學
平鉢受羹應當學
羹飯等食應當學 三十
以次食應當學
不得桃鉢中而食應當學
若比丘尼无病不得自為己索羹飯應當學
不得以飯覆羹更望得應當學
不得視比坐鉢中應當學
當繫鉢想食應當學
不得大摶飯食應當學
不得大張口待飯食應當學
不得含飯語應當學
不得摶飯遥擲口中應當學
不得遺落飯食應當學 四十
不得頰食食應當學
不得嚼飯作聲食應當學
不得大噏飯食應當學
不得舌舐食應當學
不得振手食應當學
不得手把散飯食應當學
不得汙手捉飲器應當學
不得洗鉢水弃白衣舍内應當學
不得生草菜上大小便涕唾除病應當學
不得淨水中大小便涕唾除病應當學 五十
不得立大小便除病當學
不得與反抄衣不恭敬人說法除病應當學
不得為衣纏頸者說法除病應當學
不得為覆頭者說法除病應當學

BD03150號　四分比丘尼戒本　（30–25）

不得立大小便除病應當學
不得与叉杪衣不恭敬人說法除病應當學
不得為衣纏頸者說法除病應當學
不得為覆頭者說法除病應當學
不得為裹頭者說法除病應當學
不得為叉腰者說法除病應當學
不得為著革屣者說法除病應當學
不得為著木屐者說法除病應當學
不得為騎乘者說法除病應當學
不得在佛塔中止宿除為守護故應當學 六十
不得藏財物置佛塔中除為堅牢應當學
不得著革屣入佛塔中應當學
不得手捉革屣入佛塔中應當學
不得著革屣繞佛塔行應當學
不得著富羅入佛塔中應當學
不得手捉富羅入佛塔中應當學
不得塔下坐食留草及食汙地應當學
不得擔死屍從塔下過應當學
不得塔下埋死屍應當學
不得在塔下燒死屍應當學 七十
不得向佛塔燒死屍應當學
不得佛塔四邊燒死屍使臭氣來入應當學
不得持死人衣及床從塔下過除浣染香熏應當學
不得佛塔下大小便應當學
不得向佛塔大小便應當學
不得繞佛塔四邊大小便使臭氣來入應當學
不得持佛像至大小便處應當學

BD03150號　四分比丘尼戒本

(30–26)

不得向佛塔大小便應當學
不得繞佛塔四邊大小便使臭氣來入應當學
不得持佛像至大小便處應當學
不得在佛塔下嚼楊枝應當學
不得向佛塔嚼楊枝應當學
不得佛塔四邊嚼楊枝應當學 八十
不得在佛塔下涕唾應當學
不得向佛塔涕唾應當學
不得塔四邊涕唾應當學
不得向佛塔舒脚坐應當學
不得安佛塔下房已在上房住應當學
人坐已立不得為說法除病應當學
人臥已坐不得為說法除病應當學
人在坐已在非坐不得為說法除病應當學
人在高坐已在下坐不得為說法除病應當學
人在前行已在後不得為說法除病應當學 九十
人在高經行處已在下經行處不應為說法除病應
當學
人在道已在非道不應為說法除病應當學
不得携手在道行應當學
不得上樹過人頭除時因緣應當學
不得絡囊盛鉢貫杖頭著肩上而行應當學
人持杖不恭敬不應為說法除病應當學
人持劍不應為說法除病應當學
人持鉾不應為說法除病應當學
人持刀不應為說法除病應當學
人持蓋不應為說法除病應當學 一百
諸大姊我已說衆學戒法今問諸大姊是中清淨不

BD03150號　四分比丘尼戒本

(30–27)

不應為說法除病應當學
人持蓋不應為說法除病應當學　一百
諸大姊我已說衆學戒法今問諸大德是中清淨不
如是至三　諸大姊是中清淨默然故是事如是持
諸大姊是七滅諍法半月半月說戒經中來
若比丘尼有諍事起即應除滅
應與現前毗尼　當與現前毗尼　應與憶念毗尼
當與憶念毗尼　應與不癡毗尼　當與不癡毗尼
應與自言治　當與自言治　應(當)與多人覓罪
應與覓罪相　當與覓罪相　應與如草覆地
當與如草覆地　諸大姊我已說七滅諍法今問諸
大姊是中清淨不　如是至三　諸大姊是中清淨默然故是事如是持
諸大姊我已說戒經序已說八波羅夷法已說十七僧
伽婆尸沙已說三十尼薩耆波逸提法已說八波羅提提
舍尼法已說衆學戒法已說七滅諍法此是佛所說
半月半月說戒經中來若更有餘佛法是中皆共學
應當學
忍辱第一道　佛說無為最　出家惱他人　不名為沙門
此是毗婆尸如來无所著等正覺說是戒經
譬如明眼人　能避險惡道　世有聰明人　能遠離諸惡
此是尸棄如來无所著等正覺說是戒經
不謗亦不嫉　當奉行於戒　飲食知止足　常樂在空閑
心定樂精進　是名諸佛教　此是毗葉羅如來无
所著等正覺說是戒經
譬如蜂採花　不壞色與香　但取其味去　比丘入聚落
不違戾他事　不觀作不作　但自觀身行　若正若不正
此是拘樓孫如來无所著等正覺說是戒經
心莫作放逸　聖法當勤學　如是无憂愁　心定入涅槃

BD03150號　四分比丘尼戒本　（30–28）

譬如蜂採花　不壞色與香　但取其味去　比丘入聚落
不違戾他事　不觀作不作　但自觀身行　若正若不正
此是拘樓孫如來无所著等正覺說是戒經
心莫作放逸　聖法當勤學　如是无憂愁　心定入涅槃
此是拘那含牟尼如來无所著等正覺說是戒經
一切惡莫作　當奉行諸善　自淨其志意　是則諸佛教
此是迦葉如來无所著等正覺說是戒經
善護於口言　自淨其志意　身莫作諸惡　此三業道淨
能得如是行　是大仙人道
此是釋迦牟尼如來無所著等正覺於十二年中
為无事僧說是經從是已後廣分別說於諸比丘
尼自為樂法樂沙門者有慚有愧樂學者當於
中學
明人能護戒　能得三種樂　名譽及利養　死得生天上
當觀如是處　有智勤護戒　戒淨有智慧　便得第一道
如過去諸佛　及以未來者　現在諸世尊　能勝一切憂
皆共尊敬戒　此是諸佛法　若有自為身　欲求於佛道
當尊重正法　此是諸佛教　七佛為世尊　滅除諸結使
說是七戒經　諸縛得解脫　已入於涅槃　諸戲永滅盡
尊行大仙說　聖賢稱譽戒　弟子之所行　入寂滅涅槃
世尊涅槃時　興起於大悲　集諸比丘衆　與如是教戒
莫謂我涅槃　淨行者無護　我今說戒經　亦善說毗尼
我雖般涅槃　當視如世尊　此經久住世　佛法得熾盛
以是熾盛故　得入於涅槃　若不持此戒　如所應布薩
喻如日沒時　世界皆闇冥　當護持是戒　如犛牛愛尾
和合一處坐　如佛之所說　我已說戒經　衆僧布薩竟
我今說戒經　所說諸功德　施一切衆生　皆共成佛道

BD03150號　四分比丘尼戒本　（30–29）

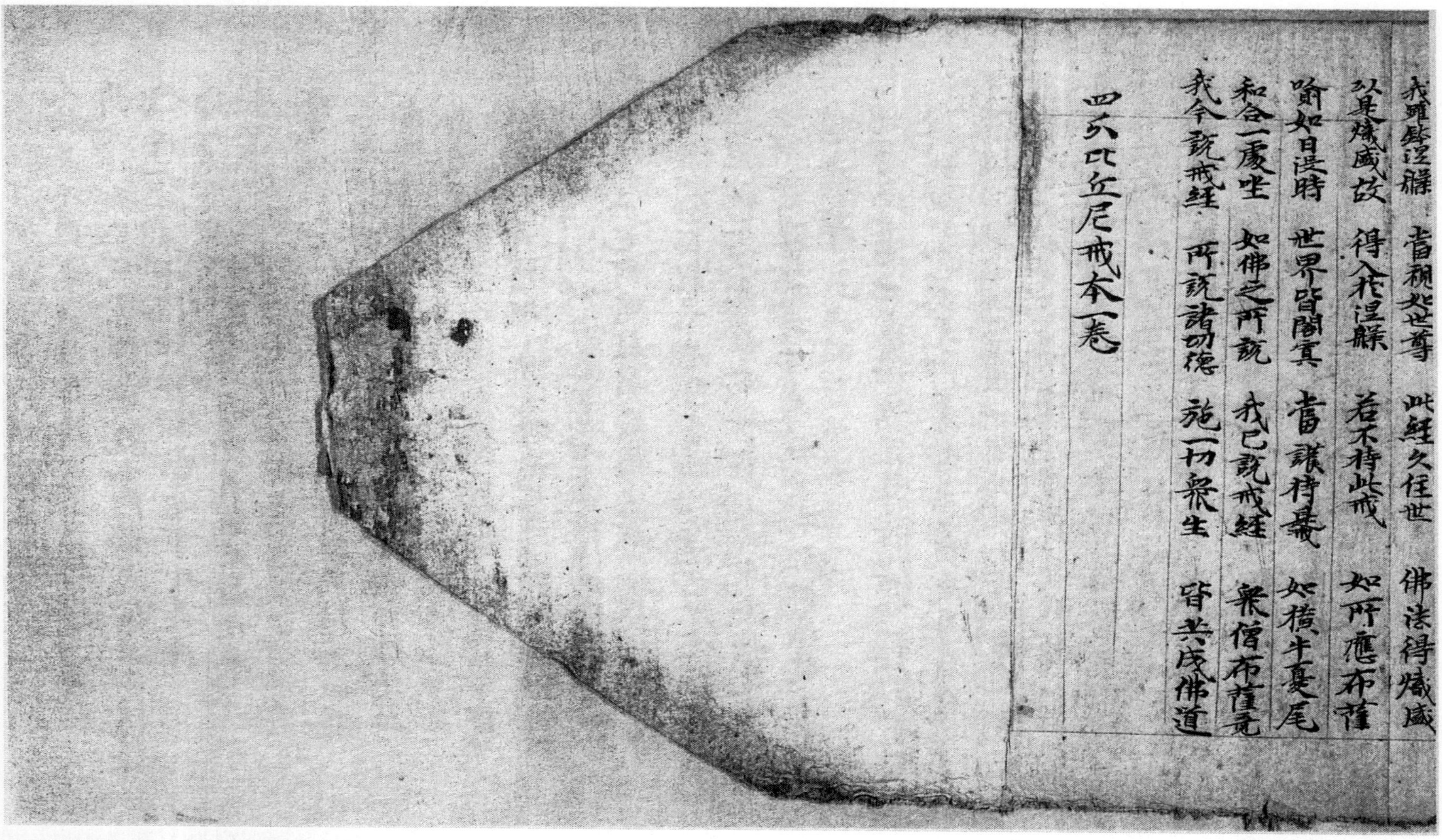

我雖般涅槃　當視如世尊　此經久住世　佛法得熾盛
以是熾盛故　得入於涅槃　若不持此戒　如所應布薩
喻如日沒時　世界皆闇冥　當護持是戒　如犛牛愛尾
和合一處坐　如佛之所說　我已說戒經　眾僧布薩竟
我今說戒經　所說諸功德　施一切眾生　皆共成佛道

四分比丘尼戒本一卷

BD03150 號　四分比丘尼戒本

（30–30）

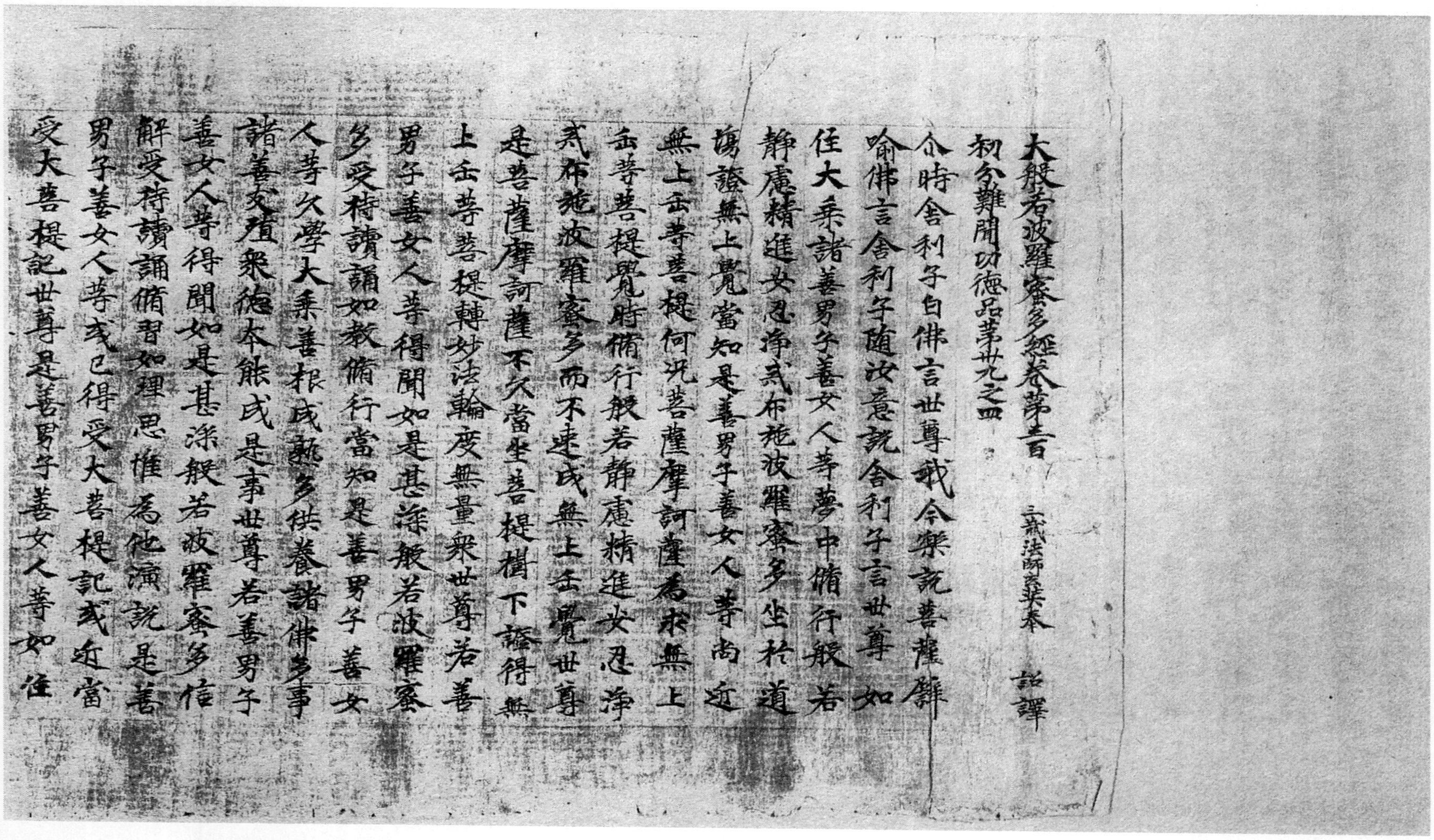

大般若波羅蜜多經卷第三百　三藏法師玄奘奉　詔譯
初分難聞功德品第卅九之四
尒時舍利子白佛言世尊我今樂說菩薩譬
喻佛言舍利子隨汝意說舍利子言世尊如
住大乘諸善男子善女人等夢中脩行般若
靜慮精進安忍淨戒布施波羅蜜多坐於道
場證無上覺當知是善男子善女人等尚近
無上正等菩提何況菩薩摩訶薩為求無上
正等菩提覺時脩行般若靜慮精進安忍淨
戒布施波羅蜜多而不速成無上覺世尊
是菩薩摩訶薩不久當坐菩提樹下證得無
上正等菩提轉妙法輪度無量眾世尊若善
男子善女人等得聞如是甚深般若波羅蜜
多受持讀誦如教脩行當知是善男子善女
人等久學大乘善根成熟多供養諸佛多事
諸善友殖眾德本能成是事世尊若善男子
善女人等得聞如是甚深般若波羅蜜多信
解受持讀誦脩習如理思惟為他演說是善
男子善女人等或已得受大菩提記或近當
受大菩提記世尊是善男子善女人等如住

BD03151 號　大般若波羅蜜多經卷三〇〇

（3–1）

諸善女人衆德本能成是事世尊若善男子
善女人等得聞如是甚深般若波羅蜜多信
解受持讀誦脩習如理思惟為他演說是善
男子善女人等或已得受大菩提記或近當
受大菩提記世尊是善男子善女人等如住
不退位菩薩摩訶薩疾得無上正等菩提由
此得聞甚深般若波羅蜜多能深信解受持
讀誦如理思惟隨教脩行為他演說
世尊譬如有人遊涉曠野經過險路百踰繕
那或二或三或四五百見諸城邑王都前相
謂放牧人園林田等見諸相已便作是念城
邑王都去此非遠作是念已身意泰然不畏
惡獸惡賊飢渴世尊諸菩薩摩訶薩亦復如
是若得聞此甚深般若波羅蜜多受持讀誦
如理思惟深生信解應知不久當得受記或
已得受速證無上正等菩提是菩薩摩訶薩
無隨聲聞獨覺地畏何以故是菩薩摩訶薩
已得見聞恭敬供養甚深般若波羅蜜多無
上菩提之前相故尒時佛告舍利子言如是
如是如汝所說汝承佛力當復說之時舍利
子復白佛言世尊譬如有人欲觀大海漸次
往趣經於多時不見山林便作是念今觀此
相大海非遠所以者何夫近海岸地必漸下
定無山林彼人尒時雖未見海而見近相歡
喜踊躍世尊諸菩薩摩訶薩亦復如是若得
聞此甚深般若波羅蜜多受持讀誦如理思
惟深生信解是菩薩摩訶薩雖未得佛現前

BD03151 號　大般若波羅蜜多經卷三〇〇　（3–2）

如是如汝所說汝承佛力當復說之時舍利
子復白佛言世尊譬如有人欲觀大海漸次
往趣經於多時不見山林便作是念今觀此
相大海非遠所以者何夫近海岸地必漸下
定無山林彼人尒時雖未見海而見近相歡
喜踊躍世尊諸菩薩摩訶薩亦復如是若得
聞此甚深般若波羅蜜多受持讀誦如理思
惟深生信解是菩薩摩訶薩雖未得佛現前
授記汝於來世經尒所劫若經百劫若經千
劫若經百千劫乃至若經百千俱胝那庾多
劫當得無上正等菩提而應自知受記非遠
何以故是菩薩摩訶薩已得見聞恭敬供養
受持讀誦如理思惟甚深般若波羅蜜多無
上菩提之前相故世尊譬如春時花菓樹等
陳葉已落枝條滋潤衆人見已咸作是言新
花菓葉當出不久所以者何此諸樹等新花
菓葉先相現故贍部洲人男女大小見此相
已歡喜踊躍皆作是言我等不久當見此
花菓茂盛世尊諸菩薩摩訶薩亦復如是若
得聞此甚深般若波羅蜜多受持讀誦如理

BD03151 號　大般若波羅蜜多經卷三〇〇　（3–3）

上饌衆甘美　及種種衣服　供養是佛子　冀得須臾聞
若能於後世　受持是經者　我遣在人中　行於如來事
若於一劫中　常懷不善心　作色而罵佛　獲无量重罪
其有讀誦持　是法華經者　須臾加惡言　其罪復過彼
有人求佛道　而於一劫中　合掌在我前　以无數偈讚
由是讚佛故　得无量功德　歎美持經者　其福復過彼
於八十億劫　以最妙色聲　及與香味觸　供養持經者
如是供養已　若得須臾聞　則應自欣慶　我今獲大利
藥王今告汝　我所說諸經　而於此經中　法華最第一
尒時佛復告藥王菩薩摩訶薩我所說經典
无量千万億已說今說當說而於其中此法
華經最為難信難解藥王此經是諸佛祕
要之藏不可分布妄授與人諸佛世尊之所
守護從昔已來未曾顯說而此經者如來現在
猶多怨嫉況滅度後藥王當知如來滅後其
能書持讀誦供養為他人說者如來則為以
衣覆之又為他方現在諸佛之所護念是人
有大信力及志願力諸善根力當知是人與
如來共宿則為如來手摩其頭藥王在在處

BD03152號　妙法蓮華經（八卷本）卷四　（11–1）

猶多怨嫉況滅度後藥王當知如來滅後其
能書持讀誦供養為他人說者如來則為以
衣覆之又為他方現在諸佛之所護念是人
有大信力及志願力諸善根力當知是人與
如來共宿則為如來手摩其頭藥王在在處
處若說若讀若誦若書若經卷所住處皆應
起七寶塔極令高廣嚴飾不須復安舍利所
以者何此中已有如來全身此塔應以一切
華香瓔珞繒蓋幢幡伎樂歌頌供養恭敬尊
重讚歎若有人得見此塔禮拜供養當知是
等皆近阿耨多羅三藐三菩提藥王多有人
在家出家行菩薩道若不能得見聞讀誦書
持供養是法華經者當知是人未善行菩薩
道若有得聞是經典者乃能善行菩薩之道
其有衆生求佛道者若見若聞是法華經聞
已信解受持者當知是人得近阿耨多羅三
藐三菩提藥王譬如有人渴乏須水於彼高
原穿鑿求之猶見乾土知水尚遠施功不已
轉見濕土遂漸至泥其心決定知水必近菩
薩亦復如是若未聞未解未能修習是法華
經當知是人去阿耨多羅三藐三菩提尚遠
若得聞解思惟修習必知得近阿耨多羅三
藐三菩提所以者何一切菩薩阿耨多羅三
藐三菩提皆屬此經此經開方便門示真實
相是法華經藏深固幽遠无人能到今佛教
化成就菩薩而為開示藥王若有菩薩聞是
法華經驚疑怖畏當知是為新發意菩薩若

BD03152號　妙法蓮華經（八卷本）卷四　（11–2）

䅭三菩提皆屬此經此經開方便門示真實
相是法華經藏深固幽遠无人能到今佛教
化成就菩薩而為開示藥王若有菩薩聞是
法華經驚疑怖畏當知是為新發意菩薩若
聲聞人聞是經驚疑怖畏當知是為增上慢
者藥王若有善男子善女人如来滅後欲為
四衆說是法華經者云何應說是善男子善
女人入如来室著如来衣坐如来座尒乃應
為四衆廣說斯經如来室者一切衆生中大
慈悲心是如来衣者柔和忍辱心是如来座
者一切法空是安住是中然後以不懈怠心
為諸菩薩及四衆廣說是法華經藥王我於
餘國遣化人為其集聽法衆亦遣化比丘比
丘尼優婆塞優婆夷聽其說法是諸化人聞
法信受随順不逆若說法者在空閑處我時
廣遣天龍鬼神乾闥婆阿脩羅等聽其說
法我雖在異國時時令說法者得見我身若於
此經忘失句逗我還為說令得具足尒時世
尊欲重宣此義而說偈言

欲捨諸懈怠　應當聽此經　是經難得聞　信受者亦難
如人渇須水　穿鑿於高原　猶見乾燥土　知去水尚遠
漸見濕土泥　決定知近水　藥王汝當知　如是諸人等
不聞法華經　去佛智甚遠　若聞是深經　決了聲聞法
是諸經之王　聞已諦思惟　當知此人等　近於佛智慧
若人說此經　應入如来室　著於如来衣　而坐如来座
處衆无所畏　廣為分別說　大慈悲為室　柔和忍辱衣
諸法空為座　處此為說法　若說此經時　有人惡口罵

BD03152號　妙法蓮華經（八卷本）卷四　（11–3）

漸見濕土泥　決定知近水　藥王汝當知　如是諸人等
不聞法華經　去佛智甚遠　若聞是深經　決了聲聞法
是諸經之王　聞已諦思惟　當知此人等　近於佛智慧
若人說此經　應入如来室　著於如来衣　而坐如来座
處衆无所畏　廣為分別說　大慈悲為室　柔和忍辱衣
諸法空為座　處此為說法　若說此經時　有人惡口罵
加刀杖凡石　念佛故應忍　我千万億土　現淨堅固身
於无量億劫　為衆生說法　若我滅度後　能說此經者
我遣化四衆　比丘比丘尼　及清信士女　供養於法師
引導諸衆生　集之令聽法　若人欲加惡　刀杖及凡石
則遣變化人　為之作衛護　若說法之人　獨在空閑處
寂漠无人聲　讀誦此經典　我尒時為現　清淨光明身
若忘失章句　為說令通利　若人具是德　或為四衆說
空處讀誦經　皆得見我身　若人在空閑　我遣天龍王
夜叉鬼神等　為作聽法衆　是人樂說法　分別无罣礙
諸佛護念故　能令大衆喜　若親近法師　速得菩薩道
随順是師學　得見恒沙佛

妙法蓮華經見寶塔品第十一

尒時佛前有七寶塔高五百由旬縱廣二百
五十由旬從地踊出住在空中種種寶物而
莊校之五千欄楯龕室千万无數幢幡以為
嚴飾垂寶瓔珞寶鈴万億而懸其上四面皆
出多摩羅跋栴檀之香充遍世界其諸幡蓋
以金銀琉璃車𤦲馬瑙真珠玫瑰七寶合成
高至四天王宮三十三天雨天曼陀羅華供
養寶塔餘諸天龍夜叉乾闥婆阿脩羅迦樓
羅緊那羅摩睺羅伽人非人等千万億衆以
一切華香瓔珞幡蓋伎樂供養寶塔恭敬尊

BD03152號　妙法蓮華經（八卷本）卷四　（11–4）

以金銀琉璃車𤦲馬瑙真珠玫瑰七寶合成
高至四天王宮三十三天雨天曼陁羅華供
養寶塔餘諸天龍夜叉乾闥婆阿脩羅迦樓
羅緊那羅摩睺羅伽人非人等千万億衆以
一切華香瓔珞幡蓋伎樂供養寶塔恭敬尊
重讚嘆尒時寶塔中出大音聲嘆言善哉善
哉釋迦牟尼世尊能以平等大慧教菩薩法
佛所護念妙法華經為大衆說如是如是釋
迦牟尼世尊如所說者皆是真實尒時四衆
見大寶塔住在空中又聞塔中所出音聲皆
得法喜怪未曾有從座而起恭敬合掌却住
一面尒時有菩薩摩訶薩名大樂說知一切
世間天人阿脩羅等心之所疑而白佛言世
尊以何因緣有此寶塔從地踊出又於其中發
是音聲尒時佛告大樂說菩薩此寶塔中
有如來全身乃往過去東方無量千万億阿
僧祇世界國名寶淨彼中有佛号曰多寶其
佛行菩薩道時作大誓願若我成佛滅度之
後於十方國土有說法華經處我之塔廟為
聽是經故踊現其前為作證明讚言善哉彼
佛成佛已臨滅度時於天人大衆中告諸比
丘我滅度後欲供養我全身者應起一大塔
其佛以神通願力十方世界在在處處若有
說法華經者彼之寶塔皆踊出其前全身在
於塔中讚言善哉善哉大樂說今多寶如來
塔聞說法華經故從地踊出讚言善哉善哉
是時大樂說菩薩以如來神力故白佛言世

其佛以神通願力十方世界在在處處若有
說法華經者彼之寶塔皆踊出其前全身在
於塔中讚言善哉善哉大樂說今多寶如來
塔聞說法華經故從地踊出讚言善哉善哉
是時大樂說菩薩以如來神力故白佛言世
尊我等願欲見此佛身佛告大樂說菩薩摩
訶薩是多寶佛有深重願若我寶塔為聽法
華經故出於諸佛前時其有欲以我身示四
衆者彼佛分身諸佛在於十方世界說法盡
還集一處然後我身乃出現耳大樂說我分
身諸佛在於十方世界說法者今應當集大
樂說白佛言世尊我等亦願欲見世尊分
身諸佛礼拜供養尒時佛放白毫一光即見東
方五百万億那由他恒河沙等國土諸佛彼
諸國土皆以頗梨為地寶樹寶衣以為莊嚴
无數千万億菩薩充滿其中遍張寶幔寶網
羅上彼國諸佛以大妙音而說諸法及見无
量千万億菩薩遍滿諸國為衆說法南西北
方四維上下白毫相光所照之處亦復如是
尒時十方諸佛各告衆菩薩言善男子我今
應往娑婆世界釋迦牟尼佛所并供養多寶
如來寶塔時娑婆世界即變清淨琉璃為地
寶樹莊嚴黃金為繩以界八道无諸聚落村
營城邑大海江河山川林藪燒大寶香曼陁
羅華遍布其地以寶網幔羅覆其上懸諸
寶鈴唯留此會衆移諸天人置於他土是時諸
佛各將一大菩薩以為侍者至娑婆世界各

營城邑大海江河山川林藪燒大寶香曼陁
羅華遍布其地以寶網幔羅覆其上懸諸
寶鈴唯留此會衆移諸天人置於他土是時諸
佛各將一大菩薩以為侍者至娑婆世界各
到寶樹下一一寶樹高五百由旬枝葉華菓
次第莊嚴諸寶樹下皆有師子之座高五由
旬亦以大寶而校飾之尒時諸佛各於此座
結加趺坐如是展轉遍滿三千大千世界而
於釋迦牟尼佛一方所分之身猶故未盡時
釋迦牟尼佛欲容受所分身諸佛故八方各
更變二百万億那由他國皆令清淨无有地
獄餓鬼畜生及阿脩羅又移諸天人置於他
土所化之國亦以琉璃為地寶樹莊嚴樹高
五百由旬枝葉華菓次第嚴飾樹下皆有寶
師子座高五由旬種種諸寶以為莊校亦无
大海江河及目真隣陁山摩訶目真隣陁山
鐵圍山大鐵圍山須弥山等諸山王通為一
佛國土寶地平正寶交露幔遍覆其上懸諸
幡蓋燒大寶香諸天寶華遍布其地釋迦
牟尼佛為諸佛當來坐故復於八方各變二百
万億那由他國皆令清淨无有地獄餓鬼畜
生及阿脩羅又移諸天人置於他土所化之
國亦以琉璃為地寶樹莊嚴樹高五百由旬
枝葉華菓次第莊嚴樹下皆有寶師子座
高五由旬亦以大寶而校飾之亦无大海江河
及目真隣陁山摩訶目真隣陁山鐵圍山大鐵
圍山須弥山等諸山王通為一佛國土寶地平

BD03152號　妙法蓮華經（八卷本）卷四　（11–7）

生及阿脩羅又移諸天人置於他土所化之
國亦以琉璃為地寶樹莊嚴樹高五百由旬
枝葉華菓次第莊嚴樹下皆有寶師子座
高五由旬亦以大寶而校飾之亦无大海江河
及目真隣陁山摩訶目真隣陁山鐵圍山大鐵
圍山須弥山等諸山王通為一佛國土寶地平
正寶交露幔遍覆其上懸諸幡蓋燒大寶香
諸天寶華遍布其地尒時東方釋迦牟尼所
分之身百千万億那由他恒河沙等國土中諸
佛各各說法來集於此如是次第十方諸佛
皆悉來集坐於八方尒時一一方四百万
億那由他國土諸佛如來遍滿其中是時諸
佛各在寶樹下坐師子座皆遣侍者問訊釋
迦牟尼佛各賷寶華滿掬而告之言善男子
汝往詣耆闍崛山釋迦牟尼佛所如我辭曰
少病少惱氣力安樂及菩薩聲聞衆悉安隱
不以此寶華散佛供養而作是言彼某甲佛
與欲開此寶塔諸佛遣使亦復如是尒時釋
迦牟尼佛見所分身佛悉已來集各各坐於
師子之座皆聞諸佛與欲同開寶塔即從座
起住虛空中一切四衆起立合掌一心觀佛
於是釋迦牟尼佛以右指開七寶塔戶出大
音聲如却關鑰開大城門即時一切衆會皆
見多寶如來於寶塔中坐師子座全身不散
如入禪定又聞其言善哉善哉釋迦牟尼佛
快說是法華經我為聽是經故而來至此尒
時四衆等見過去无量千万億劫滅度佛說

BD03152號　妙法蓮華經（八卷本）卷四　（11–8）

如入禪定又聞其言善哉善哉釋迦牟尼佛
快說是法華經我為聽是經故而來至此尒
時四衆等見過去无量千万億劫滅度佛說
如是言嘆未曾有以天寶華聚散多寶佛及
釋迦牟尼佛上尒時多寶佛於寶塔中分半
座與釋迦牟尼佛而作是言釋迦牟尼佛可
就此座即時釋迦牟尼佛入其塔中坐其半
座結加趺坐尒時大衆見二如來在七寶塔
中師子座上結加趺坐各作是念佛坐高遠
唯願如來以神通力令我等輩俱處虛空即
時釋迦牟尼佛以神通力接諸大衆皆在虛
空以大音聲普告四衆誰能於此娑婆國土
廣說妙法華經今正是時如來不久當入涅
槃佛欲以此妙法華經付囑有在尒時世尊
欲重宣此義而說偈言
聖主世尊 雖久滅度 在寶塔中 尚為法來
諸人云何 不勤為法 此佛滅度 无鞅數劫
處處聽法 以難遇故 彼佛本願 我滅度後
在在所往 常為聽法 又我分身 无量諸佛
如恒沙等 來欲聽法 及見滅度 多寶如來
各捨妙土 及弟子衆 天人龍神 諸供養事
令法久住 故來至此 為坐諸佛 以神通力
移无量衆 令國清淨 諸佛各各 詣寶樹下
如清淨池 蓮華莊嚴 其寶樹下 諸師子座
佛坐其上 光明嚴飾 如夜闇中 燃大炬火
身出妙香 遍十方國 衆生蒙薰 喜不自勝
譬如大風 吹小樹枝 以是方便 令法久住

佛坐其上 光明嚴飾 如夜闇中 燃大炬火
身出妙香 遍十方國 衆生蒙薰 喜不自勝
譬如大風 吹小樹枝 以是方便 令法久住
告諸大衆 我滅度後 誰能護持 讀說斯經
今於佛前 自說誓言 其多寶佛 雖久滅度
以大誓願 而師子吼 多寶如來 及與我身
所集化佛 當知此意 諸佛子等 誰能護法
當發大願 令得久住 其有能護 此經法者
則為供養 我及多寶 此多寶佛 處於寶塔
常遊十方 為是經故 亦復供養 諸來化佛
莊嚴光飾 諸世界者 若說此經 則為見我
多寶如來 及諸化佛 諸善男子 各諦思惟
此為難事 宜發大願 諸餘經典 數如恒沙
雖說此等 未足為難 若接須弥 擲置他方
无數佛土 亦未為難 若以足指 動大千界
遠擲他國 亦未為難 若立有頂 為衆演說
无量餘經 亦未為難 若佛滅後 於惡世中
能說此經 是則為難 假使有人 手把虛空
而以遊行 亦未為難 於我滅後 若自書持
若使人書 是則為難 若以大地 置足甲上
昇於梵天 亦未為難 佛滅度後 於惡世中
暫讀此經 是則為難 假使劫燒 擔負乾草
入中不燒 亦未為難 我滅度後 若持此經
為一人說 是則為難 若持八万 四千法藏
十二部經 為人演說 令諸聽者 得六神通
雖能如是 亦未為難 於我滅後 聽受此經
問其義趣 是則為難 若人說法 令千万億
无量无數 恒沙衆生 得阿羅漢 具六神通

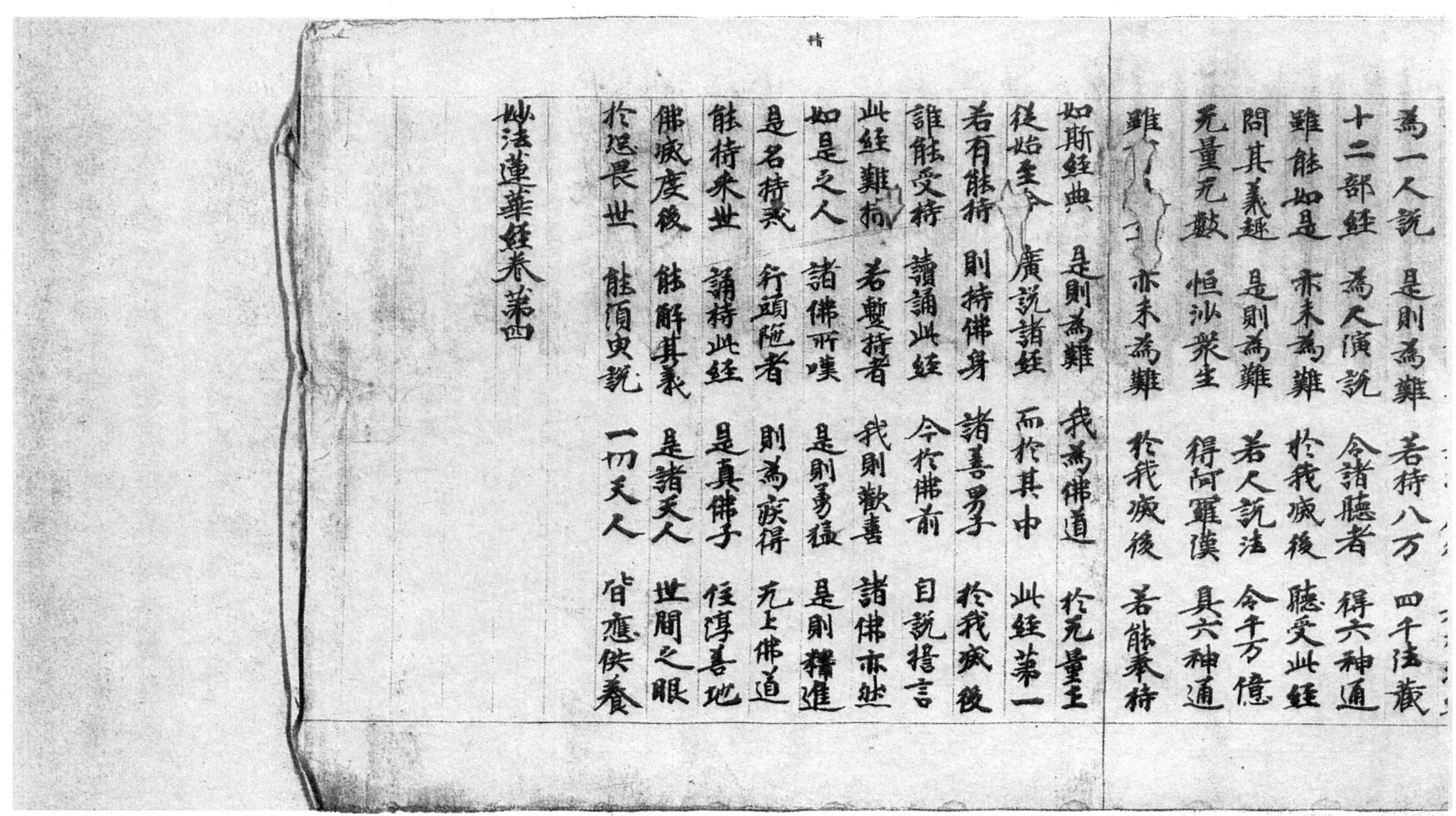

為一人說 是則為難 若持八万 四千法藏
十二部經 為人演說 令諸聽者 得六神通
雖能如是 亦未為難 於我滅後 聽受此經
問其義趣 是則為難 若人說法 令千万億
无量无數 恒沙衆生 得阿羅漢 具六神通
雖有是益 亦未為難 於我滅後 若能奉持
如斯經典 是則為難 我為佛道 於无量土
從始至今 廣說諸經 而於其中 此經第一
若有能持 則持佛身 諸善男子 於我滅後
誰能受持 讀誦此經 今於佛前 自說誓言
此經難持 若暫持者 我則歡喜 諸佛亦然
如是之人 諸佛所歎 是則勇猛 是則精進
是名持戒 行頭陀者 則為疾得 无上佛道
能於來世 讀持此經 是真佛子 住淳善地
佛滅度後 能解其義 是諸天人 世間之眼
於恐畏世 能須臾說 一切天人 皆應供養

妙法蓮華經卷第四

BD03152 號　妙法蓮華經（八卷本）卷四　（11–11）

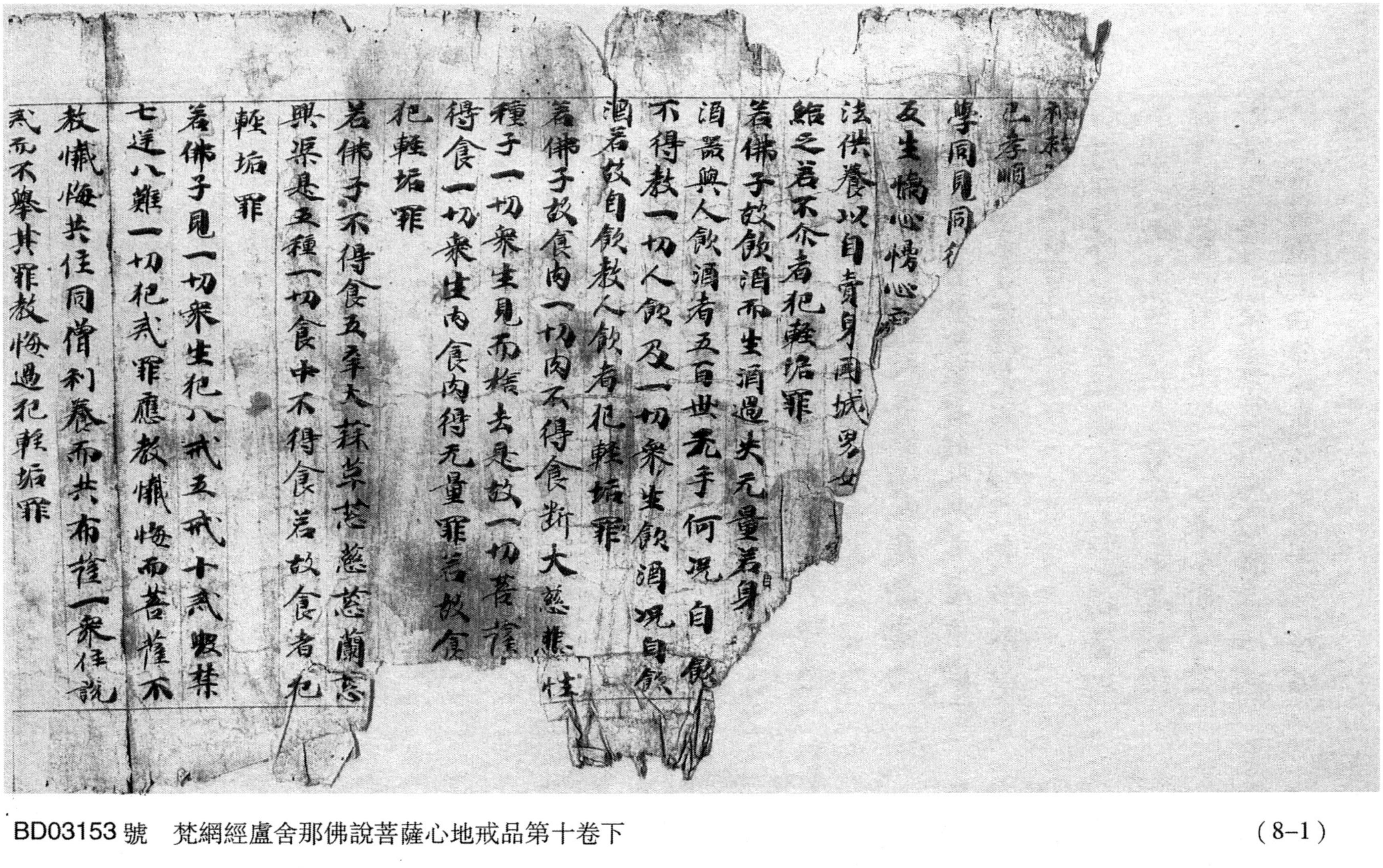

和
己孝順
學同見同
反生憍心慢心
法供養 以自賣身國城男女
給之 若不爾者 犯輕垢罪
若佛子 故飲酒 而生酒過失无量 若自身
酒器與人飲酒者 五百世无手 何況自飲
不得教一切人飲 及一切衆生飲酒 況自飲
酒 若故自飲 教人飲者 犯輕垢罪
若佛子 故食肉 一切肉不得食 斷大慈悲性
種子 一切衆生見而捨去 是故一切菩薩
得食一切衆生肉 食肉得无量罪 若故食
犯輕垢罪
若佛子 不得食五辛 大蒜 革葱 慈葱 蘭葱
興渠 是五種 一切食中不得食 若故食者犯
輕垢罪
若佛子 見一切衆生犯八戒 五戒 十戒 毀禁
七逆八難 一切犯戒罪 應教懺悔 而菩薩不
教懺悔 共住同僧利養 而共布薩 一衆住說
戒 而不舉其罪 教悔過 犯輕垢罪

BD03153 號　梵網經盧舍那佛說菩薩心地戒品第十卷下　（8–1）

輕垢罪
若佛子見一切眾生犯八戒五戒十戒毀禁
七逆八難一切犯戒罪應教懺悔而菩薩不
教懺悔共住同僧利養而共布薩一眾住說
戒而不舉其罪教悔過犯輕垢罪
若佛子見大乘法師大乘同學同見同行者
來入僧房舍宅城邑若百里千里來者即起
迎來送去礼拜供養日日三時供養日食三
兩金百味飲食牀座醫藥供事法師一切所須
盡給與之常請法師三時說法日日三時礼拜
不生瞋心患惱之心為法滅身請法不尒
者犯輕垢罪
若佛子一切處有講法毗尼經律大宅舍中有
講法處是新學菩薩應持經律卷至法師所
諮受聽問若山林樹下僧地房中一切說法
處悉至聽受若不至彼聽受者犯輕垢罪
若佛子心背大乘常住經律言非佛說而受
持二乘聲聞外道惡見一切禁戒邪見經律
者犯輕垢罪
若佛子見一切疾病人應供養如佛无異八
福田中看病福田第一福田若父母師僧弟
子病諸根不具百種病苦皆養令差而菩薩
以瞋恨心不至僧房中城邑曠野山林道路中
見病不救濟者犯輕垢罪
若佛子不得畜一切刀杖弓箭鉾斧鬪戰之
具及惡網羅煞生之器一切不得畜而菩薩
乃至煞父母尚不加報況煞一切眾生若故

BD03153號　梵網經盧舍那佛說菩薩心地戒品第十卷下　（8–2）

以瞋恨心不至僧房中城邑曠野山林道路中
見病不救濟者犯輕垢罪
若佛子不得畜一切刀杖弓箭鉾斧鬪戰之
具及惡網羅煞生之器一切不得畜而菩薩
乃至煞父母尚不加報況煞一切眾生若故
畜刀杖犯輕垢罪如是十戒應當學敬心奉
持下六品中當廣開
佛言佛子為利養惡心故通國使命軍陣合
會興師相伐煞无量眾生而菩薩不得入軍
中往來況故作國賊若故作者犯輕垢罪
若佛子故販賣良人奴婢六畜市易棺材板
木盛死之具尚不應自作況教人作若故作
者犯輕垢罪
若佛子以惡心故无事謗他良人善人法師
師僧國王貴人言犯七逆十重於父母兄弟六
親中應生孝順心慈悲心而反更加於逆害
墮不如意處者犯輕垢罪
若佛子以惡心故放大火燒山林曠野四
月乃至九月放火若燒他人家屋宅城
邑僧房田木及鬼神官物一切有主物不得
故燒若故燒者犯輕垢罪
若佛子自佛弟子及外道人六親一切善知
識應一一教受持大乘經律應教解義理使
發菩提心十發趣心十長養心十金剛心一一
解其次第法用而菩薩以惡心瞋心橫教
他二乘聲聞戒經律外道邪見論等犯輕垢
罪

BD03153號　梵網經盧舍那佛說菩薩心地戒品第十卷下　（8–3）

發菩提心十發趣心十長養心十金剛心一
解其次茅法用而菩薩以惡心瞋心橫教
他二乘聲聞戒經律外道耶見論等犯輕垢
罪
若佛子應以好心先學大乘威儀經律廣開
解義味見後新學菩薩有百里千里來求大
乘經律應如法為說一切苦行若燒身燒臂
燒指若不燒身臂指供養諸佛非出家菩
薩乃至餓虎狼師子一切餓鬼悉應捨身肉
手是而供養之然後一一次茅為說正法使心開
意解而菩薩為利養故應答不答倒說經律
文字无前无後謗三寶說者犯輕垢罪
若佛子自為飲食錢物利養名譽故親近國
王王子大臣百官恃作形勢乞索打拍牽挽
橫取錢物一切求利名為惡求多求教他人
求都无慈心无孝順心者犯輕垢罪
若佛子學誦戒者日夜六時持菩薩戒解其
義理佛性之性而菩薩不解一句一偈戒律因
緣詐言能解者為自欺誑亦欺他人一一
不解一切法而為他人作師受戒者犯輕垢罪
若佛子以惡心故見持戒比丘手捉香爐行
菩薩行而鬪過兩頭謗欺賢人无惡不造若
故作者犯輕垢罪
若佛子以慈心故行放生業一切男子是我
父一切女人是我母我生生无不從之受生
故六道衆生皆是我父母而煞而養者即煞

BD03153號　梵網經盧舍那佛說菩薩心地戒品第十卷下　（8–4）

菩薩行而鬪過兩頭謗欺賢人无惡不造若
故作者犯輕垢罪
若佛子以慈心故行放生業一切男子是我
父一切女人是我母我生生无不從之受生
故六道衆生皆是我父母而煞而養者即煞
我父母亦煞我故身一切地水是我先身一
切火風是我本體故常行放生業生生受生
若見世人煞畜生時應方便救護解其苦難
常教化講說菩薩戒救度衆生若父母兄弟
死亡之日應請法師講菩薩戒經律福資其
亡者得見諸佛生人天上若不尒者犯輕垢
罪
如是十戒應當學敬心奉持如滅罪品中
廣明一一戒相
佛言佛子以瞋報瞋以打報打若煞父母兄
弟六親不得加報若國主為他人煞者亦不
得加報煞生報生不順孝道尚不畜奴婢打
拍罵辱日日起三業罪无量況故作七逆之
罪而出家菩薩无慈報讎乃至六親中若故
報者犯輕垢罪
若佛子初始出家未有所解而自恃聰明有
智或恃高貴年宿或恃大姓高門大解大富
饒財七寶以此憍慢而不諮受先學法師經
律其法師者或小姓年少卑門貧窮諸根不
具而實有德一切經律盡解而親學菩薩不
得觀法師種姓而不來諮受法師第一義諦
者犯輕垢罪

BD03153號　梵網經盧舍那佛說菩薩心地戒品第十卷下　（8–5）

律其法師者或小姓年少卑門貧窮諸根不
具而實有德一切經律盡解而新學菩薩不
得觀法師種姓而不來諮受法師第一義諦
者犯輕垢罪
若佛子佛滅度後欲以好心受菩薩戒時於
佛菩薩形像前自誓受戒當七日佛前懺悔
得見好相便得戒若不得好相應二七三七日
乃至一年要得好相得好相已便得佛菩薩
形像前受戒若不得好相雖佛像前受戒不名
得戒若現前先受菩薩戒法師前受戒時
不須要見好相是法師師師相受故不須好
相是以法師前受戒即得戒以生重心故便
得戒若千里內无能授戒師得佛菩薩形像
前受得戒而要見好相若法師自倚解經律
大乘學戒與國王太子百官以為善友而新學
菩薩來問若經義律義輕心惡心慢心一一不
好答問者犯輕垢罪
若佛子有佛經律大乘正法正見正性正法
身而不能勤學修習而捨七寶反學邪見二
乘外道俗典阿毗曇雜論書記是斷佛性鄣道
因緣非行菩薩道若故作者犯輕垢罪
若佛子佛滅度後為說法主為僧房主教化
主坐禪主行來主應生慈心善和鬪諍善守
三寶物莫无度用如自己有而反亂眾鬪諍
恣心用三寶物者犯輕垢罪
若佛子先在僧房中住後見客菩薩比丘來

BD03153號　梵網經盧舍那佛說菩薩心地戒品第十卷下　（8–6）

主坐禪主行來主應生慈心善和鬪諍善守
三寶物莫无度用如自己有而反亂眾鬪諍
恣心用三寶物者犯輕垢罪
若佛子先在僧房中住後見客菩薩比丘來
入僧房舍宅城邑國王宅舍中乃至夏坐安
居處所及大會中先住僧應迎來送去飲食供
養房舍臥具繩牀事事給與若无物應自賣
身及男女身供給所須悉以與之若有檀越來
請眾僧客僧有利養分僧房主應次第差客
僧受請而先住僧獨受請而不差客僧房主
得无量罪畜生无異非沙門非釋種姓若故
作者犯輕垢罪
若佛子一切不得受別請利養入己而此利
養屬十方僧而別受請即取十方僧物入己
八福田中諸佛聖人一一師僧父母病人物
自己用故犯輕垢罪
若佛子有出家菩薩在家菩薩及一切檀
越請僧福田求願之時應入僧房問知事
人今欲次第請者即得十方賢聖僧而世人
別請五百羅漢菩薩僧不如僧次一凡夫僧若
別請僧者是外道法七佛无別請法不順孝
道若故別請僧者犯輕垢罪
若佛子以惡心故為利養販賣男女色自手
作食自磨自舂占相男女解夢吉凶是男是
女呪術工巧調鷹方法和合百種毒藥千種
毒藥蛇毒生金銀蠱毒都无慈心若故作者
犯輕垢罪

BD03153號　梵網經盧舍那佛說菩薩心地戒品第十卷下　（8–7）

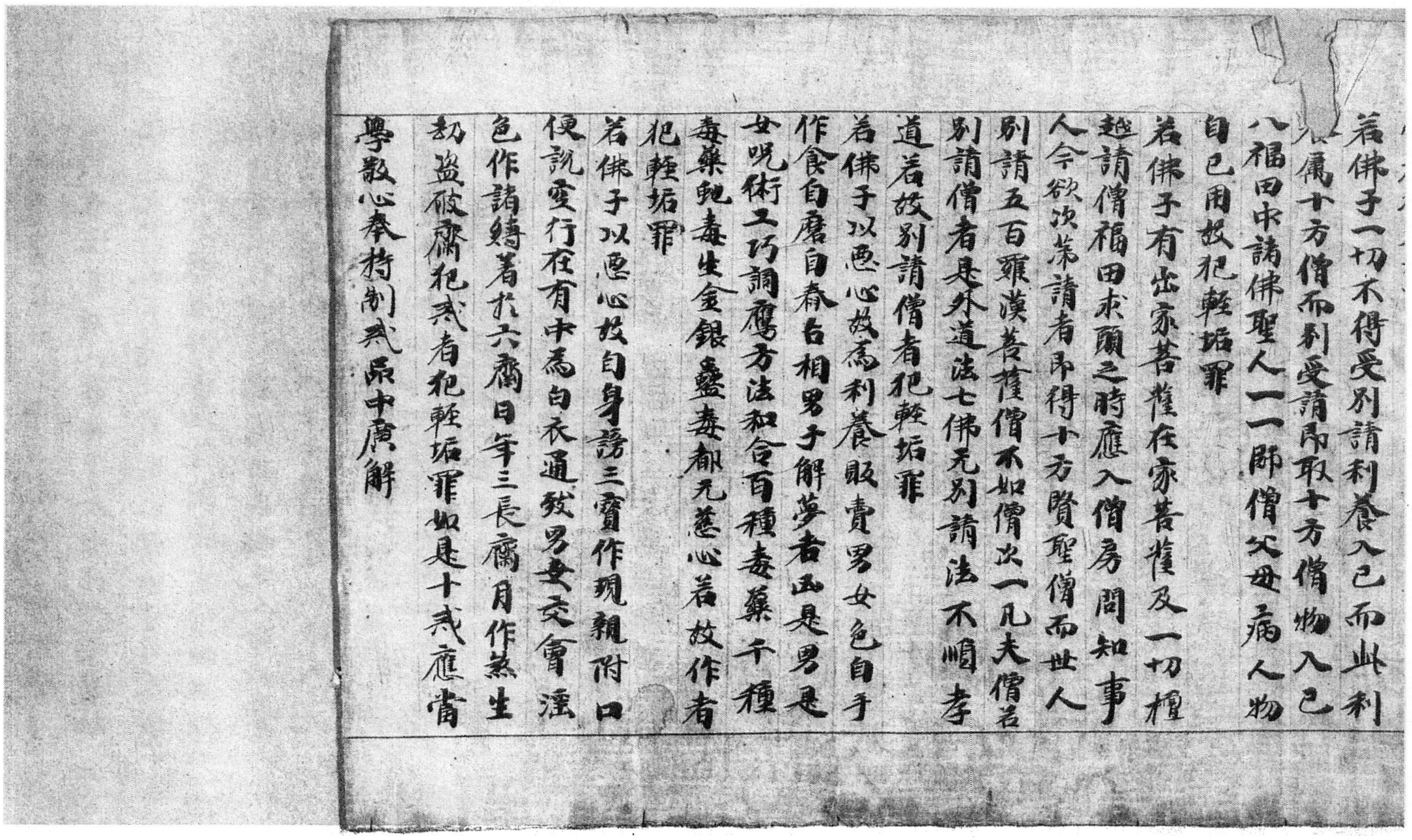

若佛子一切不得受別請利養入己而此利
養屬十方僧而別受請即取十方僧物入己
八福田中諸佛聖人一一師僧父母病人物
自己用故犯輕垢罪
若佛子有出家菩薩在家菩薩及一切檀
越請僧福田求願之時應入僧房問知事
人今欲次第請者即得十方賢聖僧而世人
別請五百羅漢菩薩僧不如僧次一凡夫僧若
別請僧者是外道法七佛无別請法不順孝
道若故別請僧者犯輕垢罪
若佛子以惡心故為利養販賣男女色自手
作食自磨自舂占相男子解夢吉凶是男是
女呪術工巧調鷹方法和合百種毒藥千種
毒藥蛇毒生金銀蠱毒都无慈心若故作者
犯輕垢罪
若佛子以惡心故自身謗三寶詐現親附口
便說空行在有中為白衣通致男女交會婬
色作諸縛著於六齋日年三長齋月作殺生
劫盜破齋犯戒者犯輕垢罪如是十戒應當
學敬心奉持制戒品中廣解

BD03153號　梵網經盧舍那佛說菩薩心地戒品第十卷下　（8–8）

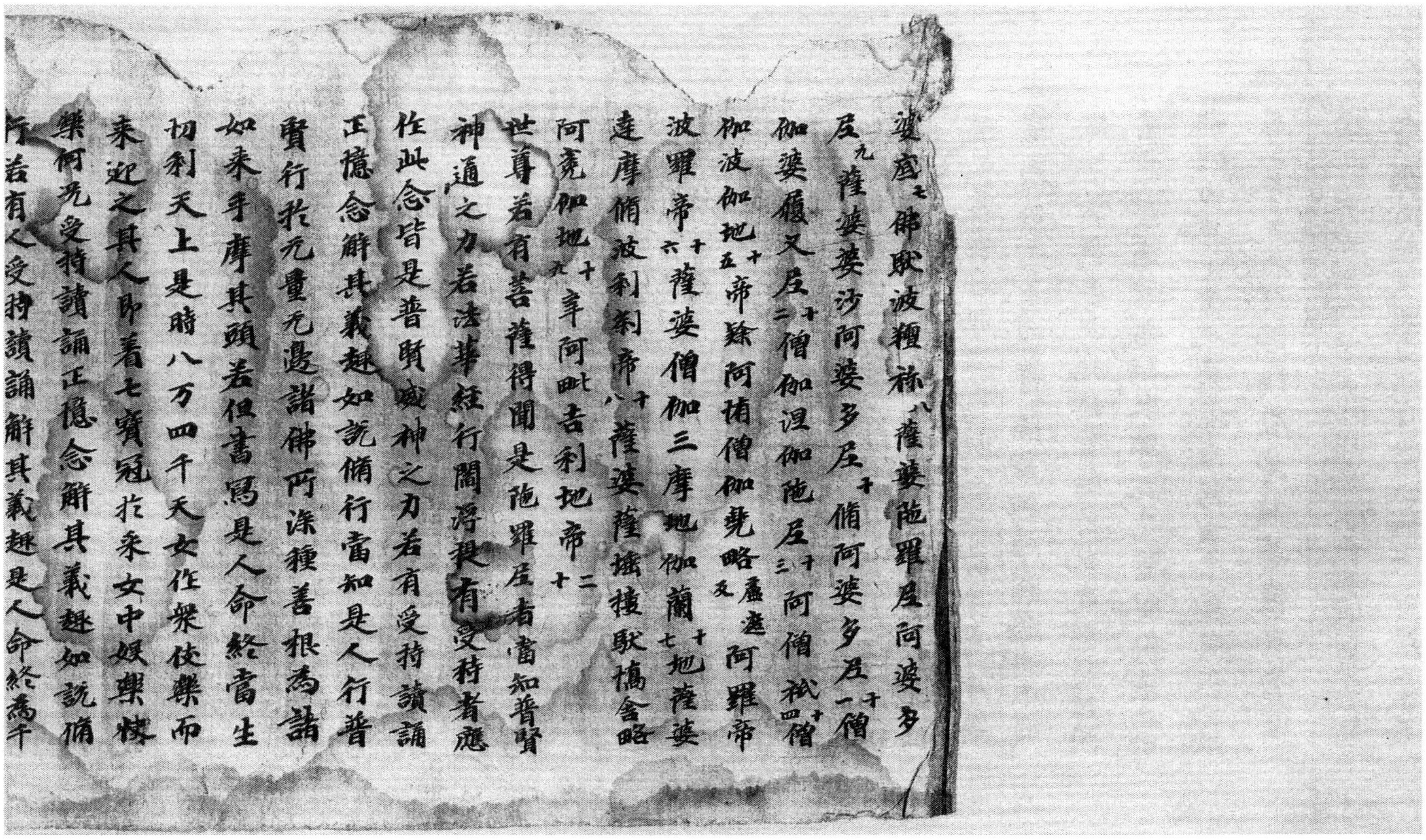

婆舍七 佛馱波羶禰八 薩婆陀羅尼阿婆多
尼九 薩婆婆沙阿婆多尼十 脩阿婆多尼十一 僧
伽婆履叉尼十二 僧伽涅伽陀尼十三 阿僧祇十四 僧
伽波伽地十五 帝隸阿惰僧伽兜略盧遮反 阿羅帝
波羅帝十六 薩婆僧伽三摩地伽蘭地十七 薩婆
達磨脩波利剎帝十八 薩婆薩埵樓馱憍舍略
阿㝹伽地十九 辛阿毘吉利地帝二十
世尊若有菩薩得聞是陀羅尼者當知普賢
神通之力若法華經行閻浮提有受持者應
作此念皆是普賢威神之力若有受持讀誦
正憶念解其義趣如說脩行當知是人行普
賢行於无量无邊諸佛所深種善根為諸
如來手摩其頭若但書寫是人命終當生
忉利天上是時八万四千天女作衆伎樂而
來迎之其人即著七寶冠於婇女中娛樂快
樂何況受持讀誦正憶念解其義趣如說脩
行若有人受持讀誦解其義趣是人命終為千

BD03154號　妙法蓮華經卷七　（4–1）

如来手摩其頭若但書冩是人命終當生
忉利天上是時八万四千天女作衆伎樂而
来迎之其人即著七寳冠於婇女中娛樂快
樂何况受持讀誦正憶念解其義趣如說脩
行若有人受持讀誦解其義趣是人命終為千
佛授手令不恐怖不墮惡趣即往兜率天上彌
勒菩薩所彌勒菩薩有三十二相大菩薩衆所
共圍繞有百千万億天女眷屬而於中生有
如是等功德利益是故智者應當一心自書
若使人書受持讀誦正憶念如說脩行世尊
我今以神通力守護是經於如来滅後閻浮
提内廣令流布使不斷絶尒時釋迦牟尼佛
讃言善哉善哉普賢汝能護助是經令多所
衆生安樂利益汝已成就不可思議功德深大
慈悲從久遠来發阿耨多羅三藐三菩提意
而能作是神通之願守護是經我當以神通
力守護能受持普賢菩薩名者普賢若有受
持讀誦正憶念脩習書冩是法華經者當知
是人則見釋迦牟尼佛如從佛口聞此經典當
知是人供養釋迦牟尼佛當知是人佛讃善
哉當知是人為釋迦牟尼佛手摩其頭當知
是人為釋迦牟尼佛衣之所覆如是之人不復
貪著世樂不好外道經書手筆亦復不憙親
近其人及諸惡者若屠兒若畜猪羊雞狗若
獵師若衒賣女色是人心意質直有正憶念

BD03154 號　妙法蓮華經卷七

（4–2）

是人為釋迦牟尼佛衣之所覆如是之人不復
貪著世樂不好外道經書手筆亦復不憙親
近其人及諸惡者若屠兒若畜猪羊雞狗若
獵師若衒賣女色是人心意質直有正憶念
有福德力是之人不為三毒所惱亦不為嫉妬我
慢邪慢增上慢所惱是人少欲知足能脩普
賢之行普賢若如来滅後後五百歲若有人
見受持讀誦法華經者應作是念此人不久當
詣道場破諸魔衆得阿耨多羅三藐三菩提
轉法輪擊法皷吹法螺雨法雨當坐天人大衆
中師子法座上普賢若於後世受持讀誦是經
典者是人不復貪著衣服卧具飲食資生之
物所願不虚亦於現世得其福報若有人輕
毀之言汝狂人耳空作是行終无所獲如是
罪報當世世无眼若有供養讃歎之者當於
今世得現果報若復見受持是經者出其過
惡若實若不實此人現世得白癩病若有輕
咲之者當世世牙齒踈缺醜脣平鼻手脚
繚戾眼目角睞身體臭穢惡瘡膿血水腹
短氣諸惡重病是故普賢若見受持是經典
者當起遠迎當如敬佛說是普賢勸發品時
恒河沙等无量无邊菩薩得百千萬億旋陀羅
尼三千大千世界微塵等諸菩薩具普賢
道佛說是經時普賢等諸菩薩舍利弗等諸
聲聞及諸天龍人非人等一切大會皆大歡喜

BD03154 號　妙法蓮華經卷七

（4–3）

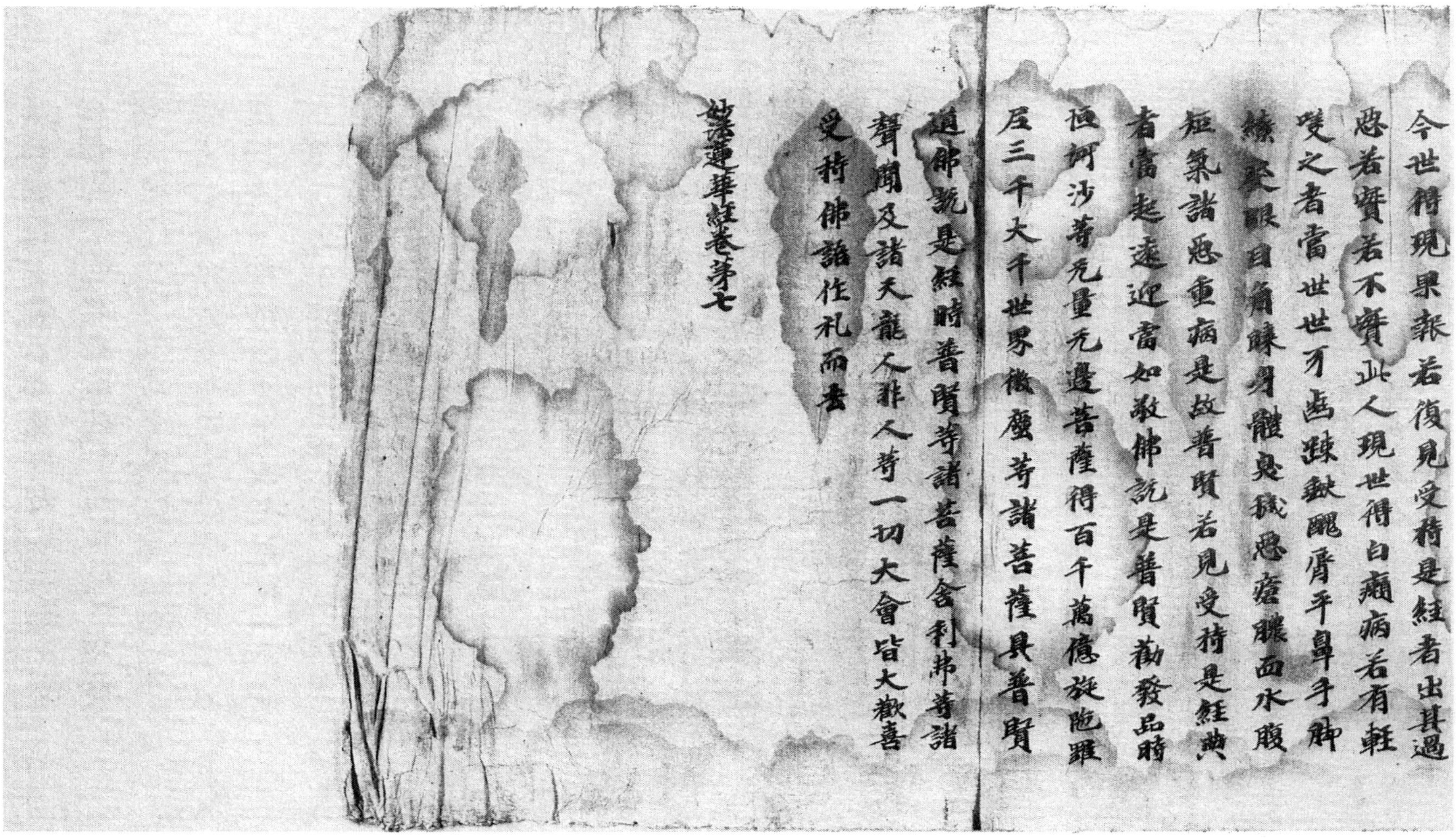

令世得現果報若復見受持是經者出其過
惡若實若不實此人現世得白癩病若有輕
笑之者當世世牙齒疎缺醜脣平鼻手脚
繚戾眼目角睞身體臭穢惡瘡膿血水腹
短氣諸惡重病是故普賢若見受持是經典
者當起遠迎當如敬佛說是普賢勸發品時
恒河沙等无量无邊菩薩得百千萬億旋陁羅
尼三千大千世界微塵等諸菩薩具普賢
道佛說是經時普賢等諸菩薩舍利弗等諸
聲聞及諸天龍人非人等一切大會皆大歡喜
受持佛語作礼而去

妙法蓮華經卷第七

BD03154號　妙法蓮華經卷七　（4–4）

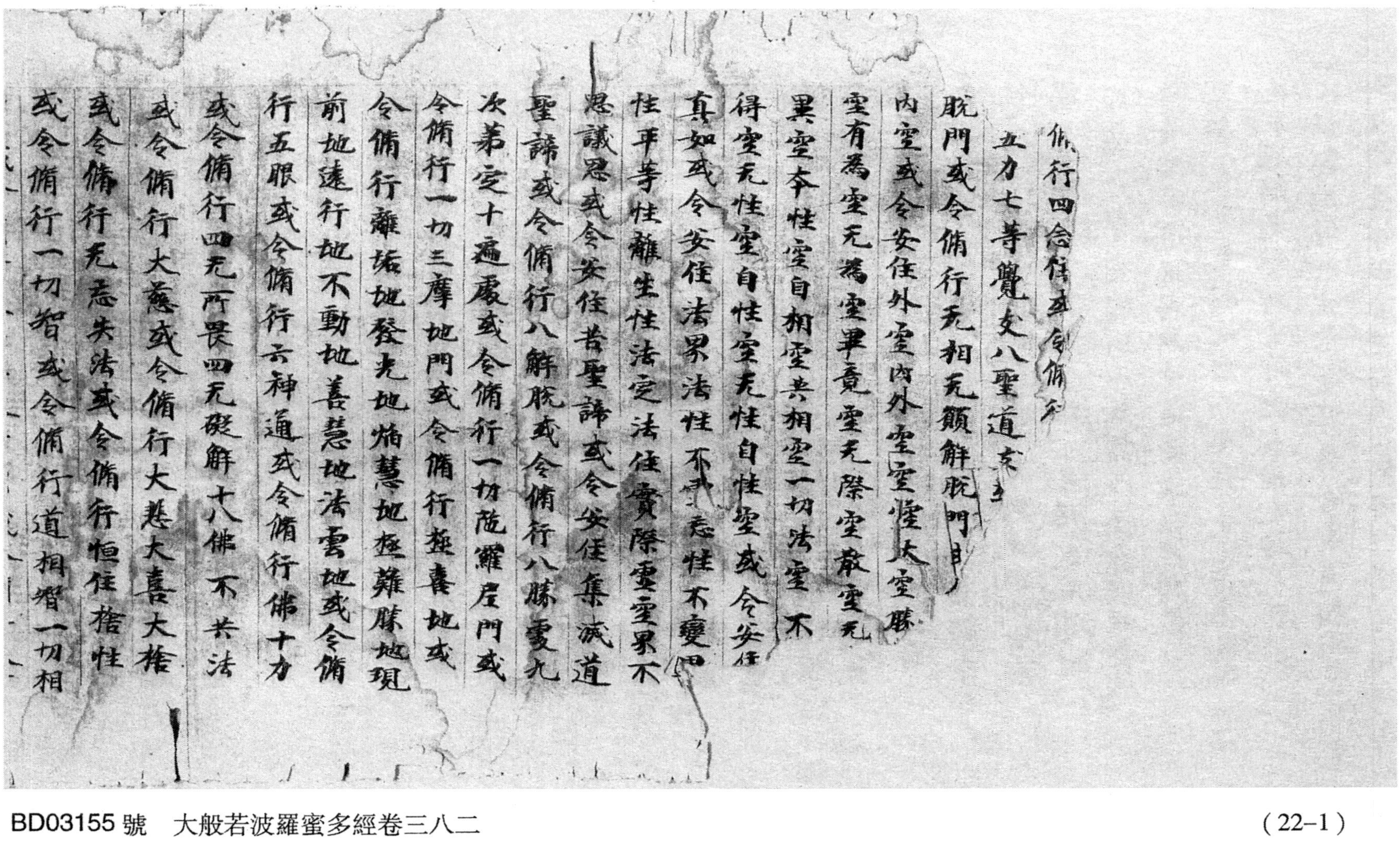

脩行四念住或令脩
五力七等覺支八聖道支
脫門或令脩行无相无願解脫門
內空或令安住外空內外空空空大空勝
空有為空无為空畢竟空无際空散空无
異空本性空自相空共相空一切法空不
得空无性空自性空无性自性空或令安住
真如或令安住法界法性不虛妄性不變異
性平等性離生性法定法住實際虛空界不
思議界或令安住苦聖諦或令安住集滅道
聖諦或令脩行八解脫或令脩行八勝處九
次第定十遍處或令脩行一切陁羅尼門或
令脩行一切三摩地門或令脩行極喜地或
令脩行離垢地發光地焰慧地極難勝地現
前地遠行地不動地善慧地法雲地或令脩
行五眼或令脩行六神通或令脩行佛十力
或令脩行四无所畏四无礙解十八佛不共法
或令脩行大慈或令脩行大悲大喜大捨
或令脩行无忘失法或令脩行恒住捨性
或令脩行一切智或令脩行道相智一切相

BD03155號　大般若波羅蜜多經卷三八二　（22–1）

或令脩行大慈或令脩行大悲大喜大捨
或令脩行无忘失法或令脩行恒住捨性
或令脩行一切智或令脩行道相智一切相
智或令脩行三十二大士相或令脩行八十
隨好或令證得預流果或令證得一來不還
阿羅漢果獨覺菩提或令證得菩薩勝位
或令證得諸佛無上正等菩提善現於汝意云
何是時化佛及所化眾頗於諸法有所分別
有破壞不善現荅言不也世尊不也善逝諸
所變化無分別故
佛言善現由此因緣當知菩薩摩訶薩亦復
如是行深般若波羅蜜多為諸有情如應說
法雖不分別破壞法相而能如實安立有情
令其安住所應住地雖於有情及一切法都
無所得而令有情解脫妄想顛倒執著無縛
無脫為方便故所以者何善現色本性無縛
無脫受想行識本性亦無縛無脫色本性
無縛無脫則非色受想行識本性亦無縛
無脫則非受想行識何以故色乃至識畢竟
淨故善現眼處本性無縛無脫耳鼻舌身意
處本性亦無縛無脫眼處本性無縛無脫則
非眼處耳鼻舌身意處本性亦無縛無脫則
非耳鼻舌身意處何以故眼處乃至意處畢
竟淨故善現色處本性無縛無脫聲香味觸
法處本性亦無縛無解色處本性無縛無解
則非色處聲香味觸法處本性亦无縛无解

BD03155號　大般若波羅蜜多經卷三八二　（22–2）

非耳鼻舌身意處何以故眼處乃至意處畢
竟淨故善現色處本性無縛無脫聲香味觸
法處本性亦無縛無解色處本性無縛無解
則非色處聲香味觸法處本性亦无縛无解
則非聲香味觸法處何以故色處乃至法處
畢竟淨故善現眼界本性无縛无脫耳鼻
舌身意界本性亦无縛无脫眼界本性无縛无
脫則非眼界耳鼻舌身意界本性亦无縛无
脫則非耳鼻舌身意界何以故眼界乃至意
界畢竟淨故善現色界本性无縛无脫聲香
味觸法界本性亦无縛无脫色界本性無縛
無脫則非色界聲香味觸法界本性亦無縛
無脫則非聲香味觸法界何以故色界乃至
法界畢竟淨故善現眼識界本性无縛无脫
耳鼻舌身意識界本性亦无縛无脫眼識界
本性无縛无脫則非眼識界耳鼻舌身意
識界亦无縛无脫則非耳鼻舌身意識界
何以故眼識界乃至意識界畢竟淨故善
現眼觸本性无縛无脫耳鼻舌身意觸本
性亦无縛无脫眼觸本性无縛无脫則非眼
觸耳鼻舌身意觸本性亦无縛无脫則非
耳鼻舌身意觸何以故眼觸乃至意觸畢竟淨
故善現眼觸為緣所生諸受本性无縛无脫
耳鼻舌身意觸為緣所生諸受本性亦无縛
无脫眼觸為緣所生諸受本性无縛无脫則
非眼觸為緣所生諸受耳鼻舌身意觸為緣
所生諸受本性亦无縛无脫則非耳鼻舌身

BD03155號　大般若波羅蜜多經卷三八二　（22–3）

耳鼻舌身意觸為緣所生諸受本性亦无縛
无脫眼觸為緣所生諸受本性无縛无脫則
非眼觸為緣所生諸受耳鼻舌身意觸為緣
所生諸受本性亦无縛无脫則非耳鼻舌身
意觸為緣所生諸受何以故眼觸為緣所生
諸受乃至意觸為緣所生諸受畢竟淨故善
現地界本性无縛无脫水火風空識界本性
亦无縛无脫地界本性无縛无脫則非地界
水火風空識界本性亦无縛无脫則非水火
風空識界何以故地水火風空識界畢竟淨
故善現因緣本性无縛无脫等无間緣所緣
緣增上緣本性亦无縛无脫因緣本性无縛
无脫則非因緣等無間緣所緣緣增上緣本
性亦無縛无脫則非等无間緣所緣緣增上
緣何以故因緣乃至增上緣畢竟淨故善現
從諸緣所生法本性无縛无脫從諸緣所生
法本性无縛无脫則非從諸緣所生法何以
故從諸緣所生法畢竟淨故善現無明本性
无縛無脫行識名色六處觸受愛取有生老
死愁歎苦憂惱本性亦无縛无脫无明本性
无縛无脫則非无明行乃至老死愁歎苦憂
惱本性亦無縛無脫則非行乃至老死愁歎
苦憂惱何以故无明乃至老死愁歎苦憂惱
畢竟淨故善現布施波羅蜜多本性无縛无
脫淨戒安忍精進靜慮般若波羅蜜多本性
亦无縛无脫布施波羅蜜多本性无縛無

BD03155號　大般若波羅蜜多經卷三八二　（22–4）

畢竟淨故善現布施波羅蜜多本性无縛无
脫淨戒安忍精進靜慮般若波羅蜜多本性
亦无縛无脫布施波羅蜜多本性无縛無
脫則非布施波羅蜜多淨戒安忍精進靜慮
般若波羅蜜多本性亦无縛无脫則非淨戒
安忍精進靜慮般若波羅蜜多何以故布施
乃至般若波羅蜜多畢竟淨故善現四靜慮
本性无縛无脫四无量四无色定本性亦
无縛无脫四靜慮本性无縛无脫則非四靜
慮四无量四无色定本性亦无縛无脫則非
四无量四无色定何以故四靜慮四无量四无
色定畢竟淨故善現四念住本性无縛无
脫四正斷四神足五根五力七等覺支八聖
道支本性亦无縛无脫四念住本性无縛无
脫則非四念住四正斷乃至八聖道支本性亦
无縛无脫則非四正斷乃至八聖道支何
以故四念住乃至八聖道支畢竟淨故善現
空解脫門本性无縛无脫无相无願解脫門
本性亦無縛無脫空解脫門本性無縛無脫
則非空解脫門無相無願解脫門本性亦無
縛無脫則非無相無願解脫門何以故空無
相无願解脫門畢竟淨故善現內空本性无
縛无脫外空內外空空空大空勝義空有為
空無為空畢竟空无際空散空无變異空本
性空自相空共相空一切法空不可得空无
性空自性空无性自性空本性无縛无脫內

BD03155號　大般若波羅蜜多經卷三八二　（22–5）

縛无脫外空內外空空空大空勝義空有爲
空無爲空畢竟空无際空散空无變異空本
性空自相空共相空一切法空不可得空无
性空自性空无性自性空本性无縛无脫內
空本性无縛无脫則非內空外空乃至无性
自性空本性亦無縛無脫則非外空乃至无
性自性空何以故內空乃至无性自性空畢
竟淨故善現苦聖諦本性无縛无脫集滅
道聖諦本性亦无縛无脫苦聖諦本性无縛无
脫則非苦聖諦集滅道聖諦本性亦无縛无
脫則非集滅道聖諦何以故苦集滅道聖諦
畢竟淨故善現八解脫本性无縛无脫八勝
處九次第定十遍處本性亦无縛无脫八解
脫本性无縛无脫則非八解脫八勝處九次
第定十遍處本性亦无縛无脫則非八勝處九
次第定十遍處何以故八解脫乃至十遍處
畢竟淨故善現一切陁羅尼門本性无縛无
脫一切三摩地門本性亦无縛无脫一切陁
羅尼門本性无縛无脫則非一切陁羅尼門
一切三摩地門本性亦无縛无脫則非一切
三摩地門何以故一切陁羅尼門一切三摩
地門畢竟淨故善現極喜地本性无縛无脫
離垢地發光地焰慧地極難勝地現前地遠
行地不動地善慧地法雲地本性亦无縛无
脫極喜地本性无縛无脫則非極喜地離垢
地乃至法雲地本性亦无縛无脫則非離垢
地乃至法雲地何以故極喜地乃至法雲地

BD03155號　大般若波羅蜜多經卷三八二　（22–6）

離垢地發光地焰慧地極難勝地現前地遠
行地不動地善慧地法雲地本性亦无縛无
脫極喜地本性无縛无脫則非極喜地離垢
地乃至法雲地本性亦无縛无脫則非離垢
地乃至法雲地何以故極喜地乃至法雲地
畢竟淨地善現五眼本性无縛无脫六神通
本性亦无縛无脫五眼本性无縛无脫則非
五眼六神通本性亦无縛无脫則非六神通
何以故五眼六神通畢竟淨故善現佛十力
本性无縛无脫四无所畏四无礙解十八佛
不共法本性亦无縛无脫佛十力本性无縛
无脫則非佛十力四无所畏乃至十八佛不
共法本性亦无縛无脫則非四无所畏乃至
十八佛不共法何以故佛十力乃至十八佛
不共法畢竟淨故善現大慈本性无縛无脫
大悲大喜大捨本性亦无縛无脫大慈本性
无縛无脫則非大慈大悲大喜大捨本性亦
无縛无脫則非大悲大喜大捨何以故大慈
乃至大捨畢竟淨故善現无忘失法本性
无縛无脫恒住捨性本性亦无縛无脫无忘失
法本性无縛无脫則非无忘失法恒住
捨性本性亦无縛无脫則非恒住捨性何
以故无忘失法恒住捨性畢竟淨故善現
一切智本性无縛无脫道相智一切相智
本性亦无縛无脫一切智本性无縛无脫
則非一切智道相智一切相智本性亦无縛
无脫則非道相智一切相智何以故一切智

BD03155號　大般若波羅蜜多經卷三八二　（22–7）

一切智本性无縛无脫道相智一切相智
本性亦无縛无脫一切智本性无縛无脫
則非一切智道相智一切相智本性亦无縛
无脫則非道相智一切相智何以故一切智
道相智一切相智畢竟淨故善現三十二大
士相本性无縛无脫八十隨好本性亦無縛
无脫三十二大士相本性无縛无脫則非三
十二大士相八十隨好本性亦无縛无脫則
非八十隨好何以故三十二大士相八十隨
好畢竟淨故善現預流果本性无縛无脫一
来不還阿羅漢果獨覺菩提本性亦无縛无
脫預流果本性无縛无脫則非預流果一来
不還阿羅漢果獨覺菩提本性亦无縛无
脫則非一来不還阿羅漢果獨覺菩提何
以故預流果乃至獨覺菩提畢竟淨故善
現一切菩薩摩訶薩行本性无縛无脫諸
佛无上正等菩提本性亦无縛无脫一切菩
薩摩訶薩行本性无縛无脫則非一切菩
薩摩訶薩行諸佛无上正等菩提本性亦无
縛无脫則非諸佛无上正等菩提何以故一
切菩薩摩訶薩行諸佛无上正等菩提畢竟
淨故善現世間法本性无縛无脫出世間法
本性亦无縛无脫世間法本性无縛无脫
則非世間法出世間法本性亦无縛无脫
則非出世間法何以故世間出世間法畢竟
淨故善現有漏法本性无縛无脫无漏法

則非世間法出世間法本性亦无縛无脫
則非出世間法何以故世間出世間法畢竟
淨故善現有漏法本性无縛无脫无漏法
本性亦无縛无脫有漏法本性无縛无脫
則非有漏法无漏法本性亦无縛无脫則
非无漏法何以故有漏无漏法畢竟淨故
善現有為法本性无縛无脫无為法本
性亦无縛无脫有為法本性无縛无脫則
非有為法无為法本性亦无縛无脫則非
无為法何以故有為无為法畢竟淨故如
是善現菩薩摩訶薩行深般若波羅蜜多
則雖為有情宣說諸法而於有情及諸法
性都無所得何以故以諸有情及一切法不
可得故

復次善現菩薩摩訶薩行深般若波羅蜜
多時以无所住為方便故住一切法无所得
中謂以无所住為方便故住色空以无所住
為方便故住受想行識空以无所住為方便
故住眼處空以无所住為方便故住耳鼻舌
身意處空以无所住為方便故住色處空以
无所住為方便故住聲香味觸法處空以
无所住為方便故住眼界空以无所住為
方便故住耳鼻舌身意界空以无所住為
方便故住色界空以无所住為方便故住聲
香味觸法界空以无所住為方便故住眼識
界空以无所住為方便故住耳鼻舌身意識

方便故住耳鼻舌身意界空以无所住為
方便故住色界空以无所住為方便故住聲
香味觸法界空以无所住為方便故住眼識
界空以无所住為方便故住耳鼻舌身意識
界空以无所住為方便故住眼觸空以无所
住為方便故住耳鼻舌身意觸空以無所
住為方便故住眼觸為緣所生諸受空以无
所住為方便故住耳鼻舌身意觸為緣所
生諸受空以无所住為方便故住地界空
以无所住為方便故住水火風空識界空
以无所住為方便故住因緣空以无所住為
方便故住等无間緣所緣緣增上緣空以无
所住為方便故住從諸緣所生法空以无所
住為方便故住无明空以无所住為方便故
住行諸名色六處觸受愛取有生老死愁歎
苦憂惱空以无所住為方便故住布施波羅
蜜多空以無所住為方便故住淨戒安忍精
進靜慮般若波羅蜜多空以无所住為方便
故住四靜慮空以无所住為方便故住四无
量四无色定空以无所住為方便故住四
念住空以无所住為方便故住四正斷四神
足五根五力七等覺支八聖道支空以无所
住為方便故住空解脫門空以无所住為方
便故住无相无願解脫門空以无所住為方
便故住內空空以无所住為方便故住外空
內外空空空大空勝義空有為空无為空

BD03155號　大般若波羅蜜多經卷三八二　（22-10）

住為方便故住空解脫門空以无所住為方
便故住无相无願解脫門空以无所住為方
便故住內空空以无所住為方便故住外空
內外空空空大空勝義空有為空无為空
畢竟空无際空散空无變異空本性空自相
空共相空一切法空不可得空无性空自性空
无性自性空空以无所住為方便故住苦聖
諦空以无所住為方便故住集滅道聖諦空
以无所住為方便故住八解脫空以无所住
為方便故住八勝處九次第定十遍處空以
无所住為方便故住一切陁羅尼門空以
无所住為方便故住一切三摩地門空以无
所住為方便故住極喜地空以无所住為方
便故住離垢地發光地焰慧地極難勝地現
前地遠行地不動地善慧地法雲地空以无
所住為方便故住五眼空以无所住為方便
故住六神通空以无所住為方便故住佛十
力空以无所住為方便故住四无所畏四无
礙解十八佛不共法空以无所住為方便故
住大慈空以无所住為方便故住大悲大喜
大捨空以无所住為方便故住无忘失法空
以无所住為方便故住恒住捨性空以无所
住為方便故住一切智空以无所住為方便
故住道相智一切相智空以无所住為方便
故住三十二大士相空以无所住為方便
住八十隨好空以无所住為方便故住預流

BD03155號　大般若波羅蜜多經卷三八二　（22-11）

以无所住為方便故住恒住捨性空以无所
住為方便故住一切智空以无所住為方便
故住道相智一切相智空以无所住為方便
故住三十二大士相空以无所住為方便
住八十隨好空以无所住為方便故住預流
果空以无所住為方便住一來不還阿羅
漢果獨覺菩提空以无所住為方便故住一
切菩薩摩訶薩行空以无所住為方便故住
諸佛无上正等菩提空以无所住為方便故
住世間法空以无所住為方便故住出世世
間法空以无所住為方便故住有漏法空
以无所住為方便故住无漏法空以无所住
為方便故住有為法空以无所住為方便故
住无為法空
善現色无所住受想行識亦无所住色空无
所住受想行識空亦无所住何以故善現色
无自性不可得受想行識亦无自性不可得
色空无自性不可得受想行識空亦无自性
不可得非无自性不可得法有所住故善現
眼處无所住耳鼻舌身意處亦无所住
眼處空无所住耳鼻舌身意處空亦无所
住何以故善現眼處无自性不可得耳鼻舌
身意處亦无自性不可得眼處空无自性不
可得耳鼻舌身意處空亦无自性不可得
非无自性不可得法有所住故善現色處
無所住聲香味觸法處亦无所住色處空
無所住聲香味觸法處空亦无所住何

BD03155 號　大般若波羅蜜多經卷三八二　（22–12）

身意處亦无自性不可得眼處空无自性不
可得耳鼻舌身意處空亦无自性不可得
非无自性不可得法有所住故善現色處
無所住聲香味觸法處亦无所住色處空
無所住聲香味觸法處空亦无所住何
以故善現色處无自性不可得聲香味觸法
處亦无自性不可得色處空无自性不可得
聲香味觸法處空亦无自性不可得非无自
性不可得法有所住故善現眼界无所住耳
鼻舌身意界亦无所住眼界空无所住耳
鼻舌身意界空亦无所住何以故善現眼界
无自性不可得耳鼻舌身意界亦无自性不
可得眼界空无自性不可得耳鼻舌身意界
空亦无自性不可得非无自性不可得法有
所住故善現色界无所住聲香味觸法界亦
无所住色界空无所住聲香味觸法界空亦
无所住何以故善現色界无自性不可得聲
香味觸法界亦无自性不可得色界空无自
性不可得聲香味觸法界空亦无自性不可
得非无自性不可得法有所住故善現眼識
界無所住耳鼻舌身意識界亦无所住眼識
界空无所住耳鼻舌身意識界空亦无所住
何以故善現眼識界无自性不可得耳鼻舌
身意識界亦无自性不可得眼識界空无自
性不可得耳鼻舌身意識界空亦无自性不
可得非无自性不可得法有所住故善現眼

BD03155 號　大般若波羅蜜多經卷三八二　（22–13）

何以故善現眼識界无自性不可得耳鼻舌
身意識界亦无自性不可得眼識界空无自
性不可得耳鼻舌身意識界空亦无自性不
可得非无自性不可得法有所住故善現眼
觸无所住耳鼻舌身意觸亦无所住眼觸空
无所住耳鼻舌身意觸空亦无所住何以故
善現眼觸无自性不可得耳鼻舌身意觸亦
无自性不可得眼觸空无自性不可得耳鼻
舌身意觸空亦无自性不可得非无自性不
可得法有所住故善現眼觸為緣所生諸受
无所住耳鼻舌身意觸為緣所生諸受亦无
所住眼觸為緣所生諸受空无所住耳鼻舌
身意觸為緣所生諸受空亦无所住何以故
善現眼觸為緣所生諸受无自性不可得耳
鼻舌身意觸為緣所生諸受亦无自性不可
得眼觸為緣所生諸受空无自性不可得耳
鼻舌身意觸為緣所生諸受空亦无自性不
可得非无自性不可得法有所住故善現地
界无所住水火風空識界亦无所住地界空
无所住水火風空識界空亦无所住何以故
善現地界无自性不可得水火風空識界亦
無自性不可得地界空无自性不可得水火
風空識界空亦无自性不可得非无自性不
可得法有所住故善現因緣无所住等无間
緣所緣緣增上緣亦无所住因緣空无所住
等無間緣所緣緣增上緣空亦无所住何以

BD03155號　大般若波羅蜜多經卷三八二　（22–14）

無自性不可得地界空无自性不可得水火
風空識界空亦无自性不可得非无自性不
可得法有所住故善現因緣无所住等无間
緣所緣緣增上緣亦无所住因緣空无所住
等無間緣所緣緣增上緣空亦无所住何以
故善現因緣无自性不可得等无間緣所緣
緣增上緣亦无自性不可得因緣空无自性
不可得等无間緣所緣緣增上緣空亦无自
性不可得非无自性不可得法有所住故善
現從諸緣所生法无所住從諸緣所生法空
亦无所住何以故善現從諸緣所生法无自
性不可得從諸緣所生法空亦无自性不可
得非无自性不可得法有所住故善現无明
无所住行識名色六處觸受愛取有生老死
愁歎苦憂惱亦无所住无明空无所住行乃
至老死愁歎苦憂惱空亦无所住何以故善
現无明无自性不可得行乃至老死愁歎苦
憂惱亦无自性不可得无明空无自性不可
得行乃至老死愁歎苦憂惱空亦无自性不
可得非无自性不可得法有所住故
善現布施波羅蜜多无所住淨戒安忍精進
靜慮般若波羅蜜多亦无所住布施波羅蜜
多空无所住淨戒安忍精進靜慮般若波羅
蜜多空亦无所住何以故善現布施波羅
蜜多无自性不可得淨戒安忍精進靜慮般
若波羅蜜多亦无自性不可得布施波羅蜜

BD03155號　大般若波羅蜜多經卷三八二　（22–15）

蜜多空亦无所住何以故善現布施波羅
蜜多无自性不可得淨戒安忍精進靜慮般
若波羅蜜多亦无自性不可得布施波羅蜜
多空无自性不可得淨戒安忍精進靜慮般
若波羅蜜多空亦无自性不可得非无自性
不可得法有所住故善現四靜慮无所住四
无量四无色定亦无所住四靜慮空无所
住四无量四无色定空亦無所住何以故
善現四靜慮无自性不得四无量四无色
定亦无自性不可得四靜慮空无自性不可
得四无量四无色定空亦无自性不可得非
无自性不可得法有所住故善現四念住
无所住四正斷四神足五根五力七等覺支
八聖道支亦无所住四念住空无所住四正
斷乃至八聖道支空亦无所住何以故善現
四念住无自性不可得四正斷乃至八聖道
支亦无自性不可得四念住空无自性不可
得四正斷乃至八聖道支空亦无自性不可
得非无自性不可得法有所住故善現空解
脫門无所住无相无願解脫門亦无所住
空解脫門空无所住无相无願解脫門空
亦无所住何以故善現空解脫門无自性不
可得无相无願解脫門亦无自性不可得空
解脫門空无自性不可得无相无願解
脫門空亦无自性不可得非无自性不可得
法有所住故善現內空无所住外空內外空

BD03155號　大般若波羅蜜多經卷三八二　(22–16)

解脫門空无自性不可得无相无願解
脫門空亦无自性不可得非无自性不可得
法有所住故善現內空无所住外空內外空
空空大空勝義空有為空无為空畢竟空
无際空散空无變異空本性空自相空共相空
一切法空不可得空无性空自性空无性自
性空亦无所住內空空无所住外空乃至
无性自性空空亦无所住何以故善現內空
无自性不可得外空乃至无性自性空亦无
自性不可得內空空无自性不可得外空乃
至无性自性空空亦无自性不可得非无自
性不可得法有所住故善現苦聖諦无所
住集滅道聖諦亦无所住苦聖諦空无所
住集滅道聖諦空亦无所住何以故善現苦
聖諦无自性不可得集滅道聖諦亦无自
性不可得苦聖諦空无自性不可得集滅道
聖諦空亦無自性不可得非自性不可得
法有所住故善現八解脫无所住八勝處九
次第定十遍處亦无所住八解脫空无所住
八勝處九次第定十遍處空亦无所住何以
故善現八解脫无自性不可得八勝處九次
第定十遍處亦无自性不可得八解脫空无
自性不可得八勝處九次第定十遍處空亦
无自性不可得非无自性不可得法有所住
故善現一切陀羅尼門无所住一切三摩地
門亦无所住一切陀羅尼門空无所住一切

BD03155號　大般若波羅蜜多經卷三八二　(22–17)

自性不可得八勝處九次第定十遍處空亦
无自性不可得非无自性不可得法有所住
故善現一切陁羅尼門无所住一切三摩地
門亦无所住一切陁羅尼門空无所住一切
三摩地門空亦无所住何以故善現一切陁
羅尼門无自性不可得一切三摩地門亦无
自性不可得一切陁羅尼門空无自性不可
得一切三摩地門空亦无自性不可得非无
自性不可得法有所故善現極喜地无所
住離垢地發光地焰慧地極難勝地現前地
遠行地不動地善慧地法雲地亦无所住極
喜地空无所住離垢地乃至法雲地空亦无
所住何以故善現極喜地无自性不可得離
垢地乃至法雲地亦无自性不可得極喜地
空无自性不可得離垢地乃至法雲地空亦
无自性不可得非无自性不可得法有所住
故
善現五眼无所住六神通亦无所住五眼空
无所住六神通空亦无所住何以故善現五
眼无自性不可得六神通亦无自性不可得
五眼空无自性不可得六神通空亦无自性
不可得非无自性不可得法有所住故善現
佛十力无所住四无所畏四无礙解十八佛
不共法亦无所住佛十力空无所住四无所
畏四无礙解十八佛不共法空亦无所住何
以故善現佛十力无自性不可得四无所畏
四无礙解十八佛不共法亦无自性不可得

BD03155號　大般若波羅蜜多經卷三八二　(22–18)

不共法亦无所住佛十力空无所住四无所
畏四无礙解十八佛不共法空亦无所住何
以故善現佛十力无自性不可得四无所畏
四无礙解十八佛不共法亦无自性不可得
佛十力空无自性不可得四无所畏四无礙
解十八佛不共法空亦无自性不可得非无
自性不可得法有所住故善現大慈无所住
大悲大喜大捨亦无所住大慈空无所住大
悲大喜大捨空亦无所住何以故善現大慈
无自性不可得大悲大喜大捨亦无自性不
可得大慈空无自性不可得大悲大喜大捨
空亦无自性不可得非无自性不可得法有
所故善現无忘失法无所住恒住捨性亦
无所住忘失法空无所住恒住捨性空亦
无所住何以故善現无忘失法无自性不可
得恒住捨性亦无自性不可得无忘失法空
无自性不可得恒住捨性空亦无自性不可
得非无自性不可得法有所住故善現一切
智无所住道相智一切相智亦无所住一切智
空无所住道相智一切相智空亦无所住何
以故善現一切智无自性不可得道相智一
切相智亦无自性不可得一切智空无自性
不可得道相智一切智空亦无自性不可
得非无自性不可得法有所住故
善現三十二大士相无所住八十隨好亦无
所住三十二大士相空无所住八十隨好空

BD03155號　大般若波羅蜜多經卷三八二　(22–19)

以故善現一切智无自性不可得道相智一
切相智亦无自性不可得一切智空无自性
不可得道相智一切相智空亦无自性不可
得非无自性不可得法有所住故
善現三十二大士相无所住八十隨好亦无
所住三十二大士相空无所住八十隨好空
亦无所住何以故善現三十二大士相无自
性不可得八十隨好亦无自性不可得三十
二大士相空无自性不可得八十隨好空亦
无自性不可得非无自性不可得法有所住
故善現預流果无所住一來不還阿羅漢果
獨覺菩提亦无所住預流果空无所住一來
不還阿羅漢果獨覺菩提空亦无所住何以
故善現預流果无自性不可得一來不還阿
羅漢果獨覺菩提亦无自性不可得預流果
空无自性不可得一來不還阿羅漢果獨覺
菩提空亦无自性不可得非无自性不可得
法有所住故善現一切菩薩摩訶薩行无所
住諸佛无上正等菩提亦无所住一切菩薩
摩訶薩行空无所住諸佛无上正等菩提
空亦无所住何以故善現一切菩薩摩訶薩
行无自性不可得諸佛无上正等菩提亦无
自性不可得一切菩薩摩訶薩行空无自性
不可得諸佛无上正等菩提空亦无自性不
可得非无自性不可得法有所住故善現世
間法无所住出世間法亦无所住世間法空

BD03155號　大般若波羅蜜多經卷三八二　（22–20）

自性不可得一切菩薩摩訶薩行空无自性
不可得諸佛无上正等菩提空亦无自性不
可得非无自性不可得法有所住故善現世
間法无所住出世間法亦无所住世間法空
无所住出世間法空亦无所住何以故善現
世間法无自性不可得出世間法亦无自性
不可得世間法空无自性不可得出世間法
空亦无自性不可得非無自性不可得法有
所住故善現有漏法无所住无漏法亦无所
住有漏法空无所住无漏法空亦无所住何
以故善現有漏法无自性不可得无漏法亦
无自性不可得有漏法空无自性不可得无
漏法空亦无自性不可得非无自性不可
得法有所住故善現有為法无所住无為法
亦无所住有為法空无所住无為法空亦无
所住何以故善現有為法无自性不可得无
為法无自性不可得有為法空无自性不可
得无為法空亦无自性不可得非无自性不
可得法有所住故
善現非无性法住无性法非有性法住有性
法非无性法住有性法非有性法住无性法
非自性法住自性法非他性法住他性法非
自性法住他性法非他性法住自性法何以
故是一切法皆不可得不可得法當何所住
如是善現菩薩摩訶薩行深般若波羅蜜
多時以是諸空備遣諸法亦能如實說示有
情善現若菩薩摩訶薩能如是行甚深般

BD03155號　大般若波羅蜜多經卷三八二　（22–21）

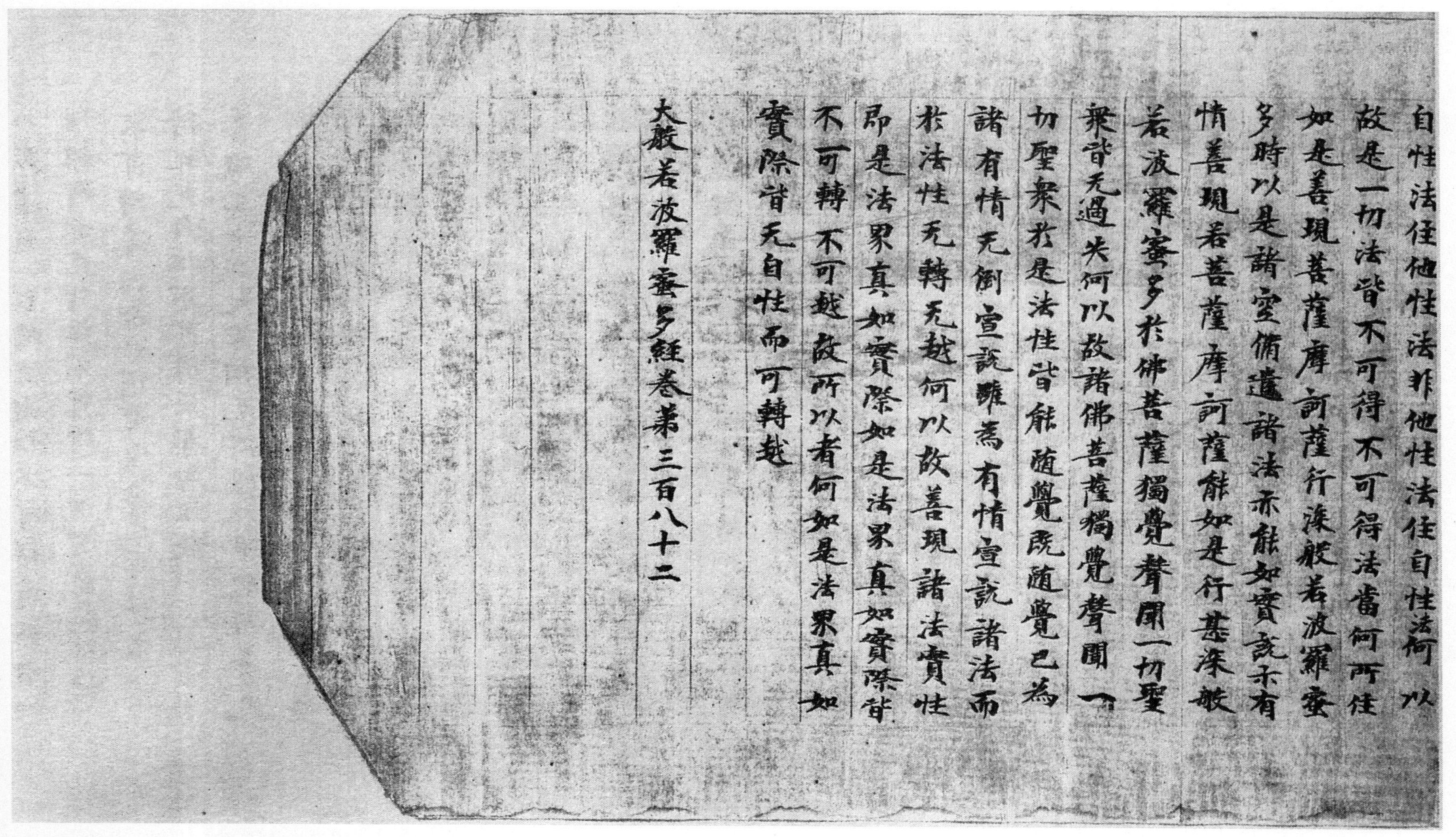
自性法住他性法非他性法住自性法何以
故是一切法皆不可得不可得法當何所住
如是善現菩薩摩訶薩行深般若波羅蜜
多時以是諸空備遣諸法亦能如實說示有
情善現若菩薩摩訶薩能如是行甚深般
若波羅蜜多於佛菩薩獨覺聲聞一切聖
衆皆无過失何以故諸佛菩薩獨覺聲聞一
切聖衆於是法性皆能隨覺既隨覺已為
諸有情无倒宣說雖為有情宣說諸法而
於法性无轉无越何以故善現諸法實性
即是法界真如實際如是法界真如實際皆
不可轉不可越故所以者何如是法界真如
實際皆无自性而可轉越

大般若波羅蜜多經卷第三百八十二

BD03155 號　大般若波羅蜜多經卷三八二　（22–22）

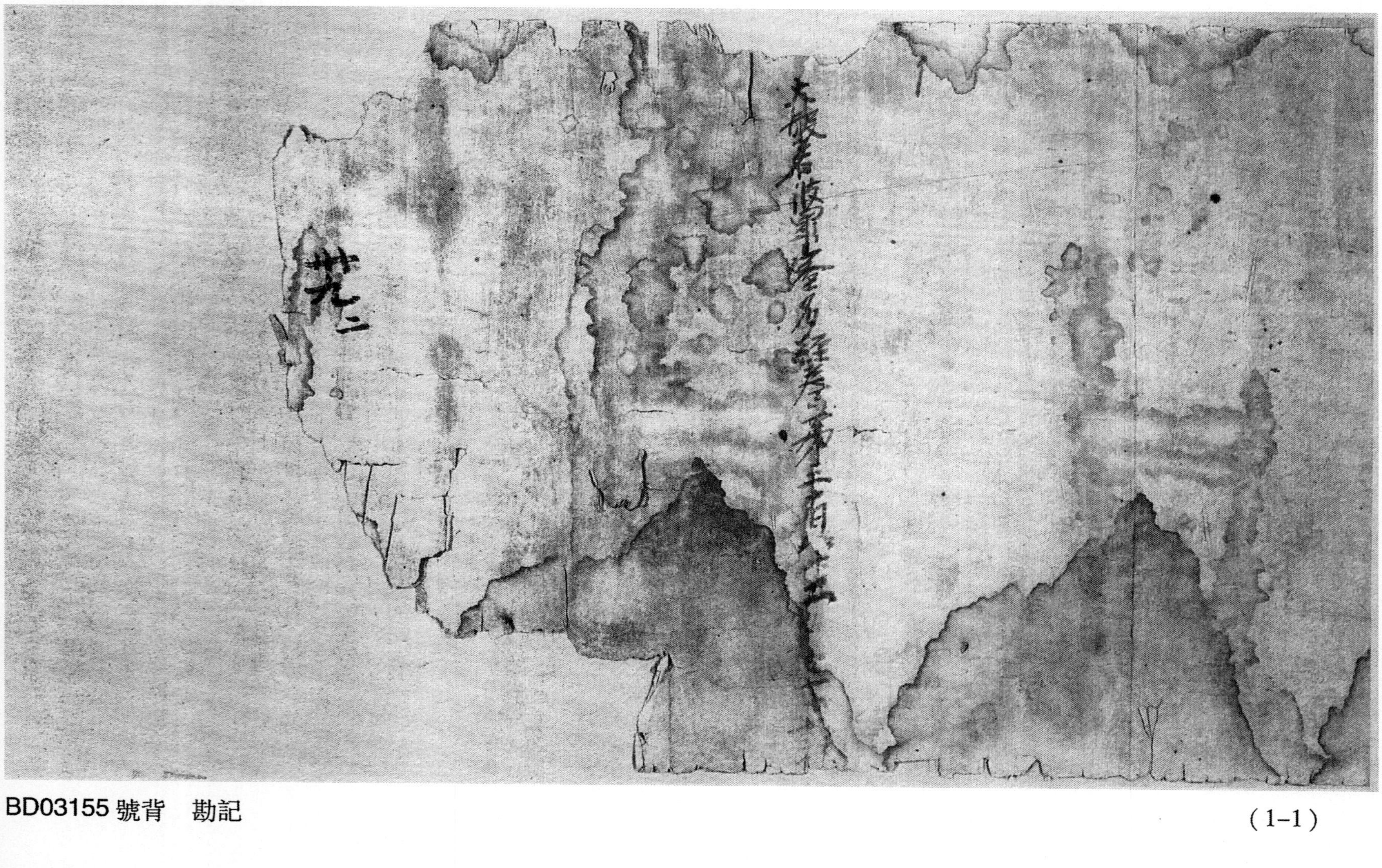

大般若波羅蜜多經卷第三百八十二

BD03155 號背　勘記　（1–1）

……法　□受不可稱
……於千万億劫　不聞佛名字
……度　是故舍利弗　我為設方便
……以涅槃　我雖說涅槃　是亦非真滅
……常自寂滅相　佛子行道已　來世得作佛
……示三乘法　一切諸世尊　皆說一乘道
……衆　皆應除疑惑　諸佛語无異　唯一无二乘
……劫　无量滅度佛　百千万億種　其數不可量
……世尊　種種緣譬喻　无數方便力　演說諸法相
是諸世尊等　皆說一乘法　化无量衆生　令入於佛道
又諸大聖主　知一切世間　天人羣生類　深心之所欲
更以異方便　助顯第一義　若有衆生類　值諸過去佛
若聞法布施　或持戒忍辱　精進禪智等　種種脩福德
如是諸人等　皆已成佛道　諸佛滅度已　若人善軟心
如是諸衆生　皆已成佛道　諸佛滅度已　供養舍利者
起万億種塔　金銀及頗梨　車𤦲與馬瑙　玫瑰瑠璃珠
清淨廣嚴飾　莊校於諸塔　或有起石廟　栴檀及沉水
木櫁并餘材　塼瓦泥土等　若於曠野中　積土成佛廟
乃至童子戲　聚沙為佛塔　如是諸人等　皆已成佛道
若人為佛故　建立諸形像　刻彫成衆相　皆已成佛道
或以七寶成　鍮石赤白銅　白鑞及鉛錫　鐵木及與泥
或以膠漆布　嚴飾作佛像　如是諸人等　皆已成佛道
彩畫作佛像　百福莊嚴相　自作若使人　皆已成佛道

BD03156號　妙法蓮華經卷一　（5-1）

乃至童子戲　聚沙為佛塔　如是諸人等　皆已成佛道
若人為佛故　建立諸形像　刻彫成衆相　皆已成佛道
或以七寶成　鍮石赤白銅　白鑞及鉛錫　鐵木及與泥
或以膠漆布　嚴飾作佛像　如是諸人等　皆已成佛道
彩畫作佛像　百福莊嚴相　自作若使人　皆已成佛道
乃至童子戲　若草木及筆　或以指爪甲　而畫作佛像
如是諸人等　漸漸積功德　具足大悲心　皆已成佛道
但化諸菩薩　度脫无量衆　若人於塔廟　寶像及畫像
以華香幡蓋　敬心而供養　若使人作樂　擊鼓吹角貝
簫笛琴箜篌　琵琶鐃銅䥫　如是衆妙音　盡持以供養
或以歡喜心　歌唄頌佛德　乃至一小音　皆已成佛道
若人散亂心　乃至以一華　供養於畫像　漸見无數佛
或有人禮拜　或復但合掌　乃至舉一手　或復小低頭
以此供養像　漸見无量佛　自成无上道　廣度无數衆
入无餘涅槃　如薪盡火滅　若人散亂心　入於塔廟中
一稱南无佛　皆已成佛道　於諸過去佛　在世或滅後
若有聞是法　皆已成佛道　未來諸世尊　其數无有量
是諸如來等　亦方便說法　一切諸如來　以无量方便
度脫諸衆生　入佛无漏智　若有聞法者　无一不成佛
諸佛本誓願　我所行佛道　普欲令衆生　亦同得此道
未來世諸佛　雖說百千億　无數諸法門　其實為一乘
諸佛兩足尊　知法常无性　佛種從緣起　是故說一乘
是法住法位　世間相常住　於道場知已　導師方便說
天人所供養　現在十方佛　其數如恒沙　出現於世間
安隱衆生故　亦說如是法　知第一寂滅　以方便力故
雖示種種道　其實為佛乘　知衆生諸行　深心之所念

BD03156號　妙法蓮華經卷一　（5-2）

是法住法位　世間相常住　於道場知已　導師方便說
天人所供養　現在十方佛　其數如恒沙　出現於世間
安隱眾生故　亦說如是法　知弟一寂滅　以方便力故
雖示種種道　其實為佛乘　知眾生諸行　深心之所念
過去所習業　欲性精進力　及諸根利鈍　以種種因緣
譬喻亦言辭　隨應方便說　今我亦如是　安隱眾生故
以種種法門　宣示於佛道　我以智慧力　知眾生性欲
方便說諸法　皆令得歡喜　舍利弗當知　我以佛眼觀
見六道眾生　貧窮无福慧　入生死險道　相續苦不斷
深著於五欲　如犛牛愛尾　以貪愛自蔽　盲瞑无所見
不求大勢佛　及與斷苦法　深入諸邪見　以苦欲捨苦
為是眾生故　而起大悲心　我始坐道場　觀樹亦經行
於三七日中　思惟如是事　我所得智慧　微妙㝡弟一
眾生諸根鈍　著樂癡所盲　如斯之等類　云何而可度
尒時諸梵王　及諸天帝釋　護世四天王　及大自在天
并餘諸天眾　眷屬百千万　恭敬合掌礼　請我轉法輪
我即自思惟　若但讚佛乘　眾生沒在苦　不能信是法
破法不信故　墜於三惡道　我寧不說法　疾入於涅槃
尋念過去佛　所行方便力　我今所得道　亦應說三乘
作是思惟時　十方佛皆現　梵音慰喻我　善哉釋迦文
弟一之導師　得是无上法　隨諸一切佛　而用方便力
我等亦皆得　㝡妙弟一法　為諸眾生類　分別說三乘
少智樂小法　不自信作佛　是故以方便　分別說諸果
雖復說三乘　但為教菩薩　舍利弗當知　我聞聖師子
深淨微妙音　喜稱南无佛　復作如是念　我出濁惡世
如諸佛所說　我亦隨順行　思惟是事已　即趣波羅奈
諸法寂滅相　不可以言宣　以方便力故　為五比丘說

BD03156號　妙法蓮華經卷一　（5–3）

我等亦皆得　㝡妙弟一法　為諸眾生類　分別說三乘
少智樂小法　不自信作佛　是故以方便　分別說諸果
雖復說三乘　但為教菩薩　舍利弗當知　我聞聖師子
深淨微妙音　喜稱南无佛　復作如是念　我出濁惡世
如諸佛所說　我亦隨順行　思惟是事已　即趣波羅奈
諸法寂滅相　不可以言宣　以方便力故　為五比丘說
是名轉法輪　便有涅槃音　及以阿羅漢　法僧差別名
從久遠劫來　讚示涅槃法　生死苦永盡　我常如是說
舍利弗當知　我見佛子等　志求佛道者　无量千万億
咸以恭敬心　皆來至佛所　曾從諸佛聞　方便所說法
我即作是念　如來所以出　為說佛慧故　今正是其時
舍利弗當知　鈍根小智人　著相憍慢者　不能信是法
今我喜无畏　於諸菩薩中　正直捨方便　但說无上道
菩薩聞是法　疑網皆已除　千二百羅漢　悉亦當作佛
如三世諸佛　說法之儀式　我今亦如是　說无分別法
諸佛興出世　懸遠值遇難　正使出于世　說是法復難
无量无數劫　聞是法亦難　能聽是法者　斯人亦復難
譬如優曇華　一切皆愛樂　天人所希有　時時乃一出
聞法歡喜讚　乃至發一言　則為已供養　一切三世佛
是人甚希有　過於優曇華　汝等勿有疑　我為諸法王
普告諸大眾　但以一乘道　教化諸菩薩　无聲聞弟子
汝等舍利弗　聲聞及菩薩　當知是妙法　諸佛之秘要
以五濁惡世　但樂著諸欲　如是等眾生　終不求佛道
當來世惡人　聞佛說一乘　迷惑不信受　破法墮惡道
有慚愧清淨　志求佛道者　當為如是等　廣讚一乘道
舍利弗當知　諸佛法如是　以万億方便　隨宜而說法
其不習學者　不能曉了此　汝等既已知　諸佛世之師

BD03156號　妙法蓮華經卷一　（5–4）

諸佛興出世　懸遠值遇難　正使出于世　說是法復難
无量无數劫　聞是法亦難　能聽是法者　斯人亦復難
譬如優曇華　一切皆愛樂　天人所希有　時時乃一出
聞法歡喜讚　乃至發一言　則為已供養　一切三世佛
是人甚希有　過於優曇華　汝等勿有疑　我為諸法王
普告諸大衆　但以一乘道　教化諸菩薩　无聲聞弟子
汝等舍利弗　聲聞及菩薩　當知是妙法　諸佛之祕要
以五濁惡世　但樂著諸欲　如是等衆生　終不求佛道
當來世惡人　聞佛說一乘　迷惑不信受　破法墮惡道
有慚愧清淨　志求佛道者　當為如是等　廣讚一乘道
舍利弗當知　諸佛法如是　以万億方便　隨宜而說法
其不習學者　不能曉了此　汝等既已知　諸佛世之師
隨宜方便事　无復諸疑惑　心生大歡喜　自知當作佛

妙法蓮華經卷第一

BD03156號　妙法蓮華經卷一　（5–5）

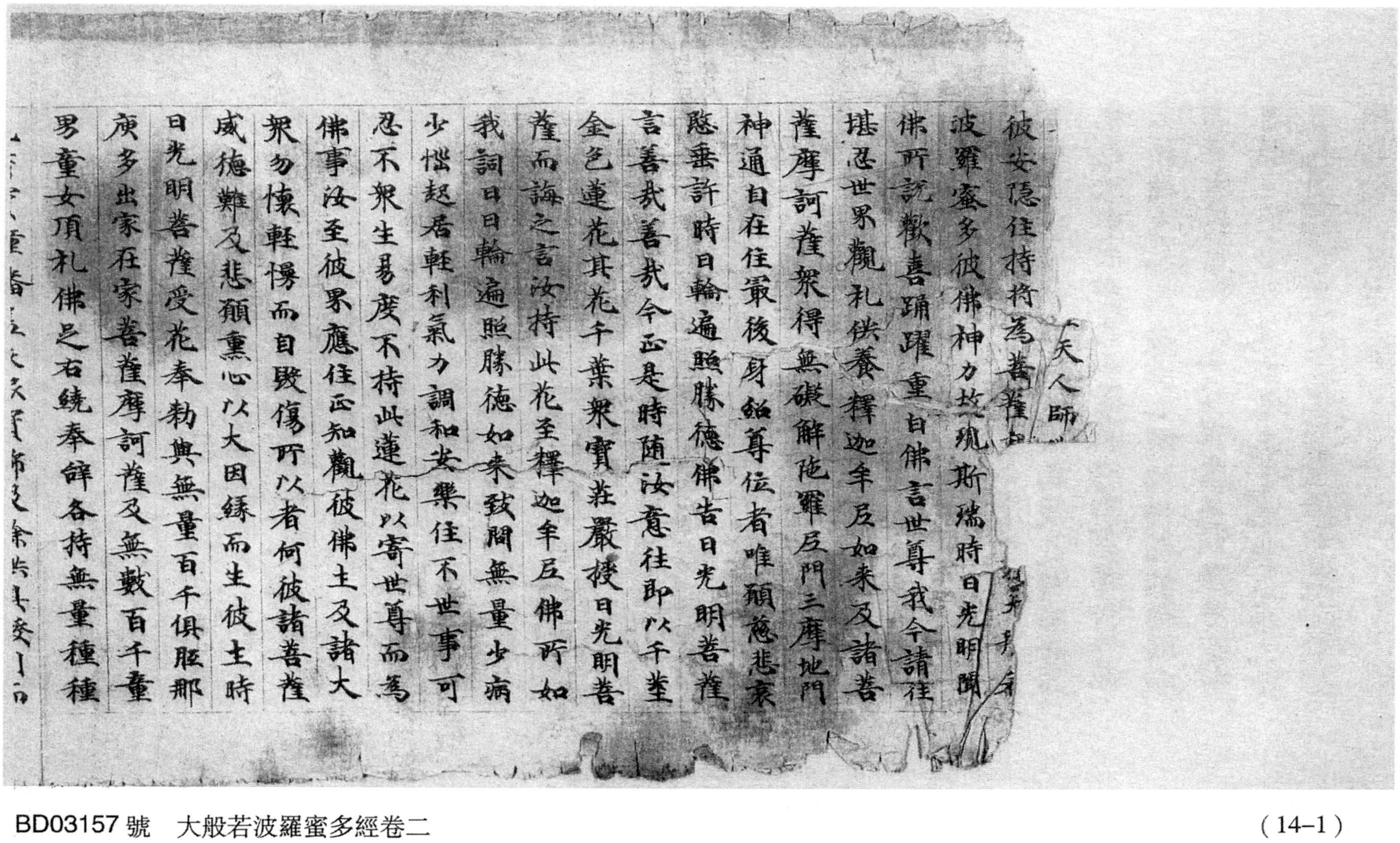

彼安隱住持將為菩薩如
天人師
波羅蜜多彼佛神力故現斯瑞時日光明聞
佛所說歡喜踊躍重白佛言世尊我今請往
堪忍世界觀礼供養釋迦牟尼如来及諸菩
薩摩訶薩衆得無礙解陀羅尼門三摩地門
神通自在住冣後身紹尊位者唯願慈悲哀
愍垂許時日輪遍照勝德佛告日光明菩薩
言善哉善哉今正是時隨汝意往即以千莖
金色蓮花其花千葉衆寶莊嚴授日光明菩
薩而誨之言汝持此花至釋迦牟尼佛所如
我詞曰日輪遍照勝德如来致問無量少病
少惱起居輕利氣力調和安樂住不世事可
忍不衆生易度不持此蓮花以寄世尊而為
佛事汝至彼界應住正知觀彼佛土及諸大
衆勿懷輕慢而自毀傷所以者何彼諸菩薩
威德難及悲願熏心以大因緣而生彼土時
日光明菩薩受花奉勅與無量百千俱胝那
庾多出家在家菩薩摩訶薩及無數百千童
男童女頂礼佛足右繞奉辭各持無量種種

BD03157號　大般若波羅蜜多經卷二　（14–1）

衆勿懷輕慢而自毁傷所以者何彼諸菩薩
威德難及悲願熏心以大因緣而生彼土時
日光明菩薩受花奉勑與無量百千俱胝那
庾多出家在家菩薩摩訶薩及無數百千童
男童女頂礼佛足右繞奉辭各持無量種種
花香寶幢幡蓋衣服寶飾及餘供具發引而
來所經西南方殑伽沙等諸佛世界一一佛所
供養恭敬尊重讚歎無空過者至此佛所
頂礼雙足繞百千帀却住一面日光明菩薩
前白佛言世尊從此西南方盡殑伽沙等世
界最後世界名離塵聚佛号日輪遍照勝德
如來應正等覺明行圓滿善逝世間解無上
丈夫調御士天人師佛薄伽梵致問世尊無
量少病少惱起居輕利氣力調和安樂住不
世事可忍不衆生易度不持此千莖金色蓮
花以寄世尊而為佛事時釋迦牟尼佛受此
蓮花還散西南方殑伽沙等諸佛世界佛神
力故令此蓮花遍諸佛土諸花臺中各有化
佛結加趺坐為諸菩薩說大般若波羅蜜多
相應之法有情聞者必得無上正等菩提時
日光明及諸眷屬見此事已歡喜踊躍歎未
曾有各隨善根供具多少供養恭敬尊重讚
歎佛菩薩已退坐一面如是最後世界已前諸
西南方一一佛土各有如來現為大衆宣說
妙法是諸佛所亦各有一上首菩薩見此
大光大地變動及佛身相前詣佛所白言世

BD03157號　大般若波羅蜜多經卷二　（14-2）

曾有各隨善根供具多少供養恭敬尊重讚
歎佛菩薩已退坐一面如是最後世界已前諸
西南方一一佛土各有如來現為大衆宣說
妙法是諸佛所亦各有一上首菩薩見此
大光大地變動及佛身相前詣佛所白言世
尊何因何緣而有此瑞時彼彼佛各各報言
於此東北方有堪忍世界佛号釋迦牟尼將
為菩薩說大般若波羅蜜多彼佛神力故現
斯瑞上首菩薩聞已歡喜各各請往堪忍世
界觀礼供養佛及菩薩彼諸如來讚善聽往
各以金色千寶蓮花而告之言汝可持此至
彼佛所具陳我詞致問無量少病少惱起居
輕利氣力調和安樂住不世事可忍不衆生
易度不持此蓮花以寄世尊而為佛事汝至
彼界應住正知觀彼佛土及諸菩薩勿懷輕
慢而自毁傷所以者何彼諸菩薩威德難及
悲願熏心以大因緣而生彼土一一上首受花
奉勑各與無量無數菩薩童男童女辭佛
持供發引而來所經佛土一一供養佛及菩
薩無空過者到此佛所頂礼雙足繞百千帀
奉花陳事佛受花已還散西南方佛神力故
遍諸佛土諸花臺中各有化佛為諸菩薩說
大般若波羅蜜多令諸聞者必獲無上正等
菩提上首菩薩及諸眷屬見已歡喜歎未曾
有各隨善根供具多少供養恭敬尊重讚歎
佛菩薩已退坐一面

BD03157號　大般若波羅蜜多經卷二　（14-3）

遍諸佛土諸花臺中各有化佛為諸菩薩說
大般若波羅蜜多令諸聞者必獲無上正等
菩提上首菩薩及諸眷屬見已歡喜歎未曾
有各隨善根供具多少供養恭敬尊重讚歎
佛菩薩已退坐一面
尒時西北方盡殑伽沙等世界最後世界名
真自在佛号一寶蓋勝如來應正等覺明行
圓滿善逝世間解無上丈夫調御士天人師
佛薄伽梵時現在彼安隱住持為諸菩薩摩
訶薩衆說大般若波羅蜜多彼有菩薩名曰
寶勝見此大光大地變動及佛身相心懷猶
豫前諸佛所頂礼雙足白言世尊何因何緣
而有此瑞時一寶蓋勝佛告寶勝菩薩摩訶
薩言善男子從此東南方盡殑伽沙等世界
最後世界名曰堪忍佛号釋迦牟尼如來應
正等覺明行圓滿善逝世間解無上丈夫調
御士天人師佛薄伽梵今現在彼安隱住持
持為菩薩摩訶薩衆說大般若波羅蜜多彼
佛神力故現斯瑞寶勝聞已歡喜踊躍重白
佛言世尊我今請往堪忍世界覲礼供養釋
迦牟尼如來及諸菩薩摩訶薩衆得無礙解
陁羅尼門三摩地門神通自在住最後身紹
尊位者唯願慈悲哀愍垂許時一寶蓋勝佛
告寶勝菩薩言善哉善哉今正是時隨汝意
往即以千莖金色蓮花其花千葉衆寶莊嚴
授寶勝菩薩而誨之言汝持此花至釋迦牟

BD03157號　大般若波羅蜜多經卷二　（14–4）

陁羅尼門三摩地門神通自在住最後身紹
尊位者唯願慈悲哀愍垂許時一寶蓋勝佛
告寶勝菩薩言善哉善哉今正是時隨汝意
往即以千莖金色蓮花其花千葉衆寶莊嚴
授寶勝菩薩而誨之言汝持此花至釋迦牟
尼佛所如我詞曰一寶蓋勝如來致問無量
少病少惱起居輕利氣力調和安樂住不世
事可忍不衆生易度不持此蓮花以寄世尊
而為佛事汝至彼界應住正知觀彼佛土及
諸大衆勿懷輕慢而自毀傷所以者何彼諸
菩薩威德難及悲願重心以大因緣而生彼
土時寶勝菩薩受花奉勅與無量百千俱胝
那庾多出家在家菩薩摩訶薩及無數百千
童男童女頂礼佛足右繞奉辭各持無量種
種花香寶幢幡蓋衣服寶飾及餘供具發引
而來所經西北方殑伽沙等諸佛世界一一
佛所供養恭敬尊重讚歎無空過者至此佛
所頂礼雙足繞百千帀却住一面寶勝菩薩
前白佛言世尊從此西北方盡殑伽沙等世
界最後世界名真自在佛号一寶蓋勝如來
應正等覺明行圓滿善逝世間解無上丈夫
調御士天人師佛薄伽梵致問世尊無量少
病少惱起居輕利氣力調和安樂住不世事
可忍不衆生易度不持此千莖金色蓮花以
寄世尊而為佛事時釋迦牟尼佛受此蓮花
還散西北方殑伽沙等諸佛世界佛神力故

BD03157號　大般若波羅蜜多經卷二　（14–5）

病少惱起居輕利氣力調和安樂住不世事
可忍不衆生易度不持此千莖金色蓮花以
寄世尊而為佛事時釋迦牟尼佛受此蓮花
還散西北方殑伽沙等諸佛世界佛神力故
令此蓮花遍諸佛土諸花臺中各有化佛結
加趺坐為諸菩薩說大般若波羅蜜多相應
之法有情聞者必得無上正等菩提是時寶
勝及諸眷屬見此事已歡喜踊躍歎未曾
有各隨善根供具多少供養恭敬尊重讚歎
佛菩薩已退坐一面如是最後世界已前諸
西北方一一佛土各有如來現為大衆宣說妙
法是諸佛所亦各有一上首菩薩見此大光
大地變動及佛身相前詣佛所白言世尊何
因何緣而有此瑞時彼彼佛各各報言於此
東南方有堪忍世界佛號釋迦牟尼將為菩
薩說大般若波羅蜜多彼佛神力故現斯瑞
上首菩薩聞已歡喜各各請往堪忍世界觀
礼供養佛及菩薩彼諸如來讚善聽往各以
金色千寶蓮花而告之言汝可持此至彼佛
所具陳我詞致問無量少病少惱起居輕利
氣力調和安樂住不世事可忍不衆生易度
不持此蓮花以寄世尊而為佛事汝至彼界
應住正知觀彼佛土及諸菩薩勿懷輕慢而
自毀傷所以者何彼諸菩薩威德難及悲願
熏心以大因緣而生彼土一一上首受花奉勑
各與無量無數菩薩童男童女辭佛持供

BD03157號　大般若波羅蜜多經卷二　（14–6）

應住正知觀彼佛土及諸菩薩勿懷輕慢而
自毀傷所以者何彼諸菩薩威德難及悲願
熏心以大因緣而生彼土一一上首受花奉勑
各與無量無數菩薩童男童女辭佛持供
發引而來所經佛土一一供養佛及菩薩無
空過者到此佛所頂礼雙足繞百千帀奉花
陳事佛受花已還散西北方佛神力故遍諸
佛土諸花臺中各有化佛為諸菩薩說大般
若波羅蜜多令諸聞者必獲無上正等菩提
上首菩薩及諸眷屬見已歡喜歎未曾有各
隨善根供具多少供養恭敬尊重讚歎佛
菩薩已退坐一面
尒時下方盡殑伽沙等世界最後世界名日
蓮花佛號蓮花德如來應正等覺明行圓滿
善逝世間解無上丈夫調御士天人師佛薄
伽梵時現在彼安隱住持為諸菩薩摩訶薩
衆說大般若波羅蜜多彼有菩薩名蓮花勝
見此大光大地變動及佛身相心懷猶豫前
詣佛所頂礼雙足白言世尊何因何緣而有
此瑞時蓮花德佛告蓮花勝菩薩摩訶薩言
善男子從此上方盡殑伽沙等世界最後世
界名日堪忍佛號釋迦牟尼如來應正等覺
明行圓滿善逝世間解無上丈夫調御士天
人師佛薄伽梵今現在彼安隱住持將為菩
薩摩訶薩衆說大般若波羅蜜多彼佛神力
故現斯瑞時蓮花勝聞佛所說歡喜踊躍重

BD03157號　大般若波羅蜜多經卷二　（14–7）

明行圓滿善逝世間解無上丈夫調御士天
人師佛薄伽梵今現在彼安隱住持將為菩
薩摩訶薩衆說大般若波羅蜜多彼佛神力
故現斯瑞時蓮花勝聞佛所說歡喜踊躍重
白佛言世尊我今請往堪忍世界觀礼供養
釋迦牟尼如來及諸菩薩摩訶薩衆得無礙
解陁羅尼門三摩地門神通自在住冣後身
紹尊位者唯願慈悲哀愍垂許時蓮花德佛
告蓮花勝菩薩言善哉善哉今正是時隨汝
意往即以千莖金色蓮花其花千葉衆寶莊
嚴授蓮花勝菩薩而誨之言汝持此花至釋
迦牟尼佛所如我詞曰蓮花德如來致問無
量少病少惱起居輕利氣力調和安樂住不
世事可忍不衆生易度不持此蓮花以寄世
尊而為佛事汝至彼界應住正知觀彼佛土
及諸大衆勿懷輕慢而自毀傷所以者何彼
諸菩薩威德難及悲願熏心以大因緣而生
彼土時蓮花勝菩薩受花奉勅與無量百千
俱胝那庾多出家在家菩薩摩訶薩及無數
百千童男童女頂礼佛足右繞奉辭各持無
量種種花香寶幢幡蓋衣服寶飾及餘供具
發引而來所經下方殑伽沙等諸佛世界一
一佛所供養恭敬尊重讚歎無空過者至此
佛所頂礼雙足繞百千帀却住一面蓮花勝
菩薩前白佛言世尊從此下方盡殑伽沙等
世界冣後世界名曰蓮花佛号蓮花德如來

BD03157號　大般若波羅蜜多經卷二　（14–8）

一佛所供養恭敬尊重讚歎無空過者至此
佛所頂礼雙足繞百千帀却住一面蓮花勝
菩薩前白佛言世尊從此下方盡殑伽沙等
世界冣後世界名曰蓮花佛号蓮花德如來
應正等覺明行圓滿善逝世間解無上丈夫
調御士天人師佛薄伽梵致問世尊無量少
病少惱起居輕利氣力調和安樂住不世事
可忍不衆生易度不持此千莖金色蓮花以
寄世尊而為佛事時釋迦牟尼佛受此蓮花
還散下方殑伽沙等諸佛世界佛神力故令
此蓮花遍諸佛土諸花臺中各有化佛結加
趺坐為諸菩薩說大般若波羅蜜多相應之
法有情聞者必得無上正等菩提時蓮花勝
及諸眷屬見此事已歡喜踊躍歎未曾有各
隨善根供具多少供養恭敬尊重讚歎佛菩
薩已退坐一面如是冣後世界已前所有下
方一一佛土各有如來現為大衆宣說妙法
是諸佛所亦各有一上首菩薩見此大光大
地變動及佛身相前詣佛所白言世尊何因
何緣而有此瑞時彼彼佛各各報言於此上
方有堪忍世界佛号釋迦牟尼將為菩薩說
大般若波羅蜜多彼佛神力故現斯瑞上首
菩薩聞已歡喜各各請往堪忍世界觀礼供
養佛及菩薩彼諸如來讚善聽往各以金色
千寶蓮花而告之言汝可持此至彼佛所具
陳我詞致問無量少病少惱起居輕利氣力

BD03157號　大般若波羅蜜多經卷二　（14–9）

菩薩聞已歡喜各各請往堪忍世界觀礼供
養佛及菩薩彼諸如来讃善聽往各以金色
千寶蓮花而告之言汝可持此至彼佛所具
陳我詞致問無量少病少惱起居輕利氣力
調和安樂住不世事可忍不衆生易度不持此
蓮花以寄世尊而為佛事汝至彼界應住正
知觀彼佛土及諸菩薩勿懷輕慢而自毀
傷所以者何彼諸菩薩威德難及悲願熏心
以大因緣而生彼土一一上首受花奉勅各
與無量無數菩薩童男童女辭佛持供發引
而来所經佛土一一供養佛及菩薩無空過
者到此佛所頂礼雙足繞百千帀奉花陳事
佛受花已還散下方佛神力故遍諸佛土諸
花臺中各有化佛為諸菩薩說大般若波羅
蜜多令諸聞者必獲無上正等菩提上首菩
薩及諸眷屬見已歡喜歎未曾有各隨善根
供具多少供養恭敬尊重讃歎佛菩薩已
退坐一面
尒時上方盡殑伽沙等世界最後世界名曰
歡喜佛号喜德如来應正等覺明行圓滿善
逝世間解無上丈夫調御士天人師佛薄伽
梵時現在彼安隱住持為諸菩薩摩訶薩衆
說大般若波羅蜜多彼有菩薩名曰喜授見
此大光大地變動及佛身相心懷猶豫前詣
佛所頂礼雙足白言世尊何因何緣而有此
瑞時喜德佛告喜授菩薩摩訶薩言善男子

BD03157號　大般若波羅蜜多經卷二　（14–10）

說大般若波羅蜜多彼有菩薩名曰喜授見
此大光大地變動及佛身相心懷猶豫前詣
佛所頂礼雙足白言世尊何因何緣而有此
瑞時喜德佛告喜授菩薩摩訶薩言善男子
從此下方盡殑伽沙等世界最後世界名曰
堪忍佛号釋迦牟尼如来應正等覺明行圓
滿善逝世間解無上丈夫調御士天人師佛
薄伽梵今現在彼安隱住持將為菩薩摩訶
薩衆說大般若波羅蜜多彼佛神力故現斯
瑞喜授聞已歡喜踊躍重白佛言世尊我今
請往堪忍世界觀礼供養釋迦牟尼如来及
諸菩薩摩訶薩衆得無礙解陁羅尼門三摩
地門神通自在住最後身紹尊位者唯願慈
悲哀愍垂許時喜德佛告喜授菩薩言善哉
善哉今正是時隨汝意往即以千莖金色蓮
花其花千葉衆寶莊嚴授喜授菩薩而誨之
言汝持此花至釋迦牟尼佛所如我詞曰喜
德如来致問無量少病少惱起居輕利氣力
調和安樂住不世事可忍不衆生易度不持
此蓮花以寄世尊而為佛事汝至彼界應住
正知觀彼佛土及諸大衆勿懷輕慢而自毀
傷所以者何彼諸菩薩威德難及悲願熏心
以大因緣而生彼土時喜授菩薩受花奉勅
與無量百千俱胝那庾多出家在家菩薩摩
訶薩及無數百千童男童女頂礼佛足右繞
奉辭各持無量種種花香寶幢幡蓋衣服寶

BD03157號　大般若波羅蜜多經卷二　（14–11）

以大因緣而生彼土時喜提菩薩受花奉勅
與無量百千俱胝那庾多出家在家菩薩摩
訶薩及無數百千童男童女頂礼佛足右繞
奉辭各持無量種種花香寶幢幡蓋衣服寶
飾及餘供具發引而來所經上方殑伽沙等
諸佛世界一一佛所供養恭敬尊重讚歎無
空過者至此佛所頂礼雙足繞百千帀却住
一面喜授菩薩前白佛言世尊從此上方盡
殑伽沙等世界最後世界名日歡喜佛号喜
德如來應正等覺明行圓滿善逝世間解無
上丈夫調御士天人師佛薄伽梵致問世尊
無量少病少惱起居輕利氣力調和安樂住
不世事可忍不衆生易度不持此千莖金色
蓮花以寄世尊而為佛事時釋迦牟尼佛受
此蓮花還散上方殑伽沙等諸佛世界佛神
力故令此蓮花遍諸佛土諸花臺中各有化
佛結加趺坐為諸菩薩說大般若波羅蜜多
相應之法有情聞者必得無上正等菩提是
時喜授及諸眷屬見此事已歡喜踊躍歎未
曾有各隨善根供具多少供養恭敬尊重讚
歎佛菩薩已退坐一面如是最後世界已前
所有上方一一佛土各有如來現為大衆宣
說妙法是諸佛所亦各有一上首菩薩見此
大光大地變動及佛身相前詣佛所白言世
尊何因何緣而有此瑞時彼彼佛各各報言
於此下方有堪忍世界佛号釋迦牟尼將為

BD03157號　大般若波羅蜜多經卷二

（14–12）

大光大地變動及佛身相前詣佛所白言世
尊何因何緣而有此瑞時彼彼佛各各報言
於此下方有堪忍世界佛号釋迦牟尼將為
菩薩說大般若波羅蜜多彼佛神力故現斯
瑞上首菩薩聞已歡喜各各請往堪忍世界
覲礼供養佛及菩薩彼諸如來讚善聽往各
以金色千寶蓮花而告之言汝可持此至彼
佛所具陳我詞致問無量少病少惱起居輕
利氣力調和安樂住不世事可忍不衆生易
度不持此蓮花以寄世尊而為佛事汝至彼
界應住正知觀彼佛土及諸菩薩勿懷輕慢
而自毀傷所以者何彼諸菩薩威德難及悲
願熏心以大因緣而生彼土一一上首受花奉
勅各與無量無數菩薩童男童女辭佛持
供發引而來所經佛土一一供養佛及菩薩
無空過者到此佛所頂礼雙足繞百千帀奉
花陳事佛受花已還散上方佛神力故遍諸
佛土諸花臺中各有化佛為諸菩薩說大
般若波羅蜜多令諸聞者必獲無上正等菩
提上首菩薩及諸眷屬見已歡喜歎未曾有
各隨善根供具多少供養恭敬尊重讚歎
佛菩薩已退坐一面
尒時於此三千大千佛之世界衆寶充滿種
種妙花遍布其地寶幢幡蓋處處行列花樹
菓樹香樹鬘樹寶樹衣樹諸雜飾樹周遍莊
嚴甚可愛樂如衆蓮花世界善花如來淨土

BD03157號　大般若波羅蜜多經卷二

（14–13）

佛土諸花臺中各有化佛為諸菩薩說大
般若波羅蜜多令諸聞者必獲無上正等菩
提上首菩薩及諸眷屬見已歡喜歎未曾有
各隨善根供具多少供養恭敬尊重讚歎
佛菩薩已退坐一面
尒時於此三千大千佛之世界衆寶充滿種
種妙花遍布其地寶幢幡蓋處處行列花樹
菓樹香樹鬘樹寶樹衣樹諸雜飾樹周遍莊
嚴甚可愛樂如衆蓮花世界普花如來淨土
妙吉祥菩薩善住慧菩薩及餘無量大威
神力菩薩摩訶薩本住其中

大般若波羅蜜多經卷第二

BD03157 號　大般若波羅蜜多經卷二　（14–14）

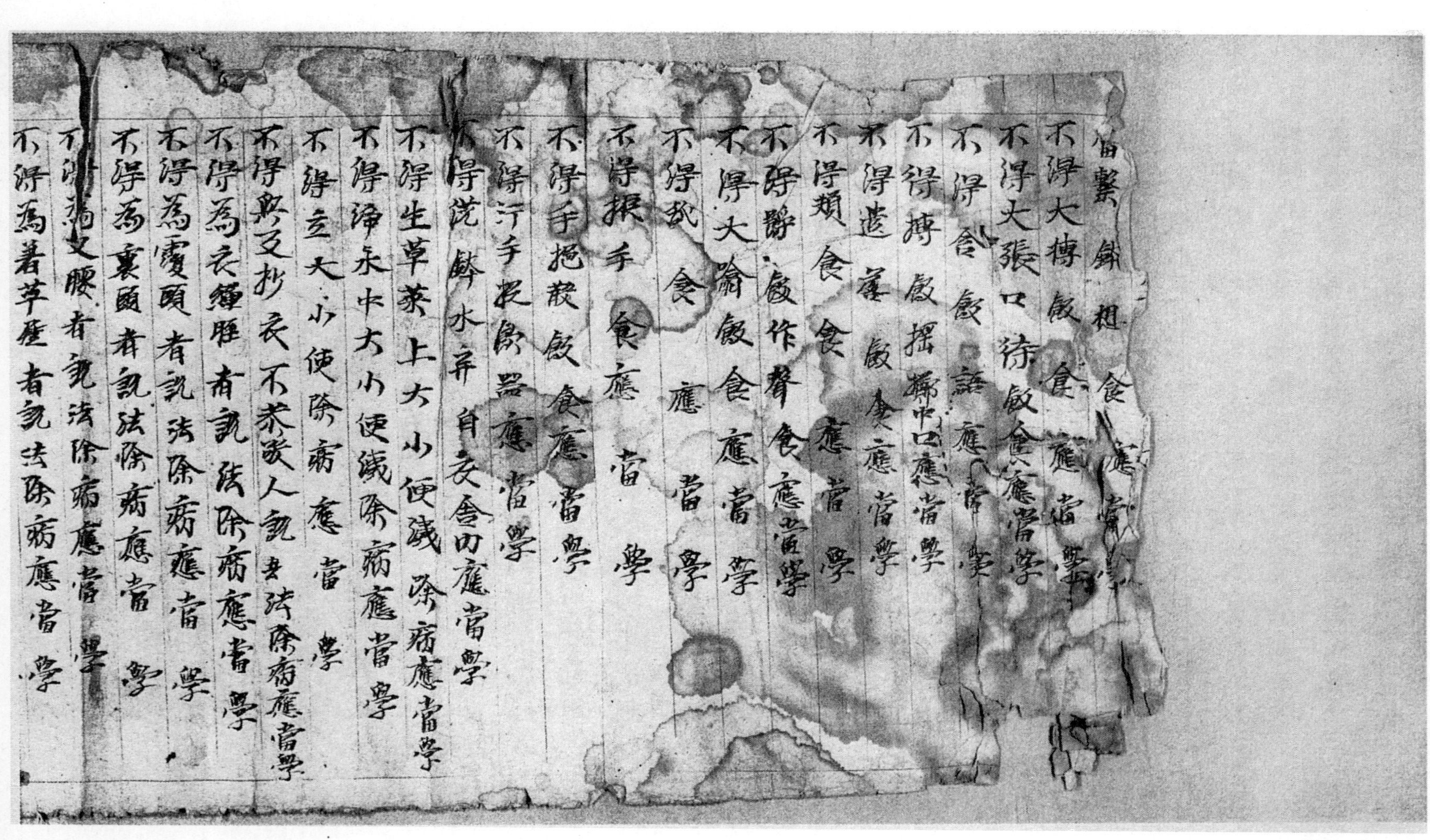

當繫鉢想食應當學
不得大摶飯食應當學
不得大張口待飯食應當學
不得含飯語應當學
不得摶飯擲口中應當學
不得遺落飯食應當學
不得頰食食應當學
不得嚼飯作聲食應當學
不得大噏飯食應當學
不得舐食應當學
不得振手食應當學
不得手把散飯食應當學
不得污手捉飯器應當學
不得洗鉢水棄白衣舍內應當學
不得生草菜上大小便涕唾除病應當學
不得淨水中大小便涕唾除病應當學
不得立大小便除病應當學
不得與反抄衣不恭敬人說法除病應當學
不得為衣纏頸者說法除病應當學
不得為覆頭者說法除病應當學
不得為裹頭者說法除病應當學
不得為叉腰者說法除病應當學
不得為著革屣者說法除病應當學

BD03158 號　四分比丘尼戒本　（6–1）

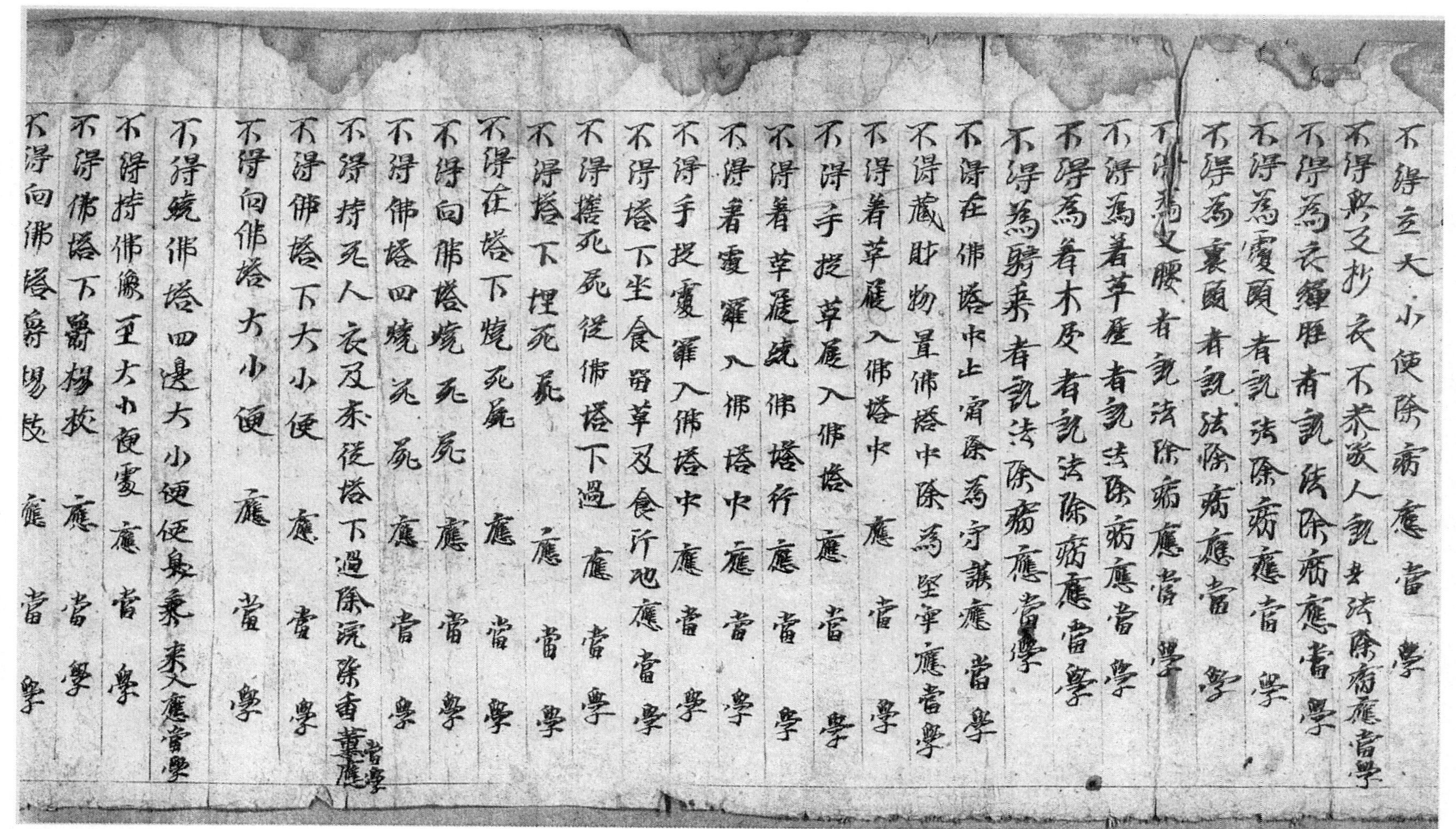
不得立大小便除病應當學
不得與叉抄衣不恭敬人說法除病應當學
不得為衣纏頸者說法除病應當學
不得為覆頭者說法除病應當學
不得為裹頭者說法除病應當學
不得為叉腰者說法除病應當學
不得為著革屣者說法除病應當學
不得為著木屐者說法除病應當學
不得為騎乘者說法除病應當學
不得在佛塔中止宿除為守護應當學
不得藏財物置佛塔中除為堅牢應當學
不得著革屣入佛塔中應當學
不得手捉革屣入佛塔中應當學
不得著革屣遶佛塔行應當學
不得著富羅入佛塔中應當學
不得手捉富羅入佛塔中應當學
不得塔下坐食留草及食汙地應當學
不得擔死屍從佛塔下過應當學
不得塔下埋死屍應當學
不得在塔下燒死屍應當學
不得向佛塔燒死屍應當學
不得佛塔四邊燒死屍應當學
不得持死人衣及床從塔下過除浣染香熏應當學
不得佛塔下大小便應當學
不得向佛塔大小便應當學
不得遶佛塔四邊大小便使臭氣來入應當學
不得持佛像至大小便處應當學
不得佛塔下嚼楊枝應當學
不得向佛塔嚼楊枝應當學

BD03158號　四分比丘尼戒本　（6–2）

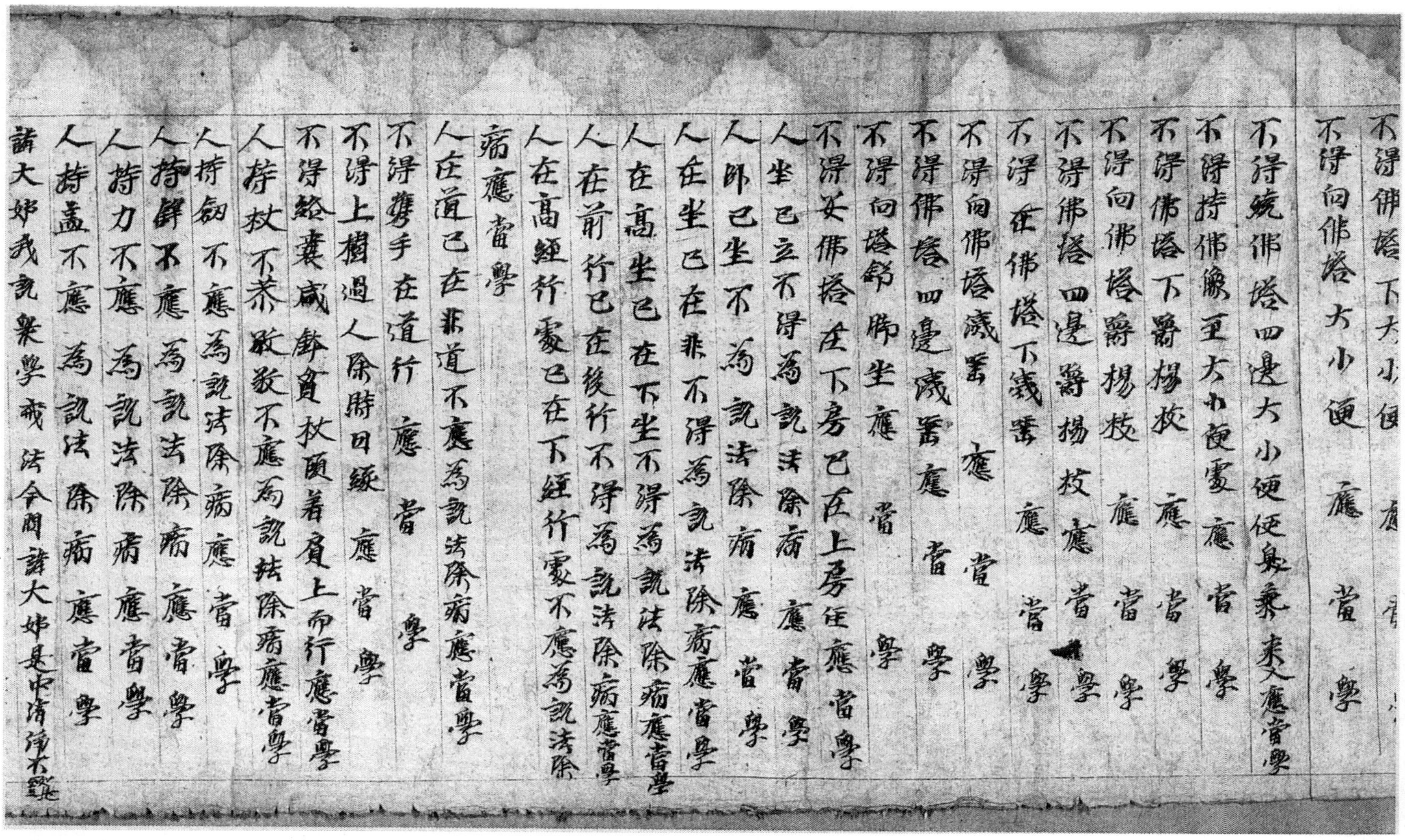

不得佛塔下大小便應當學
不得向佛塔大小便應當學
不得遶佛塔四邊大小便使臭氣來入應當學
不得持佛像至大小便處應當學
不得佛塔下嚼楊枝應當學
不得向佛塔嚼楊枝應當學
不得佛塔四邊嚼楊枝應當學
不得在佛塔下涕唾應當學
不得向佛塔涕唾應當學
不得佛塔四邊涕唾應當學
不得向塔舒脚坐應當學
不得安佛塔在下房己在上房住應當學
人坐己立不得為說法除病應當學
人臥己坐不得為說法除病應當學
人在坐己在非坐不得為說法除病應當學
人在高坐己在下坐不得為說法除病應當學
人在前行己在後行不得為說法除病應當學
人在高經行處己在下經行處不應為說法除
病應當學
人在道己在非道不應為說法除病應當學
不得携手在道行應當學
不得上樹過人除時因緣應當學
不得絡囊盛鉢貫杖頭著肩上而行應當學
人持杖不恭敬不應為說法除病應當學
人持劍不應為說法除病應當學
人持鉾不應為說法除病應當學
人持刀不應為說法除病應當學
人持蓋不應為說法除病應當學
諸大姊我已說衆學戒法今問諸大姊是中清淨不（三說）

BD03158號　四分比丘尼戒本　（6–3）

人持杖不恭敬不應為說法除病應當學
人持劍不應為說法除病應當學
人持鉾不應為說法除病應當學
人持刀不應為說法除病應當學
人持蓋不應為說法除病應當學
諸大姊我說衆學戒法今問諸大姊是中清淨不
諸大姊我說衆學戒法今問諸大姊是中清淨
諸大姊是中清淨默然故是事如是持
諸大姊是七滅諍法半月半月說戒經中來
若比丘尼有諍事起即應除滅
應與現前毗尼當與現前毗尼
應與憶念毗尼當與憶念毗尼
應與不癡毗尼當與不癡毗尼
應與自言治當與自言治
應與覓罪相當與覓罪相
應與多人語當與多人語
應與如草覆地當與如草覆地
諸大姊我已說七滅諍法今問諸大姊是中清淨不
諸大姊是中清淨默然故是事如是持
諸大姊我已說戒經序已說八波羅夷法已說十七
僧伽婆尸沙法已說三十尼薩耆波逸提法已說百七十八
波逸提法已說八波羅提提舍尼法已說衆學戒法
已說七滅諍法此是佛所說戒經半月半月說
戒經中若更有餘佛法是中皆和合應當學
忍辱第一道佛說无為最出家惱他人不名為沙
門 此是毗婆尸如來无所著等正覺說是戒經
譬如明眼人能避險惡道世有聰明人能遠離諸惡
此是尸棄如來无所著等正覺說是戒經
不謗亦不嫉當奉行於戒飲食知止足常樂在空閑

BD03158號　四分比丘尼戒本

（6–4）

忍辱第一道佛說无為最出家惱他人不名為沙
門 此是毗婆尸如來无所著等正覺說是戒經
譬如明眼人能避險惡道世有聰明人能遠離諸惡
此是尸棄如來无所著等正覺說是戒經
不謗亦不嫉當奉行於戒飲食知止足常樂在空閑
心定樂精進是名諸佛教
此是毗葉羅如來无所著等正覺說是戒經
譬如蜂採花不壞色與香但取其味去比丘入聚然
不違戾他事不觀作不作但自觀身行若正若不正
此是拘留孫如來无所著等正覺說是戒經
心莫作放逸聖法當勤學如是无憂愁心定入涅槃
此是拘那含牟尼如來无所著等正覺說是戒經
一切惡莫作當奉行諸善自淨其志意是則諸佛教
此是迦葉如來无所著等正覺說是戒經
善護於口言自淨其志意身莫作諸惡此三業道淨
能得如是行是大仙人道
此是釋迦牟尼如來无所著等正覺說是戒經於十
二年中為无事僧說是戒經從是已後廣分別說
諸比丘尼自為樂法樂沙門者有慚有愧樂學戒者
當於中學
明人能護戒能得三種樂名譽及利養死得生天上
當觀如是處有智勤護戒戒淨有智慧便得第一道
如來去諸佛及以未來者現在諸世尊能勝一切憂
皆共尊敬戒此是諸佛法若有自為身欲求於佛道
當尊重正法此是諸佛教七佛為世尊滅除諸結使
說是七戒經諸縛得解脫已入於涅槃諸戲永滅盡
尊行大仙說聖賢稱譽戒弟子之所行入寂滅涅槃
世尊涅槃時興起於大悲集諸比丘衆與如是教誡
莫為我涅槃淨行者无護我今說戒經亦善說毗尼

BD03158號　四分比丘尼戒本

（6–5）

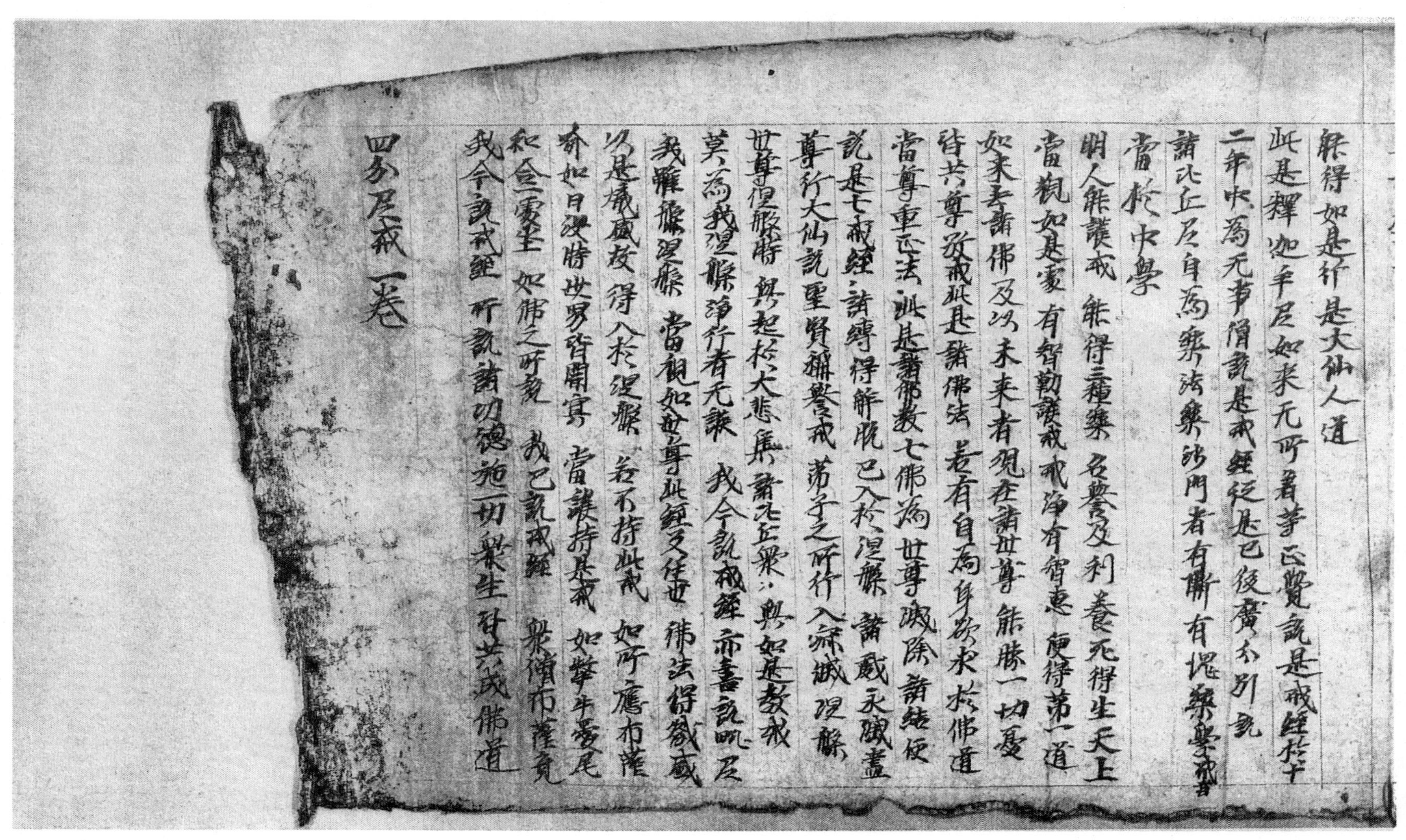

能得如是行　是大仙人道
此是釋迦牟尼如來无所著等正覺說是戒經於十
二年中，爲无事僧說是戒經，從是已後，廣分別說
諸比丘尼自爲樂法、樂沙門者，有慚有愧，樂學戒者
當於中學
明人能護戒　能得三種樂　名譽及利養　死得生天上
當觀如是處　有智勤護戒　戒淨有智慧　便得第一道
如來等諸佛　及以未來者　現在諸世尊　能勝一切憂
皆共尊敬戒　此是諸佛法　若有自爲身　欲求於佛道
當尊重正法　此是諸佛教　七佛爲世尊　滅除諸結使
說是七戒經　諸縛得解脫　已入於涅槃　諸戲永滅盡
尊行大仙說　聖賢稱譽戒　弟子之所行　入寂滅涅槃
世尊涅槃時　興起於大悲　集諸比丘眾　與如是教戒
莫謂我涅槃　淨行者无護　我今說戒經　亦善說毗尼
我雖般涅槃　當觀如世尊　此經久住世　佛法得熾盛
以是熾盛故　得入於涅槃　若不持此戒　如所應布薩
喻如日沒時　世界皆闇冥　當護持是戒　如犛牛愛尾
和合一處坐　如佛之所說　我已說戒經　眾僧布薩竟
我今說戒經　所說諸功德　施一切眾生　皆共成佛道

四分尼戒一卷

BD03158 號　四分比丘尼戒本　（6–6）

親近惡知識彼必壞門族汝今已出家離於在家縛云何離縛已而復樂眠睡出阿含經
經精進有四事一者初夜奉法未曾懈廢二者寧失身命不違道教三者懃誦經典
不以懈惓四者廣濟諸心无止息出諸道俗業經文中佛言五種人夜多不眠一者女人起
欲心憶他男子夜不眠二者男子起欲相憶他女人夜不眠三者賊人起盜憶他財物夜不
眠四者國王大臣憂念國事夜不眠五者精進比丘脩習道業故夜不眠出僧祇
律行者脩道法假使身肌宍骨髓筋脉斷絶不肯懈怠出賢劫經乃至肌消宍
盡筋連骨立終不捨離精進方便不棄善法如是精進疾得阿耨菩提出
阿含經諸行无有常速生速死法何可久怙恃是故攝其心出阿含經昔有輪轉王
有千子精進不懈供養如來於是千子悉於佛前自識功德各各殊案誰當在前
作佛有一太子最得下下榮愁懺不能自勝佛言道无有限亦无遠近能分別解了空无
之意便得在前句太子聞之踴躍精進發无上道心今先作佛出超日月經中

禪章弟五義

夫禪之體於諸法中妙難可覺了无有作相非心所測此豈常人所及乃
是習者所知出阿含經若人脩身念處已則身中不見我不見我故不求一切財物不求物故
於物无諍无諍故即是家靜出大集經比丘脩習禪者齒相著舌逼上齶以心治心治斷滅
止猶如力士捉一瘦人自在打鏁令不能動循行精進不放逸而得定心出阿含經比丘
脩身念則无儁傷如牛持角則為暴傷若去其角則不能也為不淨九孔流惡何有智
者恃此自高以如是等身念因緣則无儁傷出成實論阿練若比丘夜言賊來入問
言誰劫汝自說偈言我集善根諸法寶覺觀賊來破我我利財賊可避遠多藏處劫善
賊來奇无避出禪經中行者若心不住當應自責其心言汝受罪不可稱計无際生死種
種苦惱无不具受若在地獄飲洋銅吞鐵丸若在畜生食噉草若在餓鬼受飢渴苦若
在人中貧窮困厄若在天上失欲憂惱常隨汝故今我受此種種身心苦惱今當制汝汝當隨

一言誹劫汝自說偈言我集善根諸法寶與見觀財我未成我利財賊可避多藏處劫善
賊來竒无避出禪經中行者若心不住當應自責其心言由汝受罪不可稱計无際生死種
種苦惱无不具受若在地獄飲洋銅吞鐵丸若在畜生食噉草若在餓鬼受飢渴苦若
在人中貧窮困厄若在天上失欲憂惱常隨汝故令我受此種種身心苦惱今當制汝汝當隨
汝故令我受此種種身心苦我今繫汝一處我不復爲汝所困更受苦毒也汝常困我我今要以事困
汝如是不已心則不亂出禪經中　若人讀誦十二部經多于達阿毗曇演說万法皆悉空寂今諸
聽者得五神通雖有是益不如一日一夜思惟入定何以故多聞之人心生憍慢故出衆妙勝定之經
國王統領四方正可富於世財而无道財世財者所謂金銀珎寶官殿臣妾伎樂飲食眷屬
當是禪定之人富富道財而无世財道財者曉知无我人壽命十二通六達卅七道品行四等心
六度无極備心之法行不外暴心意和柔言常含咲不傷人意心恒一定无有是非諸根不
乱出阿含經四念處知心但有見身如虛空是身念處見諸受內外是空受念處知心但有
名字是心念處不得善法是法念處出阿含經阿毗曇出論諸法无行經禪文者如車有衆
具如王有將士出阿毗曇復有四念處觀身從頭至足見穢可惡敗壞之法是身念處觀
一切諸受悉皆是苦愚人倒生樂想著方便斷之是受念處觀心无常著四顛倒念
念不住善惡之法由心是大患不令心得自在是心念處觀不善法三毒依起一切惡能消對
治繫心專念慎行諸善是法念處出寶要經一念得禪定勝治三千界滿中一切人破禪
懷乱衆如毀三千界滿中一切人出方廣經佛言若四部弟子繫念住意心不散乱端坐正
受住意一處閑塞諸根此人安心念定力故雖死境界捨身生兜率天值遇弥勒与之
俱下閻浮龍華初會最先聞法悟解脫道出禪祕要經應四禪法身不行
惡應一禪口不說惡應二禪　意不念惡應三禪　六情不受惡應四禪有道人
樹下坐禪有一獼猴學之瞑瞼不覺見隨樹而死神即生天況於比丘端坐正念心不散
乱暫不得道跡也出譬喻經正念能生一切福得正念能生一切煩惱行禪能生一
切禪得師者不能善除睡眠亂調則光明不淨出成實論中　昔有比丘名曰等
受閑處在入金剛三昧諸牧牛羊人見之謂其无常即取柴薪積比丘身上火燒之捨
去後比丘出定著衣持鉢入村乞食諸牧牛羊人見之謂其來也即号曰還俗比丘此
定力故火不能燒也出舍經　受持讀誦八　善衆行　剛无為之

BD03159號　衆經要攢並序　（7–2）

乱寧不得道跡也出譬喻經 正念能生一切福得聖念能生一切煩惱行禪能生一
切禪得聖者不能善除睡眠鬪諍則光明不淨出成實論中 昔有比丘名曰菩
受閑處入金剛三昧諸牧牛羊人見之謂其無常即取柴薪積比丘身上火燒之捨
去後比丘出定著衣持鉢入村乞食諸牧牛羊人見之謂其來也即号曰還活比丘
定力水火不能溺燒出含經 般若章第六 夫智慧者眾行之樹无爲之
最安度无慧者盲无所見佛以智慧藥初開矇除如等无明瞖眼以大法雨滅傷
樓迦葉等煩惱熾火以最上智藥治舍利弗大目連以結使之病以智慧鉤摩訶迦
葉入佛正道以法橋登令大石婆羅門趣解脫堂以智慧斧斫迦旃延等有之
身大樹出无明羅刹經 弓師調角水師調船巧匠調木智者調身出法
句經 卅七道品四念處能成一切身受心法開涅槃門 四正勤能生諸善法四如意
足能治身心得如意五根治无信解怠失念乱心五力伏煩惱七覺意治諸諍法中
疑悔錯謬八正道治隨邪路佛言吾去世後愚癡之人於我法中强作沙門不親明師
從受其教便自独學以意爲政偏見一卷不能遍學方便之義不得正信如盲吞書
以爲明欲於三里之水索方里之魚於三寸之鼻中索明月神珠於放逸中索於禪定於聲
聞中索薩婆若 慧寧能得不阿難報言實不能得何以故偏見淺陝无智慧
故出成其光經中譬如大厚石風不能吹智者意重毀譽不能傾出法句經中有智者
慧能制六情若縱六情猶如六獼六種由狩制之一處若放一者猶憶聚落
狐赴塚間 魚聚於水 猴之深林 蛇歸穴處 鳥飛虛空 六種之性
各各不同比丘宜繫此六賊而著一處勿令東西放之者也收之難得當念專精
意不錯乱弊魔不得其便諸善功得皆得成就出阿含經文中眼耳鼻舌身意六
種常樂色聲香味觸法如水趣下同彼六虫非是凡夫淺智弱志所能除伏唯有智
慧堅心正念乃能攝伏六情寂賊不令爲患出十住毗婆沙論 佛言有人教十方恒沙世界
衆生令行十善得禪定神通其福雖多猶不如有人以般若波羅蜜經卷与人讀誦書
寫其福多矣出小品經 有弊魔興軍欲害比丘語比丘言然汝一身无有器伏兵力
頭露形何所擬敵比丘答言我著仁慈之鎧持三昧之弓執智慧之箭以語菩爲兵當壞汝軍
魔如不能害出阿含經 若身中有智慧則煩惱賊不能偷劫其福猶如屋中有燈照者賊不能偷

衆生令行十善得禪定神通其福雖多猶不如有人以般若波羅蜜經卷與人讀誦書
寫其福多矣 出小品經 有弊魔興軍欲害比丘語比丘言然汝身无有器仗兵刀矛
頭顱形何所擬敵比丘答言我着仁慈之鎧持三昧之弓執智惠之箭以諸業為兵當壞汝軍衆
魔鬼不能害 出阿含經 若身中有智惠能煩惱賊不能偷劫其福猶如屋中有燈照著賊不能偷
盜其物 出阿毗曇 昔佛從舍衛至婆羅門家乞婆羅門問佛姓字鄉名里号佛言吾居恒水東濟
水西驪若鄉本際縣起人城絶居里姓空字无相菩薩吾若樹下止波羅門又問道人所居乃尔何不作
田而行乞也佛答曰吾作田者與夫廣為種著大智之曠潤以解之泉水長養三乘之果證錫以十
善之耕薩芸除无量之穢草杈以大智之利鐮未以善權之要斬載以三乘之大車運著无極之
道場以充衆之德行成以四禪之大積出與无量諸弟子供養一切之聞士如是之田作晝夜无休息
出五百梵志經 佛言昔波羅奈國有一輔相名曰比丘彌為人慈流博達唯以十善教化時海龍王夫
人厭此龍形憂愁不樂王問其故答言我欲得波羅奈國輔相比丘彌心血而飲食之王言可得即語親
友夜叉言持而明珠詣彼國王共博戲不如與明珠若勝取輔相比丘彌而去王便即不如羅刹即持輔相飛空而去
至山中便欲煞之然比丘彌語羅刹言我王夫人思欲心血欲飲食之輔相言汝癡无智須我血者欲得我智
惠共往見之龍王夫人頂禮為說法要毒心消滅死得生天 出菩薩本行經 出家章第七
夫出家者功德高於須彌深於巨海在家迫迮猶如牢獄出家寬曠猶如虛空若人百歲供養百羅漢
不如一夜中出家脩梵行 出僧祇律 布施之福千世受樂六天之中往返千倒猶亦不如放人出家功德為勝
假使有人起七寶塔高至三十三天所德功德不如出家何以故寶塔者貪貨惡人能破壞故出家
之法无有毀損欲求善法除佛已往更无勝故出家功德其福甚多若放男女奴婢人民若自己
身出家入道功德无量不可思議若人障作出家因緣於生死中常受快樂若有人破壞他人
出家因緣即於為劫奪无盡善財之福藏地獄中常盲无目受亂劓苦若作畜生亦常生盲若
在餓鬼亦常生盲在三途受苦之時方得脫若在人中受胎便盲其罪說其不可盡
出未緣經 在家為狼檻子為杻械家為牢獄財為繫縛出家脩行者免斯諸苦也
在家多諍 出家无爭 在家多塵勞 出家離雜 在家惡攝
出家善攝 在家沒於愛欲泥 出家遠離愛欲泥 在家凡居 出家賢俱
在家邪命 出家正命 在家處憂 出家歡欣 在家繫縛 出家解脫 在家衆懼
出家無畏 在家多求苦 出家无求樂 在家多法弱 出家无怯 在家下賤 出家尊尊

BD03159號　衆經要攢並序　（7–4）

在家多諂 出家[illegible] 在家在具縛 出家无縛 在家多眷屬 出家永離 在家忘有
出家善攝 在家沒於愛欲泥 出家遠離愛欲泥 在家凡居 出家賢俱
在家邪命 出家正命 在家處憂 出家歡欣 在家繫縛 出家解脫 在家畏懼
出家無畏 在家多求苦 出家无求樂 在家多怯弱 出家无怯 在家下賤 出家高尊
在家利他 出家自利 在家成小法 出家成大法 在家非義 出家護義 在家增長
淚乳血海 出家乾竭目淚乳無海 在家无足 出家知足 在家奴僕 出家為主
在家生死際 出家涅槃際 在家闇冥 出家眼明 在家放逸 出家不逸 在家下觀
出家上觀 在家多營 出家小務 在家諂曲 出家正直 在家多憂 出家无愁
在家苦器 出家甘露器 在家憂重 出家縮輕 在家多怨 出家多慈 在家自損
出家捨擔 在家怨務 出家閑務 在家多諍 出家无諍 在家損耗 出家增長
在家易得 出家億劫難 在家易作 出家難作 在家順流 出家逆流 在家此岸
出家彼岸
在家善法 出家佛法 在家淺近 出家深遠 在家易伴 出家難伴 在家善伴 出家心伴
在家苦他 出家樂他 在家財施 出家法施 在家擔荷 出家捨荷 在家非道
出家離非道 出郁伽長者經 昔有一梨車子名耶羅夷 耶与諸妖女在高樓
上共相娛樂 就於女色 佛言阿難 此人却後七日當死 不捨欲之 墮地獄 阿難奉教詣其家 佛言善之 至于閣
此甚大憂怖 高聲言 聽更六日受樂 第七日出家 阿難白佛 求佛出家 一日一夜脩持淨戒 即便命終 生六欲天中
或後受福 于劫中不墮惡道 後成辟支佛 出出家功德經中 孝順章第八 父母恩重 不可得記 欲報
之者 天人應左肩擔父 右肩擔母 經至年長 周行天下 逕百千劫 亦不能報 父母一日之恩 何以故 皆由父
母長養 善護 教致六情 使視光明 推燥居濕 隨時扶侍 是以孝子雖報其恩 百千万分 不及其一 出五分律
佛言 寧一日受三百鑽鑽身 不應起一念惡心 向於父母 何以故 父母恩重 故出道般經 佛言 諸比丘 常念孝順
供養父母 出雜阿含經 昔有比丘 父母貧窮 欲以衣食供給 不敢 白佛 佛言 善哉 人百年之中 左肩擔父 右肩
荷母 於上大小便利 穢汙世尊 尚不能報 父母須臾之恩 從今已後 聽諸比丘 盡心盡壽 供養
父母 若不供給 獲得重罪 出五分律藏 若比丘受人施 轉捨不如法 得罪 先應施者 父母也 若父母貧困
先受三歸五戒十善 然後施與 出毗尼母論中 若父母屬外道 不令貧窮困苦 不給施 若貧困者 准得少
施 不消故 佛言 供二人 成大果報 一者父母 二者一生補處菩薩 出尚舍經 受父母身 躬佛 乳哺長養
之恩 或從地積珍寶 上至天 以施人 不如供養父母 出千羅經 若為人弟子 執父母師僧 過者 得使

BD03159號　衆經要攢並序

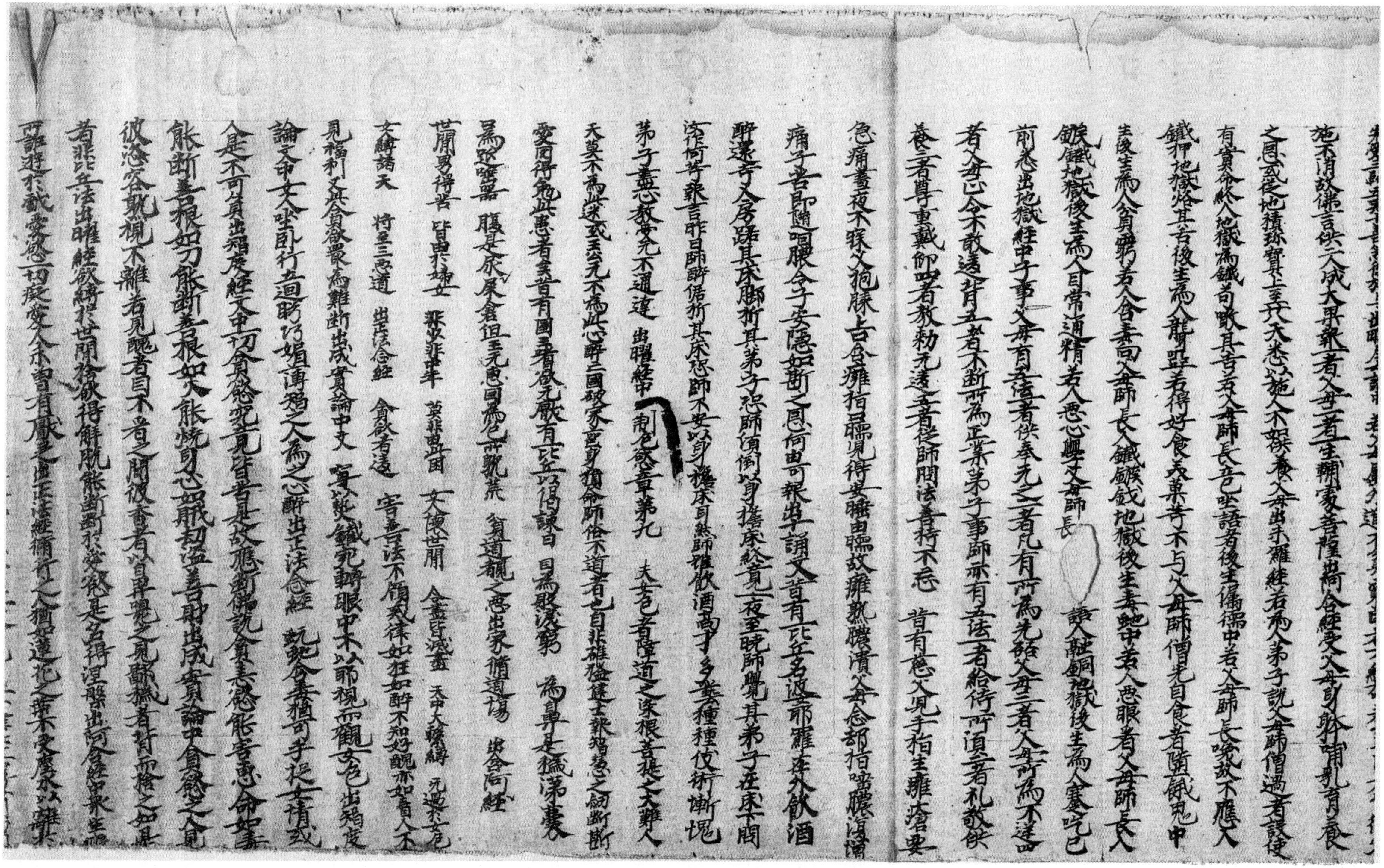

BD03159號　衆經要攢並序

（7–6）

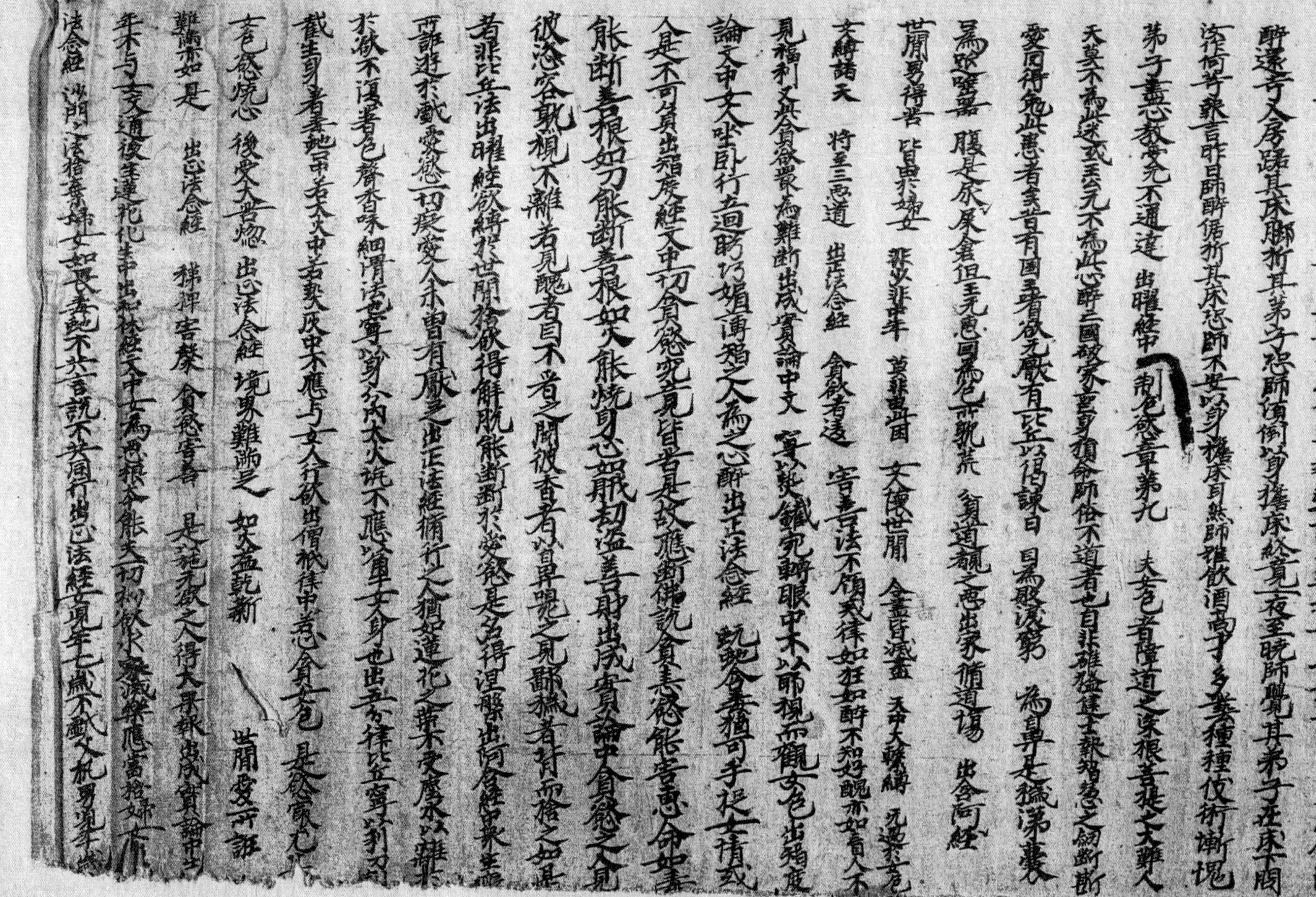

醉還寺入房踞其床脚折其弟子恐師傾側以身搘床於竟一夜至曉師覺見其弟子在床下問
汝作何等弟言昨日師醉傴折其床恐師不安以身搘床耳然師雖飲酒而于多聞種種伎術慚愧
弟子盡心教授無不通達　出曜經中　制色欲章第九　夫色者障道之深根菩提之大難人
天莫不為此迷惑莫不為此心醉亡國破家喪身殞命師俗不道者也自非雄猛健士執智慧之劔斷斷
愛同得免此患者矣昔有國王耆欲無厭有比丘以偈諫曰　曰為最深穿　為自身是穢漏囊
為欲嬰器　膿是尿屎倉但王無惠目為色所耽荒　貧道觀之惡出家循道場　出含阿經
世間易得苦　皆由於婦女　非父非中年　莫非由此因　女使世間　令盡皆滅盡　天中大繫縛　無過於女色
女縛諸天　將至三惡道　出正法念經　貪欲者遠　害善法不領戒律如狂如醉不知好醜亦如盲人不
見福利又與貪欲眾為難斷　出成實論中文　寧以熱鐵究轉眼中不以亂視而觀女色　出智度
論文中女人坐臥行立迴眄巧媚薄智之人為之心醉　出正法念經　執炮含毒猶可手捉女情惑
人是不可觸　出智度經文中一切貪欲究竟皆苦是故應斷佛說貪恚癡能害惠命如毒
能斷善根如刀能斷善根如火能燒身心如賊劫盜善財　出成實論中　貪欲之人見
彼恣容執視不離者見醜者目不著之聞彼香者以鼻嗅之見鄙穢者背而捨之如是
者非比丘法　出曜經　欲縛於世間捨欲得解脫能斷於愛欲是名得涅槃　出阿含經中　眾生爲
所誑遊於戲愛欲一切癡愛人未曾有厭足　出正法經　循行之人猶如蓮花之葉不受塵水以離
於欲不復著色聲香味細滑法也　寧以身分內大火坑不應以身犯女人身也　出五分律　比丘寧以利刀
截生身者毒蛇口中若大火坑中不應與女人行欲　出僧祇律中　若以貪女色　是欲家人
色欲燒心　後受大苦惱　出正法念經　境界難過之　如火益乾薪　世間愛所誑
難脫亦如是　出正法念經　捺捭害膝　貪欲害者　是以離欲之人得大果報　出成實論中
年不与女人通後生蓮花化生中　出私林經文中　女為惡根本　能失一切利　欲求涅槃應當捨婦女
法念經　沙門之法猶棄婦女如畏毒蛇不共言說不共同行　出正法經　女見年七歲不與父親男兒手　此

BD03159號　衆經要攬並序　　（7–7）

頞主底奄蜜栗底　阿𡁠瞖毗唎揭
跋𧃍謎　跋囉甜甜麼莎入囉
晡唎你晡唎𡅖　曷奴喇剃　莎訶
善男子此陀羅尼灌頂吉祥句是過十恒河
沙數諸佛所說為護十地菩薩故若有誦持
此陀羅尼呪者脫諸怖畏惡獸惡鬼人非人等
怨賊災橫一切毒害皆悉除滅解脫五障不
忘念十地
尒時師子相無礙光焰菩薩聞佛說此不可
思議陀羅尼已即從座起偏袒右肩右膝著
地合掌恭敬頂礼佛足以頌讚佛
敬礼無譬喻　甚深無相法　衆生失正知　唯佛能濟度
如來明慧眼　不見一法相　復以正法眼　普照不思議
不生於一法　亦不滅一法　由斯平等見　得至無上處
不壞於生死　亦不住涅槃　不著於二邊　是故證圓寂
於淨不淨品　世尊知一味　由不分別故　獲得最清淨
世尊無邊身　不說於一字　令諸弟子衆　法雨皆充滿
佛觀衆生相　一切種皆無　然於苦惱者　常興於救護
苦樂常無常　有我無我等　不一亦不異　不生亦不滅
如是衆多義　隨說有差別　譬如空谷響　唯佛能了知

BD03160號　金光明最勝王經卷四　（4–1）

於淨不淨品　世尊知一味　由不分別故　獲得最清淨
世尊無邊身　不說於一字　令諸弟子衆　法雨皆充滿
佛觀衆生相　一切種皆無　然於苦惱者　常興於救護
苦樂常無常　有我無我等　不一亦不異　不生亦不滅
如是衆多義　隨說有差別　譬如空谷響　唯佛能了知
法界無分別　是故無異乘　為度衆生故　分別說有三
尒時大自在梵天王亦從座起偏袒右肩右
膝著地合掌恭敬頂礼佛足而白佛言世尊
此金光明最勝王經希有難量初中後善文
義究竟皆能成就一切佛法若受持者是人
則為報諸佛恩佛言善男子如是如是如汝
所說善男子若得聽聞是經典者皆不退於
阿耨多羅三藐三菩提何以故善男子是能
成熟不退地菩薩殊勝善根是第一法印是
衆經王故應聽聞受持讀誦何以故善男子
若一切衆生未種善根未成熟善根未親近
諸佛者不能聽聞是微妙法若善男子善女
人能聽受者一切罪障皆悉除滅得最清淨
常得見佛不離諸佛及善知識勝行之人恒
聞妙法住不退地獲得如是勝陀羅尼門所
謂無盡無減海印出妙功德陀羅尼無盡無
減通達衆生意行言語陀羅尼無盡無減日
圓無垢相光陀羅尼無盡無減滿月相光陀
羅尼無盡無減能伏諸惑演功德流陀羅尼
無盡無減破金剛山陀羅尼無盡無減說不
可說義因緣藏陀羅尼無盡無減通達實語

BD03160號　金光明最勝王經卷四　（4–2）

說無盡無[illegible]
滅通達衆生意行言語陁羅尼無盡無滅日
圓無垢相光陁羅尼無盡無滅滿月相光陁
羅尼無盡無滅能伏諸惑演功德流陁羅尼
無盡無滅破金剛山陁羅尼無盡無滅說不
可說義因緣藏陁羅尼無盡無滅通達實語
法則音聲陁羅尼無盡無滅虚空無垢心行
印陁羅尼無盡無滅無邊佛身皆能顯現
陁羅尼無盡無滅
善男子如是等無盡無滅諸陁羅尼門得成
就故是菩薩摩訶薩能於十方一切佛土化
作佛身演說無上種種正法於法真如不
動不住不来不去善能成熟一切衆生善根
亦不見一衆生可成熟者雖說種種諸法於言
詞中不動不住不去不来能於生滅證無
生滅以何因緣說諸行法無有去来由一切法
體無異故說是法時三万億菩薩摩訶薩得
無生法忍無量諸菩薩不退菩提心無量無
邊苾芻苾芻尼得法眼淨無量衆生發菩薩
心尒時世尊而說頌曰
勝法能逆生死法　甚深微妙難得見
有情盲冥貪欲覆　由不見故受衆苦
尒時大衆俱從座起頂礼佛足而白佛言世
尊若所在處講宣讀誦此金光明最勝王經
我等大衆皆悉往彼為作聽衆是說法師令
得利益安樂無障身意泰然我等皆當盡心

BD03160號　金光明最勝王經卷四　（4–3）

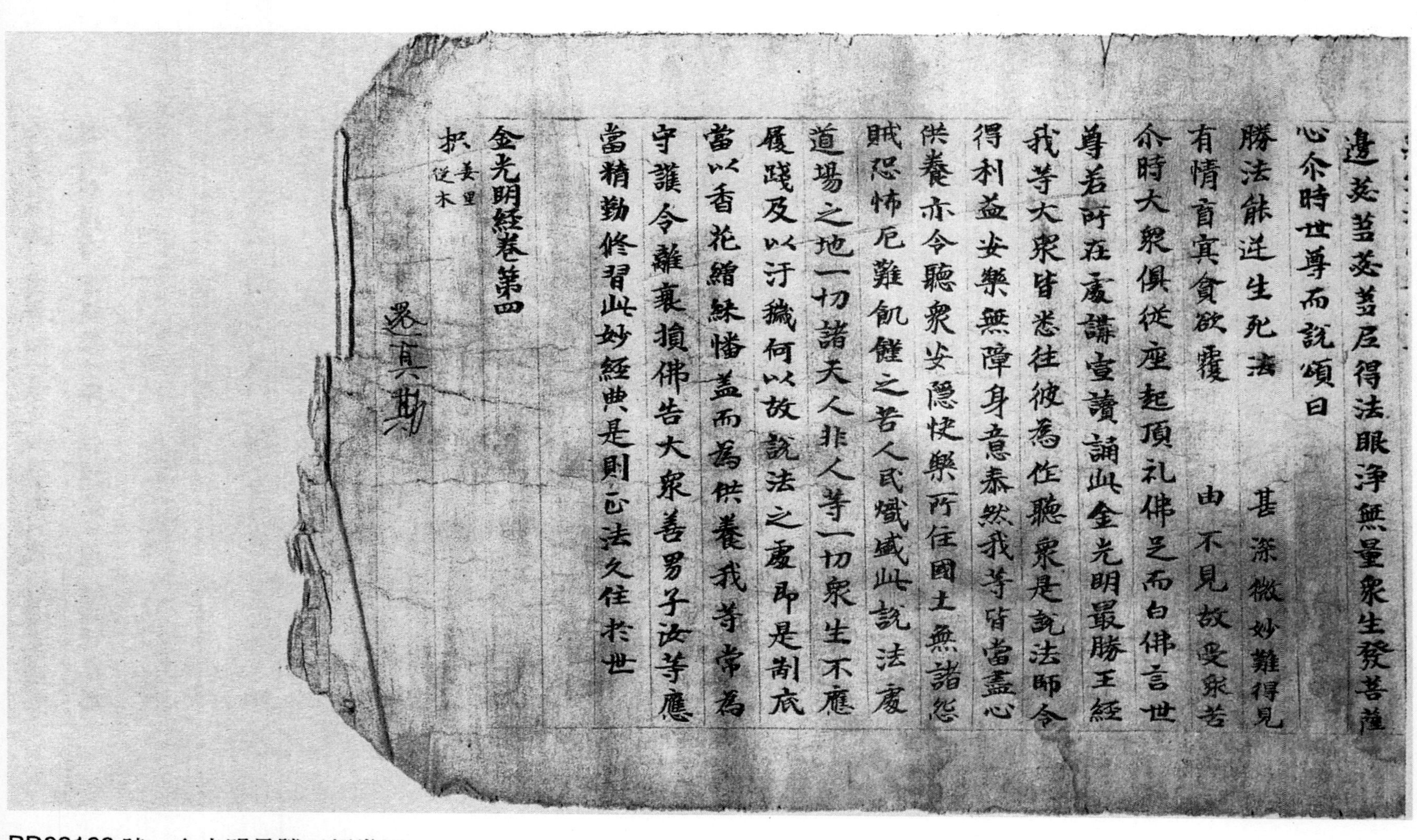
邊苾芻苾芻尼得法眼淨無量衆生發菩薩
心尒時世尊而說頌曰
勝法能逆生死法　甚深微妙難得見
有情盲冥貪欲覆　由不見故受衆苦
尒時大衆俱從座起頂礼佛足而白佛言世
尊若所在處講宣讀誦此金光明最勝王經
我等大衆皆悉往彼為作聽衆是說法師令
得利益安樂無障身意泰然我等皆當盡心
供養亦令聽衆安隱快樂所住國土無諸怨
賊恐怖厄難飢饉之苦人民熾盛此說法處
道場之地一切諸天人非人等一切衆生不應
履踐及以汙穢何以故說法之處即是制底
當以香花繒綵幡蓋而為供養我等常為
守護令離衰損佛告大衆善男子汝等應
當精勤修習此妙經典是則正法久住於世
金光明經卷第四
抧　姜里從木
愚真勘

BD03160號　金光明最勝王經卷四　（4–4）

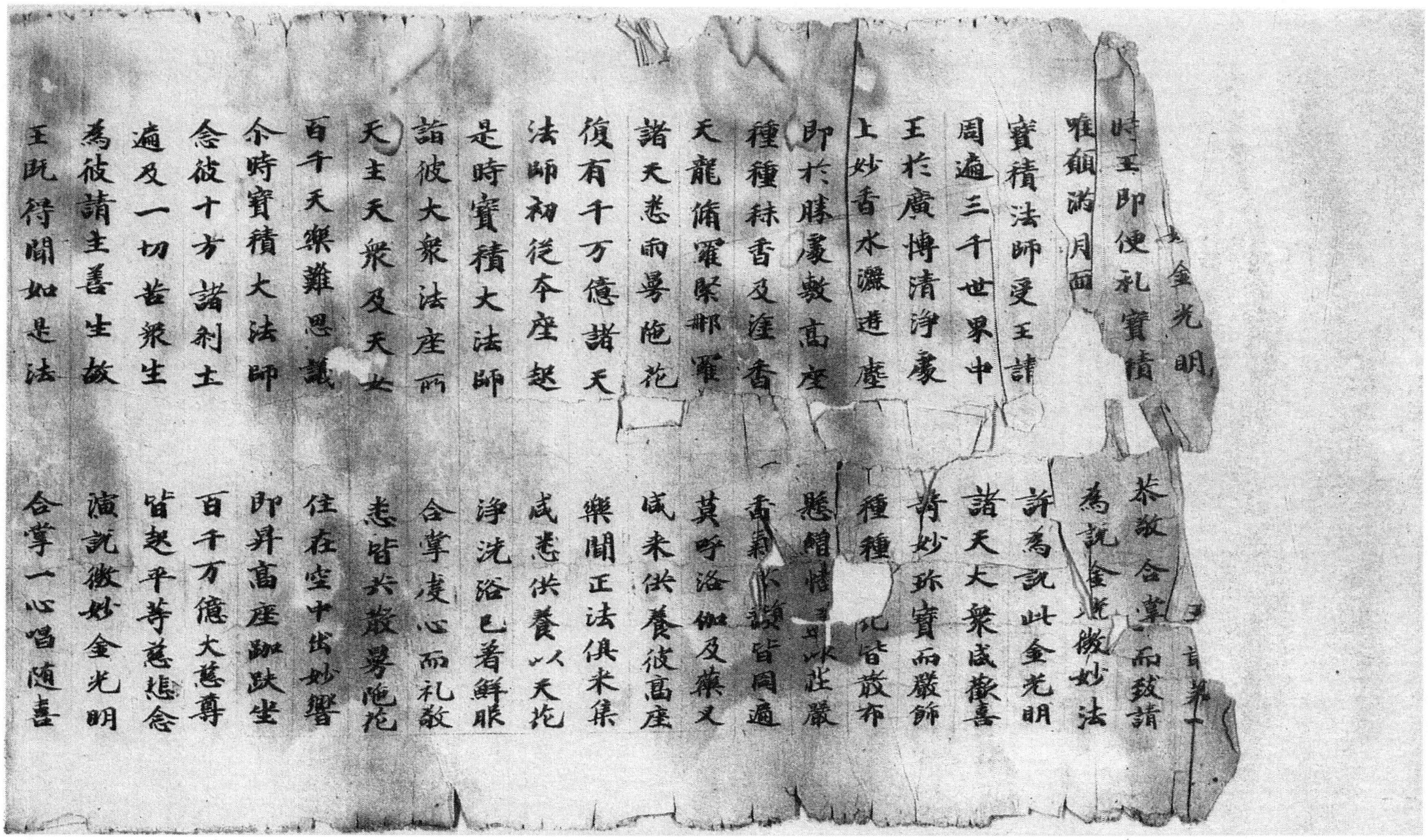

時王即便礼寶積　恭敬合掌而致請
唯願満月面　為說金光微妙法
寶積法師受王請　許為說此金光明
周遍三千世界中　諸天大衆咸歡喜
王於廣博清淨處　寄妙珎寶而嚴飾
上妙香水灑塵　種種□皆散布
即於勝處敷高座　懸繒幡□以莊嚴
種種抹香及塗香　香氣□□皆周遍
天龍脩羅緊那羅　莫呼洛伽及藥叉
諸天悉雨曼陁花　咸來供養彼高座
復有千万億諸天　樂聞正法俱来集
法師初從本座起　咸悉供養以天花
是時寶積大法師　淨洗浴已著鮮服
詣彼大衆法座所　合掌虔心而礼敬
天主天衆及天女　悉皆共散曼陁花
百千天樂難思議　住在空中出妙響
尒時寶積大法師　即昇高座跏趺坐
念彼十方諸刹土　百千万億大慈尊
遍及一切苦衆生　皆起平等慈悲念
為彼請主善生故　演說微妙金光明
王既得聞如是法　合掌一心唱随喜

BD03161號　金光明最勝王經卷九　（21–1）

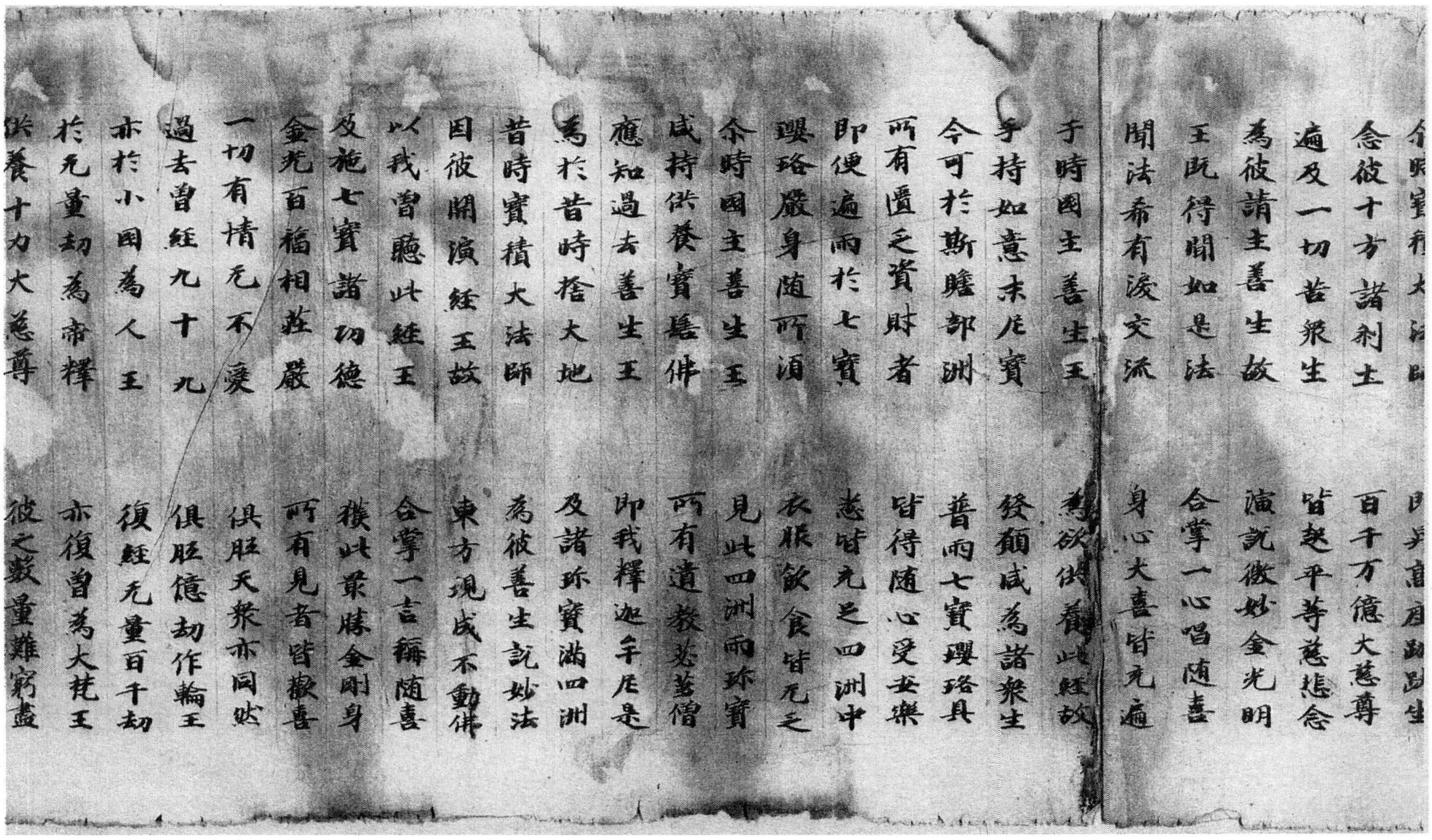

尒時寶積大法師　即昇高座跏趺坐
念彼十方諸刹土　百千万億大慈尊
遍及一切苦衆生　皆起平等慈悲念
為彼請主善生故　演說微妙金光明
王既得聞如是法　合掌一心唱随喜
聞法希有淚交流　身心大喜皆充遍
于時國主善生王　為欲供養此經故
手持如意末尼寶　發願咸為諸衆生
今可於斯贍部洲　普雨七寶瓔珞具
所有匱乏資財者　皆得随心受安樂
即便遍雨於七寶　悉皆充足四洲中
瓔珞嚴身随所須　衣服飲食皆无乏
尒時國主善生王　見此四洲雨珎寶
咸持供養寶髻佛　所有遺教苾蒭僧
應知過去善生王　即我釋迦牟尼是
為於昔時捨大地　及諸珎寶滿四洲
昔時寶積大法師　為彼善生說妙法
因彼開演經王故　東方現成不動佛
以我曾聽此經王　合掌一言稱随喜
及施七寶諸功德　獲此最勝金剛身
金光百福相莊嚴　所有見者皆歡喜
一切有情无不愛　俱胝天衆亦同然
過去曾經九十九　俱胝億劫作輪王
亦於小國為人王　復經无量百千劫
於无量劫為帝釋　亦復曾為大梵王
供養十力大慈尊　彼之數量難窮盡

BD03161號　金光明最勝王經卷九　（21–2）

過去曾經九十九　俱胝億劫作輪王
亦於小國為人王　復經无量百千劫
於无量劫為帝釋　亦復曾為大梵王
供養十力大慈尊　彼之數量難窮盡
我昔聞經隨喜善　所有福聚量難知
由斯福故證菩提　獲得法身真妙智
尒時大眾聞是說已，歎未曾有，皆願奉持金
光明經流通不絕

金光明最勝王經諸天藥叉護持品第廿二

尒時世尊告大吉祥天女曰：若有淨信善男
子善女人欲於過去未來現在諸佛以不可
思議廣大微妙供養之具而為奉獻及欲解
了三世諸佛甚深行處，是人應當決定至心
隨是經王所在之處城邑聚落或山澤中廣
為眾生敷演流布，其聽法者應除亂想攝耳
用心。世尊即為彼天及諸大眾說伽他曰：
若欲於諸佛　不思議供養　復了諸如來　甚深境界者
若見演說此　最勝金光明　應親詣彼方　至其所住處
此經難思議　能生諸功德　无邊大苦海　解脫諸有情
我觀此經王　初中後皆善　甚深不可測　譬喻无能比
假使恒河沙　大地塵海水　虛空諸山石　无能喻少分
欲入深法界　應先聽是經　法性之制底　甚深善安住
於斯制底內　見我牟尼尊　悅意妙音聲　演說斯經典
由此俱胝劫　數量難思議　生在人天中　常受勝妙樂

BD03161號　金光明最勝王經卷九　（21–3）

欲入深法界　應先聽是經　法性之制底　甚深善安住
於斯制底內　見我牟尼尊　悅意妙音聲　演說斯經典
由此俱胝劫　數量難思議　生在人天中　常受勝妙樂
若聽是經者　應作如是心　我得不思議　无邊功德蘊
假使大火聚　滿百踰繕那　為聽此經王　直過无辭苦
既至彼住處　得聞如是經　能滅於罪業　及餘諸惡夢
惡星諸變恠　蠱道邪魅等　得聞是經時　諸惡皆捨離
應嚴勝高座　淨妙若蓮花　法師處其上　猶如大龍坐
於斯安坐已　說此甚深經　書寫及誦持　并為解其義
法師捨此座　往詣餘方所　於此高座中　神通非一相
或見法師像　猶在高座上　或時見世尊　及以諸菩薩
或作普賢像　或如妙吉祥　或見慈氏尊　身處於高座
或見希奇相　及以諸天像　暫得覩容儀　忽然還不現
成就諸吉祥　所作皆隨意　功德悉圓滿　世尊如是說
最勝有名稱　能滅諸煩惱　他國賊皆除　戰時常得勝
惡夢悉皆无　及消諸毒害　所作三業罪　經力能除滅
於此贍部洲　名稱咸充滿　所有諸怨結　悉皆相捨離
設有怨敵至　聞名便退散　不假動兵戈　兩陣生歡喜
梵王帝釋主　護世四天王　及金剛藥叉　正了知大將
无熱池龍王　及以娑揭羅　緊那羅樂神　蘇羅金翅主
大辯才天女　并大吉祥天　斯等上首天　各領諸天眾
常供養諸佛　法寶不思議　恒生歡喜心　於經起恭敬
斯等諸天眾　皆悉共思惟　遍觀修福者　共作如是說
應觀此有情　咸是大福德　善根精進力　當來生我天
為聽甚深經　敬心來至此　供養法制底　尊重正法故

BD03161號　金光明最勝王經卷九　（21–4）

常供養諸佛　法寶不思議　恒生歡喜心　於經起恭敬
斯等諸天眾　皆悉共思惟　遍觀脩福者　共作如是說
應觀此有情　咸是大福德　善根精進力　當來生我天
為聽甚深經　敬心來至此　供養法制底　尊重正法故
憐愍於眾生　而作大饒益　於此深經典　能為法寶器
入此法門者　能入於法性　於此金光明　至心應聽受
是人曾供養　无量百千佛　由彼諸善根　得聞此經典
如是諸天主　天女大辯才　并彼吉祥天　及以四王眾
无數藥叉眾　勇猛有神通　各於其四方　常來相擁護
日月天帝釋　風水火諸神　吠率怒大肩　閻羅辯才等
一切諸護世　勇猛具威神　擁護持經者　晝夜常不離
大力藥叉王　那羅延自在　正了知為首　二十八藥叉
餘藥叉百千　神通有大力　恒於恐怖處　常來護此人
金剛藥叉王　并五百眷屬　諸大菩薩眾　常來護此人
寶王藥叉主　及以滿賢王　曠野金毗羅　賓度羅黃色
此等藥叉王　各五百眷屬　見聽此經者　皆來共擁護
彩軍乾闥婆　華王常戰勝　珠頸及青頸　并勃里沙王
大最勝大黑　蘇跋拏雞舍　半之迦羊足　及以大婆伽
小渠并護法　及以獼猴王　針毛及日友　寶髮皆來護
大渠諸拘羅　旃檀欲中勝　舍羅及雪山　及以娑多山
皆有大神通　雄猛具大力　見持此經者　皆來相擁護
阿那婆答多　及以娑揭羅　目真醫羅葉　難陀小難陀
於百千龍中　神通具威德　共護持經人　晝夜常不離
婆稚羅睺羅　毗摩質多羅　母旨哲跋羅　大肩及歡喜
及餘蘇羅王　并无數天眾　大力有勇健　皆來護是人

BD03161號　金光明最勝王經卷九　（21-5）

阿那婆答多　及以娑揭羅　目真醫羅葉　難陀小難陀
於百千龍中　神通具威德　共護持經人　晝夜常不離
婆稚羅睺羅　毗摩質多羅　母旨哲跋羅　大肩及歡喜
及餘蘇羅王　并无數天眾　大力有勇健　皆來護是人
訶利底母神　五百藥叉眾　於彼人睡覺　常來相擁護
旃荼旃荼利　藥叉旃稚女　昆帝拘吒齒　吸眾生精氣
如是諸神眾　大力有神通　常護持經者　晝夜恒不離
上首辯才天　无量諸天女　吉祥天為首　并餘諸眷屬
此大地神女　果實園林神　樹神江河神　制底諸神等
如是諸天神　心生大歡喜　彼皆來擁護　讀誦此經人
見有持經者　增壽命色力　威光及福德　妙相以莊嚴
星宿現災變　困厄當此人　夢見惡徵祥　皆悉令除滅
此大地神女　堅固有威勢　由此經力故　法味常充足
地肥若流下　過百踰繕那　地神令味上　滋潤於大地
此地厚六十　八億踰繕那　乃至金剛際　地味皆令上
由聽此經王　獲大功德蘊　能使諸天眾　悉蒙其利益
復令諸天眾　威力有光明　歡喜常安樂　捨離於衰相
於此南洲內　林果苗稼神　由此經威力　心常得歡喜
苗稼皆成就　處處有妙花　果實並滋繁　充滿於大地
所有諸果樹　及以眾園林　悉皆生妙花　香氣常芬馥
眾草諸樹木　咸出微妙花　及生甘美果　隨處皆充遍
於此贍部洲　无量諸龍女　心生大歡喜　皆共入池中
種植鉢頭摩　及以分陁利　青白二蓮花　池中皆遍滿
由此經威力　虛空淨无翳　雲霧皆除遣　冥闇悉光明
日出放千光　无垢焰清淨　由此經王力　流暉遶四天
此經威德力　資助於天子　皆用贍部金　而作天宮殿

BD03161號　金光明最勝王經卷九　（21-6）

於此贍部洲 无量諸龍女 心生大歡喜 皆共入池中
種植鉢頭摩 及以分陁利 青白二蓮花 池中皆遍滿
由此經威力 虛空淨无翳 雲霧皆除遣 冥闇悉光明
日出放千光 无垢焰清淨 由此經王力 流暉繞四天
此經威德力 資助於天子 皆用贍部金 而作於宮殿
日天子初出 見此洲歡喜 常以大光明 周遍皆照耀
於斯大地內 所有蓮花池 日光照及時 无不盡開發
於此贍部洲 田疇諸果藥 悉皆令善熟 充滿於大地
由此經威力 日月所照處 星辰不失度 風雨皆順時
遍此贍部洲 國土咸豐樂 隨有此經處 殊勝倍餘方
若此金光明 經典流布處 有能講誦者 悉得如上福
尒時大吉祥天女及諸天等聞佛所說皆大
歡喜於此經王及受持者一心擁護令无憂
惱常得安樂

金光明最勝王經授記品第廿三

尒時如來於大衆中廣說法已欲為妙幢菩
薩及其二子銀幢銀光授阿耨多羅三藐三
菩提記時有十千天子最勝光明而為上首
俱從三十三天來至佛所頂礼佛足却坐一
面聽佛說法尒時佛告妙幢菩薩言汝於來
世過无量无數百千万億那庾多劫已於金
光明世界當成阿耨多羅三藐三菩提号金
寶山王如來應正遍知明行足善逝世間解
无上士調御丈夫天人師佛世尊出現於世
時此如來般涅槃後所有教法亦皆滅盡時彼

BD03161號 金光明最勝王經卷九 (21-7)

寶山王如來應正遍知明行足善逝世間解
无上士調御丈夫天人師佛世尊出現於世
時此如來般涅槃後所有教法亦皆滅盡時彼
長子名曰銀幢即於此界次補佛處世界尒
時轉名淨幢當得作佛名曰金幢光如來應
正遍知明行足善逝世間解无上士調御丈
夫天人師佛世尊時此如來般涅槃後所有
教法亦皆滅盡次子銀光即補佛處還於此
界當得作佛号曰金光明如來應正遍知明
行足善逝世間解无上士調御丈夫天人師
佛世尊是時十千天子聞三大士得授記已
復聞如是最勝王經心生歡喜清淨无垢猶
如虛空尒時如來知是十千天子善根成熟
即便與授大菩提記汝等天子於當來世過
无量无數百千万億那庾多劫於最勝因陁
羅高幢世界得成阿耨多羅三藐三菩提同
一種姓又同一名号曰面目清淨優鉢羅香
山十号具足如是次第十千諸佛出現於世
尒時菩提樹神白佛言世尊是十千天子從
三十三天為聽法故來詣佛所云何如來便
與授記當得成佛世尊我未曾聞是諸天子
具足脩習六波羅蜜多難行苦行捨於手足
頭目髓腦眷屬妻子象馬車乘奴婢僕使宮
殿園林金銀琉璃硨磲碼碯珊瑚虎魄璧玉
珂貝飲食衣服卧具醫藥如餘无量百千菩

BD03161號 金光明最勝王經卷九 (21-8)

具足修習六波羅蜜多難行苦行捨於手足
頭目髓腦眷屬妻子象馬車乘奴婢僕使宮
殿園林金銀琉璃硨磲碼碯珊瑚虎魄璧玉
珂貝飲食衣服卧具醫藥如餘无量百千菩
薩以諸供具供養過去无數百千万億那庾
多佛如是菩薩各經无量无邊劫數然後方
得受菩提記世尊是諸天子以何因緣修何
勝行種何善根從彼天來暫時聞法便得授
記唯願世尊為我解說斷除疑網佛告地神
善女天如汝所說皆從勝妙善根因緣勤苦
修已方得授記此諸天子於妙天宮捨五欲
樂故來聽是金光明經既聞法已於是經中
心生慇重如淨琉璃无諸瑕穢復得聞此三
大菩薩授記之事亦由過去久修正行誓願
因緣是故我今皆與授記於未來世當成阿
耨多羅三藐三菩提時彼樹神聞佛說已歡
喜信受

金光明冣勝王經除病品第廿四

佛告菩提樹神善女天諦聽諦聽善思念之
是十千天子本願因緣今為汝說善女天過
去无量不可思議阿僧企耶劫尒時有佛出
現於世名曰寶髻如來應正遍知明行足善
逝世間解无上士調御丈夫天人師佛世尊
善女天時彼世尊般涅槃後正法滅已於像
法中有王名曰天自在光常以正法化於人

BD03161號　金光明最勝王經卷九　（21-9）

現於世名曰寶髻如來應正遍知明行足善
逝世間解无上士調御丈夫天人師佛世尊
善女天時彼世尊般涅槃後正法滅已於像
法中有王名曰天自在光常以正法化於人
民猶如父母是王國中有一長者名曰持水
善解醫明妙通八術衆生病苦四大不調咸
能救療善女天尒時持水長者唯有一子名
曰流水顏容端正人所樂觀受性聰敏妙閑
諸論書畫算印无不通達時王國內有无量
百千諸衆生類皆遇疫病衆苦所逼乃至无有
歡喜之心善女天尒時長者子流水見是
无量百千衆生受諸病苦起大悲心作如是
念无量衆生為諸極苦之所逼迫我父長者
雖善醫方妙通八術能療衆病四大增損然
已衰邁老耄虛羸要假扶策方能進步不復
能往城邑聚落救諸病苦今有无量百千衆
生皆遇重病无能救者我今當至大醫父所
諮問治病醫方秘法若得解已當往城邑聚
落之所救諸衆生種種疾病令於長夜得受
安樂時長者子作是念已即詣父所稽首礼
足合掌恭敬却住一面即以伽他請其父曰
慈父當哀愍　我欲救衆生　今請諸醫方　幸願為我說
云何身衰壞　諸大有增損　復在何時中　能生諸疾病
云何噉飲食　得受於安樂　能使內身中　火勢不衰損
衆生有四病　風黃熱痰癊　及以總集病　云何而療治

BD03161號　金光明最勝王經卷九　（21-10）

慈父當哀愍　我欲救衆生　今請諸醫方　幸願為我說
云何身衰壞　諸大有增損　復在何時中　能生諸疾病
云何敢飲食　得受於安樂　能使內身中　火勢不衰損
衆生有四病　風黃熱痰癊　及以總集病　云何而療治
何時風病起　何時熱病發　何時動痰癊　何時總集生
時彼長者聞子請已復以伽他而荅之曰
我今依古仙　所有療病法　次第為汝說　善聽救衆生
三月是春時　三月名為夏　三月名秋分　三月謂冬時
此據一年中　三三而別說　二二為一節　便成歲六時
初二是花時　三四名熱際　五六名雨際　七八謂秋時
九十是寒時　後二名氷雪　既知如是別　授藥勿令差
當隨此時中　調息於飲食　入腹令消散　衆病則不生
節氣若變改　四大有推移　此時无藥資　必生於病苦
醫人解四時　復知其六節　明閑身七界　食藥使无差
謂味界血肉　膏骨及髓腦　病入此中時　知其可療不
病有四種別　謂風熱痰癊　及以總集病　應知發動時
春中痰癊動　夏內風病生　秋時黃熱增　冬節三俱起
春食澀熱辛　夏膩熱鹹醋　秋時冷甜膩　冬酸澀膩甜
於此四時中　服藥及飲食　若依如是味　衆病无由生
食後病由癊　食消時由熱　消後起由風　准時須識病
既識病源已　隨病而設藥　假令患狀殊　先須療其本
風病服油膩　患熱利為良　癊病應變吐　總集須三藥
風熱癊俱有　是名為總集　雖知病起時　應觀其本性
如是觀知已　順時而授藥　飲食藥无差　斯名善醫者
復應知八術　總攝諸醫方　於此若明閑　可療衆生病

BD03161號　金光明最勝王經卷九

（21–11）

風病服油膩　患熱利為良　癊病應變吐　總集須三藥
風熱癊俱有　是名為總集　雖知病起時　應觀其本性
如是觀知已　順時而授藥　飲食藥无差　斯名善醫者
復應知八術　總攝諸醫方　於此若明閑　可療衆生病
謂針刺傷破　身疾并鬼神　惡毒及孩童　延年增氣力
先觀彼形色　語言及性行　然後問其夢　知風熱癊殊
乾瘦少頭髮　其心无定住　多語夢飛行　斯人是風性
少年生白髮　多汗及多瞋　聰明夢見火　斯人是熱性
心定身平整　慮審頭津膩　夢見水白物　是癊性應知
總集性俱有　或二或具三　隨有一偏增　應知是其性
既知本性已　准病而授藥　驗其无死相　方名可救人
諸根倒取境　尊醫人起慢　親友生瞋恚　是死相應知
左眼白色變　舌黑鼻梁皺　耳輪與舊殊　下脣垂向下
訶梨勒一種　具足有六味　能除一切病　无忌藥中王
又三果三辛　諸藥中易得　沙糖蜜蘇乳　此能療衆病
自餘諸藥物　隨病可增加　先起慈愍心　莫規於財利
我已為汝說　療疾中要事　以此救衆生　當獲无邊果
善女天尒時長者子流水親問其父八術之要
四大增損時節不同餌藥方法既善了知自
忖堪能救療衆病即便遍至城邑聚落所在
之處隨有百千万億病苦衆生皆至其所善
言慰喻作如是語我是醫人我是醫人善知
方藥今為汝等療治衆病悉令除愈善女天
尒時衆人聞長者子善言慰喻許為治病時
有无量百千衆生遇極重病聞是語已身心

BD03161號　金光明最勝王經卷九

（21–12）

方藥令為汝等療治衆病悉令除愈善女天
尒時衆人聞長者子善言慰喻許為治病時
有无量百千衆生遇極重病聞是語已身心
踊躍得未曾有以此因緣所有病苦悉得蠲
除氣力充實平復如本善女天尒時復有无
量百千衆生病苦深重難療治者即共往詣
長者子所重請醫療時長者子即以妙藥令
服皆蒙除差善女天是長者子於此國內百
千万億衆生病苦悉得除差

金光明最勝王經長者子流水品第廿五

尒時佛告菩提樹神善女天尒時長者子流
水於往昔時在天自在光王國內療諸衆生
所有病苦令得平復受安隱樂時諸衆生以
病除故多脩福業廣行惠施以自歡娛即共
往詣長者子所咸生尊敬作如是言善哉善
哉大長者子善能滋長福德之事增益我等
安隱壽命仁今實是大力醫王慈悲菩薩妙
閑醫藥善療衆生无量病苦如是稱歎周遍
城邑善女天時長者子妻名水肩藏有其二
子一名水滿二名水藏是時流水將其二子
漸次遊行城邑聚落過空澤中深險之處見
諸禽獸犲狼狐玃鵰鷲之屬食血肉者皆悉
奔飛一向而去時長者子作如是念此諸禽
獸何因緣故一向飛走我當隨後暫往觀之
即便隨去見有大池名曰野生其水將盡於
此池中多有衆魚流水見已生大悲心時有

BD03161號　金光明最勝王經卷九　（21–13）

奔飛一向而去時長者子作如是念此諸禽
獸何因緣故一向飛走我當隨後暫往觀之
即便隨去見有大池名曰野生其水將盡於
此池中多有衆魚流水見已生大悲心時有
樹神示現半身作如是語善哉善哉善男子
汝有實義名流水者可愍此魚應與其水有
二因緣名為流水一能流水二能與水汝今
應當隨名而作是時流水問樹神言此魚頭
數為有幾何樹神答曰數滿十千善女天時
長者子聞是數已倍益悲心時此大池為日
所暴餘水无幾是十千魚將入死門旋身婉
轉見是長者心有所希隨逐瞻視目未曾捨
時長者子見是事已馳趣四方欲覓於水竟
不能得復望一邊見有大樹即便昇上折取枝
葉為作蔭涼復更推求是池中水從何處
來尋覓不已見一大河名曰生時此河邊
有諸漁人為取魚故於河上流懸險之處決
棄其水不令下過於所決處卒難修補便作
是念此崖深峻設百千人時經三月亦未能
斷況我一身而堪濟辦時長者子速還本城
至大王所頭面禮足却住一面合掌恭敬作
如是言我為大王國土人民治種種病悉令
安隱漸次遊行至其空澤見有一池名曰
野生其水欲涸有十千魚為日所暴將死不
久唯願大王慈悲愍念與二十大象暫往負

BD03161號　金光明最勝王經卷九　（21–14）

如是言我為大王國土人民治種種病悉令
安隱漸次遊行至其空澤見有一池名曰
野生其水欲涸有十千魚為日所暴將死不
久唯願大王慈悲愍念與二十大象暫借負
水濟彼魚命如我與諸病人壽命尒時大王
即勅大臣速疾與此醫王大象時彼大臣奉
王勅已白長者子善哉大士仁今自可至象
廄中隨意選取二十大象利益衆生令得安
樂是時流水及其二子將二十大象又從酒
家多借皮囊往決水處以囊盛水象負至池
寫置池中水即弥滿還復如故善女天時長
者子於池四邊周旋而視時彼衆魚亦復隨
逐循岸而行時長者子復作是念衆魚何故
隨我而行必為飢火之所惱逼復欲從我求
索於食我今當與尒時長者子流水告其子
言汝取一象最大力者速至家中啓父長者
家中所有可食之物乃至父母食噉之分及
以妻子奴婢之分悉皆收取即可持来尒時
二子受父教已乘最大象速往家中至祖父
所說如上事收取家中可食之物置於象上
疾還父所至彼池邊是時流水見其子来身
心喜躍遂取餅食遍散池中魚得食已悉皆
飽足便作是念我今施食令魚得命願於来
世當施法食充濟无邊復更思惟我先曾於
空閑林處見一苾芻讀大乘經說十二緣生

BD03161號　金光明最勝王經卷九　（21–15）

飽足便作是念我今施食令魚得命願於来
世當施法食充濟无邊復更思惟我先曾於
空閑林處見一苾芻讀大乘經說十二緣生
甚深法要又經中說若有衆生臨命終時得
聞寶髻如来名者即生天上我今當為是十
千魚演說甚深十二緣起亦當稱說寶髻佛
名然贍部洲有二種人一者深信大乘二者
不信毀呰亦當為彼增長信心時長者子作
如是念我入池中可為衆魚說深妙法作是
念已即便入水唱言南謨過去寶髻如来應
正遍知明行足善逝世間解无上士調御丈
夫天人師佛世尊此佛往昔脩菩薩行時作
是誓願於十方界所有衆生臨命終時聞我
名者命終之後得生三十三天尒時流水復
為池魚演說如是甚深妙法此有故彼有此
生故彼生所謂无明緣行行緣識識緣名色
名色緣六處六處緣觸觸緣受受緣愛愛緣
取取緣有有緣生生緣老死憂悲苦惱此滅
故彼滅所謂无明滅則行滅行滅則識滅識
滅則名色滅名色滅則六處滅六處滅則觸
滅觸滅則受滅受滅則愛滅愛滅則取滅取
滅則有滅有滅則生滅生滅則老死滅老死
滅則憂悲苦惱滅如是純極苦蘊悉皆除滅
說是法已復為宣說十二緣起相應陁羅尼曰
怛姪他　毗折你　毗折你
毗折你　僧塞枳你

BD03161號　金光明最勝王經卷九　（21–16）

滅則憂悲苦惱滅如是純極苦蘊悉皆除滅
說是法已復為宣說十二緣起相應陁羅尼曰
怛　姪　他　毗折你毗折你
毗　折　你　僧塞你
僧　塞　枳　你　僧塞枳你
毗尒你毗尒你　毗尒你莎訶
怛　姪　他　鞞須你鞞須你
鞞須你敎雉你　敎雉你敎雉你
颯鉢哩設你　颯鉢哩設你
颯鉢哩設你莎訶
怛　姪　他　薜達你薜達你
薜　達　你　窒里瑟你
窒　里　瑟　你　窒里瑟你
鄔波地你　鄔波地你　鄔波地你莎訶
怛　姪　他　婆毗你婆毗你
婆　毗　你　闍底（丁里反下同）你
闍　底　你　闍　底　你
闍　摩　你　闍　摩　你
闍摩你你莎訶
尒時世尊為諸大衆說長者子昔緣之時
諸人天衆歎未曾有時四大天王各於其處
異口同音作如是說
善哉釋迦尊　說妙法明呪　生福除衆惡　十二支相應
我等亦說呪　擁護如是法　若有生違逆　不善隨順者
頭破作七分　猶如蘭香梢　我等於佛前　共說其呪曰

BD03161 號　金光明最勝王經卷九　（21–17）

異口同音作如是說
善哉釋迦尊　說妙法明呪　生福除衆惡　十二支相應
我等亦說呪　擁護如是法　若有生違逆　不善隨順者
頭破作七分　猶如蘭香梢　我等於佛前　共說其呪曰
怛姪他呬里謎　揭睇健陁哩
旃荼里地囇　驕伐囇石呬伐囇
補囉布囇矩矩末底　呵囉末底達地目契
窶嚕婆母嚕婆　具荼母嚕健提
杜嚕杜嚕毗囇　鞞泥悉泥沓（徒洽反下同）娖
達沓娖鄔悉怛哩　烏率吒囉伐底
頞剌婆伐底　鉢杜摩伐底
俱蘇摩伐底　莎訶
佛告善女天　尒時長者子流水及其二子為
彼池魚施水施食并說法已俱共還家是長
者子流水復於後時因有衆會設衆伎樂醉
酒而卧時十千魚同時命過生三十三天起
如是念我等以何善業因緣生此天中便相
謂曰我等先於贍部洲內墮傍生中共受魚
身長者子流水施我等水及以餅食復為我
等說甚深法十二緣起及陁羅尼復稱寶髻
如來名号以是因緣能令我等得生此天是
故我今咸應詣彼長者子所報恩供養尒時
十千天子即於天沒至贍部洲大醫王所時
長者子在高樓上安隱而睡時十千天子共
以十千真珠瓔珞置其頭邊復以十千置其

BD03161 號　金光明最勝王經卷九　（21–18）

故我今咸應詣彼長者子所報恩供養介時
十千天子即於天沒至贍部洲大醫王所時
長者子在高樓上安隱而睡時十千天子共
以十千真珠瓔珞置其頭邊復以十千置其
足處復以十千置於右脅復以十千置左脅
邊雨曼陁羅花摩訶曼陁羅花積至于膝光
明普照種種天樂出妙音聲令贍部洲有睡
眠者皆悉覺悟長者子流水亦從睡寤是時
十千天子為供養已即於空中飛騰而去於
天自在光王國內處處皆雨天妙蓮花是諸
天子復至本處空澤池中雨衆天花便於此
沒還天宮殿隨意自在受五欲樂天自在光
王至天曉已問諸大臣昨夜何緣忽現如是
希有瑞相放大光明大臣荅言大王當知有
諸天衆於長者子流水家中雨四十千真珠
瓔珞及天曼陁羅花積至于膝王告臣曰詣
長者家喚取其子大臣受勑即至其家奉宣
王命喚長者子時長者子即至王所王曰何
緣昨夜示現如是希有瑞相長者子言如我
思忖定應是彼池內衆魚如經所說命終之
後得生三十三天彼來報恩故現如是希奇
之相王曰何以得知流水荅曰王可遣使并
我二子往彼池所驗其虛實彼十千魚為死
為活王聞是語即便遣使及子向彼池邊見
其池中多有曼陁羅花積成大聚諸魚並死

[illegible]彼來報恩故現如是希奇
之相王曰何以得知流水荅曰王可遣使并
我二子往彼池所驗其虛實彼十千魚為死
為活王聞是語即便遣使及子向彼池邊見
其池中多有曼陁羅花積成大聚諸魚並死
見已馳還為王廣說王聞是已心生歡喜歎
未曾有介時佛告菩提樹神善女天汝今當
知昔時長者子流水者即我身是持水長者
即妙幢是彼之二子長子水滿即銀幢是次子
水藏即銀光是彼天自在光王者即汝菩提
樹神是十千魚者即十千天子是因我往昔
以水濟魚與食令飽為說甚深十二緣起并
此相應陁羅尼呪又為稱彼寶髻佛名因此
善根得生天上今來我所歡喜聽法我皆當
為授於阿耨多羅三藐三菩提記說其名号
善女天如我往昔於生死中輪迴諸有廣為
利益令無量衆生悉令次第成無上覺與其
授記汝等皆應勤求出離勿為放逸介時大
衆聞說是已悉皆悟解由大慈悲救護一切
勤脩苦行方能證獲無上菩提咸發深心
信受歡喜

金光明經卷第九

耄（毛報）痰（徒甘）癊（於禁）貜（俱縛）枳（居尒）弭（弥氏）媲（普詣）睇（啼計）梢（所交）

以水濟魚與食令飽為說甚深十二緣起并
此相應陁羅尼呪又為稱彼寶髻佛名因此
善根得生天上今來我所歡喜聽法我皆當
為授於阿耨多羅三藐三菩提記說其名号
善女天如我往昔於生死中輪迴諸有廣為
利益令无量衆生悉令次第成无上覺與其
授記汝等皆應勤求出離勿為放逸尒時大
衆聞說是已悉皆悟解由大慈悲救護一切
勤脩苦行方能證獲无上菩提咸發深心
信受歡喜

金光明經卷第九

毷毛報 痰徒甘 癊於禁 纓俱縛 枳居企 狗絲氏 娓善諂 睇啼計 楕所文

BD03161 號　金光明最勝王經卷九　（21–21）

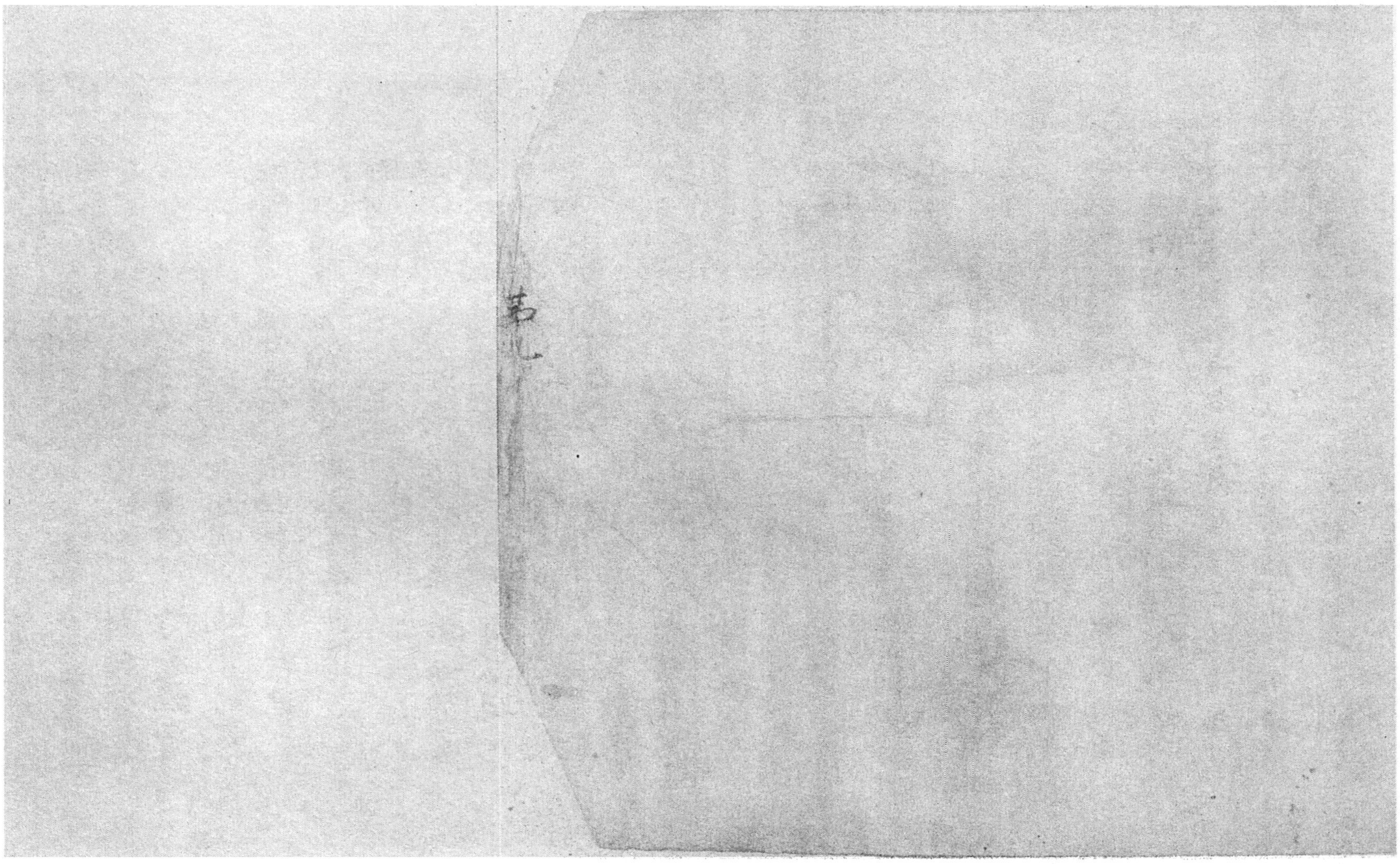

BD03161 號背　勘記　（1–1）

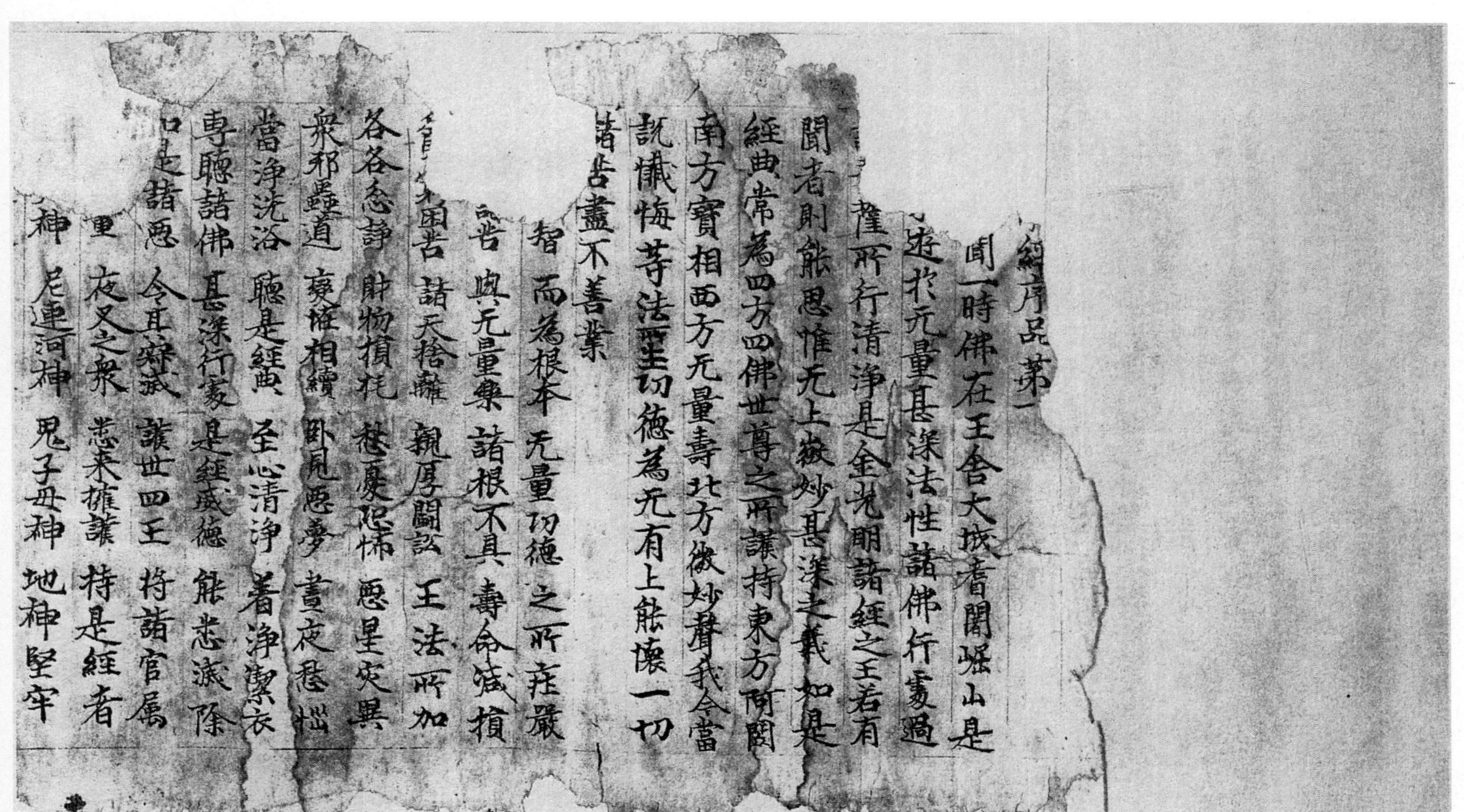

金光明經序品第一
聞一時佛在王舍大城耆闍崛山是
遊於无量甚深法性諸佛行處過
薩所行清淨是金光明諸經之王若有
聞者則能思惟无上微妙甚深之義如是
經典常為四方四佛世尊之所護持東方阿閦
南方寶相西方无量壽北方微妙聲我今當
說懺悔等法所生功德為无有上能壞一切
諸苦盡不善業
智而為根本无量功德之所莊嚴
苦與无量樂諸根不具壽命減損
貧窮困苦諸天捨離親厚鬪訟王法所加
各各忿諍財物損耗愁憂恐怖惡星災異
衆邪蠱道變怪相續卧見惡夢晝夜愁惱
當淨洗浴聽是經典至心清淨著淨潔衣
專聽諸佛甚深行處是經威德能悉滅除
是諸惡令其殄滅護世四王將諸官屬
夜叉之衆悉來擁護持是經者
神尼連河神鬼子母神地神堅牢

BD03162號　金光明經卷一　（19–1）

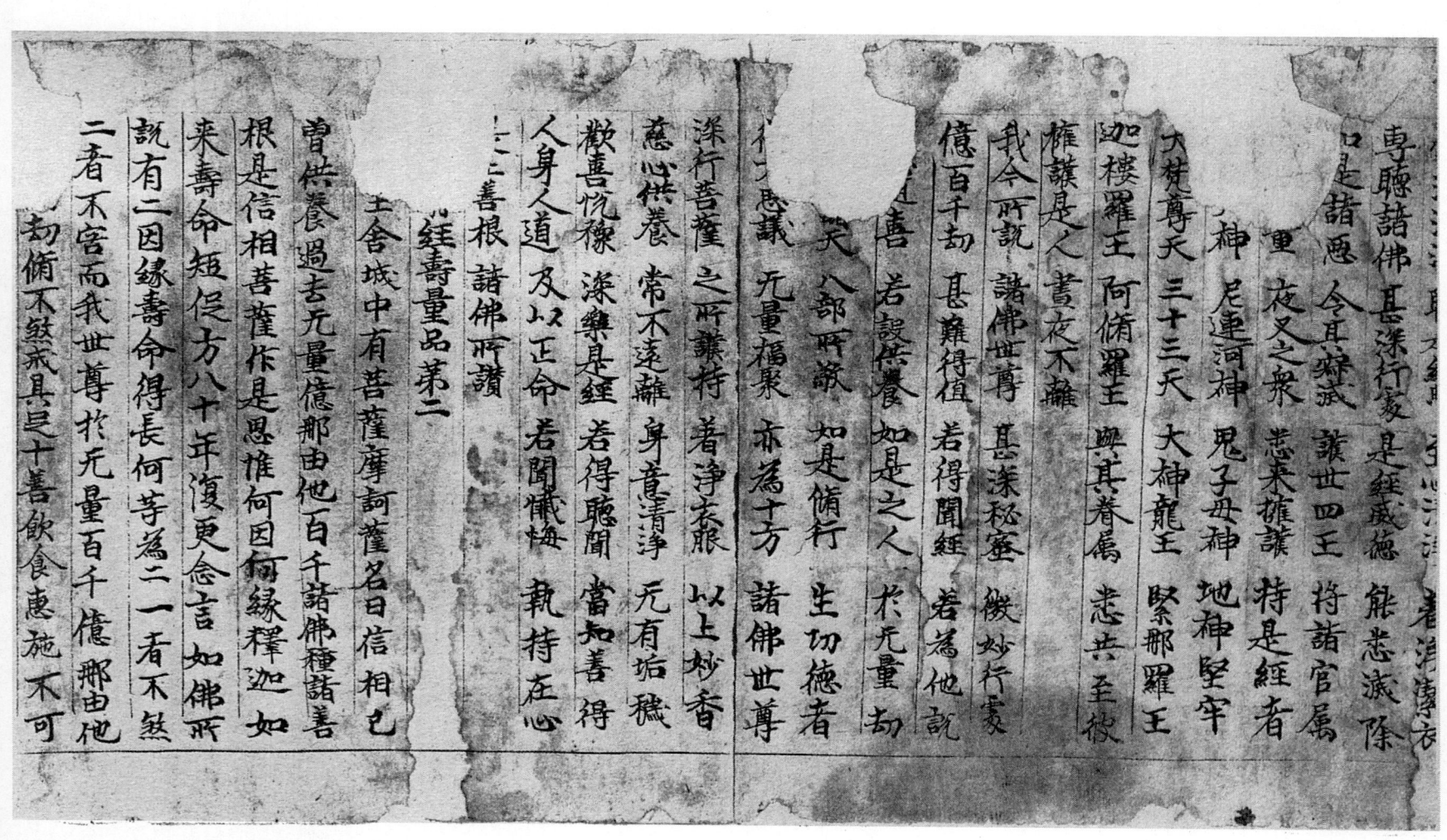

著淨潔衣
專聽諸佛甚深行處是經威德能悉滅除
是諸惡令其殄滅護世四王將諸官屬
夜叉之衆悉來擁護持是經者
神尼連河神鬼子母神地神堅牢
大梵尊天三十三天大神龍王緊那羅王
迦樓羅王阿脩羅王與其眷屬悉共至彼
擁護是人晝夜不離
我今所說諸佛世尊甚深秘密微妙行處
億百千劫甚難得值若得聞經若為他說
善若設供養如是之人於无量劫
天八部所敬如是脩行生功德者
思議无量福聚亦為十方諸佛世尊
深行菩薩之所護持著淨衣服以上妙香
慈心供養常不遠離身意清淨无有垢穢
歡喜悅豫深樂是經若得聽聞當知善得
人身人道及以正命若聞懺悔執持在心
上善根諸佛所讚
經壽量品第二
王舍城中有菩薩摩訶薩名曰信相已
曾供養過去无量億那由他百千諸佛種諸善
根是信相菩薩作是思惟何因何緣釋迦如
來壽命短促方八十年復更念言如佛所
說有二因緣壽命得長何等為二一者不殺
二者不盜而我世尊於无量百千億那由他
劫脩不殺戒具足十善飲食惠施不可

BD03162號　金光明經卷一　（19–2）

来壽命短促方八十年復更念言如佛所
說有二因緣壽命得長何等爲二一者不煞
二者不害而我世尊於无量百千億那由他
劫脩不煞戒具足十善飲食惠施不可
乃至已身骨髓肉血充足飽滿飢餓衆
生況餘飲食大士如是至心念佛思是義時
其室自然廣博嚴事天紺琉璃種種衆寶
雜廁間錯以成其地猶如如來所居淨土有
妙香氣過諸天香烟雲垂布遍滿其室其
室四面各有四寶上妙高坐自然而出純以天衣
以具是妙坐上各有諸佛所受用華衆寶
於蓮華上有四如來東方名阿閦南方
名寶相西方名无量壽北方名微妙聲是四
如來自然而坐師子座上放大光明照王舍
城及此三千大千世界乃至十方恒河沙等
諸佛世界雨諸天華作天伎樂尒時三千大
千世界所有衆生以佛神力受天快樂諸根
即得具足舉要之言一切世間所有利益
有事悉具足出現
尒時信相菩薩見是諸佛及希有事歡喜
踊躍恭敬合掌向諸世尊至心念佛作是思
惟釋迦如來无量功德唯壽命中心生疑惑
云何如來壽命如是方八十年尒時四佛以
正遍知告信相菩薩善男子汝今不應思量
如來壽命短促何以故善男子我等不見
世人魔衆梵衆沙門婆羅門人及非

BD03162號　金光明經卷一　（19–3）

云何如來壽命如是方八十年尒時四佛以
正遍知告信相菩薩善男子汝今不應思量
如來壽命短促何以故善男子我等不見
世人魔衆梵衆沙門婆羅門人及非
有能思筭如來壽量如是齊限唯除如來
時四如來將欲宣暢釋迦文佛所得壽命欲
色界天諸龍鬼神乾闥婆阿脩羅迦樓羅緊
那羅摩睺羅伽及无量百千億那由他菩薩
摩訶薩以佛神力悉來聚集信相菩薩摩訶
薩室尒時四佛於大衆中略以偈喻說釋迦
所得壽量而作頌曰
諸水　可知幾渧　无有能數　釋尊壽命
諸須弥山　可知斤兩　无有能量　釋尊壽命
一切大地　可知塵數　无有能筭　釋尊壽命
虛空界分　尚可盡邊　无有能計　釋尊壽命
不可計劫　億百千万　佛壽如是　无量无邊
是因喻　故說二乘　不害物命　施食无量
大士　壽不可計　无量无邊　亦无齊限
是故汝今　不應於佛　无量壽命　而生疑惑
尒時信相菩薩摩訶薩聞是四佛宣說如來
壽命无量深心信解歡喜踊躍說是如來壽
命品時无量无邊阿僧祇衆生發阿耨多羅
三藐三菩提心時四如來忽然不現
金光明經懺悔品第三
信相菩薩即於其夜夢見金鼓其狀殊
大其明普照喻如日光復於光中得見十方

BD03162號　金光明經卷一　（19–4）

三藐三菩提心時四如來忽然不現
金光明經懺悔品第三
爾時信相菩薩即於其夜夢見金鼓其狀姝
大其明普照喻如日光復於光中得見十方
无量无邊諸佛世尊衆寶樹下坐瑠璃座與
无量百千眷屬圍繞而為說法見有一人似
婆羅門以桴擊鼓出大音聲其聲演說懺悔
偈頌時信相菩薩從夢寤已至心憶念夢中
所聞懺悔偈頌過夜至旦出王舍城尒時亦
有无量无邊百千衆生與菩薩俱往耆闍崛
山至於佛所至佛所已頂礼佛足右遶三匝
却坐一面敬心合掌瞻仰尊顏以其夢中所
說金鼓及聞懺悔偈頌向如來說
昨夜所夢　至心憶持　夢見金鼓　妙色光曜
其光大盛　明踰於日　遍照十方　恒河世界
又因此光　得見諸佛　衆寶樹下　坐琉璃座
无量大衆　圍遶說法
見婆羅門　擊是金鼓　其鼓音中　說如是偈
是大金鼓　所出妙音　悉能滅除　三世諸苦
地獄餓鬼　畜生等苦　貧窮困厄　及諸有苦
是鼓所出　微妙之音　能除衆生　諸苦所逼
斷衆怖畏　令得无懼　猶如諸佛　得无所畏
諸佛聖人　所成功德　離於生死　到大智岸
如是衆生　所得功德　定及助道　猶如大海
是鼓所出　如是妙音　令衆生得　梵音深遠
證佛无上　菩提勝果　轉无上輪　微妙清淨

諸佛聖人　所成功德　離於生死　到大智岸
如是衆生　所得功德　定及助道　猶如大海
是鼓所出　如是妙音　令衆生得　梵音深遠
證佛无上　菩提勝果　轉无上輪　微妙清淨
住壽无量　不思議劫　演說正法　利益衆生
能害煩惱　消除諸苦　貪瞋癡等　悉令寂滅
若有衆生　處在地獄　大火熾燃　燒炙其身
若聞金鼓　微妙音聲　所出言教　即尋礼佛
亦令衆生　得知宿命　百生千生　千万億生
令心正念　諸佛世尊　亦聞无上　微妙之言
是金鼓中　所出妙音　復令衆生　值遇諸佛
遠離一切　諸佛業等　善脩无量　白淨之業
諸天世人　及餘衆生　隨其所思　諸所念求
如是金鼓　所出之音　皆悉能令　成就具足
若有衆生　墮大地獄　猛火焱熾　焚燒其身
无有救護　流轉諸難　當令是等　悉滅諸苦
若有衆生　諸苦所切　三惡道報　及以人中
如是金鼓　所出之音　悉能除滅　一切諸苦
无依无歸　无有救護　我為是等　作歸依處
是諸世尊　今當證知　久已於我　生大悲心
在在處處　十方諸佛　現在世雄　兩足之尊
我本所作　惡不善業　今者懺悔　十方力前
不識諸佛　及父母恩　不解善法　造作衆惡
自恃種姓　及諸財寶　盛年放逸　作諸惡行
心念不善　口作惡業　隨心所作　不見其過
凡夫愚行　无知闇覆　親近惡友　煩惱亂心

我本所作惡不善業 今者懴悔 十方力前
不識諸佛及父母恩 不解善法 造作衆惡
自恃種姓及諸財寶 盛年放逸 作諸惡行
心念不善 口作惡業 隨心所作 不見其過
凡夫愚行 无知闇覆 親近惡友 煩惱亂心
五欲因緣 心生忿恚 不知猒足 故作衆惡
親近非聖 因生慳嫉 貧窮因緣 姦諂作惡
繫屬於他 常有怖畏 不得自在 而造諸惡
貪欲恚癡 擾動其心 渴愛所逼 造作衆惡
依因衣食 及以女色 諸結惱熱 造作衆惡
身口意惡 所集三業 如是衆罪 今悉懴悔
或不恭敬 佛法聖衆 如是諸罪 今悉懴悔
或不恭敬 緣覺菩薩 如是衆罪 今悉懴悔
以无智故 誹謗正法 不知恭敬 父母尊長
如是衆罪 今悉懴悔
愚惑所覆 憍慢放逸 因貪恚癡 造作衆惡
如是衆罪 今悉懴悔 我今供養 无量无邊
三千大千 世界諸佛 我當拔濟 十方一切
无量衆生 所有諸苦 我當安止 不可思議
阿僧祇劫 令住十地 已得安止 住十地者
悉令具足 如來正覺 為一衆生 億劫脩行
使无量衆 令度苦海 我當為是 諸衆生等
演說微妙 甚深悔法 所為金光 滅除諸惡
千劫所作 極重惡業 若能至心 一懴悔者
如是衆罪 悉皆滅盡 我今已說 懴悔之法
是金光明 清淨微妙 速能滅除 一切業鄣

使无量衆 令度苦海 我當為是 諸衆生等
演說微妙 甚深悔法 所為金光 滅除諸惡
千劫所作 極重惡業 若能至心 一懴悔者
如是衆罪 悉皆滅盡 我今已說 懴悔之法
是金光明 清淨微妙 速能滅除 一切業鄣
我當安止 住於十地 十種珎寶 以為脚足
成佛无上 功德光明 令諸衆生 度三有海
諸佛所有 甚深法藏 不可思議 无量功德
一切種智 願悉具足 百千禪定 根力覺道
不可思議 諸陁羅尼 十方世尊 我當成就
諸佛世尊 有大慈悲 當證微誠 哀受我悔
若我百劫 所作衆惡 以是因緣 生大憂苦
貧窮困乏 愁怨驚懼 怖畏惡業 心常怯劣
在在處處 暫无歡善 十方現在 大悲世尊
能除衆生 一切怖畏 願當受我 誠心懴悔
令我恐懼 悉得消除 我之所有 煩惱業垢
唯願現在 諸佛世尊 以大悲水 洗除令淨
過去諸惡 今悉悔過 現在作罪 誠心發露
所未作者 更不敢作 已作之者 不敢覆藏
身業三種 口業有四 意三業行 今悉懴悔
身口所作 及以意惡 十種惡業 一切懴悔
遠離十惡 脩行十善 安止十地 逮十力尊
所造惡業 應受惡報 今於佛前 誠心懴悔
若此國土 及餘世界 所有善法 悉以迴向
我所脩行 身口意善 願於來世 證无上道

所造惡業　應受惡報　今於佛前　誠心懺悔
若此國土　及餘世界　所有善法　悉以迴向
我所脩行　身口意善　願於來世　證无上道
若在諸有　六趣嶮難　愚癡无智　造作諸惡
今於佛前　皆悉懺悔　世間所有　生死嶮難
種種婬欲　愚煩惱難　如是諸難　我今懺悔
心輕躁難　近惡友難　三有嶮難　及三毒難
遇无艱難　值好時難　脩功德難　值佛亦難
如是諸難　今悉懺悔
諸佛世尊　我所依心　是故我今　敬礼佛海
金色晃曜　猶如須弥　是故我今　頂礼最勝
其色无上　猶如真金　眼目清淨　如紺琉璃
功德威神　名稱顯著　佛日大悲　滅一切闇
善淨无垢　離諸塵翳　无上佛日　大光普照
煩惱火熾　令心燋熱　唯佛能除　如月清涼
三十二相　八十種好　莊嚴其身　視之无猒
功德巍巍　明網顯曜　安住三界　如日照世
猶如琉璃　淨无瑕穢　妙色廣大　種種各異
其色紅赤　如日初出　頗梨白銀　校餝光網
如是種種　莊嚴佛日　三有之中　生死大河
潦水波蕩　惚亂我心　其味苦毒　最爲麁澀
如來網明　能令枯涸　妙身端嚴　相好殊特
金色光明　遍照一切　智慧大海　弥滿三界
是故我今　稽首敬礼　如大海水　其量難知
大地微塵　不可稱計　諸須弥山　難可度量
虛空邊際　亦不可得　諸佛亦尒　功德无量

金色光明　遍照一切　智慧大海　弥滿三界
是故我今　稽首敬礼　如大海水　其量難知
大地微塵　不可稱計　諸須弥山　難可度量
虛空邊際　亦不可得　諸佛亦尒　功德无量
一切有心　无能知者　於无量劫　極心思惟
不能得知　佛功德邊　大地諸山　尚可知量
毛渧海水　亦可知數　諸佛功德　无能知者
相好莊嚴　名稱讚嘆　如是功德　令衆皆得
我以善業　諸因緣故　來世不久　成於佛道
講宣妙法　利益衆生　度脫一切　无量諸苦
摧伏諸魔　及其眷屬　轉於无上　清淨法輪
住壽无量　不思議劫　充足衆生　甘露法味
我當具足　六波羅蜜　猶如過佛　之所成就
斷諸煩惱　除一切苦　悉滅貪欲　及恚癡等
我當憶念　宿命之事　百生千生　百千億生
常當至心　正念諸佛　聞說微妙　无上正法
我因善業　常值諸佛　遠離諸惡　脩諸善業
一切世界　所有衆生　无量苦惱　我當悉滅
若有衆生　諸根毀壞　不具足者　悉令具足
十方世界　所有病苦　羸瘦頓乏　无救護者
悉令解脫　如是諸苦　還得勢力　平服如故
若犯王法　臨當刑戮　无量怖畏　愁憂苦惱
如是之人　悉令解脫
若受鞭撻　繫縛枷鎖　種種苦事　逼切其身
无量百千　愁憂驚畏　種種恐懼　擾亂其心
如是无邊　諸苦惱等　願使一切　皆得解脫

如是之人　悉令解脱
若受鞭撻　繫縛枷鎖　種種苦事　逼切其身
无量百千　愁憂驚畏　種種恐懼　擾乱其心
如是无邊　諸苦惱等　願使一切　皆得解脱
若有衆生　飢渴所惱　令得種種　甘美飲食
盲者得視　聾者得聽　瘂者能言　裸者得衣
貧窮之者　即得寶藏　倉庫盈溢　无所乏少
一切皆受　安隱快樂　乃至无有　一人受苦
衆生相視　和顔悦色　形貌端嚴　人所喜見
心常思念　他人善事　飲食飽滿　功德具足
随諸衆生　之所思念　皆願令得　種種伎樂
箜篌箏笛　琴瑟鼓吹　如是種種　微妙音聲
江河池沼　流泉諸水　金華遍布　及憂鉢羅
随諸衆生之所思念　即得種種　衣服飲食
錢財珠寶　金銀琉璃　真珠璧王　雜廁瓔珞
願諸衆生　不聞惡聲　乃至无有　可惡見者
願諸衆生　色貌微妙　各各相於　共相愛念
世間所有　資生之具　随其所念　悉令具足
願諸衆生　諸有求索　如其所須　應念即得
香華諸珠　常於三時　雨細末香　及塗身香
衆生受者　歡喜快樂　願諸衆生　常得供養
不可思議　十方諸佛　无上妙法　清淨无垢
及諸菩薩　聲聞大衆　願諸衆生　常得遠離
三惡八難　值无難處　覲覲諸佛　无上之王
願諸衆生　常生尊貴　多饒財寶　安隱豊樂
上妙色像　莊嚴其身　功德成就　有大名稱

不可思議　十方諸佛　无上妙法　清淨无垢
及諸菩薩　聲聞大衆　願諸衆生　常得遠離
三惡八難　值无難處　覲覲諸佛　无上之王
願諸衆生　常生尊貴　多饒財寶　安隱豊樂
上妙色像　莊嚴其身　功德成就　有大名稱
願諸女人　皆成男子　具足智慧　精進不懈
一切皆行　菩薩之道　勤心修集　六波羅蜜
常見十方　无量諸佛　坐寶樹下　琉璃座上
安住禪定　自在快樂　演説正法　衆所樂聞
若我現在　及過去世　所作惡業　諸有嶮難
應得惡果不適意者　願悉盡滅　令无有餘
若諸衆生　三有繫縛　生死羅網　弥塞牢固
願以智力　剖斷破壞　除諸苦惱　早成菩提
若此閻浮　及餘他方　无量世界　所有衆生
所作種種　善巧功德　我念深心　随其歡喜
我念以此　随喜功德　及身口意　所作善業
願於来世　成无上道　得淨无垢　吉祥果報
若有敬礼　讃歎十方　信心清淨　无諸疑罔
能作如是　所説懺悔　便得超越　六十劫罪
諸善男子　及善女人　諸王刹利　婆羅門等
若有恭敬　合掌向佛　稱讃如来　并讃此偈
在在處處　常識宿命
諸根具足　清淨端嚴　種種功德　悉皆成就
在在處處　常為國王　輔相大臣　之所供養
非於一佛　五佛十佛　種諸功德　聞是懺悔
當於百千万億　諸佛如来　種諸善根

諸根具足　清淨端嚴　種種功德　悉皆成就
在在處處　常為國王　輔相大臣　之所供養
非於一佛　五佛十佛　種諸功德　聞是懺悔
若於无量　百千万億　諸佛如來　種諸善根
然後乃得　聞是懺悔

金光明經讚歎品第四

尒時佛告地神堅牢善女天過去有王名
金龍尊常以讚歎讚歎去來現在諸佛
我今尊重　敬礼讚嘆　去來現在　十方諸佛
諸佛清淨　微妙寂滅　色中上色　金光照曜
於諸聲中　佛聲最上　猶如大梵　深遠雷音
其髮紺黑　光曜炎起　蜂翠孔雀　色不得喻
其齒鮮白　猶如珂雪　顯發金顏　分齊分明
其目脩廣　清淨无垢　如青蓮華　映水開敷
舌相廣長　形色紅暉　光明照曜　如華初生
眉間毫相　白如輕月　右旋潤澤　如淨琉璃
眉細脩揚　形如月初　其色黑曜　過於蜂王
鼻高圓直　如鑄金鋌　微妙柔濡　當于面門
如來膝相　次第最上　得味真正　无與等者
一一毛孔　一毛旋生　濡細紺青　猶孔雀頂
即於生時　身放大光　普照十方　無量國土
滅盡三界　一切諸苦　令諸眾生　悉受快樂
地獄畜生　及以餓鬼　諸天人等　安隱无患
悉滅一切　无量惡趣
身色微妙　如融金聚　面貌清淨　如月盛滿
佛身明曜　如日初出　進止威儀　猶如師子

BD03162號　金光明經卷一

(19–13)

滅盡三界　一切諸苦　令諸眾生　悉受快樂
地獄畜生　及以餓鬼　諸天人等　安隱无患
悉滅一切　无量惡趣
身色微妙　如融金聚　面貌清淨　如月盛滿
佛身明曜　如日初出　進止威儀　猶如師子
脩臂下垂　立過于膝　猶如風動　娑羅樹枝
圓光一尋　能照无量　猶如聚集　百千日月
佛身淨妙　无諸垢穢　其明普照　一切佛剎
佛光巍巍　明炎大盛　悉能隱蔽　无量日月
佛日燈炬　照无量界　皆令眾生　尋光見佛
本所脩集　百千行業　聚集功德　莊嚴佛身
臂傭纖圓　如象王鼻　手足淨濡　敬愛无猒
去來諸佛　數如微塵　現在諸佛　亦復如是
如是如來　我今悉礼　身口清淨　意亦如是
以好華香　供養奉獻　百千功德　讚詠歌歎
設以百舌　於千劫中　嘆佛功德　不能得盡
如來所有　現世功德　種種深固　微妙第一
設復嘆美　欲讚一佛　尚不能盡　功德少分
況欲歎美　諸佛功德
大地及天　以為大海　乃至有頂　滿月中水
尚以一毛　知其渧數　无有能知　一佛功德
我今以礼　讚嘆諸佛　身口意業　悉皆清淨
一切所脩　无量善業　與諸眾生　證无上道
如是人王　讚嘆佛已　復作如是　无量誓願
若我未來　无量无邊　阿僧祇劫　在在生處
常於夢中　見妙金鼓　得聞懺悔　深奧之聲

BD03162號　金光明經卷一

(19–14)

一切所脩　无量善業　與諸衆生　證无上道
如是人王　讚嘆佛已　復作如是　无量誓願
若我來世　无量无邊　阿僧祇劫　在在生處
常於夢中　見妙金皷　得聞懴悔　深奥之聲
金所讚嘆　面貌清淨　願我來世　亦得如是
諸佛功德　不可思議　於百千劫　甚難得值
願於當來　无量之世　夜則夢見　晝則實說
我當具足　脩行六度　濟拔衆生　越於苦海
然後我身　成无上道　令我世界　无與等者
奉貢金皷　讚佛因緣　以此果報　當來之世
值釋迦佛　得受記莂
并今二子　金龍金藏　常生我家　同共受記
若有衆生　无救護者　衆苦逼切　无所依止
我於當來　為是等輩　作大救護　及依止處
能除衆苦　悉令滅盡　施與衆生　諸樂安樂
我未來世　行菩提道　不計劫數　如盡本際
以此金光　懴悔因緣　使我惡海　及以業海
煩惱大海　悉竭无餘
我功德海　願悉成就　智慧大海　清淨具足
无量功德　助菩提道　猶如大海　珎寶具足
以此金光　懴悔力故　菩提功德　光金无垢
慧光无垢　照徹清淨
我當來世　身光普照　功德威神　光明炎盛
於三界中　最勝殊特　諸功德力　无所減少
當度衆生　越於苦海　并復安置　功德大海

BD03162號　金光明經卷一　（19–15）

慧光无垢　照徹清淨
我當來世　身光普照　功德威神　光明炎盛
於三界中　最勝殊特　諸功德力　无所減少
當度衆生　越於苦海　并復安置　功德大海
來世多劫　行菩提道　如昔諸佛　行菩提者
三世諸佛　淨佛國土　諸佛世尊　无量功德
令我來世　得此殊異　功德淨土　如佛世尊
信相當知　尒時國王　金龍尊者　則汝身是
尒時二子　金龍金光　今汝二子　銀相等是
金光明經空品第五
无量餘經　已廣說空　是故此中　略而解說
衆生根鈍　尠於智慧　不能廣知　无量空義
金此尊經　略而說之
異妙方便　種種因緣　為鈍根故　起大悲心
我今演說　此妙經典　如我所解　知衆生意
是身虗偽　猶如空聚　六入村落　結賊所止
一切自住　各不相知
眼根受色　耳分別聲　鼻嗅諸香　舌嗜於味
所有身根　貪受於觸　意根分別　一切諸法
六情諸根　各各自緣　諸塵境界　不行他緣
心如幻化　馳騁六情　而常妄想　分別諸法
猶如世人　馳走空聚　六賊所害　愚不知避
心常依止　六根境界　各各自知　所伺之處
隨行色聲　香味觸法
心處六情　如鳥投網　其心在在　常處諸根
隨逐諸塵　无有暫捨　身空虗偽　不可長養

BD03162號　金光明經卷一　（19–16）

心常依止 六根境界 各各自知 所行之處
隨行色聲 香味觸法
心處六情 如鳥投網 其心在在 常處諸根
隨逐諸塵 无有暫捨 身空虛偽 不可長養
无有諍訟 亦无正主
從諸因緣 和合而有 无有堅實 妄想故起
業力機關 假爲空聚
地水火風 合集成立 隨時增長 共相殘害
猶如四蛇 同處一篋
四大蚖蛇 其性各異 二上二下 諸方亦二
如是蛇大 悉滅无餘
地水二蛇 其性沉下 風火二蛇 性輕上昇
心識二性 躁動不停 隨業受報 天人諸趣
隨所作業 而墮三有
水火風動 散滅壞時 大小不淨 盈流於外
體生諸虫 无可愛樂 捐棄塚間 如朽敗木
善女當觀 諸法如是 何處有人 及以衆生
本性空寂 无明故有
如是諸大 一一不實 本自不生 性无和合
以是因緣 我說諸大 從本不實 和合而有
无明體性 本亦不有 妄想因緣 和合而生
无所有故 假名无明 是故我說 名曰无明
行識名色 六入觸受 愛取有生 老死憂惱
衆苦行業 不可思議 生死无際 輪轉不息
本无有生 亦无和合 不善思惟 心行所造
我斷一切 諸見纏等 以智慧力 裂煩惱網

BD03162號　金光明經卷一　（19–17）

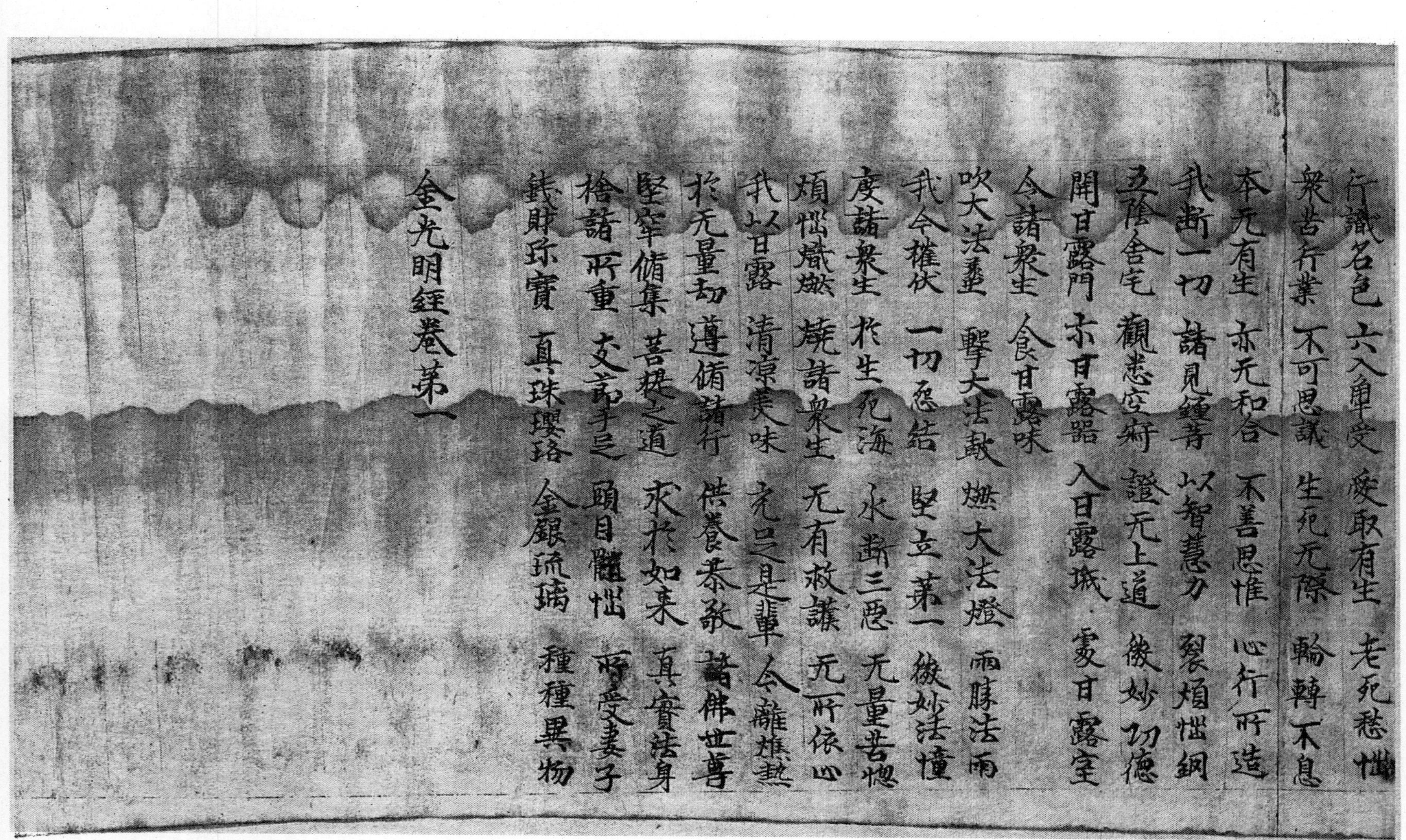

行識名色 六入觸受 愛取有生 老死憂惱
衆苦行業 不可思議 生死无際 輪轉不息
本无有生 亦无和合 不善思惟 心行所造
我斷一切 諸見纏等 以智慧力 裂煩惱網
五陰舍宅 觀悉空寂 證无上道 微妙功德
開甘露門 示甘露器 入甘露城 處甘露室
令諸衆生 食甘露味
吹大法蠡 擊大法鼓 燃大法燈 雨勝法雨
我今摧伏 一切怨結 堅立第一 微妙法幢
度諸衆生 於生死海 永斷三惡 无量苦惱
煩惱熾燃 燒諸衆生 无有救護 无所依止
我以甘露 清涼美味 充足是輩 令離焦熱
於无量劫 遵脩諸行 供養恭敬 諸佛世尊
堅牢脩集 菩提之道 求於如來 真實法身
捨諸所重 支節手足 頭目髓惱 所愛妻子
錢財珍寶 真珠瓔珞 金銀琉璃 種種異物

金光明經卷第一

BD03162號　金光明經卷一　（19–18）

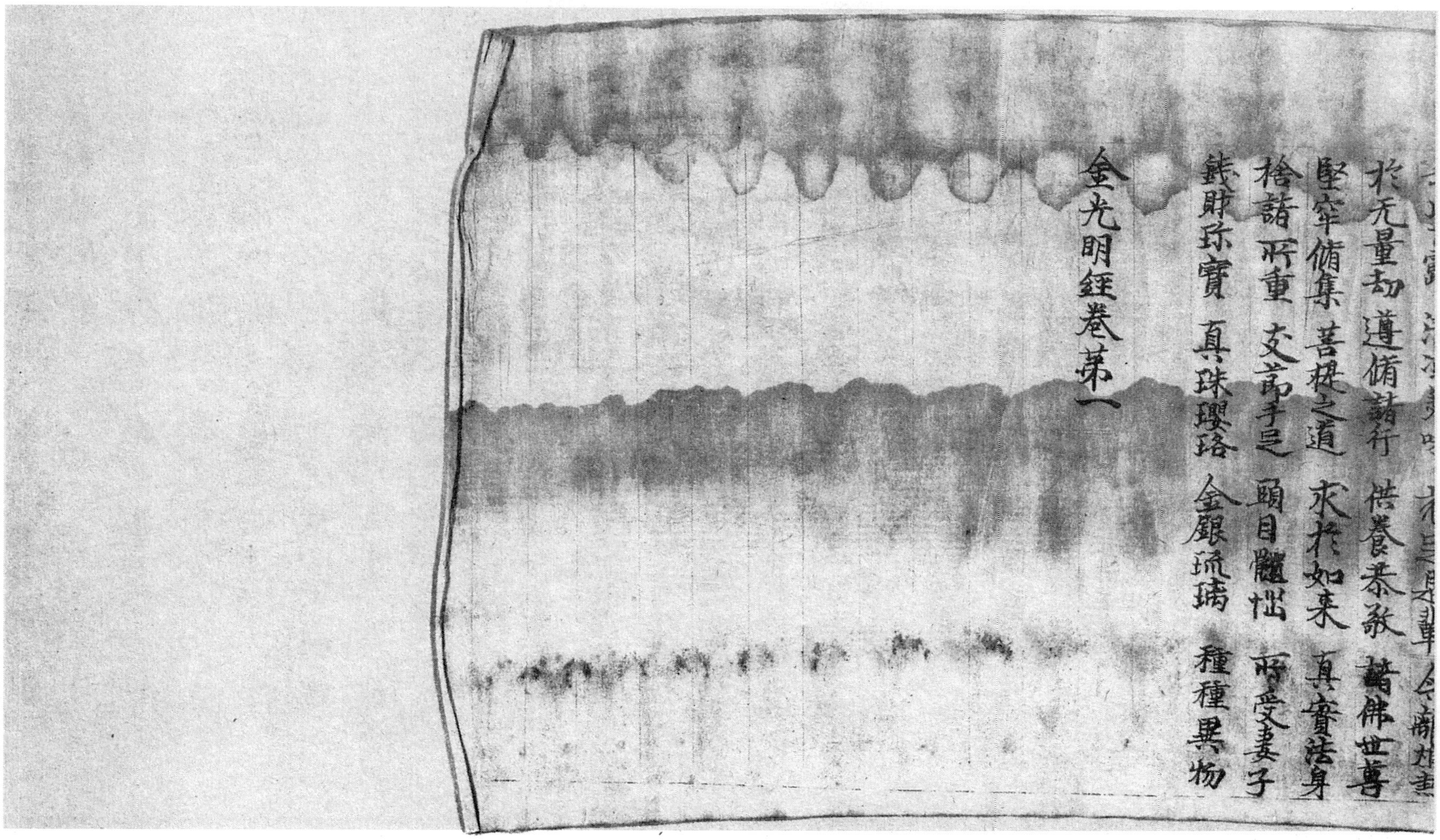

於无量刧遵脩諸行　供養恭敬　諸佛世尊
堅牢脩集　菩提之道　求於如來　真實法身
捨諸所重　支節手足　頭目髓惱　所愛妻子
錢財珎寶　真珠瓔珞　金銀琉璃　種種異物
金光明經卷第一

BD03162 號　金光明經卷一　　（19–19）

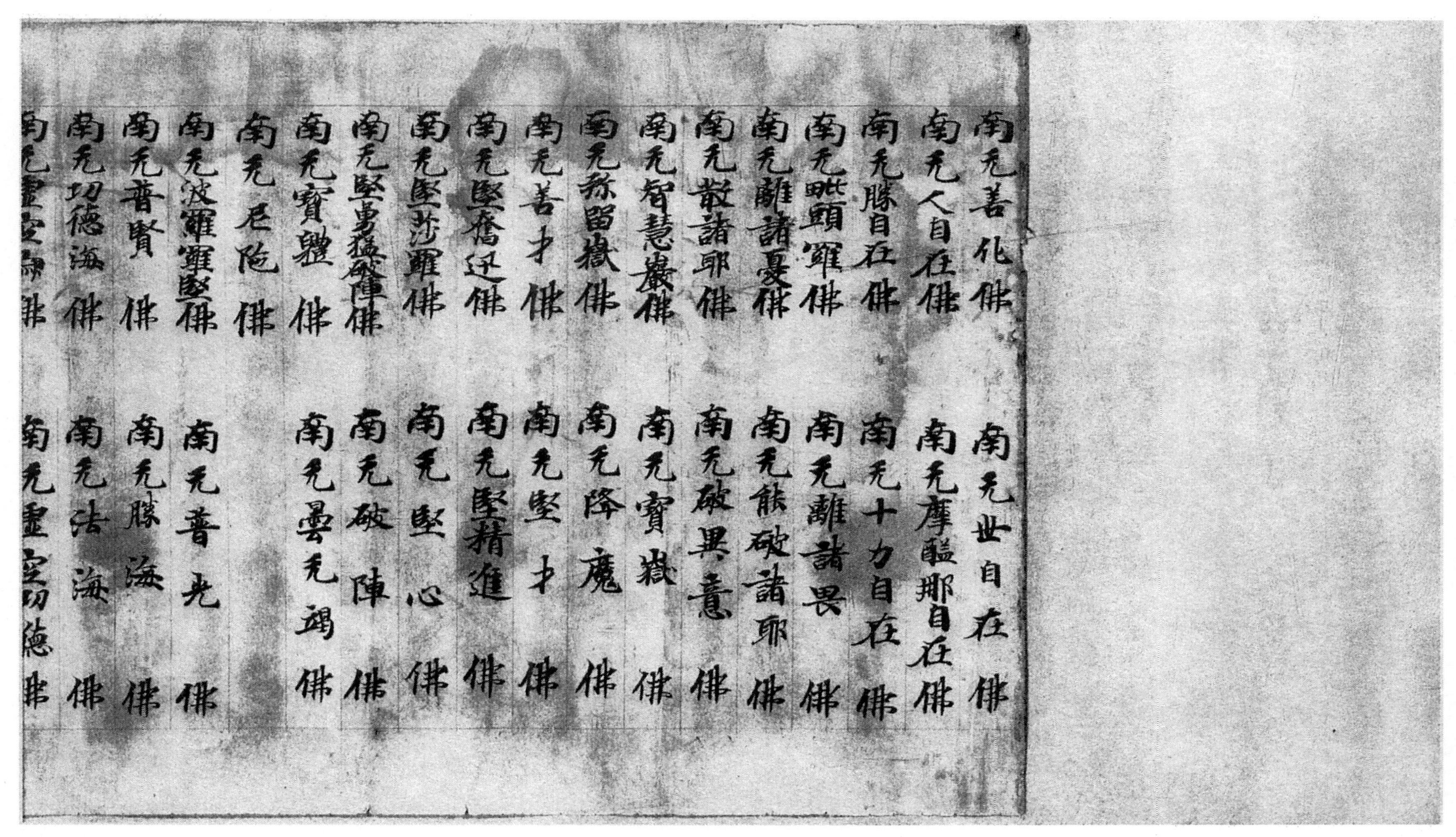
南无善化佛　南无世自在佛
南无人自在佛　南无摩醯那自在佛
南无勝自在佛　南无十力自在佛
南无毗頭羅佛　南无離諸畏佛
南无離諸憂佛　南无能破諸邪佛
南无散諸邪佛　南无破異意佛
南无智慧嚴佛　南无寶嶽佛
南无弥留嶽佛　南无降魔佛
南无善才佛　南无堅才佛
南无堅舊退佛　南无堅精進佛
南无堅沙羅佛　南无堅心佛
南无堅勇猛破陣佛　南无破陣佛
南无寶體佛　南无曇无竭佛
南无尼陁佛
南无波羅羅堅佛　南无普光佛
南无普賢佛　南无勝海佛
南无功德海佛　南无法海佛
南无盡空靜佛　南无盡空功德佛

BD03163 號　佛名經（十六卷本）卷一　　（8–1）

南无寶髻佛　南无曇无竭佛
南无尼陁佛
南无波羅羅堅佛　南无普光佛
南无普賢佛　南无勝海佛
南无功德海佛　南无法海佛
南无虛空寂佛　南无虛空功德佛
南无虛空庫藏佛　南无虛空心佛
南无虛空多羅佛　南无无垢心佛
南无放光世界中現在說法虛空勝離塵无
垢塵平等眼清淨功德幢光明華波頭摩
瑠璃光寶香爲身勝妙羅網莊嚴頂无量
日月光明照莊嚴顯上莊嚴法界善化无障
㝵王佛彼佛世界中有菩薩名无比彼佛授
記不久得阿耨多羅三藐三菩提号種種光
華寶波頭摩金色身普照莊嚴不住眼放
光照十方世界幢王佛
若有善男子善女人信心受持讀誦彼佛
及菩薩名是善男子善女人超越閻浮提
微塵數劫得陁羅尼一切惡病不及其身
南无无量功德寶集樂示現金光明師子
奮迅王佛
南无師子奮迅心雲聲王佛
南无无垢淨光明覺寶華不斷光莊嚴王佛
南无寶光明莊嚴智功德聲自在王佛
南无寶波頭摩智清淨上王佛

南无師子奮迅心雲聲王佛
南无无垢淨光明覺寶華不斷光莊嚴王佛
南无寶光明莊嚴智功德聲自在王佛
南无寶波頭摩智清淨上王佛
南无摩善住山王佛
南无光花種種奮迅王佛
南无拘蘇摩奮迅王佛
南无波頭摩上豨留幢王佛
南无法幢空俱蘇摩王佛
南无莎羅華上光王佛
南无无垢眼上光王佛
南无无諸意山王佛
南无種種樂說莊嚴王佛
南无无㝵藥王成就勝王佛
南无千雷雲聲王佛
南无金光明師子奮迅王佛
南无善寂智慧月聲自在王佛
南无善住摩尼山王佛
南无歡喜藏勝山王佛
南无普光上勝功德山王佛
南无功德藏增上山王佛
南无動山峯王佛　南无善住諸禪藏王佛
南无海海潮功德王佛　南无稱功德山王佛
從此以上六百佛十二部經一切賢聖
南无一切華香自在王佛

南无動山積王佛　南无善住諸禪藏菩薩
南无海海潮功德菩薩　南无稱功德山王佛
從此以上六百佛十二部經一切賢聖
南无一切華香自在菩薩
南无銀幢蓋王佛　南无雷燈幢王佛
南无月摩尼光菩薩　南无波頭摩上星宿菩薩
南无无量上王佛　南无覺王佛
南无孫留幢王佛　南无娑羅華上菩薩
南无因陁羅幢王佛　南无師子奮迅王佛
南无俱蘇摩生王佛　南无微細華佛
南无說義佛　南无无量精進佛
南无无邊孫留佛　南无離癡佛
南无无量眼佛　南无无量發行佛
南无發行難佛　南无无所發行佛
南无无量發行佛　南无斷諸難佛
南无不定願佛　南无善住諸願佛
南无不念示現佛　南无无量善根成就行佛
南无无垢奮迅佛　南无不住奮迅佛
南无妙色佛　南无无相聲佛
南无虛空星宿增菩薩　南无旃檀室佛
南无樂意佛　南无善行佛
南无境界自在佛　南无樂行佛
南无樂解脫佛　南无遠離怖畏毛竪佛
南无清淨眼佛　南无進寂靜佛
南无世間可樂佛　南无隨世間意佛

BD03163號　佛名經（十六卷本）卷一　（8–4）

南无樂意佛　南无善行佛
南无境界自在佛　南无樂行佛
南无樂解脫佛　南无遠離怖畏毛竪佛
南无清淨眼佛　南无進寂靜佛
南无世間可樂佛　南无隨世間意佛
南无隨世間眼佛　南无寶佛
南无寶愛佛　南无羅睺羅佛
南无羅睺羅天佛　南无羅睺羅淨佛
南无寶慧佛　南无寶驗佛
南无寶形〻佛　南无羅網手佛
南无摩尼輪佛　南无解脫威德佛
南无善行佛　南无大愛佛
南无人面佛　南无吉佛
南无夢陁羅佛　南无淨聖佛
南无淨宿佛　南无離貽佛
南无虛空莊嚴佛　南无集功德佛
南无師子步佛　南无功德海佛
南无摩尼功德佛　南无廣功德佛
南无稱成佛　南无大如意輪佛
南无无畏上王佛　南无俱蘇摩國土佛
南无功德幢佛　南无威德佛
南无華眼佛　南无喜身佛
南无慧國土佛　南无喜威德佛
南无波頭池智慧奮迅佛
南无功德聚佛　南无寂滅慧佛

BD03163號　佛名經（十六卷本）卷一　（8–5）

南无慧國土佛　南无善威德佛
南无波頭池智慧奮迅佛
南无功德聚佛　南无寂滅慧佛
南无降魔佛　南无无上光佛
南无法自在佛　南无得世間功德佛
南无寶諦稱佛　南无智勝佛
南无智愛佛　南无得智佛
南无智幢佛　南无羅網光幢佛
善男子善女人与一切衆生安隱樂如諸
佛者當讀誦是諸佛名復作是言
南无離諸无智暗佛　南无虛空平等心佛
南无清淨无垢佛　南无善无垢藏佛
南无堅固行佛　南无精進聲佛
從此以上七百佛十二部經一切賢聖
南无不離一切衆生門佛　南无斷諸過佛
南无成就觀佛　南无平等須彌幢佛
南无能与眼佛　南无難勝佛
南无難降伏佛　南无斷諸惡佛
南无難量佛　南无難成佛
南无俱蘇摩成佛　南无甘露成佛
南无寶成就佛　南无功德成就佛
南无日成就佛　南无華成就佛
南无成就樂有佛　南无成就功德佛
南无大勝佛　南无妙佛
南无无垢佛　南无離諸障佛

南无難量佛　南无難成佛
南无俱蘇摩成佛　南无甘露成佛
南无寶成就佛　南无功德成就佛
南无日成就佛　南无華成就佛
南无成就樂有佛　南无成就功德佛
南无大勝佛　南无妙佛
南无无垢佛　南无離諸障佛
南无婆樓那佛　南无婆樓那天佛
南无勇猛仙佛　南无精進仙佛
南无无垢仙佛　南无金剛仙佛
南无觀眼佛　南无无障㝵佛
南无住虛空佛　南无住清淨佛
南无善住清淨功德寶佛　南无善跡佛
南无善思義佛　南无善化佛
南无善愛佛　南无善眼佛
南无善親佛　南无善行佛
南无善生佛　南无善華佛
南无善香佛　南无善聲佛
從此以上八百佛十二部經一切賢聖
南无善群佛　南无善光佛
南无善山佛　南无功德山佛
南无寶山佛　南无智山佛
南无勝山佛　南无上山佛
南无光明莊嚴佛　南无大光明莊嚴佛
南无清淨莊嚴佛　南无波頭摩莊嚴佛
南无寶中佛　南无金剛合[illegible]

南无无垢仙佛　南无金剛仙佛
南无觀眼佛　南无无障导佛
南无住虛空佛　南无住清淨佛
南无善住清淨功德寶佛　南无善跡佛
南无善思義佛　南无善化佛
南无善愛佛　南无善眼佛
南无善親佛　南无善行佛
南无善生佛　南无善華佛
南无善香佛　南无善聲佛
從此以上八百佛十二部經一切賢聖
南无善辟佛　南无善光佛
南无善山佛　南无功德山佛
南无寶山佛　南无智山佛
南无勝山佛　南无上山佛
南无光明莊嚴佛　南无大光明莊嚴佛
南无清淨莊嚴佛　南无波頭摩莊嚴佛
南无寶十佛　南无金剛合佛

BD03163號　佛名經（十六卷本）卷一　（8–8）

其
者居士　廣
數千　辟
為說法諸仁　無強無力無堅速
朽之法不可信也為苦為惱眾病所集諸仁
者如此身明智者所不怙是身如聚沫不可
撮磨是身如泡不得久立是身如焰從渴愛
生是身如芭蕉中無有堅是身如幻從顛倒
起是身如夢為虛妄見是身如影從業緣現
是身如響屬諸因緣是身如浮雲須臾變
滅是身如電念念不住是身無主為如地是身
無我為如火是身無壽為　是身無人為
如水是身不實四大為家　身為空離我我
所是身無知如草木瓦礫是身無作風力所
轉是身不淨穢惡充滿是身為虛偽雖假以澡
浴衣食必歸磨滅是身為災百一病惱是身
如丘井為老所逼是身無定為要當死是身
如毒蛇如怨賊如空聚陰界諸入所共合成

BD03164號　維摩詰所說經卷上　（20–1）

所是身無知如草木瓦礫是身無作風力所
轉是身不淨穢惡充滿是身為虛偽雖假以澡
浴衣食必歸磨滅是身為災百一病惱是身
如丘井為老所逼是身無定為要當死是身
如毒虵如怨賊如空聚陰界諸入所共合成
諸仁者此可患猒當樂佛身所以者何佛身
者即法身也從無量功德智慧生從戒定慧
解脫解脫知見生從慈悲喜捨生從布施持
戒忍辱柔和懃行精進禪定解脫三昧多聞
智慧諸波羅蜜生從方便生從六通生從三
明生從卅七道品生從止觀生從十力四無所
畏十八不共法生從斷一切不善法集一切善
法生從真實生從不放逸生從如是等無量
清淨法生如來身諸仁者欲得佛身斷一
切衆生病者當發阿耨多羅三藐三菩提心
如是長者維摩詰為諸問疾者如應說法令
無數千人皆發阿耨多羅三藐三菩提心

維摩詰經弟子品第三

尒時長者維摩詰自念寢疾於牀世尊大慈
寧不垂愍佛知其意即告舍利弗汝行詣維
摩詰問疾舍利弗白佛言世尊我不堪任詣
彼問疾所以者何憶念我昔曾於林中宴坐
樹下時維摩詰來謂我言唯舍利弗不必是
坐為宴坐也夫宴坐者不於三界現身意是
為宴坐不起滅定而現諸威儀是為宴坐不

BD03164號　維摩詰所說經卷上　（20–2）

摩詰問疾舍利弗白佛言世尊我不堪任詣
彼問疾所以者何憶念我昔曾於林中宴坐
樹下時維摩詰來謂我言唯舍利弗不必是
坐為宴坐也夫宴坐者不於三界現身意是
為宴坐不起滅定而現諸威儀是為宴坐不
捨道法而現凡夫事是為宴坐心不住內亦
不在外是為宴坐於諸見不動而脩行卅七
品是為宴坐不斷煩惱而入涅槃是為宴坐
若能如是坐者佛所印可時我世尊聞是語
嘿而止不能加報故我不任詣彼問疾
佛告大目揵連汝行詣維摩詰問疾目連白
佛言世尊我不堪任詣彼問疾所以者何憶
念我昔入毗耶離大城於里巷中為諸居士
說法時維摩詰來謂我言唯大目連為白衣
居士說法不當如仁者所說夫說法者當如
法說法無衆生離衆生垢故法無有我離我
垢故法無壽命離生死故法無有人前後際
斷故法常寂然滅諸相故法離於相無所緣
故法無名字言語斷故法無有說離覺觀
故法無形相如虛空故法無戲論畢竟空
故法無我所離我所故法無分別離諸識故法無有
比無相待故法不屬因不在緣故法同法性
入諸法故法隨於如無所隨故法住實際諸
邊不動故法無動搖不依六塵故法無去來
常不住故法順空隨無相應無作法離好醜
法無增損法無生滅法無所歸法過眼耳鼻

BD03164號　維摩詰所說經卷上　（20–3）

故法無我所離我所故法無分別離諸識故法無有
比無相待故法不屬因不在緣故法同法性
入諸法故法隨於如無所隨故法住實際諸
邊不動故法無動搖不依六塵故法無去来
常不住故法順空隨無相應無作法離好醜
法無增損法無生滅法無所歸法過眼耳鼻
舌身心法無高下法常住不動法離一切觀
行唯大目連法相如是豈可說乎夫說法者
者無說無示其聽法者無聞無得譬如幻士
為幻人說法當建是意而為說法當了衆生
根有利鈍善於知見無所罣礙以大悲心讚
于大乘念報佛恩不斷三寶然後說法維摩
詰說是法時八百居士發阿耨多羅三藐三
菩提心我無此辯是故不任詣彼問疾
佛告大迦葉汝行詣維摩詰問疾迦葉白佛
言世尊我不堪任詣彼問疾所以者何憶念
我昔於貧里而行乞時維摩詰来謂我言唯
大迦葉有慈悲心而不能普捨豪富從貧乞
迦葉住平等法應次行乞食為不食故應行
乞食為壞和合相故應取揣食為不受故應
受彼食以空聚想入於聚落所見色與盲等
所聞聲與響等所嗅香與風等所食味不分
別受諸觸如智證知諸法如幻相無自性無
他性本自不然今則無滅迦葉若能不捨八
邪入八解脫以邪相入正法以一食施一切
供養諸佛及衆賢聖然後可食如是食者非

所聞聲與響等所嗅香與風等所食味不分
別受諸觸如智證知諸法如幻相無自性無
他性本自不然今則無滅迦葉若能不捨八
邪入八解脫以邪相入正法以一食施一切
供養諸佛及衆賢聖然後可食如是食者非
有煩惱非離煩惱非入定意非起定意非住
世間非住涅槃其有施者無大福無小福不
為益不為損是為正入佛道不依聲聞迦葉
若如是食為不虛食人之施也時我世尊聞
說是語得未曾有即於一切菩薩深起敬心
復作是念斯有家名辯才智慧乃能如是其
誰不發阿耨多羅三藐三菩提心我從是来
不復勸人以聲聞辟支佛行是故不任詣彼
問疾
佛告須菩提汝行詣維摩詰問疾須菩提白
佛言世尊我不堪任詣彼問疾所以者何憶
念我昔入其舍從乞食時維摩詰取我鉢盛
滿飯謂我言唯須菩提若能於食等者諸法
亦等諸法等者於食亦等如是行乞乃可取
食若須菩提不斷婬怒癡亦不與俱不壞於
身而隨一相不滅癡愛起於明脫以五逆相
而得解脫亦不解不縛不見四諦非不見諦非
得果非不得果非凡夫非離凡夫法非聖人非
不聖人雖成就一切法而離諸法相乃可取食
若須菩提不見佛不聞法彼外道六師富蘭
那迦葉末伽梨拘賒梨子刪闍夜比羅胝子可

身而隨一相不滅癡愛起於明脱以五逆相
而得解脱亦不解不縛不見四諦非不見諦非
得果非不得果非凡夫非離凡夫法非聖人非
不聖人雖成就一切法而離諸法相乃可取食
若須菩提不見佛不聞法彼外道六師富蘭
那迦葉末伽梨拘賒梨子删闍夜毗羅胝子阿
耆多翅舍欽婆羅迦羅鳩馱迦旃延尼犍陀
若提子等是汝之師因其出家彼師所墮汝
亦隨墮乃可取食若須菩提入諸邪見不到
彼岸住於八難不得無難同於煩惱離清淨
法汝得無諍三昧一切衆生亦得是定其施
汝者不名福田供養汝者墮三惡道為與衆
魔共一手作諸勞侶汝與衆魔及諸塵勞
等無有異於一切衆生而有怨心謗諸佛毀於
法不入衆數終不得滅度汝若如是乃可取
食時我世尊聞此茫然不識是何言不知以
何荅便置鉢欲出其舍維摩詰言唯須菩
提取鉢勿懼於意云何如來所作化人若以是
事詰寧有懼不我言不也維摩詰言一切諸
法如幻化相汝今不應有所懼也所以者何
一切言說不離是相至於智者不著文字故
無所懼何以故文字性離無有文字是則解
脱解脱相者則諸法也維摩詰說是法時二
百天子得法眼淨故我不任詣彼問疾
佛告富樓那彌多羅尼子汝行詣維摩詰問
疾富樓那白佛言世尊我不堪任詣彼問疾

BD03164 號　維摩詰所說經卷上　（20–6）

無所懼何以故文字性離無有文字是則解
脱解脱相者則諸法也維摩詰說是法時二
百天子得法眼淨故我不任詣彼問疾
佛告富樓那彌多羅尼子汝行詣維摩詰問
疾富樓那白佛言世尊我不堪任詣彼問疾
所以者何憶念我昔於大林中在一樹下為
諸新學比丘說法時維摩詰來謂我言唯富
樓那先當入定觀此人心然後說法無以穢
食置於寶器當知是比丘心之所念無以瑠
璃同彼水精汝不能知衆生根原無得發起
以小乘法彼自無瘡勿傷之也欲行大道莫
示小徑無以大海内於牛跡無以日光等彼
螢火富樓那此比丘久發大乘心中忘此意
如何以小乘法而教導之我觀小乘智慧微
淺猶若盲人不能分別一切衆生根之利鈍
時維摩詰即入三昧令此比丘自識宿命曾
於五百佛所殖衆德本迴向阿耨多羅三藐
三菩提即時豁然還得本心於是諸比丘稽
首礼維摩詰足時維摩詰因為說法於阿耨
多羅三藐三菩提不復退轉我念聲聞不觀
人根不應說法故我不任詣彼問疾
佛告摩訶迦旃延汝行詣維摩詰問疾迦旃
延白佛言世尊我不堪任詣彼問疾所以者
何憶念昔者佛為諸比丘略說法要我即於
後敷演其義謂無常義苦義空義無我義寂
滅義時維摩詰來謂我言唯迦旃延無以生

BD03164 號　維摩詰所說經卷上　（20–7）

佛告摩訶迦旃延汝行詣維摩詰問疾迦旃
延白佛言世尊我不堪任詣彼問疾所以者
何憶念昔者佛為諸比丘略說法要我即於
後敷演其義謂無常義苦義空義無我義寂
滅義時維摩詰来謂我言唯迦旃延無以生
滅心行說實相法迦旃延諸法畢竟不生不
滅是無常義五受陰洞達空無所起是苦義
諸法究竟無所有是空義於我無我而不二
是無我義法本不然今則無滅是寂滅義說
是法時彼諸比丘心得解脫故我不任詣彼
問疾
佛告阿那律汝行詣維摩詰問疾阿那律白
佛言世尊我不堪任詣彼問疾所以者何憶
念我昔於一處經行時有梵王名曰嚴淨與
万梵俱放淨光明来詣我所稽首作礼問我
言幾何阿那律天眼所見我即荅言仁者
吾見此釋迦牟尼佛土三千大千世界如觀掌
中菴摩勒菓時維摩詰来謂我言唯阿那
律天眼所見為作相耶無作相耶假使作相則
與外道五通等若無作相即是無為不應有見
世尊我時嘿然彼諸梵聞其言得未曾有即
為作礼而問曰世孰有真天眼者維摩詰言
有佛世尊得真天眼常在三昧悉見諸佛國
不以二相於是嚴淨梵王及其眷屬五百梵
天皆發阿耨多羅三藐三菩提心礼維摩詰
足已忽然不現故我不任詣彼問疾

BD03164號　維摩詰所說經卷上

(20–8)

世尊我時嘿然彼諸梵聞其言得未曾有即
為作礼而問曰世孰有真天眼者維摩詰言
有佛世尊得真天眼常在三昧悉見諸佛國
不以二相於是嚴淨梵王及其眷屬五百梵
天皆發阿耨多羅三藐三菩提心礼維摩詰
足已忽然不現故我不任詣彼問疾
佛告優波離汝行詣維摩詰問疾優波離白
佛言世尊我不堪任詣彼問疾所以者何憶
念昔者有二比丘犯律行以為恥不敢問佛
来問我言唯優波離我等犯律誠以為恥不
敢問佛願解疑悔得免斯咎我即為其如法
解說時維摩詰来謂我言唯優波離無重增
此二比丘罪當直除滅勿擾其心所以者何彼
罪性不在內不在外不在中間如佛所說
心垢故衆生垢心淨故衆生淨心亦不在內
不在外不在中間如其心然罪垢亦然諸法
亦然不出於如如優波離以心相得解脫時
寧有垢不我言不也維摩詰言一切衆生心
相無垢亦復如是唯優波離妄想是垢無妄
想是淨顛倒是垢無顛倒是淨取我是垢不
取我是淨優波離一切法生滅不住如幻如
電諸法不相待乃至一念不住諸法皆妄見
如夢如炎如水中月如鏡中像以妄想生其
知此者是名奉律其知此者是名善解於是
二比丘言上智哉是優波離所不及持律之
上而不能說我荅言自捨如来未有聲聞及

BD03164號　維摩詰所說經卷上

(20–9)

電諸法不相待乃至一念不住諸法皆妄見
如夢如炎如水中月如鏡中像以妄想生其
知此者是名奉律其知此者是名善解於是
二比丘言上智哉是優波離所不及持律之
上而不能說我荅言自捨如来未有聲聞及
菩薩能制其樂說之辯其智慧明達為若此
也時二比丘疑悔即除發阿耨多羅三藐三
菩提心作是願言令一切衆生皆得是辯故
我不任詣彼問疾
佛告羅睺羅汝行詣維摩詰問疾羅睺羅白
佛言世尊我不堪任詣彼問疾所以者何憶
念昔時毗耶離諸長者子来詣我所稽首作
礼問我言唯羅睺羅汝佛之子捨轉輪王位
出家為道其出家者有何等利我即如法為
說出家功德之利時維摩詰来謂我言唯羅
睺羅不應說出家功德之利所以者何無利
無功德是為出家有為法者可說有利有功
德夫出家者為無為法無為法中無利無功
德羅睺羅出家者無彼無此亦無中間離六
十二見處於涅槃智者所受聖所行處降
伏衆魔度五道淨五眼得五力立五根不惱
於衆離衆雜惡摧諸外道超越假名出淤泥
無繫着無我所無所受無擾亂內懷喜護彼意
隨禪定離衆過若能如是是真出家於是維
摩詰語諸長者子汝等於正法中宜共出家
所以者何佛世難值諸長者子言居士我

於衆離衆雜惡摧諸外道超越假名出淤泥
無繫着無我所無所受無擾亂內懷喜護彼意
隨禪定離衆過若能如是是真出家於是維
摩詰語諸長者子汝等於正法中宜共出家
所以者何佛世難值諸長者子言居士我
聞佛言父母不聽不得出家維摩詰言然汝等
便發阿耨多羅三藐三菩提心是即出家是
即與之俱時卅二長者子皆發阿耨多羅三
藐三菩提心故我不任詣彼問疾
佛告阿難汝行詣維摩詰問疾阿難白佛言
世尊我不堪任詣彼問疾所以者何憶念昔
時世尊身小有疾當用牛乳我即持鉢詣大
婆羅門家門下立時維摩詰来謂我言唯阿
難何為晨朝持鉢住此我言居士世尊身小
有疾當用牛乳故来至此維摩詰言止止阿
難莫作是語如来身者金剛之體諸惡已斷
衆善普會當有何疾當有何惱嘿往阿難
勿謗如来莫使異人聞此麁言無令大威德諸
天及他方淨土諸来菩薩得聞斯語阿難轉
輪聖王以少福故尚得無病豈況如来無量
福會普勝者哉行矣阿難勿使我等受斯耻
也外道梵志若聞此語當作是念何名為師
自疾不能救而能救諸疾人可密速去勿使
人聞當知阿難諸如来身即是法身非思欲
身佛為世尊過於三界佛身無漏諸漏已盡
佛身無為不墮諸數如此之身當有何疾

也外道梵志若聞此語當作是念何名為師
自疾不能救而能救諸疾人可密速去勿使
人聞當知阿難諸如来身即是法身非思欲
身佛為世尊過於三界佛身無漏諸漏已盡
佛身無為不墮諸數如此之身當有何病時
我世尊實懷慚愧得無近佛而謬聽耶即聞
空中聲曰阿難如居士言但為佛出五濁惡
世現行斯法度脫衆生行矣阿難取乳勿慚
世尊維摩詰智慧辯才為若此也是故不任
詣彼問疾如是五百大弟子各各向佛說其
本緣稱述維摩詰所言皆曰不任詣彼問疾

維摩詰經菩薩品第四

於是佛告弥勒菩薩汝行詣維摩詰問疾弥
勒白佛言世尊我不堪任詣彼問疾所以者
何憶念我昔為兜率天王及其眷屬說不退
轉地之行時維摩詰来謂我言弥勒世尊授
仁者記一生當得阿耨多羅三藐三菩提為
用何生得受記乎過去耶未来耶現在耶若
過去生過去生已滅若未来生未来生未至
若現在生現在生無住如佛所說比丘汝今
即時亦生亦老亦滅若以無生得受記者無
生即是正位於正位中亦無受記亦無得阿
耨多羅三藐三菩提云何弥勒受一生記乎
為從如生得受記耶為從如滅得受記耶若
以如生得受記者如無有生若已如滅得受

生即是正位於正位中亦無受記亦無得阿
耨多羅三藐三菩提云何弥勒受一生記乎
為從如生得受記耶為從如滅得受記耶若
以如生得受記者如無有生若已如滅得受
記者如無有滅一切衆生皆如也一切法亦
如也衆聖賢亦如也至於弥勒亦如也若弥
勒得受記者一切衆生亦應受記所以者何
夫如者不二不異若弥勒得阿耨多羅三藐
三菩提者一切衆生皆亦應得所以者何一
切衆生即菩提相若弥勒滅度者一切衆生
亦當滅度所以者何諸佛知一切衆生畢竟
寂滅即涅槃相不復更滅
是故弥勒無以此法誘諸天子實無發阿耨
多羅三藐三菩提心者亦無退者弥勒當令
此諸天子捨於分別菩提之見所以者何菩
提者不可以身得不可以心得寂滅是菩提
滅諸相故不觀是菩提離諸緣故不行是菩
提無憶念故斷是菩提捨諸見故離是菩提
離諸妄想故鄣是菩提鄣諸願故不入是菩
提無貪着故順是菩提順於如故住是菩提
住法性故至是菩提至實際故不二是菩提
離意法故等是菩提等虛空故無為是菩提
無生住滅故智是菩提了衆生心行故不會
是菩提諸入不會故不合是菩提離煩惱習
故無處是菩提無形色故假名是菩提名字
空故如化是菩提無取捨故無亂是菩提常

住法性故至是菩提至實際故不二是菩提
離意法故等是菩提等虛空故無為是菩提
無生住滅故知是菩提了衆生心行故不會
是菩提諸入不會故不合是菩提離煩惱習
故無處是菩提無形色故假名是菩提名字
空故如化是菩提無取捨故無亂是菩提常
自靜故善寂是菩提性清淨故無取是菩
提離攀緣故無異是菩提諸法等故無比是菩
提無可喻故微妙是菩提諸法難知故世尊
維摩詰說是法時二百天子得無生法忍故
我不任詣彼問疾
佛告光嚴童子汝行詣維摩詰問疾光嚴白
佛言世尊我不堪任詣彼問疾所以者何憶
念我昔出毗耶離大城時維摩詰方入城我
即為作礼而問言居士從何所来答我言吾
從道場来我問道場者何所是曰直心是道
場無虛假故發行是道場能辯事故深心是
道場增益功德故菩提心是道場無錯謬故
布施是道場不望報故持戒是道場得願具
故忍辱是道場於諸衆生心無閡故精進是
道場不懈退故禪定是道場心調柔故智慧
是道場現見諸法故慈是道場等衆生故悲
是道場忍疲苦故喜是道場悅樂法故捨是
道場增愛斷故神通是道場成就六通故解
脫是道場能背捨故方便是道場教化衆生
故四攝是道場攝衆生故多聞是道場如聞

BD03164 號　維摩詰所說經卷上

（20–14）

是道場現見諸法故慈是道場等衆生故悲
是道場忍疲苦故喜是道場悅樂法故捨是
道場增愛斷故神通是道場成就六通故解
脫是道場能背捨故方便是道場教化衆生
故四攝是道場攝衆生故多聞是道場如聞
行故伏心是道場正觀諸法故卅七品是道
場捨有為法故四諦是道場不誑世間故緣
起是道場無明乃至老死皆無盡故諸煩惱
是道場知如實故衆生是道場知無我故一
切法是道場知諸法空故降魔是道場不傾
動故三界是道場無所趣故師子吼是道場
無所畏故力無畏不共法是道場無諸過故
三明是道場無餘碍故一念知一切法是道
場成就一切智故如是善男子菩薩若應諸
波羅蜜教化衆生諸有所作舉足下足當知
皆從道場来住於佛法矣說是法時五百天
人皆發阿耨多羅三藐三菩提心故我不任
詣彼問疾
佛告持世菩薩汝行詣維摩詰問疾持世白
佛言世尊我不堪任詣彼問疾所以者何憶
念我昔住於靜室時魔波旬從万二千天女
狀如帝釋鼓樂弦歌来詣我所與其眷屬稽
首我足合掌恭敬於一面立我意謂是帝釋
而語之言善来憍尸迦雖福應有不當自恣
當觀五欲無常以求善本於身命財而脩堅
法即語我言正士受是万二千天女可備掃

BD03164 號　維摩詰所說經卷上

（20–15）

躭如帝釋鼓樂絃歌来詣我所與其眷屬稽
首我足合掌恭敬於一面立我意謂是帝釋
而語之言善来憍尸迦雖福應有不當自恣
當觀五欲無常以求善本於身命財而脩堅
法即語我言正士受是万二千天女可備掃
灑我言憍尸迦無以此非法之物要我沙門
釋子此非我宜所言未訖時維摩詰来謂我
言非帝釋也是為魔来嬈固汝耳即語魔言
是諸女等可以與我如我應受魔即驚懼念
維摩詰將無惱我欲隱形去而不能隱盡其神
力亦不得去即聞空中聲曰波旬以女與之
乃可得去魔以畏故俛仰而與尒時維摩詰
語諸女言魔以汝等與我今汝皆當發阿耨
多羅三藐三菩提心即隨所應而為說法令
發道意復言汝等已發道意有法樂可以自
娱不應復樂五欲樂也天女即問何謂法樂
荅言樂常信佛樂欲聽法樂供養衆樂離五欲
樂觀五陰如怨賊樂觀四大如毒虵樂觀內
入如空聚樂隨護道意樂饒益衆生樂敬養
師樂廣行施樂堅持戒樂忍辱柔和樂勤集
善根樂禪定不亂樂離垢明慧樂廣菩提心
心樂降伏衆魔樂斷諸煩惱樂淨佛國土樂成
就相好故脩諸功德樂嚴道場樂聞深法不
畏樂三脫門不樂非時樂近同學樂於非同
學中心無恚閡樂將護惡知識樂近善知識樂
心喜清淨樂脩無量道品之法是為菩薩

BD03164 號　維摩詰所說經卷上　（20–16）

善根樂禪定不亂樂離垢明慧樂廣菩提心
心樂降伏衆魔樂斷諸煩惱樂淨佛國土樂成
就相好故脩諸功德樂嚴道場樂聞深法不
畏樂三脫門不樂非時樂近同學樂於非同
學中心無恚閡樂將護惡知識樂近善知識樂
心喜清淨樂脩無量道品之法是為菩薩法
樂於是波旬告諸女言我欲與汝俱還天宮
諸女言以我等與此居士有法樂我等甚樂
不復樂於五欲樂也魔言居士可捨此女一切
所有施於彼者是為菩薩維摩詰言我已
捨矣汝便將去令一切衆生得法願具足於
是諸女問維摩詰我等云何止於魔宮維
摩詰言諸姊有法門名無盡燈汝等當學无
盡燈者譬如一燈然百千燈冥者皆明明終
不盡如是諸姊夫一菩薩開導百千衆生令
發阿耨多羅三藐三菩提心於其道意亦不
滅盡隨所說法而自增益一切善法是名無
盡燈也汝等雖住魔宮以是無盡燈令無數
天子天女發阿耨多羅三藐三菩提心者為報
佛恩亦大饒益一切衆生尒時天女頭面礼
維摩詰足隨魔還宮忽然不現世尊維摩
詰有如是自在神力智慧辯才故我不任詣
彼問疾
佛告長者子善德汝行詣維摩詰問疾善德
白佛言世尊我不堪任詣彼問疾所以者何
憶念我昔自於父舍設大施會供養一切沙

BD03164 號　維摩詰所說經卷上　（20–17）

詰有如是自在神力智慧辯才故我不任詣
彼問疾
佛告長者子善德汝行詣維摩詰問疾善德
白佛言世尊我不堪任詣彼問疾所以者何
憶念我昔自於父舍設大施會供養一切沙
門婆羅門等及諸外道貧窮下賤孤獨乞人
期滿七日時維摩詰來入會中謂我言長者
子夫大施會不當如汝所設當為法施之會
何用是財施會為我言居士何謂法施之會
法施會者無前無後一時供養一切衆生是
名法施之會曰何謂也謂以菩提起於慈心
以救衆生起大悲心以持正法起於喜心以
攝智慧行於捨心以攝慳貪起檀波羅蜜以
化犯戒起尸羅波羅蜜以無我法起羼提波
羅蜜以離身心相起毗梨耶波羅蜜以菩提
相起禪波羅蜜以一切智起般若波羅蜜教
化衆生而起於空不捨有為法而起無相示
現受生而起無作護持正法起方便力以度
衆生起四攝法以敬事一切起除慢法於身
命財起三堅法於六念中起思念法於六和
敬起質直心正行善法起於淨命心淨歡喜
起近賢聖不憎惡人起調伏心以出家法起
於深心以如說行起於多聞以無諍法起空
閑處趣向佛慧起於宴坐解衆生縛起脩行
地以具相好及淨佛土起福德業知一切衆
生心念如應說法起於智業知一切法不取

BD03164號　維摩詰所說經卷上　（20–18）

起近賢聖不憎惡人起調伏心以出家法起
於深心以如說行起於多聞以無諍法起空
閑處趣向佛慧起於宴坐解衆生縛起脩行
地以具相好及淨佛土起福德業知一切衆
生心念如應說法起於智業知一切法不取
不捨入一相門起於慧業斷一切煩惱一切
鄣礙一切不善法起一切善業以得一切智
慧一切善法起於一切助佛道法如是善男
子是為法施之會若菩薩住是法施會者
為大施主亦為一切世間福田世尊維摩
詰說是法時婆羅門衆中二百人皆發阿耨
多羅三藐三菩提心我時心得清淨歎未曾有
稽首礼維摩詰足即解瓔珞價直百千以上
之不肯取我言居士願必納受隨意所與維摩
詰乃受瓔珞分作二分持一分施此會中一
冣下乞人持一分奉彼難勝如来一切衆會
皆見光明國土難勝如来又見珠瓔在彼佛
上變成四柱寶臺四面嚴飾不相鄣蔽時
維摩詰現神變已作是言若施主等心施一冣
下乞人猶如如来福田之相無所分別等于
大悲不求果報是則名曰具足法施城中一
冣下乞人見是神力聞其所說皆發阿耨多
羅三藐三菩提心故我不任詣彼問疾如是
諸菩薩各各向佛說其本緣稱述維摩詰
言皆曰不任詣彼問疾

維摩詰經卷上

BD03164號　維摩詰所說經卷上　（20–19）

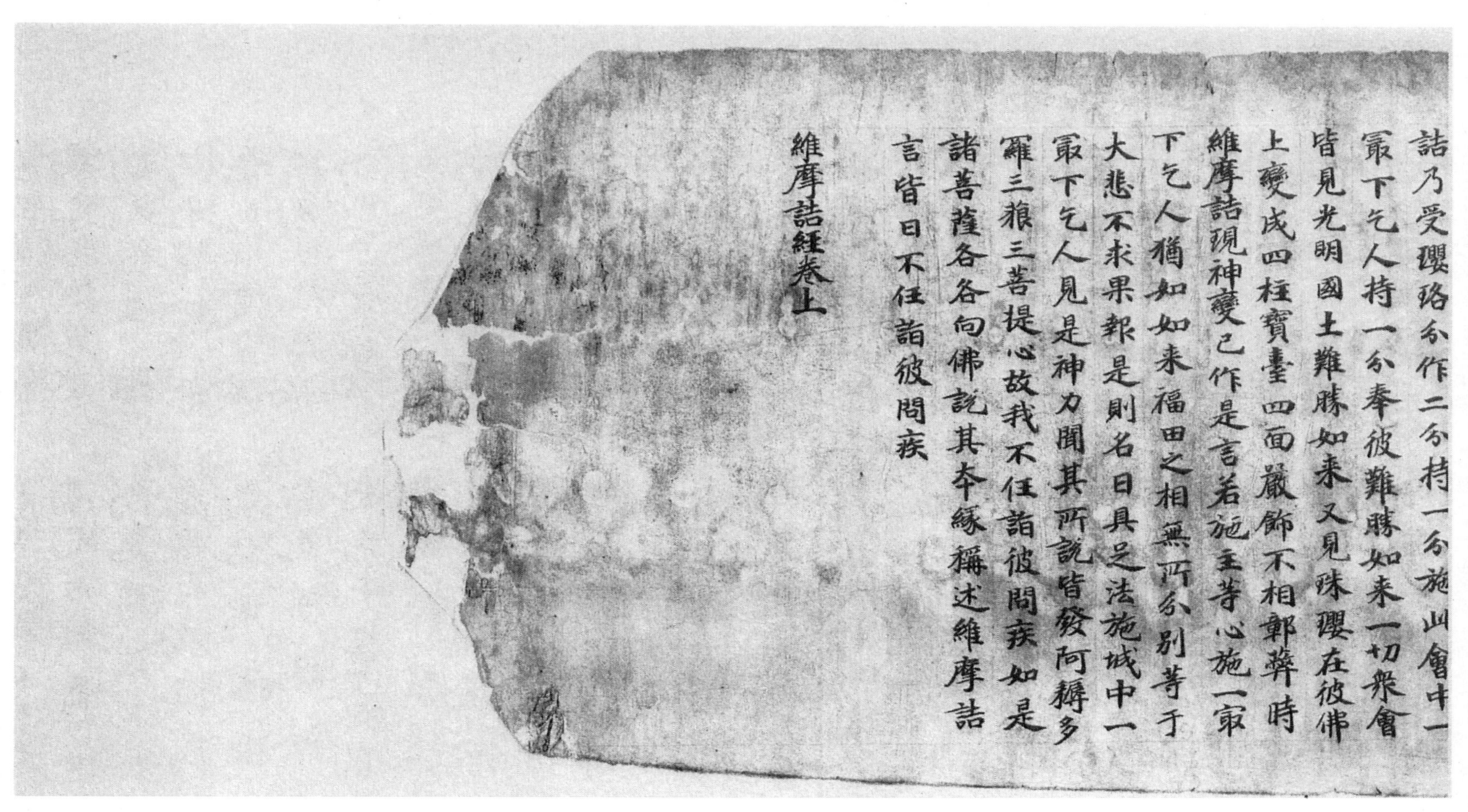
詰乃受瓔珞分作二分持一分施此會中一
冣下乞人持一分奉彼難勝如来一切衆會
皆見光明國土難勝如来又見珠瓔在彼佛
上變成四柱寶臺四面嚴飾不相鄣蔽時
維摩詰現神變已作是言若施主等心施一冣
下乞人猶如如来福田之相無所分别等于
大悲不求果報是則名曰具足法施城中一
冣下乞人見是神力聞其所說皆發阿耨多
羅三藐三菩提心故我不任詣彼問疾如是
諸菩薩各各向佛說其本緣稱述維摩詰
言皆曰不任詣彼問疾

維摩詰經卷上

BD03164號　維摩詰所説經卷上　（20–20）

南无化日佛　南无善住思惟佛
南无高信佛　南无須摩那光明佛
南无光明力佛　南无功德布佛
南无法俱蘇摩佛　南无淨威德佛
南无淨行佛　南无天色心佛
南无力佛　南无普觀佛
南无梵供養佛　南无聖華佛
南无虛空佛　南无降伏讎弥佛
南无无辟智佛　南无降伏刺佛
南无降伏城佛　南无應愛佛
南无戒功德佛　南无平等勿思佛
南无不怯弱心佛　南无精進信佛
南无高光明佛　南无闇智佛
南无无畏心聲佛　南无无畏光佛
南无甘露聲佛　南无種種日佛
南无勝點慧佛　南无可脩敬佛
南无德王佛　南无讃根佛
南无禪解脫佛　南无大威德佛
南无栴檀香佛　南无見信佛
南无妙高界佛　南无可觀佛

BD03165號　佛名經（十六卷本）卷六　（9–1）

南无甘露藏佛　南无[illegible]日佛
南无勝黠慧佛　南无可脩敬佛
南无德王佛　南无讓根佛
南无禪解脫佛　南无大威德佛
南无栴檀香佛　南无見信佛
南无妙橋眾佛　南无可觀佛
南无不可量智佛　南无千日威德佛
南无捨重擔佛　南无稱信佛
南无諸方聞佛　南无自在佛
南无无邊智佛　南无无垢光佛
南无甘露信佛　南无妙明佛
南无解脫行佛　南无可樂見佛
南无高光明佛　南无大聲佛
南无大威德眾佛　南无光明幢佛
南无應供養佛　南无福德威德積佛
南无應信佛　南无善住思惟佛
南无須提他佛　南无智作佛
南无普寶佛　南无日光佛
南无訖提他佛　南无大眼佛
南无師子身佛　南无稱親光佛
南无清淨聲佛　南无怖樂佛
南无寂靜增上佛　南无寶威德佛
南无善成德供養佛　南无毛光佛
南无世間尊佛　南无善行淨佛
南无菩提他威德佛　南无應眼佛

BD03165號　佛名經（十六卷本）卷六　（9–2）

南无寂靜增上佛　南无寶威德佛
南无善成德供養佛　南无毛光佛
南无世間尊佛　南无善行淨佛
南无菩提他威德佛　南无應眼佛
南无大步佛　南无成義佛
南无安隱愛佛　南无天摩社多佛
南无捨湯流佛　南无捨寶佛
南无智滿佛　南无橋佛
南无解脫賢佛　南无眾步佛
南无光明威德佛　南无慈力佛
南无月勝佛　南无寂光佛
從此以上五千一百佛十二部經一切賢聖
南无愛眼佛　南无賒尸羅聲佛
南无不死色佛　南无樂法佛
南无大月佛　南无无鄣㝵聲佛
南无功德奮迅佛　南无不死華佛
南无平等見佛　南无大月佛
南无功德味佛　南无十光佛
南无種種華佛　南无龍德佛
南无雲聲佛　南无功德步佛
南无思功德佛　南无大聲佛
南无了聲佛　南无大聲佛
南无天華佛　南无快眼佛
南无大然燈佛　南无離癡行佛

BD03165號　佛名經（十六卷本）卷六　（9–3）

南无了聲佛　南无大聲佛
南无天華佛　南无快眼佛
南无大然燈佛　南无離癡行佛
南无堅固希佛　南无捨耶佛
南无相華佛　南无不可量識光明佛
南无普賢佛　南无月妙佛
南无樂德佛　南无清淨聲佛
南无勝慧佛　南无賢光佛
南无賢固華佛　南无光明意佛
南无福德佛　南无意成就佛
南无樂解脫佛　南无離濁河佛
南无調怨佛　南无不去捨佛
南无甘露光明佛　南无不可量眼佛
南无快脩行佛　南无妙高光佛
南无集功德佛　南无可樂佛
南无大心佛　南无天信佛
南无思惟甘露佛　南无點慧佛
南无勝燈佛　南无堅意佛
南无力步佛　南无蓮華葉眼佛
南无菩提光明佛　南无妙吼聲佛
南无六通聲佛　南无威德力佛
南无人稱佛　南无勝華集佛
南无大聽佛　南无不隨他佛
南无畏行佛　南无不怯弱佛
南无離憂闇佛　南无過潮佛

南无六通聲佛　南无威德力佛
南无人稱佛　南无勝華集佛
南无大聽佛　南无不隨他佛
南无畏行佛　南无不怯弱佛
南无離憂闇佛　南无過潮佛
南无月光佛　南无心勇猛佛
南无解脫慧佛　南无不取捨佛
南无薝蔔燈佛　南无勝火佛
南无善思意佛　南无勝威德色佛
南无善喜信佛　南无華光佛
南无信世間佛　南无妙慧佛
南无人華佛　南无善香佛
南无勝功德佛　南无種種華佛
南无高勝佛　南无虛空劫佛
南无天信佛　南无可敬橋佛
南无月光佛　南无大聚佛
南无取力佛　南无智地佛
南无高意佛　南无山王智佛
南无快界佛　南无妙身佛
南无勝親佛　南无離疑佛
從此以上五千二百佛十二部經一切賢聖
南无應行佛　南无勝香佛
南无无諍行佛　南无脩行功德佛
南无大精進心佛　南无然光明佛
[illegible]　南无[illegible]心佛

從此以上五千二百佛十二部經一切賢聖
南无應行佛 南无勝香佛
南无无諍行佛 南无脩行功德佛
南无大精進心佛 南无然光明佛
南无攝步佛 南无脩行深心佛
南无香希佛 南无香手佛
南无寂靜智佛 南无妙心佛
南无功德莊嚴佛 南无增上行佛
南无智意佛 南无功德山清聲佛
南无攝集佛 南无妙信佛
南无月見佛 南无功德王光明佛
南无法不可力佛 南无離諸疑奮迅佛
南无稱王佛 南无攝諸根佛
南无上去佛 南无甘露光佛
南无甘露心佛 南无諸衆上佛
南无懸佛 南无不可降伏色佛
南无普信佛 南无莊嚴王佛
南无甘露日佛 南无勝燈佛
南无波頭上佛 南无寶藏佛
南无普光佛 南无衆勝王佛
南无普光明羅積王佛 南无普現佛
南无普賢佛 南无還華勝佛
南无自在轉法王佛 南无千世自在聲佛
南无千善无垢聲自在王佛
南无離千无畏聲自在王佛

南无普光佛 南无衆勝王佛
南无普光明羅積王佛 南无普現佛
南无普賢佛 南无還華勝佛
南无自在轉法王佛 南无千世自在聲佛
南无千善无垢聲自在王佛
南无離千无畏聲自在王佛
南无千无垢威德自在王佛
南无五百聲自在王佛
南无五百樂自在聲佛
南无日龍歡喜佛 南无離畏稱王佛
南无妙光幢佛 南无離光聲佛
南无稱自在聲佛 南无妙法稱聲佛
南无勝藏稱王佛 南无不可思議意王佛
南无寶幢佛 南无大自在佛
南无聖自在幢勇猛王佛
南无不可思慧佛 南无智藏佛
南无智高幢佛 南无智海王佛
南无大精進聲自在王佛 南无彌留勝劫佛
南无智顯脩自在種子善无垢吼自在王佛
南无降功德海王佛 南无智成就力王佛
南无勝道自在王佛 南无勝闇積自在佛
南无藥勝積智佛 南无金剛師子佛
南无成勝佛 南无賢勝佛
南无无邊光佛 南无師子喜佛
南无无盡智積佛 南无寶行佛

南无勝道自在王佛　南无勝闇積自在佛
南无藥勝積智佛　南无金剛師子佛
南无成勝佛　南无賢勝佛
南无无邊光佛　南无師子喜佛
南无无盡智積佛　南无寶行佛
南无智波羅婆佛　南无師子稱佛
南无智功德王佛　南无法華雨佛
南无能作光佛　南无高山佛
南无法妙王无垢佛　南无香自在无垢眼佛
南无集大㝵佛　南无无障㝵力王佛
南无自福德力佛　南无智衣佛
南无自在佛　南无无量婆隱佛
南无智集佛　南无大孫留佛
南无日藏佛　南无作功德莊嚴佛
南无華幢佛　南无功德光明佛
南无離功德闇王佛
從此以上五千三百佛十二部經一切賢聖
南无功德王佛　南无法幢佛
南无聲自在王佛　南无自讃佛
南无金剛密迹佛
南无寶自在佛　南无妙幢佛
南无山劫佛　南无樂雲佛
南无法作佛　南无娑羅王佛
南无普功德堅固王佛　南无旃檀佛

BD03165號　佛名經（十六卷本）卷六　（9–8）

從此以上五千三百佛十二部經一切賢聖
南无功德王佛　南无法幢佛
南无聲自在王佛　南无自讃佛
南无金剛密迹佛
南无寶自在佛　南无妙幢佛
南无山劫佛　南无樂雲佛
南无法作佛　南无娑羅王佛
南无普功德堅固王佛　南无旃檀佛
南无善住佛　南无善王佛
南无幢勝燈佛　南无智步佛
南无堅幢佛　南无散法稱佛
南无降伏憍慢佛　南无功德炎佛
南无智光明佛　南无智然燈佛
南无无畏王佛　南无智聲幢攝佛
南无金剛燈佛　南无莊嚴王佛
南无勝數佛　南无善住意佛
南无月王佛　南无次第降伏王佛

BD03165號　佛名經（十六卷本）卷六　（9–9）

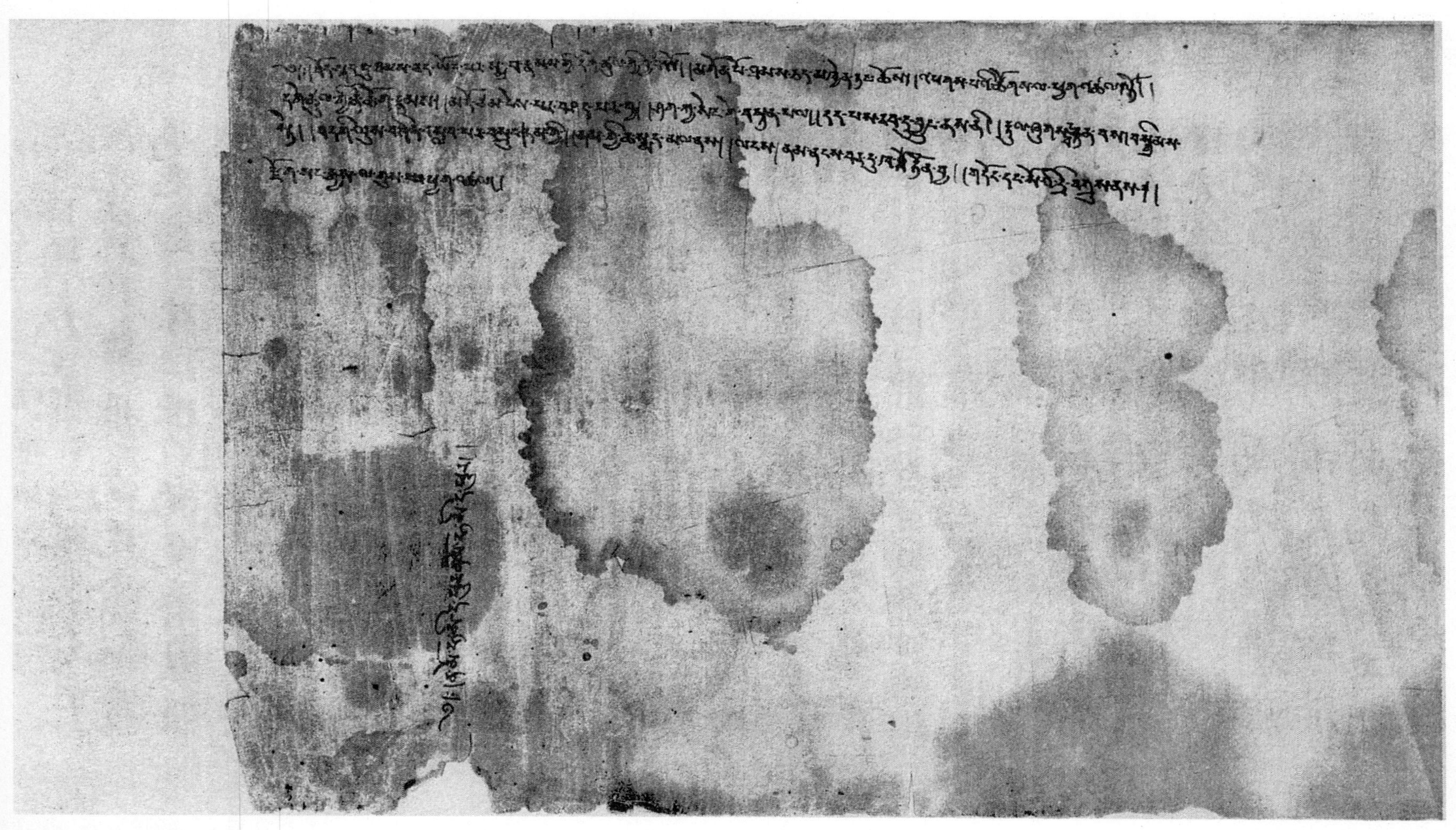

BD03165 號背　藏文　　(1–1)

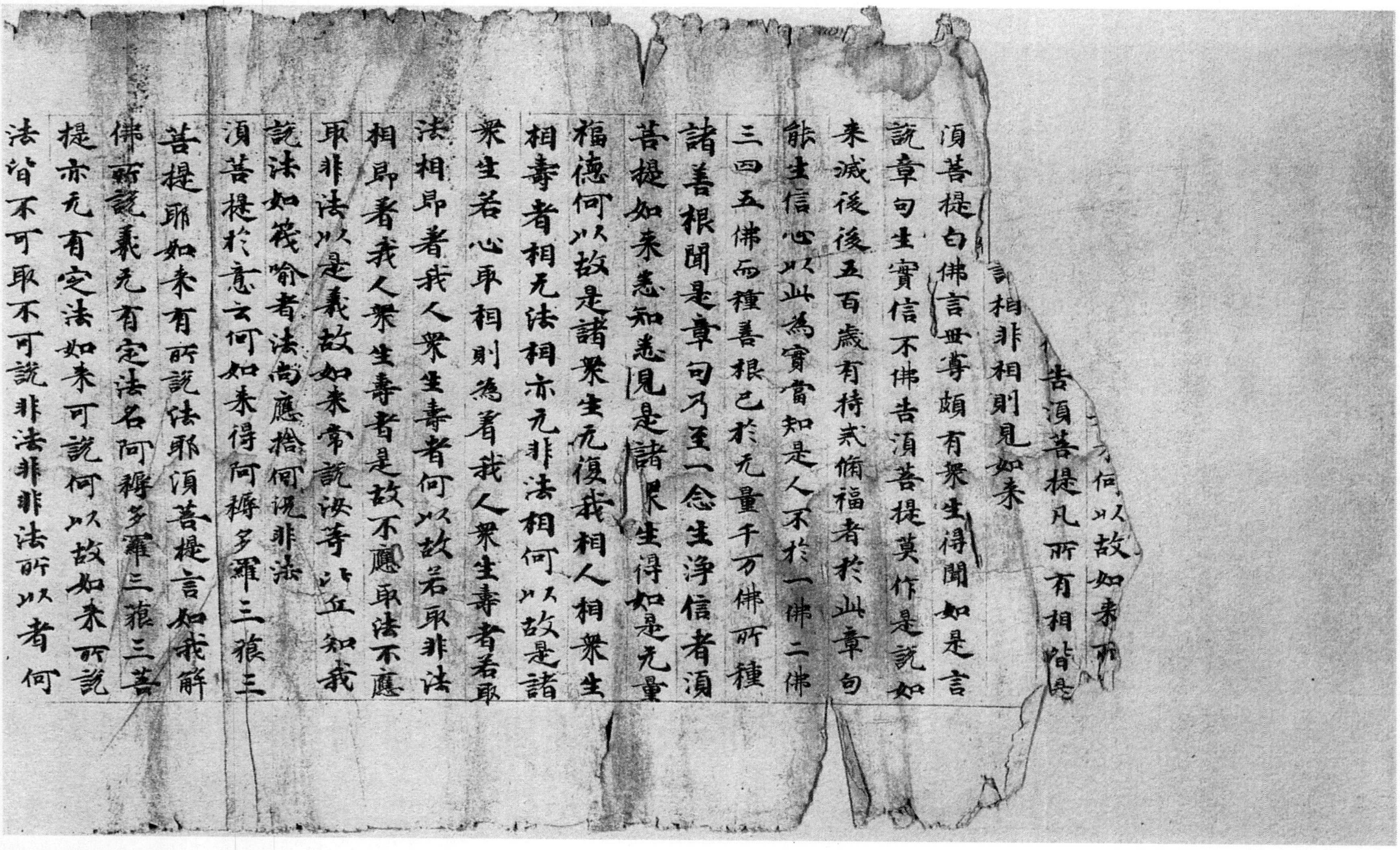

何以故如來所
告須菩提凡所有相皆是
諸相非相則見如來
須菩提白佛言世尊頗有眾生得聞如是言
說章句生實信不佛告須菩提莫作是說如
來滅後後五百歲有持戒脩福者於此章句
能生信心以此為實當知是人不於一佛二佛
三四五佛而種善根已於无量千万佛所種
諸善根聞是章句乃至一念生淨信者須
菩提如來悉知悉見是諸眾生得如是无量
福德何以故是諸眾生无復我相人相眾生
相壽者相无法相亦无非法相何以故是諸
眾生若心取相則為著我人眾生壽者若取
法相即著我人眾生壽者何以故若取非法
相即著我人眾生壽者是故不應取法不應
取非法以是義故如來常說汝等比丘知我
說法如筏喻者法尚應捨何況非法
須菩提於意云何如來得阿耨多羅三藐三
菩提耶如來有所說法耶須菩提言如我解
佛所說義无有定法名阿耨多羅三藐三菩
提亦无有定法如來可說何以故如來所說
法皆不可取不可說非法非非法所以者何

BD03166 號　金剛般若波羅蜜經　　(4–1)

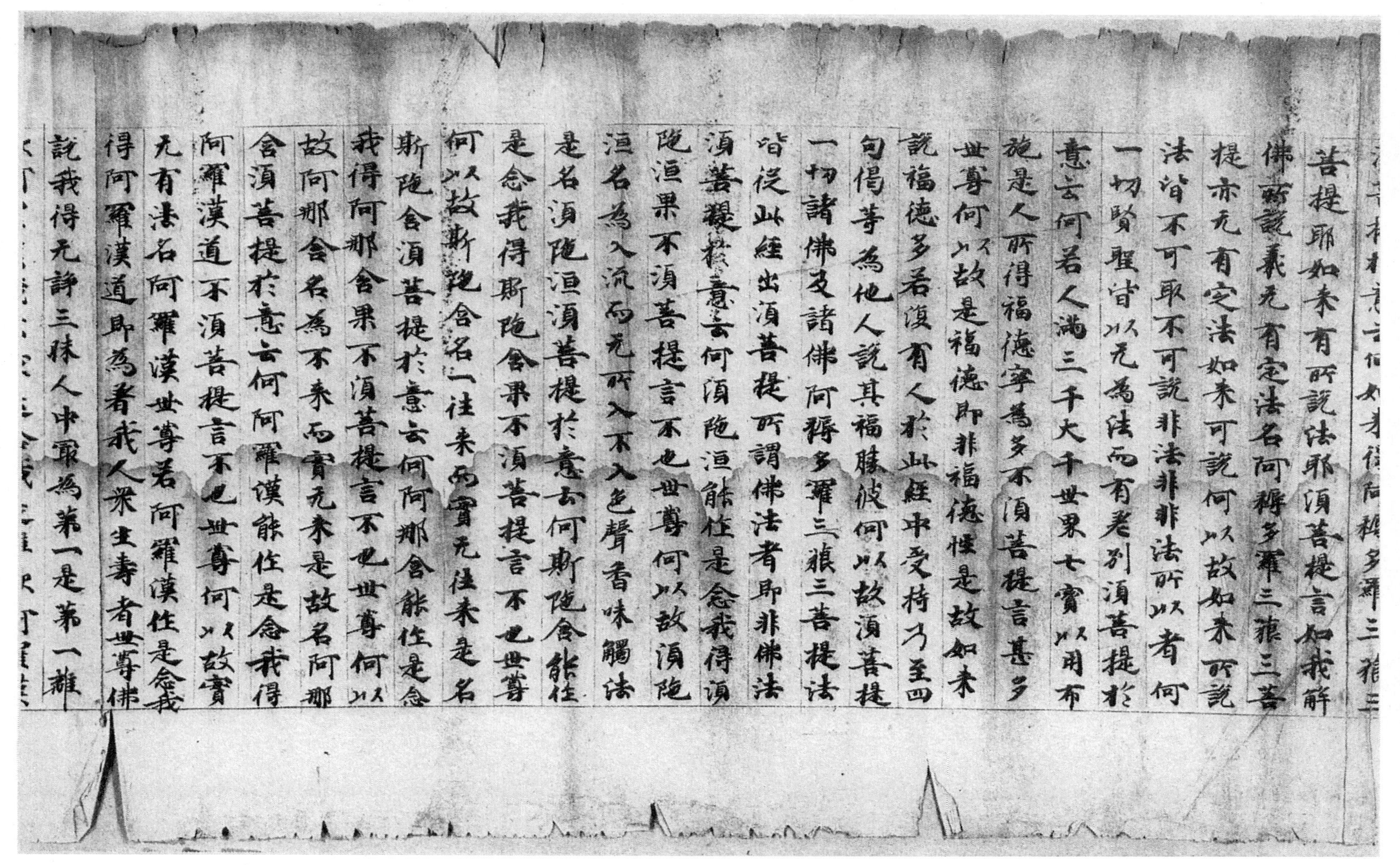

須菩提於意云何如來得阿耨多羅三藐三
菩提耶如來有所說法耶須菩提言如我解
佛所說義无有定法名阿耨多羅三藐三菩
提亦无有定法如來可說何以故如來所說
法皆不可取不可說非法非非法所以者何
一切賢聖皆以无為法而有差別須菩提於
意云何若人滿三千大千世界七寶以用布
施是人所得福德寧為多不須菩提言甚多
世尊何以故是福德即非福德性是故如來
說福德多若復有人於此經中受持乃至四
句偈等為他人說其福勝彼何以故須菩提
一切諸佛及諸佛阿耨多羅三藐三菩提法
皆從此經出須菩提所謂佛法者即非佛法
須菩提於意云何須陁洹能作是念我得須
陁洹果不須菩提言不也世尊何以故須陁
洹名為入流而无所入不入色聲香味觸法
是名須陁洹須菩提於意云何斯陁含能作
是念我得斯陁含果不須菩提言不也世尊
何以故斯陁含名一往來而實无往來是名
斯陁含須菩提於意云何阿那含能作是念
我得阿那含果不須菩提言不也世尊何以
故阿那含名為不來而實无來是故名阿那
含須菩提於意云何阿羅漢能作是念我得
阿羅漢道不須菩提言不也世尊何以故實
无有法名阿羅漢世尊若阿羅漢作是念我
得阿羅漢道即為著我人衆生壽者世尊佛
說我得无諍三昧人中最為第一是第一離

BD03166號　金剛般若波羅蜜經　（4–2）

阿羅漢道不須菩提言不也世尊何以故實
无有法名阿羅漢世尊若阿羅漢作是念我
得阿羅漢道即為著我人衆生壽者世尊佛
說我得无諍三昧人中最為第一是第一離
欲阿羅漢我不作是念我是離欲阿羅漢
世尊我若作是念我得阿羅漢道世尊則不
說須菩提是樂阿蘭那行者以須菩提實无
所行而名須菩提是樂阿蘭那行
佛告須菩提於意云何如來昔在然燈佛所
於法有所得不世尊如來在然燈佛所於法
實无所得須菩提於意云何菩薩莊嚴佛土
不不也世尊何以故莊嚴佛土者則非莊嚴
是名莊嚴是故須菩提諸菩薩摩訶薩應
如是生清淨心不應住色生心不應住聲香味
觸法生心應无所住而生其心須菩提譬如
有人身如須弥山王於意云何是身為大不
須菩提言甚大世尊何以故佛說非身是名
大身須菩提如恒河中所有沙數如是沙等恒
河於意云何是諸恒河沙寧為多不須菩提
言甚多世尊但諸恒河尚多无數何況其沙
須菩提我今實言告汝若有善男子善女人以
七寶滿爾所恒河沙數三千大千世界以用布
施得福多不須菩提言甚多世尊佛告須

BD03166號　金剛般若波羅蜜經　（4–3）

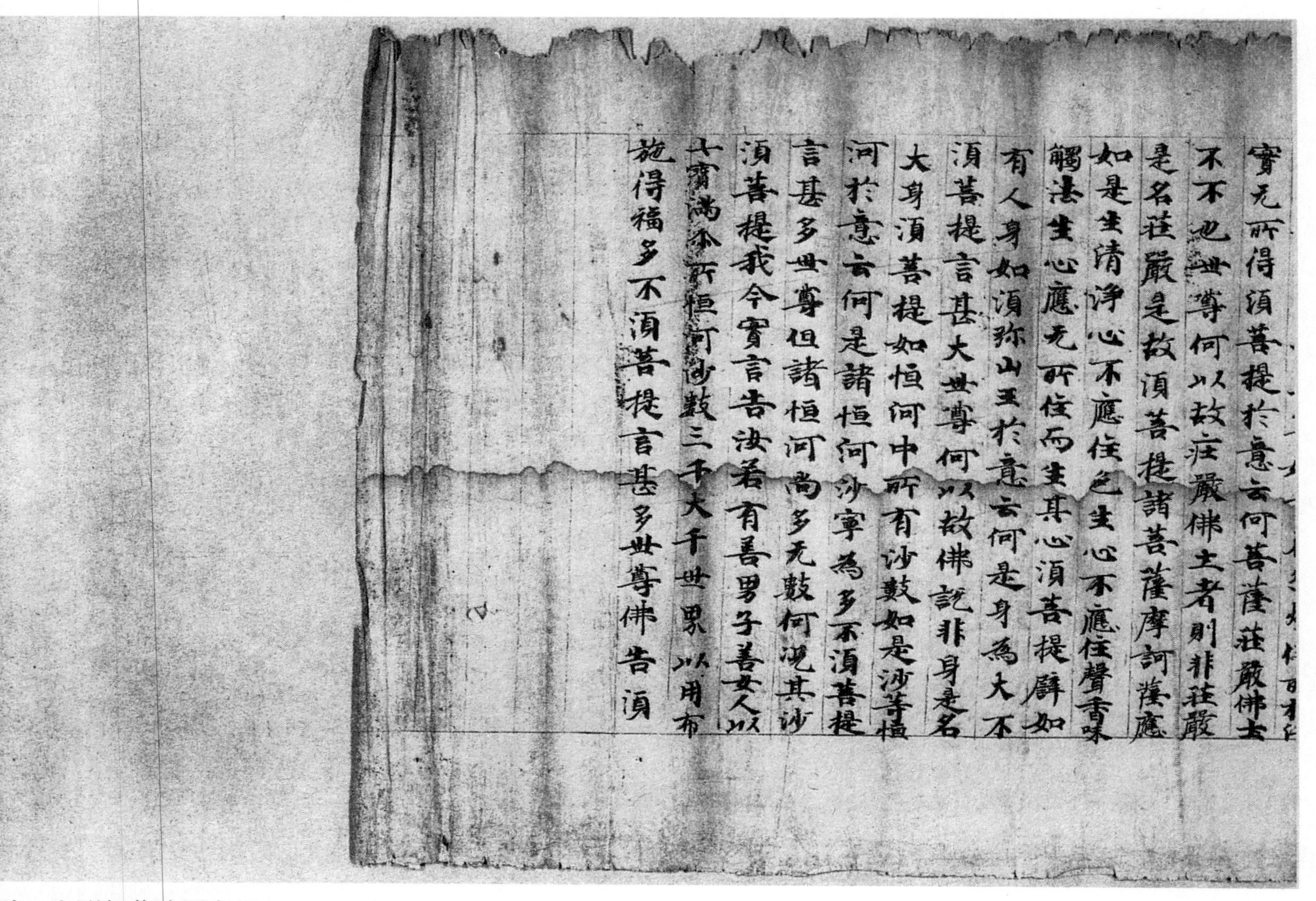

實无所得須菩提於意云何菩薩莊嚴佛土
不不也世尊何以故莊嚴佛土者則非莊嚴
是名莊嚴是故須菩提諸菩薩摩訶薩應
如是生清淨心不應住色生心不應住聲香味
觸法生心應无所住而生其心須菩提譬如
有人身如須弥山王於意云何是身為大不
須菩提言甚大世尊何以故佛說非身是名
大身須菩提如恒河中所有沙數如是沙等恒
河於意云何是諸恒河沙寧為多不須菩提
言甚多世尊但諸恒河尚多无數何況其沙
須菩提我今實言告汝若有善男子善女人以
七寶滿爾所恒河沙數三千大千世界以用布
施得福多不須菩提言甚多世尊佛告須

BD03166號　金剛般若波羅蜜經　（4–4）

我善哉善女天汝能於我真實無妄清淨法
身自利利他宣揚妙相以此功德令汝速證
最上菩提一切有情同所修習若得聞者皆
入甘露無生法門
金光明最勝王經大辯才天女讚歎品第卅
尒時大辯才天女即從座起合掌恭敬以真
言詞讚世尊曰
南謨釋迦牟尼如來應正等覺身真金色咽
如螺貝面如滿月目類青蓮脣口赤好如頗
黎色鼻高脩直如截金鋌齒白齊密如拘物
頭花身光普照如百千日光彩睴徹如贍部
金所有言詞皆無謬失三解脫門開三菩
提路心常清淨意樂亦然佛所住處及所行
境亦常清淨離非威儀進止無謬六年苦行
三轉法輪度苦衆生令歸彼岸身相圓滿如
拘陁樹六度薰脩三業無失具一切智自他
利滿所有宣說常為衆生言不虛設於釋種
中為大師子堅固勇猛具八解脫我今隨力
稱讚如來少分功德猶如蚊子飲大海水願
以此福廣及有情永離生死成無上道
尒時世尊告大辯天曰善哉善哉汝久修習
具大辯才今復於我廣陳讚歎令汝速證無
上法門相好圓明普利一切

BD03167號　金光明最勝王經卷一〇　（4–1）

利濟所有宣說常為眾生言不虛誑於稱稱
中為大師子堅固勇猛具八解脫我今隨力
稱讚如來少分功德猶如蚊子飲大海水願
以此福廣及有情永離生死成無上道
尒時世尊告大辯天曰善哉善哉汝久修習
具大辯才今復於我廣陳讚歎令汝速證無
上法門相好圓明普利一切
金光明最勝王經付囑品第卅一
尒時世尊普告無量菩薩及諸人天一切大
眾汝等當知我於無量無數大劫勤修苦行
獲甚深法菩提正因已為汝說汝等誰能發
勇猛心恭敬守護我涅槃後於此法門廣
宣流布能令正法久住世間尒時眾中有六十
俱胝諸大菩薩六十俱胝諸天大眾異口同
音作如是說世尊我等咸有欣樂之心於佛
世尊無量大劫勤修苦行所獲甚深微妙之
法菩提正因恭敬護持不惜身命佛涅槃後
於此法門廣宣流布當令正法久住世間尒
時諸大菩薩即於佛前說伽他曰
世尊真實語　安住於實法　由彼真實故　持護於此經
大悲為甲冑　安住於大慈　由彼慈悲力　護持於此經
福資糧圓滿　生起智資糧　由資糧滿故　護持於此經
降伏一切魔　破滅諸邪論　斷除惡見故　護持於此經
護世并釋梵　乃至阿蘇羅　龍神藥叉等　護持於此經
地上及虛空　久住於斯者　奉持佛教故　護持於此經
四梵住相應　四聖諦嚴飾　降伏四魔故　護持於此經
虛空成質礙　質礙成虛空　諸佛所護持　無能傾動者
尒時四大天王聞佛說此護持妙法各生隨
喜護正法心一時同聲說伽他曰

BD03167 號　金光明最勝王經卷一〇　（4–2）

四梵住相應　四聖諦嚴飾　降伏四魔故　護持於此經
虛空成質礙　質礙成虛空　諸佛所護持　無能傾動者
尒時四大天王聞佛說此護持妙法各生隨
喜護正法心一時同聲說伽他曰
我今於此經　及男女眷屬　皆一心擁護　令得廣流通
若有持經者　能作菩提因　我常於四方　擁護而承事
尒時天帝釋合掌恭敬說伽他曰
諸佛證此法　為欲報恩故　饒益菩薩眾　出世演斯經
我於彼諸佛　報恩常供養　護持如是經　及以持經者
尒時覩史多天子合掌恭敬說伽他曰
佛說如是經　若有能持者　當住菩提位　來生覩史天
世尊我慶悅　捨天殊勝報　住於贍部洲　宣揚是經典
時索訶世界主梵天王合掌恭敬說伽他曰
諸靜慮無量　諸乘及解脫　皆從此經出　是故演斯經
若說是經處　我捨梵天樂　為聽如是經　亦常為擁護
尒時魔王子名曰商主合掌恭敬說伽他曰
若有受持此　正義相應經　不隨魔所行　淨除魔惡業
我等於此經　亦當勤守護　發大精進意　隨處廣流通
尒時魔王合掌恭敬說伽他曰
若有持此經　能伏諸煩惱　如是眾生類　擁護令安樂
若有說是經　諸魔不得便　由佛威神故　我當擁護彼
尒時妙吉祥天子亦於佛前說伽他曰
諸佛妙菩提　於此經中說　若持此經者　是供養如來
我當持此經　為俱胝天說　恭敬聽聞者　勸至菩提處
尒時慈氏菩薩合掌恭敬說伽他曰
若見住菩提　而為不請友　乃至捨身命　為護此經王
我聞如是法　當往覩史天　由世尊威護　廣為人天說
尒時上坐大迦攝波合掌恭敬說伽他曰
佛於聲聞乘　說我勘智慧　我今隨自力　護持如是經

BD03167 號　金光明最勝王經卷一〇　（4–3）

尒時諸大菩薩合掌恭敬說伽他曰
若見住菩提　而為不請友　乃至捨身命　為護此經王
我聞如是法　當住覩史天　由世尊威護　廣為人天說
尒時上坐大迦攝波合掌恭敬說伽他曰
佛於聲聞乘　說我聰智慧　我今隨自力　護持如是經
若有持此經　我當攝受彼　授其詞辯力　當隨讚善哉
尒時具壽阿難陁合掌向佛說伽他曰
我親從佛聞　無量衆經典　未曾聞如是　深妙法中王
我今聞是經　親於佛前受　諸樂菩提者　當為廣宣通
尒時世尊見諸菩薩人天大衆各各發心於
此經典流通擁護勸進菩薩廣利衆生讚
言善哉善哉汝等能於如是微妙經王虔誠
流布乃至於我般涅槃後不令散滅即是無上
菩提正因所獲功德於恒沙劫說不能盡若
有苾芻苾芻尼鄔波索迦鄔波斯迦及餘善
男子善女人等供養恭敬書寫流通為人解
說所獲功德亦復如是是故汝等應勤修習
尒時無量無邊恒沙大衆聞佛說已皆大歡
喜信受奉行

金光明最勝王經卷第十

憩去例　航胡郎　鷄仕于　揄巨令　鋌庭頂　齎情昔　捫胡昔　鞕庚杏

BD03167號　金光明最勝王經卷一〇　　(4–4)

樂舍利弗若有衆生內有智性從佛世尊聞
法信受慇勤精進欲速出三界自求涅槃是
名聲聞乘如彼諸子為求羊車出於火宅若
有衆生從佛世尊聞法信受慇勤精進求自
然慧樂獨善寂深知諸法因緣是名辟支佛
乘如彼諸子為求鹿車出於火宅若有衆生
從佛世尊聞法信受勤修精進求一切智佛
智自然智无師智如來知見力无所畏愍念
安樂无量衆生利益天人度脫一切是名大
乘菩薩求此乘故名為摩訶薩如彼諸子為
求牛車出於火宅舍利弗如彼長者見諸子
等安隱得出火宅到无畏處自惟財富无量
等以大車而賜諸子如來亦復如是為一切
衆生之父若見无量億千衆生以佛教門出
三界苦怖畏險道得涅槃樂如來尒時便作
是念我有无量无邊智慧力无畏等諸佛法
藏是諸衆生皆是我子等與大乘不令有人
獨得滅度皆以如來滅度而滅度之是諸衆
生脫三界者悉與諸佛禪定解脫等娛樂之
具皆是一相一種聖所稱歎能生淨妙第一
之樂舍利弗如彼長者初以三車誘引諸子

BD03168號　妙法蓮華經卷二　　(1–1)

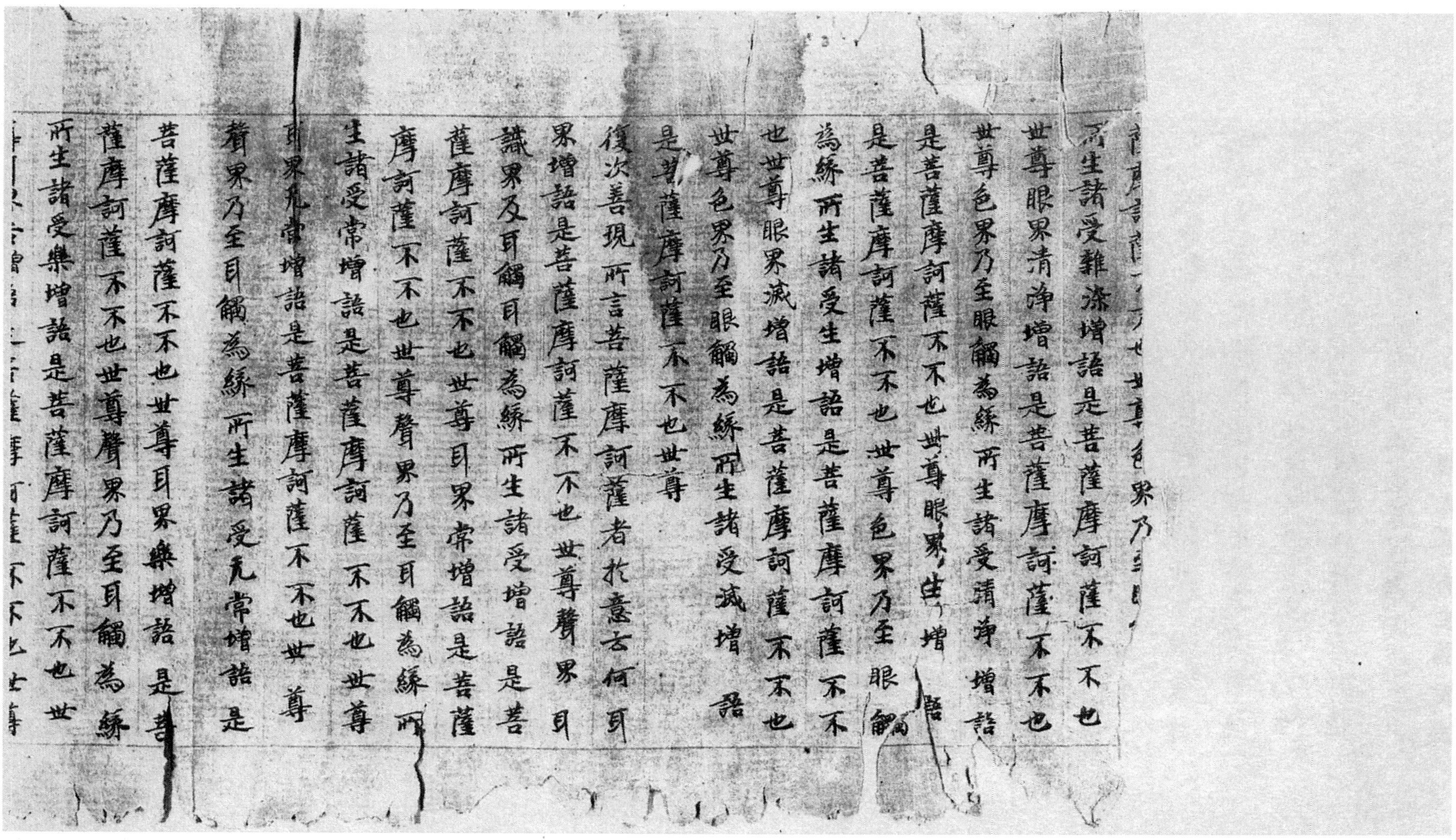

薩摩訶薩不不也世尊色界乃至眼
所生諸受雜染增語是菩薩摩訶薩不不也
世尊眼界清淨增語是菩薩摩訶薩不不也
世尊色界乃至眼觸為緣所生諸受清淨增語
是菩薩摩訶薩不不也世尊眼界生增語
是菩薩摩訶薩不不也世尊色界乃至眼觸
為緣所生諸受生增語是菩薩摩訶薩不不
也世尊眼界滅增語是菩薩摩訶薩不不也
世尊色界乃至眼觸為緣所生諸受滅增語
是菩薩摩訶薩不不也世尊
復次善現所言菩薩摩訶薩者於意云何耳
界增語是菩薩摩訶薩不不也世尊聲界耳
識界及耳觸耳觸為緣所生諸受增語是菩
薩摩訶薩不不也世尊耳界常增語是菩薩
摩訶薩不不也世尊聲界乃至耳觸為緣所
生諸受常增語是菩薩摩訶薩不不也世尊
耳界無常增語是菩薩摩訶薩不不也世尊
聲界乃至耳觸為緣所生諸受無常增語是
菩薩摩訶薩不不也世尊耳界樂增語是菩
薩摩訶薩不不也世尊聲界乃至耳觸為緣
所生諸受樂增語是菩薩摩訶薩不不也世
尊耳界苦增語是菩薩摩訶薩不不也世尊

BD03169號　大般若波羅蜜多經卷四〇七　（14-1）

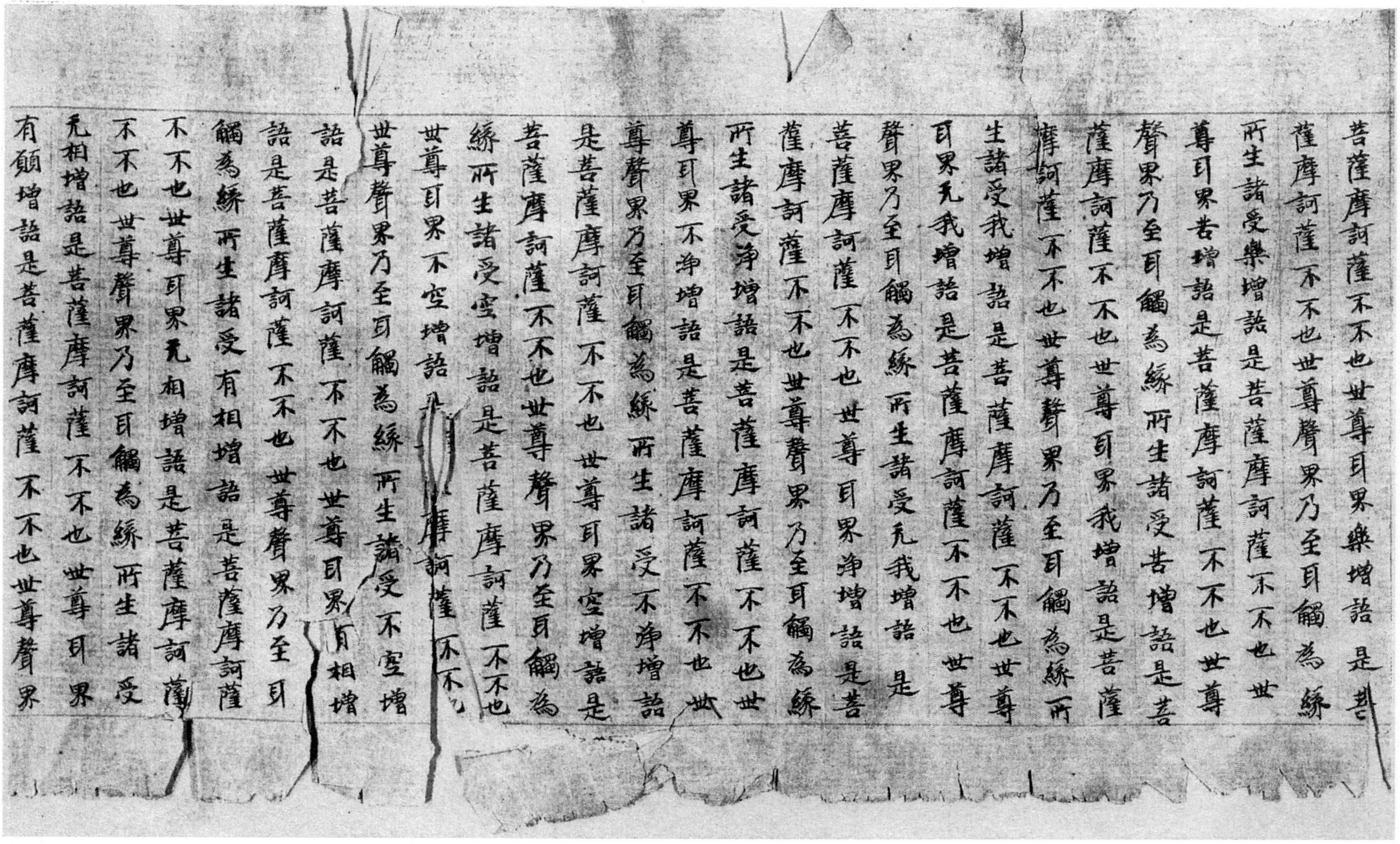

菩薩摩訶薩不不也世尊耳界樂增語是菩
薩摩訶薩不不也世尊聲界乃至耳觸為緣
所生諸受樂增語是菩薩摩訶薩不不也世
尊耳界苦增語是菩薩摩訶薩不不也世尊
聲界乃至耳觸為緣所生諸受苦增語是菩
薩摩訶薩不不也世尊耳界我增語是菩薩
摩訶薩不不也世尊聲界乃至耳觸為緣所
生諸受我增語是菩薩摩訶薩不不也世尊
耳界無我增語是菩薩摩訶薩不不也世尊
聲界乃至耳觸為緣所生諸受無我增語是
菩薩摩訶薩不不也世尊耳界淨增語是菩
薩摩訶薩不不也世尊聲界乃至耳觸為緣
所生諸受淨增語是菩薩摩訶薩不不也世
尊耳界不淨增語是菩薩摩訶薩不不也世
尊聲界乃至耳觸為緣所生諸受不淨增語
是菩薩摩訶薩不不也世尊耳界空增語是
菩薩摩訶薩不不也世尊聲界乃至耳觸為
緣所生諸受空增語是菩薩摩訶薩不不也
世尊耳界不空增語是菩薩摩訶薩不不也
世尊聲界乃至耳觸為緣所生諸受不空增
語是菩薩摩訶薩不不也世尊耳界有相增
語是菩薩摩訶薩不不也世尊聲界乃至耳
觸為緣所生諸受有相增語是菩薩摩訶薩
不不也世尊耳界無相增語是菩薩摩訶薩
不不也世尊聲界乃至耳觸為緣所生諸受
無相增語是菩薩摩訶薩不不也世尊耳界
有願增語是菩薩摩訶薩不不也世尊聲界

BD03169號　大般若波羅蜜多經卷四〇七　（14-2）

不不也世尊耳界无相增語是菩薩摩訶薩
不不也世尊聲界乃至耳觸為緣所生諸受
无相增語是菩薩摩訶薩不不也世尊耳界
有願增語是菩薩摩訶薩不不也世尊聲界
乃至耳觸為緣所生諸受有願增語是菩薩
摩訶薩不不也世尊耳界无願增語是菩薩
摩訶薩不不也世尊聲界乃至耳觸為緣所
生諸受无願增語是菩薩摩訶薩不不也世
尊耳界寂靜增語是菩薩摩訶薩不不也世
尊聲界乃至耳觸為緣所生諸受寂靜增語
是菩薩摩訶薩不不也世尊耳界不寂靜增
語是菩薩摩訶薩不不也世尊聲界乃至耳
觸為緣所生諸受不寂靜增語是菩薩摩訶
薩不不也世尊耳界遠離增語是菩薩摩訶
薩不不也世尊聲界乃至耳觸為緣所生諸
受遠離增語是菩薩摩訶薩不不也世尊耳
界不遠離增語是菩薩摩訶薩不不也世尊
聲界乃至耳觸為緣所生諸受不遠離增語
是菩薩摩訶薩不不也世尊耳界雜染增語
是菩薩摩訶薩不不也世尊聲界乃至耳觸
為緣所生諸受雜染增語是菩薩摩訶薩不
不也世尊耳界清淨增語是菩薩摩訶薩不
不也世尊聲界乃至耳觸為緣所生諸受清
淨增語是菩薩摩訶薩不不也世尊耳界生
增語是菩薩摩訶薩不不也世尊聲界乃至
耳觸為緣所生諸受生增語是菩薩摩訶薩
不不也世尊耳界滅增語是菩薩摩訶薩不
不也世尊聲界乃至耳觸為緣所生諸受滅

BD03169號　大般若波羅蜜多經卷四〇七　（14–3）

不也世尊聲界乃至耳觸為緣所生諸受清
淨增語是菩薩摩訶薩不不也世尊耳界生
增語是菩薩摩訶薩不不也世尊聲界乃至
耳觸為緣所生諸受生增語是菩薩摩訶薩
不不也世尊耳界滅增語是菩薩摩訶薩不
不也世尊聲界乃至耳觸為緣所生諸受滅
增語是菩薩摩訶薩不不也世尊
復次善現所言菩薩摩訶薩者於意云何鼻
界增語是菩薩摩訶薩不不也世尊香界鼻
識界及鼻觸鼻觸為緣所生諸受增語是菩
薩摩訶薩不不也世尊鼻界常增語是菩薩
摩訶薩不不也世尊香界乃至鼻觸為緣所
生諸受常增語是菩薩摩訶薩不不也世尊
鼻界无常增語是菩薩摩訶薩不不也世尊
香界乃至鼻觸為緣所生諸受无常增語是
菩薩摩訶薩不不也世尊鼻界樂增語是菩
薩摩訶薩不不也世尊香界乃至鼻觸為緣
所生諸受樂增語是菩薩摩訶薩不不也世
尊鼻界苦增語是菩薩摩訶薩不不也世尊
香界乃至鼻觸為緣所生諸受苦增語是菩
薩摩訶薩不不也世尊鼻界我增語是菩薩
摩訶薩不不也世尊香界乃至鼻觸為緣所
生諸受我增語是菩薩摩訶薩不不也世尊
鼻界无我增語是菩薩摩訶薩不不也世尊
香界乃至鼻觸為緣所生諸受无我增語是
菩薩摩訶薩不不也世尊鼻界淨增語是菩
薩摩訶薩不不也世尊香界乃至鼻觸為緣

BD03169號　大般若波羅蜜多經卷四〇七　（14–4）

鼻界无我增語是菩薩摩訶薩不不也世尊
香界乃至鼻觸為緣所生諸受无我增語是
菩薩摩訶薩不不也世尊鼻界淨增語是菩
薩摩訶薩不不也世尊香界乃至鼻觸為緣
所生諸受淨增語是菩薩摩訶薩不不也世
尊鼻界不淨增語是菩薩摩訶薩不不也世
尊香界乃至鼻觸為緣所生諸受不淨增語
是菩薩摩訶薩不不也世尊鼻界空增語是
菩薩摩訶薩不不也世尊香界乃至鼻觸為
緣所生諸受空增語是菩薩摩訶薩不不也
世尊鼻界不空增語是菩薩摩訶薩不不也
世尊香界乃至鼻觸為緣所生諸受不空增
語是菩薩摩訶薩不不也世尊鼻界有相增
語是菩薩摩訶薩不不也世尊香界乃至鼻
觸為緣所諸受有相增語是菩薩摩訶薩
不不也世尊鼻界无相增語是菩薩摩訶薩
不不也世尊香界乃至鼻觸為緣所生諸受
无相增語是菩薩摩訶薩不不也世尊鼻界
有願增語是菩薩摩訶薩不不也世尊香界
乃至鼻觸為緣所生諸受有願增語是菩薩
摩訶薩不不也世尊鼻界无願增語是菩薩
摩訶薩不不也世尊香界乃至鼻觸為緣所
生諸受无願增語是菩薩摩訶薩不不也世
尊鼻界寂靜增語是菩薩摩訶薩不不也世
尊香界乃至鼻觸為緣所生諸受寂靜增語
是菩薩摩訶薩不不也世尊鼻界不寂靜增
語是菩薩摩訶薩不不也世尊香界乃至鼻

BD03169 號　大般若波羅蜜多經卷四〇七　（14–5）

尊鼻界寂靜增語是菩薩摩訶薩不不也世
尊香界乃至鼻觸為緣所生諸受寂靜增語
是菩薩摩訶薩不不也世尊鼻界不寂靜增
語是菩薩摩訶薩不不也世尊香界乃至鼻
觸為緣所生諸受不寂靜增語是菩薩摩訶
薩不不也世尊鼻界遠離增語是菩薩摩訶
薩不不也世尊香界乃至鼻觸為緣所生諸
受遠離增語是菩薩摩訶薩不不也世尊鼻
界不遠離增語是菩薩摩訶薩不不也世尊
香界乃至鼻觸為緣所生諸受不遠離增語
是菩薩摩訶薩不不也世尊鼻界雜染增語
是菩薩摩訶薩不不也世尊香界乃至鼻觸
為緣所生諸受雜染增語是菩薩摩訶薩不
不也世尊鼻界清淨增語是菩薩摩訶薩不
不也世尊香界乃至鼻觸為緣所生諸受清
淨增語是菩薩摩訶薩不不也世尊鼻界生
增語是菩薩摩訶薩不不也世尊香界乃至
鼻觸為緣所生諸受生增語是菩薩摩訶薩
不不也世尊鼻界滅增語是菩薩摩訶薩不
不也世尊香界乃至鼻觸為緣所生諸受滅
增語是菩薩摩訶薩不不也世尊
復次善現所言菩薩摩訶薩者於意云何舌
界增語是菩薩摩訶薩不不也世尊味界舌
識界及舌觸舌觸為緣所生諸受增語是菩
薩摩訶薩不不也世尊舌界常增語是菩薩
摩訶薩不不也世尊味界乃至舌觸為緣所
生諸受常增語是菩薩摩訶薩不不也世尊

BD03169 號　大般若波羅蜜多經卷四〇七　（14–6）

識界及舌觸舌觸爲緣所生諸受增語是菩
薩摩訶薩不不也世尊舌界常增語是菩薩
摩訶薩不不也世尊味界乃至舌觸爲緣所
生諸受常增語是菩薩摩訶薩不不也世尊
舌界无常增語是菩薩摩訶薩不不也世尊
味界乃至舌觸爲緣所生諸受无常增語是
菩薩摩訶薩不不也世尊舌界樂增語是菩
薩摩訶薩不不也世尊味界乃至舌觸爲緣
所生諸受樂增語是菩薩摩訶薩不不也世
尊舌界苦增語是菩薩摩訶薩不不也世尊
味界乃至舌觸爲緣所生諸受苦增語是菩
薩摩訶薩不不也世尊舌界我增語是菩薩
摩訶薩不不也世尊味界乃至舌觸爲緣所
生諸受我增語是菩薩摩訶薩不不也世尊
舌界无我增語是菩薩摩訶薩不不也世尊
味界乃至舌觸爲緣所生諸受无我增語是
菩薩摩訶薩不不也世尊舌界淨增語是菩
薩摩訶薩不不也世尊味界乃至舌觸爲緣
所生諸受淨增語是菩薩摩訶薩不不也世
尊舌界不淨增語是菩薩摩訶薩不不也世
尊味界乃至舌觸爲緣所生諸受不淨增語
是菩薩摩訶薩不不也世尊舌界空增語是
菩薩摩訶薩不不也世尊味界乃至舌觸爲
緣所生諸受空增語是菩薩摩訶薩不不也
世尊舌界不空增語是菩薩摩訶薩不不也
世尊味界乃至舌觸爲緣所生諸受不空增

BD03169號　大般若波羅蜜多經卷四〇七　（14–7）

緣所生諸受空增語是菩薩摩訶薩不不也
世尊舌界不空增語是菩薩摩訶薩不不也
世尊味界乃至舌觸爲緣所生諸受不空增
語是菩薩摩訶薩不不也世尊舌界有相增
語是菩薩摩訶薩不不也世尊味界乃至舌
觸爲緣所生諸受有相增語是菩薩摩訶薩
不不也世尊舌界无相增語是菩薩摩訶薩
不不也世尊味界乃至舌觸爲緣所生諸受
无相增語是菩薩摩訶薩不不也世尊舌界
有願增語是菩薩摩訶薩不不也世尊味界
乃至舌觸爲緣所生諸受有願增語是菩薩
摩訶薩不不也世尊舌界无願增語是菩薩
摩訶薩不不也世尊味界乃至舌觸爲緣所
生諸受无願增語是菩薩摩訶薩不不也世
尊舌界寂靜增語是菩薩摩訶薩不不也世
尊味界乃至舌觸爲緣所生諸受寂靜增語
是菩薩摩訶薩不不也世尊舌界不寂靜增
語是菩薩摩訶薩不不也世尊味界乃至舌
觸爲緣所生諸受不寂靜增語是菩薩摩訶
薩不不也世尊舌界遠離增語是菩薩摩訶
薩不不也世尊味界乃至舌觸爲緣所生諸
受遠離增語是菩薩摩訶薩不不也世尊舌
界不遠離增語是菩薩摩訶薩不不也世尊
味界乃至舌觸爲緣所生諸受不遠離增語
是菩薩摩訶薩不不也世尊舌界雜染增語
是菩薩摩訶薩不不也世尊味界乃至舌觸

BD03169號　大般若波羅蜜多經卷四〇七　（14–8）

味界乃至舌觸為緣所生諸受不遠離增語
是菩薩摩訶薩不不也世尊舌界雜染增語
是菩薩摩訶薩不不也世尊味界乃至舌觸
為緣所生諸受雜染增語是菩薩摩訶薩不
不也世尊舌界清淨增語是菩薩摩訶薩不
不也世尊味界乃至舌觸為緣所生諸受清
淨增語是菩薩摩訶薩不不也世尊舌界生
增語是菩薩摩訶薩不不也世尊味界乃至
舌觸為緣所生諸受生增語是菩薩摩訶薩
不不也世尊舌界滅增語是菩薩摩訶薩不
不也世尊味界乃至舌觸為緣所生諸受滅
增語是菩薩摩訶薩不不也世尊
復次善現所言菩薩摩訶薩者於意云何身
界增語是菩薩摩訶薩不不也世尊觸界身
識界及身觸身觸為緣所生諸受增語是菩
薩摩訶薩不不也世尊身界常增語是菩薩
摩訶薩不不也世尊觸界乃至身觸為緣所
生諸受常增語是菩薩摩訶薩不不也世尊
身界无常增語是菩薩摩訶薩不不也世尊
觸界乃至身觸為緣所生諸受无常增語是
菩薩摩訶薩不不也世尊身界樂增語是菩
薩摩訶薩不不也世尊觸界乃至身觸為緣
所生諸受樂增語是菩薩摩訶薩不不也世
尊身界苦增語是菩薩摩訶薩不不也世尊
觸界乃至身觸為緣所生諸受苦增語是菩
薩摩訶薩不不也世尊身界我增語是菩薩
摩訶薩不不也世尊觸界乃至身觸為緣所

觸界乃至身觸為緣所生諸受苦增語是菩
薩摩訶薩不不也世尊身界我增語是菩薩
摩訶薩不不也世尊觸界乃至身觸為緣所
生諸受我增語是菩薩摩訶薩不不也世尊
身界无我增語是菩薩摩訶薩不不也世尊
觸界乃至身觸為緣所生諸受无我增語是
菩薩摩訶薩不不也世尊身界淨增語是菩
薩摩訶薩不不也世尊觸界乃至身觸為緣
所生諸受淨增語是菩薩摩訶薩不不也世
尊身界不淨增語是菩薩摩訶薩不不也世
尊觸界乃至身觸為緣所生諸受不淨增語
是菩薩摩訶薩不不也世尊身界空增語是
菩薩摩語薩不不也世尊觸界乃至身觸為
緣所生諸受空增語是菩薩摩訶薩不不也世
尊身界不空增語是菩薩摩訶薩不不也
世尊觸界乃至身觸為緣所生諸受不空增
語是菩薩摩訶薩不不也世尊身界有相增
語是菩薩摩訶薩不不也世尊觸界乃至身
觸為緣所生諸受有相增語是菩薩摩訶薩
不不也世尊身界无相增語是菩薩摩訶薩
不不也世尊觸界乃至身觸為緣所生諸受
无相增語是菩薩摩訶薩不不也世尊身界
有願增語是菩薩摩訶薩不不也世尊觸界
乃至身觸為緣所生諸受有願增語是菩薩
摩訶薩不不也世尊身无願增語是菩薩
摩訶薩不不也世尊觸界乃至身觸為緣所
生諸受无願增語是菩薩摩訶薩不不也世

摩訶薩不不也世尊身无願增語是菩薩
摩訶薩不不也世尊觸界乃至身觸為緣所
生諸受无願增語是菩薩摩訶薩不不也世
尊身界寂靜增語是菩薩摩訶薩不不也世
尊觸界乃至身觸為緣所生諸受寂靜增語
是菩薩摩訶薩不不也世尊身界不寂靜增
語是菩薩摩訶薩不不也世尊觸界乃至身
觸為緣所生諸受不寂靜增語是菩薩摩訶
薩不不也世尊身界遠離增語是菩薩摩訶
薩不不也世尊觸界乃至身觸為緣所生諸
受遠離增語是菩薩摩訶薩不不也世尊身
界不遠離增語是菩薩摩訶薩不不也世尊
觸界乃至身觸為緣所生諸受不遠離增語
是菩薩摩訶薩不不也世尊身界雜染增語
是菩薩摩訶薩不不也世尊觸界乃至身觸
為緣所生諸受雜染增語是菩薩摩訶薩不
不也世尊身界清淨增語是菩薩摩訶薩不
不也世尊觸界乃至身觸為緣所生諸受清
淨增語是菩薩摩訶薩不不也世尊身界生
增語是菩薩摩訶薩不不也世尊觸界乃至
身觸為緣所生諸受生增語是菩薩摩訶薩
不不也世尊身界滅增語是菩薩摩訶薩
不不也世尊觸界乃至身觸為緣所生諸受
滅增語是菩薩摩訶薩不不也世尊
復次善現所言菩薩摩訶薩者於意云何意
界增語是菩薩摩訶薩不不也世尊法界意
識界及意觸意觸為緣所生諸受增語是菩

BD03169 號　大般若波羅蜜多經卷四〇七　（14–11）

滅增語是菩薩摩訶
復次善現所言菩薩摩訶薩者於意云何意
界增語是菩薩摩訶薩不不也世尊法界意
識界及意觸意觸為緣所生諸受增語是菩
薩摩訶薩不不也世尊意界常增語是菩薩
摩訶薩不不也世尊法界乃至意觸為緣所
生諸受常增語是菩薩摩訶薩不不也世尊
意界无常增語是菩薩摩訶薩不不也世尊
法界乃至意觸為緣所生諸受无常增語是
菩薩摩訶薩不不也世尊意界樂增語是菩
薩摩訶薩不不也世尊法界乃至意觸為緣
所生諸受樂增語是菩薩摩訶薩不不也世
尊意界苦增語是菩薩摩訶薩不不也世尊
法界乃至意觸為緣所生諸受苦增語是菩
薩摩訶薩不不也世尊意界我增語是菩薩
摩訶薩不不也世尊法界乃至意觸為緣所
生諸受我增語是菩薩摩訶薩不不也世尊
意界无我增語是菩薩摩訶薩不不也世尊
法界乃至意觸為緣所生諸受无我增語是
菩薩摩訶薩不不也世尊意界淨增語是菩
薩摩訶薩不不也世尊法界乃至意觸為緣
所生諸受淨增語是菩薩摩訶薩不不也世
尊意界不淨增語是菩薩摩訶薩不不也世
尊法界乃至意觸為緣所生諸受不淨增語
是菩薩摩訶薩不不也世尊意界空增語是
菩薩摩訶薩不不也世尊法界乃至意觸為
緣所生諸受空增語是菩薩摩訶薩不不也
世尊意界不空增語是菩薩摩訶薩不不也

BD03169 號　大般若波羅蜜多經卷四〇七　（14–12）

尊法界乃至意觸為緣所生諸受不淨增語
是菩薩摩訶薩不不也世尊意界空增語是
菩薩摩訶薩不不也世尊法界乃至意觸為
緣所生諸受空增語是菩薩摩訶薩不不也
世尊意界不空增語是菩薩摩訶薩不不也
世尊法界乃至意觸為緣所生諸受不空增
語是菩薩摩訶薩不不也世尊意界有相增
語是菩薩摩訶薩不不也世尊法界乃至意
觸為緣所生諸受有相增語是菩薩摩訶薩
不不也世尊意界无相增語是菩薩摩訶薩
不不也世尊法界乃至意觸為緣所生諸受
无相增語是菩薩摩訶薩不不也世尊意界
有願增語是菩薩摩訶薩不不也世尊法界
乃至意觸為緣所生諸受有願增語是菩薩
摩訶薩不不也世尊意界无願增語是菩薩
摩訶薩不不也世尊法界乃至意觸為緣所
生諸受无願增語是菩薩摩訶薩不不也世
尊意界寂靜增語是菩薩摩訶薩不不也世
尊法界乃至意觸為緣所生諸受寂靜增語
是菩薩摩訶薩不不也世尊意界不寂靜增
語是菩薩摩訶薩不不也世尊法界乃至意
觸為緣所生諸受不寂靜增語是菩薩摩訶
薩不不也世尊意界遠離增語是菩薩摩訶
薩不不也世尊法界乃至意觸為緣所生諸
受遠離增語是菩薩摩訶薩不不也世尊意
界不遠離增語是菩薩摩訶薩不不也世尊
法界乃至意觸為緣所生諸受不遠離增語是
菩薩摩訶薩不不也世尊意界雜染增語是

BD03169號　大般若波羅蜜多經卷四〇七　（14–13）

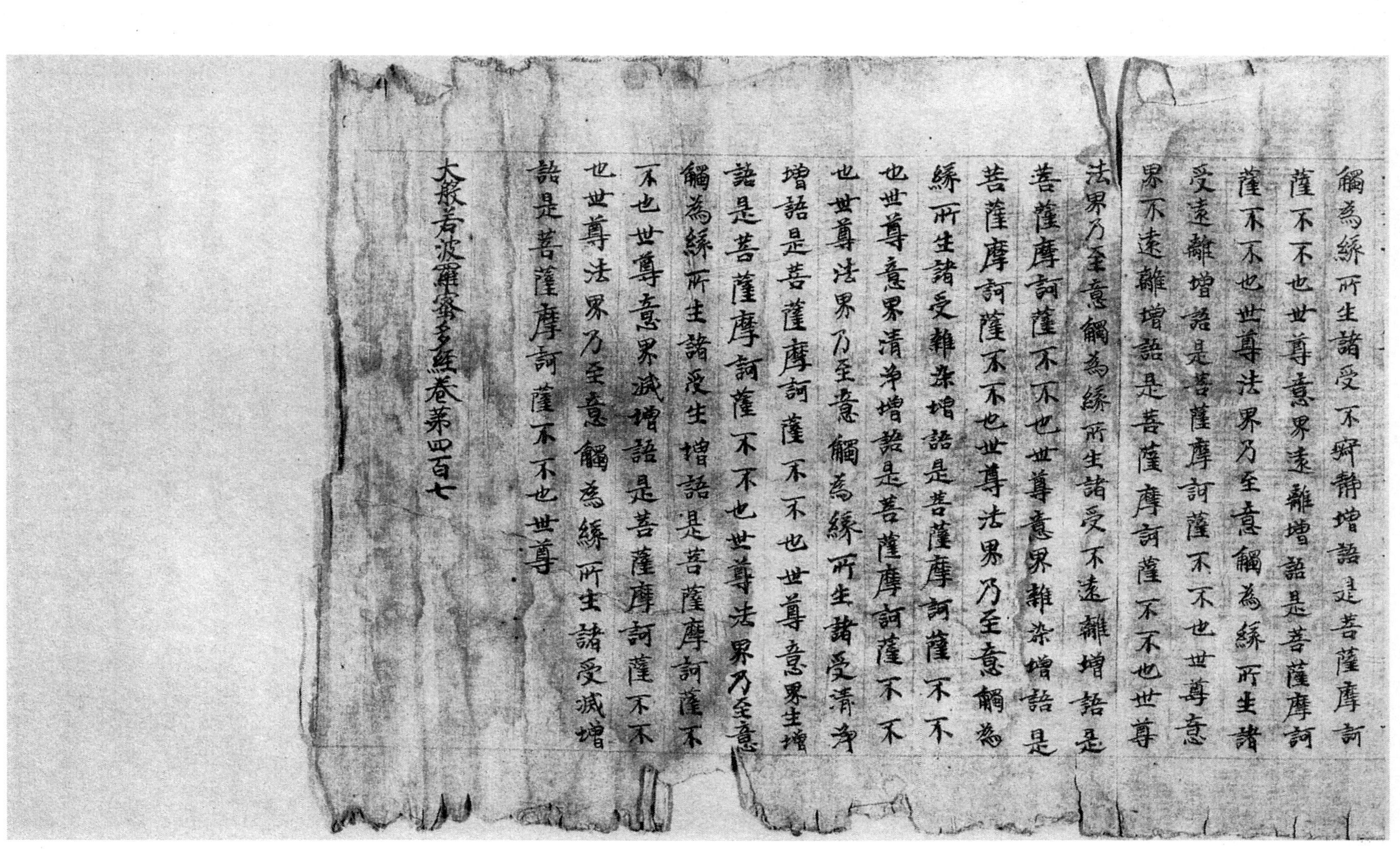
觸為緣所生諸受不寂靜增語是菩薩摩訶
薩不不也世尊意界遠離增語是菩薩摩訶
薩不不也世尊法界乃至意觸為緣所生諸
受遠離增語是菩薩摩訶薩不不也世尊意
界不遠離增語是菩薩摩訶薩不不也世尊
法界乃至意觸為緣所生諸受不遠離增語是
菩薩摩訶薩不不也世尊意界雜染增語是
菩薩摩訶薩不不也世尊法界乃至意觸為
緣所生諸受雜染增語是菩薩摩訶薩不不
也世尊意界清淨增語是菩薩摩訶薩不不
也世尊法界乃至意觸為緣所生諸受清淨
增語是菩薩摩訶薩不不也世尊意界生增
語是菩薩摩訶薩不不也世尊法界乃至意
觸為緣所生諸受生增語是菩薩摩訶薩不
不也世尊意界滅增語是菩薩摩訶薩不不
也世尊法界乃至意觸為緣所生諸受滅增
語是菩薩摩訶薩不不也世尊

大般若波羅蜜多經卷第四百七

BD03169號　大般若波羅蜜多經卷四〇七　（14–14）

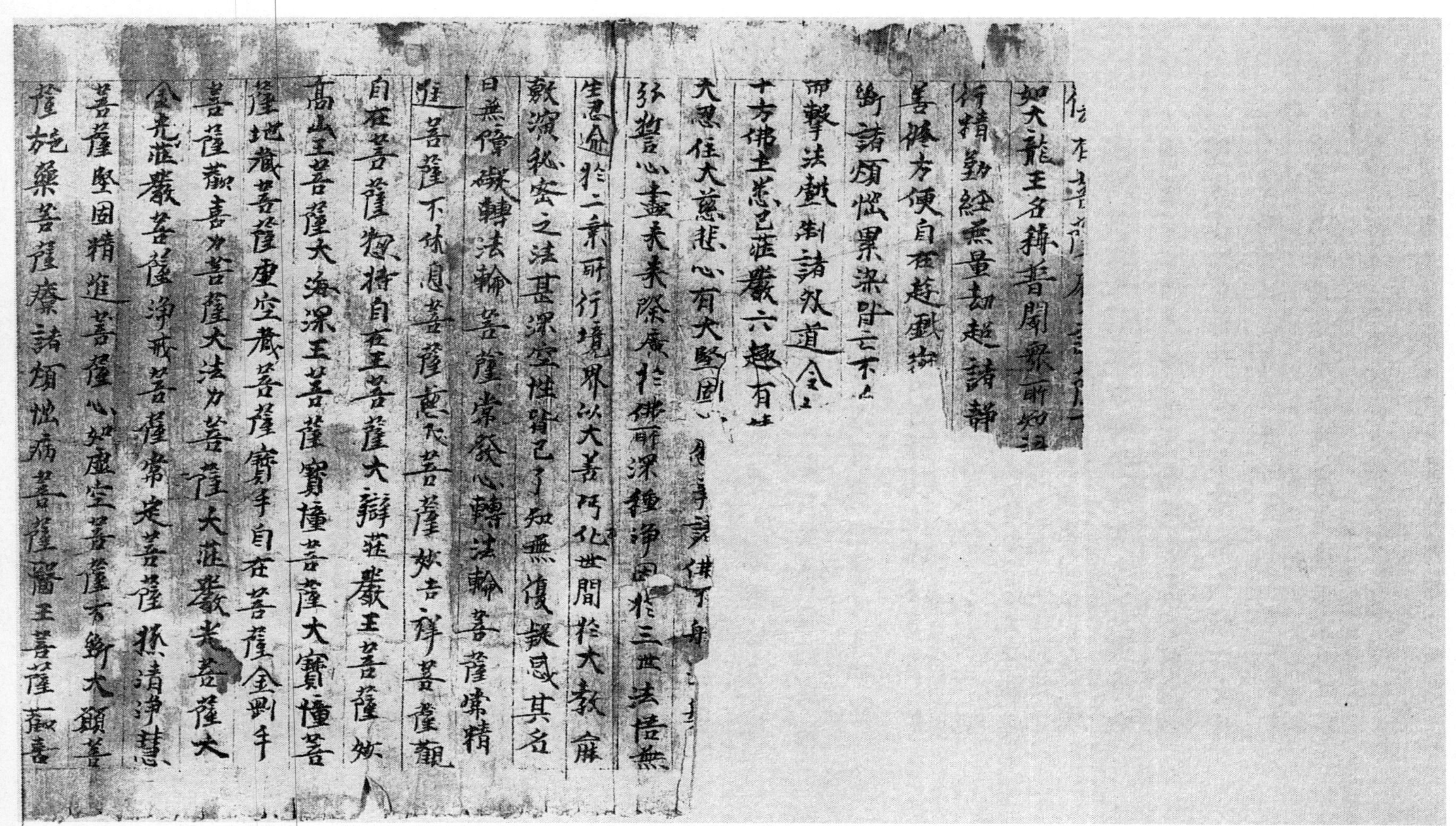

如大龍王名稱普聞衆所知識
行精勤經無量劫超諸靜
善修方便自在遊戲
斷諸煩惱累習皆亡不久
而擊法鼓制諸外道令
十方佛土悉已莊嚴六趣有情
大忍住大慈悲心有大堅固
歷事諸佛不般涅
弘誓心盡未來際廣於佛所深種淨因於三世法悟無
生忍超於二乘所行境界以大善巧化世間於大教兩
敷演秘密之法甚深空性皆已了知無復疑惑其名
曰無障礙轉法輪菩薩常發心轉法輪菩薩常精
進菩薩不休息菩薩慈氏菩薩妙吉祥菩薩觀
自在菩薩總持自在王菩薩大辯莊嚴王菩薩妙
高山王菩薩大海深王菩薩寶幢菩薩大寶幢菩
薩地藏菩薩虛空藏菩薩寶手自在菩薩金剛手
菩薩歡喜力菩薩大法力菩薩大莊嚴光菩薩大
金光莊嚴菩薩淨戒菩薩常定菩薩極清淨慧
菩薩堅固精進菩薩心如虛空菩薩不斷大願菩
薩施藥菩薩療諸煩惱病菩薩醫王菩薩歡喜

BD03170 號　金光明最勝王經卷一　（9–1）

薩寶幢菩薩大寶幢菩
薩地藏菩薩虛空藏菩薩寶手自在菩薩金剛手
菩薩歡喜力菩薩大法力菩薩大莊嚴光菩薩大
金光莊嚴菩薩淨戒菩薩常定菩薩極清淨慧
菩薩堅固精進菩薩心如虛空菩薩不斷大願菩
薩施藥菩薩療諸煩惱病菩薩醫王菩薩歡喜
高王菩薩得上授記菩薩大雲淨光菩薩大雲
持法菩薩大雲名稱喜樂菩薩大雲現無邊稱
菩薩大雲師子吼菩薩大雲牛王吼菩薩大雲
吉祥菩薩大雲寶德菩薩大雲日藏菩薩大雲
大雲月藏菩薩大雲星光菩薩大雲火光菩薩
大雲電光菩薩大雲雷音菩薩大雲慧雨充遍
菩薩大雲清淨雨王菩薩大雲花樹王菩薩大
雲青蓮花香菩薩大雲寶栴檀香清涼身菩
大雲除闇菩薩大雲破翳菩薩如是等無量
大菩薩衆各於晡時從定而起往詣佛所頂
禮佛足右繞三帀退坐一面
復有梨車毗童子五億八千其名曰師子光童子
師子慧童子法授童子因陀羅授童子大光童子
大猛童子佛護童子法護童子
僧護童子金剛護童子虛空護童子虛空
吼童子寶藏童子吉祥妙藏童子如是等人而
為上首悉皆安住無上菩提於大乘深信歡喜各
於晡時往詣佛所頂禮佛足右繞三帀退坐一面
復有四萬二千天子其名曰喜見天子喜悅天子日
光天子月髻天子明慧天子虛空淨慧天子除煩

BD03170 號　金光明最勝王經卷一　（9–2）

為上首悉皆安住無上菩提於大乘深信歡喜各
於晡時往詣佛所頂禮佛足右繞三匝退坐一面
復有四萬二千天子其名曰喜見天子喜悅天子日
光天子月髻天子明慧天子虛空淨慧天子除煩
惱天子吉祥天子如是等天而為上首皆發弘
願護持大乘紹隆正法能使不絕各於晡時
往詣佛所頂禮佛足右繞三匝退坐一面
復有二萬八千龍王蓮花龍王翳羅葉龍王大
力龍王大吼龍王小波龍王持駃水龍王金面
龍王如意龍王是等龍而為上首於大乘法
常樂受持發深信心稱揚擁護各於晡時
往詣佛所頂禮佛足右繞三匝退坐一面
復有三萬六千藥叉眾毗沙門天王而為上首
其名曰菴婆藥叉持菴婆藥叉蓮花光藏藥
叉蓮花面藥叉顰眉藥叉現大怖藥叉動地藥
叉吞食藥叉是等藥叉悉皆愛樂如來正法深
心護持不生疲懈各於晡時往詣佛所
頂禮佛足右繞三匝退坐一面
復有四萬九千揭路荼王香象勢力王如為上首及
餘健闥婆阿蘇羅緊那羅莫呼洛伽等山林河
海一切神仙并諸大國所有王眾中宮后妃淨信
男女人天大眾悉皆雲集咸願擁護無上大
乘讀誦受持書寫流布各於晡時往詣佛所
頂禮佛足右繞三匝退坐一面
如是等聲聞菩薩人天大眾龍神八部既雲
集已各各至心合掌恭敬瞻仰尊容……

BD03170 號　金光明最勝王經卷一　（9–3）

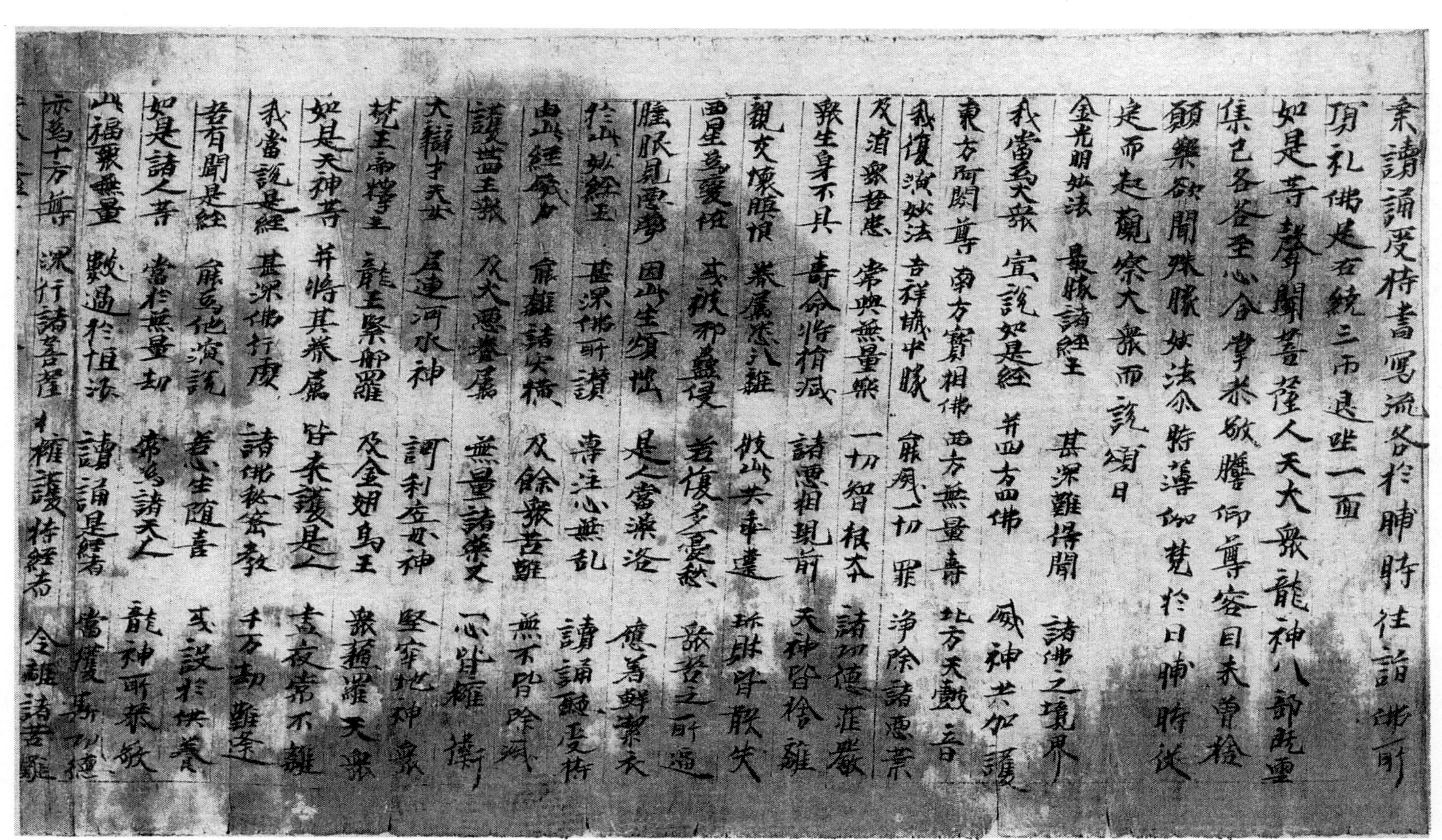
乘讀誦受持書寫流布各於晡時往詣佛所
頂禮佛足右繞三匝退坐一面
如是等聲聞菩薩人天大眾龍神八部既雲
集已各各至心合掌恭敬瞻仰尊容目未曾捨
願樂欲聞殊勝妙法爾時薄伽梵於日晡時從
定而起觀察大眾而說頌曰
金光明妙法　最勝諸經王　甚深難得聞　諸佛之境界
我當為大眾　宣說如是經　并四方四佛　威神共加護
東方阿閦尊　南方寶相佛　西方無量壽　北方天鼓音
我復演妙法　吉祥懺中勝　能滅一切罪　淨除諸惡業
及消眾苦患　常與無量樂　一切智根本　諸功德莊嚴
眾生身不具　壽命將損減　諸惡相現前　天神皆捨離
親友懷瞋恨　眷屬悉分離　彼此共乖違　珍財皆散失
惡星為變怪　或被邪蠱侵　若復多憂愁　眾苦之所逼
睡眠見惡夢　因此生煩惱　是人當澡浴　應著鮮潔衣
於此妙經王　甚深佛所讚　專注心無亂　讀誦聽受持
由此經威力　能離諸災橫　及餘眾苦難　無不皆除殄
護世四王眾　及大臣眷屬　無量諸藥叉　一心皆擁衛
大辯才天女　尼連河水神　訶利底母神　堅牢地神眾
梵王帝釋主　龍王緊那羅　及金翅鳥王　阿蘇羅天眾
如是天神等　并將其眷屬　皆來護是人　晝夜常不離
我當說是經　甚深佛行處　諸佛秘密教　千萬劫難逢
若有聞是經　能為他演說　若心生隨喜　或設於供養
如是諸人等　當於無量劫　常為諸天人　龍神所恭敬
此福聚無量　數過於恒沙　讀誦是經者　當獲斯功德
亦為十方尊　深行諸菩薩　擁護持經者　令離諸苦難

BD03170 號　金光明最勝王經卷一　（9–4）

若有聞是經　能為他演說　若心生隨喜　或設於供養
如是諸人等　當於無量劫　常為諸天人　龍神所恭敬
此福聚無量　數過於恒沙　讀誦是經者　當獲斯功德
亦為十方尊　深行諸菩薩　擁護持經者　令離諸苦難
供養是經者　如前澡浴身　飲食及香花　恒起慈悲意
若欲聽是經　令心淨無垢　常生歡喜念　能長諸功德
若以尊重心　聽聞是經者　善生於人趣　遠離諸苦難
彼人善根熟　諸佛之所讚　方得聞是經　及以懺悔法

金光明最勝王經如來壽量品第二

尒時王舍大城有一菩薩摩訶薩名曰妙幢已於過
去無量俱胝那庾多百千佛所承事供養殖諸
善根是時妙幢菩薩獨於靜處作是思惟以何
因緣釋迦牟尼如來壽命短促唯八十年復作是念
如佛所說有二因緣得壽命長云何為二一者不害生命
二者施他飲食然釋迦牟尼如來曾於無量百千萬億
無數大劫不害生命行十善道常以飲食惠施一切飢
餓眾生乃至己身血肉骨髓亦持施與令得飽
滿况餘飲食時彼菩薩以世尊所作是念時以佛
威力其室忽然廣博嚴淨帝青琉璃種種眾寶
雜彩間飾如佛淨土有妙香氣過諸天香芬馥充
滿於其四面各有上妙師子之座四寶所成以天寶
衣而敷其上復於此座有妙蓮花種種珍寶以
為嚴飾量等如來自然顯現於蓮花上有四如來
然東方不動南方寶相西無量壽北天鼓音是四如來
各於其座跏趺而坐放大光明周遍照曜王舍大
城及此三千大千世界乃至十方恒河沙等諸佛國土

BD03170 號　金光明最勝王經卷一　（9–5）

衣而敷其上復於此座有妙蓮花種種珍寶以
為嚴飾量等如來自然顯現於蓮花上有四如來
然東方不動南方寶相西無量壽北天鼓音是四如來
各於其座跏趺而坐放大光明周遍照曜王舍大
城及此三千大千世界乃至十方恒河沙等諸佛國土
雨諸天花奏諸天樂尒時於此贍部洲中及三千
大千世界所有眾生以佛威力受勝妙樂無有乏少
若身不具皆蒙具足盲者能視聾者得聞瘂
者能言愚者得智若心亂者得本心若衣無者得衣
被惡賤者人所敬有垢穢者身清潔於此世間
所有利益未曾有事悉皆顯現
尒時妙幢菩薩見四如來及希有事歡喜踊躍
合掌一心瞻仰諸佛殊勝之相亦復思惟釋迦牟
尼如來無量功德唯於壽命生疑惑心云何如來
功德無量壽命短促唯八十年尒時四佛告妙幢菩
薩言善男子汝今不應思忖如來壽命長短何
以故善男子我等不見諸天世間梵魔沙門婆羅
門等人及非人有能算知佛之壽量知其齊限唯
除無上正遍知者時四如來欲說釋迦牟尼佛所
有壽量以佛威力欲色界天諸龍鬼神健闥婆
阿蘇羅揭路荼緊那羅莫呼洛伽及無量百千億
那庾多菩薩摩訶薩悉來集會入妙幢菩薩淨
妙室中尒時四佛於大眾中欲顯釋迦牟尼如來所
有壽量而說頌曰
一切諸海水　可知其渧數　無有能數知　釋迦之壽量
析諸妙高山　如芥可知數　無

BD03170 號　金光明最勝王經卷一　（9–6）

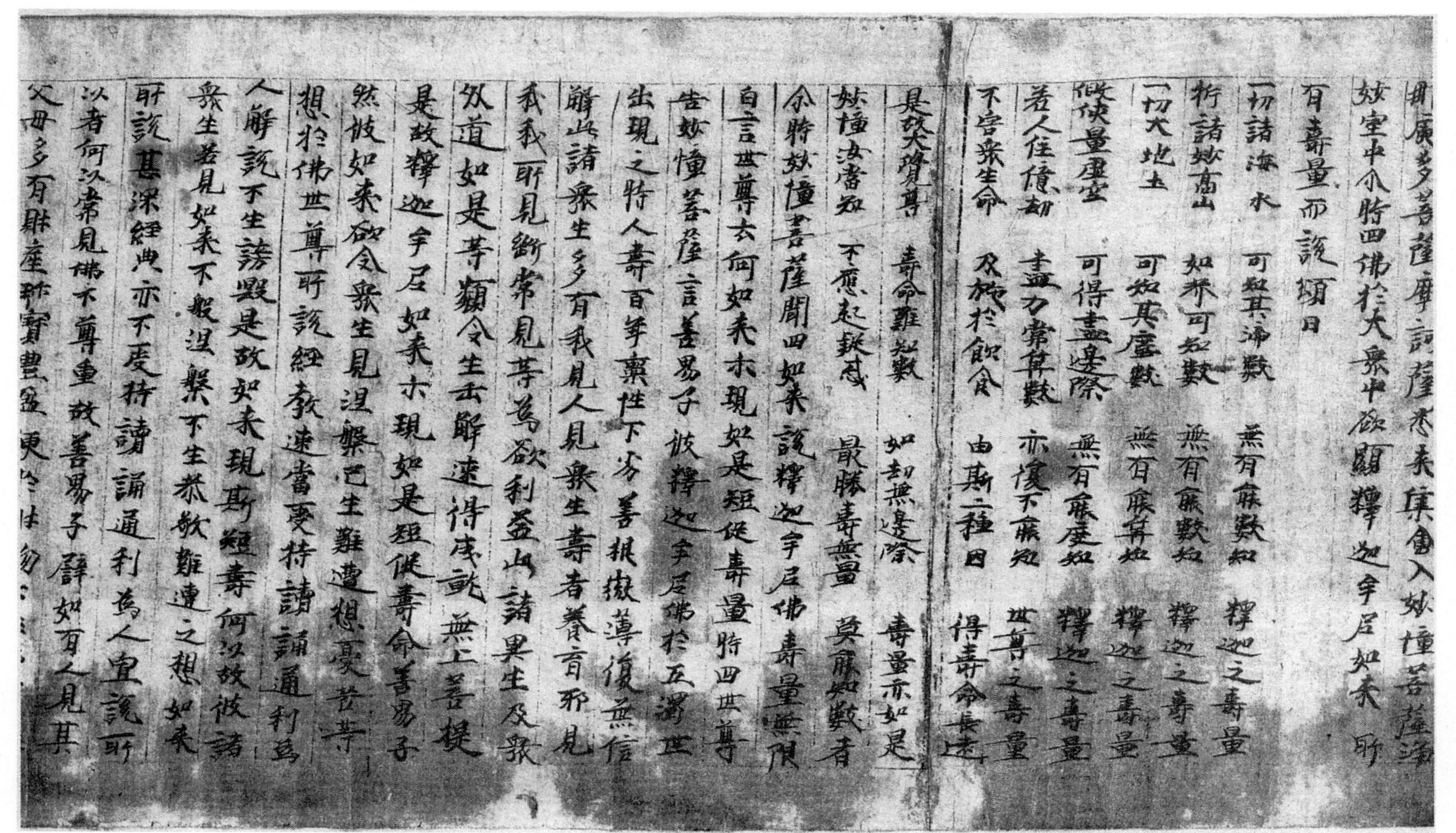
[illegible]廣多菩薩摩訶薩悉來集會入妙幢菩薩淨
妙室中爾時四佛於大衆中欲顯釋迦牟尼如來所
有壽量而說頌曰
一切諸海水　可知其滴數　無有能數知　釋迦之壽量
析諸妙高山　如芥可知數　無有能數知　釋迦之壽量
一切大地土　可知其塵數　無有能算知　釋迦之壽量
假使量虛空　可得盡邊際　無有能度知　釋迦之壽量
若人住億劫　盡力常算數　亦復不能知　世尊之壽量
不害衆生命　及施於飲食　由斯二種因　得壽命長遠
是故大覺尊　壽命難知數　如劫無邊際　壽量亦如是
妙幢汝當知　不應起疑惑　最勝壽無量　莫能知數者
爾時妙幢菩薩聞四如來說釋迦牟尼佛壽量無限
白言世尊云何如來示現如是短促壽量時四世尊
告妙幢菩薩言善男子彼釋迦牟尼佛於五濁世
出現之時人壽百年稟性下劣善根微薄復無信
解此諸衆生多有我見人見衆生壽者養育邪見
我我所見斷常見等為欲利益此諸異生及衆
外道如是等類令生正解速得成就無上菩提
是故釋迦牟尼如來示現如是短促壽命善男子
然彼如來欲令衆生見涅槃已生難遭想憂苦等
想於佛世尊所說經教速當受持讀誦通利為
人解說不生謗毀是故如來現斯短壽何以故彼諸
衆生若見如來不般涅槃不生恭敬難遭之想如來
所說甚深經典亦不受持讀誦通利為人宣說所
以者何以常見佛不尊重故善男子譬如有人見其
父母多有財產珍寶豐盈便於財物

BD03170號　金光明最勝王經卷一　（9–7）

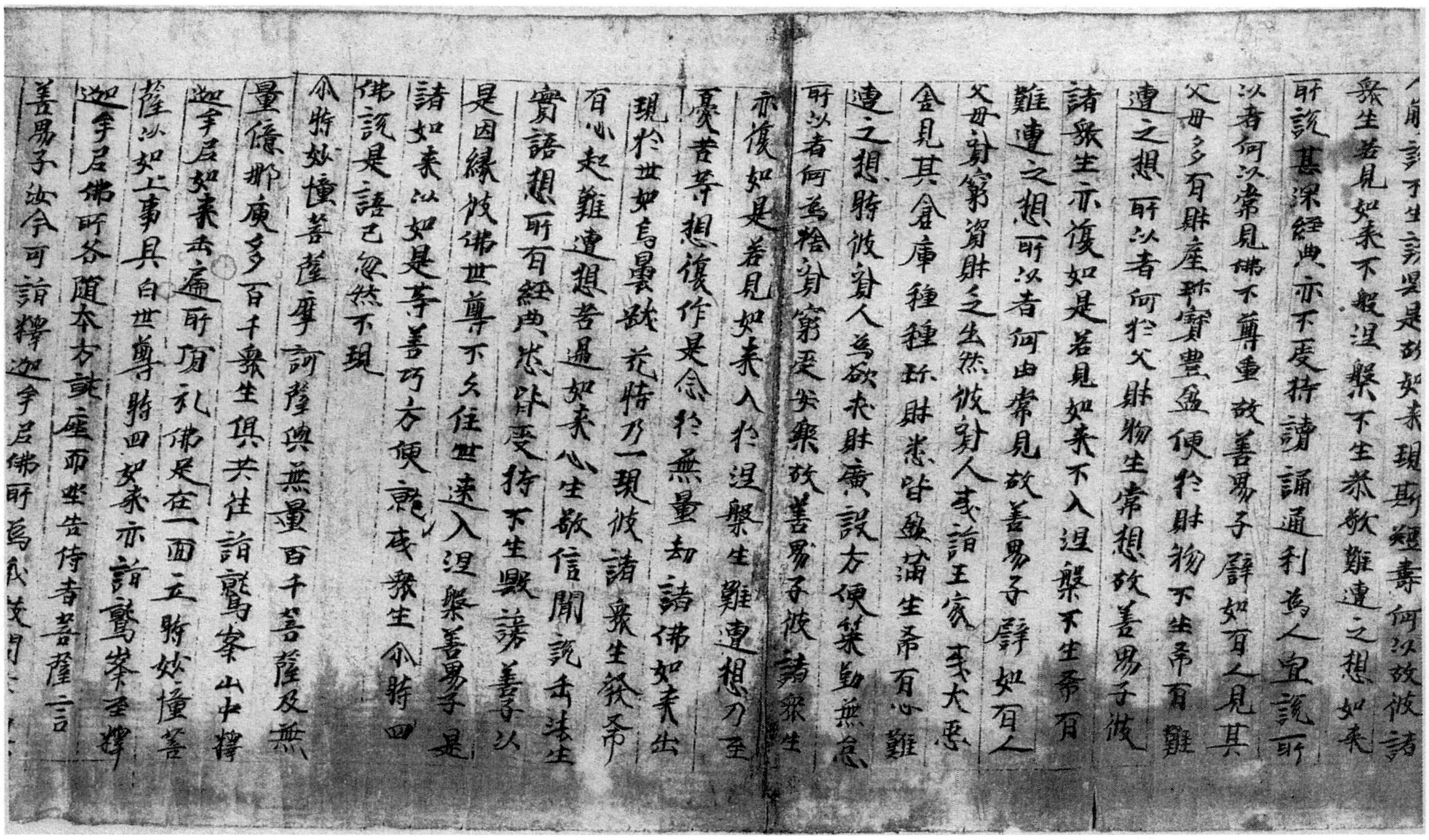

人解說不生謗毀是故如來現斯短壽何以故彼諸
衆生若見如來不般涅槃不生恭敬難遭之想如來
所說甚深經典亦不受持讀誦通利為人宣說所
以者何以常見佛不尊重故善男子譬如有人見其
父母多有財產珍寶豐盈便於財物不生希有難
遭之想所以者何於父財物生常想故善男子彼
諸衆生亦復如是若見如來不入涅槃不生希有
難遭之想所以者何由常見故善男子譬如有人
父母貧窮資財乏少然彼貧人或詣王家或大臣
舍見其倉庫種種珍財悉皆盈滿生希有心難
遭之想時彼貧人為欲求財廣設方便策勤無怠
所以者何為捨貧窮受安樂故善男子彼諸衆生
亦復如是若見如來入於涅槃生難遭想乃至
憂苦等想復作是念於無量劫諸佛如來出
現於世如烏曇跋花時乃一現彼諸衆生發希
有心起難遭想若遇如來心生敬信聞說正法生
實語想所有經典悉皆受持不生毀謗善男子以
是因緣彼佛世尊不久住世速入涅槃善男子是
諸如來以如是等善巧方便成就衆生爾時四
佛說是語已忽然不現
爾時妙幢菩薩摩訶薩與無量百千菩薩及無
量億那庾多百千衆生俱共往詣鷲峯山中釋
迦牟尼如來正遍知所頂禮佛足在一面立時妙幢菩
薩以如上事具白世尊時四如來亦詣鷲峯至釋
迦牟尼佛所各隨本方就座而坐告侍者菩薩言
善男子汝今可詣釋迦牟尼佛所為我

BD03170號　金光明最勝王經卷一　（9–8）

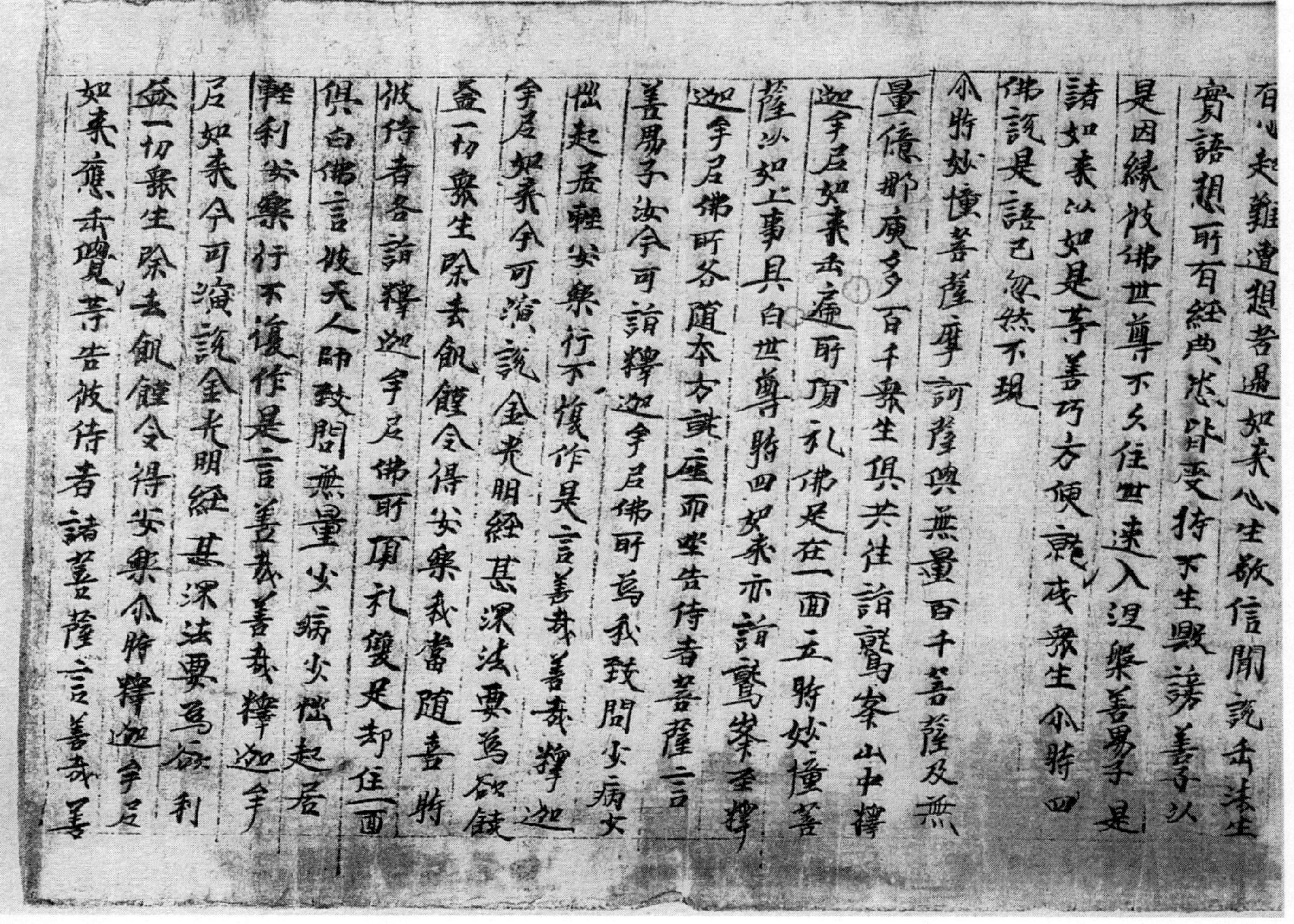
有心起難遭想善過如來心生敬信聞說妙法生
實語想所有經典悉皆受持不生毀謗善男子以
是因緣彼佛世尊不久住世速入涅槃善男子是
諸如來以如是等善巧方便成熟衆生爾時四
佛說是語已忽然不現
爾時妙幢菩薩摩訶薩與無量百千菩薩及無
量億那庾多百千衆生俱共往詣鷲峯山中釋
迦牟尼如來正遍所頂禮佛足在一面立時妙幢菩
薩以如上事具白世尊時四如來亦詣鷲峯至釋
迦牟尼佛所各隨本方就座而坐告侍者菩薩言
善男子汝今可詣釋迦牟尼佛所為我致問少病少
惱起居輕安樂行不復作是言善哉善哉釋迦
牟尼如來今可演說金光明經甚深法要為欲饒
益一切衆生除去飢饉令得安樂我當隨喜時
彼侍者各詣釋迦牟尼佛所頂禮雙足却住一面
俱白佛言彼天人師致問無量少病少惱起居
輕利安樂行不復作是言善哉善哉釋迦牟
尼如來今可演說金光明經甚深法要為欲利
益一切衆生除去飢饉令得安樂爾時釋迦牟尼
如來應正覺等告彼侍者諸菩薩言善哉善

BD03170號　金光明最勝王經卷一　（9–9）

氾殘手寫經卷

BD03170號背　題記　（1–1）

犯戒是應作是不應作是鄣閡是不鄣閡是
得罪是離罪是淨是垢是有漏是无漏是邪
道是正道是有為是无為是世間是涅槃以
難化之人心如猨猴故以若干種法制御其
心乃可調伏譬如象馬𢤱悷不調加諸楚毒
乃至徹骨然後調伏如是剛強難化衆生故
以一切苦切之言乃可入律彼諸菩薩聞說是
已皆曰未曾有也如世尊釋迦牟尼佛隱
其无量自在之力乃以貧所樂法度脫衆生
斯諸菩薩亦能勞謙以无量大悲生是佛
土維摩詰言此土菩薩於諸衆生大悲堅固
誠如所言然其一世饒益衆生多於彼國百
千劫行所以者何此娑婆世界有十事善法
諸餘淨土之所无有何等為十以布施攝
貧窮以淨戒攝毀禁以忍辱攝瞋恚以精進
攝懈怠以禪定攝亂意以智慧攝愚癡說除
難法度八難者以大乘法度樂小乘者以諸
善根濟无德者常以四攝成就衆生是為十
彼菩薩曰菩薩成就幾法於此世界行无創
疣生于淨土維摩詰言菩薩成就八法於此世

難法度八難者以大乘法度樂小乘者以諸
善根濟无德者常以四攝成就衆生是為十
彼菩薩曰菩薩成就幾法於此世界行无創
疣生于淨土維摩詰言菩薩成就八法於此世
界行无創疣生于淨土何等為八饒益衆生
而不望報代一切衆生受諸苦惱所作功德
盡以施之等心衆生謙下无㝵於諸菩薩視
之如佛所未聞經聞之不疑不與聲聞而相違
背不嫉彼供不高己利而於其中調伏其心
常省己過不訟彼短恒以一心求諸功德是為
八維摩詰文殊師利於大衆中說是法時百
千天人皆發阿耨多羅三藐三菩提心十千
菩薩得无生法忍

菩薩行品第十一

是時佛說法於菴羅樹其地忽然廣博嚴
事一切衆會皆作金色阿難白佛言世尊以
何因緣有此瑞應是處忽然廣博嚴事一切
衆會皆作金色佛告阿難是維摩詰文殊師
利與諸大衆恭敬圍遶發意欲來故先為此
瑞應於是維摩詰語文殊師利可共見佛與
諸菩薩礼事供養文殊師利言善哉行矣今
正是時維摩詰即以神力持諸大衆并師子
坐置於右掌往詣佛所到已著地稽首佛
足右遶七匝一心合掌在一面立其諸菩薩即
皆避坐稽首佛足亦遶七匝於一面立諸大
弟子釋梵四天王等亦皆避坐稽首佛足在

忍是時維摩詰即以神力持諸大衆并師子
坐置於右掌往詣佛所到已著地稽首佛
足右遶七匝一心合掌在一面立其諸菩薩即
皆避坐稽首佛足亦遶七匝於一面立諸大
弟子釋梵四天王等亦皆避坐稽首佛足在
一面立於是世尊如法慰問諸菩薩已各令
復坐即皆受教衆坐已定佛語舍利弗汝見
菩薩大士自在神力之所為乎唯然已見汝
意云何世尊我覩其為不可思議非意所圖
非度所測尒時阿難白佛言世尊今所聞香
自昔未有是為何香佛告阿難是彼菩薩毛
孔之香於是舍利弗語阿難言我等毛孔亦
出是香阿難言此所從來曰是長者維摩詰
從衆香國取佛餘飯於舍食者一切毛孔皆
香若此阿難問維摩詰是香氣住當久如維
摩詰言至此飯消曰此飯久如當消曰此飯
勢力至于七日然後乃消又阿難若聲聞人
未入正位食此飯者得入正位然後乃消已
入正位食此飯者得心解脫然後乃消若未
發大乘意食此飯者至發意乃消已發意食
此飯者得无生忍然後乃消已得无生忍食

BD03171 號　維摩詰所說經卷下

（3–3）

別無斷故見者清淨即聲界耳識界及耳觸
耳觸為緣所生諸受清淨聲界乃至耳觸為
緣所生諸受清淨即見者清淨何以故是見
者清淨與聲界乃至耳觸為緣所生諸受清
淨無二無二分無別無斷故
復次善現我清淨即鼻界清淨鼻界清淨即
我清淨何以故是我清淨與鼻界清淨無二
無二分無別無斷故我清淨即香界鼻識界
及鼻觸鼻觸為緣所生諸受清淨香界乃至
鼻觸為緣所生諸受清淨即我清淨何以故
是我清淨與香界乃至鼻觸為緣所生諸受
清淨無二無二分無別無斷故有情清淨即
鼻界清淨鼻界清淨即有情清淨何以故是
有情清淨與鼻界清淨無二無二分無別無
斷故有情清淨即香界鼻識界及鼻觸鼻觸
為緣所生諸受清淨香界乃至鼻觸為緣所
生諸受清淨即有情清淨何以故是有情清
淨與香界乃至鼻觸為緣所生諸受清淨無
二無二分無別無斷故命者清淨即鼻界清
淨鼻界清淨即命者清淨何以故是命者清

BD03172 號　大般若波羅蜜多經卷一八五

（4–1）

斷故有情清淨即香界鼻識界及鼻觸鼻觸
為緣所生諸受清淨香界乃至鼻觸為緣所
生諸受清淨即有情清淨何以故是有情清
淨與香界乃至鼻觸為緣所生諸受清淨無
二無二分無別無斷故命者清淨即鼻界清
淨鼻界清淨即命者清淨何以故是命者清
淨與鼻界清淨無二無二分無別無斷故命
者清淨即香界鼻識界及鼻觸鼻觸為緣
所生諸受清淨香界乃至鼻觸為緣所生諸受
清淨即命者清淨何以故是命者清淨與香
界乃至鼻觸為緣所生諸受清淨無二無二
分無別無斷故生者清淨即鼻界清淨鼻界
清淨即生者清淨何以故是生者清淨與鼻
界清淨無二無二分無別無斷故生者清淨
即香界鼻識界及鼻觸鼻觸為緣所生諸受
清淨香界乃至鼻觸為緣所生諸受清淨即
生者清淨何以故是生者清淨與香界乃至
鼻觸為緣所生諸受清淨無二無二分無別
無斷故養育者清淨即鼻界清淨鼻界清淨
即養育者清淨何以故是養育者清淨與鼻
界清淨無二無二分無別無斷故養育者清
淨即香界鼻識界及鼻觸鼻觸為緣所生諸
受清淨香界乃至鼻觸為緣所生諸受清淨
即養育者清淨何以故是養育者清淨與香
界乃至鼻觸為緣所生諸受清淨無二無二
分無別無斷故士夫清淨即鼻界清淨鼻界

BD03172號　大般若波羅蜜多經卷一八五　（4–2）

即養育者清淨何以故是養育者清淨與香
界乃至鼻觸為緣所生諸受清淨無二無二
分無別無斷故士夫清淨即鼻界清淨鼻界
清淨即士夫清淨何以故是士夫清淨與鼻
界清淨無二無二分無別無斷故士夫清淨
即香界鼻識界及鼻觸鼻觸為緣所生諸受
清淨香界乃至鼻觸為緣所生諸受清淨即
士夫清淨何以故是士夫清淨與香界乃至
鼻觸為緣所生諸受清淨無二無二分無別
無斷故補特伽羅清淨即鼻界清淨鼻界清
淨即補特伽羅清淨何以故是補特伽羅清
淨與鼻界清淨無二無二分無別無斷故補特
伽羅清淨即香界鼻識界及鼻觸鼻觸為
緣所生諸受清淨香界乃至鼻觸為緣所生
諸受清淨即補特伽羅清淨何以故是補特
伽羅清淨與香界乃至鼻觸為緣所生諸受
清淨無二無二分無別無斷故意生清淨即
鼻界清淨鼻界清淨即意生清淨何以故是
意生清淨與鼻界清淨無二無二分無別無
斷故意生清淨即香界鼻識界及鼻觸鼻觸
為緣所生諸受清淨香界乃至鼻觸為緣所
生諸受清淨即意生清淨何以故是意生清
淨與香界乃至鼻觸為緣所生諸受清淨無
二無二分無別無斷故儒童清淨即鼻界清
淨鼻界清淨即儒童清淨何以故是儒童清
淨與鼻界清淨無二無二分無別無斷故儒

BD03172號　大般若波羅蜜多經卷一八五　（4–3）

二無二分無別無斷故僞童清淨即鼻界清
淨鼻界清淨即僞童清淨何以故是僞童清
淨與鼻界清淨無二無二分無別無斷故僞
童清淨即香鼻識界及鼻觸鼻觸爲緣所
生諸受清淨香界乃至鼻觸爲緣所生諸受
清淨即僞童清淨何以故是僞童清淨與香
界乃至鼻觸爲緣所生諸受清淨無二無二
分無別無斷故作者清淨即鼻界清淨鼻界
清淨即作者清淨何以故是作者清淨與鼻
界清淨無二無二分無別無斷故作者清淨
即香界鼻識界及鼻觸鼻觸爲緣所生諸受
清淨香界乃至鼻觸爲緣所生諸受清淨即
作者清淨何以故是作者清淨與香界乃至
鼻觸爲緣所生諸受清淨無二無二分無別
無斷故受者清淨即鼻界清淨鼻界清淨即
受者清淨何以故是受者清淨與鼻界清淨
無二無二分無斷無斷故受者清淨即香界
鼻識界及鼻觸鼻觸爲緣所生諸受清淨香
界乃至鼻觸爲緣所生諸受清淨即受者清
淨何以故是受者清淨與香界乃至鼻觸爲
緣所生諸受清淨無二無二分無別無斷故
知者清淨即鼻界清淨鼻界清淨即知者清
淨何以故是知者清淨與鼻界清淨無二無
二分無別無斷故知者清淨即香界鼻識界

BD03172號　大般若波羅蜜多經卷一八五　（4–4）

大般涅槃經如來性品之三　六
善男子是大涅槃微妙經中有　種人能護
正法建立正法憶念正法能多利益憐愍世
間爲世間依安樂人天何等爲四有人出世
具煩惱性是名第一須陁洹人斯陁含人是
名第二阿那含人是名第三阿羅漢人是名
第四是四種人出現於世能多利益憐愍世
間爲世間依安樂人天云何名爲具煩惱性
若有人能奉持禁戒威儀具足建立正法從
佛所聞解其文義轉爲他人分別宣說所謂
少欲多欲非道廣說如是八大人覺有犯罪
者教令發露懺悔滅除善知菩薩方便所行
秘密之法是名凡夫非第八人第八人者不
名凡夫名爲菩薩不名爲佛第二人者名須
陁洹斯陁含人若得正法受持正法從佛聞
法如其所聞聞已書寫受持讀誦轉爲他說

BD03173號　大般涅槃經（北本）卷六　（23–1）

者教令發露懺悔滅除善知菩薩方便所行
秘密之法是名凡夫非第八人第八人者不
名凡夫名為菩薩不名為佛第二人者名須
陁洹斯陁含人若得正法受持正法從佛聞
法如其所聞聞已書寫受持讀誦轉為他說
若聞法已不寫不受不持不說而言奴婢不
淨之物佛聽畜者无有是處是名第二人如
是之人未得第二第三住處名為菩薩已得
受記第三人者名阿那含阿那含者誹謗正
法若言聽畜奴婢僕使不淨之物受持外道
典籍書論及為客塵煩惱所鄣諸舊煩惱之所
所覆蓋若藏如來真實舍利及為外病之所
惱害或為四大毒虵所侵論說我者悉无是
處若說无我斯有是處說著世法无有是處
若說大乘相續不絕斯有是處若所受身有
八万虫亦无是處永離婬欲乃至夢中不失
不淨斯有是處臨終之日生怖畏者亦无是
處阿那含者為何謂也是人不還如上所說
所有過患永不能汙往反周旋名為菩薩已
得成阿耨多羅三藐三菩提是名
第三人也第四人者名阿羅漢阿羅
漢者斷諸煩惱捨於重擔逮得己利所作已
辦住第十地得自在智隨人所樂種種色像
悉能示現如所莊嚴欲成佛道即能得成能
成如是无量功德名阿羅漢是名四人出現
於世能多利益憐愍世間為世間依安樂人
天於人天中最尊最勝猶如如來名人中勝

BD03173號　大般涅槃經（北本）卷六　（23–2）

悉能示現如所莊嚴欲成佛道即能得成能
成如是无量功德名阿羅漢是名四人出現
於世能多利益憐愍世間為世間依安樂人
天於人天中最尊最勝猶如如來名人中勝
為歸依處
迦葉白佛言世尊我今不依是四種人何以
故如瞿師羅經中佛為瞿師羅說若天魔梵
為欲破壞變為佛像具足莊嚴三十二相八
十種好圓光一尋面部圓滿猶月盛明眉間
毫相白踰軻雪如是莊嚴來向汝者汝當捡
挍定其虛實既覺知已應當降伏世尊魔
等尚能變作佛身況當不能作羅漢等四種之
身坐臥空中左脇出水右脇出火身出烟炎
猶如火聚以是因緣我於是中心不生信或
有所說不能稟受亦无敬念而作依止佛言
善男子於我所說若生疑者尚不應受況如
是等是故應當善分別知是善不善可作不
可作如是作已長夜受樂善男子譬如偷狗
夜入人舍其家婢使若覺知者即應駈罵汝
疾出去若不出者當奪汝命時狗聞之即去
不還汝等從今亦應如是降伏波旬應作是
言波旬汝今不應作如是像若故作者當以
五繫繫縛於汝魔聞是已便當還去如彼偷
狗更不復還迦葉白佛言世尊如佛為瞿師
羅長者說若能如是降伏魔者亦可得近於

BD03173號　大般涅槃經（北本）卷六　（23–3）

不還汝等從今亦應如是降伏波旬應作是
言波旬汝今不應作如是像若故作者當以
五繫繫縛於汝魔聞是已便當還去如彼偷
狗更不復還迦葉白佛言世尊如佛為瞿師
羅長者說若能如是降伏魔者亦可得近於
大涅槃如來何必說是四人為依止處如是
四人所可言說未必可信佛告迦葉善男子
如我所說亦復如是非為不尒善男子我為
聲聞有肉眼者說言降魔不為修學大乘人
說聲聞之人雖有天眼故名肉眼學大乘者
雖有肉眼乃名佛眼何以故是大乘經名為
佛乘而此佛乘最上最勝善男子譬如有人
勇健威猛有怯弱者常來依附其勇健人常
教怯者汝當如是持弓執箭修學矟道長鉤
羂索又復告言夫鬪戰者雖如履刃不應生
於怖畏之想當視人天生輕弱想應自生心
作勇健想或時有人素无膽勇詐作健想執
持弓刀種種器仗以自莊嚴來至陣中唱呼
大喚汝於是人亦復不應生於憂怖如是輩
人若見汝時不怖畏者當知是人不久散壞
如彼偷狗善男子如來亦尒告諸聲聞汝等
不應畏魔波旬若魔波旬化作佛身至汝所
者汝當精懃堅固其心降伏於魔時魔即當
愁憂不樂復道而去善男子如彼健人不從
他習學大乘者亦復如是得聞種種深密經
典其心欣樂不生驚怖何以故如是修學大
乘之人已曾供養恭敬禮拜過去无量万億

BD03173號　大般涅槃經（北本）卷六　（23–4）

愁憂不樂復道而去善男子如彼健人不從
他習學大乘者亦復如是得聞種種深密經
典其心欣樂不生驚怖何以故如是修學大
乘之人已曾供養恭敬禮拜過去无量万億
佛故雖有无量億千魔衆欲來侵嬈於是事
中終不驚畏善男子譬如有人得阿竭陀藥
不畏一切毒虵等畏是藥力故亦能消除一
切毒等是大乘經亦復如是如彼藥力不畏
一切諸魔毒等亦能降伏令更不起復次善
男子譬如有龍性甚婼弊欲害人時或以眼
視或以氣噓是故一切師子虎豹犲狼狗犬
皆生怖畏是等惡獸或聞聲見形或觸其身
无不喪命有善呪者以呪力故能令如是諸
惡毒龍金翅鳥等惡象師子虎豹犲狼皆悉
調善任為御乘如是等獸見彼善呪即便調
伏聲聞緣覺亦復如是見魔波旬皆生恐怖
而魔波旬亦復不生畏懼之心猶行魔業學
大乘者亦復如是見諸聲聞怖畏魔事於此
大乘不生信樂先以方便降伏諸魔悉令調
善堪任為乘因為廣說種種妙法聲聞緣覺
見調魔已不生怖畏於此大乘无上正法方
生信樂作如是言我等從今不應於此正法
之中而作鄣㝵復次善男子聲聞緣覺於諸
煩惱而生怖畏學大乘者都无恐懼修學大
乘有如是力以是因緣先所說者為欲令彼
聲聞緣覺調伏諸魔非為大乘是大涅槃微

BD03173號　大般涅槃經（北本）卷六　（23–5）

之中而作郭哥復次善男子聲聞緣覺於諸
煩惱而生怖畏學大乘者都无恐懼脩學大
乘有如是力以是因緣先所說者為欲令彼
聲聞緣覺調伏諸魔非為大乘是大涅槃微
妙經典不可消伏甚奇甚特若有聞者聞已
信受能信如來是常住法如是之人甚為希
有如優曇華我涅槃後若有得聞如是大乘
微妙經典生信敬心當知是等於未來世百
千億劫不墮惡道
尒時佛告迦葉菩薩善男子我涅槃後當有
百千无量眾生誹謗不信是大涅槃微妙經
典迦葉菩薩復白佛言世尊是諸眾生於佛
滅後久近便當誹謗是經世尊復有何等純
善眾生當能拯濟是謗法者佛告迦葉善男
子我般涅槃後卌年中於閻浮提廣行流布
然後乃當隱沒於地善男子譬如甘蔗稻米
石蜜乳酥醍醐隨有之處其土人民皆言是
味味中第一或復有人純食粟米及以稗子
是人亦言我所食者最為第一是薄福人受
業報故若是福人耳初不聞粟稗之名所食
唯是粳糧甘蔗石蜜醍醐是大涅槃微妙經
典亦復如是鈍根薄福不樂聽聞如彼薄福
憎惡粳糧及石蜜等二乘之人亦復如是增
惡无上大涅槃經或有眾生其心甘樂聽受
是經聞已歡喜不生誹謗如彼福人食於稻
糧善男子譬如有王居在山中險難惡處雖

BD03173號　大般涅槃經（北本）卷六　（23–6）

典亦復如是鈍根薄福不樂聽聞如彼薄福
增惡粳糧及石蜜等二乘之人亦復如是增
惡无上大涅槃經或有眾生其心甘樂聽受
是經聞已歡喜不生誹謗如彼福人食於稻
糧善男子譬如有王居在山中險難惡處雖
有甘蔗稻糧石蜜以其難得貪惜積聚不敢
噉食懼其有盡唯食粟稗有異國王聞之憐
笑即以車載稻糧甘蔗而送與之其王得已
即便分張舉國共食民既食已皆生歡喜咸
作是言因彼王故令我得是希有之食善男
子是四種人亦復如是為此无上大法之將
是四種中或有一人見於他方无量菩薩雖
學如是大乘經典若自書寫若令他書為利
養故為稱譽故為了法故為依止故為用博
易其餘經故不能廣為他人宣說是故持是
微妙經典送至彼方與彼菩薩令發无上菩
提之心安住菩提是諸菩薩得是經已即便
廣為他人演說令无量眾得受如是大乘法
味皆悉是此一菩薩力所未聞經悉令得聞
如彼人民因王力故得希有食又善男子是
大涅槃微妙經典所流布處當知其地即是
金剛是中諸人亦如金剛若有能聽如是經
者即不退轉於阿耨多羅三藐三菩提隨其
所願悉得成就如我今日所可宣說汝等比
丘應善受持若有眾生不能聽聞如是經典
當知是人甚可憐愍何以故是人不能受持
如是大乘經典甚深義故迦葉菩薩[illegible]

BD03173號　大般涅槃經（北本）卷六　（23–7）

者即不退轉於阿耨多羅三藐三菩提
所願悉得成就如我今日所可宣說汝等比
丘應善受持若有衆生不能聽聞如是經典
當知是人甚可憐愍何以故是人不能受持
如是大乘經典甚深義故迦葉菩薩白佛言
世尊如來滅後幾年中是大乘典大涅槃經
於閻浮提廣行流布過是已後没於地者卻
後久近復當還出佛言善男子若我正法餘
八十年前卌年是經復當於閻浮提雨大法
雨迦葉菩薩復白佛言世尊如是經典正法
滅時正法毀時非法增長時无如法衆生時
誰能聽受奉持讀誦令其通利供養恭敬書
寫解說唯願如來憐愍衆生分別廣說令諸
菩薩聞已受持持已即得不退阿耨多羅
三藐三菩提心尒時佛讚迦葉善哉善哉善
男子汝今善能問如是義善男子若有衆生
於熈連河沙等諸佛所發菩提心乃能於是惡
世受持如是經典不生誹謗善男子若有
能於一恒河沙等諸佛世尊發菩提心然後
乃能於惡世中不謗是法受樂是典不能爲
人分別廣說善男子若有衆生於二恒河沙
等佛所發菩提心然後乃能於惡世中不謗
是法正解信樂受持讀誦亦不能爲他人廣
說若有衆生於三恒河沙等佛所發菩提心
然後乃能於惡世中不謗是法受持讀誦書
寫經卷雖爲他說未解深義若有衆生於
四恒河沙等佛所發菩提心然後乃能

BD03173號　大般涅槃經（北本）卷六　（23–8）

是法正解信樂受持讀誦亦不能爲他人廣
說若有衆生於三恒河沙等佛所發菩提心
然後乃能於惡世中不謗是法受持讀誦書
寫經卷雖爲他說未解深義若有衆生於
四恒河沙等佛所發菩提心然後乃能於惡世
中不謗是法受持讀誦書寫經卷爲他廣
說十六分中一分之義雖復演說亦不具足
若有衆生於五恒河沙等佛所發菩提心然後
乃能於惡世中不謗是法受持讀誦書寫經
卷廣爲人說十六分中八分之義若有衆生
於六恒河沙等佛所發菩提心然後乃能於
惡世中不謗是法受持讀誦書寫經卷爲
他廣說十六分中十二分義若有衆生於七
恒河沙等佛所發菩提心然後乃能於惡世中
不謗是法受持讀誦書寫經卷爲他廣說十
六分中十四分義若有衆生於八恒河沙等
佛所發菩提心然後乃能於惡世中不謗是
法受持讀誦書寫經卷亦勸他人令得書寫
自能聽受復勸他人令得聽受讀誦通利擁
護堅持憐愍世間諸衆生故供養是經亦勸
他人令其供養恭敬尊重讀誦禮拜亦復如
是具足能解盡其義味所謂如來常住不變
畢竟安樂廣說衆生悉有佛性善知如來所
有法藏供養如是諸佛等已建立如是无上
正法受持擁護若有始發阿耨多羅三藐三
菩提心當知是人未來之世必能建立如是
正法受持擁護

BD03173號　大般涅槃經（北本）卷六　（23–9）

正法受持擁護若有始發阿耨多羅三藐三
菩提心當知是人未來之世必能建立如是
正法受持擁護是故汝今不應不知未來世
中護法之人何以故是發心者於未來世必
能護持无上正法善男子有惡比丘聞我涅
槃不生憂愁今日如來入般涅槃何其快哉
如來在世遮我等利今入涅槃誰復當有遮
奪我者若无遮奪我則還得如本利養如
來在世禁戒嚴峻今入涅槃悉當放捨所受
袈裟本爲法式今當廢壞如木頭幡如是等人
誹謗拒逆是大乘經善男子汝今應當如是
憶持若有衆生成就具足无量功德乃能信
是大乘經典信已受持其餘衆生有樂法者
若能廣爲解說此經其人聞已過去无量阿
僧祇劫所作惡業皆悉除滅若有不信是
經典者現身當爲无量病苦之所惱害多爲
衆人所見罵辱命終之後人所輕賤顏貌醜陋
資生艱難常不供足雖復少得麤澀弊惡生
生常處貧窮下賤誹謗正法耶見之家若臨
終時或值荒亂刀兵競起帝王暴虐怨家讎
隟之所侵逼雖有善友而不遭遇資生所須
求不能得雖少得利常患飢渴唯爲凡下之
所顧識國王大臣悉不齒錄設復聞其有所
宣說正使是理終不信受如是之人不至善
處如折翼鳥不能飛行是人亦尒於未來世
不能得至人天善處若復有人能信如是大

宣說正使是理終不信受如是之人不至善
處如折翼鳥不能飛行是人亦尒於未來世
不能得至人天善處若復有人能信如是大
乘經典本所受形雖復麤陋以經功德即便
端政威顏色力日更增多常爲人天之所樂
見恭敬愛慜情无捨離國王大臣及家親
屬聞其所說悉皆敬信若我聲聞弟子之中
欲行第一希有事者當爲世間廣宣如是大
乘經典善男子譬如霧露勢雖欲住不過日
出日既出已消滅无餘善男子是諸衆生所有
惡業亦復如是住世勢力不過得見大涅槃
日是日既出悉能除滅一切惡業復次善男
子譬如有人出家剃髮雖服袈裟故未得受
沙彌十戒或有長者來請衆僧未受戒者即
與大衆俱共受請雖未受戒已墮僧數善男
子若有衆生發心始學是大乘典大涅槃經
書持讀誦亦復如是雖未具足位階十地則
已墮於十住數中或有衆生是佛弟子或非
弟子若因貪怖或因利養聽受是經乃至一
偈聞已不謗當知是人則爲已近阿耨多
羅三藐三菩提善男子以是因緣我說四人爲
世間依善男子如是四人若以佛說言非佛
說无有是處是故我說如是四人爲世間依
善男子汝應供養如是四人世尊我當云何
識知是人而爲供養佛告迦葉若有建立護
持正法如是之人應從啓請當捨身命而供
養之如我於是大乘經說

善男子汝應供養如是四人世尊我當云何
識知是人而為供養佛告迦葉若有建立護
持正法如是之人應從啓請當捨身命而供
養之如我於是大乘經說
有知法者　若老若少　故應供養　恭敬礼拜
猶如事火　婆羅門等　有知法者　若老若少
故應供養　恭敬礼拜　亦如諸天　奉事帝釋
迦葉菩薩白佛言世尊如佛所說供養師長
正應如是今有所疑唯願廣說若有長宿護
持禁戒從年少邊諮受未聞云何是人當礼
敬不若當礼敬是則不名為持戒也若是年
少護持禁戒從諸宿舊破戒人邊諮受未聞
復應礼不若出家人從在家人諮受未聞復
當礼不然出家人不應礼敬在家人也然佛
法中年少幼小應當恭敬耆舊長宿以是長
宿先受具戒成就威儀是故應當供養恭敬
如佛言曰其破戒者是佛法中所不容受猶
如良田多有稊稗又如佛說有知法者若老
若少故應供養如事帝釋如是二句其義云
何將非如來虛妄說耶如佛言曰持戒比丘
亦有所犯何故如來而作是說世尊亦於餘
經中說聽治破戒如是所說其義未了佛
告迦葉善男子我為未來諸菩薩等學大乘
者說如是偈不為聲聞弟子說也善男子如
我先說正法滅已毀正戒時增長破戒非法威
時一切聖人隱不現時受畜奴婢不淨物時是
四人中當有一人出現於世剃除鬚髮

告迦葉善男子我為未來諸菩薩等學大乘
者說如是偈不為聲聞弟子說也善男子如
我先說正法滅已毀正戒時增長破戒非法威
時一切聖人隱不現時受畜奴婢不淨物時是
四人中當有一人出現於世剃除鬚髮出
家脩道見諸比丘各各受畜奴婢僕使不淨
之物淨與不淨一切不知是律非律亦復不
識是人為欲調伏如是諸比丘故與共和光
不同其塵自所行處及佛行處善能別知雖
見諸人犯波羅夷嘿然不舉何以故我出於
世為欲建立護持正法是故嘿然而不舉處
善男子如是之人為護法故雖有所犯不名
破戒善男子如有國王遇病崩亡儲君稚小
未任紹繼有栴陁羅豐饒財寶臣富无量多
有眷屬自以強力伺國虛弱篡居王位治化
未久國人居士婆羅門等亡叛逃走遠投他
國雖有在者乃至不欲眼見是王或有長者
婆羅門等不離本土譬如諸樹隨其生處即
是中死栴陁羅王知其國人逃叛者衆尋即
還遣諸栴陁羅守邏諸道復於七日擊鼓唱
令諸婆羅門有能為我作灌頂師者當以半
國而為爵賞諸婆羅門聞是語已悉无來者
各作是言何處當有婆羅門種作如是事栴
陁羅王復作是言婆羅門中若无一人為我
師者我要當令諸婆羅門與栴陁羅共住食
宿同其事業若有能來灌我頂者半國之封

師者我要當令諸婆羅門與旃陁羅共住食
宿同其事業若有能來灌我頂者半國之封
此言不虛呪術所致世三天上妙甘露不死
之藥亦當共分而服食之尒時有一婆羅門
子年在弱冠脩治淨行長髮爲相善知呪術
往至王所白言大王王所勑使我悉能爲尒
時大王心生歡喜受此童子作灌頂師諸婆
羅門聞是事已皆生瞋恚責此童子汝婆羅
門云何乃作旃陁羅師尒時其王即分半國
與是童子因共治國逕歷多時尒時童子語
其王言我捨家法來作王師然教大王微密
呪術而今大王猶不見親時王荅言我今云
何不親汝耶童子荅言先王所有不死之藥
猶未共食王言善哉善哉大師我實不知師
若須者唯願持去是時童子聞王語已即取
歸家請諸大臣而共食之諸臣食已即共白
王快哉大師有是甘露不死之藥王既知已
語其師言云何大師獨與諸臣服食甘露而
不見分尒時童子更以其餘雜毒之藥與王
令服王既服已須臾藥發悶亂躃地无所覺
知猶如死人尒時童子立本儲君還以爲王
作如是言師子御坐法不應令旃陁羅昇我
從昔來未曾見聞旃陁羅種而爲王也若旃
陁羅治國理民无有是處汝今應還紹繼先
王正法治國尒時童子絓理是已復以解藥
與旃陁羅令其醒悟既醒悟已驅令出國是

從昔來未曾見聞旃陁羅種而爲王也若旃
陁羅治國理民无有是處汝今應還紹繼先
王正法治國尒時童子絓理是已復以解藥
與旃陁羅令其醒悟既醒悟已驅令出國是
時童子雖爲是事猶故不失婆羅門法其餘
居士婆羅門等聞其所作嘆未曾有讃言善
哉善哉仁者善能駈遣旃陁羅王善男子我
涅槃後護持正法諸菩薩等亦復如是以方
便力與彼破戒假名受畜一切不淨物僧同
其事業尒時菩薩若見有人雖多犯戒能治
毀禁諸惡比丘即往其所恭敬礼拜四事供
養經書什物悉以奉上如其自无要當方便
從諸檀越求覓而與爲是事故應畜八種不
淨之物何以故是人爲治諸惡比丘如彼童
子駈旃陁羅尒時菩薩雖復恭敬礼拜是人
受畜八種不淨之物悉无有罪何以故以是
菩薩爲欲儐治諸惡比丘令清淨僧得安隱
住流布方等大乘經典利益一切諸天人故
善男子以是因緣我於經中說是二偈令諸
菩薩皆共讃嘆護法之人如彼居士婆羅門
等稱讃童子善哉善哉護法菩薩正應如是
若有人見護法之人與破戒者同其事業說
有罪者當知是人自受其殃是護法者實
无有罪善男子若有比丘犯禁戒已憍慢心故
覆藏不悔當知是人名真破戒菩薩摩訶薩
爲護法故雖有所犯不名破戒何以故以无

覆藏不悔當知是人名真破戒菩薩摩訶薩
為護法故雖有所犯不名破戒何以故以无
憍慢發露悔故善男子是故我於經中覆相
說如是偈
有知法者　若老若少　故應供養　恭敬禮拜
猶如事火　婆羅門等　如第二天　奉事帝釋
以是因緣我亦不為聲聞人但為菩薩而
說是偈迦葉菩薩白佛言世尊如是等菩
薩摩訶薩於戒極緩本所受戒為具在不善
善男子汝今不應作如是說何以故本所受
戒如本不失設有所犯即應懺悔悔已清淨
善男子如故堤塘穿穴有孔水則淋漏何以
故无人治故若有人治水則不出菩薩亦尒
雖與破戒共作布薩受戒自恣同其僧事所
有戒律不如堤塘穿穴淋漏何以故若无清
淨持戒之人僧則損減慢緩懈怠日有增上
若有清淨持戒之人即能具足不失本戒善
男子於乘緩者乃名為緩於戒緩者不名為
緩菩薩摩訶薩於此大乘心不懈慢是名本
戒為護正法以大乘水而自滲浴是故菩薩
雖現破戒不名為緩迦葉菩薩白佛言衆僧
之中有四種人如菴羅菓生熟難知破戒持
戒云何可識佛言善男子因大涅槃微妙經
典則易可知云何因是大涅槃經可得知也
譬如田夫種稻穀等芸除稗莠以肉眼觀名
為淨田至其成實草穀各異如是八事能汙

BD03173號　大般涅槃經（北本）卷六　（23–16）

之中有四種人如菴羅菓生熟難知破戒持
戒云何可識佛言善男子因大涅槃微妙經
典則易可知云何因是大涅槃經可得知也
譬如田夫種稻穀等芸除稗莠以肉眼觀名
為淨田至其成實草穀各異如是八事能汙
除僧若能除却以肉眼觀則知清淨若有持
戒破戒不作惡時以肉眼觀難可分別若惡
彰露則易可知如彼稗莠易可分別僧中亦
尒若能遠離於八不淨毒虵之法是名清淨
聖衆福田應為人天之所供養清淨果報非
是肉眼所能分別復次善男子如迦羅迦林
其樹衆多於是林中唯有一樹名鎮頭迦是
迦羅迦樹鎮頭迦樹二菓相似不可分別其
菓熟時有一女人悉皆拾取鎮頭迦菓纔有
一分迦羅迦菓乃有十分是女不識賫來詣
市而衒賣之凡愚小兒復不別故買迦羅迦
菓噉已命終有智人輩聞是事已即問女人
姊於何處持是菓來是時女人即示方所諸
人即言如是方所多有无量迦羅迦樹唯有一
根鎮頭迦樹諸人知已咲而捨去善男子大
衆之中八不淨法亦復如是於是衆中多
有受用如是八法唯有一人清淨持戒不受
如是八不淨法而知諸人受畜非法然與同
事不相捨離如彼林中一鎮頭迦樹有優婆
塞見是諸人多有非法并不恭敬供養是人若欲
供養應先問言大德如是八事為受畜不佛

BD03173號　大般涅槃經（北本）卷六　（23–17）

事不相捨離如彼林中一鎮頭迦樹有優婆
塞見是諸人多有非法并不恭敬供養是人若欲
供養應先問言大德如是八事為受畜不佛
所聽不若言佛聽如是之人得共布薩羯磨
自恣不是優婆塞如是問已衆皆答言如是
八事如來憐愍皆悉聽畜優婆塞言祇桓精
舍有諸比丘或言金銀佛所聽畜或言不聽
有言聽者是不聽者不與共住說戒自恣乃
至不共一河飲水利養之物悉不共之汝等
云何言佛聽許佛天中天雖復受之汝等衆
僧亦不應畜若有受者乃至不應與共說戒
自恣羯磨同
僧事者命終即當墮於地獄如彼諸人食迦
羅菓已而便命終復次善男子譬如城市有
賣藥人有妙甘藥出於雪山亦復多賣其餘
雜藥味甘相似時有諸人咸皆欲買然不識
別至賣藥所問言汝有雪山藥不其賣藥
人即答言有是人欺詐以餘雜藥語買者言
此是雪山甘好妙藥時買藥者以肉眼故不能
善別即買持去復作是念我今已得雪山甘
藥迦葉若聲聞僧中有假名僧有真實僧有
和合僧若持戒破戒於是僧中等應供養恭
敬礼拜是優婆塞以肉眼故不能分別喻如
彼人不能分別雪山甘藥誰是持戒誰是破
戒誰是真僧誰是假僧有天眼者乃能分別
迦葉若優婆塞知是比丘是破戒人不應給

BD03173號　大般涅槃經（北本）卷六　（23-18）

彼人不能分別雪山甘藥誰是持戒誰是破
戒誰是真僧誰是假僧有天眼者乃能分別
迦葉若優婆塞知是比丘是破戒人不應給
施礼拜供養若知是人受畜八法亦復不應
給施所須礼拜供養若於僧中有破戒者不
應以被袈裟因緣恭敬礼拜迦葉菩薩復白
佛言世尊善哉善哉如來所說真實不虛我
當頂受譬如金剛珍寶異物如佛所說是諸
比丘當依四法何等為四依法不依人依義
不依語依智不依識依了義經不依不了義
經如是四法應當證知非四種人佛言善男
子依法者即是如來大般涅槃一切佛法即
是法性是法性者即是如來是故如來常住
不變若復有言如來无常是人不知不見法
性若不知見是法性者不應依止如上所說
四人出世護持法者應當證知而為依止何
以故是人善解如來微密深奧藏故能知如
來常住不變若言如來无常變易无有是處
如是四人即名如來何以故是人能解如來
密語及能說故若有人能了知如來甚深密
藏及知如來常住不變如是之人若為利養
說言如來是无常者无有是處如是之人尚
可依止何況不依是四人也依法者即是法
性不依人者即是聲聞法性者即是如來聲
聞者即是有為如來者即是常住有為者即
是无常善男子若人破戒為利養故說言如

BD03173號　大般涅槃經（北本）卷六　（23-19）

可依止何況不依是四人也依法者即是法
性不依人者即是聲聞法性者即是如来聲
聞者即是有為如来者即是常住有為者即
是无常善男子若人破戒為利養故說言如
来无常變易如是之人所不應依善男子是
名定義依義不依語者義者名曰覺了覺了
義者名不羸劣不羸劣者名曰滿足滿足義
者名曰如来常住不變如来常住不變義者
即是法常法常義者即是僧常是名依義不
依語也何等語言所不應依所謂諸論綺餝
文辞如佛所說无量諸經貪求无厭多姧論
諂詐現親附現相求利經理白衣為其執役
又復唱言佛聽比丘畜諸奴婢不淨之物金
銀琢寶穀米倉庫牛羊象馬販賣求利於飢
饉世憐愍子故聽諸比丘儲貯陳宿手自作
食不受而噉如是等語所不應依依智不依
識者所言智者即是如来若有聲聞不能善
知如来功德如是之識不應依止若知如来即
是法身如是真智所應依止若見如来方便
之身言是陰界諸入所攝食所長養亦不應
依是故知識不可依止若復有人作是說者
及其經書亦不應依依了義經不依不了義
經不了義經者謂聲聞乘聞佛如来深密藏
處悉生疑怪不知是藏出大智海猶如嬰兒
无所別知是則名為不了義也了義者名為
菩薩真實智慧隨於自心无㝵大智猶如大

BD03173號 大般涅槃經（北本）卷六 （23-20）

處悉生疑怪不知是藏出大智海猶如嬰兒
无所別知是則名為不了義也了義者名為
菩薩真實智慧隨於自心无㝵大智猶如大
人无所不知是名了義文聲聞乘名不了義
无上大乘乃名了義若言如来无常變易名
不了義若言如来常住不變是名了義聲聞
所說應證知者名不了義菩薩所說應證知
者名為了義若言如来食所長養是不了義
若言常住不變易者是名了義若言如来入
於涅槃如薪盡火滅名不了義若言如来入
法性者是名了義聲聞乘法則不應依何以
故如来為欲度衆生故以方便力說聲聞乘
猶如長者教子半字善男子聲聞乘者猶如
初耕未得菓實如是名為不了義也是故不
應依聲聞乘大乘之法則應依止何以故如
来為欲度衆生故以方便力說於大乘是故
應依是名了義如是四依應當證知復次依
義者義名質直質直者名曰光明光明者名
不羸劣不羸劣者名曰如来又光明者名為
知慧質直者名為常住如来常者名為依法
法者名常亦名无邊不可思議不可執持不
可繫縛而亦可見若有說言不可見者如是
之人所不應依是故依法不依於人若有人
以微妙之語宣說无常如是之言所不應依
是故依義不依於語依智者衆僧是常无
為不變不畜八種不淨之物是故依智不依於

BD03173號 大般涅槃經（北本）卷六 （23-21）

之人所不應依是故依法不依於人若有人
以微妙之語宣說无常如是之言所不應依
是故依義不依於語依智者衆僧是常无
為不變不畜八種不淨之物是故依智不依於
識若有說言識作識受无和合僧何以故夫
和合者名无所有无所有者云何言常是故
此識不可依止依了義者了義者名為知足
終不詐現威儀清白憍慢自高貪求利養亦
於如來隨宜方便所說法中不生執著是名
了義若有能住如是等中當知是人則為已
得住第一義是故名為依了義經不依不了
義經不了義者如經中說一切燒然一切无
常一切皆苦一切皆空一切无我是名不了
義何以故以不能了如是義故令諸衆生墮
阿鼻獄所以者何以取著故於義不了一切
燒者謂如來說涅槃亦燒一切无常者涅槃
亦无常苦空无我亦復如是是故名為不了
義經不應依止善男子若有人言如來憐愍
一切衆生善知時宜以知時故說輕為重說重
為輕如來觀知所有弟子有諸檀越供給所
須令无所乏如是之人佛則不聽受畜奴婢
金銀財寶販賣市易不淨物等若諸弟子
无有檀越供給所須時世飢饉飲食難得為欲
建立護持正法我聽弟子受畜奴婢金銀車
乘田宅穀米賣易所須雖聽受畜如是等
物要當淨施篤信檀越如是四法所應依止若
有式律阿毗曇脩多羅不違是四亦應依止

BD03173號　大般涅槃經（北本）卷六　（23–22）

為輕如來觀知所有弟子有諸檀越供給所
須令无所乏如是之人佛則不聽受畜奴婢
金銀財寶販賣市易不淨物等若諸弟子
无有檀越供給所須時世飢饉飲食難得為欲
建立護持正法我聽弟子受畜奴婢金銀車
乘田宅穀米賣易所須雖聽受畜如是等
物要當淨施篤信檀越如是四法所應依止若
有式律阿毗曇脩多羅不違是四亦應依止
若有說言有時非時有能護法不能護法如
來悉聽一切比丘受畜如是不淨物者如是
之言不應依止若有式律阿毗曇脩多羅中
有同是說如是三分亦不應依我為肉眼諸
衆生等說是四依終不為於有慧眼者是故
我今說是四依法者即是法性義者即是
如來常住不變智者了知一切衆生悉有佛
性了義者了達一切大乘經典

大般涅槃經卷第六

BD03173號　大般涅槃經（北本）卷六　（23–23）

生受楚毒　死被瓦石　斷佛種故　受斯罪報
若作駱駝　或生驢中　身常負重　加諸杖捶
但念水草　餘无所知　謗斯經故　獲罪如是
有作野干　來入聚落　身體疥癩　又无一目
為諸童子　之所打擲　受諸苦痛　或時致死
於此死已　更受蟒身　其形長大　五百由旬
聾騃无足　蜿轉腹行　為諸小虫　之所唼食
晝夜受苦　无有休息　謗斯經故　獲罪如是
若得為人　諸根闇鈍　矬陋攣躄　盲聾背傴
有所言說　人不信受　口氣常臭　鬼魅所著
貧窮下賤　為人所使　多病痟瘦　无所依怙
雖親附人　人不在意　若有所得　尋復忘失
若修醫道　順方治病　更增他疾　或復致死
若自有病　无人救療　設服良藥　而復增劇
若他反逆　抄劫竊盜　如是等罪　橫羅其殃
如斯罪人　永不見佛　衆聖之王　說法教化
如斯罪人　常生難處　狂聾心亂　永不聞法
於无數劫　如恒河沙　生輒聾瘂　諸根不具
常處地獄　如遊園觀　在餘惡道　如己舍宅

BD03174號　妙法蓮華經卷二　　（4–1）

如斯罪人　永不見佛　衆聖之王　說法教化
如斯罪人　常生難處　狂聾心亂　永不聞法
於无數劫　如恒河沙　生輒聾瘂　諸根不具
常處地獄　如遊園觀　在餘惡道　如己舍宅
駝驢豬狗　是其行處　謗斯經故　獲罪如是
若得為人　聾盲瘖瘂　貧窮諸衰　以自莊嚴
水腫乾痟　疥癩癰疽　如是等病　以為衣服
身常臭處　垢穢不淨　深著我見　增益瞋恚
婬欲熾盛　不擇禽獸　謗斯經故　獲罪如是
告舍利弗　謗斯經者　若說其罪　窮劫不盡
以是因緣　我故語汝　无智人中　莫說此經
若有利根　智慧明了　多聞強識　求佛道者
如是之人　乃可為說　若人曾見　億百千佛
殖諸善本　深心堅固　如是之人　乃可為說
若人精進　常修慈心　不惜身命　乃可為說
若人恭敬　无有異心　離諸凡愚　獨處山澤
如是之人　乃可為說　又舍利弗　若見有人
捨惡知識　親近善友　如是之人　乃可為說
若見佛子　持戒清潔　如淨明珠　求大乘經
如是之人　乃可為說　若人无瞋　質直柔耎
常愍一切　恭敬諸佛　如是之人　乃可為說
復有佛子　於大衆中　以清淨心　種種因緣
譬喻言辭　說法无礙　如是之人　乃可為說
若有比丘　為一切智　四方求法　合掌頂受

BD03174號　妙法蓮華經卷二　　（4–2）

常愍一人　恭敬諸佛　如是之人　乃可為說
復有佛子　於大衆中　以清淨心　種種因緣
譬喻言辭　說法无礙　如是之人　乃可為說
若有比丘　為一切智　四方求法　合掌頂受
但樂受持　大乘經典　乃至不受　餘經一偈
如是之人　乃可為說　如人至心　求佛舍利
如是求經　得已頂受　其人不復　志求餘經
亦未曾念　外道典籍　如是之人　乃可為說
告舍利弗　我說是相　求佛道者　窮劫不盡
如是等人　則能信解　汝當為說　妙法華經

妙法蓮華經信解品第四

尒時慧命須菩提摩訶迦旃延摩訶迦葉摩
訶目揵連從佛所聞未曾有法世尊授舍利弗
阿耨多羅三藐三菩提記發希有心歡喜
踊躍即從座起整衣服偏袒右肩右膝著地
一心合掌曲躬恭敬瞻仰尊顏而白佛言我
等居僧之首年並朽邁自謂已得涅槃无所
堪任不復進求阿耨多羅三藐三菩提世尊
往昔說法既久我時在座身體疲懈但念空
无相无作於菩薩法遊戲神通淨佛國土成
就衆生心不喜樂所以者何世尊令我等出於
三界得涅槃證又今我等年已朽邁於佛
教化菩薩阿耨多羅三藐三菩提不生一念
好樂之心我等今於佛前聞授聲聞阿耨多

BD03174號　妙法蓮華經卷二　（4-3）

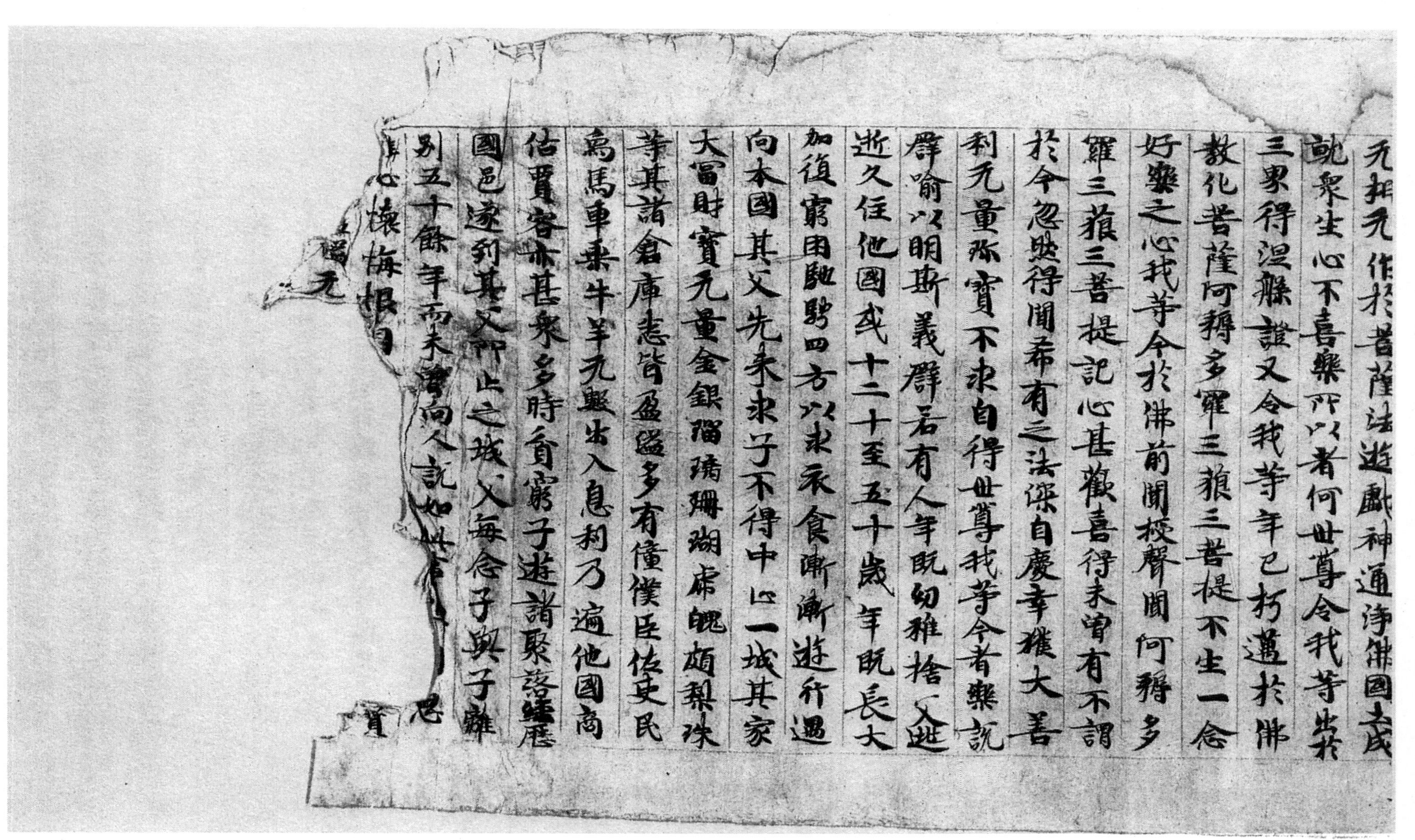
无相无作於菩薩法遊戲神通淨佛國土成
就衆生心不喜樂所以者何世尊令我等出於
三界得涅槃證又今我等年已朽邁於佛
教化菩薩阿耨多羅三藐三菩提不生一念
好樂之心我等今於佛前聞授聲聞阿耨多
羅三藐三菩提記心甚歡喜得未曾有不謂
於今忽然得聞希有之法深自慶幸獲大善
利无量珎寶不求自得世尊我等今者樂說
譬喻以明斯義譬若有人年既幼稚捨父逃
逝久住他國或十二十至五十歲年既長大
加復窮困馳騁四方以求衣食漸漸遊行遇
向本國其父先來求子不得中止一城其家
大富財寶无量金銀琉璃珊瑚虎珀頗梨珠
等其諸倉庫悉皆盈溢多有僮僕臣佐吏民
象馬車乘牛羊无數出入息利乃遍他國商
估賈客亦甚衆多時貧窮子遊諸聚落經歷
國邑遂到其父所止之城父每念子與子離
別五十餘年而未曾向人說如此[illegible]
[illegible]心懷悔恨自[illegible]
[illegible]无　[illegible]實

BD03174號　妙法蓮華經卷二　（4-4）

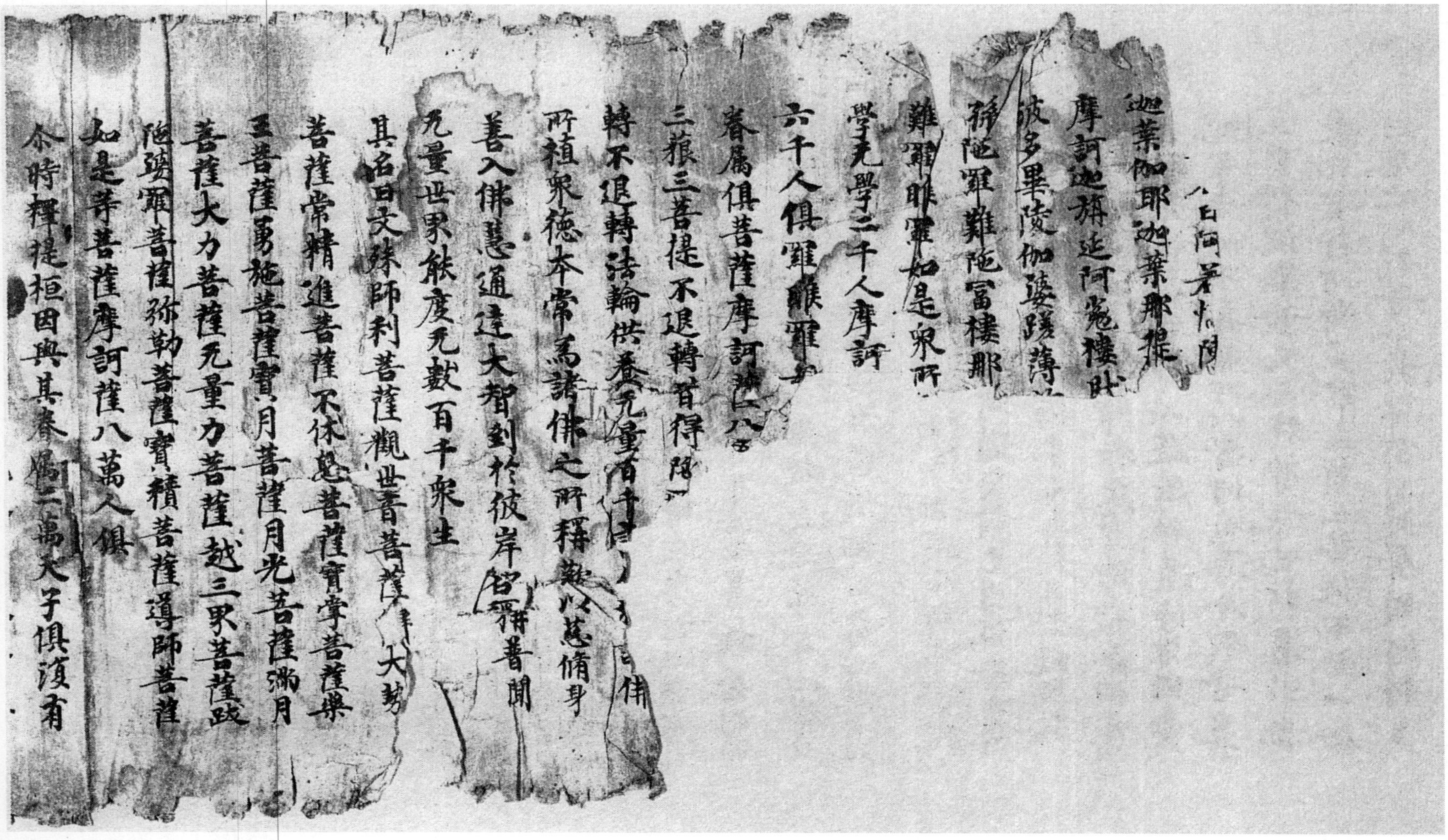

八[illegible]阿若憍陳
迦葉伽耶迦葉那提
摩訶迦旃延阿㝹樓馱
波多畢陵伽婆蹉薄拘
孫陁羅難陁富樓那
難羅睺羅如是衆所
學无學二千人摩訶
六千人俱羅睺羅母
眷屬俱菩薩摩訶薩八万
三藐三菩提不退轉皆得陁羅
轉不退轉法輪供養无量百千諸佛
所植衆德本常爲諸佛之所稱歎以慈脩身
善入佛慧通達大智到於彼岸名稱普聞
无量世界能度无數百千衆生
其名曰文殊師利菩薩觀世音菩薩得大勢
菩薩常精進菩薩不休息菩薩寶掌菩薩藥
王菩薩勇施菩薩寶月菩薩月光菩薩滿月
菩薩大力菩薩无量力菩薩越三界菩薩跋
陁婆羅菩薩弥勒菩薩寶積菩薩導師菩薩
如是等菩薩摩訶薩八萬人俱
尒時釋提桓因與其眷屬二萬天子俱復有

BD03175 號　妙法蓮華經卷一　（25–1）

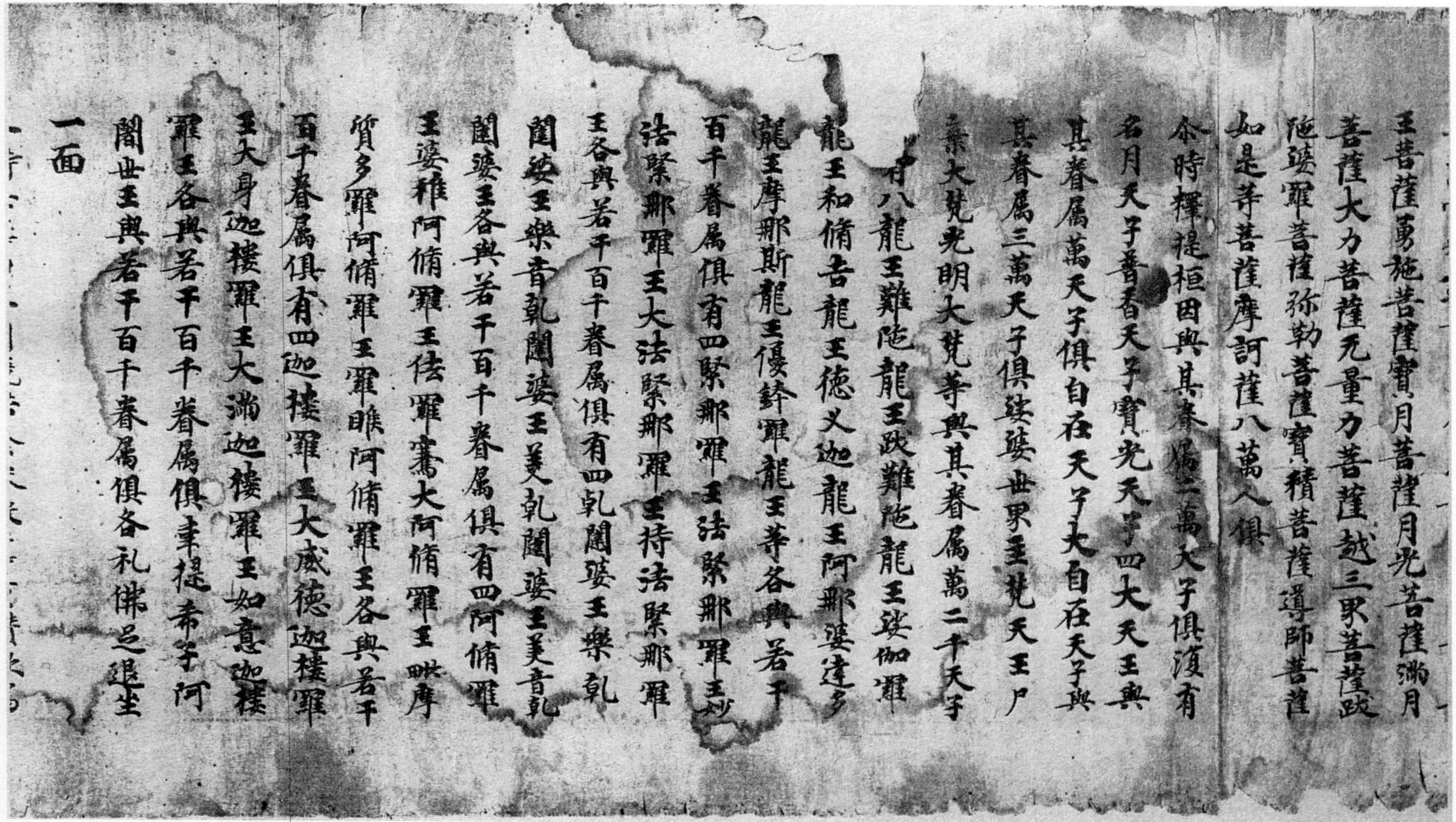

王菩薩勇施菩薩寶月菩薩月光菩薩滿月
菩薩大力菩薩无量力菩薩越三界菩薩跋
陁婆羅菩薩弥勒菩薩寶積菩薩導師菩薩
如是等菩薩摩訶薩八萬人俱
尒時釋提桓因與其眷屬二萬天子俱復有
名月天子普香天子寶光天子四大天王與
其眷屬萬天子俱自在天子大自在天子與
其眷屬三萬天子俱娑婆世界主梵天王尸
棄大梵光明大梵等與其眷屬萬二千天子
有八龍王難陁龍王跋難陁龍王娑伽羅
龍王和脩吉龍王德叉迦龍王阿那婆達多
龍王摩那斯龍王優鉢羅龍王等各與若干
百千眷屬俱有四緊那羅王法緊那羅王妙
法緊那羅王大法緊那羅王持法緊那羅
王各與若干百千眷屬俱有四乾闥婆王樂乾
闥婆王樂音乾闥婆王美乾闥婆王美音乾
闥婆王各與若干百千眷屬俱有四阿脩羅
王婆稚阿脩羅王佉羅騫大阿脩羅王毗摩
質多羅阿脩羅王羅睺阿脩羅王各與若干
百千眷屬俱有四迦樓羅王大威德迦樓羅
王大身迦樓羅王大滿迦樓羅王如意迦樓
羅王各與若干百千眷屬俱韋提希子阿
闍世王與若干百千眷屬俱各礼佛足退坐
一面

BD03175 號　妙法蓮華經卷一　（25–2）

羅王各與若干百千眷屬俱韋提希子阿
闍世王與若干百千眷屬俱各礼佛足退坐
一面
尒時世尊四衆圍繞供養恭敬尊重讚歎爲
諸菩薩說大乘經名无量義教菩薩法佛所
護念佛說此經已結跏趺坐入於无量義處
三昧身心不動是時天雨曼陁羅華摩訶
曼陁羅華曼殊沙華摩訶曼殊沙華而散佛上
及諸大衆普佛世界六種震動尒時會中比
丘比丘尼優婆塞優婆夷天龍夜叉乾闥婆
阿脩羅迦樓羅緊那羅摩睺羅伽人非人等
及諸小王轉輪聖王是諸大衆得未曾有歡
喜合掌一心觀佛尒時佛放眉間白毫相光
照于東方萬八千世界靡不周遍下至阿鼻
地獄上至阿迦尼吒天於此世界盡見彼土
六趣衆生又見彼土現在諸佛及聞諸佛所
說經法并見彼諸比丘比丘尼優婆塞優婆
夷諸修行得道者復見諸菩薩摩訶薩種種
因緣種種信解種種相貌行菩薩道復見諸
佛般涅槃者復見諸佛般涅槃後以佛舍利
起七寶塔
尒時弥勒菩薩作是念今者世尊現神變相
以何因緣而有此瑞今佛世尊入于三昧是
不可思議現希有事當以問誰誰能荅者復
作此念是文殊師利法王之子已曾親覲供

BD03175號　妙法蓮華經卷一　(25-3)

以何因緣而有此瑞今佛世尊入于三昧是
不可思議現希有事當以問誰誰能荅者復
作此念是文殊師利法王之子已曾親覲供
養過去无量諸佛必應見此希有之相我今
當問尒時比丘比丘尼優婆塞優婆夷及諸
天龍鬼神等咸作此念是佛光明神通之相
今當問誰尒時弥勒菩薩欲自決疑又觀四
衆比丘比丘尼優婆塞優婆夷及諸天龍鬼
神等衆會之心而問文殊師利言以何因緣
而有此瑞神通之相放大光明照于東方萬
八千土悉見彼佛國界莊嚴
於是弥勒菩薩欲重宣此義以偈問曰
文殊師利　導師何故　眉間白毫　大光普照
雨曼陁羅　曼殊沙華　栴檀香風　悅可衆心
以是因緣　地皆嚴淨　而此世界　六種震動
時四部衆　咸皆歡喜　身意快然　得未曾有
眉間光明　照于東方　萬八千土　皆如金色
從阿鼻獄　上至有頂　諸世界中　六道衆生
生死所趣　善惡業緣　受報好醜　於此悉見
又覩諸佛　聖主師子　演說經典　微妙第一
其聲清淨　出柔軟音　教諸菩薩　无數億萬
梵音深妙　令人樂聞　各於世界　講說正法
種種因緣　以无量喻　照明佛法　開悟衆生
若人遭苦　厭老病死　爲說涅槃　盡諸苦際

BD03175號　妙法蓮華經卷一　(25-4)

其聲清淨 出柔耎音 教諸菩薩 无數億萬
梵音深妙 令人樂聞 各於世界 講說正
種種因緣 以无量喻 照明佛法 開悟衆生
若人遭苦 猒老病死 為說涅槃 盡諸苦際
若人有福 曾供養佛 志求勝法 為說緣覺
若有佛子 脩種種行 求无上慧 為說淨道
文殊師利 我住於此 見聞若斯 及千億事
如是衆多 今當略說
我見彼土 恒沙菩薩 種種因緣 而求佛道
或有行施 金銀珊瑚 真珠摩尼 車𤦲馬瑙
金剛諸珎 奴婢車乘 寶飾輦轝 歡喜布施
迴向佛道 願得是乘 三界第一 諸佛所歎
或有菩薩 駟馬寶車 欄楯華蓋 軒飾布施
復見菩薩 身肉手足 及妻子施 求无上道
又見菩薩 頭目身體 欣樂施與 求佛智慧
文殊師利 我見諸王 往詣佛所 問无上道
便捨樂土 宮殿臣妾 剃除鬚髮 而被法服
或見菩薩 而作比丘 獨處閑靜 樂誦經典
又見菩薩 勇猛精進 入於深山 思惟佛道
又見離欲 常處空閑 深脩禪定 得五神通
又見菩薩 安禪合掌 以千萬偈 讚諸法王
復見菩薩 智深志固 能問諸佛 聞悉受持
又見佛子 定慧具足 以无量喻 為衆講法
欣樂說法 化諸菩薩 破魔兵衆 而擊法鼓
又見菩薩 寂然宴默 天龍恭敬 不以為喜

BD03175號　妙法蓮華經卷一　（25–5）

又見離欲 常處空閑 深脩禪定 得五神通
又見菩薩 安禪合掌 以千萬偈 讚諸法王
復見菩薩 智深志固 能問諸佛 聞悉受持
又見佛子 定慧具足 以无量喻 為衆講法
欣樂說法 化諸菩薩 破魔兵衆 而擊法鼓
又見菩薩 寂然宴默 天龍恭敬 不以為喜
又見菩薩 處林放光 濟地獄苦 令入佛道
又見佛子 未嘗睡眠 經行林中 懃求佛道
又見具戒 威儀无缺 淨如寶珠 以求佛道
又見佛子 住忍辱力 增上慢人 惡罵捶打
皆悉能忍 以求佛道
又見菩薩 離諸戲笑 及癡眷屬 親近智者
一心除亂 攝念山林 億千萬歲 以求佛道
或見菩薩 餚饍飲食 百種湯藥 施佛及僧
名衣上服 價直千萬 或无價衣 施佛及僧
千萬億種 栴檀寶舍 衆妙卧具 施佛及僧
清淨園林 華果茂盛 流泉浴池 施佛及僧
如是等施 種種微妙 歡喜无猒 求无上道
或有菩薩 說寂滅法 種種教詔 无數衆生
或見菩薩 觀諸法性 无有二相 猶如虛空
又見佛子 心无所著 以此妙慧 求无上道
文殊師利 又有菩薩 佛滅度後 供養舍利
又見佛子 造諸塔廟 无數恒沙 嚴飾國界
寶塔高妙 五千由旬 縱廣正等 二千由旬
一一塔廟 各千幢幡 珠交露幔 寶鈴和鳴

BD03175號　妙法蓮華經卷一　（25–6）

又見佛子　造諸塔廟　无數恒沙　嚴飾國界
寶塔高妙　五千由旬　縱廣正等　二千由旬
一一塔廟　各千幢幡　珠交露幔　寶鈴和鳴
諸天龍神　人及非人　香華伎樂　常以供養
文殊師利　諸佛子等　為供舍利　嚴飾塔廟
國界自然　殊特妙好　如天樹王　其華開敷
佛放一光　我及衆會　見此國界　種種殊妙
諸佛神力　智慧希有　放一淨光　照无量國
我等見此　得未曾有　佛子文殊　願決衆疑
四衆欣仰　瞻仁及我　世尊何故　放斯光明
佛子時荅　決疑令喜　何所饒益　演斯光明
佛坐道場　所得妙法　為欲說此　為當授記
示諸佛土　衆寶嚴淨　及見諸佛　此非小緣
文殊當知　四衆龍神　瞻察仁者　為說何等
是時文殊師利語彌勒菩薩摩訶薩及諸
大士善男子等如我惟忖今佛世尊欲說大法
雨大法雨吹大法螺擊大法鼓演大法義諸
善男子我於過去諸佛曾見此瑞放斯光已
即說大法是故當知今佛現光亦復如是欲令
衆生咸得聞知一切世間難信之法故現斯
瑞諸善男子如是過去无量无邊不可思
議阿僧祇劫尒時有佛号日月燈明如来
應供正遍知明行足善逝世間解无上士調
御丈夫天人師佛世尊演說正法初善中善

瑞諸善男子如是過去无量无邊不可思
議阿僧祇劫尒時有佛号日月燈明如来
應供正遍知明行足善逝世間解无上士調
御丈夫天人師佛世尊演說正法初善中善
後善其義深遠其語巧妙純一无雜具足清
白梵行之相為求聲聞者說應四諦法度生老
病死究竟涅槃為求辟支佛者說應十二因
緣法為諸菩薩說應六波羅蜜令得阿耨多
羅三藐三菩提成一切種智
次復有佛亦名日月燈明次復有佛亦名日
月燈明如是二萬佛皆同一字号日月燈明
又同一姓姓頗羅墮彌勒當知初佛後佛皆
同一字名日月燈明十号具足所可說法初
中後善其最後佛未出家時有八王子一名
有意二名善意三名无量意四名寶意五名
增意六名除疑意七名嚮意八名法意是八
王子威德自在各領四天下是諸王子聞父
出家得阿耨多羅三藐三菩提悉捨王位亦
隨出家發大乘意常脩梵行皆為法師已於
千萬佛所植諸善本是時日月燈明佛說大
乘經名无量義教菩薩法佛所護念說是經
已即於大衆中結加趺坐入於无量義處三
昧身心不動是時天雨曼陀羅華摩訶曼陀
羅華曼殊沙華摩訶曼殊沙華而散佛上及
諸大衆普佛世界六種震動尒時會中比丘

已即於大衆中結加趺坐入於无量義處三
昧身心不動是時天雨曼陁羅華摩訶曼陁
羅華曼殊沙華摩訶曼殊沙華而散佛上及
諸大衆普佛世界六種震動尒時會中比丘
比丘尼優婆塞優婆夷天龍夜叉乾闥婆阿
脩羅迦樓羅緊那羅摩睺羅伽人非人等及
諸小王轉輪聖王等是諸大衆得未曾有
歡喜合掌一心觀佛
尒時如來放眉間白毫相光照于東方萬八
千佛土靡不周遍如今所見是諸佛土弥勒
當知尒時會中有二十億菩薩樂欲聽法是
諸菩薩見此光明普照佛土得未曾有欲知
此光所為因緣時有菩薩名曰妙光有八百
弟子是時日月燈明佛從三昧起因妙光菩
薩說大乘經名妙法蓮華教菩薩法佛所護
念六十小劫不起于座時會聽者亦坐一處
六十小劫身心不動聽佛所說謂如食頃是
時衆中无有一人若身若心而生懈倦日月
燈明佛於六十小劫說是經已即於梵魔沙
門婆羅門及天人阿脩羅衆中而宣此言如
來於今日中夜當入无餘涅槃時有菩薩名
曰德藏日月燈明佛即授其記告諸比丘是
德藏菩薩次當作佛号曰淨身多陁阿伽度
阿羅訶三藐三佛陁佛陁佛授記已便於中夜
入无餘涅槃

BD03175號　妙法蓮華經卷一　（25-9）

門婆羅門及天人阿脩羅衆中而宣此言如
來於今日中夜當入无餘涅槃時有菩薩名
曰德藏日月燈明佛即授其記告諸比丘是
德藏菩薩次當作佛号曰淨身多陁阿伽度
阿羅訶三藐三佛陁佛陁佛授記已便於中夜
入无餘涅槃
佛滅度後妙光菩薩持妙法蓮華經滿八十
小劫為人演說日月燈明佛八子皆師妙光妙
光教化令其堅固阿耨多羅三藐三菩提是
諸王子供養无量百千萬億佛已皆成佛道
其最後成佛者名曰然燈八百弟子中有一
人号曰求名貪著利養雖復讀誦衆經而
不通利多所忘失故号求名是人亦以種
諸善根因緣故得值无量百千萬億諸佛供
養恭敬尊重讚歎弥勒當知尒時妙光菩薩
豈異人乎我身是也求名菩薩汝身是也今
見此瑞與本无異是故惟忖今日如來當說
大乘經名妙法蓮華教菩薩法佛所護念
尒時文殊師利於大衆中欲重宣此義而說
偈言
我念過去世　无量无數劫　有佛人中尊　号日月燈明
世尊演說法　度无量衆生　无數億菩薩　令入佛智慧
佛未出家時　所生八王子　見大聖出家　亦隨脩梵行
時佛說大乘　經名无量義　於諸大衆中　而為廣分別
佛說此經已　即於法座上　跏趺坐三昧　名无量義處
天雨曼陁華　天鼓自然鳴　諸天龍鬼神　供養人中尊

BD03175號　妙法蓮華經卷一　（25-10）

佛未出家時 所生八王子 見大聖出家 亦隨修梵行
時佛說大乘 經名无量義 於諸大眾中 而為廣分別
佛說此經已 即於法座上 跏趺坐三昧 名无量義處
天雨曼陀華 天鼓自然鳴 諸天龍鬼神 供養人中尊
一切諸佛土 即時大震動 佛放眉間光 現諸希有事
此光照東方 萬八千佛土 示一切眾生 生死業報處
有見諸佛土 以眾寶莊嚴 瑠璃頗梨色 斯由佛光照
及見諸天人 龍神夜叉眾 乾闥緊那羅 各供養其佛
又見諸如來 自然成佛道 身色如金山 端嚴甚微妙
如淨瑠璃中 內現真金像 世尊在大眾 敷演深法義
一一諸佛土 聲聞眾无數 因佛光所照 悉見彼大眾
或有諸比丘 在於山林中 精進持淨戒 猶如護明珠
又見諸菩薩 行施忍辱等 其數如恒沙 斯由佛光照
又見諸菩薩 深入諸禪定 身心寂不動 以求无上道
又見諸菩薩 知法寂滅相 各於其國土 說法求佛道
尒時四部眾 見日月燈佛 現大神通力 其心皆歡喜
各各自相問 是事何因緣
天人所奉尊 適從三昧起 讚妙光菩薩 汝為世間眼
一切所歸信 能奉持法藏 如我所說法 唯汝能證知
世尊既讚歎 令妙光歡喜 說是法華經 滿六十小劫
不起於此座 所說上妙法 是妙光法師 悉皆能受持
佛說是法華 令眾歡喜已 尋即於是日 告於天人眾
諸法實相義 已為汝等說 我今於中夜 當入於涅槃
汝一心精進 當離於放逸 諸佛甚難值 億劫時一遇
世尊諸子等 聞佛入涅槃 各各懷悲惱 佛滅一何速
聖主法之王 安慰无量眾 我若滅度時 汝等勿憂怖

BD03175號 妙法蓮華經卷一 (25–11)

佛說是法華 令眾歡喜已 尋即於是日 告於天人眾
諸法實相義 已為汝等說 我今於中夜 當入於涅槃
汝一心精進 當離於放逸 諸佛甚難值 億劫時一遇
世尊諸子等 聞佛入涅槃 各各懷悲惱 佛滅一何速
聖主法之王 安慰无量眾 我若滅度時 汝等勿憂怖
是德藏菩薩 於无漏實相 心已得通達 其次當作佛
號曰為淨身 亦度无量眾
佛此夜滅度 如薪盡火滅 分布諸舍利 而起无量塔
比丘比丘尼 其數如恒沙 倍復加精進 以求无上道
是妙光法師 奉持佛法藏 八十小劫中 廣宣法華經
是諸八王子 妙光所開化 堅固无上道 當見无數佛
供養諸佛已 隨順行大道 相繼得成佛 轉次而授記
最後天中天 號曰然燈佛 諸仙之導師 度脫无量眾
是妙光法師 時有一弟子 心常懷懈怠 貪著於名利
求名利无厭 多遊族姓家 棄捨所習誦 廢忘不通利
以是因緣故 號之為求名 亦行眾善業 得見无數佛
供養於諸佛 隨順行大道 具六波羅蜜 今見釋師子
其後當作佛 號名曰弥勒 廣度諸眾生 其數无有量
彼佛滅度後 懈怠者汝是 妙光法師者 今則我身是
我見燈明佛 本光瑞如此 以是知今佛 欲說法華經
今相如本瑞 是諸佛方便 今佛放光明 助發實相義
諸人今當知 合掌一心待 佛當雨法雨 充足求道者
諸求三乘人 若有疑悔者 佛當為除斷 令盡无有餘
妙法蓮華經方便品第二
尒時世尊從三昧安詳而起 告舍利弗 諸佛

BD03175號 妙法蓮華經卷一 (25–12)

諸求三乘人　若有疑悔者　佛當為除斷　令盡无有餘

妙法蓮華經方便品第二

尒時世尊從三昧安詳而起告舍利弗諸佛
智慧甚深无量其智慧門難解難入一切聲
聞辟支佛所不能知所以者何佛曾親近百
千萬億无數諸佛盡行諸佛无量道法勇
猛精進名稱普聞成就甚深未曾有法隨宜
所說意趣難解舍利弗吾從成佛已來種種
因緣種種譬喻廣演言教无數方便引導衆
生令離諸著所以者何如來方便知見波羅
蜜皆以具足舍利弗如來知見廣大深遠无量
无礙力无所畏禪定解脫三昧深入无際成就
一切未曾有法舍利弗如來能種種分別巧
說諸法言辭柔軟悅可衆心舍利弗取要言
之无量无邊未曾有法佛悉成就止舍利弗
不須復說所以者何佛所成就第一希有難
解之法唯佛與佛乃能究盡諸法實相所謂
諸法如是相如是性如是體如是力如是作
如是因如是緣如是果如是報如是本末究竟
等尒時世尊欲重宣此義而說偈言

世雄不可量　諸天及世人　一切衆生類　无能知佛者
佛力无所畏　解脫諸三昧　及佛諸餘法　无能測量者
本從无數佛　具足行諸道　甚深微妙法　難見難可了
於无量億劫　行此諸道已　道場得成果　我已悉知見
如是大果報　種種性相義　我及十方佛　乃能知是事

佛力无所畏　解脫諸三昧　及佛諸餘法　无能測量者
本從无數佛　具足行諸道　甚深微妙法　難見難可了
於无量億劫　行此諸道已　道場得成果　我已悉知見
如是大果報　種種性相義　我及十方佛　乃能知是事
是法不可示　言辭相寂滅　諸餘衆生類　无有能得解
除諸菩薩衆　信力堅固者　諸佛弟子衆　曾供養諸佛
一切漏已盡　住是最後身　如是諸人等　其力所不堪
假使滿世間　皆如舍利弗　盡思共度量　不能測佛智
正使滿十方　皆如舍利弗　及餘諸弟子　亦滿十方剎
盡思共度量　亦復不能知　辟支佛利智　无漏最後身
亦滿十方界　其數如竹林　斯等共一心　於億无量劫
欲思佛實智　莫能知少分　新發意菩薩　供養无數佛
了達諸義趣　又能善說法　如稻麻竹葦　充滿十方剎
一心以妙智　於恒河沙劫　咸皆共思量　不能知佛智
不退諸菩薩　其數如恒沙　一心共思求　亦復不能知
又告舍利弗　无漏不思議　甚深微妙法　我今已具得
唯我知是相　十方佛亦然　舍利弗當知　諸佛語无異
於佛所說法　當生大信力　世尊法久後　要當說真實
告諸聲聞衆　及求緣覺乘　我令脫苦縛　逮得涅槃者
佛以方便力　示以三乘教　衆生處處著　引之令得出

尒時大衆中有諸聲聞漏盡阿羅漢阿若憍
陳如等千二百人及發聲聞辟支佛心比丘
比丘尼優婆塞優婆夷各作是念今者世尊
何故慇勤稱歎方便而作是言佛所得法甚
深難解有所言說意趣難知一切聲聞辟支

尒時大衆中有諸聲聞漏盡阿羅漢阿若憍
陳如等千二百人及發聲聞辟支佛心比丘
比丘尼優婆塞優婆夷各作是念今者世尊
何故慇勤稱歎方便而作是言佛所得法甚
深難解有所言說意趣難知一切聲聞辟支
佛所不能及佛說一解脫義我等亦得此法到
於涅槃而今不知是義所趣尒時舍利弗知
四衆心疑自亦未了而白佛言世尊何因
何緣慇勤稱歎諸佛第一方便甚深微妙難
解之法我自昔來未曾從佛聞如是說今者
四衆咸皆有疑惟願世尊敷演斯事世尊何故
慇勤稱歎甚深微妙難解之法尒時舍利弗
欲重宣此義而說偈言
慧日大聖尊 久乃說是法 自說得如是 力无畏三昧
禪定解脫等 不可思議法 道場所得法 无能發問者
我意難可測 亦无能問者 无問而自說 稱歎所行道
智慧甚微妙 諸佛之所得 无漏諸羅漢 及求涅槃者
今皆墮疑網 佛何故說是 其求緣覺者 比丘比丘尼
諸天龍鬼神 及乾闥婆等 相視懷猶豫 瞻仰兩足尊
是事為云何 願佛為解說 於諸聲聞衆 佛說我第一
我今自於智 疑惑不能了 為是究竟法 為是所行道
佛口所生子 合掌瞻仰待 願出微妙音 時為如實說
諸天龍神等 其數如恒沙 求佛諸菩薩 大數有八萬
又諸萬億國 轉輪聖王至 合掌以敬心 欲聞具足道
尒時佛告舍利弗止止不須復說若說是事

我今自於智 疑惑不能了 為是究竟法 為是所行道
佛口所生子 合掌瞻仰待 願出微妙音 時為如實說
諸天龍神等 其數如恒沙 求佛諸菩薩 大數有八萬
又諸萬億國 轉輪聖王至 合掌以敬心 欲聞具足道
尒時佛告舍利弗止止不須復說若說是事
一切世間諸天及人皆當驚疑舍利弗重白佛
言世尊惟願說之惟願說之所以者何是會
无數百千萬億阿僧祇衆生曾見諸佛諸
根猛利智慧明了聞佛所說則能敬信尒時
舍利弗欲重宣此義而說偈言
法王无上尊 惟說願勿慮 是會无量衆 有能敬信者
佛復止舍利弗若說是事一切世間天人阿脩
羅皆當驚疑增上慢比丘將墜於大坑尒
時世尊重說偈言
止止不須說 我法妙難思 諸增上慢者 聞必不敬信
尒時舍利弗重白佛言世尊惟願說之惟願
說之今此會中如我等比百千萬億世世已
曾從佛受化如此人等必能敬信長夜安隱
多所饒益尒時舍利弗欲重宣此義而說偈
言
無上兩足尊 願說第一法 我為佛長子 惟垂分別說
是會无量衆 能敬信此法 佛已曾世世 教化如是等
皆一心合掌 欲聽受佛語 我等千二百 及餘求佛者
願為此衆故 惟垂分別說 是等聞此法 則生大歡喜
尒時世尊告舍利弗汝已慇勤三請豈得不
說汝今諦聽善思念之吾當為汝分別解說說

皆一心合掌　欲聽受佛語　我等千二百　及餘求佛者
願為此衆故　惟垂分別說　是等聞此法　則生大歡喜
尒時世尊告舍利弗汝已慇勤三請豈得不
說汝今諦聽善思念之吾當為汝分別解說說
此語時會中有比丘比丘尼優婆塞優婆夷
五千人等即從座起礼佛而退所以者何此
輩罪根深重及增上慢未得謂得未證謂
證有如此失是以不住世尊默然而不制止
尒時佛告舍利弗我今此衆无復枝葉純有
貞實舍利弗如是增上慢人退亦佳矣汝今
善聽當為汝說舍利弗言唯然世尊願樂欲聞
佛告舍利弗如是妙法諸佛如來時乃說之
如優曇鉢華時一現耳舍利弗汝等當信佛
之所說言不虛妄舍利弗諸佛隨宜說法意
趣難解所以者何我以无數方便種種因緣
譬喻言詞演說諸法是法非思量分別之所
能解唯有諸佛乃能知之所以者何諸佛世
尊唯以一大事因緣故出現於世舍利弗
云何名諸世尊唯以一大事因緣故出現
於世諸佛世尊欲令衆生開佛知見使得清
淨故出現於世欲示衆生佛之知見故出現於
世欲令衆生悟佛知見故出現於世欲令衆生
入佛知見道故出現於世舍利弗是為諸佛
唯以一大事因緣故出現於世
佛告舍利弗諸佛如來但教化菩薩諸有所
作常為一事唯以佛之知見示悟衆生舍利

世欲令衆生悟佛知見故出現於世欲令衆生
入佛知見道故出現於世舍利弗是為諸佛
唯以一大事因緣故出現於世
佛告舍利弗諸佛如來但教化菩薩諸有所
作常為一事唯以佛之知見示悟衆生舍利
弗如來但以一佛乘故為衆生說法无有餘
乘若二若三舍利弗一切十方諸佛法亦如是
舍利弗過去諸佛以无量无數方便種種因
緣譬喻言詞而為衆生演說諸法是法皆
為一佛乘故是諸衆生從諸佛聞法究竟皆
得一切種智舍利弗未來諸佛當出於世亦
以无量无數方便種種因緣譬喻言詞而為
衆生演說諸法是法皆為一佛乘故是諸衆
生從佛聞法究竟皆得一切種智舍利弗現
在十方无量百千萬億佛土中諸佛世尊多
所饒益安樂衆生是諸佛亦以无量无數方
便種種因緣譬喻言詞而為衆生演說諸
法是法皆為一佛乘故是諸衆生從佛聞法
究竟皆得一切種智舍利弗是諸佛但教化
菩薩欲以佛之知見示衆生故欲以佛之知見
悟衆生故欲令衆生入佛知見道故舍利弗
我今亦復如是知諸衆生有種種欲深心所
著隨其本性以種種因緣譬喻言詞方便力
故而為說法舍利弗如此皆為得一佛乘一
切種智故舍利弗十方世界中尚无二乘何

我今亦復如是知諸衆生有種種欲深心所
著隨其本性以種種因緣譬喻言辭方便力
故而為說法舍利弗如此皆為得一佛乘一
切種智故舍利弗十方世界中尚无二乘何
況有三
舍利弗諸佛出於五濁惡世所謂劫濁煩惱
濁衆生濁見濁命濁如是舍利弗劫濁亂時
衆生垢重慳貪嫉妒成就諸不善根故諸佛
以方便力於一佛乘分別說三舍利弗若我
弟子自謂阿羅漢辟支佛者不聞不知諸佛
如來但教化菩薩事此非佛弟子非阿羅漢
非辟支佛又舍利弗是諸比丘比丘尼自謂
已得阿羅漢是最後身究竟涅槃便不復志
求阿耨多羅三藐三菩提當知此輩皆是增
上慢人所以者何若有比丘實得阿羅漢若
不信此法無有是處除佛滅度後現前无佛
所以者何佛滅度後如是等經受持讀誦解
其義者是人難得若遇餘佛於此法中便得
決了舍利弗汝等當一心信解受持佛語諸
佛如來言无虛妄无有餘乘唯一佛乘爾時世
尊欲重宣此義而說偈言

比丘比丘尼　有懷增上慢　優婆塞我慢　優婆夷不信
如是四衆等　其數有五千　不自見其過　於戒有缺漏
護惜其瑕疵　是小智已出　衆中之糟糠　佛威德故去
斯人尠福德　不堪受是法　此衆无枝葉　唯有諸貞實
舍利弗善聽　諸佛所得法　无量方便力　而為衆生說
衆生心所念　種種所行道　若干諸欲性

BD03175 號　妙法蓮華經卷一　（25–19）

護惜其瑕疵　是小智已出　衆中之糟糠　佛威德故去
斯人尠福德　不堪受是法　此衆无枝葉　唯有諸貞實
舍利弗善聽　諸佛所得法　无量方便力　而為衆生說
衆生心所念　種種所行道　若干諸欲性　先世善惡業
佛悉知是已　以諸緣譬喻　言辭方便力　令一切歡喜
或說修多羅　伽陀及本事　本生未曾有　亦說於因緣
譬喻并祇夜　優波提舍經　鈍根樂小法　貪著於生死
於諸无量佛　不行深妙道　衆苦所惱亂　為是說涅槃
我設是方便　令得入佛慧　未曾說汝等　當得成佛道
所以未曾說　說時未至故　今正是其時　決定說大乘
我此九部法　隨順衆生說　入大乘為本　以故說是經
有佛子心淨　柔軟亦利根　无量諸佛所　而行深妙道
為此諸佛子　說是大乘經
我記如是人　來世成佛道　以深心念佛　修持淨戒故
此等聞得佛　大喜充遍身　佛知彼心行　故為說大乘
聲聞若菩薩　聞我所說法　乃至於一偈　皆成佛无疑
十方佛土中　唯有一乘法　无二亦无三　除佛方便說
但以假名字　引導於衆生　說佛智慧故　諸佛出於世
唯此一事實　餘二則非真　終不以小乘　濟度於衆生
佛自住大乘　如其所得法　定慧力莊嚴　以此度衆生
自證无上道　大乘平等法　若以小乘化　乃至於一人
我則墮慳貪　此事為不可　若人信歸佛　如來不欺誑
亦无貪嫉意　斷諸法中惡　故佛於十方　而獨无所畏
我以相嚴身　光明照世間　无量衆所尊　為說實相印
舍利弗當知　我本立誓願　欲令一切衆　如我等无異
如我昔所願　今者已滿足　化一切衆生　皆令入佛道

BD03175 號　妙法蓮華經卷一　（25–20）

亦无貪嫉意 斷諸法中惡 故佛於十方 而獨无所畏
我以相嚴身 光明照世間 无量衆所尊 爲說實相印
舍利弗當知 我本立誓願 欲令一切衆 如我等无異
如我昔所願 今者已滿足 化一切衆生 皆令入佛道
若我遇衆生 盡教以佛道 无智者錯亂 迷惑不受教
我知此衆生 未曾脩善本 堅著於五欲 癡愛故生惱
以諸欲因緣 墜墮三惡道 輪迴六趣中 備受諸苦毒
受胎之微形 世世常增長 薄德少福人 衆苦所逼迫
入邪見稠林 若有若无等 依止此諸見 具足六十二
深著虛妄法 堅受不可捨 我慢自矜高 諂曲心不實
於千萬億劫 不聞佛名字 亦不聞正法 如是人難度
是故舍利弗 我爲設方便 說諸盡苦道 示之以涅槃
我雖說涅槃 是亦非真滅 諸法從本來 常自寂滅相
佛子行道已 來世得作佛
我有方便力 開示三乘法 一切諸世尊 皆說一乘道
今此諸大衆 皆應除疑惑 諸佛語无異 唯一无二乘
過去无數劫 无量滅度佛 百千萬億種 其數不可量
如是諸世尊 種種緣譬喻 无數方便力 演說諸法相
是諸世尊等 皆說一乘法 化无量衆生 令入於佛道
又諸大聖主 知一切世間 天人群生類 深心之所欲
更以異方便 助顯第一義 若有衆生類 值諸過去佛
若聞法布施 或持戒忍辱 精進禪智等 種種脩福德
如是諸人等 皆已成佛道 諸佛滅度已 若人善軟心
如是諸衆生 皆已成佛道 諸佛滅度已 供養舍利者
起萬億種塔 金銀及頗梨 車𤦲與馬瑙 玫瑰瑠璃珠

BD03175號 妙法蓮華經卷一 (25-21)

若聞法布施 或持戒忍辱 精進禪智等 種種脩福德
如是諸人等 皆已成佛道 諸佛滅度已 若人善軟心
如是諸衆生 皆已成佛道 諸佛滅度已 供養舍利者
起萬億種塔 金銀及頗梨 車𤦲與馬瑙 玫瑰瑠璃珠
清淨廣嚴飾 莊校於諸塔 或有起石廟 栴檀及沉水
木樒并餘材 甎瓦泥土等 若於曠野中 積土成佛廟
乃至童子戲 聚沙爲佛塔 如是諸人等 皆已成佛道
若人爲佛故 建立諸形像 刻彫成衆相 皆已成佛道
或以七寶成 鍮石赤白銅 白鑞及鈆錫 鐵木及與泥
或以膠漆布 嚴飾作佛像 如是諸人等 皆已成佛道
綵畫作佛像 百福莊嚴相 自作若使人 皆已成佛道
乃至童子戲 若草木及筆 或以指爪甲 而畫作佛像
如是諸人等 漸漸積功德 具足大悲心 皆已成佛道
但化諸菩薩 度脫无量衆 若人於塔廟 寶像及畫像
以華香幡蓋 敬心而供養 若使人作樂 擊鼓吹角貝
簫笛琴箜篌 琵琶鐃銅鈸 如是衆妙音 盡持以供養
或以歡喜心 歌唄頌佛德 乃至一小音 皆已成佛道
若人散亂心 乃至以一華 供養於畫像 漸見无數佛
或有人禮拜 或復但合掌 乃至舉一手 或復小低頭
以此供養像 漸見无量佛 自成无上道 廣度无數衆
入无餘涅槃 如薪盡火滅
若人散亂心 入於塔廟中 一稱南无佛 皆已成佛道
於諸過去佛 現在或滅後 若有聞是法 皆已成佛道
未來諸世尊 其數无有量 是諸如來等 亦方便說法
一切諸如來 以无量方便 度脫諸衆生 入佛无漏智
若有聞法者 无一不成佛 諸佛本誓願 我所行佛道

BD03175號 妙法蓮華經卷一 (25-22)

於諸過去佛　現在或滅後　若有聞是法　皆已成佛道
未來諸世尊　其數无有量　是諸如來等　亦方便說法
一切諸如來　以无量方便　度脫諸衆生　入佛无漏智
若有聞法者　无一不成佛　諸佛本誓願　我所行佛道
普欲令衆生　亦同得此道　未來世諸佛　雖說百千億
无數諸法門　其實為一乘　諸佛兩足尊　知法常无性
佛種從緣起　是故說一乘　是法住法位　世間相常住
於道場知已　導師方便說　天人所供養　現在十方佛
其數如恒沙　出現於世間　安隱衆生故　亦說如是法
知弟一寂滅　以方便力故　雖示種種道　其實為佛乘
知衆生諸行　深心之所念　過去所習業　欲性精進力
及諸根利鈍　以種種因緣　譬喻亦言辭　隨應方便說
我今亦如是　安隱衆生故　以種種法門　宣示於佛道
我以智慧力　知衆生性欲　方便說諸法　皆令得歡喜
舍利弗當知　我以佛眼觀　見六道衆生　貧窮无福慧
入生死險道　相續苦不斷　深著於五欲　如犛牛愛尾
以貪愛自蔽　盲瞑无所見　不求大勢佛　及與斷苦法
深入諸邪見　以苦欲捨苦　為是衆生故　而起大悲心
我始坐道場　觀樹亦經行　於三七日中　思惟如是事
我所得智慧　微妙最弟一　衆生諸根鈍　著樂癡所盲
如斯之等類　云何而可度
尒時諸梵王　及諸天帝釋　護世四天王　及大自在天
并餘諸天衆　眷屬百千萬　恭敬合掌礼　請我轉法輪
我即自思惟　若但讚佛乘　衆生沒在苦　不能信是法
破法不信故　墜於三惡道　我寧不說法　疾入於涅槃
尋念過去佛　所行方便力　我今所得道　亦應說三乘

我即自思惟　若但讚佛乘　衆生沒在苦　不能信是法
破法不信故　墜於三惡道　我寧不說法　疾入於涅槃
尋念過去佛　所行方便力　我今所得道　亦應說三乘
作是思惟時　十方佛皆現　梵音慰喻我　善哉釋迦文
弟一之導師　得是无上法　隨諸一切佛　而用方便力
我等亦皆得　最妙弟一法　為諸衆生類　分別說三乘
少智樂小法　不自信作佛　是故以方便　分別說諸果
雖復說三乘　但為教菩薩
舍利弗當知　我聞聖師子　深淨微妙音　稱南无諸佛
復作如是念　我出濁惡世　如諸佛所說　我亦隨順行
思惟是事已　即趣波羅奈　諸法寂滅相　不可以言宣
以方便力故　為五比丘說　是名轉法輪　便有涅槃音
及以阿羅漢　法僧差別名　從久遠劫來　讚示涅槃法
生死苦永盡　我常如是說
舍利弗當知　我見佛子等　志求佛道者　无量千萬億
咸以恭敬心　皆來至佛所　曾從諸佛聞　方便所說法
我即作是念　如來所以出　為說佛慧故　今正是其時
舍利弗當知　鈍根小智人　著相憍慢者　不能信是法
今我喜无畏　於諸菩薩中　正直捨方便　但說无上道
菩薩聞是法　疑網皆已除　千二百羅漢　悉亦當作佛
如三世諸佛　說法之儀式　我今亦如是　說无分別法
諸佛興出世　懸遠值遇難　正使出于世　說是法復難
无量无數劫　聞是法亦難　能聽是法者　斯人亦復難
譬如優曇華　一切皆愛樂　天人所希有　時時乃一出
聞法歡喜讚　乃至發一言　則為已供養　一切三世佛

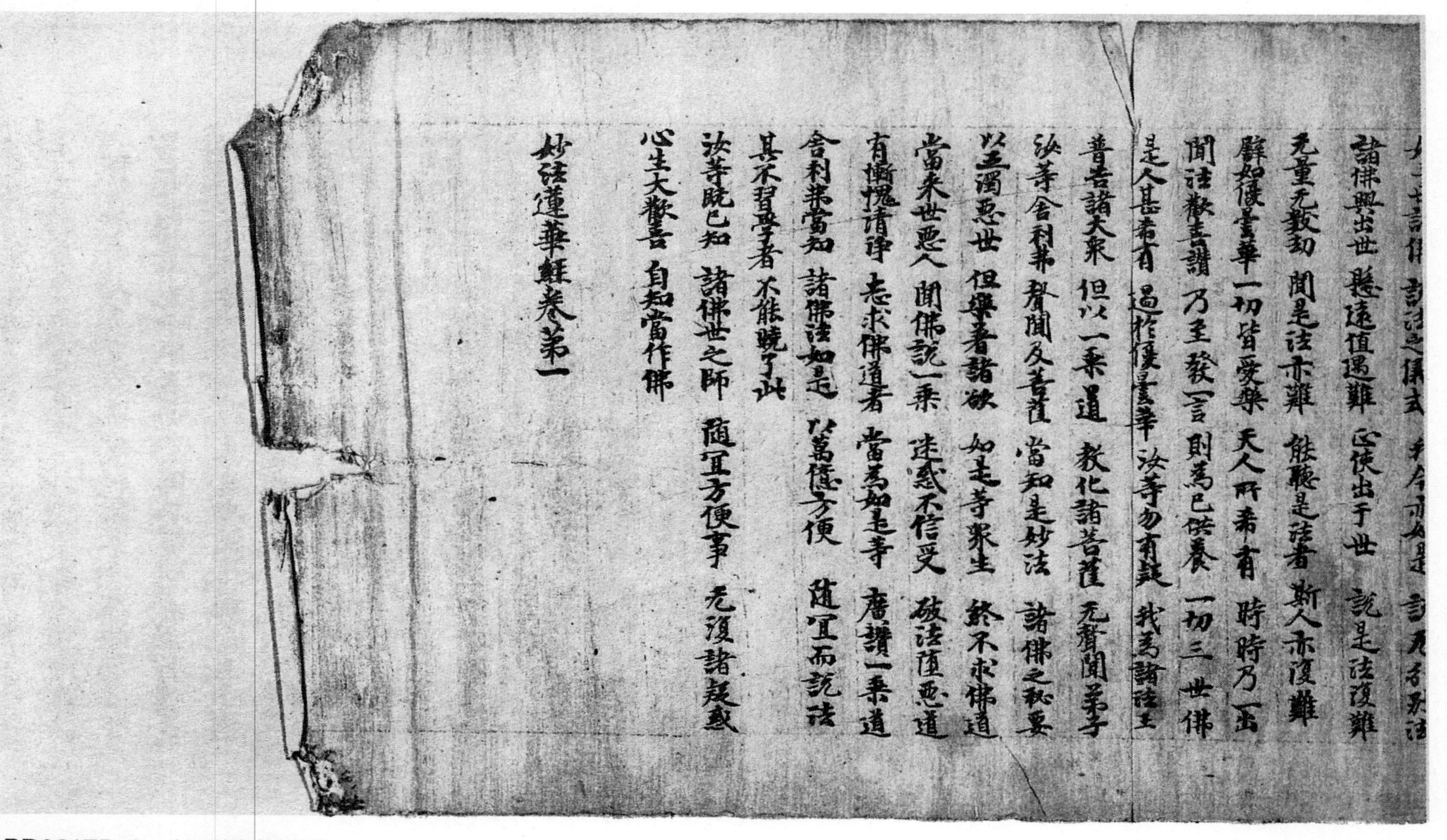

如三世諸佛 說法之儀式 我今亦如是 說无分別法
諸佛興出世 懸遠值遇難 正使出于世 說是法復難
无量无數劫 聞是法亦難 能聽是法者 斯人亦復難
譬如優曇華 一切皆愛樂 天人所希有 時時乃一出
聞法歡喜讚 乃至發一言 則為已供養 一切三世佛
是人甚希有 過於優曇華 汝等勿有疑 我為諸法王
普告諸大衆 但以一乘道 教化諸菩薩 无聲聞弟子
汝等舍利弗 聲聞及菩薩 當知是妙法 諸佛之秘要
以五濁惡世 但樂著諸欲 如是等衆生 終不求佛道
當來世惡人 聞佛說一乘 迷惑不信受 破法墮惡道
有慚愧清淨 志求佛道者 當為如是等 廣讚一乘道
舍利弗當知 諸佛法如是 以萬億方便 隨宜而說法
其不習學者 不能曉了此
汝等既已知 諸佛世之師 隨宜方便事 无復諸疑惑
心生大歡喜 自知當作佛

妙法蓮華經卷第一

BD03175 號　妙法蓮華經卷一　　(25–25)

法花經第一卷

BD03175 號背　勘記　　(1–1)

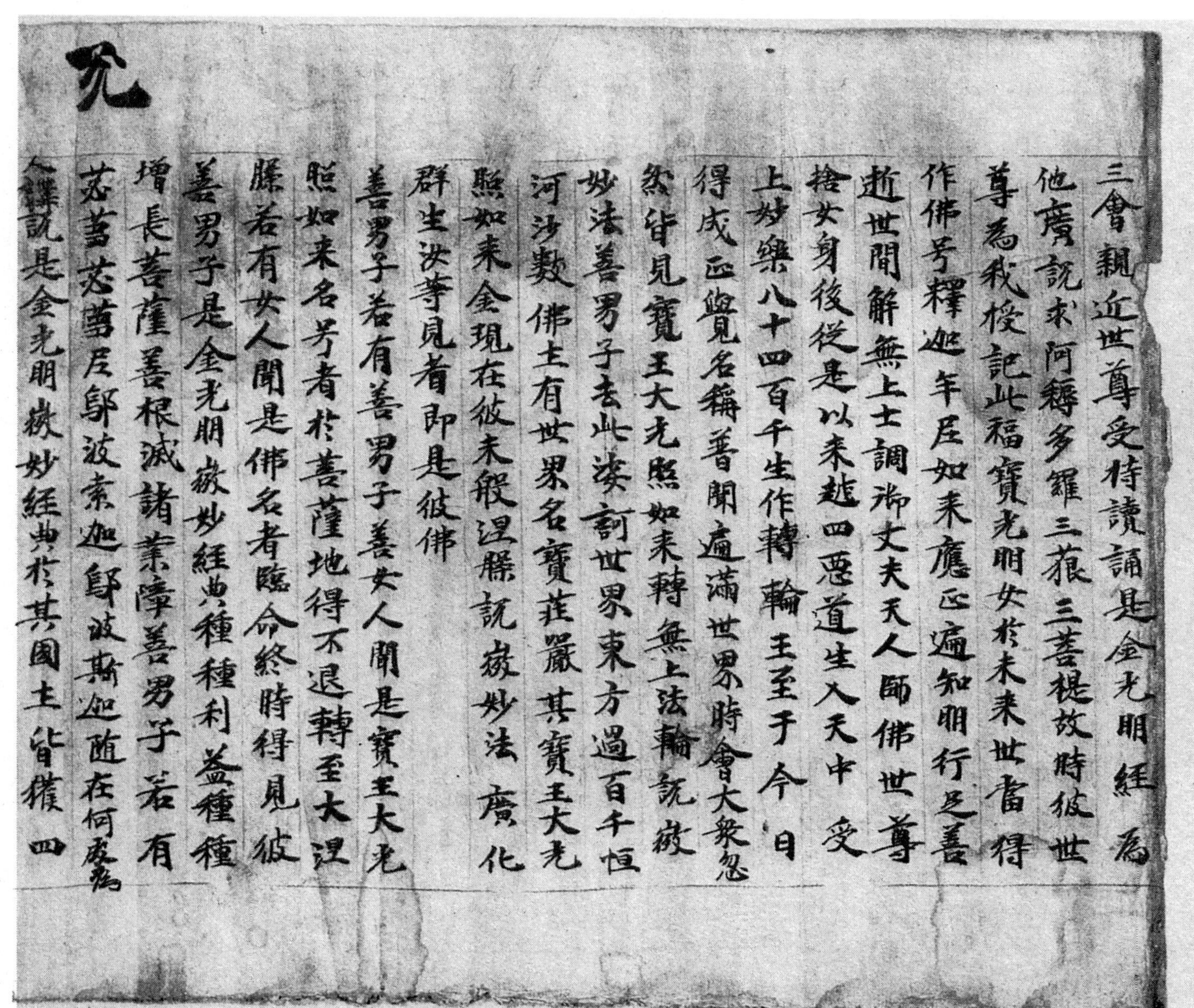
兌
三會親近世尊受持讀誦是金光明經為
他廣說求阿耨多羅三藐三菩提故時彼世
尊為我授記此福寶光明女於未來世當得
作佛号釋迦牟尼如來應正遍知明行足善
逝世間解無上士調御丈夫天人師佛世尊
捨女身後從是以來越四惡道生人天中受
上妙樂八十四百千生作轉輪王至于今日
得成正覺名稱普聞遍滿世界時會大衆忽
然皆見寶王大光照如來轉無上法輪說微
妙法善男子去此娑訶世界東方過百千恒
河沙數佛土有世界名寶莊嚴其寶王大光
照如來今現在彼未般涅槃說微妙法 廣化
群生汝等見者即是彼佛
善男子若有善男子善女人聞是寶王大光
照如來名号者於菩薩地得不退轉至大涅
槃若有女人聞是佛名者臨命終時得見彼
善男子是金光明微妙經典種種利益種種
增長菩薩善根滅諸業障善男子若有
苾芻苾芻尼鄔波索迦鄔波斯迦隨在何處為
人講說是金光明微妙經典於其國土皆獲四

BD03176號　金光明最勝王經（兌廢稿）卷三　（2–1）

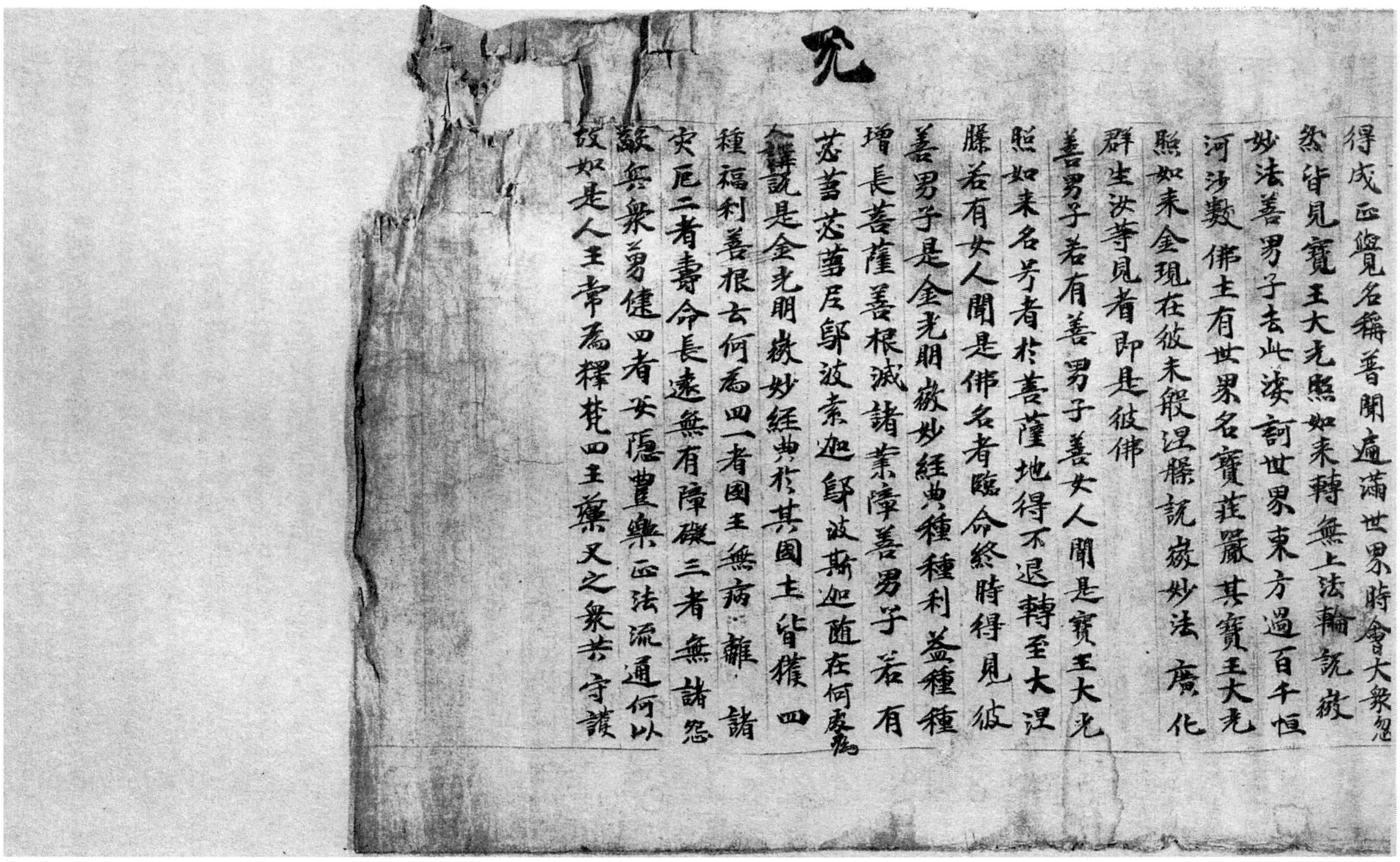

兌
得成正覺名稱普聞遍滿世界時會大衆忽
然皆見寶王大光照如來轉無上法輪說微
妙法善男子去此娑訶世界東方過百千恒
河沙數佛土有世界名寶莊嚴其寶王大光
照如來今現在彼未般涅槃說微妙法 廣化
群生汝等見者即是彼佛
善男子若有善男子善女人聞是寶王大光
照如來名号者於菩薩地得不退轉至大涅
槃若有女人聞是佛名者臨命終時得見彼
善男子是金光明微妙經典種種利益種種
增長菩薩善根滅諸業障善男子若有
苾芻苾芻尼鄔波索迦鄔波斯迦隨在何處為
人講說是金光明微妙經典於其國土皆獲四
種福利善根云何為四一者國王無病離諸
災厄二者壽命長遠無有障礙三者無諸怨
敵兵衆勇健四者安隱豐樂正法流通何以
故如是人王常為釋梵四王藥叉之衆共守護

BD03176號　金光明最勝王經（兌廢稿）卷三　（2–2）

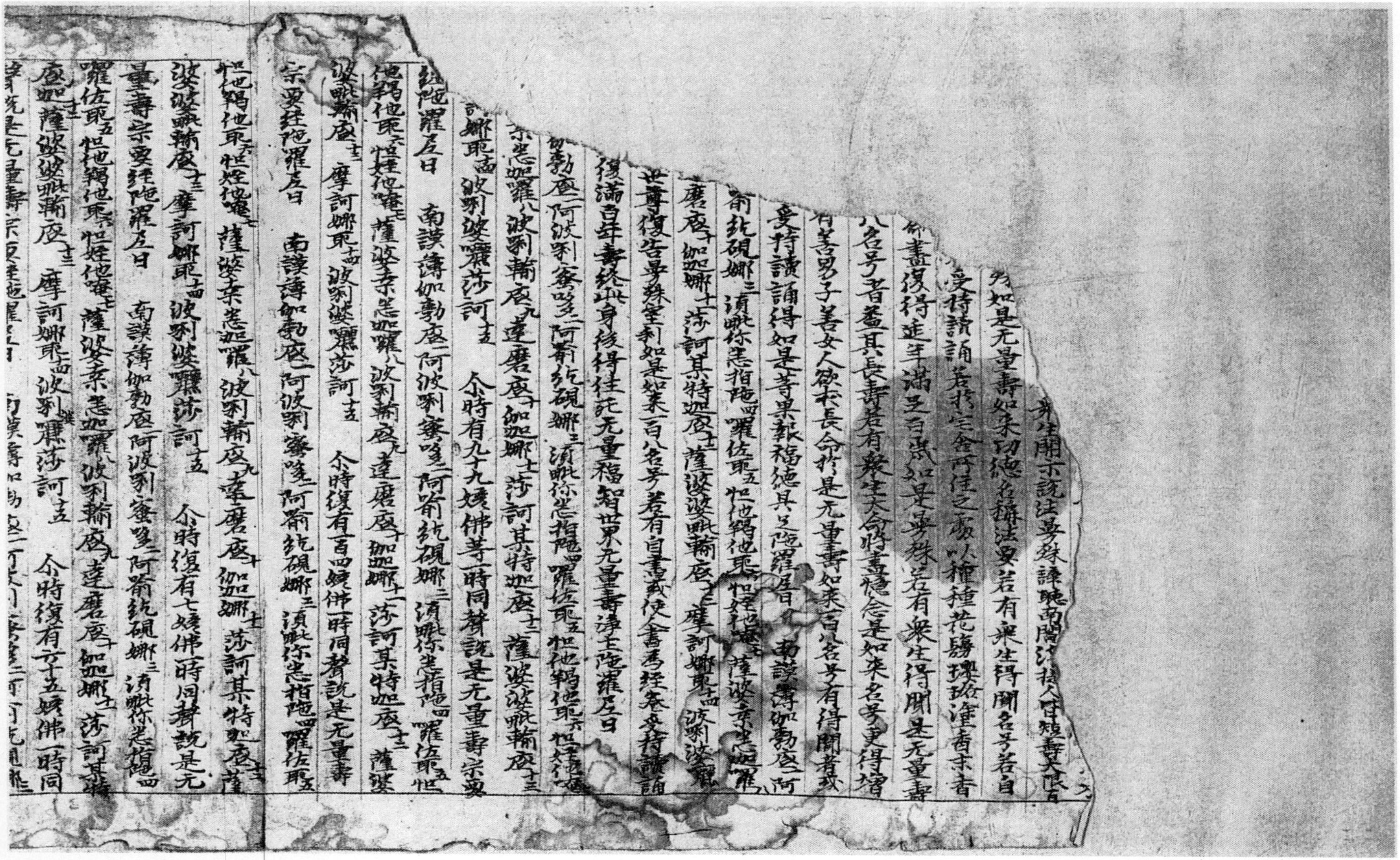

BD03177 號　無量壽宗要經　（5–1）

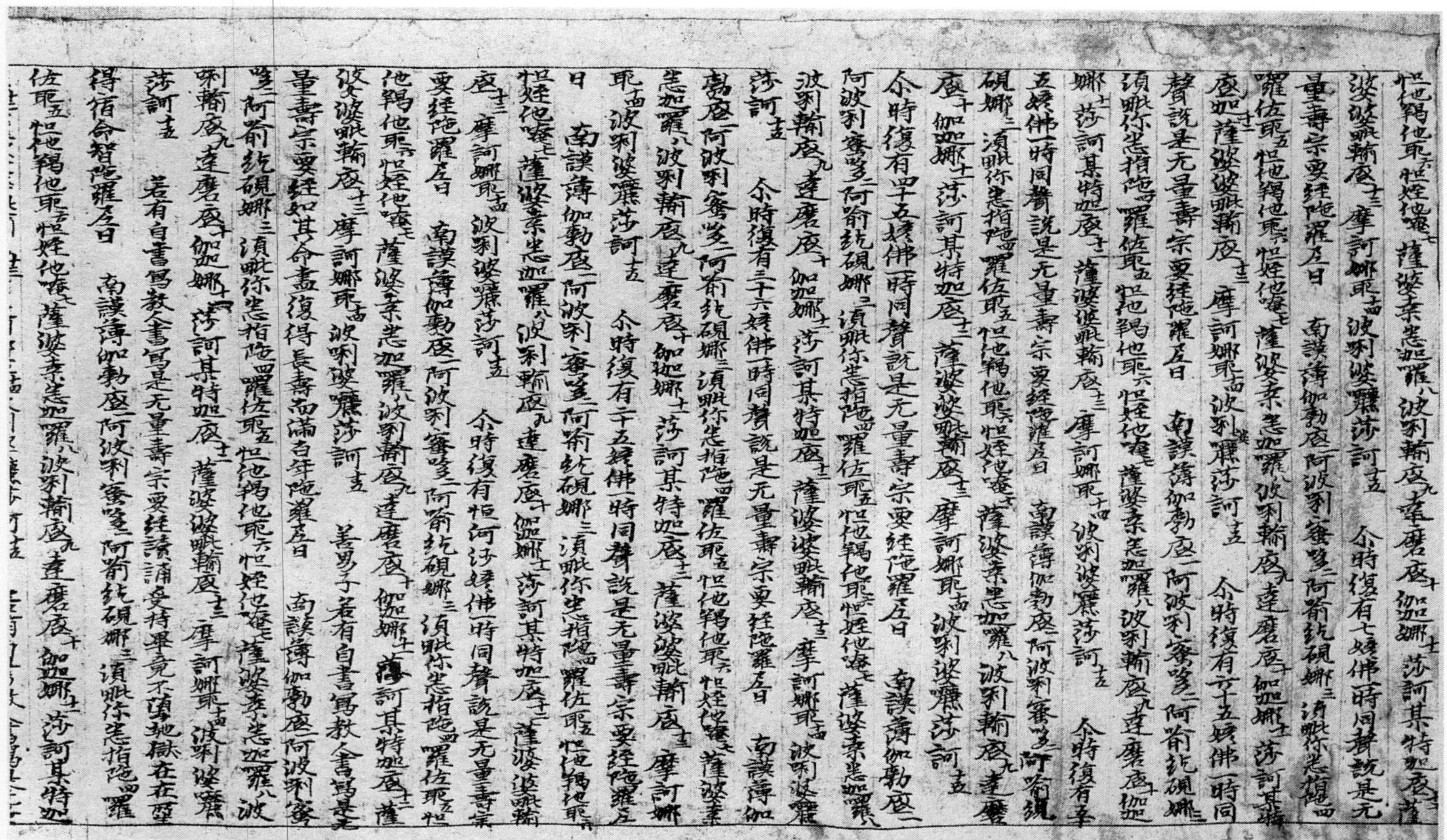

BD03177 號　無量壽宗要經　（5–2）

唎輸底九達磨底十伽伽娜十一莎訶某特迦底十二薩婆娑毗輸底十三摩訶娜耶十四波唎婆羅
莎訶十五　若有自書寫教人書寫是无量壽宗要經讀誦受持畢竟不墮地獄在在生
得宿命智陀羅尼曰　南謨薄伽勒底一阿波唎蜜哆二阿喻紇硯娜三須毗你悉指陀四囉
佐耶五怛他羯他耶六怛姪他唵七薩婆桑悉迦囉八波唎輸底九達磨底十伽伽娜十一莎訶某特迦
底十二薩婆娑毗輸底十三摩訶娜耶十四波唎婆羅莎訶十五　若有自書教人書寫是无量
壽宗要經受持讀誦如同書寫八万四千一切經典陀羅尼曰　南謨薄伽勒底一阿波唎蜜
哆二阿喻紇硯娜三須毗你悉指陀四囉佐耶五怛他羯他耶六怛姪他唵七薩婆桑悉迦囉八波唎輸底九
達磨底十伽伽娜十一莎訶某特迦底十二薩婆娑毗輸底十三摩訶娜耶十四波唎婆羅莎訶十五
若有自書寫教人書寫是无量壽宗要經即是書寫八万四千部建立塔廟陀羅尼曰
南謨薄伽勒底一阿波唎蜜哆二阿喻紇硯娜三須毗你悉指陀四囉佐耶五怛他羯他耶六怛姪他唵七薩婆
桑悉迦囉八波唎輸底九達磨底十伽伽娜十一莎訶某特迦底十二薩婆娑毗輸底十三摩訶娜耶十四
波唎婆羅莎訶十五　若有自書寫教人書寫是无量壽宗要經能消五无間等一切重罪
陀羅尼曰　南謨薄伽勒底一阿波唎蜜哆二阿喻紇硯娜三須毗你悉指陀四囉佐耶五怛他羯他
耶六怛姪他唵七薩婆桑悉迦囉八波唎輸底九達磨底十伽伽娜十一莎訶某特迦底十二薩婆娑毗輸
底十三摩訶娜耶十四波唎婆羅莎訶十五　若有自書寫教人書寫是无量壽宗要經受持
讀誦設有重罪猶如須弥盡能除滅陀羅尼曰　南謨薄伽勒底一阿波唎蜜哆二阿喻紇
硯娜三須毗你悉指陀四囉佐耶五怛他羯他耶六怛姪他唵七薩婆桑悉迦囉八波唎輸底九達磨
底十伽伽娜十一莎訶某特迦底十二薩婆娑毗輸底十三摩訶娜耶十四波唎婆羅莎訶十五
若有自書寫教人書寫是无量壽宗要經受持讀誦若魔魔之眷屬夜叉羅剎不得
其便終无枉死陀羅尼曰　南謨薄伽勒底一阿波唎蜜哆二阿喻紇硯娜三須毗你悉指
陀四囉佐耶五怛他羯他耶六怛姪他唵七薩婆桑悉迦囉八波唎輸底九達磨底十伽伽娜十一莎訶
某特迦底十二薩婆娑毗輸底十三摩訶娜耶十四波唎婆羅莎訶十五　若有自書教人書寫是无
量壽宗要經受持讀誦當命終時有九十九姟佛現其人前眾千佛授手能遊一切佛
剎莫於此經生於疑惑陀羅尼曰　南謨薄伽勒底一阿波唎蜜哆二阿喻紇硯娜三須毗
你悉指陀四囉佐耶五怛他羯他耶六怛姪他唵七薩婆桑悉迦囉八波唎輸底九達磨底十伽伽娜十一莎
訶某特迦底十二薩婆娑毗輸十三摩訶娜耶十四波唎婆羅莎訶十五　若有自書寫教人書寫
是无量壽宗要經受持讀誦常得四天大王隨其衛護陀羅尼曰　南謨薄伽勒底一阿波
唎蜜哆二阿喻紇硯娜三須毗你悉指陀四囉佐耶五怛他羯他耶六怛姪他唵七薩婆桑悉迦囉八波唎輸
底九達磨底十伽伽娜十一莎訶某特迦底十二薩婆娑毗輸底十三摩訶娜耶十四波唎婆羅莎訶十五
若有自書教人書寫是无量壽宗要經受持讀誦當得往生西方極樂世界阿弥陀淨土陀羅尼曰
南謨薄伽勒底一阿波唎蜜哆二阿喻紇硯娜三須毗你悉指陀四囉佐耶五怛他羯他耶六怛姪他唵七薩

BD03177號　無量壽宗要經

（5–3）

[illegible]
唎蜜哆二阿喻紇硯娜三須毗你悉指陀四囉佐耶五怛他羯他耶六怛姪他唵七薩婆桑悉迦囉八波唎輸
底九達磨底十伽伽娜十一莎訶某特迦底十二薩婆娑毗輸底十三摩訶娜耶十四波唎婆羅莎訶十五
若有自書教人書寫是无量壽宗要經受持讀誦當得往生西方極樂世界阿弥陀淨土陀羅尼曰
南謨薄伽勒底一阿波唎蜜哆二阿喻紇硯娜三須毗你悉指陀四囉佐耶五怛他羯他耶六怛姪他唵七薩
婆桑悉迦囉八波唎輸底九達磨底十伽伽娜十一莎訶某特迦底十二薩婆娑毗輸底十三摩訶
娜耶十四波唎婆羅莎訶十五　若有方所自書寫使人書寫是无量壽經典之處則為
是塔皆應恭敬作礼若是畜生飛鳥獸得聞是經如是等類皆當不久得成一切種
智陀羅尼曰　南謨薄伽勒底一阿波唎蜜哆二阿喻紇硯娜三須毗你悉指陀四囉佐耶五怛他羯
他耶六怛姪他唵七薩婆桑悉迦囉八波唎輸底九達磨底十伽伽娜十一莎訶某特迦底十二薩婆娑
毗輸底十三摩訶娜耶十四波唎婆羅莎訶十五　若有於是无量壽經自書寫若使人書畢竟
不受女人之身陀羅尼曰　南謨薄伽勒底一阿波唎蜜哆二阿喻紇硯娜三須毗你悉指陀四
囉佐耶五怛他羯他耶六怛姪他唵七薩婆桑悉迦囉八波唎輸底九達磨底十伽伽娜十一莎訶某
特迦底十二薩婆娑毗輸底十三摩訶娜耶十四波唎婆羅莎訶十五　若有能於是經少分
能惠施者等於三千大千世界滿中七寶布施陀羅尼曰　南謨薄伽勒底一阿波唎蜜哆二
阿喻紇硯娜三須毗你悉指陀四囉佐耶五怛他羯他耶六怛姪他唵七薩婆桑悉迦囉八波唎輸底九
達磨底十伽伽娜十一莎訶某特迦底十二薩婆娑毗輸底十三摩訶娜耶十四波唎婆羅莎訶十五
若有能供養是經者則是供養一切諸經等无有異陀羅尼曰　南謨薄伽勒底一阿波
唎蜜哆二阿喻紇硯娜三須毗你悉指陀四囉佐耶五怛他羯他耶六怛姪他唵七薩婆桑悉迦囉八
波唎輸底九達磨底十伽伽娜十一莎訶某特迦底十二薩婆娑毗輸底十三摩訶娜耶十四波唎婆羅
莎訶十五　如是毗婆尸佛尸棄佛毗舍浮佛俱留孫佛俱那含牟尼佛迦葉佛
釋迦牟尼佛　若有人以七寶供養如是七佛其福有限書寫受持是无量壽經典
所有功德不可限量陀羅尼曰　南謨薄伽勒底一阿波唎蜜哆二阿喻紇硯娜三須毗你悉指
陀四囉佐耶五怛他羯他耶六怛姪他唵七薩婆桑悉迦囉八波唎輸底九達磨底十伽伽娜十一莎訶某
特迦底十二薩婆娑毗輸底十三摩訶娜耶十四波唎婆羅莎訶十五　若有七寶等於須弥山
布施其福上能知其限量是无量壽經典其福不可知數陀羅尼曰　南謨薄伽勒底一
阿波唎蜜哆二阿喻紇硯娜三須毗你悉指陀四囉佐耶五怛他羯他耶六怛姪他唵七薩婆桑悉
迦囉八波唎輸底九達磨底十伽伽娜十一莎訶某特迦底十二薩婆娑毗輸底十三摩訶娜耶十四
波唎婆羅莎訶十五　如是四大海水可知滴數是无量壽經典所生果報不可數量陀羅尼
曰　南謨薄伽勒底一阿波唎蜜哆二阿喻紇硯娜三須毗你悉指陀四囉佐耶五怛他羯他耶六
[illegible]

BD03177號　無量壽宗要經

（5–4）

波唎輸底八達磨底九伽伽娜十莎訶其特迦底十一薩婆娑毗輸底十二摩訶娜耶波唎婆
莎訶十五　如是毗婆尸佛尸弃佛毗舍浮佛俱留孫佛俱那含牟尼佛迦葉佛
釋迦牟尼佛　若有人以七寶供養如是七佛其福有限書寫受持是无量壽經典
所有功德不可限量陁羅尼曰　南謨薄伽勃底一阿波唎蜜多二阿喻紇硯娜三須毗你悉指
陁四羅佐耶五怛他羯他耶六怛姪他七薩婆桑悉迦囉八波唎輸底九達磨底十伽伽娜十一莎訶其
特迦底十二薩婆娑毗輸底十三摩訶娜耶十四波唎婆囉莎訶十五　若有七寶等於須弥以用
布施其福上能知其限量是无量壽經典其福不可知數陁羅尼曰　南謨薄伽勃底一
阿波唎蜜多二阿喻紇硯娜三須毗你悉指陁四羅佐耶五怛他羯他耶六怛姪他唵七薩婆桑悉
迦囉八波唎輸底九達磨底十伽伽娜十一莎訶其特迦底十二薩婆娑毗輸底十三摩訶娜耶十四
波唎婆囉莎訶十五　如是四大海水可知滴數是无量壽經典所生果報不可數量陁羅尼
曰　南謨薄伽勃底一阿波唎蜜多二阿喻紇硯娜三須毗你悉指陁四羅佐耶五怛他羯他耶六
怛姪他唵七薩婆桑悉迦囉八波唎輸底九達磨底十伽伽娜十一莎訶其特迦底十二薩婆
娑毗輸底十三摩訶娜耶十四波唎婆囉莎訶十五　若有自書使人書寫是无量壽
經典又能讚持供養即如恭敬供養一切十方佛土如來无有異別陁羅尼曰　南謨薄伽
勃底一阿波唎蜜多二阿喻紇硯娜三須毗你悉指陁四羅佐耶五怛他羯他耶六怛姪他唵七薩婆
桑悉迦囉八波唎輸底九達磨底十伽伽娜十一莎訶其特迦底十二薩婆娑毗輸底十三摩訶娜耶十四
波唎婆囉莎訶十五
布施力能成正覺　悟布施力人師子　布施力能聲聞　慈悲階漸最能入
持戒力能成正覺　悟持戒力人師子　持戒力能聲聞　慈悲階漸最能入
忍辱力能成正覺　悟忍辱力人師子　忍辱力能聲聞　慈悲階漸最能入
精進力能成正覺　悟精進力人師子　精進力能聲聞　慈悲階漸最能入
禪定力能成正覺　悟禪定力人師子　禪定力能聲聞　慈悲階漸最能入
智慧力能成正覺　悟智慧力人師子　智慧力能聲聞　慈悲階漸最能入
尒時如來說是經已一切世間天人阿脩羅揵闥婆等聞佛所說皆大歡喜信受奉行
佛說无量壽宗要經

BD03177 號　無量壽宗要經　（5–5）

提若樂小法者著我見人見衆生見壽者見
則於此經不能聽受讀誦為人解說須菩提
在在處處若有此經一切世間天人阿脩羅所
應供養當知此處則為是塔皆應恭敬作
礼圍遶以諸華香而散其處
復次須菩提若善男子善女人受持讀誦
此經若為人輕賤是人先世罪業應墮惡道以
今世人輕賤故先世罪業則為消滅當得阿耨
多羅三藐三菩提須菩提我念過去无量阿
僧祇劫於然燈佛前得值八百四千万億那
由他諸佛悉皆供養承事无空過者若復有
人於後末世能受持讀誦此經所得功德於
我所供養諸佛功德百分不及一千万億分乃
至筭數譬喻所不能及須菩提若善男子善
女人於後末世有受持讀誦此經所得功德
我若具說者或有人聞心則狂亂狐疑不信
須菩提當知是經義不可思議果報亦不
可思議
尒時須菩提白佛言世尊善男子善女人
發阿耨多羅三藐三菩提心云何應住云何降
伏其心佛告須菩提善男子善女人發阿耨
多羅三藐三菩提者當生如是心我應滅度
一切衆生滅度一切衆生已而无有一衆生

BD03178 號　金剛般若波羅蜜經　（7–1）

可思議
尒時須菩提白佛言世尊善男子善女人
發阿耨多羅三藐三菩提心云何應住云何降
伏其心佛告須菩提善男子善女人發阿耨
多羅三藐三菩提者當生如是心我應滅度
一切衆生滅度一切衆生已而无有一衆生
實滅度者何以故若菩薩有我相人相衆
生相壽者相則非菩薩所以者何須菩提
實无有法發阿耨多羅三藐三菩提者
須菩提於意云何如來於然燈佛所有法
得阿耨多羅三藐三菩提不不也世尊如
我解佛所說義佛於然燈佛所无有法得
阿耨多羅三藐三菩提佛言如是如是須
菩提實无有法如來得阿耨多羅三藐三
菩提須菩提若有法如來得阿耨多羅三藐
三菩提然燈佛則不與我受記汝於來世當
得作佛号釋迦牟尼以實无有法得阿耨多羅
三藐三菩提是故然燈佛與我受記作是言汝於
來世當得作佛号釋迦牟尼何以故如來者即諸
法如義若有人言如來得阿耨多羅三藐三菩
提須菩提實无有法佛得阿耨多羅三藐
三菩提須菩提如來所得阿耨多羅三藐三
菩提於是中无實无虛是故如來說一切法
皆是佛法須菩提所言一切法者即非一切法
是故名一切法
須菩提譬如人身長大須菩提言世尊如來
說人身長大則為非大身是名大身
須菩提菩薩亦如是若作是言我當滅度无

須菩提譬如人身長大須菩提言世尊如來
說人身長大則為非大身是名大身
須菩提菩薩亦如是若作是言我當滅度无
量衆生則不名菩薩何以故須菩提實无有
法名為菩薩是故佛說一切法无我无人无
衆生无壽者須菩提若菩薩作是言我當莊
嚴佛土是不名菩薩何以故如來說莊嚴佛土
者即非莊嚴是名莊嚴須菩提若菩薩通
達无我法者如來說名真是菩薩
須菩提於意云何如來有肉眼不如是世尊
如來有肉眼須菩提於意云何如來有天眼
不如是世尊如來有天眼須菩提於意云何
如來有慧眼不如是世尊如來有慧眼須菩
提於意云何如來有法眼不如是世尊如來
有法眼須菩提於意云何如來有佛眼不如
是世尊如來有佛眼須菩提於意云何恒河
中所有沙佛說是沙不如是世尊如來說是
沙須菩提於意云何如一恒河中所有沙有
如是等恒河是諸恒河所有沙數佛世界如
是寧為多不甚多世尊佛告須菩提尒所國
土中所有衆生若干種心如來悉知何以故
如來說諸心皆為非心是名為心所以者何
須菩提過去心不可得現在心不可得未來
心不可得須菩提於意云何若有人滿三千
大千世界七寶以用布施是人以是因緣得福
多不如是世尊此人以是因緣得福甚多須
菩提若福德有實如來不說得福德多以
福德无故如來說得福德多

大千世界七寶以用布施是人以是因緣得福
多不如是世尊此人以是因緣得福甚多須
菩提若福德有實如來不說得福德多以
福德无故如來說得福德多
須菩提於意云何佛可以具足色身見不不
世世尊如來不應以具足色身見何以故如
來說具足色身即非具足色身是名具足色
身須菩提於意云何如來可以具足諸相見
不不世世尊如來不應以具足諸相見何以
故如來說諸相具足即非具足是名諸相具
足須菩提汝勿謂如來作是念我當有所說
法莫作是念何以故若人言如來有所說法即
為謗佛不能解我所說故須菩提說法者无
法可說是名說法
須菩提白佛言世尊佛得阿耨多羅三藐三
菩提為无所得耶如是如是須菩提我於阿
耨多羅三藐三菩提乃至无有少法可得是
名阿耨多羅三藐三菩提復次須菩提是法
平等无有高下是名阿耨多羅三藐三菩提
以无我无人无衆生无壽者脩一切善法則
得阿耨多羅三藐三菩提須菩提所言善法
者如來說非善法是名善法
須菩提若三千大千世界中所有諸須弥山
王如是等七寶聚有人持用布施若人以此
般若波羅蜜經乃至四句偈等受持讀誦為
他人說於前福德百分不及一百千万億分
乃至筭數譬喻所不能及

BD03178號　金剛般若波羅蜜經

（7–4）

般若波羅蜜經乃至四句偈等受持讀誦為
他人說於前福德百分不及一百千万億分
乃至筭數譬喻所不能及
須菩提於意云何汝等勿謂如來作是念我
當度衆生須菩提莫作是念何以故實无
有衆生如來度者若有衆生如來度者如
來則有我人衆生壽者須菩提如來說有我
者則非有我而凡夫之人以為有我須菩提凡夫
者如來說則非凡夫
須菩提於意云何可以卅二相觀如來不須
菩提言如是如是以卅二相觀如來佛言須
菩提若以卅二相觀如來者轉輪聖王則是
如來須菩提白佛言世尊如我解佛所說義
不應以卅二相觀如來尒時世尊而說偈言
若以色見我　以音聲求我　是人行邪道　不能見如來
須菩提汝若作是念如來不以具足相故得阿
耨多羅三藐三菩提須菩提莫作是念如
來不以具足相故得阿耨多羅三藐三菩提
須菩提汝若作是念發阿耨多羅三藐三菩
提者說諸法斷滅相莫作是念何以故發阿耨
多羅三藐三菩提者於法不說斷滅相須菩
提若菩薩以滿恒河沙等世界七寶布施若
復有人知一切法无我得成於忍此菩薩勝
前菩薩所得功德須菩提以諸菩薩不受福
德故須菩提白佛言世尊云何菩薩不受福
德須菩提菩薩所作福德不應貪著是故
說不受福德

BD03178號　金剛般若波羅蜜經

（7–5）

前菩薩所得功德須菩提以諸菩薩不受福
德故須菩提白佛言世尊云何菩薩不受福
德須菩提菩薩所作福德不應貪著是故
說不受福德
須菩提若有人言如來若來若去若坐若卧
是人不解我所說義何以故如來者无所從來
亦无所去故名如來
須菩提若善男子善女人以三千大千世界碎
為微塵於意云何是微塵寧為多不甚多
世尊何以故若是微塵衆實有者佛則不
說是微塵衆所以者何佛說微塵衆則非微
塵衆是名微塵衆世尊如來所說三千大千
世界則非世界是名世界何以故若世界實
有者則是一合相如來一合相則非一合相是
名一合相須菩提一合相者則是不可說但
凡夫之人貪著其事須菩提若人言佛說
我見人見衆生見壽者見須菩提於意云何
是人解我所說義不世尊是人不解如來所
說義何以故世尊說我見人見衆生見壽者
見即非我見人見衆生見壽者見是名我見
人見衆生見壽者見須菩提發阿耨多羅三
藐三菩提心者於一切法應如是知如是見
如是信解不生法相須菩提所言法相者如
來說即非法相是名法相須菩提若有人以
滿无量阿僧祇世界七寶持用布施若有善
男子善女人發菩薩心者持於此經乃至四
句偈等受持讀誦為人演說其福勝彼云何

BD03178 號　金剛般若波羅蜜經　（7–6）

世界則非世界是名世界何以故若世界實
有者則是一合相如來一合相則非一合相是
名一合相須菩提一合相者則是不可說但
凡夫之人貪著其事須菩提若人言佛說
我見人見衆生見壽者見須菩提於意云何
是人解我所說義不世尊是人不解如來所
說義何以故世尊說我見人見衆生見壽者
見即非我見人見衆生見壽者見是名我見
人見衆生見壽者見須菩提發阿耨多羅三
藐三菩提心者於一切法應如是知如是見
如是信解不生法相須菩提所言法相者如
來說即非法相是名法相須菩提若有人以
滿无量阿僧祇世界七寶持用布施若有善
男子善女人發菩薩心者持於此經乃至四
句偈等受持讀誦為人演說其福勝彼云何
為人演說不取於相如如不動何以故
一切有為法　如夢幻泡影　如露亦如電　應作如是觀
佛說是經已長老須菩提及諸比丘比丘尼
優婆塞優婆夷一切世間天人阿脩羅聞佛
所說皆大歡喜信受奉持

金剛般若波羅蜜經

BD03178 號　金剛般若波羅蜜經　（7–7）

大自在天金剛密主寶賢大将訶利
眷屬无熱惱池龍王大海龍王无量
億那庾多諸天藥叉如是等衆並
不現身至彼人王殊勝宫殿莊嚴高座
之所世尊我等四王及餘眷屬藥叉諸神皆
當一心共彼人王為善知識
近王以甘露味充足於我
王除其衰惱令得安隱及其
諸惡災變悉令消滅尒時
白佛言世尊若有人王於此
未甞流布心生捨離不樂聽聞亦不供養
尊重讚歎見四部衆持經之人亦復不能
尊重供養令我等及餘眷屬无量諸天不
得聞此甚深妙法背甘露味失正法流无有
威光及以勢力增長惡趣損減人天墜生死
河乖涅槃路世尊我等四王并諸眷屬及藥
叉等見如斯事捨其國土无擁護心非但我
等捨棄是王亦有无量守護國土諸大善神
悉皆捨去既捨離已其國當有種種災禍喪
失國位一切人衆皆无善心唯有繫縛殺害
瞋諍互相讒諂枉及无辜疾疫流行彗星數
出兩日並現薄蝕无恒黑白二虹表不祥相

BD03179號　金光明最勝王經卷六

（2–1）

叉等見如斯事捨其國土无擁護心非但我
等捨棄是王亦有无量守護國土諸大善神
悉皆捨去既捨離已其國當有種種災禍喪
失國位一切人衆皆无善心唯有繫縛殺害
瞋諍互相讒諂枉及无辜疾疫流行彗星數
出兩日並現薄蝕无恒黑白二虹表不祥相
星流地動井內發聲暴雨惡風不依時節常
遭飢饉苗實不成多有他方怨賊侵掠國內
人民受諸苦惱土地无有可樂之處世尊我
等四王及與无量百千天神并護國土諸舊
善神遠離去時生如是等无量百千災恠惡
事世尊若有人王欲護國土常受快樂欲令
衆生咸蒙安隱欲得摧伏一切外敵於自國
境永得昌盛欲令正教流布世間苦惱惡法
皆除滅者世尊是諸國主必當聽受是妙經
王亦應恭敬供養讀誦受持經者我等及餘
无量天衆以是聽法善根威力得服无
露法味增益我等所有眷屬并餘天神皆得
勝利何以故以是人王至心聽受是經典故
世尊如大梵天於諸有情常為宣說世出世
論帝釋復說種種諸論五通神仙亦
世尊梵天帝釋五通仙人雖有百千俱
庾多无量諸論然佛世尊慈悲哀愍為人
衆說金光明微妙經典比前所說勝彼百千

BD03179號　金光明最勝王經卷六

（2–2）

洹名……所入不入
是名須陁洹須菩提扵意云
是念我得斯陁含果不須菩
何以故斯陁含名一往来而實
斯陁含須菩提扵意云何阿那
念我得阿那含果不須菩提
故阿那含名為不来而實无
須菩提扵意云何阿羅漢能作
阿羅漢道不須菩提言不也世尊何以故實
无有法名阿羅漢世尊若阿羅漢作是念我
得阿羅漢道即為著我人衆生壽者世尊佛
說我得无諍三昧人中最為第一是第一離
欲阿羅漢我不作是念我是離欲阿羅漢世
世尊我若作是念我得阿羅漢道世尊則不
說須菩提是樂阿蘭那行者以須菩提實
无所行而名須菩提是樂阿蘭那行
佛告須菩提扵意云何如来昔在然燈佛
所扵法有所得不世尊如来在然燈佛所扵
法實无所得
須菩提扵意云何菩薩莊嚴佛土不不世
尊何以故莊嚴佛土者則非莊嚴是名莊嚴
是故須菩提諸菩薩摩訶薩應如是生清淨
心不應住色生心不應住聲香味觸法生心
應无所住而生其心須菩提譬如有人身如

BD03180號　金剛般若波羅蜜經　（5–1）

須菩提扵意云何菩薩莊嚴佛土不不世
尊何以故莊嚴佛土者則非莊嚴是名莊嚴
是故須菩提諸菩薩摩訶薩應如是生清淨
心不應住色生心不應住聲香味觸法生心
應无所住而生其心須菩提譬如有人身如
須弥山王扵意云何是身為大不須菩提言
甚大世尊何以故佛說非身是名大身
須菩提如恒河中所有沙數如是沙等恒河
扵意云何是諸恒河沙寧為多不須菩提言
甚多世尊但諸恒河尚多无數何況其沙須
菩提我今實言告汝若有善男子善女人以
七寶滿尒所恒河沙數三千大千世界以用
布施得福多不須菩提言甚多世尊佛告須
菩提若善男子善女人扵此經中乃至受持
四句偈等為他人說而此福德勝前福德
復次須菩提隨說是經乃至四句偈等當知
此處一切世間天人阿脩羅皆應供養如佛
塔廟何況有人盡能受持讀誦須菩提當知
是人成就最上第一希有之法若是經典所
在之處則為有佛若尊重弟子
尒時須菩提白佛言世尊當何名此經我等
云何奉持佛告須菩提是經名為金剛般若
波羅蜜以是名字汝當奉持所以者何須菩
提佛說般若波羅蜜則非般若波羅蜜須菩
提扵意云何如来有所說法不須菩提白佛言
世尊如来无所說須菩提扵意云何三千大
千世界所有微塵是為多不須菩提言甚
多世尊須菩提諸微塵如来說非微塵是名

BD03180號　金剛般若波羅蜜經　（5–2）

波羅蜜以是名字汝當奉持所以者何須菩
提佛說般若波羅蜜則非般若波羅蜜須菩
提於意云何如來有所說法不須菩提白佛言
世尊如來无所說須菩提於意云何三千大
千世界所有微塵是為多不須菩提言甚
多世尊須菩提諸微塵如來說非微塵是名
微塵如來說世界非世界是名世界須菩提
於意云何可以三十二相見如來不不也世尊
不可以三十二相得見如來何以故如來說
三十二相即是非相是名三十二相
須菩提若有善男子善女人以恒河沙等身
命布施若復有人於此經中乃至受持四句
偈等為他人說其福甚多
尒時須菩提聞說是經深解義趣涕淚悲泣
而白佛言希有世尊佛說如是甚深經典我
從昔來所得慧眼未曾得聞如是之經世尊
若復有人得聞是經信心清淨則生實相當
知是人成就第一希有功德世尊是實相者
則是非相是故如來說名實相世尊我今得
聞如是經典信解受持不足為難若當來世
後五百歲其有眾生得聞是經信解受持是
人則為第一希有何以故此人无我相人相眾
生相壽者相所以者何我相即是非相人相
眾生相壽者相即是非相何以故離一切諸
相則名諸佛
佛告須菩提如是如是若復有人得聞是經
不驚不怖不畏當知是人甚為希有何以故

BD03180 號　金剛般若波羅蜜經

（5–3）

眾生相壽者相即是非相何以故離一切諸
相則名諸佛
佛告須菩提如是如是若復有人得聞是經
不驚不怖不畏當知是人甚為希有何以故
須菩提如來說第一波羅蜜非第一波羅蜜
是名第一波羅蜜
須菩提忍辱波羅蜜如來說非忍辱波羅蜜
何以故須菩提如我昔為歌利王割截身體
我於尒時无我相无人相无眾生相无壽者
相何以故我於往昔節節支解時若有我相
人相眾生相壽者相應生瞋恨須菩提又念
過去於五百世作忍辱仙人於尒所世无我
相无人相无眾生相无壽者相是故須菩提
菩薩應離一切相發阿耨多羅三藐三菩提
心不應住色生心不應住聲香味觸法生心
應生无所住心若心有住則為非住是故佛
說菩薩心不應住色布施須菩提菩薩為利
益一切眾生應如是布施如來說一切諸相
即是非相又說一切眾生則非眾生
須菩提如來是真語者實語者如語者不
誑語者不異語者須菩提如來所得法此
法无實无虛
須菩提若菩薩心住於法而行布施如人入
闇則无所見若菩薩心不住法而行布施如
人有目日光明照見種種色
須菩提當來之世若善男子善女人能於此
經受持讀誦則為如來以佛智慧悉知是人

BD03180 號　金剛般若波羅蜜經

（5–4）

即是非相又說一切衆生則非衆生
須菩提如来是真語者實語者如語者不
誑語者不異語者須菩提如来所得法此
无實无虗
須菩提若菩薩心住於法而行布施如人入
闇則无所見若菩薩心不住法而行布施如
人有目日光明照見種種色
須菩提當来之世若有善男子善女人能於此
經受持讀誦則為如来以佛智慧悉知是人
悉見是人皆得成就无量无邊功德
須菩提若有善男子善女人初日分以恒河
沙等身布施中日分復以恒河沙等身布施
後日分亦以恒河沙等身布施如是无量百
千万億劫以身布施若復有人聞此經典信
心不逆其福勝彼何況書寫受持讀誦為
人解說
須菩提以要言之是經有不可思議不可
稱量无邊功德如来為發大乘者說為發最
上乘者說若有人能受持讀誦廣為人說如
来悉知是人悉見是人皆得成就不可量不可
稱无有邊不可思議功德如是人等則為荷
擔如来阿耨多羅三藐三菩提何以故須菩

BD03180 號　金剛般若波羅蜜經　（5–5）

无斷故
善現一切智智清淨故預流果清淨預流果
清淨故四无所畏清淨何以故若一切智智
清淨若預流果清淨若四无所畏清淨无二
无二分无別无斷故一切智智清淨故一來
不還阿羅漢果清淨一來不還阿羅漢果清
淨故四无所畏清淨何以故若一切智智清
淨若一來不還阿羅漢果清淨若四无所
畏清淨无二无二分无別无斷故善現一切
智智清淨故獨覺菩提清淨獨覺菩提清淨故
四无所畏清淨何以故若一切智智清淨若
獨覺菩提清淨若四无所畏清淨无二无
二分无別无斷故善現一切智智清淨故一
切菩薩摩訶薩行清淨一切菩薩摩訶
薩行清淨故四无所畏清淨何以故若一切智智
清淨若一切菩薩摩訶薩行清淨若四无所
畏清淨无二无二分无別无斷故善現一切
智智清淨故諸佛无上正等菩提清淨諸佛
无上正等菩提清淨故四无所畏清淨何以
故若一切智智清淨若諸佛无上正等菩提
清淨若四无所畏清淨无二无二分无別无

BD03181 號　大般若波羅蜜多經卷二七五　（7–1）

智智清淨故諸佛无上正等菩提清淨諸佛
无上正等菩提清淨故四无所畏清淨何以
故若一切智智清淨若諸佛无上正等菩提
清淨若四无所畏清淨无二无二分无別无
斷故
復次善現一切智智清淨故色清淨色清淨
故四无礙解清淨何以故若一切智智清淨
若色清淨若四无礙解清淨无二无二分
无別无斷故一切智智清淨故受想行識清
淨受想行識清淨故四无礙解清淨何以故若
一切智智清淨若受想行識清淨若四无礙
解清淨无二无二分无別无斷故善現一切
智智清淨故眼處清淨眼處清淨故四无礙
解清淨何以故若一切智智清淨若眼處清
淨若四无礙解清淨无二无二分无別无斷
故一切智智清淨故耳鼻舌身意處清淨耳
鼻舌身意處清淨故四无礙解清淨何以故
若一切智智清淨若耳鼻舌身意處清淨
若四无礙解清淨无二无二分无別无斷故善
現一切智智清淨故色處清淨色處清淨故
四无礙解清淨何以故若一切智智清淨若
色處清淨若四无礙解清淨无二无二分
无別无斷故一切智智清淨故聲香味觸法
處清淨聲香味觸法處清淨故四无礙解清淨
何以故若一切智智清淨若聲香味觸法

四无礙解清淨何以故若一切智智清淨若
色處清淨若四无礙解清淨无二无二分
无別无斷故一切智智清淨故聲香味觸法
處清淨聲香味觸法處清淨故四无礙解清淨
何以故若一切智智清淨若聲香味觸法
處清淨若四无礙解清淨无二无二分无別
无斷故善現一切智智清淨故眼界清淨眼
界清淨故四无礙解清淨何以故若一切智
智清淨若眼界清淨若四无礙解清淨无二
无二分无別无斷故一切智智清淨故色界
眼識界及眼觸眼觸為緣所生諸受清淨色
界乃至眼觸為緣所生諸受清淨故四无礙
解清淨何以故若一切智智清淨若色界乃
至眼觸為緣所生諸受清淨若四无礙解清
淨无二无二分无別无斷故善現一切智智
清淨故耳界清淨耳界清淨故四无礙解清
淨何以故若一切智智清淨若耳界清淨若
四无礙解清淨无二无二分无別无斷故一
切智智清淨故聲界耳識界及耳觸耳觸
為緣所生諸受清淨聲界乃至耳觸為緣所
生諸受清淨故四无礙解清淨何以故若一切
智智清淨若聲界乃至耳觸為緣所生諸受
清淨若四无礙解清淨无二无二分无別无
斷故善現一切智智清淨故鼻界清淨鼻界
清淨故四无礙解清淨何以故若一切智智

智智清淨若聲界乃至耳觸為緣所生諸受
清淨若四无礙解清淨无二无二分无別无
斷故善現一切智智清淨故鼻界清淨鼻界
清淨故四无礙解清淨何以故若一切智智
清淨若鼻界清淨若四无礙解清淨无二无
二分无別无斷故一切智智清淨故香界鼻
識界及鼻觸鼻觸為緣所生諸受清淨香界
乃至鼻觸為緣所生諸受清淨故四无礙解
清淨何以故若一切智智清淨若香界乃至
鼻觸為緣所生諸受清淨若四无礙解清淨
无二无二分无別无斷故
善現一切智智清淨故舌界清淨舌界清淨
故四无礙解清淨何以故若一切智智清淨
若舌界清淨若四无礙解清淨无二无二分
无別无斷故一切智智清淨故味界舌識界
及舌觸舌觸為緣所生諸受清淨味界乃至
舌觸為緣所生諸受清淨故四无礙解清淨
何以故若一切智智清淨若味界乃至舌觸
為緣所生諸受清淨若四无礙解清淨无二
无二分无別无斷故善現一切智智清淨故
身界清淨身界清淨故四无礙解清淨何以
故若一切智智清淨若身界清淨若四无礙
解清淨无二无二分无別无斷故一切智智
清淨故觸界身識界及身觸身觸為緣所生
諸受清淨觸界乃至身觸為緣所生諸受清
淨故四无礙解清淨何以故若一切智智清

BD03181號　大般若波羅蜜多經卷二七五　（7–4）

故若一切智智清淨若身界清淨若四无礙
解清淨无二无二分无別无斷故一切智智
清淨故觸界身識界及身觸身觸為緣所生
諸受清淨觸界乃至身觸為緣所生諸受清
淨故四无礙解清淨何以故若一切智智清
淨若觸界乃至身觸為緣所生諸受清淨若
四无礙解清淨无二无二分无別无斷故善
現一切智智清淨故意界清淨意界清淨故
四无礙解清淨何以故若一切智智清淨若
意界清淨若四无礙解清淨无二无二分无別
无斷故一切智智清淨故法界意識界及
意觸意觸為緣所生諸受清淨法界乃至
意觸為緣所生諸受清淨故四无礙解清淨
何以故若一切智智清淨若法界乃至意觸
為緣所生諸受清淨若四无礙解清淨无二
无二分无別无斷故善現一切智智清淨故
地界清淨地界清淨故四无礙解清淨何以
故若一切智智清淨若地界清淨若四无礙
解清淨无二无二分无別无斷故一切智智
清淨故水火風空識界清淨水火風空識界
清淨故四无礙解清淨何以故若一切智智
清淨若水火風空識界清淨若四无礙解清
淨无二无二分无別无斷故善現一切智智
清淨故无明清淨无明清淨故四无礙解清
淨何以故若一切智智清淨若无明清淨若
四无礙解清淨无二无二分无別无斷故一

BD03181號　大般若波羅蜜多經卷二七五　（7–5）

淨无二无二分无別无斷故善現一切智智
清淨故无明清淨无明清淨故四无礙解清
淨何以故若一切智智清淨若无明清淨若
四无礙解清淨无二无二分无別无斷故一
切智智清淨故行識名色六處觸受愛取有
生老死愁歎苦憂惱清淨行乃至老死愁歎
苦憂惱清淨故四无礙解清淨何以故若一
切智智清淨若行乃至老死愁歎苦憂惱清
淨若四无礙解清淨无二无二分无別无斷
故善現一切智智清淨故布施波羅蜜多清淨
布施波羅蜜多清淨故四无礙解清淨何以故
若一切智智清淨若布施波羅蜜多清淨若
四无礙解清淨无二无二分无別无斷故一
切智智清淨故淨戒安忍精進靜慮般若波
羅蜜多清淨淨戒乃至般若波羅蜜多清
淨故四无礙解清淨何以故若一切智智清淨
若淨戒乃至般若波羅蜜多清淨若四无
礙解清淨无二无二分无別无斷故善現一切
智智清淨故內空清淨內空清淨故四无礙
解清淨何以故若一切智智清淨若內空清
淨若四无礙解清淨无二无二分无別无斷
故一切智智清淨故外空內外空空空大空
勝義空有為空无為空畢竟空无際空散空
无變異空本性空自相空共相空一切法空
不可得空无性空自性空无性自性空清淨
外空乃至无性自性空清淨故四无礙解清

BD03181號　大般若波羅蜜多經卷二七五　（7–6）

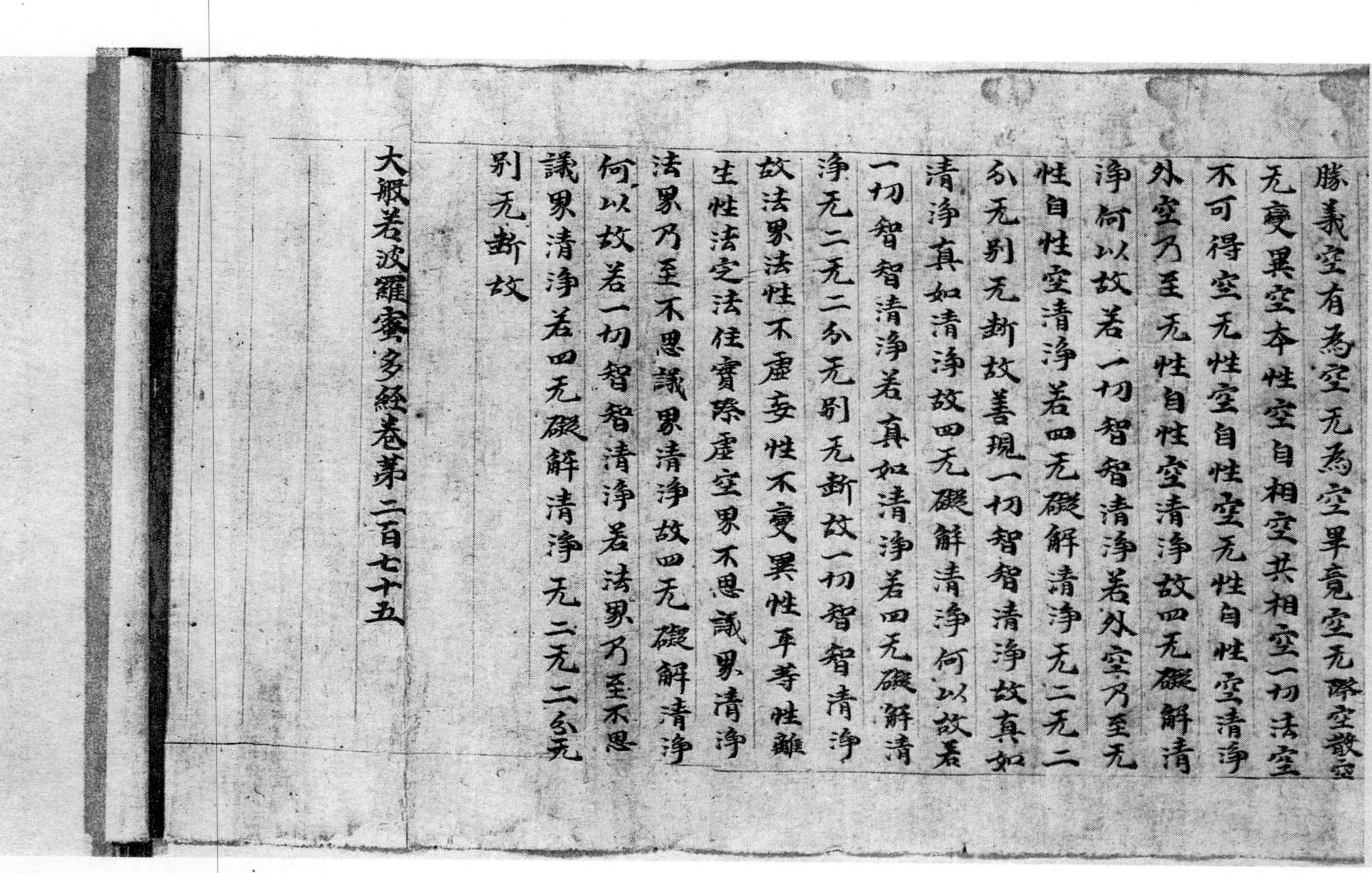
勝義空有為空无為空畢竟空无際空散空
无變異空本性空自相空共相空一切法空
不可得空无性空自性空无性自性空清淨
外空乃至无性自性空清淨故四无礙解清
淨何以故若一切智智清淨若外空乃至无
性自性空清淨若四无礙解清淨无二无二
分无別无斷故善現一切智智清淨故真如
清淨真如清淨故四无礙解清淨何以故若
一切智智清淨若真如清淨若四无礙解清
淨无二无二分无別无斷故一切智智清淨
故法界法性不虛妄性不變異性平等性離
生性法定法住實際虛空界不思議界清淨
法界乃至不思議界清淨故四无礙解清淨
何以故若一切智智清淨若法界乃至不思
議界清淨若四无礙解清淨无二无二分无
別无斷故

大般若波羅蜜多經卷苐二百七十五

BD03181號　大般若波羅蜜多經卷二七五　（7–7）

隨喜所有善根我今作[illegible]皆攝取
施一切衆生无悔恡心是解脫分善根所[illegible]
如佛世尊之所知見不可稱量无礙清淨如
是所有功德善根悉以迴施一切衆生不住
想心不捨相心我亦如是功德善根悉以迴
施一切衆生願皆獲得如意之手擬空出寶
滿衆生願富樂无盡智慧无窮妙法辯才悉
皆无滯共諸衆生同證阿耨多羅三藐三菩
提得一切智因此善根更復出生无量善法
亦皆迴向无上菩提又如過去諸大菩薩修
行之時功德善根悉皆迴向一切種智現在
未來亦復如是然我所有功德善根亦皆迴
向阿耨多羅三藐三菩提是諸善根願共一
切衆生俱成正覺如餘諸佛坐於道場菩提
樹下不可思議无礙清淨住於无盡法藏陁
羅尼首楞嚴定破魔波旬无量兵衆應見覺
知應可通達如是一切一剎那中悉皆照了於
後夜中獲甘露法證甘露義我及衆生願

BD03182號　金光明最勝王經卷三　（8–1）

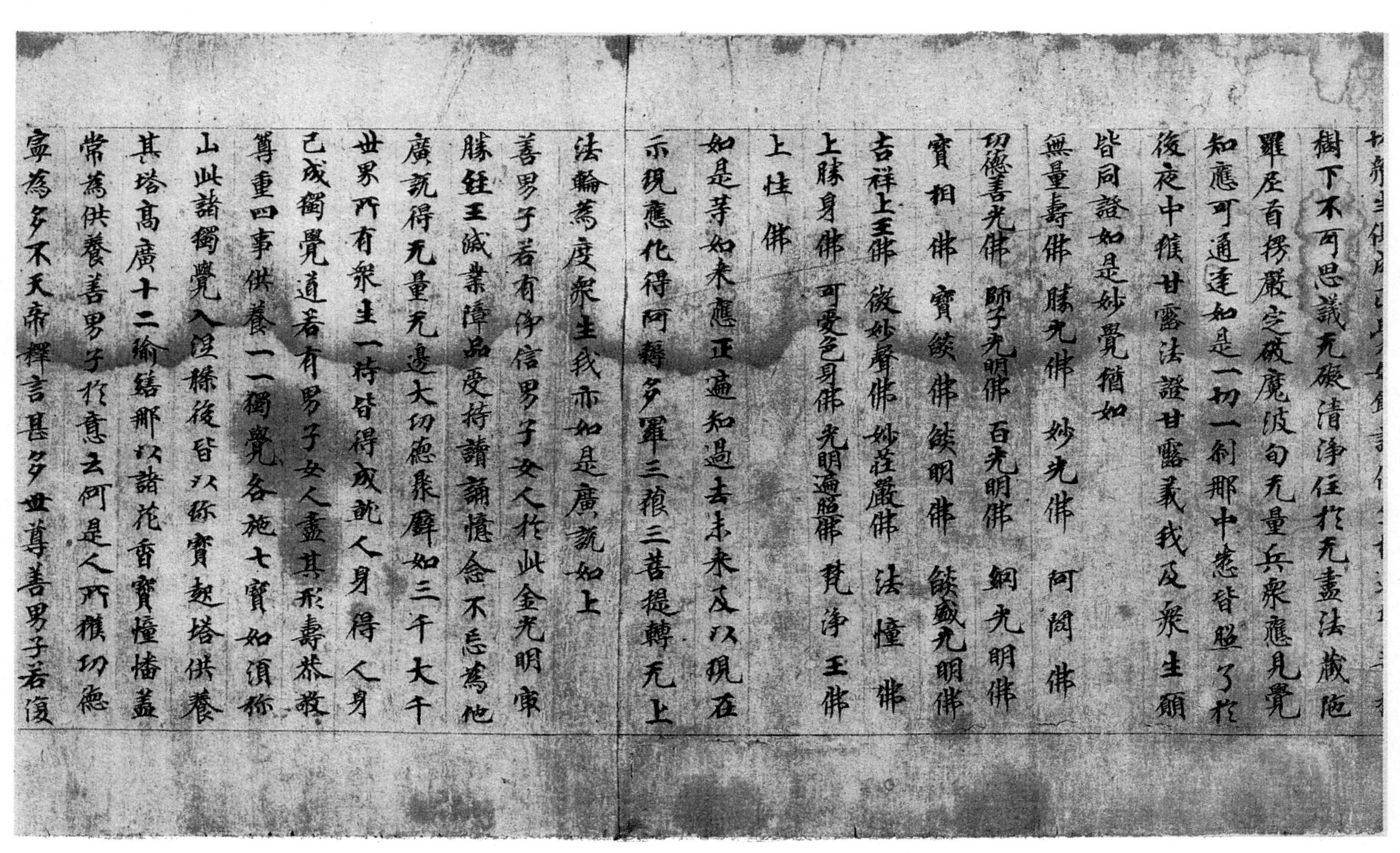

切衆生俱[illegible]
樹下不可思議无礙清淨住於无盡法藏陁
羅尼首楞嚴定破魔波旬无量兵衆應見覺
知應可通達如是一切一剎那中悉皆照了於
後夜中獲甘露法證甘露義我及衆生願
皆同證如是妙覺猶如
無量壽佛　勝光佛　妙光佛　阿閦佛
功德善光佛　師子光明佛　百光明佛　網光明佛
寶相佛　寶焰佛　焰明佛　焰盛光明佛
吉祥上王佛　微妙聲佛　妙莊嚴佛　法幢佛
上勝身佛　可愛色身佛　光明遍照佛　梵淨王佛
上性佛
如是等如來應正遍知過去未來及以現在
示現應化得阿耨多羅三藐三菩提轉无上
法輪爲度衆生我亦如是廣說如上
善男子若有淨信男子女人於此金光明最
勝經王滅業障品受持讀誦憶念不忘爲他
廣說得无量无邊大功德聚譬如三千大千
世界所有衆生一時皆得成就人身得人身
已成獨覺道若有男子女人盡其形壽恭敬
尊重四事供養一一獨覺各施七寶如須彌
山此諸獨覺入涅槃後皆以珍寶起塔供養
其塔高廣十二踰繕那以諸花香寶幢幡蓋
常爲供養善男子於意云何是人所獲功德
寧爲多不天帝釋言甚多世尊善男子若復

BD03182號　金光明最勝王經卷三　（8–2）

山此諸覺入涅槃後皆以珎寶起塔供養
其塔高廣十二踰繕那以諸花香寶幢旛蓋
常為供養善男子於意云何是人所獲功德
寧為多不天帝釋言甚多世尊善男子若復
有人於此金光明微妙經典衆經之王滅業
障品受持讀誦憶念不忘為他廣說所獲功
德於前所說供養功德百分不及一百千万
億分乃至校量譬喻所不能及何以故是善
男子善女人住正行中勸請十方一切諸佛
轉无上法輪皆為諸佛歡喜讚歎善男子如
我所說一切施中法施為勝是故善男子於
三寶所設諸供養不可為比勸受三歸持一
切戒无有毀犯三業不空不可為比一切世
界一切衆生隨力隨能隨所願樂於三乘中
勸發菩提心不可為比於三世中一切世界
所有衆生皆得无礙速令成就无量功德不
可為比三世刹土一切衆生令无障礙得三
菩提不可為比三世刹土一切衆生勸令速
出四惡道苦不可為比三世刹土一切衆生
勸令除滅極重惡業不可為比一切苦惱勸
令解脫不可為比一切怖畏苦惱逼切皆令
得解不可為比三世佛前一切衆生所有功
德勸令隨喜發菩提願不可為比勸除惡行
罵辱之業一切功德皆願成就所在生中勸
請供養尊重讚歎一切三寶勸請

得解不可為比三世佛前一切衆生所有功
德勸令隨喜發菩提願不可為比勸除惡行
罵辱之業一切功德皆願成就所在生中勸
請供養尊重讚歎一切三寶勸請衆生淨脩
福行成滿菩提不可為比是故當知勸請一
切世界三世三寶勸請滿足六波羅蜜勸請
轉於无上法輪勸請住世經无量劫演說无
量甚深妙法功德甚深无能比者
尒時天帝釋及恒河女神无量梵王四大天
衆從座而起偏袒右肩右膝著地合掌頂礼
白佛言世尊我等皆得聞是金光明最勝王
經今悉受持讀誦通利為他廣說依此法住
何以故世尊我等欲求阿耨多羅三藐三菩
提隨順此義種種勝相如法行故尒時梵王
及天帝釋等於說法處皆以種種曼陀羅花
而散佛上三千大千世界地皆大動一切天
鼓及諸音樂不鼓自鳴放金色光遍滿世界
出妙音聲時天帝釋白佛言世尊此等皆是
金光明經威神之力慈悲普救種種利益種
種增長菩薩善根滅諸業障佛言如是如是
如汝所說何以故善男子我念往昔過无量
百千阿僧祇劫有佛名寶王大光照如來應
正遍知出現於世住世六百八十億劫尒時
寶王大光照如來為欲度脫人天釋梵沙門

百千阿僧祇劫有佛名寶王大光照如來應
正遍知出現於世住世六百八十億劫尒時
寶王大光照如來為欲度脫人天釋梵沙門
婆羅門一切衆生令安樂故當出現時初會
說法度百千億億万衆皆得阿羅漢果諸漏
已盡三明六通自在无礙於第二會復度九
十千億億万衆皆得阿羅漢果諸漏已盡三
明六通自在无礙於第三會復度九十八千
億億万衆皆得阿羅漢果圓滿如上
善男子我於尒時作女人身名福寶光明於
第三會親近世尊受持讀誦是金光明經為
他廣說求阿耨多羅三藐三菩提致時彼世
尊為我授記此福寶光明女於未來世當得
作佛号釋迦牟尼如來應正遍知明行足善
逝世間解无上士調御丈夫天人師佛世尊
捨女身後從是以来越四惡道生人天中受
上妙樂八十四百千生作轉輪王至于今日
得成正覺名稱普聞遍滿世界時會大衆忽
然皆見寶王大光照如來轉无上法輪說微
妙法善男子去此娑訶世界東方過百千恒
河沙數佛土有世界名寶莊嚴其寶王大光
照如來今現在彼未般涅槃說微妙法廣化
群生汝等見者即是彼佛

BD03182號　金光明最勝王經卷三　（8–5）

河沙數佛土有世界名寶莊嚴其寶王大光
照如來今現在彼未般涅槃說微妙法廣化
群生汝等見者即是彼佛
善男子若有善男子善女人聞是寶王大光
照如來名号者於菩薩地得不退轉至大涅
槃若有女人聞是佛名者臨命終時得見彼
佛來至其所既見佛已究竟不復更受女身
善男子是金光明微妙經典種種利益種種
增長菩薩善根滅諸業障善男子若有苾芻
苾芻尼鄔波索迦鄔波斯迦隨在何處為人
講說是金光明微妙經典於其國土皆獲四
種福利善根云何為四一者國王无病離諸
灾厄二者壽命長遠无有障礙三者无諸怨
敵兵衆勇健四者安隱豐樂正法流通何以
故如是人王常為釋梵四王藥叉之衆共守
護故
尒時世尊告天衆曰善男子是事實不是時
无量釋梵四王及藥叉衆俱時同聲荅世尊
言如是如是若有國土講宣讀誦此妙經王
是諸國主我等四王常來擁護行住共俱其
王若有一切灾障及諸怨敵我等四王皆使
消殄憂愁疾疫亦令除差增益壽命感應禎
祥所願遂心恒生歡喜我等亦能令其國中
所有軍兵悉皆勇健佛言善哉善哉善男子

BD03182號　金光明最勝王經卷三　（8–6）

王若有一切災障及諸怨敵我等四王皆使
消殄憂愁疾疫亦令除差增益壽命感應禎
祥所願遂心恒生歡喜我等亦能令其國中
所有軍兵悉皆勇健佛言善哉善哉善男子
如汝所說汝當脩行何以故是諸國王如法
行時一切人民隨王脩習如法行者汝等皆
蒙色力勝利宮殿光明眷屬強盛時釋梵等
白佛言如是世尊佛言若有講讀此妙經典
流通之處於其國中大臣輔相有四種益云
何爲四一者更相親穆尊重愛念二者常爲
人王心所愛重亦爲沙門婆羅門大國小國
之所遵敬三者輕財重法不求世利嘉名普
暨衆所欽仰四者壽命延長安隱快樂是名
四益若有國土宣說是經沙門婆羅門得四
種勝利云何爲四一者衣服飲食卧具醫藥
无所乏少二者皆得安心思惟讀誦三者依
於山林得安樂住四者隨心所願皆得滿足
是名四種勝利若有國土宣說是經一切人
民皆得豐樂无諸疾疫商估往還多獲寶
貨具足勝福是名種種功德利益
尒時梵釋四天王及諸大衆白佛言世尊如
是經典甚深之義若現在者當知如來世七
種助菩提法住世未滅若是經典滅盡之時
正法亦滅佛言如是如是善男子是故汝等

BD03182號　金光明最勝王經卷三　（8–7）

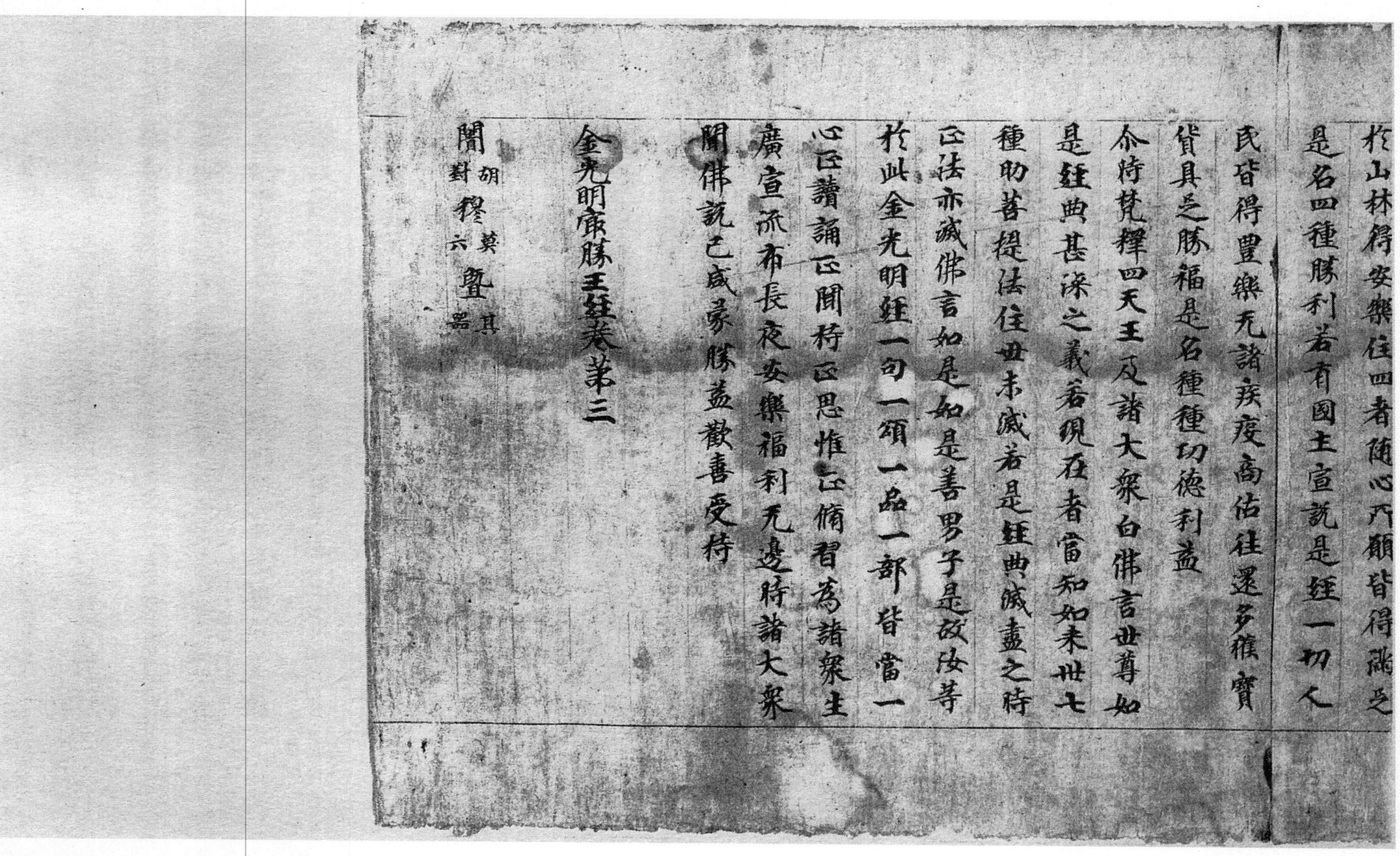

於山林得安樂住四者隨心所願皆得滿足
是名四種勝利若有國土宣說是經一切人
民皆得豐樂无諸疾疫商估往還多獲寶
貨具足勝福是名種種功德利益
尒時梵釋四天王及諸大衆白佛言世尊如
是經典甚深之義若現在者當知如來世七
種助菩提法住世未滅若是經典滅盡之時
正法亦滅佛言如是如是善男子是故汝等
於此金光明經一句一頌一品一部皆當一
心正讀誦正聞持正思惟正脩習爲諸衆生
廣宣流布長夜安樂福利无邊時諸大衆
聞佛說已咸蒙勝益歡喜受持

金光明最勝王經卷第三

闍胡對　稽莫六　盤其器

BD03182號　金光明最勝王經卷三　（8–8）

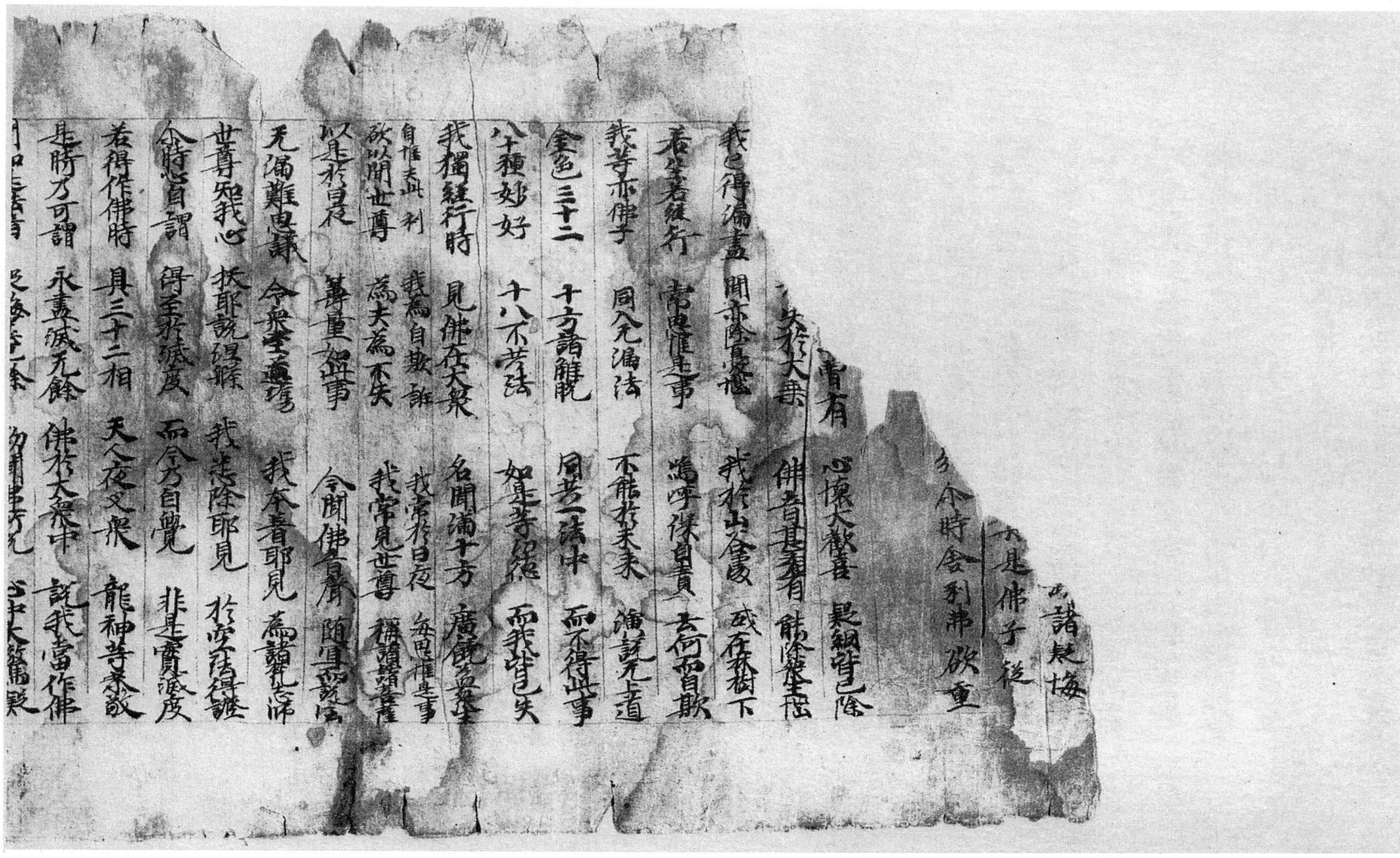

[illegible]諸疑悔

乃是佛子 從

尒時舍利弗欲重

曾有 心懷大歡喜 疑網皆已除

失於大乘 佛音甚希有 能除眾生惱

我已得漏盡 聞亦除憂惱 我處於山谷 或在林樹下

若坐若經行 常思惟是事 嗚呼深自責 云何而自欺

我等亦佛子 同入无漏法 不能於未來 演說无上道

金色三十二 十力諸解脫 同共一法中 而不得此事

八十種妙好 十八不共法 如是等功德 而我皆已失

我獨經行時 見佛在大眾 名聞滿十方 廣饒益眾生

自惟失此利 我為自欺誑 我常於日夜 每思惟是事

欲以問世尊 為失為不失 我常見世尊 稱讚諸菩薩

以是於日夜 籌量如是事 今聞佛音聲 隨宜而說法

无漏難思議 令眾至道場 我本著邪見 為諸梵志師

世尊知我心 拔邪說涅槃 我悉除邪見 於空法得證

尒時心自謂 得至於滅度 而今乃自覺 非是實滅度

若得作佛時 具三十二相 天人夜叉眾 龍神等恭敬

是時乃可謂 永盡滅无餘 佛於大眾中 說我當作佛

聞如是法音 疑悔悉已除 初聞佛所說 心中大驚疑

BD03183號　妙法蓮華經卷二　（27–1）

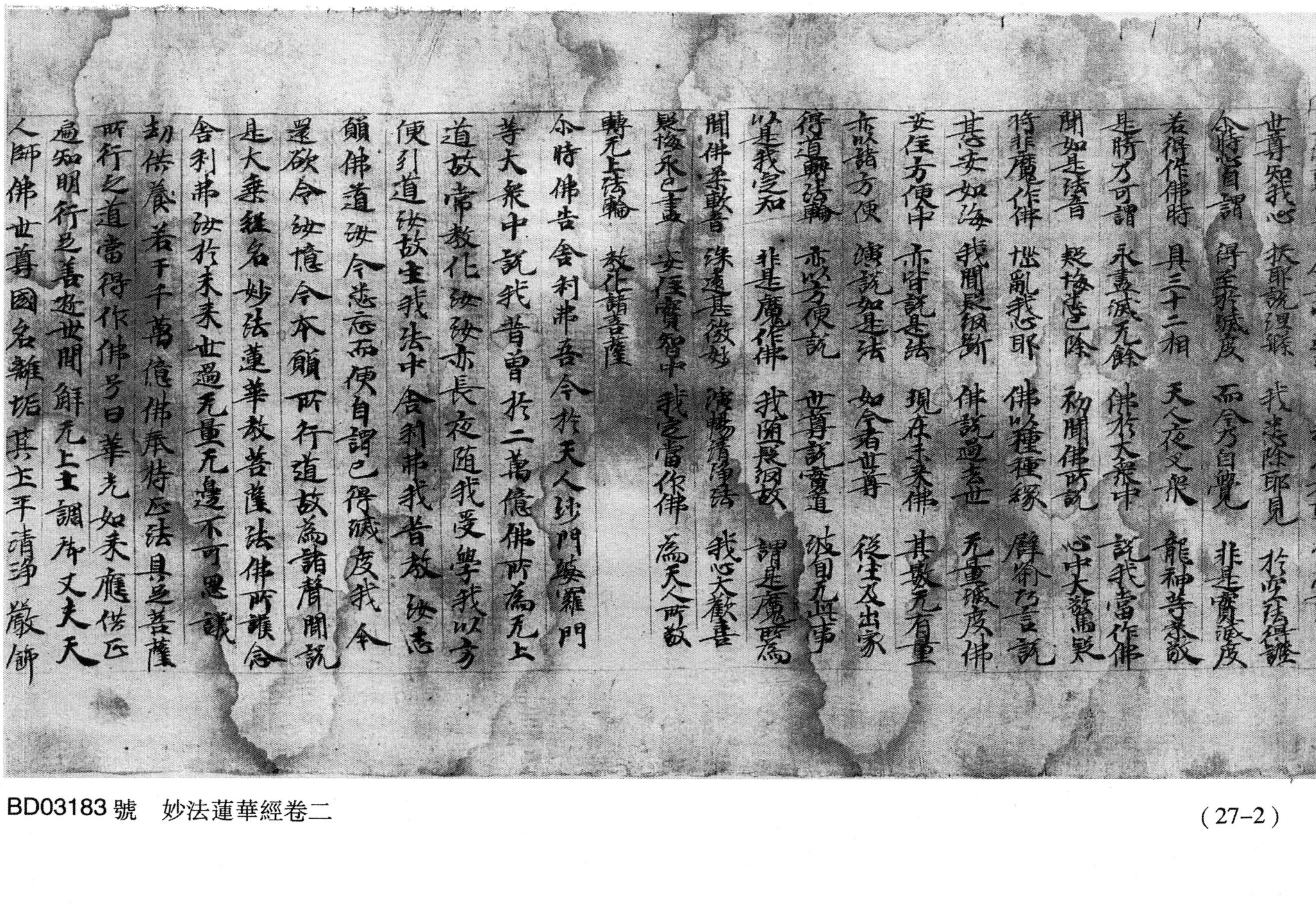

无漏難思議 令眾至道場 我本著邪見 為諸梵志師

世尊知我心 拔邪說涅槃 我悉除邪見 於空法得證

尒時心自謂 得至於滅度 而今乃自覺 非是實滅度

若得作佛時 具三十二相 天人夜叉眾 龍神等恭敬

是時乃可謂 永盡滅无餘 佛於大眾中 說我當作佛

聞如是法音 疑悔悉已除 初聞佛所說 心中大驚疑

將非魔作佛 惱亂我心耶 佛以種種緣 譬喻巧言說

其心安如海 我聞疑網斷 佛說過去世 无量滅度佛

安住方便中 亦皆說是法 現在未來佛 其數无有量

亦以諸方便 演說如是法 如今者世尊 從生及出家

得道轉法輪 亦以方便說 世尊說實道 波旬无此事

以是我定知 非是魔作佛 我墮疑網故 謂是魔所為

聞佛柔軟音 深遠甚微妙 演暢清淨法 我心大歡喜

疑悔永已盡 安住實智中 我定當作佛 為天人所敬

轉无上法輪 教化諸菩薩

尒時佛告舍利弗 吾今於天人沙門婆羅門

等大眾中說 我昔曾於二萬億佛所 為无上

道故 常教化汝 汝亦長夜隨我受學 我以方

便引導汝故 生我法中 舍利弗 我昔教汝志

願佛道 汝今悉忘 而便自謂已得滅度 我今

還欲令汝憶念本願所行道故 為諸聲聞說

是大乘經 名妙法蓮華 教菩薩法 佛所護念

舍利弗 汝於未來世 過无量无邊不可思議

劫 供養若干千萬億佛 奉持正法 具足菩薩

所行之道 當得作佛 號曰華光如來 應供 正

遍知 明行足 善逝 世間解 无上士 調御丈夫 天

人師 佛 世尊 國名離垢 其土平正清淨 嚴飾

BD03183號　妙法蓮華經卷二　（27–2）

是大乘經名妙法蓮華教菩薩法佛所護念
舍利弗汝於未來世過无量无邊不可思議
劫供養若干千萬億佛奉持正法具足菩薩
所行之道當得作佛号曰華光如來應供正
遍知明行足善逝世間解无上士調御丈夫天
人師佛世尊國名離垢其土平清淨嚴飾
飾安隱豐樂天人熾盛瑠璃為地有八交道
黃金為繩以界其側其傍各有七寶行樹常
有華菓華光如來亦以三乘教化眾生舍利
弗彼佛出時雖非惡世以本願故說三乘法
其劫名大寶莊嚴何故名曰大寶莊嚴其
國中以菩薩為大寶故彼諸菩薩无量无邊不
可思議算數譬喻所不能及非佛智力无能
知者若欲行時寶華承足此諸菩薩非初發
意皆久殖德本於无量百千萬億佛所淨脩
梵行恒為諸佛之所稱歎常脩佛慧具大神
通善知一切諸法之門質直无偽志念堅固如
是菩薩充滿其國舍利弗華光佛壽十二
小劫除為王子未作佛時其國人民壽八小
劫華光如來過十二小劫授堅滿菩薩阿耨
多羅三藐三菩提記告比丘是堅滿菩薩
次當作佛号曰華足安行多陀阿伽度阿羅
訶三藐三佛陀其佛國土亦復如是舍利
弗是華光佛滅度之後正法住世三十二小劫
像法住世亦三十二小劫尒時世尊欲重宣
此義而說偈言
舍利弗來世　成佛普智尊　号名曰華光　當度无量眾

BD03183號　妙法蓮華經卷二　（27–3）

像法住世亦三十二小劫尒時世尊欲重宣
此義而說偈言
舍利弗來世　成佛普智尊　号名曰華光　當度无量眾
供養无數佛　具足菩薩行　十方等功德　證於无上道
過无量劫已　劫名大寶嚴　世界名離垢　清淨无瑕穢
以瑠璃為地　金繩界其道　七寶雜色樹　常有華菓實
彼國諸菩薩　志念常堅固　神通波羅蜜　皆已悉具足
於无數佛所　善學菩薩道　如是等大士　華光佛所化
佛為王子時　棄國捨世榮　於最末後身　出家成佛道
華光佛住世　壽十二小劫　其國人民眾　壽命八小劫
佛滅度之後　正法住於世　三十二小劫　廣度諸眾生
正法滅盡已　像法三十二　舍利廣流布　天人普供養
華光佛所為　其事皆如是　其兩足聖尊　最勝无倫匹
彼即是汝身　宜應自欣慶
尒時四部眾比丘比丘尼優婆塞優婆夷天
龍夜叉乾闥婆阿脩羅迦樓羅緊那羅摩睺
羅伽等大眾見舍利弗於佛前受阿耨多羅
三藐三菩提記心大歡喜踊躍无量各各脫
身所著上衣以供養佛釋提桓因梵天王等
與无數天子亦以天妙衣天曼陀羅華摩訶
曼陀羅華等供養於佛所散天衣住虛空
中而自迴轉諸天伎樂百千萬種於虛空中一時
俱作雨眾天華而作是言佛昔於波羅柰初
轉法輪今乃復轉无上最大法輪尒時諸天
子欲重宣此義而說偈言
昔於波羅柰　轉四諦法輪　分別說諸法　五眾之生滅

BD03183號　妙法蓮華經卷二　（27–4）

轉法輪今乃復轉无上最大法輪尒時諸天
子欲重宣此義而說偈言
昔於波羅柰　轉四諦法輪　分別說諸法　五衆之生滅
今復轉最妙　无上大法輪　是法甚深奧　少有能信者
我等從昔來　數聞世尊說　未曾聞如是　深妙之上法
世尊說是法　我等皆隨喜　大智舍利弗　今得受尊記
我等亦如是　必當得作佛　於一切世間　最尊无有上
佛道叵思議　方便隨宜說　我所有福業　今世若過世
及見佛功德　盡迴向佛道
尒時舍利弗白佛言世尊我今无復疑悔親於
佛前得受阿耨多羅三藐三菩提記是諸
千二百心自在者昔住學地佛常教化言我
法能離生老病死究竟涅槃是學无學
人亦各自離我見及有无見等謂得涅槃而今
於世尊前聞所未聞皆墮疑惑善哉世尊願
為四衆說其因緣令離疑悔尒時佛告舍利
弗我先不言諸佛世尊以種種因緣譬喻言
辭方便說法皆為阿耨多羅三藐三菩提耶
是諸所說皆為化菩薩故然舍利弗今當復
以譬喻更明此義諸有智者以譬喻得解舍
利弗若國邑聚落有大長者其年衰邁財富
无量多有田宅及諸僮僕其家廣大唯有一
門多諸人衆一百二百乃至五百人止住其
中堂閣朽故墻壁隤落柱根腐敗梁棟傾危
周帀俱時欻然火起焚燒舍宅長者諸子若
十二十或至三十在此宅中長者見是大火

BD03183號　妙法蓮華經卷二　（27–5）

无量多有田宅及諸僮僕其家廣大唯有一
門多諸人衆一百二百乃至五百人止住其
中堂閣朽故墻壁隤落柱根腐敗梁棟傾危
周帀俱時欻然火起焚燒舍宅長者諸子若
十二十或至三十在此宅中長者見是大火
從四面起即大驚怖而作是念我雖能於此
所燒之門安隱得出而諸子等於火宅內樂
著嬉戲不覺不知不驚不怖火來逼身苦痛
切己心不厭患无求出意舍利弗是長者作
是思惟我身手有力當以衣裓若以几案從
舍出之復更思惟是舍唯有一門而復狹小
諸子幼稚未有所識戀著戲處或當墮落為
火所燒我當為說怖畏之事此舍已燒宜時
疾出无令為火之所燒害作是念已如所思
惟具告諸子汝等速出父雖憐愍善言誘
喻而諸子等樂著嬉戲不肯信受不驚不
畏了无出心亦復不知何者是火何者為舍云何
為失但東西走戲視父而已尒時長者即作
是念此舍已為大火所燒我及諸子若不時
出必為所焚我今當設方便令諸子等得免
斯害父知諸子先心各有所好種種珍玩奇
異之物情必樂著而告之言汝等所可玩好
希有難得汝若不取後必憂悔如此種種羊
車鹿車牛車今在門外可以遊戲汝等於此
火宅宜速出來隨汝所欲皆當與汝尒時諸
子聞父所說珍玩之物適其願故心各勇銳

BD03183號　妙法蓮華經卷二　（27–6）

希有難得汝若不取後必憂悔如此種種羊
車鹿車牛車今在門外可以遊戲汝等於此
火宅宜速出來隨汝所欲皆當與汝尒時諸
子聞父所說珎玩之物適其願故心各勇銳
互相推排競共馳走爭出火宅是時長者見
諸子等安隱得出皆於四衢道中露地而坐无
復障礙其心泰然歡喜踊躍時諸子等各
白父言父先所許玩好之具羊車鹿車牛車
願時賜與舍利弗尒時長者各賜諸子等一
大車其車高廣衆寶莊校周帀欄楯四面懸
鈴又於其上張設幰蓋亦以珎奇雜寶而嚴
飾之寶繩交絡垂諸華瓔重敷綩綖安置丹
枕駕以白牛膚色充潔形體姝好有大筋力
行步平正其疾如風又多僕從而侍衛之所
以者何是大長者財富无量種種諸藏悉皆
充溢而作是念我財物无極不應以下劣小
車與諸子等今此幼童皆是吾子愛无偏黨
我有如是七寶大車其數无量應當等心各
各與之不宜差別所以者何以我此物周給
一國猶尚不匱何況諸子是時諸子各乘大
車得未曾有非本所望舍利弗於汝意云
何是長者等與諸子珎寶大車寧有虛妄不
舍利弗言不也世尊是長者但令諸子得免火
難全其軀命非為虛妄何以故若全身命
便為已得玩好之具況復方便於彼火宅而拔
濟之世尊若是長者乃至不與㝡小一車猶
不虛妄何以故是長者先作是意我以方便

BD03183號　妙法蓮華經卷二

（27–7）

舍利弗言不也世尊是長者但令諸子得免火
難全其軀命非為虛妄何以故若全身命
便為已得玩好之具況復方便於彼火宅而拔
濟之世尊若是長者乃至不與㝡小一車猶
不虛妄何以故是長者先作是意我以方便
令子得出以是因緣无虛妄也何況長者自
知財富无量欲饒益諸子等與大車佛告
舍利弗善哉善哉如汝所言舍利弗如來亦
復如是則為一切世間之父於諸怖畏衰惱憂
患无明闇蔽永盡无餘而悉成就无量知見
力无所畏有大神力及智慧力具足方便智慧
波羅蜜大慈大悲常无懈惓恒求善事利
益一切而生三界朽故火宅為度衆生生老病
死憂悲苦惱愚癡闇蔽三毒之火教化令
得阿耨多羅三藐三菩提見諸衆生為生
老病死憂悲苦惱之所燒煮亦以五欲財
利故受種種苦又以貪著追求故現受衆苦
後受地獄畜生餓鬼之苦若生天上及在人間
貧窮困苦愛別離苦怨憎會苦如是等種
種諸苦衆生沒在其中歡喜遊戲不覺不知
不驚不怖亦不生猒不求解脫於此三界火宅東
西馳走雖遭大苦不以為患舍利弗佛見此已
便作是念我為衆生之父應拔其苦難與
无量无邊佛智慧樂令其遊戲舍利弗如來
復作是念若我但以神力及智慧力捨於方
便為諸衆生讚如來知見力无所畏者衆生

BD03183號　妙法蓮華經卷二

（27–8）

便作是念我為衆生之父應抜其苦難與
无量无邊佛智慧樂令其遊戲舍利弗如來
復作是念若我但以神力及智慧力捨於方
便為諸衆生讚如來知見力无所畏者衆生
不能以是得度所以者何是諸衆生未免生
老病死憂悲苦惱而為三界火宅所燒何由
能解佛之智慧舍利弗如彼長者雖復身手
有力而不用之但以慇懃方便免濟諸子火
宅之難然後各與珎寶大車如來亦復如是
雖有力无所畏而不用之但以智慧方便於三
界火宅抜濟衆生為說三乘聲聞辟支佛
佛乘而作是言汝等莫得樂住三界火宅勿
貪麁弊色聲香味觸也若貪著生愛則
為所燒汝速出三界當得三乘聲聞辟支佛
佛乘我今為汝保任此事終不虛也汝等但當
勤修精進如來以是方便誘進衆生復作是言
汝等當知此三乘法皆是聖所稱歎自在无
繫无所依求乘是三乘以无漏根力覺道禪
定解脫三昧等而自娛樂便得无量安隱快
樂舍利弗若有衆生内有智性從佛世尊聞
法信受慇懃精進欲速出三界自求涅槃是
名聲聞乘如彼諸子為求羊車出於火宅若
有衆生從佛世尊聞法信受慇懃精進求自
然慧樂獨善寂深知諸法因緣是名辟支佛
乘如彼諸子為求鹿車出於火宅若有衆生
從佛世尊聞法信受勤修精進求一切智佛
智自然智无師智如來知見力无所畏愍念

BD03183號　妙法蓮華經卷二　（27–9）

然慧樂獨善寂深知諸法因緣是名辟支佛
乘如彼諸子為求鹿車出於火宅若有衆生
從佛世尊聞法信受勤修精進求一切智佛
智自然智无師智如來知見力无所畏愍念
安樂无量衆生利益天人度脫一切是名大
乘菩薩求此乘故名為摩訶薩如彼諸子
求牛車出於火宅舍利弗如彼長者見諸子
等安隱得出火宅到无畏處自惟財富无量
等以大車而賜諸子如來亦復如是為一切三
衆生之父若見无量億千衆生以佛教門出
三界苦怖畏險道得涅槃樂如來今時便作
是念我有无量无邊智慧力无畏等諸佛法
藏是諸衆生皆是我子等與大乘不令有人
獨得滅度皆以如來滅度而滅度之是諸衆
生脫三界者悉與諸佛禪定解脫等娛樂之
具皆是一相一種聖所稱歎能生淨妙第一
之樂舍利弗如彼長者初以三車誘引諸子然
後但與大車寶物莊嚴安隱第一然彼長
者无虛妄之咎如來亦復如是无有虛妄初
說三乘引導衆生然後但以大乘而度脫之
何以故如來有无量智慧力无所畏諸法之
藏能與一切衆生大乘之法不但盡能受舍
利弗以是因緣當知諸佛方便力故於一佛
乘分別說三佛欲重宣此義而說偈言
譬如長者　有一大宅　其宅久故　而復頓弊
堂舍高危　柱根摧朽　梁棟傾斜　基陛隤毀

BD03183號　妙法蓮華經卷二　（27–10）

利弗以是因緣當知諸佛方便力故於一佛乘
分別說三佛欲重宣此義而說偈言
譬如長者　有一大宅　其宅久故　而復頓弊
堂舍高危　柱根摧朽　梁棟傾斜　基陛隤毀
墻壁圮坼　泥塗褫落　覆苫亂墜　椽梠差脫
周障屈曲　雜穢充遍　有五百人　止住其中
鵄梟鵰鷲　烏鵲鳩鴿　蚖蛇蝮蠍　蜈蚣蚰蜒
守宮百足　狖狸鼷鼠　諸惡虫輩　交橫馳走
屎尿臭處　不淨流溢　蜣蜋諸虫　而集其上
狐狼野干　咀嚼踐蹋　嚌齧死屍　骨肉狼藉
由是群狗　競來搏撮　飢羸慞惶　處處求食
鬪諍摣掣　啀喍嗥吠　其舍恐怖　變狀如是
處處皆有　魑魅魍魎　夜叉惡鬼　食噉人肉
毒虫之屬　諸惡禽獸　孚乳產生　各自藏護
夜叉競來　爭取食之　食之既飽　惡心轉熾
鬪諍之聲　甚可怖畏　鳩槃荼鬼　蹲踞土埵
或時離地　一尺二尺　往返遊行　縱逸嬉戲
捉狗兩足　撲令失聲　以腳加頸　怖狗自樂
復有諸鬼　其身長大　裸形黑瘦　常住其中
發大惡聲　叫呼求食　復有諸鬼　其咽如針
復有諸鬼　首如牛頭　或食人肉　或復噉狗
頭髮蓬亂　殘害兇險　飢渴所逼　叫喚馳走
夜叉餓鬼　諸惡鳥獸　飢急四向　窺看窗牖
如是諸難　恐畏無量　是朽故宅　屬于一人
其人近出　未久之間　於後宅舍　忽然火起
四面一時　其焰俱熾　棟梁椽柱　爆聲震裂

夜叉餓鬼　諸惡鳥獸　飢急四向　窺看窗牖
如是諸難　恐畏無量　是朽故宅　屬于一人
其人近出　未久之間　於後宅舍　忽然火起
四面一時　其焰俱熾　棟梁椽柱　爆聲震裂
摧折墮落　墻壁崩倒　諸鬼神等　揚聲大叫
鵰鷲諸鳥　鳩槃荼等　周章惶怖　不能自出
惡獸毒虫　藏竄孔穴　毗舍闍鬼　亦住其中
薄福德故　為火所逼　共相殘害　飲血噉肉
野干之屬　並已前死　諸大惡獸　競來食噉
臭烟熢㶿　四面充塞　蜈蚣蚰蜒　毒蛇之類
為火所燒　爭走出穴　鳩槃荼鬼　隨取而食
又諸餓鬼　頭上火然　飢渴熱惱　周章悶走
其宅如是　甚可怖畏　毒害火災　眾難非一
是時宅主　在門外立　聞有人言　汝諸子等
先因遊戲　來入此宅　稚小無知　歡娛樂著
長者聞已　驚入火宅　方宜救濟　令無燒害
告喻諸子　說眾患難　惡鬼毒虫　災火蔓莚
眾苦次第　相續不絕　毒蛇蚖蝮　及諸夜叉
鳩槃荼鬼　野干狐狗　鵰鷲鵄梟　百足之屬
飢渴惱急　甚可怖畏　此苦難處　況復大火
諸子無知　雖聞父誨　猶故樂著　嬉戲不已
是時長者　而作是念　諸子如此　益我愁惱
今此舍宅　無一可樂　而諸子等　耽湎嬉戲
不受我教　將為火害　即便思惟　設諸方便
告諸子等　我有種種　珍玩之具　妙寶好車
羊車鹿車　大牛之車　今在門外　汝等出來

不受我教 將為火害 即便思惟 設諸方便
告諸子等 我有種種 珍玩之具 妙寶好車
羊車鹿車 大牛之車 今在門外 汝等出來
吾為汝等 造作此車 隨意所樂 可以遊戲
諸子聞說 如此諸車 即時奔競 馳走而出
到於空地 離諸苦難 長者見子 得出大宅
住於四衢 坐師子座 而自慶言 我今快樂
此諸子等 生育甚難 愚小无知 而入險宅
多諸毒虫 魑魅可畏 大火猛焰 四面俱起
而此諸子 貪樂嬉戲 我已救之 令得脫難
是故諸人 我今快樂 尒時諸子 知父安坐
皆詣父所 而白父言 願賜我等 三種寶車
如前所許 諸子出來 當以三車 隨汝所欲
今正是時 唯垂給與 長者大富 庫藏衆多
金銀琉璃 車𤦲馬瑙 以衆寶物 造諸大車
裝校嚴飾 周帀欄楯 四面懸鈴 金繩交絡
真珠羅網 張施其上 金華諸瓔 處處垂下
衆綵雜飾 周帀圍繞 柔軟繒纊 以為茵蓐
上妙細氎 價直千億 鮮白淨潔 以覆其上
有大白牛 肥壯多力 形體姝好 以駕寶車
多諸儐從 而侍衛之 以是妙車 等賜諸子
諸子是時 歡喜踊躍 乘是寶車 遊於四方
嬉戲快樂 自在无礙 告舍利弗 我亦如是
衆聖中尊 世間之父 一切衆生 皆是吾子
深著世樂 无有慧心 三界无安 猶如大宅
衆苦充滿 甚可怖畏 常有生老 病死憂患
如是等火 熾然不息 如來已離 三界大宅

BD03183號　妙法蓮華經卷二　（27–13）

衆聖中尊 世間之父 一切衆生 皆是吾子
深著世樂 无有慧心 三界无安 猶如大宅
衆苦充滿 甚可怖畏 常有生老 病死憂患
如是等火 熾然不息 如來已離 三界大宅
寂然閑居 安處林野 今此三界 皆是我有
其中衆生 悉是吾子 而今此處 多諸患難
唯我一人 能為救護 雖復教詔 而不信受
於諸欲染 貪著深故 以是方便 為說三乘
是諸子等 若心決定 具足三明 及六神通
令諸衆生 知三界苦 開示演說 出世間道
有得緣覺 不退菩薩 汝舍利弗 我為衆生
以此譬喻 說一佛乘 汝等若能 信受是語
一切皆當 成得佛道 是乘微妙 清淨第一
於諸世間 為無有上 佛所悅可 一切衆生
所應稱讚 供養礼拜 无量億千 諸力解脫
禪定智慧 及佛餘法 得如是乘 令諸子等
日夜劫數 常得遊戲 與諸菩薩 及聲聞衆
乘此寶乘 直至道場 以是因緣 十方諦求
更无餘乘 除佛方便 告舍利弗 汝諸人等
皆是吾子 我則是父 汝等累劫 衆苦所燒
我皆濟拔 令出三界 我雖先說 汝等滅度
但盡生死 而實不滅 今所應作 唯佛智慧
若有菩薩 於是衆中 能一心聽 諸佛實法
諸佛世尊 雖以方便 所化衆生 皆是菩薩
若人小智 深著愛欲 為此等故 說於苦諦
衆生心喜 得未曾有 佛說苦諦 真實无異

BD03183號　妙法蓮華經卷二　（27–14）

若有菩[illegible]
諸佛世尊　雖以方便　所化眾生　皆是菩薩
若人小智　深著愛欲　為此等故　說於苦諦
眾生心喜　得未曾有　佛說苦諦　真實无異
若有眾生　不知苦本　深著苦因　不能暫捨
為是等故　方便說道　諸苦所因　貪欲為本
若滅貪欲　无所依止　滅盡諸苦　名第三諦
為滅諦故　修行於道　離諸苦縛　名得解脫
是人於何　而得解脫　但離虛妄　名為解脫
其實未得　一切解脫　佛說是人　未實滅度
斯人未得　无上道故　我意不欲　令至滅度
我為法王　於法自在　安隱眾生　故現於世
汝舍利弗　我此法印　為欲利益　世間故說
在所遊方　勿妄宣傳　若有聞者　隨喜頂受
當知是人　阿惟越致　若有信受　此經法者
是人已曾　見過去佛　恭敬供養　亦聞是法
若人有能　信汝所說　則為見我　亦見於汝
及比丘僧　并諸菩薩　斯法華經　為深智說
淺識聞之　迷惑不解　一切聲聞　及辟支佛
於此經中　力所不及　汝舍利弗　尚於此經
以信得入　況餘聲聞　其餘聲聞　信佛語故
隨順此經　非己智分　又舍利弗　憍慢懈怠
計我見者　莫說此經　凡夫淺識　深著五欲
聞不能解　亦勿為說　若人不信　毀謗此經
則斷一切　世間佛種　或復顰蹙　而懷疑惑
汝當聽說　此人罪報　若佛在世　若滅度後
其有誹謗　如斯經典　見有讀誦　書持經者
[illegible]

BD03183號　妙法蓮華經卷二

（27–15）

隨順此經　非己智分　又舍利弗　憍慢懈怠
計我見者　莫說此經　凡夫淺識　深著五欲
聞不能解　亦勿為說　若人不信　毀謗此經
則斷一切　世間佛種　或復顰蹙　而懷疑惑
汝當聽說　此人罪報　若佛在世　若滅度後
其有誹謗　如斯經典　見有讀誦　書持經者
輕賤憎嫉　而懷結恨　此人罪報　汝今復聽
其人命終　入阿鼻獄　具足一劫　劫盡更生
如是展轉　至无數劫　從地獄出　當墮畜生
若狗野干　其形頯瘦　黧黮疥癩　人所觸嬈
又復為人　之所惡賤　常困飢渴　骨肉枯竭
生受楚毒　死被瓦石　斷佛種故　受斯罪報
若作駱駝　或生驢中　身常負重　加諸杖捶
但念水草　餘无所知　謗斯經故　獲罪如是
有作野干　來入聚落　身體疥癩　又无一目
為諸童子　之所打擲　受諸苦痛　或時致死
於此死已　更受蟒身　其形長大　五百由旬
聾騃无足　蜿轉腹行　為諸小虫　之所唼食
晝夜受苦　无有休息　謗斯經故　獲罪如是
若得為人　諸根闇鈍　矬陋攣躄　盲聾背傴
有所言說　人不信受　口氣常臭　鬼魅所著
貧窮下賤　為人所使　多病痟瘦　无所依怙
雖親附人　人不在意　若有所得　尋復忘失
若修醫道　順方治病　更增他病　或復致死
若他反逆　抄劫竊盜　如是等罪　橫羅其殃
如斯罪人　永不見佛　眾聖之王　說法教化

BD03183號　妙法蓮華經卷二

（27–16）

雖親附人 人不在意 若有所得 尋復忘失
若脩醫道 順方治病 更增他病 或復致死
若他反逆 抄劫竊盜 如是等罪 横羅其殃
如斯罪人 永不見佛 衆聖之王 説法教化
如斯罪人 常生難處 狂聾心亂 永不聞法
於无數劫 如恒河沙 生輒聾瘂 諸根不具
常處地獄 如遊園觀 在餘惡道 如己舍宅
駝驢猪狗 是其行處 謗斯經故 獲罪如是
若得爲人 聾盲瘖瘂 貧窮諸衰 以自莊嚴
水腫乾痟 疥癩癰疽 如是等病 以爲衣服
身常臭處 垢穢不淨 深著我見 增益瞋恚
婬欲熾盛 不擇禽獸 若説其罪 窮劫不盡
告舍利佛 謗斯經者 若説其罪 窮劫不盡
以是因緣 我故語汝 无智人中 莫説此經
若有利根 智慧明了 多聞強識 求佛道者
如是之人 乃可爲説 若人曾見 億百千佛
殖諸善本 深心堅固 如是之人 乃可爲説
若人精進 常脩慈心 不惜身命 乃可爲説
若人恭敬 无有異心 離諸凡愚 獨處山澤
如是之人 乃可爲説 又舍利弗 若見有人
捨惡知識 親近善友 如是之人 乃可爲説
若見佛子 持戒清潔 如淨明珠 求大乘經
如是之人 乃可爲説 若人无瞋 質直柔軟
常愍一切 恭敬諸佛 如是之人 乃可爲説
復有佛子 於大衆中 以清淨心 種種因緣
譬喻言辞 説法无礙 如是之人 乃可爲説
若有比丘 爲一切智 四方求法 合掌頂受

如是之人 乃可爲説 若人无瞋 質直柔軟
常愍一切 恭敬諸佛 如是之人 乃可爲説
復有佛子 於大衆中 以清淨心 種種因緣
譬喻言辞 説法无礙 如是之人 乃可爲説
若有比丘 爲一切智 四方求法 合掌頂受
若有比丘 爲一切智 四方求法 合掌頂受
但樂受持 大乘經典 乃至不受 餘經一偈
如是之人 乃可爲説 如人至心 求佛舍利
如是求經 得已頂受 其人不復 志求餘經
亦未曾有 外道典籍 如是之人 乃可爲説
告舍利弗 我説是相 求佛道者 窮劫不盡
如是人等 則能信受 汝當爲説 妙法華經

妙法蓮華經信解品第四

尒時慧命須菩提摩訶迦旃延摩訶迦葉摩
訶目揵連從佛所聞未曾有法世尊授舍利
弗阿耨多羅三藐三菩提記發希有心歡喜
踊躍即從座起整衣服偏袒右肩右膝著地
一心合掌曲躬恭敬瞻仰尊顔而白佛言
我等居僧之首年並朽邁自謂已得涅槃无所堪
任不復進求阿耨多羅三藐三菩提世尊
往昔説法既久我時在座身體疲懈但念空
无相无作於菩薩法遊戲神通淨佛國土成
就衆生心不喜樂所以者何世尊令我等出
於三界得涅槃證又今我等年已朽邁於佛
教化菩薩阿耨多羅三藐三菩提不生一念
好樂之心我等今於佛前聞授聲聞阿耨多

於三界得涅槃證又今我等年已朽邁於佛
教化菩薩阿耨多羅三藐三菩提不生一念
好樂之心我等今於佛前聞授聲聞阿耨多
羅三藐三菩提記心甚歡喜得未曾有不謂
於今忽然得聞希有之法深自慶幸獲大
善利无量珎寶不求自得世尊我等今者樂說
譬喻以明斯義譬若有人年既幼稚捨父
逃逝久住他國或十二十至五十歲年既長大
加復窮困馳騁四方以求衣食漸漸遊行遇
向本國其父先來求子不得中止一城其家
大富財寶无量金銀琉璃珊瑚虎珀頗梨珠
等其諸倉庫悉皆盈溢多有僮僕臣佐吏民
象馬車乘牛羊无數出入息利乃遍他國商
估賈客亦甚衆多時貧窮子遊諸聚落經歷
國邑遂到其父所止之城父每念子與子離別
五十餘年而未曾向人說如此事但自思惟
心懷悔恨自念老朽多有財物金銀珎寶倉
庫盈溢无有子息一旦終沒財物散失无
所委付是以慇懃每憶其子復作是念我若得
子委付財物坦然快樂无復憂慮世尊尒
時窮子傭賃展轉遇到父舍住立門側遙見
其父踞師子床寶几承足諸婆羅門剎利居
士皆恭敬圍繞以真珠瓔珞價直千萬莊嚴
其身吏民僮僕手執白拂侍立左右覆以寶
帳垂諸華幡香水灑地散衆名華羅列寶物
出內取與有如是等種種嚴飾威德特尊窮

其身吏民僮僕手執白拂侍立左右覆以寶
帳垂諸華幡香水灑地散衆名華羅列寶物
出內取與有如是等種種嚴飾威德特尊窮
子見父有大力勢即懷恐怖悔來至此竊作
是念此或是王或是王等非我傭力得物之
處不如往至貧里肆力有地衣食易得若久
住此或見逼迫強使我作作是念已疾走而
去時富長者於師子座見子便識心大歡喜
即作是念我財物庫藏今有所付我常思念
此子无由見之而忽自來甚適我願我雖年
朽猶故貪惜即遣傍人急追將還尒時使者
疾走往捉窮子驚愕稱怨大喚我不相犯何
為見捉使者執之愈急強牽將還于時窮子
自念无罪而被囚執此必定死轉更惶怖悶
絕躄地父遙見之而語使言不須此人勿強
將來以冷水灑面令得醒悟莫復與語所以
者何父知其子志意下劣自知豪貴為子所難
審知是子而以方便不語他人云是我子使者
語之我今放汝隨意所趣窮子歡喜得
未曾有從地而起往至貧里以求衣食尒時
長者將欲誘引其子而設方便密遣二人形
色憔悴无威德者汝可詣彼徐語窮子此有
作處倍與汝直窮子若許將來使作若言欲
何所作便可語之雇汝除糞我等二人亦共
汝作時二使人即求窮子既已得之具陳上
事尒時窮子先取其價尋與除糞其父

色憔悴无威德者汝可詣彼徐語窮人此有
作處倍與汝直窮子若許將來使作言欲
何所作便可語之雇汝除糞我等二人亦共
汝作時二使人即求窮子既已得之具陳上
事尒時窮子先取其價尋與除糞其父
見子愍而怪之又以他日於窓牖中遥見子身
羸瘦顦悴糞土塵坌汙穢不淨即脱瓔珞
細軟上服嚴飾之具更著麁弊垢膩之衣塵土
坌身右手執持除糞之器狀有所畏語諸作人
汝等勤作勿得懈息以方便故得近其子後復
告言咄男子汝常此作勿復餘去當加汝
價諸有所須瓫器米麵塩酢之屬莫自疑難
亦有老弊使人須者相給好自安意我如汝
父勿復憂慮所以者何我年老大而汝少壯汝
常作時无有欺怠瞋恨怨言都不見汝有
此諸惡如餘作人自今已後如所生子即時長
者更與作字名之為兒尒時窮子雖欣此
遇猶故自謂客作賤人由是之故於二十年
中常令除糞過是已後心相體信入出无難
然其所止猶在本處世尊尒時長者有疾自
知將死不久語窮子言我今多有金銀珎寶
倉庫盈溢其中多少所應取與汝悉知之我
心如是當體此意所以者何今我與汝便為
不異宜加用心无令漏失尒時窮子即受教
勅領知衆物金銀珎寶及諸庫藏而无希取
一飡之意然其所止故在本處下劣之心亦
未能捨復經少時父知子意漸以通泰成就

BD03183號　妙法蓮華經卷二　（27–21）

不異宜加用心无令漏失尒時窮子即受教
勅領知衆物金銀珎寶及諸庫藏而无希取
一飡之意然其所止故在本處下劣之心亦
未能捨復經少時父知子意漸以通泰成就
大志自鄙先心臨欲終時而命其子并會親
族國王大臣刹利居士皆悉已集即自宣言
諸君當知此是我子我之所生於某城中捨
吾逃走竛竮辛苦五十餘年其本字某我名
某甲昔在本城懷憂推覓忽於此間遇會得
之此實我子我實其父今我所有一切財物皆
是子有先所出内是子所知世尊是時窮子聞
父此言即大歡喜得未曽有而作是念
我本无心有所希求今此寶藏自然而至世
尊大富長者則是如来我等皆似佛子如来
常說我等為子世尊我等以三苦故於生死
中受諸熱惱迷惑无知樂著小法今日世尊
令我等思惟蠲除諸法戲論之糞我等於中
勤加精進得至涅槃一日之價既得此已心大
歡喜自以為足便自謂於佛法中勤精進
故所得弘多然世尊先知我等心著弊欲樂
於小法便見縱捨不為分別汝等當有
如来知見寶藏之分世尊以方便力說如来智慧
我等從佛得涅槃一日之價以為大得於此大
乘无有志求我等又因如来智慧為諸菩薩
開示演說而自於此无有志願所以者何佛
知我等心樂小法以方便力隨我等說而我
我等不知真是佛子今我等方知世尊於佛

BD03183號　妙法蓮華經卷二　（27–22）

聞示演說而自於此无有志願所以者何佛
知我等心樂小法以方便力隨我等說而我
我等不知真是佛子今我等方知世尊於佛
智慧无所悋惜所以者何我等昔來真是佛
子而但樂小法若我等有樂大之心佛則為
我說大乘法於此經中唯說一乘而昔於菩
薩前毀呰聲聞樂小法者然佛實以大乘
教化是故我等說本无有心有所希求今法王
大寶自然而至如佛子所應得者皆已得之
尒時摩訶迦葉欲重宣此義而說偈言
我等今日　聞佛音教　歡喜踊躍　得未曾有
佛說聲聞　當得作佛　无上寶聚　不求自得
譬如童子　幼稚无識　捨父逃逝　遠到他土
周流諸國　五十餘年　其父憂念　四方推求
求之既疲　頓止一城　造立舍宅　五欲自娛
其家巨富　多諸金銀　車渠馬瑙　真珠琉璃
象馬牛羊　輦輿車乘　田業僮僕　人民眾多
出入息利　乃遍他國　商估賈人　无處不有
千萬億眾　圍繞恭敬　常為王者　之所愛念
群臣豪族　皆共宗重　以諸緣故　往來者眾
豪富如是　有大力勢　而年朽邁　益憂念子
夙夜惟念　死時將至　癡子捨我　五十餘年
庫藏諸物　當如之何　尒時窮子　求索衣食
從邑至邑　從國至國　或有所得　或无所得
飢餓羸瘦　體生瘡癬　漸次經歷　到父住城
傭賃展轉　遂至父舍　尒時長者　於其門內

BD03183號　妙法蓮華經卷二　（27–23）

從邑至邑　從國至國　或有所得　或无所得
飢餓羸瘦　體生瘡癬　漸次經歷　到父住城
傭賃展轉　遂至父舍　尒時長者　於其門內
施大寶帳　處師子座　眷屬圍繞　諸人侍衛
或有計算　金銀寶物　出內財產　注記券疏
窮子見父　豪貴尊嚴　謂是國王　若國王等
驚怖自怪　何故至此　覆自念言　我若久住
或見逼迫　強驅使作　思惟是已　馳走而去
借問貧里　欲往傭作　長者是時　在師子座
遙見其子　默而識之　即勅使者　追捉將來
窮子驚喚　迷悶躃地　是人執我　必當見殺
何用衣食　使我至此　長者知子　愚癡狹劣
不信我言　不信是父　即以方便　更遣餘人
眇目矬陋　无威德者　汝可語之　云當相雇
除諸糞穢　倍與汝價　窮子聞之　歡喜隨來
為除糞穢　淨諸房舍　長者於牖　常見其子
念子愚劣　樂為鄙事　於是長者　著弊垢衣
執除糞器　往到子所　方便附近　語令勤作
既益汝價　并塗足油　飲食充足　薦席厚暖
如是苦言　汝當勤作　又以軟語　若如我子
長者有智　漸令入出　經二十年　執作家事
示其金銀　真珠頗梨　諸物出入　皆使令知
猶處門外　止宿草菴　自念貧事　我无此物
父知子心　漸已曠大　欲與財物　即聚親族
國王大臣　剎利居士　於大眾中　說是我子
捨我他行　經五十歲　自見子來　已二十年

BD03183號　妙法蓮華經卷二　（27–24）

猶處門外 止宿草菴 自念貧事 我无此物
父知子心 漸已曠大 欲與財物 即聚親族
國王大臣 剎利居士 於此大眾 說是我子
捨我他行 經五十歲 自見子來 已二十年
昔於某城 而失是子 周行求索 遂來至此
凡我所有 舍宅人民 悉以付之 恣其所用
子念昔貧 志意下劣 今於父所 大獲珍寶
并及舍宅 一切財物 甚大歡喜 得未曾有
佛亦如是 知我樂小 未曾說言 汝等作佛
而說我等 得諸无漏 成就小乘 聲聞弟子
佛勅我等 說最上道 修習此者 當得成佛
我承佛教 為大菩薩 以諸因緣 種種譬喻
若干言辭 說无上道 諸佛子等 從我聞法
日夜思惟 精勤修習 是時諸佛 即授其記
汝於來世 當得作佛 一切諸佛 祕藏之法
但為菩薩 演其實事 而不為我 說斯真要
如彼窮子 得近其父 雖知諸物 心不希取
我等雖說 佛法寶藏 自无志願 亦復如是
我等內滅 自謂為足 唯了此事 更无餘事
我等若聞 淨佛國土 教化眾生 都无欣樂
所以者何 一切諸法 皆悉空寂 无生无滅
无大无小 无漏无為 如是思惟 不生喜樂
我等長夜 於佛智慧 无貪无著 无復志願
而自於法 謂是究竟 我等長夜 修習空法
得脫三界 苦惱之患 住最後身 有餘涅槃
佛所教化 得道不虛 則為已得 報佛之恩

BD03183號　妙法蓮華經卷二　（27–25）

而自於法 謂是究竟 我等長夜 修習空法
得脫三界 苦惱之患 住最後身 有餘涅槃
佛所教化 得道不虛 則為已得 報佛之恩
我等雖為 諸佛子等 說菩薩法 以求佛道
而於是法 永无願樂 導師見捨 觀我心故
初不勸進 說有實利 如富長者 知子志劣
以方便力 柔伏其心 然後乃付 一切財物
佛亦如是 現希有事 知樂小者 以方便力
調伏其心 乃教大智 我等今日 得未曾有
非先所望 而今自得 如彼窮子 得无量寶
世尊我今 得道得果 於无漏法 得清淨眼
我等長夜 持佛淨戒 始於今日 得其果報
法王法中 久修梵行 今得无漏 无上大果
我等今者 真是聲聞 以佛道聲 令一切聞
我等今者 真阿羅漢 於諸世間 天人魔梵
普於其中 應受供養 世尊大恩 以希有事
憐愍教化 利益我等 无量億劫 誰能報者
手足供給 頭頂禮敬 一切供養 皆不能報
若以頂戴 兩肩荷負 於恒沙劫 盡心恭敬
又以美饍 无量寶衣 及諸臥具 種種湯藥
牛頭栴檀 及諸珍寶 以起塔廟 寶衣布地
如斯等事 以用供養 於恒沙劫 亦不能報
諸佛希有 无量无邊 不可思議 大神通力
无漏无為 諸法之王 能為下劣 忍于斯事
取相凡夫 隨宜而說 諸佛於法 得最自在
知諸眾生 種種欲樂 及其志力 隨所堪任
以无量喻 而為說法 隨諸眾生 宿世善根

BD03183號　妙法蓮華經卷二　（27–26）

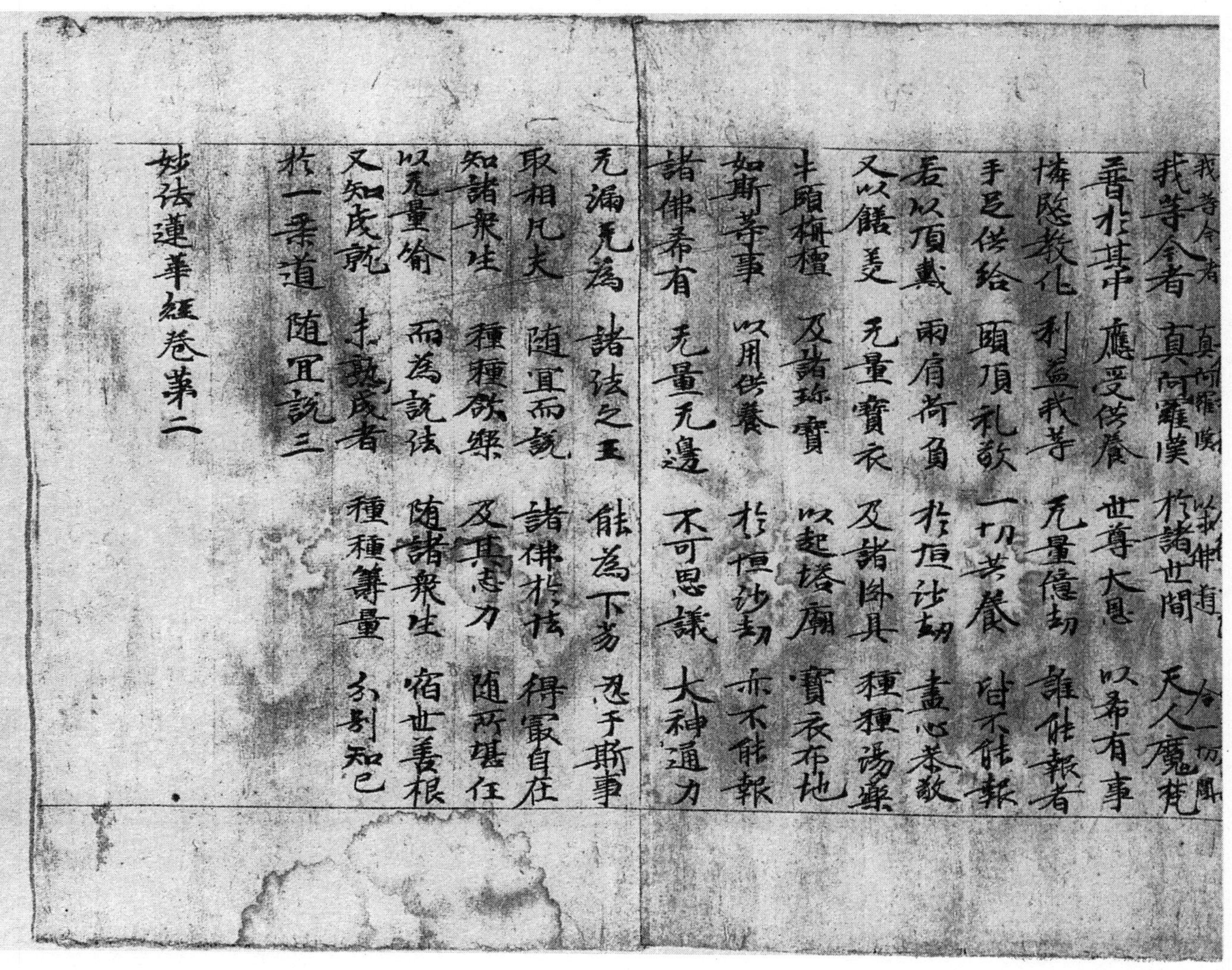

BD03183號　妙法蓮華經卷二

（27–27）

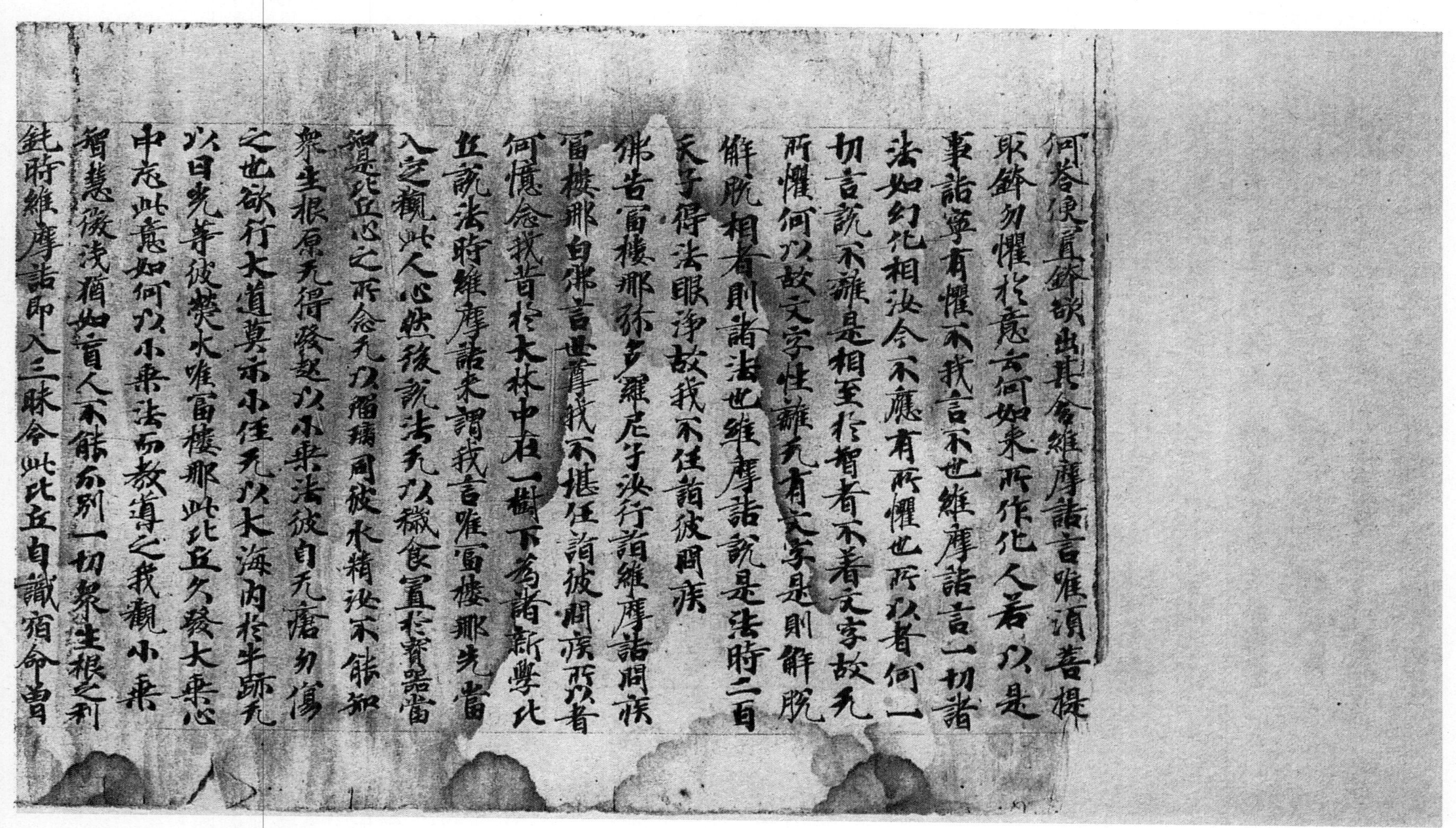

BD03184號　維摩詰所說經卷上

（2–1）

BD03184號　維摩詰所說經卷上　（2–2）

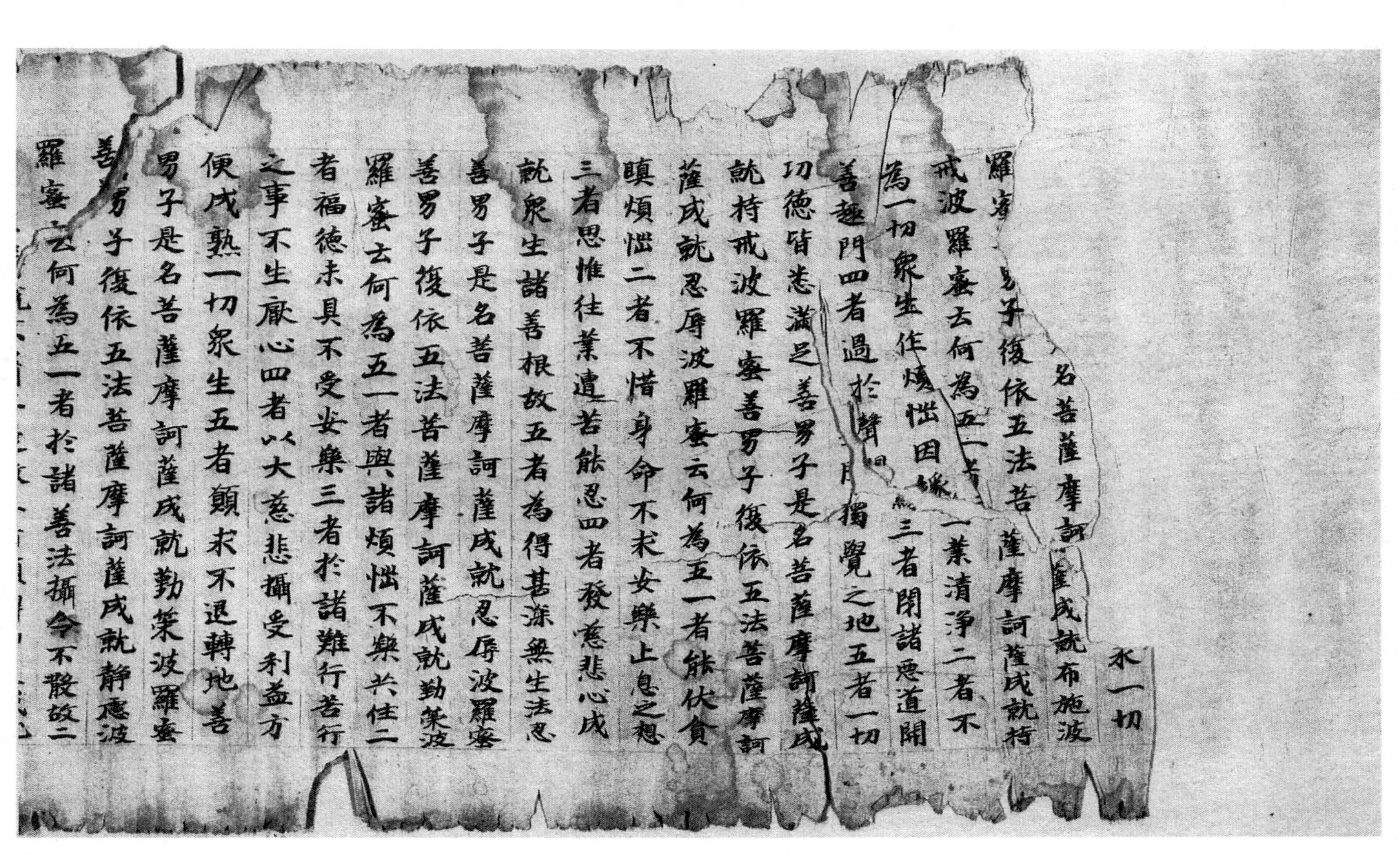

永一切
名菩薩摩訶薩成就布施波
羅蜜男子復依五法菩薩摩訶薩成就持
戒波羅蜜云何為五一業清淨二者不
為一切衆生作煩惱因緣三者閉諸惡道開
善趣門四者過於聲聞獨覺之地五者一切
功德皆悉滿足善男子是名菩薩摩訶薩成
就持戒波羅蜜善男子復依五法菩薩摩訶
薩成就忍辱波羅蜜云何為五一者能伏貪
瞋煩惱二者不惜身命不求安樂止息之想
三者思惟往業遭苦能忍四者發慈悲心成
就衆生諸善根故五者為得甚深無生法忍
善男子是名菩薩摩訶薩成就忍辱波羅蜜
善男子復依五法菩薩摩訶薩成就勤策波
羅蜜云何為五一者與諸煩惱不樂共住二
者福德未具不受安樂三者於諸難行苦行
之事不生厭心四者以大慈悲攝受利益方
便成熟一切衆生五者願求不退轉地善
男子是名菩薩摩訶薩成就勤策波羅蜜
善男子復依五法菩薩摩訶薩成就靜慮波
羅蜜云何為五一者於諸善法攝令不散故二

BD03185號　金光明最勝王經卷四　（5–1）

男子是名菩薩摩訶薩成就勤策波羅蜜
善男子復依五法菩薩摩訶薩成就靜慮波
羅蜜云何為五一者於諸善法攝令不散故二
者常願解脫不着二邊故三者願得神通成就
衆生諸善根故四者為淨法界蠲除心垢故
五者為斷衆生煩惱根本故善男子是名菩
薩摩訶薩成就靜慮波羅蜜善男子復依
五法菩薩摩訶薩成就智慧波羅蜜云何為五
一者常於一切諸佛菩薩及明智者供養親近不
生猒背二者諸佛如来說甚深法心常樂聞無
有猒足三者真俗勝智樂善分別四者見脩煩
惱咸速斷除五者世間技術五明之法皆悉通達
善男子是名菩薩摩訶薩成就智慧波羅蜜善
男子復依五法菩薩摩訶薩成就方便波羅蜜云
何為五一者於一切衆生意樂煩惱心行差別悉皆
通達二者無量諸法對治之門心皆曉了三者大
慈悲定出入自在四者於諸波羅蜜多皆願修行
成熟滿足五者一切佛法皆願了達攝受無遺
善男子是名菩薩摩訶薩成就方便勝智波
羅蜜善男子復依五法菩薩摩訶薩成就願
波羅蜜云何為五一者於一切法從本以来
不生不滅非有非無心得安住二者觀一切
法最妙理趣離垢清淨心得安住三者過一
切相心本真如無作無行不異不動心得
安住四者為欲利益諸衆生事於俗諦中心
得安住五者於奢摩他毗鉢舍那同時運行心

BD03185號　金光明最勝王經卷四

（5–2）

切相心本真如無作無行不異不動心得
安住四者為欲利益諸衆生事於俗諦中心
得安住五者於奢摩他毗鉢舍那同時運行心
得安住善男子是菩薩摩訶薩成就願波
羅蜜善男子復依五法菩薩摩訶薩成就力
波羅蜜云何為五一者以正智力能了一切
衆生心行善惡二者能令一切衆生入於甚
深微妙之法三者一切衆生輪迴生死隨其
縁業如實了知四者於諸衆生三種根性以
正智力能分別五者於諸衆生如理為說
令種善根成就度脫皆是智力故善男子是
名菩薩摩訶薩成就力波羅蜜善男子復依
五法菩薩摩訶薩成就智波羅蜜云何為五
一者能於諸法分別善惡二者於黑白法遠
離攝受三者能於生死涅槃不猒不喜四者
具福智行至究竟處五者受勝灌頂能得諸
佛不共法等及一切智智善男子是名菩薩
摩訶薩成就智波羅蜜善男子何者是波羅
蜜義所謂修習勝利是波羅蜜義滿足無量
大甚深智是波羅蜜義行非行法心不執着
是波羅蜜義生死過失涅槃功德正覺正觀
是波羅蜜義愚人智人皆悉攝受是波羅蜜
義能現種種珎妙法寶是波羅蜜義無礙解
脫智慧滿足是波羅蜜義法界衆生界正分
別知是波羅蜜義施等及智能令至不退轉
是波羅蜜義無生法忍能令滿足是波羅蜜

BD03185號　金光明最勝王經卷四

（5–3）

是波羅蜜義愚人智人皆悉攝受是波羅蜜
義能現種種珎妙法寶是波羅蜜義無礙解
脫智慧滿足是波羅蜜義法界衆生正分
別知是波羅蜜義施等及智能令至不退轉
是波羅蜜義無生法忍能令滿足是波羅蜜
義一切衆生功德善根能令成熟是波羅蜜
義能於菩提成佛十力四無所畏不共法等
皆悉成就是波羅蜜義生死涅槃了無二相
是波羅蜜義濟度一切是波羅蜜義一切外
道來相詰難善能解釋令其降伏是波羅蜜
義能轉十二妙行法輪是波羅蜜義無所著
無所見無患累是波羅蜜多義
善男子初地菩薩是相先現三千大千世界
無量無邊種種寶藏無不盈滿菩薩悉見善
男子二地菩薩是相先現三千大千世界地平
如掌無量無邊種種妙色清淨珎寶莊嚴
之具菩薩悉見善男子三地菩薩是相先現
自身勇健甲仗莊嚴一切怨賊皆能摧伏菩
薩悉見善男子四地菩薩是相先現四方風
輪種種妙花悉皆散灑充布地上菩薩悉見
善男子五地菩薩是相先現有妙寶女衆寶
瓔珞周遍嚴身首冠名花以為其飾菩薩悉
見善男子六地菩薩是相先現七寶花池有
四階道金砂遍布清淨無穢八功德水皆悉
盈滿嗢鉢羅花拘物頭花分陁利花隨處莊
嚴於花池所遊戲快樂清涼無比菩薩悉見

BD03185號　金光明最勝王經卷四

（5–4）

薩悉見善男子四地菩薩是相先現四方風
輪種種妙花悉皆散灑充布地上菩薩悉見
善男子五地菩薩是相先現有妙寶女衆寶
瓔珞周遍嚴身首冠名花以為其飾菩薩悉
見善男子六地菩薩是相先現七寶花池有
四階道金砂遍布清淨無穢八功德水皆悉
盈滿嗢鉢羅花拘物頭花分陁利花隨處莊
嚴於花池所遊戲快樂清涼無比菩薩悉見
善男子七地菩薩是相先現於菩薩前有諸
衆生應墮地獄以菩薩力便得不墮無有損
傷亦無恐怖菩薩悉見善男子八地菩薩是
相先現於身兩邊有師子王以為衛護一切
衆獸悉皆怖畏菩薩悉見善男子九地菩薩
是相先現轉輪聖王無量億衆圍繞供養頂
上白蓋無量衆寶之所莊嚴菩薩悉見善男
子十地菩薩是相先現如來之身金色晃耀
無量淨光悉皆圓滿有無量億梵王圍繞恭
敬供養轉於無上微妙法輪菩薩悉見
善男子云何初地名為歡喜謂初證得出世
之心昔所未得而今始得於大事用如其所願

BD03185號　金光明最勝王經卷四

（5–5）

輸底九 達磨底 …… 莎訶萁特……
唎莎訶十五
……二五姟佛一時同聲說是无量壽宗要經陀羅尼曰
□□薄伽勃底一 阿波唎蜜哆二 阿喻紇硯娜三 須毗你悉指陀四 囉佐耶五 怛他羯他耶六
怛姪他唵七 薩婆桑悉迦囉八 波唎輸底九 達磨底十 伽伽娜十一 莎訶萁特伽底十二 薩
婆婆毗輸底十三 摩訶娜耶十四 波唎婆唎莎訶十五
爾時復有三十六姟佛一時同聲說是无量壽宗要經陀羅尼曰
南謨薄伽勃底一 阿波唎蜜哆二 阿喻紇硯娜三 須毗你悉指陀四 囉佐耶五 怛他羯他耶六 怛姪他
唵七 薩婆桑悉迦囉八 波唎輸底九 達磨底十 伽伽娜十一 莎訶萁特迦底十二 薩婆婆毗輸
底十三 摩訶娜耶十四 波唎婆唎莎訶十五
尒時復有二十五姟佛一時同聲說是无量壽宗要經陀羅尼曰
南謨薄伽勃底一 阿波唎蜜哆二 阿喻紇硯娜三 須毗你悉指陀四 囉佐耶五 怛他羯他耶六 怛
姪他唵七 薩婆桑悉迦囉八 波唎輸底九 達磨底十 伽伽娜十一 莎訶萁特迦底十二 薩婆婆
毗輸底十三 摩訶娜耶十四 波唎婆唎莎訶十五
尒時復有恒河沙姟佛一時同聲說是无量壽宗要經陀羅尼曰
南謨薄伽勃底一 阿波唎蜜哆二 阿喻紇硯娜三 須毗你悉指陀四 囉佐耶五 怛他羯他耶六 怛姪
他唵七 薩婆桑悉迦囉八 波唎輸底九 達磨底十 伽伽娜十一 莎訶萁特迦底十二 薩婆婆毗輸
底十三 摩訶娜耶十四 波唎婆唎莎訶十五
善男子若有自書寫教人書寫是无量壽宗要經如其命盡復得長壽滿年陀羅尼曰
南謨薄伽勃底一 阿波唎蜜哆二 阿喻紇硯娜三 須毗你悉指陀四 囉佐耶五 怛他羯他耶六 怛姪他唵七
薩婆桑悉迦囉八 波唎輸底九 達磨底十 伽伽娜十一 莎訶萁特迦底十二 薩婆婆毗輸底十三
摩訶娜耶十四 波唎婆唎莎訶十五
若有自書寫教人書是无量壽宗要經讀誦受持畢竟不墮地獄在在所生得宿命智陀羅尼曰
南謨薄伽勃底一 阿波唎蜜哆二 阿喻紇硯娜三 須毗你悉指陀四 囉佐耶五 怛他羯他耶六 怛姪他唵七
薩婆桑悉迦囉八 波唎輸底九 達磨底十 伽伽娜十一 莎訶萁特迦底十二 薩婆婆毗輸底十三
摩訶娜耶十四 波唎婆唎莎訶十五
若有自書寫教人書寫是无量壽宗要經受持讀誦如同書寫八万四千一切經典陀羅尼曰

BD03186號　無量壽宗要經　（5–1）

若有自書寫教人書寫是无量壽宗要經讀誦受持畢竟不墮地獄在在所生得宿命智陀羅尼曰
南謨薄伽勃底一 阿波唎蜜哆二 阿喻紇硯娜三 須毗你悉指陀四 囉佐耶五 怛他羯他耶六 怛姪他唵七
薩婆桑悉迦囉八 波唎輸底九 達磨底十 伽伽娜十一 莎訶萁特迦底十二 薩婆婆毗輸底十三
摩訶娜耶十四 波唎婆唎莎訶十五
若有自書寫教人書寫是无量壽宗要經受持讀誦如同書寫八万四千一切經典陀羅尼曰
南謨薄伽勃底一 阿波唎蜜哆二 阿喻紇硯娜三 須毗你悉指陀四 囉佐耶五 怛他羯他耶六 怛姪他唵七
薩婆桑悉迦囉八 波唎輸底九 達磨底十 伽伽娜十一 莎訶萁特迦底十二 薩婆婆毗輸底十三
摩訶娜耶十四 波唎婆唎莎訶十五
若有自書寫教人書寫是无量壽宗要經即是書寫八万四千部建立塔廟陀羅尼曰
南謨薄伽勃底一 阿波唎蜜哆二 阿喻紇硯娜三 須毗你悉指陀四 囉佐耶五 怛他羯他耶六 怛姪他唵七
薩婆桑悉迦囉八 波唎輸底九 達磨底十 伽伽娜十一 莎訶萁特迦底十二 薩婆婆毗輸底十三
摩訶娜耶十四 波唎婆唎莎訶十五
若有自書寫教人書寫是无量壽宗要經能消五无間等一切重罪陀羅尼曰
南謨薄伽勃底一 阿波唎蜜哆二 阿喻紇硯娜三 須毗你悉指陀四 囉佐耶五 怛他羯他耶六 怛姪他唵七
薩婆桑悉迦囉八 波唎輸底九 達磨底十 伽伽娜十一 莎訶萁特迦底十二 薩婆婆毗輸底十三
摩訶娜耶十四 波唎婆唎莎訶十五
若有自書寫教人書寫是无量壽宗要經受持讀誦設有重罪猶如須弥盡能除滅陀羅尼曰
南謨薄伽勃底一 阿波唎蜜哆二 阿喻紇硯娜三 須毗你悉指陀四 囉佐耶五 怛他羯他耶六 怛姪他唵七
薩婆桑悉迦囉八 波唎輸底九 達磨底十 伽伽娜十一 莎訶萁特伽底十二 薩婆婆毗輸底十三
摩訶娜耶十四 波唎婆唎莎訶十五
若有自書寫教人書寫是无量壽宗要經受持讀誦若魔魔之眷屬夜叉羅剎不得其
便終无枉死陀羅尼曰
南謨薄伽勃底一 阿波唎蜜哆二 阿喻紇硯娜三 須毗你悉指陀四 囉佐耶五 怛他羯他耶六 怛姪他唵七
薩婆桑悉迦囉八 波唎輸底九 達磨底十 伽伽娜十一 莎訶萁特伽底十二 薩婆婆毗輸底十三
摩訶娜耶十四 波唎婆唎莎訶十五
若有自書寫教人書寫是无量壽宗要經受持讀誦當命終時有九十九姟佛現其人
前豪千佛授手能遊一切佛剎莫於此經生於疑惑陀羅尼曰
南謨薄伽勃底一 阿波唎蜜哆二 阿喻紇硯娜三 須毗你悉指陀四 囉佐耶五 怛他羯他耶六 怛姪
他唵七 薩婆桑悉迦囉八 波唎輸底九 達磨底十 伽伽娜十一 莎訶萁特迦底十二 薩婆婆毗輸底
十三 摩訶娜耶十四 波唎婆唎莎訶十五
若有自書寫教人書寫是无量壽宗要經受持讀誦常得四天大王隨其衛護陀羅尼曰
南謨薄伽勃底一 阿波唎蜜哆二 阿喻紇硯娜三 須毗你悉指陀四 囉佐耶五 怛他羯他耶六 怛姪他
唵七 薩婆桑悉迦囉八 波唎輸底九 達磨底十 伽伽娜十一 莎訶萁特迦底十二 薩婆婆毗輸

BD03186號　無量壽宗要經　（5–2）

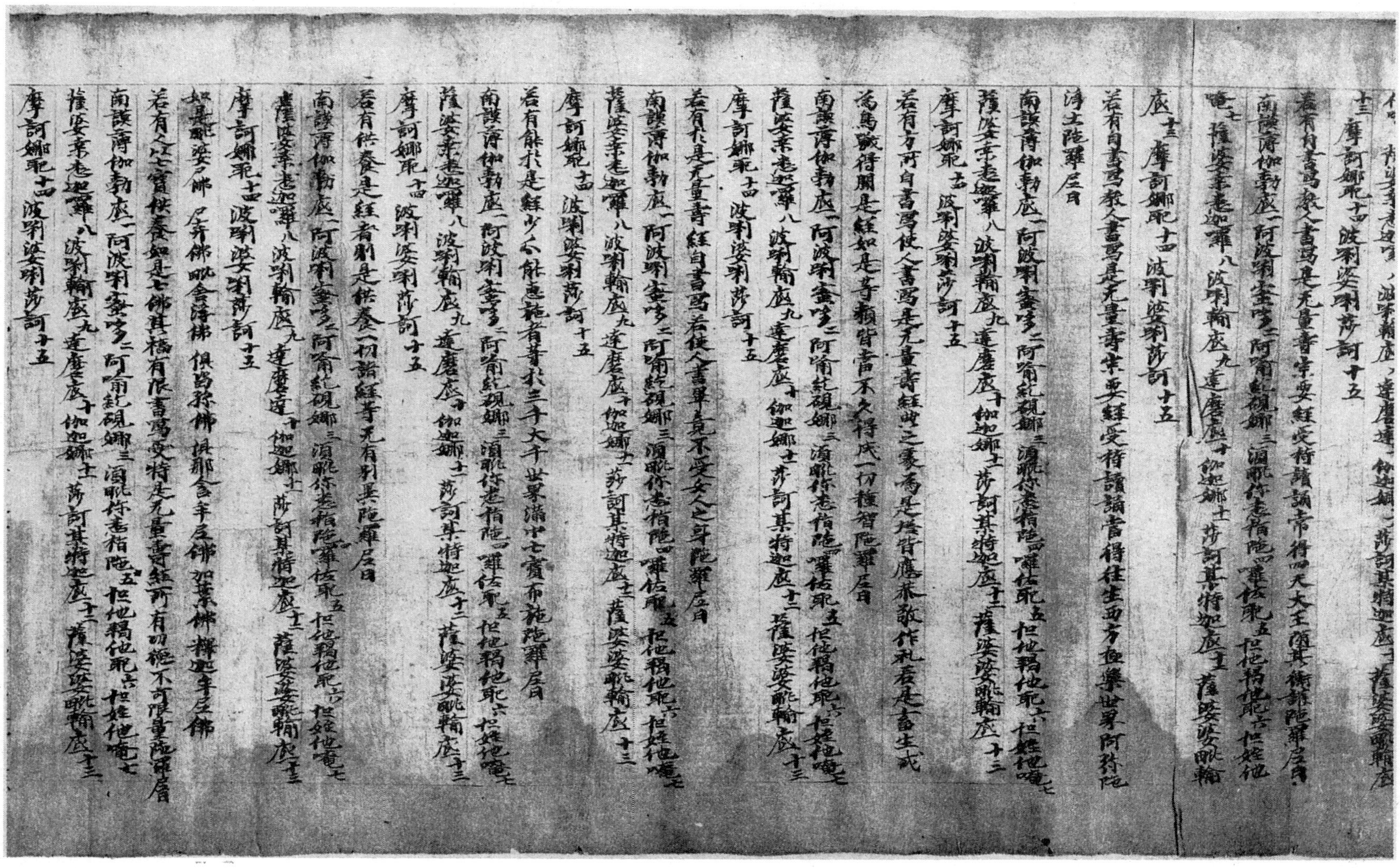

……波唎輸底九 達磨底十 伽迦娜十一 莎訶某特迦底十二 薩婆婆毗輸底
十三 摩訶娜耶十四 波唎婆唎莎訶十五
若有自書寫教人書寫是无量壽宗要經受持讀誦當得四天大王隨其衛護陀羅尼曰
南謨薄伽勃底一 阿波唎蜜哆二 阿喻紇硯娜三 須毗你悉指陀四 囉佐耶五 怛他羯他耶六 怛姪他
唵七 薩婆桑悉迦囉八 波唎輸底九 達磨底十 伽迦娜十一 莎訶某特迦底十二 薩婆婆毗輸
底十三 摩訶娜耶十四 波唎婆唎莎訶十五
若有自書寫教人書寫是无量壽宗要經受持讀誦當得往生西方極樂世界阿彌陀
淨土陀羅尼曰
南謨薄伽勃底一 阿波唎蜜哆二 阿喻紇硯娜三 須毗你悉指陀四 囉佐耶五 怛他羯他耶六 怛姪他唵七
薩婆桑悉迦囉八 波唎輸底九 達磨底十 伽迦娜十一 莎訶某特迦底十二 薩婆婆毗輸底十三
摩訶娜耶十四 波唎婆唎莎訶十五
若有方所自書寫使人書寫是无量壽經典之處為是塔皆應恭敬作禮若是畜生或
為鳥獸得聞是經如是等類皆當不久得成一切種智陀羅尼曰
南謨薄伽勃底一 阿波唎蜜哆二 阿喻紇硯娜三 須毗你悉指陀四 囉佐耶五 怛他羯他耶六 怛姪他唵七
薩婆桑悉迦囉八 波唎輸底九 達磨底十 伽迦娜十一 莎訶某特迦底十二 薩婆婆毗輸底十三
摩訶娜耶十四 波唎婆唎莎訶十五
若有於是无量壽經自書寫若使人書畢竟不受女人之身陀羅尼曰
南謨薄伽勃底一 阿波唎蜜哆二 阿喻紇硯娜三 須毗你悉指陀四 囉佐耶五 怛他羯他耶六 怛姪他唵七
薩婆桑悉迦囉八 波唎輸底九 達磨底十 伽迦娜十一 莎訶某特迦底十二 薩婆婆毗輸底十三
摩訶娜耶十四 波唎婆唎莎訶十五
若有能於是經少分能惠施者若於三千大千世界滿中七寶布施陀羅尼曰
南謨薄伽勃底一 阿波唎蜜哆二 阿喻紇硯娜三 須毗你悉指陀四 囉佐耶五 怛他羯他耶六 怛姪他唵七
薩婆桑悉迦囉八 波唎輸底九 達磨底十 伽迦娜十一 莎訶某特迦底十二 薩婆婆毗輸底十三
摩訶娜耶十四 波唎婆唎莎訶十五
若有供養是經者則是供養一切諸經等无有別異陀羅尼曰
南謨薄伽勃底一 阿波唎蜜哆二 阿喻紇硯娜三 須毗你悉指陀四 囉佐耶五 怛他羯他耶六 怛姪他唵七
薩婆桑悉迦囉八 波唎輸底九 達磨底十 伽迦娜十一 莎訶某特迦底十二 薩婆婆毗輸底十三
摩訶娜耶十四 波唎婆唎莎訶十五
如是毗婆尸佛 尸棄佛 毗舍浮佛 俱留孫佛 俱那含牟尼佛 迦葉佛 釋迦牟尼佛
若有人以七寶供養如是七佛其福有限書寫受持是无量壽經所有功德不可限量陀羅尼曰
南謨薄伽勃底一 阿波唎蜜哆二 阿喻紇硯娜三 須毗你悉指陀四 囉佐耶五 怛他羯他耶六 怛姪他唵七
薩婆桑悉迦囉八 波唎輸底九 達磨底十 伽迦娜十一 莎訶某特迦底十二 薩婆婆毗輸底十三
摩訶娜耶十四 波唎婆唎莎訶十五

BD03186號　無量壽宗要經　（5–3）

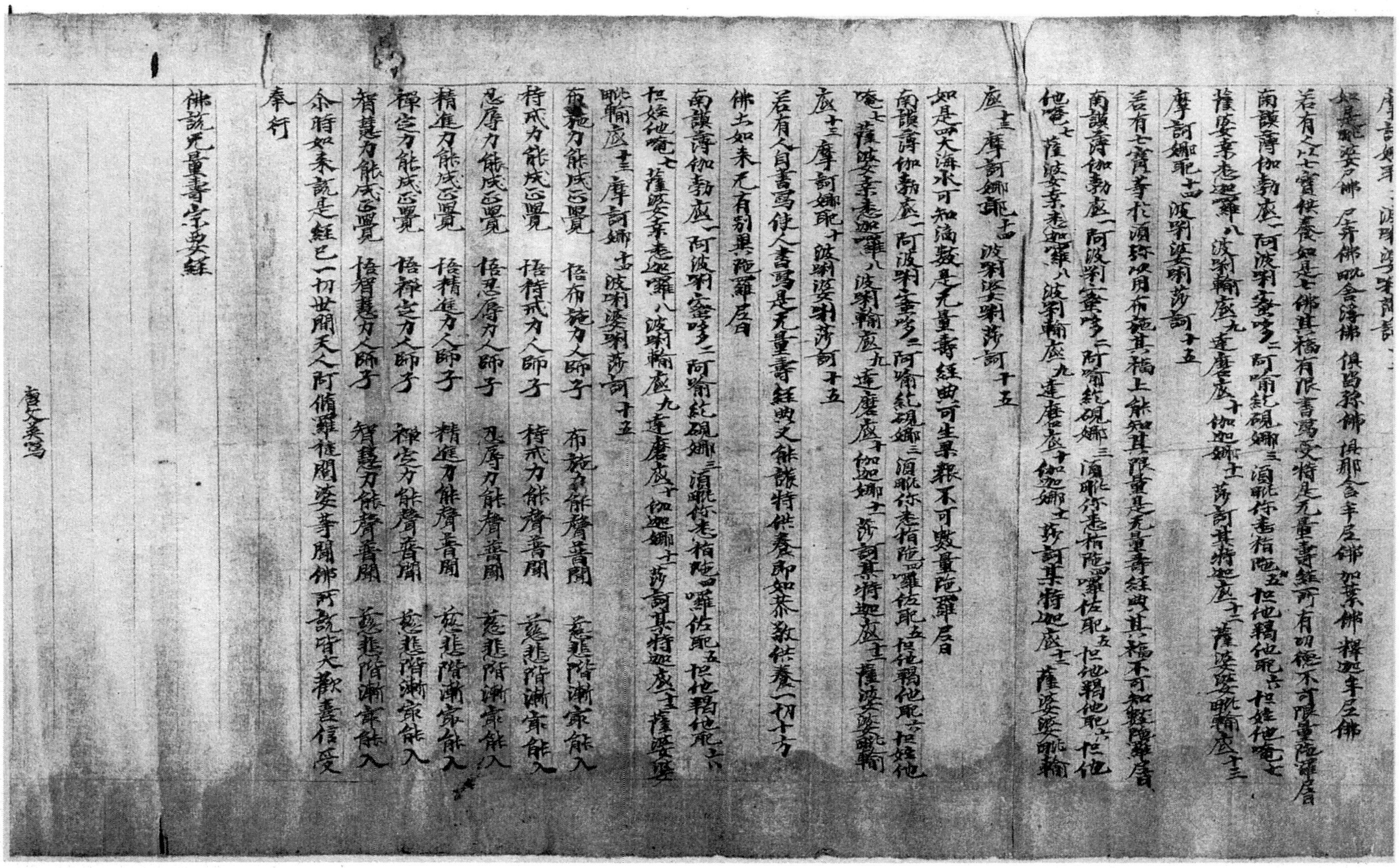

摩訶娜耶十四 波唎婆唎莎訶十五
如是毗婆尸佛 尸棄佛 毗舍浮佛 俱留孫佛 俱那含牟尼佛 迦葉佛 釋迦牟尼佛
若有人以七寶供養如是七佛其福有限書寫受持是无量壽經所有功德不可限量陀羅尼曰
南謨薄伽勃底一 阿波唎蜜哆二 阿喻紇硯娜三 須毗你悉指陀四 囉佐耶五 怛他羯他耶六 怛姪他唵七
薩婆桑悉迦囉八 波唎輸底九 達磨底十 伽迦娜十一 莎訶某特迦底十二 薩婆婆毗輸底十三
摩訶娜耶十四 波唎婆唎莎訶十五
若有七寶等於須彌山用布施其福上能知其限量是无量壽經典其福不可知數陀羅尼曰
南謨薄伽勃底一 阿波唎蜜哆二 阿喻紇硯娜三 須毗你悉指陀四 囉佐耶五 怛他羯他耶六 怛姪
他唵七 薩婆桑悉迦囉八 波唎輸底九 達磨底十 伽迦娜十一 莎訶某特迦底十二 薩婆婆毗輸
底十三 摩訶娜耶十四 波唎婆唎莎訶十五
如是四大海水可知滴數是无量壽經典可生果報不可數量陀羅尼曰
南謨薄伽勃底一 阿波唎蜜哆二 阿喻紇硯娜三 須毗你悉指陀四 囉佐耶五 怛他羯他耶六 怛姪他
唵七 薩婆桑悉迦囉八 波唎輸底九 達磨底十 伽迦娜十一 莎訶某特迦底十二 薩婆婆毗輸
底十三 摩訶娜耶十 波唎婆唎莎訶十五
若有人自書寫使人書寫是无量壽經典之能誠特供養即如恭敬供養一切十方
佛土如來无有別異陀羅尼曰
南謨薄伽勃底一 阿波唎蜜哆二 阿喻紇硯娜三 須毗你悉指陀四 囉佐耶五 怛他羯他耶六
怛姪他唵七 薩婆桑悉迦囉八 波唎輸底九 達磨底十 伽迦娜十一 莎訶某特迦底十二 薩婆婆
毗輸底十三 摩訶娜耶十四 波唎婆唎莎訶十五
布施力能成正覺 悟布施力人師子 布施力能聲普聞 慈悲階漸寂能入
持戒力能成正覺 悟持戒力人師子 持戒力能聲普聞 慈悲階漸寂能入
忍辱力能成正覺 悟忍辱力人師子 忍辱力能聲普聞 慈悲階漸寂能入
精進力能成正覺 悟精進力人師子 精進力能聲普聞 慈悲階漸寂能入
禪定力能成正覺 悟禪定力人師子 禪定力能聲普聞 慈悲階漸寂能入
智慧力能成正覺 悟智慧力人師子 智慧力能聲普聞 慈悲階漸寂能入
爾時如來說是經已一切世間天人阿修羅揵闥婆等聞佛所說皆大歡喜信受
奉行
佛說无量壽宗要經

唐文英寫

BD03186號　無量壽宗要經　（5–4）

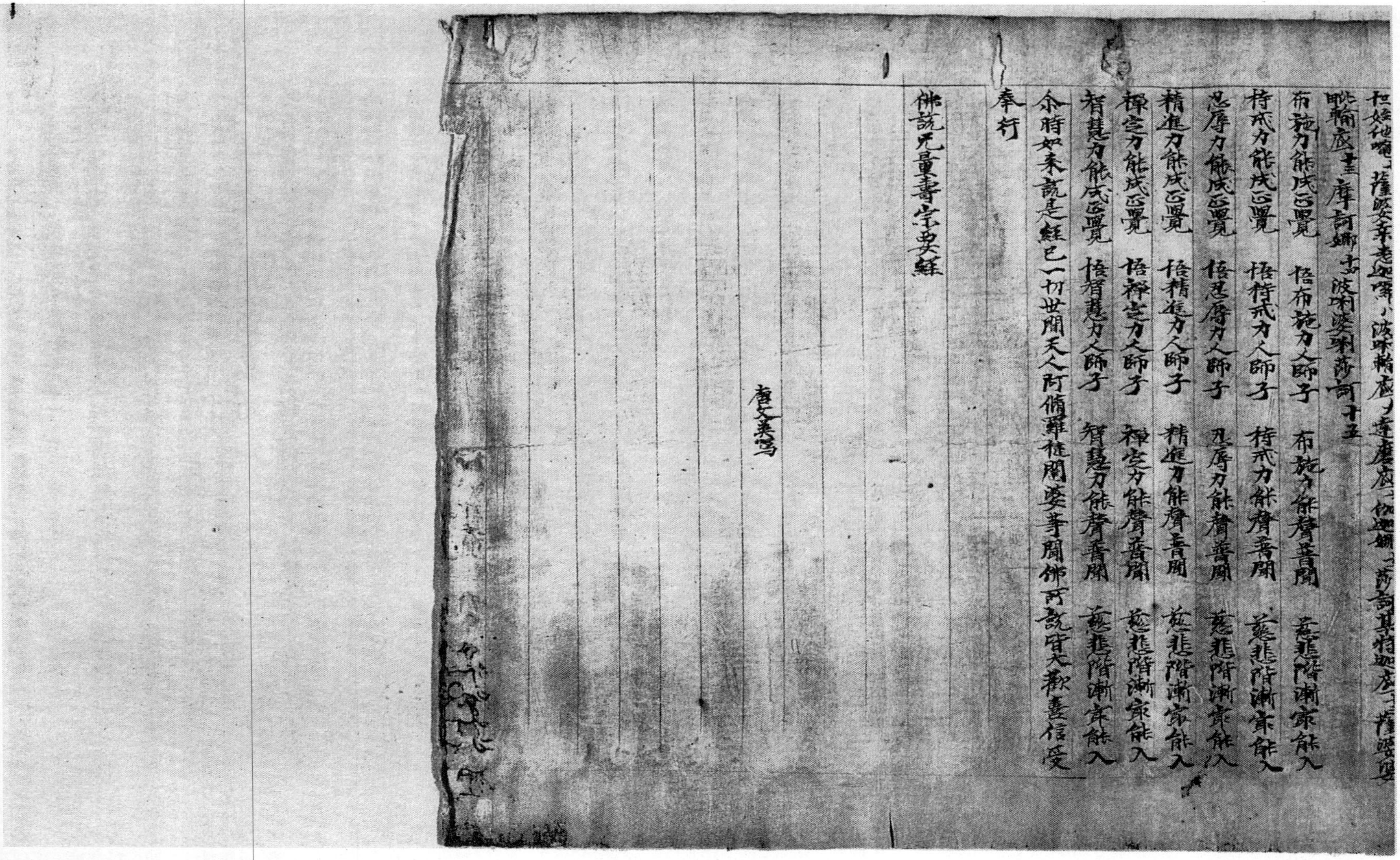

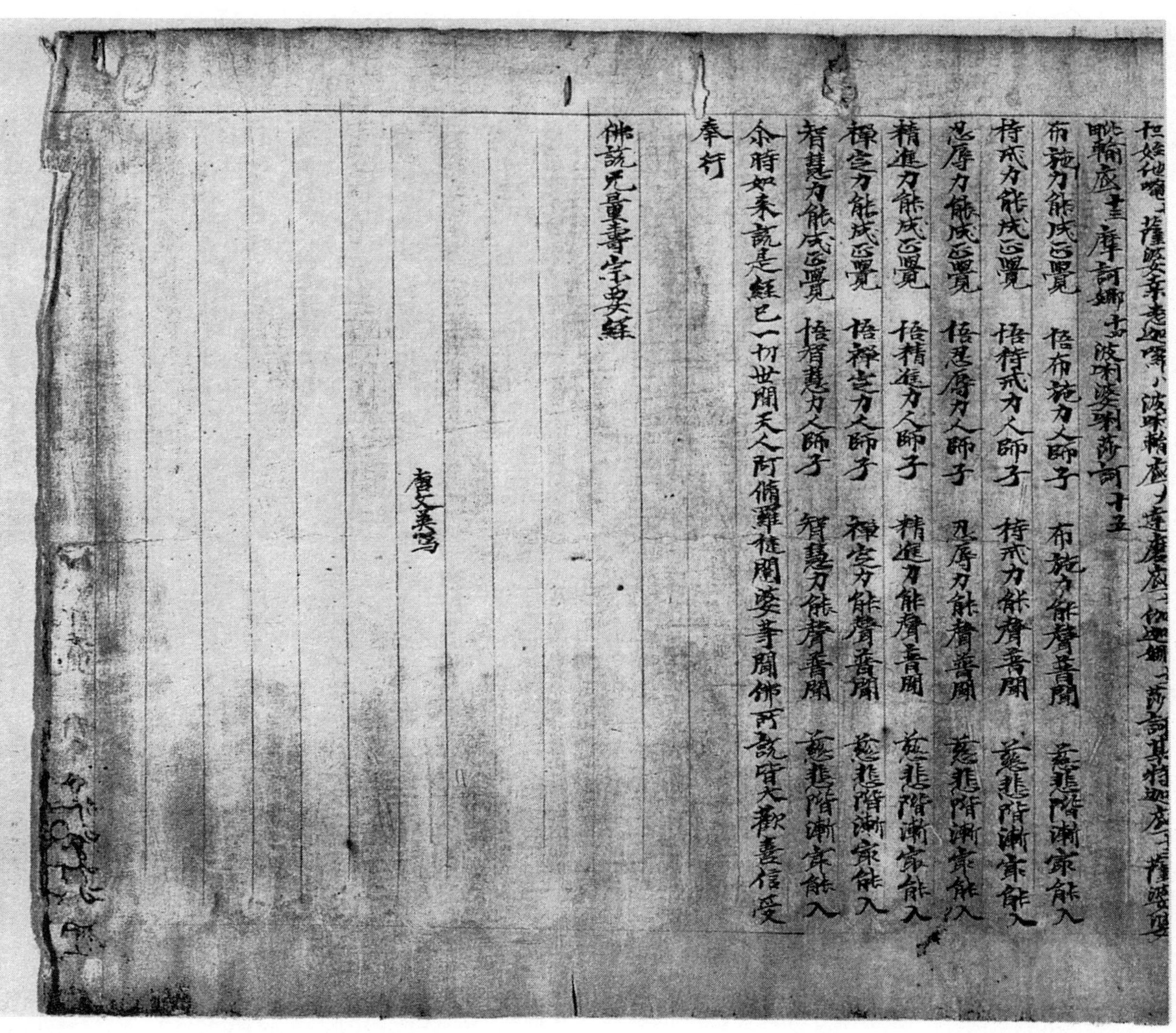
怛姪他唵薩婆桑塞迦囉波唎輸底達摩底伽迦娜莎訶其特迦底薩婆娑
毗輸底十三摩訶娜十四波唎婆唎莎訶十五
布施力能成正覺　悟布施力人師子　布施力能聲響聞　慈悲階漸當能入
持戒力能成正覺　悟持戒力人師子　持戒力能聲響聞　慈悲階漸當能入
忍辱力能成正覺　悟忍辱力人師子　忍辱力能聲響聞　慈悲階漸當能入
精進力能成正覺　悟精進力人師子　精進力能聲響聞　慈悲階漸當能入
禪定力能成正覺　悟禪定力人師子　禪定力能聲響聞　慈悲階漸當能入
智慧力能成正覺　悟智慧力人師子　智慧力能聲響聞　慈悲階漸當能入
尒時如來說是經已一切世間天人阿脩羅揵闥婆等聞佛所說皆大歡喜信受
奉行
佛說无量壽宗要經
唐文英寫

BD03186 號　無量壽宗要經　（5–5）

善[illegible]
集我是所說是真佛語
薩聞如是說心不驚疑當
之善現若菩薩摩訶薩聞如是
受不退轉記彼於无上正等
不動亦不驚疑但隨无作无相无生
住善現是菩薩摩訶薩諸有所作不
不隨他教而脩布施波羅蜜多不隨他
淨戒安忍精進靜慮般若波羅蜜多
他教而住內空不隨他教而住外空內外
空空大空勝義空有為空无為空畢竟
空无際空散空无變異空本性空自相空
共相空一切法空不可得空无性空自性空无
性自性空不隨他教而住真如不隨他教而
住法界法性不虛妄性不變異性平等性離
生性法定法住實際虛空界不思議界不隨
他教而脩四念住不隨他教而脩四正斷四神
足五根五力七等覺支八聖道支不隨他
教而住苦聖諦不隨他教而住集滅道聖諦

BD03187 號　大般若波羅蜜多經卷三二六　（18–1）

生性法定法住實際虛空界不思議界不隨
他教而脩四念住不隨他教而脩四正斷四神
足五根五力七等覺支八聖道支不隨他
教而住苦聖諦不隨他教而住集滅道聖諦
不隨他教而脩四靜慮不隨他教而脩四无量
四无色定不隨他教而脩八解脫不隨他教而
脩八勝處九次第定十遍處不隨他教而
脩空解脫門不隨他教而脩无相无願解
脫門不隨他教而脩極喜地不隨他教而脩
離垢地發光地焰慧地極難勝地現前地遠
行地不動地善慧地法雲地不隨他教而脩
五眼不隨他教而脩六神通不隨他教而脩
三摩地門不隨他教而脩陁羅尼門不隨他
教而脩佛十力不隨他教而脩四无所畏四
无礙解大慈大悲大喜大捨十八佛不共法
不隨他教而順逆觀十二支緣起不隨他教
而知苦斷集證滅脩道不隨他教而起證預
流果智不隨他教而起證一來不還阿羅漢
果智不隨他教而起證獨覺菩提智不隨他
教而起入菩薩正性離生位智不隨他教而
嚴淨佛土不隨他教而成熟有情不隨他教
而起菩薩神通不隨他教而脩一切智不隨
他教而脩道相智一切相智不隨他教而斷
一切煩惱相續習氣不隨他教而脩无忘失
法不隨他教而脩恒住捨性不隨他教而自
攝受圓滿壽量不隨他教而轉法輪不隨他
教而護正法不隨他教而趣无上正等菩提
善現如漏盡阿羅漢諸有所作不信他語現

一切煩惱相續習氣不隨他教而脩无忘失
法不隨他教而脩恒住捨性不隨他教而自
攝受圓滿壽量不隨他教而轉法輪不隨他
教而護正法不隨他教而趣无上正等菩提
善現如漏盡阿羅漢諸有所作不信他語現
證法性无惑无疑一切惡魔不能傾動如是
不退轉菩薩摩訶薩一切聲聞獨覺外道諸
惡魔等不能破壞折伏其心令於无上正等
菩提而生退屈善現是菩薩摩訶薩決定已
住不退轉地所有事業皆自思惟非但信他而
便趣作乃至如來應正等覺所有言教尚不
信行況信聲聞獨覺外道惡魔等語而有所作
是諸菩薩諸有所為但信他行終无是處何
以故善現是菩薩摩訶薩不見有法可信
行者所以者何善現是菩薩摩訶薩不見
色不見受想行識可信行者亦不見色真如
不見受想行識真如可信行者善現是菩薩
摩訶薩不見眼處不見耳鼻舌身意處可信
行者亦不見眼處真如不見耳鼻舌身意處
真如可信行者善現是菩薩摩訶薩不見色
處不見聲香味觸法處可信行者亦不見色
處真如不見聲香味觸法處真如可信行者
善現是菩薩摩訶薩不見眼界不見耳鼻舌
身意界可信行者亦不見眼界真如不見耳鼻
舌身意界真如可信行者善現是菩薩摩
訶薩不見色界不見聲香味觸法界可信行
亦不見色界真如不見聲香味觸法界真

身意界可信行者亦不見眼界真如不見耳鼻
舌身意界真如可信行者善現是菩薩摩
訶薩不見色界不見聲香味觸法界可信行
者亦不見色界真如不見聲香味觸法界真
如可信行者善現是菩薩摩訶薩不見眼識
界不見耳鼻舌身意識界可信行者亦不見
眼識界真如不見耳鼻舌身意識界真如可
信行者善現是菩薩摩訶薩不見眼觸不見
耳鼻舌身意觸可信行者亦不見眼觸真如
不見耳鼻舌身意觸真如可信行者善現
是菩薩摩訶薩不見眼觸為緣所生諸受不
見耳鼻舌身意觸為緣所生諸受可信行者
亦不見眼觸為緣所生諸受真如不見耳鼻舌
身意觸為緣所生諸受真如可信行者善
現是菩薩摩訶薩不見地界不見水火風空識
界可信行者亦不見地界真如不見水火風空
識界真如可信行者善現是菩薩摩訶薩不
見无明不見行識名色六處觸受愛取有
生老死可信行者亦不見无明真如不見行
識名色六處觸受愛取有生老死真如可信
行者善現是菩薩摩訶薩不見布施波羅
蜜多不見淨戒安忍精進靜慮般若波羅蜜
多可信行者亦不見布施波羅蜜多真如不見
淨戒安忍精進靜慮般若波羅蜜多真如可
信行者善現是菩薩摩訶薩不見內空不見
外空內外空空空大空勝義空有為空无
為空畢竟空无際空散空无變異空本性空自

多可信行者亦不見布施波羅蜜多真如不見
淨戒安忍精進靜慮般若波羅蜜多真如可
信行者善現是菩薩摩訶薩不見內空不見
外空內外空空空大空勝義空有為空无
為空畢竟空无際空散空无變異空本性空自
相空共相空一切法空不可得空无性空自性
空无性自性空可信行者亦不見內空真
如不見外空內外空空空大空勝義空有為
空无為空畢竟空无際空散空无變異空
本性空自相空共相空一切法空不可得空无
性空自性空无性自性空真如可信行者善
現是菩薩摩訶薩不見真如不見法界法性
不虛妄性不變異性平等性離生性法定法
住實際虛空界不思議界可信行者亦不見
真如真如不見法界法性不虛妄性不變異性
平等性離生性法定法住實際虛空界不
思議界真如可信行者善現是菩薩摩訶薩
不見四念住不見四正斷四神足五根五力七
等覺支八聖道支可信行者亦不見四念
住真如不見四正斷四神足五根五力七等
覺支八聖道支真如可信行者善現是菩薩
摩訶薩不見苦聖諦不見集滅道聖可信
行者亦不見苦聖諦真如不見集滅道聖諦
真如可信行者善現是菩薩摩訶薩不見
四靜慮不見四无量四无色定可信行者亦不
見四靜慮真如不見四无量四无色定真如
可信行者善現是菩薩摩訶薩不見八解脫

真如可信行者善現是菩薩摩訶薩不見
四靜慮不見四无量四无色定可信行者亦不
見四靜慮真如不見四无量四无色定真如
可信行者善現是菩薩摩訶薩不見八解脫
不見八勝處九次第定十遍處可信行者
亦不見八解脫真如不見八勝處九次第定十
遍處真如可信行者善現是菩薩摩訶
薩不見空解脫門不見无相无願解脫門可信
行者亦不見空解脫門真如不見无相无願解
脫門真如可信行者善現是菩薩摩訶薩不
見五眼不見六神通可信行者亦不見五眼真
如不見六神通真如可信行者善現是菩薩
摩訶薩不見三摩地門不見陁羅尼門可信行
行者亦不見三摩地門真如不見陁羅尼門
真如可信行者善現是菩薩摩訶薩不見佛
十力不見四无所畏四无礙解大慈大悲大
喜大捨十八佛不共法可信行者亦不見
佛十力真如不見四无所畏四无礙解大慈
大悲大喜大捨十八佛不共法真如可信
行者善現是菩薩摩訶薩不見預流果不見一
來不還阿羅漢果可信行者亦不見預流
果真如不見一來不還阿羅漢果真如可信
行者善現是菩薩摩訶薩不見獨覺菩提可
信行者亦不見獨覺菩提真如可信行者善
現是菩薩摩訶薩不見一切智不見道相智
一切相智可信行者亦不見一切智真如不見

果真如不見一來不還阿羅漢果真如可信
行者善現是菩薩摩訶薩不見獨覺菩提可
信行者亦不見獨覺菩提真如可信行者善
現是菩薩摩訶薩不見一切智不見道相智
一切相智可信行者亦不見一切智真如不見
道相智一切相智真如可信行者善現是菩
薩摩訶薩不見異生地不見聲聞地獨覺地
菩薩地如來地可信行者亦不見異生地真如
不見聲聞地獨覺地菩薩地如來地真如可信
行者善現是菩薩摩訶薩不見諸佛无上正
等菩提可信行者亦不見諸佛无上正等菩提
真如可信行者善現若成就如是諸行狀相
當知是為不退轉菩薩摩訶薩
復次善現若不退轉位菩薩摩訶薩設有惡
魔作苾芻像來詣其所說如是言汝等所行
是生死法非由此得一切智智汝今應脩
盡苦道速盡衆苦證般涅槃是時惡魔即
為菩薩說隨生死相似道法所謂骨想或青
瘀想或膿爛想或膖脹想或蟲食想或異
赤想或慈或悲或喜或捨或初靜慮或乃
至第四靜慮或空无邊處或乃至非想非非
想處告菩薩言此是真道真行汝用此道
此行當得預流果或一來果或不還果或阿
羅漢果或獨覺菩提汝由此道由此行故速盡
一切生老病死何用久受生死苦為現在苦
身尚應猒捨况更求當來苦身宜自審思

羅果或獨覺菩提汝由此道由此行故速盡
一切生老病死何用久受生死苦為現在苦
身尚應猒捨況更求受當來苦身宜自審思
捨先所信善現是菩薩摩訶薩聞彼語時其
心不動亦不驚疑但作是念今此苾芻益我
不少能為我說相似道法令我識知此道不
能證預流果或一來果或不還果或阿羅漢
果或獨覺菩提況當能證諸佛无上正等
菩提是菩薩摩訶薩作此念已深生歡喜復
作是念今此苾芻甚為益我方便為我說滯
礙法令我了知滯礙法已於三乘道自在脩學
善現尒時惡魔知是菩薩深心歡喜復作是言
善男子汝欲見諸菩薩摩訶薩長時勤行无益
行不謂諸菩薩摩訶薩衆經如殑伽沙數大
劫以无量種上妙衣服飲食卧具醫藥資
財花香等物供養恭敬尊重讚歎殑伽沙等
諸佛世尊復於殑伽沙等佛所脩行布施
波羅蜜多脩行淨戒安忍精進靜慮般若波
羅蜜多亦於殑伽沙等佛所學住內空學
住外空內外空空空大空勝義空有為空
无為空畢竟空无際空散空无變異空本性
空自相空共相空一切法空不可得空无性空自
性空无性自性空亦於殑伽沙等佛所學住真如
學住法界法性不虛妄性不變異性平等性
離生性法定法住實際虛空界不思議界亦
於殑伽沙等佛所脩四念住脩四正斷四神足

BD03187號　大般若波羅蜜多經卷三二六　（18-8）

性空无性自性空亦於殑伽沙等佛所學住真如
學住法界法性不虛妄性不變異性平等性
離生性法定法住實際虛空界不思議界亦
於殑伽沙等佛所脩四念住脩四正斷四神足
足五根五力七等覺支八聖道支亦於殑伽沙
等佛所學住苦聖諦學住集滅道聖諦亦
於殑伽沙等佛所脩四靜慮脩四无量四无色
定亦於殑伽沙等佛所脩八解脫脩八勝處九
次第定十遍處亦於殑伽沙等佛所脩空解
脫門脩无相无願解脫門亦於殑伽沙等佛
所脩極喜地脩離垢地發光地焰慧地極難
勝地現前地遠行地不動地善慧地法雲
地亦於殑伽沙等佛所脩五眼脩六神通亦於
殑伽沙等佛所脩三摩地門脩陀羅尼門亦
於殑伽沙等佛所脩佛十力脩四无所畏四
无礙解大慈大悲大喜大捨十八佛不共
法亦於殑伽沙等佛所脩无忘失法脩恒住捨
性亦於殑伽沙等佛所脩順逆觀十二支緣
起亦於殑伽沙等佛所嚴淨佛土成熟有
情亦於殑伽沙等佛所脩諸菩薩殊勝神通
亦於殑伽沙等佛所圓滿壽量學轉法輪護
持正法亦於殑伽沙等佛所脩一切智脩道
相智一切相智是諸菩薩摩訶薩衆亦親近
承事如殑伽沙佛於諸佛所請問菩薩摩
訶薩道謂作是言云何菩薩摩訶薩安住
大乘云何菩薩摩訶薩脩行布施波羅蜜多脩
行淨戒安忍精進靜慮般若波羅蜜多云何

BD03187號　大般若波羅蜜多經卷三二六　（18-9）

相智一切相智是諸菩薩摩訶薩衆親近
承事如殑伽沙佛於諸佛所請問菩薩摩
訶薩道謂作是言云何菩薩摩訶薩安住
大乘云何菩薩摩訶薩脩行布施波羅蜜多脩
行淨戒安忍精進靜慮般若波羅蜜多云何
菩薩摩訶薩學住內空學住外空內外空空
空大空勝義空有為空无為空畢竟空无際
空散空无變異空本性空自相空共相空一
切法空不可得空无性空自性空无性自性
空云何菩薩摩訶薩學住真如學住法界法
性不虛妄性不變異性平等性離生性法定
法住實際虛空界不思議界云何菩薩摩訶
薩脩四念住脩四正斷四神足五根五力七等
學支八聖道支云何菩薩摩訶薩學住苦
聖諦學住集滅道聖諦云何菩薩摩訶薩脩
四靜慮脩四无量四无色定云何菩薩摩訶
薩脩八解脫脩八勝處九次第定十遍處云何
菩薩摩訶薩脩空解脫門脩无相无願解
脫云何菩薩摩訶薩脩極喜地脩離垢地發
光地焰慧地極難勝地現前地遠行地不動
地善慧地法雲地云何菩薩摩訶薩脩五
眼脩六神通云何菩薩摩訶薩脩三摩地
門脩陁羅尼門云何菩薩摩訶薩脩佛十力
脩四无所畏四无礙解大慈大悲大喜大捨
十八佛不共法云何菩薩摩訶薩脩无忘失
法脩恒住捨性云何菩薩摩訶薩脩順逆觀

BD03187號　大般若波羅蜜多經卷三二六　（18–10）

脩四无所畏四无礙解大慈大悲大喜大捨
十八佛不共法云何菩薩摩訶薩脩无忘失
法脩恒住捨性云何菩薩摩訶薩脩順逆觀
十二支緣起云何菩薩摩訶薩嚴淨佛土成
熟有情云何菩薩摩訶薩脩諸菩薩殊勝神
通云何菩薩摩訶薩脩圓滿壽量云何菩
薩摩訶薩學轉大法輪云何菩薩摩訶薩護持
正法令得久住云何菩薩摩訶薩脩一切智
脩道相智一切相智殑伽沙等諸佛世尊如
所請問次第爲說是諸菩薩摩訶薩衆如佛
教誨安住脩學經无量劫熾然精進尚不能
得一切智智況令汝等所脩所學能證无上
正等菩提善現是菩薩摩訶薩雖聞其言而
心无異不驚不怖无疑无惑倍復歡喜作是
念言今此苾芻多益於我方便爲我說障道
法令我知此障道之法決定不能證預流果或
一來果或不還果或阿羅漢果或獨覺菩提況
能證得一切智智善現時彼惡魔知是菩薩心
不退屈无怖无疑即於是處化作无量苾芻
形像語菩薩言此諸苾芻皆於過去希求
无上正等菩提經无量劫脩行種種難行
苦行而不能得今皆退住阿羅漢果諸漏已
盡至苦邊際云何汝等能證无上正等菩提
善現是菩薩摩訶薩見聞此已即作是念定
是惡魔化作如此苾芻形像擾亂我心回說
滞礙相似道法必无菩薩摩訶薩衆脩行般

BD03187號　大般若波羅蜜多經卷三二六　（18–11）

盡至苦邊際云何汝等能證无上正等菩提
善現是菩薩摩訶薩見聞此已即作是念定
是惡魔化作如此苾芻形像擾亂我心曰說
滞礙相似道法必无菩薩摩訶薩衆脩行般
若波羅蜜多至圓滿位不得无上正等菩提
退墮聲聞或獨覺地尒時菩薩復作是念若菩
薩摩訶薩脩行布施波羅蜜多脩行淨戒
安忍精進靜慮般若波羅蜜多至圓滿位不
得无上正等菩提必无是處若菩薩摩訶薩
學住內空學住外空內外空空空大空勝義
空有為空无為空畢竟空无際空散空无變
異空本性空自相空共相空一切法空不可得
空无性空自性空无性自性空至圓滿位不
得无上正等菩提必无是處若菩薩摩訶薩
學住真如學住法界法性不虛妄性不變異性
平等性離生性法定法住實際虛空界不思
議界至圓滿位不得无上正等菩提必无是
處若菩薩摩訶薩脩四念住脩四正斷四神
足五根五力七等覺支八聖道支至圓滿位
不得无上正等菩提必无是處若菩薩摩
訶薩學住苦聖諦學住集滅道聖諦至圓
滿位不得无上正等菩提必无是處若菩薩
摩訶薩脩四靜慮脩四无量四无色定至圓
滿位不得无上正等菩提必无是處若菩薩
摩訶薩脩八解脫脩八勝處九次第定十遍
處至圓滿位不得无上正等菩提必无是處

BD03187號　大般若波羅蜜多經卷三二六　（18–12）

摩訶薩脩四靜慮脩四无量四无色定至圓
滿位不得无上正等菩提必无是處若菩薩
摩訶薩脩八解脫脩八勝處九次第定十遍
處至圓滿位不得无上正等菩提必无是處
若菩薩摩訶薩脩空解脫門脩无相无願解
脫門至圓滿位不得无上正等菩提必无
是處若菩薩摩訶薩脩極喜地脩離垢地
發光地焰慧地極難勝地現前地遠行地不動
地善慧地法雲地至圓滿位不得无上正等
菩提必无是處若菩薩摩訶薩脩五眼脩六
神通至圓滿位不得无上正等菩提必无是
處若菩薩摩訶薩脩三摩地門脩陁羅尼門至
圓滿位不得无上正等菩提必无是處若菩
薩摩訶薩脩佛十力脩四无所畏四无礙解
大慈大悲大喜大捨十八佛不共法至圓
滿位不得无上正等菩提必无是處若菩薩摩
訶薩脩无忘失法脩恒住捨性至圓滿位不
得无上正等菩提必无是處若菩薩摩訶薩
脩順逆觀十二支緣起至圓滿位不得无上
正等菩提必无是處若菩薩摩訶薩嚴淨
佛土成熟有情至圓滿位不得无上正等菩提
必无是處若菩薩摩訶薩脩諸菩薩殊勝神通
至圓滿位不得无上正等菩提必无是處若菩
薩摩訶薩脩圓滿壽量至圓滿位不得无上
正等菩提必无是處若菩薩摩訶薩學轉
法輪護持正法至圓滿位不得无上正等菩

BD03187號　大般若波羅蜜多經卷三二六　（18–13）

至圓滿位不得无上正等菩提必无是處若菩
薩摩訶薩脩圓滿壽量至圓滿位不得无上
正等菩提必无是處若菩薩摩訶薩學轉
法輪護持正法至圓滿位不得无上正等菩
提必无是處若菩薩摩訶薩脩一切智脩
道相智一切相智至圓滿位不得无上正等
菩提必无是處善現若成就如是諸行狀相
當智是爲不退轉菩薩摩訶薩
復次善現若不退轉位菩薩摩訶薩常行般
若波羅蜜多恒作是念若菩薩摩訶薩如諸
佛教精勤脩學常不遠離布施淨戒安忍
精進靜慮般若波羅蜜多而攝妙行常不遠
離布施淨戒安忍精進靜慮般若波羅蜜多
相應作意常不遠離一切智智想應作意常
以方便勸諸有情精勤脩學布施淨戒安忍
精進靜慮般若波羅蜜多是菩薩摩薩決
定不退布施波羅蜜多決定不退淨戒安忍
精進靜慮般若波羅蜜多決定不退內空決
定不退外空內外空空空大空勝義空有爲
空无爲空畢竟空无際空散空无變異空本
性空自相空共相空一切法空不可得空无
性空自性空无性自性空決定不退真如決
定不退法界法性不虛妄性不變異性平等
性離生性法定法住實際虛空界不思議界
決定不退四念住決定不退四正斷四神足
五根五力七等覺支八聖道支決定不退苦

BD03187號　大般若波羅蜜多經卷三二六　(18-14)

性離生性法定法住實際虛空界不思議界
決定不退四念住決定不退四正斷四神足
五根五力七等覺支八聖道支決定不退苦
聖諦決定不退集滅道聖諦決定不退四靜慮
決定不退四无量四无色定決定不退八解脫
決定不退八勝處九次第定十遍處決定不
退空解脫門決定不退无相无願解脫門決
定不退極喜地決定不退離垢地發光地焰
慧地極難勝地現前地遠行地不動地善慧
地法雲地決定不退五眼決定不退六神通
決定不退三摩地門決定不退陁羅尼門
決定不退佛十力決定不退四无所畏四无
礙解大慈大悲大喜大捨十八佛不共法
決定不退无忘失法決定不退恒住捨性決
定不退一切智決定不退道相智一切相智
決定不退阿耨多羅三藐三菩提善現若成
就如是諸行狀相當知是爲不退轉菩薩摩
訶薩復次善現若不退轉位菩薩摩訶薩
常行般若波羅蜜多恒作是念若菩薩摩訶
薩覺知魔事不隨魔事覺知惡友不隨惡友
語覺知境界不隨境界轉是菩薩摩訶薩決
定不退布施波羅蜜多決定不退淨戒安忍精
進靜慮般若波羅蜜多決定不退內空決定
不退外空內外空空空大空勝義空有爲空
无爲空畢竟空无際空散空无變異空本性
空自相空共相空一切法空不可得空无性空

BD03187號　大般若波羅蜜多經卷三二六　(18-15)

不退外空内外空空空大空勝義空有為空
无為空畢竟空无際空散空无變異空本性
空自相空共相空一切法空不可得空无性空
自性空无性自性空決定不退真如決定不退
法界法性不虛妄性不變異性平等性離
生性法定法住實際虛空界不思議界決
定不退四念住決定不退四正斷四神足五
根五力七等覺支八聖道支決定不退苦聖
諦決定不退集滅道聖諦決定不退四靜慮
決定不退四无量四无色定決定不退八解
脫決定不退八勝處九次第定十遍處決定
不退空解脫門決定不退无相无願解脫門決
定不退極喜地決定不退離垢地發光地焰
慧地極難勝地現前地遠行地不動地善慧
地法雲地決定不退五眼決定不退六神通
決定不退三摩地門決定不退陀羅尼門
決定不退佛十力決定不退四无所畏四无
礙解大慈大悲大喜大捨十八佛不共法決
定不退无忘失法決定不退恒住捨性決定
不退一切智決定不退道相智一切相智決定
不退阿耨多羅三藐三菩提善現若成就
如是諸行狀相當知是為不退轉菩薩摩訶
薩復次善現若不退位菩薩摩訶薩聞諸如
來應正等覺所說法要深心歡喜恭敬信受
善解義趣其心堅固猶若金剛不可動轉不
可引奪常勤修學布施淨戒安忍精進靜慮

BD03187號　大般若波羅蜜多經卷三二六　（18–16）

薩復次善現若不退位菩薩摩訶薩聞諸如
來應正等覺所說法要深心歡喜恭敬信受
善解義趣其心堅固猶若金剛不可動轉不
可引奪常勤修學布施淨戒安忍精進靜慮
般若波羅蜜多亦勸有情精勤修學布施
淨戒安忍精進靜慮般若波羅蜜多善現若
成就如是諸行狀相當知是為不退轉菩薩
摩訶薩
爾時具壽善現白佛言世尊諸不退轉位菩
薩摩訶薩於何退轉故名不退轉佛言善
現是菩薩摩訶薩於色想退轉故名不退轉
於受想行識想退轉故名不退轉善現是菩
薩摩訶薩於眼處想退轉故名不退轉於耳
鼻舌身意處想退轉故名不退轉善現是菩
薩摩訶薩於色處想退轉故名不退轉於聲
香味觸法處想退轉故名不退轉善現是菩
薩摩訶薩於眼界想退轉故名不退轉於耳
鼻舌身意界想退轉故名不退轉善現是菩
薩摩訶薩於色界想退轉故名不退轉於聲
香味觸法界想退轉故名不退轉善現是菩
薩摩訶薩於眼識界想退轉故名不退轉於
耳鼻舌身意識界想退轉故名不退轉善現
是菩薩摩訶薩於眼觸想退轉故名不退轉
於耳鼻舌身意觸想退轉故名不退轉善現
是菩薩摩訶薩於眼觸為緣所生諸受想退
轉故名不退轉於耳鼻舌身意觸為緣所生
諸受想退轉故名不退轉善現是菩薩摩訶

BD03187號　大般若波羅蜜多經卷三二六　（18–17）

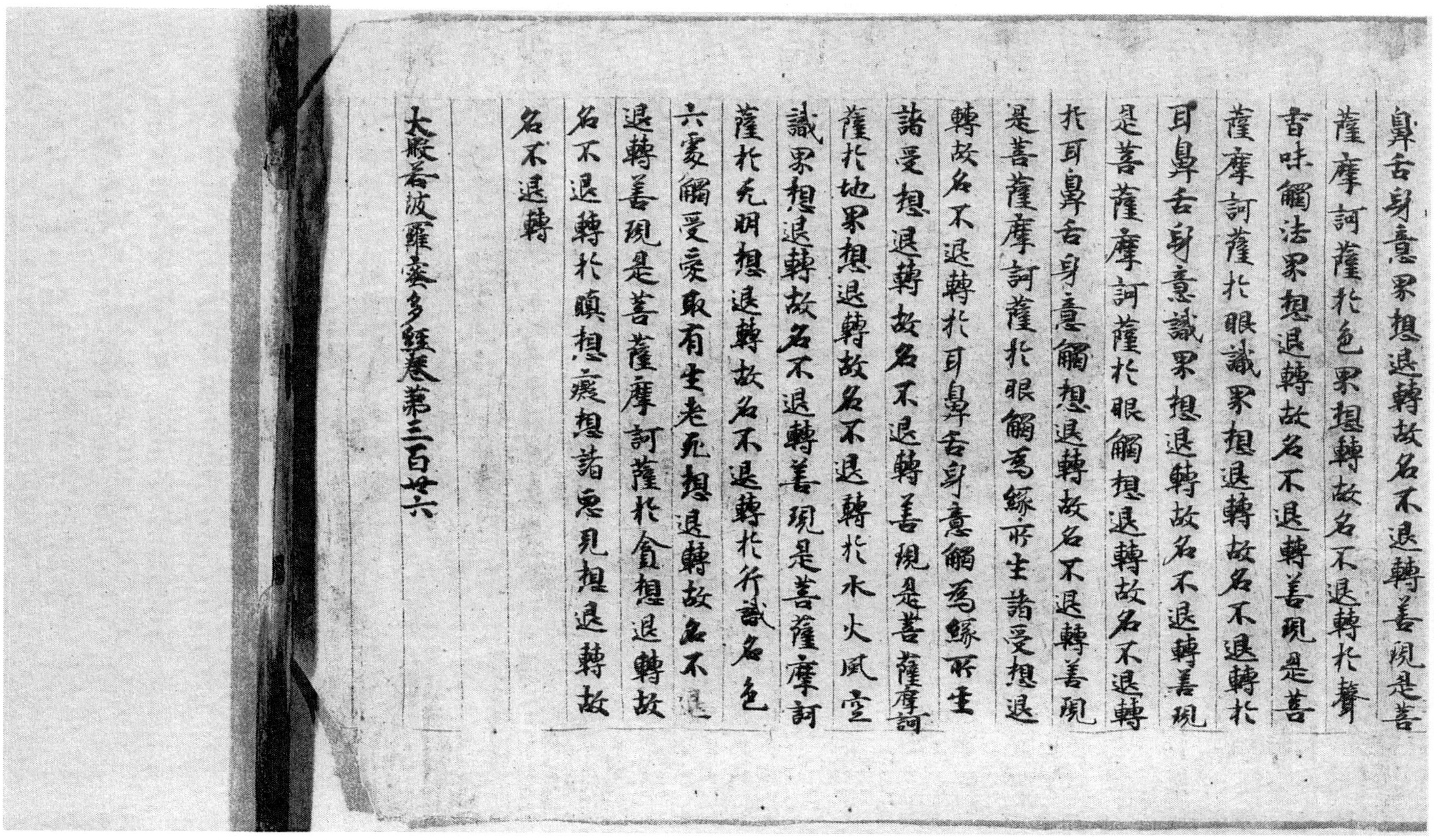

鼻舌身意界想退轉故名不退轉善現是菩
薩摩訶薩於色界想轉故名不退轉於聲
香味觸法界想退轉故名不退轉善現是菩
薩摩訶薩於眼識界想退轉故名不退轉於
耳鼻舌身意識界想退轉故名不退轉善現
是菩薩摩訶薩於眼觸想退轉故名不退轉
於耳鼻舌身意觸想退轉故名不退轉善現
是菩薩摩訶薩於眼觸為緣所生諸受想退
轉故名不退轉於耳鼻舌身意觸為緣所生
諸受想退轉故名不退轉善現是菩薩摩訶
薩於地界想退轉故名不退轉於水火風空
識界想退轉故名不退轉善現是菩薩摩訶
薩於无明想退轉故名不退轉於行識名色
六處觸受愛取有生老死想退轉故名不退
退轉善現是菩薩摩訶薩於貪想退轉故
名不退轉於瞋想癡想諸惡見想退轉故
名不退轉

大般若波羅蜜多經卷第三百廿六

BD03187 號　大般若波羅蜜多經卷三二六　（18–18）

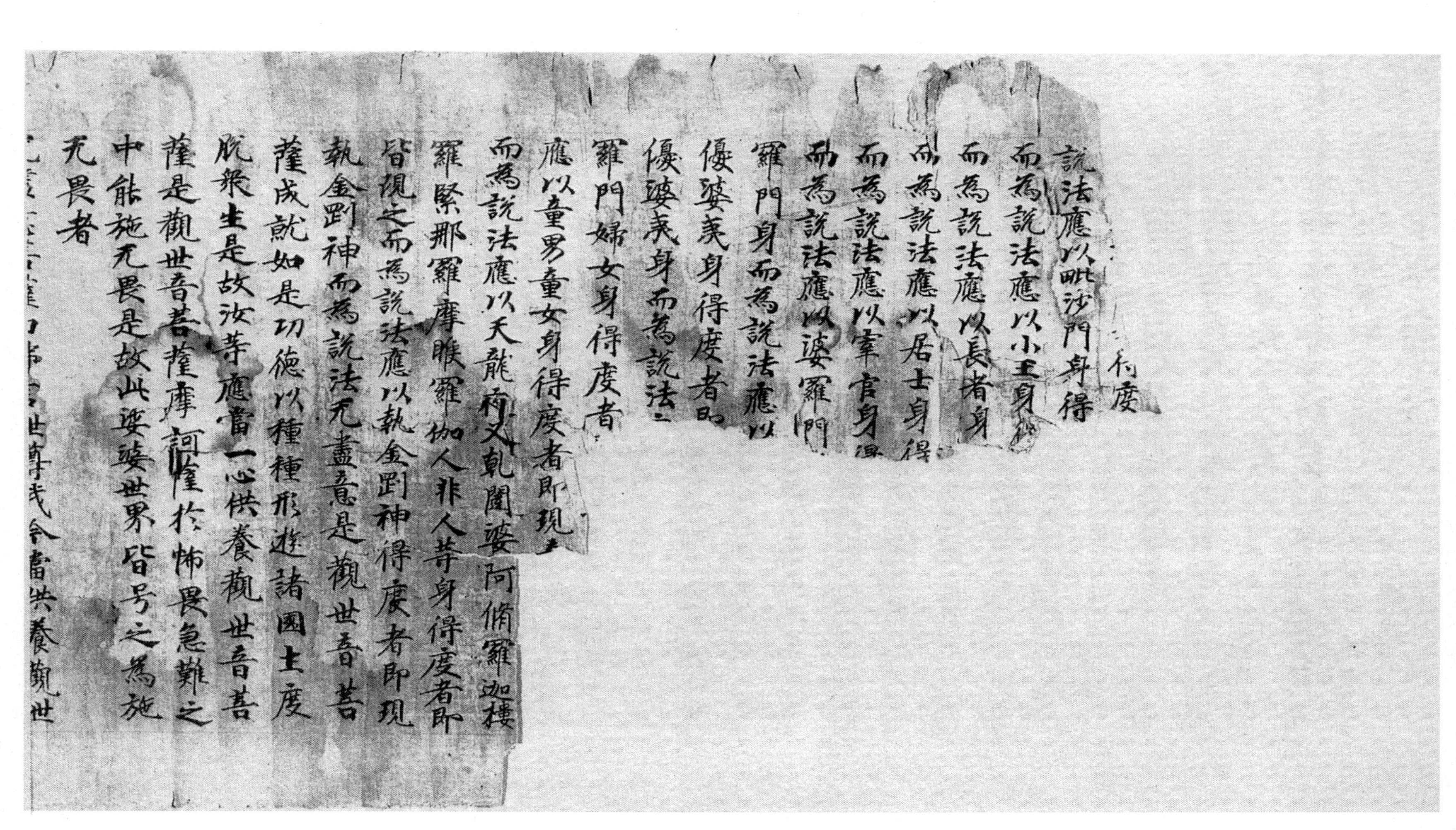
……利度
說法應以毗沙門身得
而為說法應以小王身得
而為說法應以長者身
而為說法應以居士身得
而為說法應以宰官身得
而為說法應以婆羅門
羅門身而為說法應以
優婆塞身得度者即
優婆夷身而為說法
羅門婦女身得度者
應以童男童女身得度者即現
而為說法應以天龍夜叉乾闥婆阿脩羅迦樓
羅緊那羅摩睺羅伽人非人等身得度者即
皆現之而為說法應以執金剛神得度者即現
執金剛神而為說法无盡意是觀世音菩
薩成就如是功德以種種形遊諸國土度
脫衆生是故汝等應當一心供養觀世音菩
薩是觀世音菩薩摩訶薩於怖畏急難之
中能施无畏是故此娑婆世界皆号之為施
无畏者
[illegible]世尊我今當供養觀世

BD03188 號　觀世音經　（4–1）

執金剛神而為說法无盡意是觀世音菩
薩成就如是功德以種種形遊諸國土度
脫衆生是故汝等應當一心供養觀世音菩
薩是觀世音菩薩摩訶薩於怖畏急難之
中能施无畏是故此娑婆世界皆号之為施
无畏者
无盡意菩薩白佛言世尊我今當供養觀世
音菩薩即解頸衆寶珠瓔珞價直百千兩金
而以與之作是言仁者受此法施珎寶瓔珞時
觀世音菩薩不肯受之无盡意菩薩復白
觀世音菩薩言仁者愍我等故受此瓔珞
尒時佛告觀世音菩薩當愍此无盡意菩薩
及諸四衆天龍夜叉乾闥婆阿脩羅迦樓羅
緊那羅摩睺羅伽人非人等故受是瓔珞即
時觀世音菩薩愍諸四衆及於天龍人非人
等受其瓔珞分作二分一分奉釋迦牟
尼佛一分奉多寶佛塔无盡意觀世音菩
薩有如是自在神力遊於娑婆世界
尒時无盡意菩薩以偈問曰
世尊妙相具　我今重問彼　佛子何因緣　名為觀世音
具足妙相尊　偈答无盡意　汝聽觀音行　善應諸方所
弘誓深如海　歷劫不思議　侍多千億佛　發大清淨願
我為汝略說　聞名及見身　心念不空過　能滅諸有苦
假使興害意　推落大火坑　念彼觀音力　火坑變成池
或漂流巨海　龍魚諸鬼難　念彼觀音力　波浪不能沒
或在須弥峯　為人所推墮　念彼觀音力　如日虛空住
或被惡人逐　墮落金剛山　念彼觀音力　不能損一毛

BD03188號　觀世音經

（4–2）

假使興害意　推落大火坑　念彼觀音力　火坑變成池
或漂流巨海　龍魚諸鬼難　念彼觀音力　波浪不能沒
或在須弥峯　為人所推墮　念彼觀音力　如日虛空住
或被惡人逐　墮落金剛山　念彼觀音力　不能損一毛
或值怨賊繞　各執刀加害　念彼觀音力　咸即起慈心
或遭王難苦　臨刑欲壽終　念彼觀音力　刀尋段段壞
或囚禁枷鎖　手足被杻械　念彼觀音力　釋然得解脫
呪詛諸毒藥　所欲害身者　念彼觀音力　還著於本人
或遇惡羅刹　毒龍諸鬼等　念彼觀音力　時悉不敢害
若惡獸圍繞　利牙爪可怖　念彼觀音力　疾走无邊方
蚖蛇及蝮蠍　氣毒烟火然　念彼觀音力　尋聲自迴去
雲雷鼓掣電　降雹澍大雨　念彼觀音力　應時得消散
衆生被困厄　无量苦逼身　觀音妙智力　能救世間苦
具足神通力　廣修智方便　十方諸國土　无刹不現身
種種諸惡趣　地獄鬼畜生　生老病死苦　以漸悉令滅
真觀清淨觀　廣大智慧觀　悲觀及慈觀　常願常瞻仰
无垢清淨光　慧日破諸闇　能伏災風火　普明照世間
悲體戒雷震　慈意妙大雲　澍甘露法雨　滅除煩惱焰
諍訟經官處　怖畏軍陣中　念彼觀音力　衆怨悉退散
妙音觀世音　梵音海潮音　勝彼世間音　是故須常念
念念勿生疑　觀世音淨聖　於苦惱死厄　能為作依怙
具一切功德　慈眼視衆生　福聚海无量　是故應頂礼
尒時持地菩薩即從座起前白佛言世尊若
有衆生聞是觀世音菩薩品自在之業普門
示現神通力者當知是人功德不少佛說是
普門品時衆中八万四千衆生皆發无等等
阿耨多羅三藐三菩提心

BD03188號　觀世音經

（4–3）

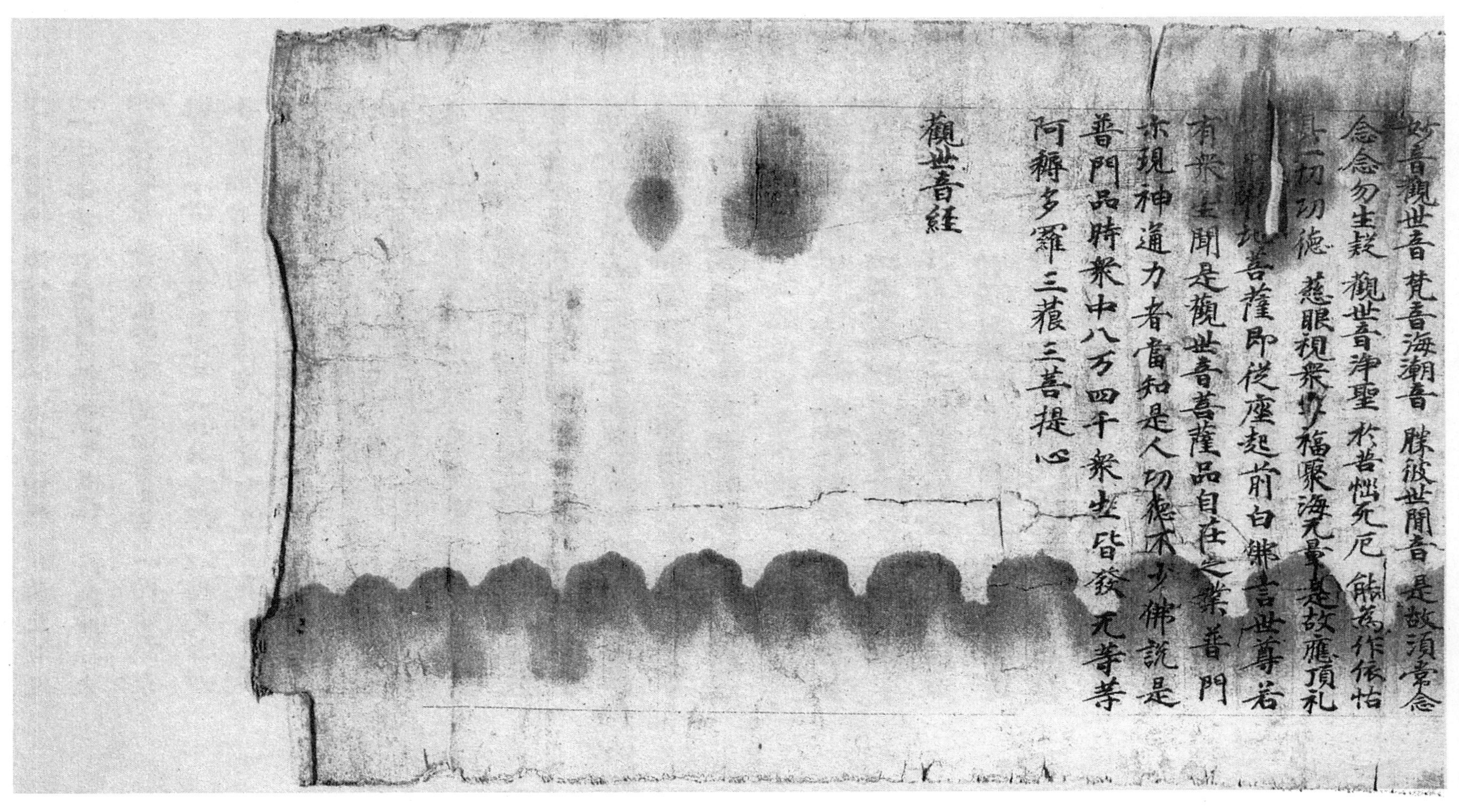
妙音觀世音 梵音海潮音 勝彼世間音 是故須常念
念念勿生疑 觀世音淨聖 於苦惱死厄 能為作依怙
具一切功德 慈眼視衆生 福聚海无量 是故應頂礼
尒時持地菩薩即從座起前白佛言世尊若
有衆生聞是觀世音菩薩品自在之業 普門
示現神通力者當知是人功德不少 佛說是
普門品時衆中八万四千衆生皆發无等等
阿耨多羅三藐三菩提心
觀世音經

BD03188號　觀世音經　（4–4）

佛說希有法 昔所未曾聞 世尊有大力 壽命不可量
无數諸佛子 聞世尊分別 說得法利者 歡喜充遍身
或住不退地 或得陁羅尼 或无礙樂說 万億旋總持
或有大千界 微塵數菩薩 各各皆能轉 不退之法輪
復有中千界 微塵數菩薩 各各皆能轉 清淨之法輪
復有小千界 微塵數菩薩 餘各八生在 當得成佛道
復有四三二 如是四天下 微塵諸菩薩 隨數生成佛
或一四天下 微塵數菩薩 餘有一生在 當成一切智
如是等衆生 聞佛壽長遠 得无量无漏 清淨之果報
復有八世界 微塵數衆生 聞佛說壽命 皆發无上心
世尊說无量 不可思議法 多有所饒益 如虛空无邊
雨天曼陁羅 摩訶曼陁羅 釋梵如恒沙 无數佛土來
雨栴檀沉水 繽紛而亂墜 如鳥飛空下 供散於諸佛
天鼓虛空中 自然出妙聲 天衣千万種 旋轉而來下
衆寶妙香爐 燒无價之香 自然悉周遍 供養諸世尊
其大菩薩衆 執七寶幡蓋 高妙万億種 次第至梵天
一一諸佛前 寶幢懸勝幡 亦以千万偈 歌詠諸如來
如是種種事 昔所未曾有 聞佛壽无量 一切皆歡喜
佛名聞十方 廣饒益衆生 一切具善根 以助无上心
尒時佛告彌勒菩薩摩訶薩阿逸多其有衆

BD03189號　妙法蓮華經卷五　（4–1）

其大菩薩衆　執七寶幡蓋　高妙万億種　次第至梵天
一一諸佛前　寶幢懸勝幡　亦以千万偈　歌詠諸如來
如是種種事　昔所未曾有　聞佛壽无量　一切皆歡喜
佛名聞十方　廣饒益衆生　一切具善根　以助无上心
尒時佛告弥勒菩薩摩訶薩阿逸多其有衆
生聞佛壽命長遠如是乃至能生一念信解
所得功德无有限量若有善男子善女人為
阿耨多羅三藐三菩提於八十万億那由他
劫行五波羅蜜檀波羅蜜尸羅波羅蜜羼提
波羅蜜毗梨耶波羅蜜禪波羅蜜除般若波
羅蜜以是功德比前功德百分千分百千万
億分不及其一乃至筭數譬喻所不能知若
善男子有如是功德於阿耨多羅三藐三善
提退者无有是處尒時世尊欲重宣此義而
說偈言
若人求佛慧　於八十万億　那由他劫數　行五波羅蜜
於是諸劫中　布施供養佛　及緣覺弟子　并諸菩薩衆
珎異之飲食　上服與卧具　栴檀立精舍　以園林莊嚴
如是等布施　種種皆微妙　盡此諸劫數　以迴向佛道
若復持禁戒　清淨无缺漏　求於无上道　諸佛之所歎
若復行忍辱　住於調柔地　設衆惡來加　其心不傾動
諸有得法者　懷於增上慢　為此所輕惱　如是亦能忍
若復懃精進　志念常堅固　於无量億劫　一心不懈息
又於无數劫　住於空閑處　若坐若經行　除睡常攝心
以是因緣故　能生諸禪定　八十億万劫　安住心不亂
持此一心福　願求无上道　我得一切智　盡諸禪定際
是人於百千　万億劫數中　行此諸功德　如上之所說

BD03189號　妙法蓮華經卷五　（4–2）

以是因緣故　能生諸禪定　八十億万劫　安住心不亂
持此一心福　願求无上道　我得一切智　盡諸禪定際
是人於百千　万億劫數中　行此諸功德　如上之所說
有善男女等　聞我說壽命　乃至一念信　其福過於彼
若人悉无有　一切諸疑悔　深心須臾信　其福為如此
其有諸菩薩　无量劫行道　聞我說壽命　是則能信受
如是諸人等　頂受此經典　願我於未來　長壽度衆生
如今日世尊　諸釋中之王　道場師子吼　說法无所畏
我等未來世　一切所尊敬　坐於道場時　說壽亦如是
若有深心者　清淨而質直　多聞能揔持　隨義解佛語
如是諸人等　於此无有疑
又阿逸多若有聞佛壽命長遠解其言趣是
人所得功德无有限量能起如來无上之慧
何況廣聞是經若教人聞若自持若教人持
若自書若教人書若以華香瓔珞幢幡繒蓋
香油酥燈供養經卷是人功德无量无邊能
生一切種智阿逸多若善男子善女人聞我
說壽命長遠深心信解則為見佛常在耆闍
崛山共大菩薩諸聲聞衆圍繞說法又見此
娑婆世界其地瑠璃坦然平正閻浮檀金以
界八道寶樹行列諸臺樓觀皆悉寶成其菩
薩衆咸處其中若有能如是觀者當知是為
深信解相又復如來滅後若聞是經而不毀
呰起隨喜心當知已為深信解相何況讀誦
受持之者斯人則為頂戴如來阿逸多是善
男子善女人不須為我復起塔寺及作僧坊

BD03189號　妙法蓮華經卷五　（4–3）

香油蘇燈供養經卷是人功德无量无邊能
生一切種智阿逸多若善男子善女人聞我
說壽命長遠深心信解則為見佛常在耆闍
崛山共大菩薩諸聲聞衆圍繞說法又見此
娑婆世界其地瑠璃坦然平正閻浮檀金以
界八道寶樹行列諸臺樓觀皆悉寶成其菩
薩衆咸處其中若有能如是觀者當知是為
深信解相又復如來滅後若聞是經而不毀
呰起隨喜心當知已為深信解相何況讀誦
受持之者斯人則為頂戴如來阿逸多是善
男子善女人不須為我復起塔寺及作僧坊
以四事供養衆僧所以者何是善男子善女
人受持讀誦是經典者為已起塔造立僧坊
供養衆僧則為以佛舍利起七寶塔高廣漸
小至于梵天懸諸幡蓋及衆寶鈴華香瓔珞
末香塗香燒香衆鼓伎樂簫笛箜篌種種儛
戲以妙音聲歌唄讚頌則為於无量千万億
劫作是供養已阿逸多若我滅後聞是經典
有能受持若自書若教人書則為起立僧坊
以赤栴檀作諸殿堂三十有二高八多羅樹
高廣嚴好百千比丘於其中止園林流池經

BD03189號　妙法蓮華經卷五　（4–4）

无
應於女
人身　說法亦不樂見若
入他家不與小　女等共語亦復不
近五種不男之人以為親厚不獨入他家若
有因緣須獨入時但一心念佛若為女人說
法不露齒咲不現匈臆乃至為法猶不親厚
況復餘事不樂畜年少弟子沙弥小兒亦不
樂與同師常好坐禪在於閑處脩攝其心文
殊師利是名初親近處復次菩薩摩訶薩觀
一切法空如實相不顛倒不動不退不轉如
虛空无所有性一切語言道斷不生不出不
起无名无相實无所有无量无邊无[illegible]无鄣
但以因緣有從顛倒生故說常樂觀如是法
相是名菩薩摩訶薩第二親近處尒時世尊
欲重宣此義而說偈言
若有菩薩　於後惡世　无怖畏心　欲說是經
應入行處　及親近處　常離國王　及國王子
大臣官長　㓙險戲者　及旃陀羅　外道梵志
亦不親近　增上慢人　貪著小乘　三藏學者
破戒比丘　名字羅漢　及比丘尼　好戲咲者
深著五欲　求現滅度　諸優婆夷　皆勿親近

BD03190號　妙法蓮華經卷五　（2–1）

尊與同師常好坐禪在於閑處脩攝其心文
殊師利是名初親近處復次菩薩摩訶薩觀
一切法空如實相不顛倒不動不退不轉如
虛空无所有性一切語言道斷不生不出不
起无名无相實无所有无量无邊无㝵无鄣
但以因緣有從顛倒生故說常樂觀如是法
相是名菩薩摩訶薩第二親近處尒時世尊
欲重宣此義而說偈言
若有菩薩　於後惡世　无怖畏心　欲說是經
應入行處　及親近處　常離國王　及國王子
大臣官長　凶險戲者　及旃陀羅　外道梵志
亦不親近　增上慢人　貪著小乘　三藏學者
破戒比丘　名字羅漢　及比丘尼　好戲咲者
深著五欲　求現滅度　諸優婆夷　皆勿親近
若是人等　以好心來　到菩薩所　為聞佛道
菩薩則以　无所畏心　不懷希望　而為說法
寡女處女　及諸不男　皆勿親近　以為親厚
亦莫親近　屠兒魁膾　畋獵漁捕　為利殺害
販肉自活　衒賣女色　如是之人　皆勿親近
盡勿親近
得戲咲
佛

BD03190號　妙法蓮華經卷五

（2–2）

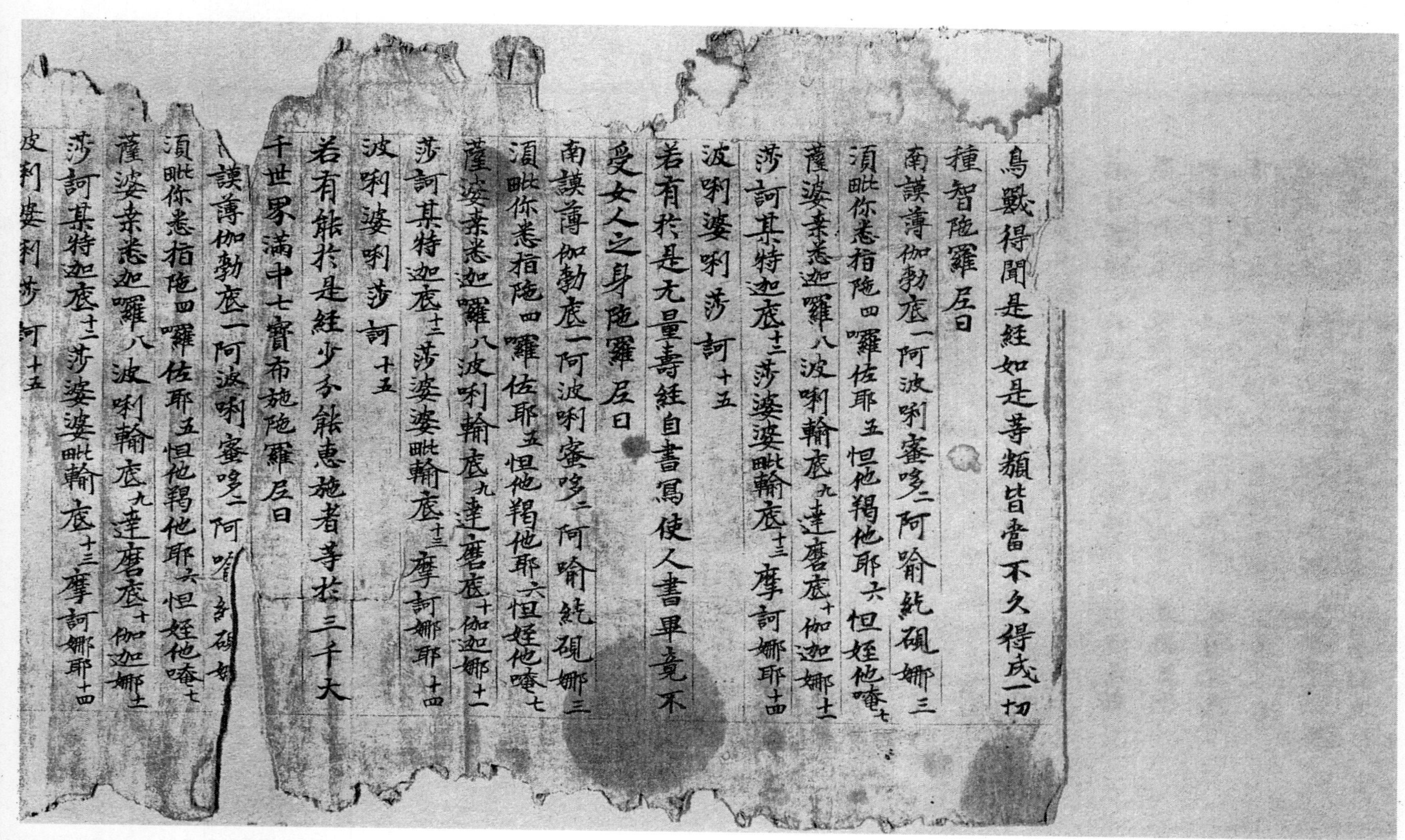
烏獸得聞是經如是等類皆當不久得成一切
種智陁羅尼曰
南謨薄伽勃底一阿波唎蜜哆二阿喻紇硯娜三
須毗你悉指陁四囉佐耶五怛他羯他耶六怛姪他唵七
薩婆桑悉迦囉八波唎輸底九達磨底十伽迦娜十一
莎訶其特迦底十二莎婆婆毗輸底十三摩訶娜耶十四
波唎婆唎莎訶十五
若有於是无量壽經自書寫使人書畢竟不
受女人之身陁羅尼曰
南謨薄伽勃底一阿波唎蜜哆二阿喻紇硯娜三
須毗你悉指陁四囉佐耶五怛他羯他耶六怛姪他唵七
薩婆桑悉迦囉八波唎輸底九達磨底十伽迦娜十一
莎訶其特迦底十二莎婆婆毗輸底十三摩訶娜耶十四
波唎婆唎莎訶十五
若有能於是經少分能惠施者等於三千大
千世界滿中七寶布施陁羅尼曰
謨薄伽勃底一阿波唎蜜哆二阿喻紇硯娜
須毗你悉指陁四囉佐耶五怛他羯他耶六怛姪他唵七
薩婆桑悉迦囉八波唎輸底九達磨底十伽迦娜十一
莎訶其特迦底十二莎婆婆毗輸底十三摩訶娜耶十四
波利婆利莎訶十五

BD03191號　無量壽宗要經

（2–1）

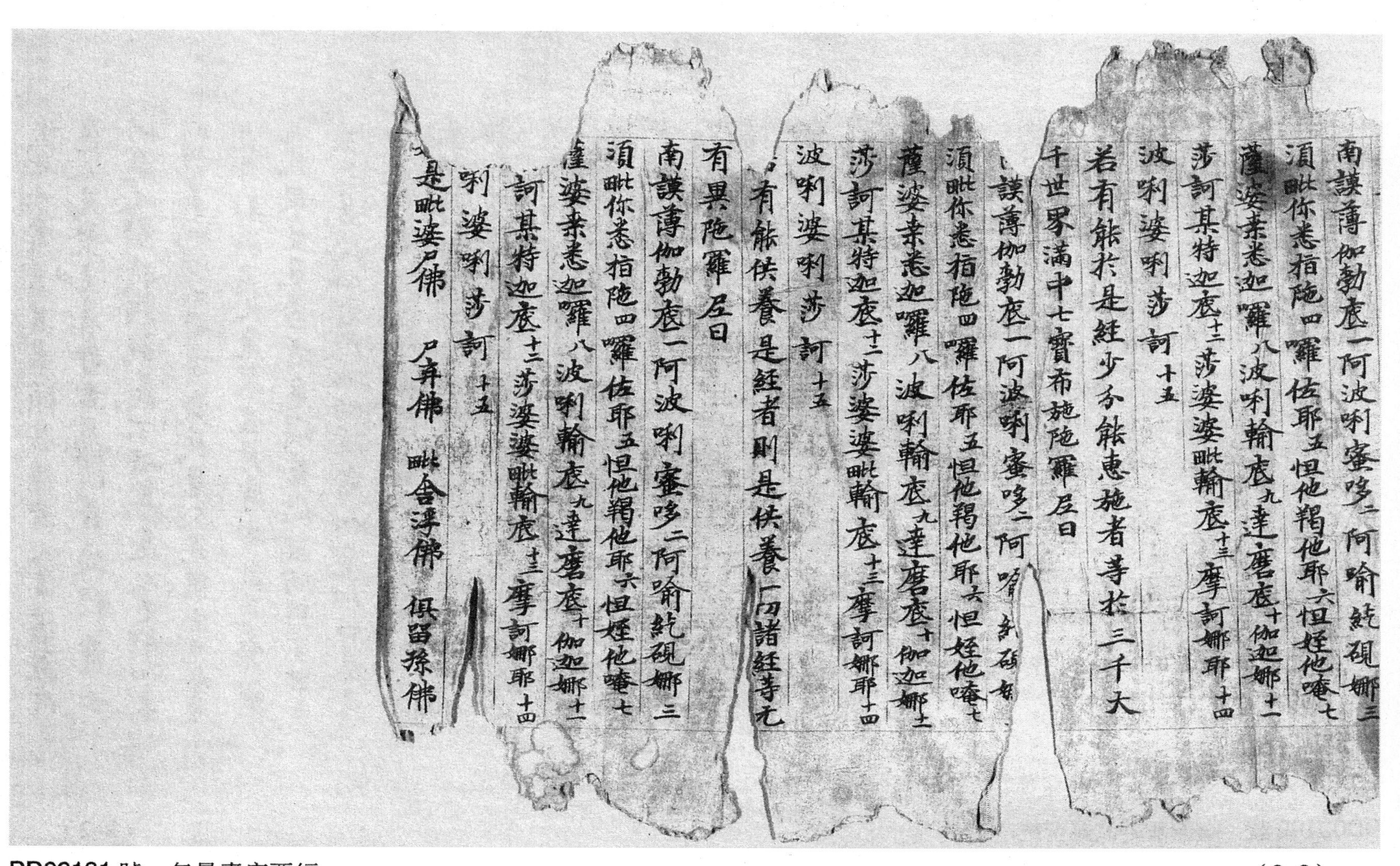
南謨薄伽勃底一阿波唎蜜哆二阿喻紇硯娜三
須毗你悉指陁四囉佐耶五怛他羯他耶六怛姪他唵七
薩婆桒悉迦囉八波唎輸底九達磨底十伽迦娜十一
莎訶其特迦底十二莎婆婆毗輸底十三摩訶娜耶十四
波唎婆唎莎訶十五
若有能於是經少分能惠施者等於三千大
千世界滿中七寶布施陁羅尼曰
南謨薄伽勃底一阿波唎蜜哆二阿喻紇硯娜
須毗你悉指陁四囉佐耶五怛他羯他耶六怛姪他唵七
薩婆桒悉迦囉八波唎輸底九達磨底十伽迦娜十一
莎訶其特迦底十二莎婆婆毗輸底十三摩訶娜耶十四
波唎婆唎莎訶十五
有能供養是經者則是供養一切諸經等无
有異陁羅尼曰
南謨薄伽勃底一阿波唎蜜哆二阿喻紇硯娜三
須毗你悉指陁四囉佐耶五怛他羯他耶六怛姪他唵七
薩婆桒悉迦囉八波唎輸底九達磨底十伽迦娜十一
訶其特迦底十二莎婆婆毗輸底十三摩訶娜耶十四
唎婆唎莎訶十五
是毗婆尸佛　尸棄佛　毗舍浮佛　俱留孫佛

BD03191 號　無量壽宗要經　（2–2）

碎為微塵於意云何是微塵衆寧為多不
甚多世尊何以故若是微塵衆實有者佛則
不說是微塵衆所以者佛說微塵衆則非微
塵衆是名微塵衆世尊如來所說三千大千
世界則非世界是名世界何以故若世界實有
者則是一合相如來說一合相則非一合相是
名一合相須菩提一合相者則是不可說但凡
夫之人貪著其事須菩提若人言佛說我
見人見衆生見壽者見須菩提於意云
何是人解我所說義不世尊是人不解如來
所說義何以故世尊說我見人見衆生見壽者
見即非我見人見衆生見壽者是名我見
人見衆生見壽者見須菩提發阿耨多羅三
藐三菩提心者於一切法應如是知如是見
如是信解不生法相須菩提所言法相者如
來說即非法相是名法相須菩提若有人以
滿无量阿僧祇世界七寶持用布施若有善
男子善女人發菩薩心者持於此經乃至四
句偈等受持讀誦為人演說其福勝彼云
何為人演說不取於相如如不動何以故

BD03192 號　金剛般若波羅蜜經　（2–1）

夫之人貪著其事須菩提若人言佛說我
見人見衆生見壽者見須菩提於意云
何是人解我所說義不世尊是人不解如來
所說義何以故世尊說我見人見衆生見壽者
見即非我見人見衆生見壽者是見名我見
人見衆生見壽者見須菩提發阿耨多羅三
藐三菩提心者於一切法應如是知如是見
如是信解不生法相須菩提所言法相者如
來說即非法相是名法相須菩提若有人以
滿無量阿僧祇世界七寶持用布施若有善
男子善女人發菩薩心者持於此經乃至四
句偈等受持讀誦爲人演說其福勝彼云
何爲人演說不取於相如如不動何以故
一切有爲法　如夢幻泡影　如露亦如電　應作如是觀
佛說是經已長老須菩提及諸比丘比丘尼
優婆塞優婆夷一切世間天人阿脩羅聞佛
所說皆大歡喜信受奉行
金剛般若波羅蜜經

BD03192號　金剛般若波羅蜜經　（2–2）

空清淨何以故若一切智智清淨若恒住捨
性清淨若共相空清淨無二無二分無別無
斷故善現一切智智清淨故一切智智清淨一
切智智清淨故共相空清淨何以故若一切
智清淨若一切智智清淨若共相空清淨無二
無二分無別無斷故一切智智清淨故道相
智一切相智清淨道相智一切相智清淨故
共相空清淨何以故若一切智智清淨若道
相智一切相智清淨若共相空清淨無二無
二分無別無斷故善現一切智智清淨故一
切陁羅尼門清淨一切陁羅尼門清淨故共
相空清淨何以故若一切智智清淨若一切
陁羅尼門清淨若共相空清淨無二無二分
無別無斷故一切智智清淨故一切三摩地
門清淨一切三摩地門清淨故共相空清淨
何以故若一切智智清淨若一切三摩地門
清淨若共相空清淨無二無二分無別無
斷故
善現一切智智清淨故預流果清淨預流果
清淨故共相空清淨何以故若一切智智清

BD03193號　大般若波羅蜜多經卷二五四　（2–1）

相智一切相智清淨若共相空清淨無二無
二分無別無斷故善現一切智智清淨故一
切陁羅尼門清淨一切陁羅尼門清淨故共
相空清淨何以故若一切智智清淨若一切
陁羅尼門清淨若共相空清淨無二無二分
無別無斷故一切智智清淨故一切三摩地
門清淨一切三摩地門清淨故共相空清淨
何以故若一切智智清淨若一切三摩地門
清淨若共相空清淨無二無二分無別無
斷故
善現一切智智清淨故預流果清淨預流果
清淨故共相空清淨何以故若一切智智清
淨若預流果清淨若共相空清淨無二無二
分無別無斷故一切智智清淨故一來不還
阿羅漢果清淨一來不還阿羅漢果清淨故
共相空清淨何以故若一切智智清淨若一來
不還阿羅漢果清淨若共相空清淨無二
無二分無別無斷故善現一切智智清淨故
獨覺菩提清淨獨覺菩提清淨故共相空
清淨何以故若一切智智清淨若獨覺菩提清

BD03193 號　大般若波羅蜜多經卷二五四　（2–2）

行非佛道
槃而不捨於菩薩之道是
說是語時文殊師利所將大衆其
八千天子皆發阿耨多羅三藐三菩提心
不思議品第六
尒時舍利弗見此室中无有牀座作是念斯
諸菩薩大弟子衆當於何坐長者維摩詰
知其意語舍利弗言云何仁者爲法來耶求
牀座耶舍利弗言我爲法來非爲牀座維
摩詰言唯舍利弗夫求者不貪軀命何况
牀座夫求法者非有色受想行識之求非有
界入之求非有欲色无色之求唯舍利弗夫
求法者不著佛求不著法求不著衆求夫求
法者无見苦求无斷集求无造盡證脩道之
求所以者何法无戲論若言我當見苦斷集
證滅脩道是則戲論非求法也唯舍利弗法名
寂滅若行生滅是求生滅非求法也法名无染
若染於法乃至涅槃是則染著非求法也

BD03194 號 A　維摩詰所說經卷中　（4–1）

法者无見苦求无斷集求无造盡證脩道之
求所以者何法无戲論若言我當見苦斷集
證滅脩道是則戲論非求法也唯舍利弗法名
寂滅若行生滅是求生滅非求法也法名无染
若染於法乃至涅槃是則染著非求法也
行處若行於法是則行處非求法也法无取
捨若取捨法是則取捨非求法也法无處所
若著處所是則著處非求法也法名无相若
隨相識是則求相非求法也法不可住若住於
法是則住法非求法也法不可見聞覺知若
行見聞覺知是則見聞覺知非求法也法
名无為若行有為是求有為非求法也是
故舍利弗若求法者於一切法應无所求說
是語時五百天子於諸法中得法眼淨
尒時長者維摩詰問文殊師利仁者遊於无
量千万億阿僧祇國何等佛土有好上妙功
德成就師子之座文殊師利言居士東方度
三十六恒河沙國有世界名須弥相其佛号須
弥燈王今現在彼佛身長八万四千由旬其師子
座高八万四千由旬嚴飾第一於是長者維摩
詰現神通力即時彼佛遣三万二千師子座
高廣嚴好來入維摩詰室諸菩薩大弟子
釋梵四天王等昔所未見其室廣博悉苞容
受三万二千師子座无所妨礙於毗耶離城及
閻浮提四天下亦不迫迮悉見如故尒時維

BD03194 號 A　維摩詰所說經卷中　（4–2）

詰現神通力即時彼佛遣三万二千師子座
高廣嚴好來入維摩詰室諸菩薩大弟子
釋梵四天王等昔所未見其室廣博悉苞容
受三万二千師子座无所妨礙於毗耶離城及
閻浮提四天下亦不迫迮悉見如故尒時維
摩詰語文殊師利就師子座與諸菩薩上
人俱坐當自立身如彼坐像其得神通菩薩
即自變身為四万二千由旬坐師子座諸新
發意菩薩及大弟子皆不能昇尒時維摩詰
語舍利弗就師子座舍利弗言居士此座高
廣吾不能昇維摩詰言唯舍利弗為須弥
燈王如來作礼乃可得坐於是新發意菩薩
及大弟子即為須弥燈王如來作礼便得坐
師子座舍利弗言居士未曾有也如是小室
乃容受此高廣之座於毗耶離城无所妨礙
又於閻浮提聚落城邑及四天下諸天龍王
鬼神宮殿亦不迫迮維摩詰言唯舍利弗諸
佛菩薩有解脫名不可思議若菩薩住是
解脫者以須弥之高廣內芥子中无所增減須
弥山王本相如故而四天王忉利諸天不覺不
知已之所入唯應度者乃見須弥入芥子中
是名不可思議解脫法門又以四大海水入一
毛孔不嬈魚鼈黿鼉水性之屬而彼大海本
相如故諸龍鬼神阿脩羅等不覺不知己之
所入於此眾生亦无所嬈又舍利弗住不可
思議解脫菩薩斷取三千大千世界如陶家

BD03194 號 A　維摩詰所說經卷中　（4–3）

及大弟子即為須弥燈王如來作礼便得坐
師子座舍利弗言居士未曾有也如是小室
乃容受此高廣之座於毗耶離城无所妨礙
又於閻浮提聚落城邑及四天下諸天龍王
鬼神宮殿亦不迫迮維摩詰言唯舍利弗諸
佛菩薩有解脫名不可思議若菩薩住是
解脫者以須弥之高廣內芥子中无所增減須
弥山王本相如故而四天王忉利諸天不[illegible]不
知己之所入唯應度者乃見須弥入芥子中
是名不可思議解脫法門又以四大海水入一
毛孔不嬈魚鱉黿鼉水性之屬而彼大海本
相如故諸龍鬼神阿脩羅等不覺不知己之
所入於此衆生亦无所嬈又舍利弗住不可
思議解脫菩薩斷取三千大千世界[illegible]陶家
輪著右掌中擲過恒河沙世界之外其中衆生
不覺[illegible]

BD03194 號 A　維摩詰所說經卷中　（4–4）

BD03194 號 B　捺印佛像（擬）　（1–1）

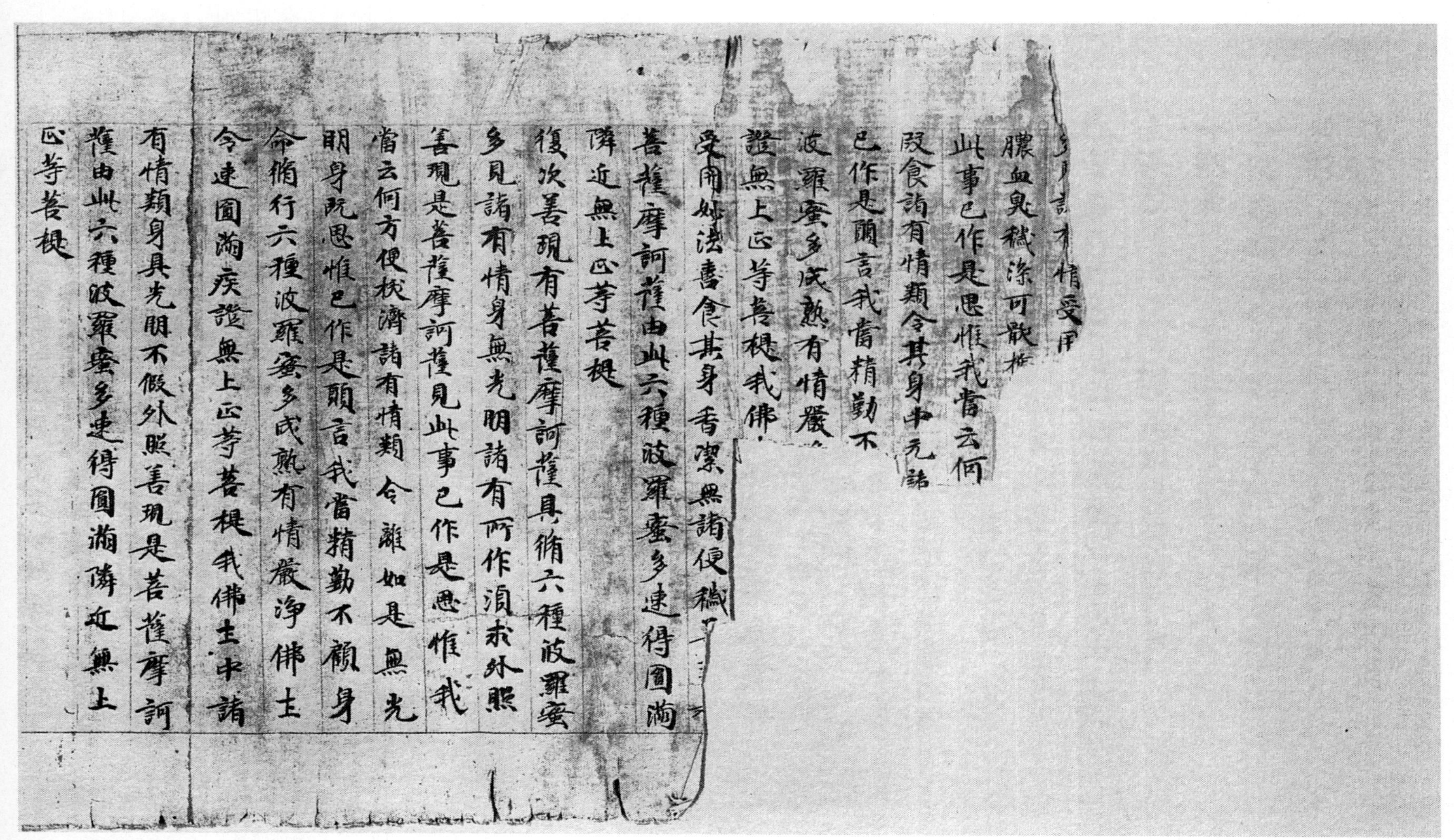
…諸有情受用
膿血臭穢深可厭…
此事已作是思惟我當云何
叚食諸有情類令其身中无諸
已作是願言我當精勤不
波羅蜜多成熟有情嚴…
證無上正等菩提我佛…
受用妙法喜食其身香潔無諸便穢…
菩薩摩訶薩由此六種波羅蜜多速得圓滿
隣近無上正等菩提
復次善現有菩薩摩訶薩具脩六種波羅蜜
多見諸有情身無光明諸有所作須求外照
善現是菩薩摩訶薩見此事已作是思惟我
當云何方便救濟諸有情類令離如是無光
明身既思惟已作是願言我當精勤不顧身
命脩行六種波羅蜜多成熟有情嚴淨佛土
令速圓滿疾證無上正等菩提我佛土中諸
有情類身具光明不假外照善現是菩薩摩訶
薩由此六種波羅蜜多速得圓滿隣近無上
正等菩提

BD03195 號　大般若波羅蜜多經卷三三一　（8–1）

命脩行六種波羅蜜多成熟有情嚴淨佛土
令速圓滿疾證無上正等菩提我佛土中諸
有情類身具光明不假外照善現是菩薩摩訶
薩由此六種波羅蜜多速得圓滿隣近無上
正等菩提
復次善現有菩薩摩訶薩具脩六種波羅蜜
多見諸有情所居之土有晝有夜有月半月時
節歲數轉變非恒善現是菩薩摩訶薩見此
事已作是思惟我當云何方便救濟諸有
情類令所居土無晝夜等諸變易事既思惟
已作是願言我當精勤不顧身命脩行六種
波羅蜜多成熟有情嚴淨佛土令速圓滿疾
證無上正等菩提我佛土中得無晝夜及月半
月時節歲數乃至無有晝夜等名善現是
菩薩摩訶薩由此六種波羅蜜多速得圓滿
隣近無上正等菩提
復次善現有菩薩摩訶薩具脩六種波羅蜜
多見諸有情壽量短促善現是菩薩摩訶薩
見此事已作是思惟我當云何方便救濟諸
有情類令離如是壽量短促既思惟已作是
願言我當精勤不顧身命脩行六種波羅蜜
多成熟有情嚴淨佛土令速圓滿疾證無上
正等菩提我佛土中諸有情類壽量長遠劫
數難知善現是菩薩摩訶薩由此六種波羅
蜜多速得圓滿隣近無上正等菩提
復次善現有菩薩摩訶薩具脩六種波羅蜜
多見諸有情無衆相好善現是菩薩摩訶薩

BD03195 號　大般若波羅蜜多經卷三三一　（8–2）

數難知善現是菩薩摩訶薩由此六種波羅
蜜多速得圓滿隣近無上正等菩提
復次善現有菩薩摩訶薩具脩六種波羅蜜
多見諸有情無衆相好善現是菩薩摩訶薩
見此事已作是思惟我當云何方便拔濟諸
有情類令得相好既思惟已作是願言我當
精勤不顧身命脩行六種波羅蜜多成熟有
情嚴淨佛土令速圓滿疾證無上正等菩提
我佛土中諸有情類具三十二大士夫相八
十隨好圓滿莊嚴有情見之生淨妙喜善現
是菩薩摩訶薩由此六種波羅蜜多速得圓
滿隣近無上正等菩提
復次善現有菩薩摩訶薩具脩六種波羅蜜
多見有情類雜諸善根善現是菩薩摩訶薩
見此事已作是思惟我當云何拔濟如是諸
有情類令具善根既思惟已作是願言我當
精勤不顧身命脩行六種波羅蜜多成熟有
情嚴淨佛土令速圓滿疾證無上正等菩提
我佛土中諸有情類一切成就勝妙善根由
此善根能辦種種上妙供具供養諸佛乘斯
福力隨所生處復能供養諸佛世尊善現是
菩薩摩訶薩由此六種波羅蜜多速得圓滿
隣近無上正等菩提
復次善現有菩薩摩訶薩具脩六種波羅蜜
多見諸有情具身心病身病有四一者風病
二者熱病三者淡病四者風等種種雜病心
病亦四一者貪病二者瞋病三者癡病四者

BD03195號　大般若波羅蜜多經卷三三一　（8–3）

復次善現有菩薩摩訶薩具脩六種波羅蜜
多見諸有情具身心病身病有四一者風病
二者熱病三者淡病四者風等種種雜病心
病亦四一者貪病二者瞋病三者癡病四者
慢等諸煩惱病善現是菩薩摩訶薩見此事
已作是思惟我當云何拔濟如是身心病苦
諸有情類既思惟已作是願言我當精勤不
顧身命脩行六種波羅蜜多成熟有情嚴淨
佛土令速圓滿疾證無上正等菩提我佛土
中諸有情類身心清淨無諸病苦乃至不聞
風病熱病淡病風等雜病之名亦復不聞貪
病瞋病癡病慢等煩惱病名善現是菩薩摩
訶薩由此六種波羅蜜多速得圓滿隣近無
上正等菩提
復次善現有菩薩摩訶薩具脩六種波羅蜜
多見諸有情種種意樂或有樂趣聲聞乘者
或有樂趣獨覺乘者或有樂趣無上乘者善
現是菩薩摩訶薩見此事已作是思惟我當
云何方便拔濟諸有情類令其棄捨樂趣聲
聞獨覺乘意唯令樂趣無上大乘既思惟已
作是願言我當精勤不顧身命脩行六種波
羅蜜多成熟有情嚴淨佛土令速圓滿疾證
無上正等菩提我佛土中諸有情類唯求無
上正等菩提不樂聲聞獨覺乘果乃至無有
二乘之名唯聞大乘種種功德善現是菩薩
摩訶薩由此六種波羅蜜多速得圓滿隣近

BD03195號　大般若波羅蜜多經卷三三一　（8–4）

無上正等菩提我佛土中諸有情類唯求無
上正等菩提不樂聲聞獨覺乘果乃至無有
二乘之名唯聞大乘種種功德善現是菩薩
摩訶薩此六種波羅蜜多速得圓滿隣近
無上正等菩提
復次善現有菩薩摩訶薩具脩六種波羅蜜
多見諸有情起增上慢未能真實離斷生命
謂我真實離斷生命未能真實離不與取離
欲邪行謂我真實離不與取離欲邪行未能
真實離虛誑語謂我真實離虛誑語未能真
實離麁惡語離離間語離雜穢語謂我真實
離麁惡語離離間語離雜穢語未能真實離
於貪欲謂我真實離於貪欲未能真實離於
瞋恚及離邪見謂我真實離於瞋恚及離邪
見未得初靜慮謂得初靜慮未得第二第三第
四靜慮謂得第二第三第四靜慮未得空無邊
處定謂得空無邊處定之未得識無邊處無所
有處非想非非想處之謂得識無邊處無所
有處非想非非想處定未得慈無量謂得慈
無量未得悲喜捨無量謂得悲喜捨無量未
得神境智證通謂得神境智證通未得天眼
天耳他心宿住隨念智證通謂得天眼天耳
他心宿住隨念智證通未得不淨觀謂得不
淨觀未得慈悲念息緣起界差別觀謂得慈
悲念息緣起界差別觀未得止觀地謂得止
觀地未得種姓地第八地見地薄地離欲地

BD03195號　大般若波羅蜜多經卷三三一　（8–5）

他心宿住隨念智證通未得不淨觀謂得不
淨觀未得慈悲念息緣起界差別觀謂得慈
悲念息緣起界差別觀未得止觀地謂得止
觀地未得種姓地第八地見地薄地離欲地
已辦地謂得種姓地第八地見地薄地離欲
地已辦地未得獨覺菩提謂得獨覺菩提未
得布施波羅蜜多謂得布施波羅蜜多未得
淨戒安忍精進靜慮般若波羅蜜多謂得淨
戒安忍精進靜慮般若波羅蜜多未證內空
謂證內空未證外空內外空空空大空勝義
空有為空無為空畢竟空無際空散空無變
異空本性空自相空共相空一切法空不可得
空無性空自性空無性自性空謂地外空
乃至無性自性空未證真如謂證真如未證
法界法性不虛妄性不變異性平等性離生
性法定法住實際虛空界不思議界謂證法
界乃至不思議界未證苦聖諦謂證苦聖諦
未證集滅道聖諦謂證集滅道聖諦未得四念
住謂得四念住未得四正斷四神足五根五
力七等覺支八聖道支謂得四正斷乃至
八聖道支未得四靜慮謂得四靜慮未得四
無量四無色定謂得四無量四無色定未得
八解脫謂得八解脫未得八勝處九次第定
十遍處謂八勝處九次第定十遍處未得
空解脫門謂得空解脫門未得無相無願解
脫門謂得無相無願解脫門未得極喜地謂

BD03195號　大般若波羅蜜多經卷三三一　（8–6）

十遍處謂八勝處九次第定十遍處未得
空解脫門謂得空解脫門未得無相無願解
脫門謂得無相無願解脫門未得極喜地謂
謂極喜地未得離垢地發光地焰慧地極難
勝地現前地遠行地不動地善慧地法雲地
謂得離垢地乃至法雲地未得五眼謂得五
眼未得六神通謂得六神通未得三摩地門
謂得三摩地門未得陀羅尼門謂得陀羅尼
門未得佛十力謂得佛十力未得四無所畏
四無礙解大慈大悲大喜大捨十八佛不共
法謂得四無所畏乃至十八佛不共法未得
無忘失法謂得無忘失法未得恒住捨性謂
得恒住捨性未得一切智謂得一切智未得
道相智一切相智謂得道相智一切相智未
嚴淨佛土謂嚴淨佛土未成熟有情謂成熟
有情未解世間工巧伎藝謂解世間工巧伎
藝未脩菩薩摩訶薩行謂脩菩薩摩訶薩行
未得無上正等菩提謂得無上正等菩提善
現是菩薩摩訶薩見此事已作是思惟我當
云何救濟如是諸有情類令其遠離增上慢
結既思惟已作是願言我當精勤不顧身命
脩行六種波羅蜜多成熟有情嚴淨佛土令
速圓滿疾證無上正等菩提我佛土中得無
如是增上慢者一切有情離增上慢善現是
菩薩摩訶薩由此六種波羅蜜多速得圓滿
隣近無上正等菩提
復次善現有菩薩摩訶薩具脩六種波羅蜜

BD03195 號　大般若波羅蜜多經卷三三一　（8–7）

嚴淨佛土謂嚴淨佛土未成熟有情謂成熟
有情未解世間工巧伎藝謂解世間工巧伎
藝未脩菩薩摩訶薩行謂脩菩薩摩訶薩行
未得無上正等菩提謂得無上正等菩提善
現是菩薩摩訶薩見此事已作是思惟我當
云何救濟如是諸有情類令其遠離增上慢
結既思惟已作是願言我當精勤不顧身命
脩行六種波羅蜜多成熟有情嚴淨佛土令
速圓滿疾證無上正等菩提我佛土中得無
如是增上慢者一切有情離增上慢善現是
菩薩摩訶薩由此六種波羅蜜多速得圓滿
隣近無上正等菩提
復次善現有菩薩摩訶薩具脩六種波羅蜜
多見諸有情執著諸法謂執著色執著受想
行識執著眼處執著耳鼻舌身意處執著色

BD03195 號　大般若波羅蜜多經卷三三一　（8–8）

BD03195 號背　勘記　　（1–1）

閣紹[illegible]
無量世界時彼佛與諸菩薩方共坐食有諸
天子皆号香嚴悉發阿耨多羅三藐三菩提
心供養彼佛及諸菩薩此諸大衆莫不目見
時維摩詰問衆菩薩諸仁者誰能致彼佛飯
以文殊師利威神力故咸皆默然維摩詰言
仁者此諸大衆无乃可恥文殊師利曰如佛所
言勿輕未學於是維摩詰不起于坐居衆會
前化作菩薩相好光明威德殊勝蔽於衆會
而告之曰汝往上方界分度如卌二恒河沙佛
土有國名衆香佛号香積與諸菩薩方共
坐食汝往到彼如我辭曰維摩詰稽首世尊
足下致敬無量問訊起居少病少惱氣力安
不願得世尊所食之餘當於娑婆世界施作
佛事令此樂小法者得弘大道亦使如來名聲
普聞時化菩薩即於會前昇于上方舉衆
皆見其去到衆香界礼彼佛足又聞其言維
摩詰稽首世尊足下致敬无量問訊起居少
病少惱氣力安不願得世尊所食之餘欲於
娑婆世界施作佛事使此樂小法者得弘大

BD03196 號　維摩詰所說經卷下　　（21–1）

皆見其去至衆香界禮彼佛足又聞其言維
摩詰稽首世尊足下致敬无量問訊起居少
病少惱氣力安不願得世尊所食之餘欲於
娑婆世界施作佛事使此樂小法者得弘大
道亦使如來名聲普聞彼諸大士見化菩薩
歎未曾有今此上人從何所來娑婆世界為
在何許云何名為樂小法者即以問佛佛告
之曰下方度如卌二恒河沙佛土有世界名
娑婆佛号釋迦牟尼今現在於五濁惡世為
樂小法衆生敷演道教彼有菩薩名維摩
詰住不可思議解脫為諸菩薩說法故遣化
來稱揚我名并讚此土令彼菩薩增益功德
彼菩薩言其人何如乃作是化德力无畏神
足若斯佛言甚大一切十方皆遣化往施作
佛事饒益衆生於是香積如來以衆香鉢盛
滿香飯與化菩薩時彼九百万菩薩俱發聲
言我欲詣娑婆世界供養釋迦牟尼佛并欲
見維摩詰等諸菩薩衆佛言可往攝汝身香
无令彼諸衆生起惑著心又當捨汝本形勿
使彼國求菩薩者而自鄙恥又汝於彼莫懷
輕賤而作閡想所以者何十方國土皆如虛
空又諸佛為欲化諸樂小法者不盡現其清
淨土耳時化菩薩既受鉢飯與彼九百万菩
薩俱承佛威神及維摩詰力於彼世界忽然
不現須臾之間至維摩詰舍維摩詰即化作
九百万師子之座嚴好如前諸菩薩皆坐其

薩俱承佛威神及維摩詰力於彼世界忽然
不現須臾之間至維摩詰舍維摩詰即化作
九百万師子之座嚴好如前諸菩薩皆坐其
上化菩薩以滿鉢香飯與維摩詰飯香普薰
毗耶離城及三千大千世界時毗耶離婆羅
門居士等聞是香氣身意快然歎未曾有於
是長者主月蓋從八万四千人來入維摩詰舍
見其室中菩薩甚多諸師子座高廣嚴好皆
大歡喜禮衆菩薩及大弟子却住一面諸地神
虛空神及欲色界諸天聞此香氣亦皆來入
維摩詰舍時維摩詰語舍利弗等諸大聲聞仁
者可食如來甘露味飯大悲所薰无以限意
食之使不消也有異聲聞念是飯少而此大
衆人人當食化菩薩曰勿以聲聞小德小智
稱量如來无量福慧四海有竭此飯无盡使
一切人食揣若須彌乃至一劫猶不能盡所
以者何无盡戒定慧解脫解脫知見功德是
者所食之餘終不可盡於是鉢飯悉飽衆會
猶故不賜其諸菩薩聲聞天人食此飯者身
安快樂譬如一切樂莊嚴國諸菩薩也又諸
毛孔皆出妙香亦如衆香國土諸樹之香
尒時維摩詰問衆香菩薩香積如來以何說
法彼菩薩曰我土如來无文字說但以衆香
令諸天人得入律行菩薩各各坐香樹下聞
斯妙香即獲一切德藏三昧得是三昧者菩
薩所有功德皆悉具足彼諸菩薩問維摩詰

法彼菩薩曰我土如来无文字說但以衆香
令諸天人得入律行菩薩各坐香樹下聞
斯妙香即獲一切德藏三昧得是三昧者菩
薩所有功德皆悉具足彼諸菩薩問維摩詰
今世尊釋迦牟尼以何說法維摩詰言此土
衆生剛強難化故佛為說剛強之語以調伏
之言是地獄是畜生是餓鬼是諸難處是愚
人生處是身耶行是身耶行報是口耶行是
口耶行報是意耶行是意耶行報是煞生是煞
生報是不與取是不與取報是耶婬是耶婬報
是妄語是妄語報是兩舌是兩舌報是惡口
是惡口報是无義語是无義語報是貪嫉
是貪嫉報是瞋惱是瞋惱報是耶見是耶見
報是慳悋是慳悋報是毀戒是毀戒報是瞋
恚是瞋恚報是懈怠是懈怠報是乱意是
乱意報是愚癡是愚癡報是結戒是持戒是
犯戒是應作是不應作是鄣閡是不鄣閡是
得罪是離罪是淨是垢是有漏是无漏是耶
道是正道是有為是无為是世間是涅槃以
難化之人心如猨猴故以若干種法制御其
心乃可調伏譬如象馬憹悷不調加諸楚毒
乃至徹骨然後調伏如是剛強難化衆生故
以一切苦切之言乃可入律彼諸菩薩聞說
是已皆曰未曾有也如世尊釋迦牟尼佛隱
其无量自在之力乃以貧所樂法度脫衆生
斯諸菩薩亦能勞謙以无量大悲生是佛土

BD03196號　維摩詰所說經卷下　（21–4）

以一切苦切之言乃可入律彼諸菩薩聞說
是已皆曰未曾有也如世尊釋迦牟尼佛隱
其无量自在之力乃以貧所樂法度脫衆生
斯諸菩薩亦能勞謙以无量大悲生是佛土
維摩詰言此土菩薩於諸衆生大悲堅固誠
如所言然其一世饒益衆生多於彼國百千
劫行所以者何此娑婆世界有十事善法諸
餘淨土之所无有何等為十以布施攝貧窮
以淨戒攝毀禁以忍辱攝瞋恚以精進攝懈
怠以禪定攝乱意以智慧攝愚癡說除難法
度八難者以大乘法度樂小乘者以諸善根
濟无德者常以四攝成就衆生是為十彼菩
薩曰菩薩成就幾法於此世界行无瘡疣生
于淨土維摩詰言菩薩成就八法於此世界
行无瘡疣生于淨土何等為八饒益衆生而
不望報代一切衆生受諸苦惱所作功德盡
以施之等心衆生謙下无㝵於諸菩薩視之
如佛所未聞經聞之不疑不與聲聞而相違
背不嫉彼供不高己利而於其中調伏其心
常省己過不訟彼短恒以一心求諸功德是
為八維摩詰文殊師利於大衆中說是法時
百千天人皆發阿耨多羅三藐三菩提心十
千菩薩得无生法忍

菩薩行品第十一

是時佛說法於菴羅樹園其地忽然廣博嚴
事一切衆會皆作金色阿難白佛言世尊以

BD03196號　維摩詰所說經卷下　（21–5）

菩薩行品第十一
是時佛說法於菴羅樹園其地忽然廣博嚴
事一切眾會皆作金色阿難白佛言世尊以
何因緣有此瑞應是處忽然廣博嚴事一切
眾會皆作金色佛告阿難是維摩詰文殊師
利與諸大眾恭敬圍遶發意欲來故先為此
瑞應於是維摩詰語文殊師利可共見佛與
諸菩薩禮事供養文殊師利言善哉行矣今
正是時維摩詰即以神力持諸大眾并師子
座置於右掌往詣佛所到已著地稽首佛足
右遶七匝一心合掌在一面立其諸菩薩即
皆避坐稽首佛足亦遶七匝於一面立諸大
弟子釋梵四天王等亦皆避坐稽首佛足在
一面立於是世尊如法慰問諸菩薩已各令
復坐即皆受教眾坐已定佛語舍利弗汝見
菩薩大士自在神力之所為乎唯然已見汝
意云何世尊我覩其為不可思議非意所圖
非度所測爾時阿難白佛言世尊今所聞香
自昔未有是為何香佛告阿難是彼菩薩毛
孔之香於是舍利弗語阿難言我等毛孔亦
出是香阿難言此所從來曰是長者維摩詰
從眾香國取佛餘飯於舍食者一切毛孔皆
香若此阿難問維摩詰是香氣住當久如維
摩詰言至此飯消曰此飯久如當消曰此飯
勢力至于七日然後乃消又阿難若聲聞人

BD03196號　維摩詰所說經卷下　（21–6）

香若此阿難問維摩詰是香氣住當久如維
摩詰言至此飯消曰此飯久如當消曰此飯
勢力至于七日然後乃消又阿難若聲聞人
未入正位食此飯者得入正位然後乃消已
入正位食此飯者得心解脫然後乃消若未
發大乘意食此飯者至發意乃消已發意食
此飯者得无生忍然後乃消已得无生忍食
此飯者至一生補處然後乃消譬如有藥名
曰上味其有服者身諸毒滅然後乃消此飯
如是滅除一切諸煩惱毒然後乃消阿難白
佛言未曾有也世尊如此香飯能作佛事佛
言如是如是阿難或有佛土以佛光明而作
佛事有以諸菩薩而作佛事有以佛所化人
而作佛事有以菩提樹而作佛事有以佛衣
服卧具而作佛事有以飯食而作佛事有以
園林臺觀而作佛事有以卅二相八十隨形
好而作佛事有以佛身而作佛事有以虛空
而作佛事眾生應以此緣得入律行有以夢
幻影響鏡中像水中月熱時炎如是等喻而
作佛事有以音聲語言文字而作佛事或有
清淨佛土寂漠无言无說无示无識无作无
為而作佛事如是阿難諸佛威儀進止諸所
施為无非佛事阿難有此四魔八万四千諸
煩惱門而諸眾生為之疲勞諸佛即以此法
而作佛事是名入一切諸佛法門菩薩入此
門者若見一切淨妙佛土不以為喜不貪不

BD03196號　維摩詰所說經卷下　（21–7）

[illegible]
煩惱門而諸衆生為之疲勞諸佛即以此法
而作佛事是名入一切諸佛法門菩薩入此
門者若見一切淨妙佛土不以為喜不貪不
高若見一切不淨佛土不以為憂不㝵不沒
但於諸佛生清淨心歡喜恭敬未曾有也諸
佛如來功德平等為教化衆生故而現佛土
不同阿難汝見諸佛國土地有若干而虛空
无若干也如是見諸佛色身有若干耳其无
㝵慧无若干也阿難諸佛色身威相種性戒
定智慧解脫解脫知見力无所畏不共之法大
慈大悲威儀所行及其壽命說法教化成就
衆生淨佛國土具諸佛法悉皆同等是故名
為三藐三佛陁名為多陁阿伽度名為佛陁
阿難若我廣說此三句義汝以劫壽不能盡
受正使三千大千世界滿中衆生皆如阿難多
聞第一得念總持此諸人等以劫之壽亦　不
能受如是阿難諸佛阿耨多羅三藐三菩提
无有限量智慧辯才不可思議阿難白佛言
我從今已後不敢自謂以為多聞佛告阿難勿
起退意所以者何我說汝於聲聞中為最多
聞非謂菩薩且止阿難其有智者不應限度
諸菩薩也一切海淵尚可測量菩薩禪定智
慧總持辯才一切功德不可量也阿難汝等
捨置菩薩所行是維摩詰一時所現神通之
力一切聲聞辟支佛於百千劫盡力變化所

BD03196號　維摩詰所說經卷下　（21–8）

慧總持辯才一切功德不可量也阿難汝等
捨置菩薩所行是維摩詰一時所現神通之
力一切聲聞辟支佛於百千劫盡力變化所
不能作
尒時衆香世界菩薩來者合掌白佛言世尊
我等初見此土生下劣想今自悔責捨離是
心所以者何諸佛方便不可思議為度衆生
故隨其所應現佛國異唯然世尊願賜少法
還於彼土當念如來佛告諸菩薩有盡无盡
解脫法門汝等當學何謂為盡謂有為法何
謂无盡謂无為法如菩薩者不盡有為不住
无為何謂不盡有為謂不離大慈不捨大悲
深發一切智心而不忽忘教化衆生終不猒
惓於四攝法常念順行護持正法不惜軀命
種諸善根无有疲猒志常安住方便迴向求
法不解說法无悋勤供養諸佛不畏生死於
諸榮辱心无憂喜不輕未學敬學如佛墮煩
惱者令發正念於遠離樂不以為貴不著己樂
慶於彼樂在諸禪定如地獄想於生　死中如
園觀想見來求者為善師想捨諸所　有具一
切智想見毀戒人起救護想諸波羅蜜為父
母想道品之法為眷屬想發行善根无有齊
限以諸淨國嚴飾之事成己佛土行　不限施
具足相好除一切惡淨身口意生死无數劫
意而有勇聞佛无量德志而不倦以智慧劍

BD03196號　維摩詰所說經卷下　（21–9）

毋想道品之法為眷屬想發行善根无有齊
限以諸淨國嚴飾之事成己佛土行不限施
具足相好除一切惡淨身口意生死无數劫
意而有勇聞佛无量德志而不倦以智慧劍
破煩惱賊出陰界入荷負衆生永使解脫以
大精進摧伏魔軍常求无念實相智慧行少
欲知足而不捨世法不壞威儀而能隨俗起
神通慧引導衆生得念總持所聞不忘善別
諸根斷衆生疑以樂說辯演法无閡淨十善
道受天人福脩四无量開梵天道勸請說法隨
喜讚善得佛音聲身口意善得佛威儀深脩
善法所行轉勝以大乘教成菩薩僧心无放
逸不失衆善行如此法是名菩薩不盡有為
何謂菩薩不住无為謂脩學空不以空為證
脩學无相无作不以无相无作為證脩學无
起不以无起為證觀於无常而不猒善本觀世
間苦而不惡生死觀於无我而誨人不惓觀於
寂滅而不永寂滅觀於遠離而身心脩善觀
无所歸而歸趣善法觀於无生而以生法荷
負一切觀於无漏而不斷諸漏觀无所行而
以行法教化衆生觀於空无而不捨大悲觀
正法位而不隨小乘觀諸法虛妄无牢无人
无主无相本願未滿而不虛福德禪定智慧
脩如此法是名菩薩不住无為又具福德故不
住无為具智慧故不盡有為大慈悲故不住
无為滿本願故不盡有為集法藥故不住无

脩如此法是名菩薩不住无為又具福德故不
住无為具智慧故不盡有為大慈悲故不住
无為滿本願故不盡有為集法藥故不住无
為隨授藥故不盡有為知衆生病故不住无
為滅衆生病故不盡有為諸正士菩薩已脩
此法不盡有為不住无為是名盡无盡解脫
法門汝等當學尒時彼諸菩薩聞說是法
皆大歡喜以衆妙華若干種色若干種香
散遍三千大千世界供養於佛及此經法并
諸菩薩已稽首佛足歎未曾有言釋迦牟尼
佛乃能於此善行方便言已忽然不現還到
彼國

見阿閦佛品第十二

尒時世尊問維摩詰汝欲見如來為以何等
觀如來乎維摩詰言如自觀身實相觀佛亦
然我觀如來前際不來後際不去今則不住
不觀色不觀色如不觀色性不觀受想行識
不觀識如不觀識性非四大起同於虛空六
入无積眼耳鼻舌身心已過不在三界三垢
已離順三脫門三明與无明等不一相不異
相不自相不他相非无相非取相不此岸不
彼岸不中流而教化衆生觀於寂滅亦不永
滅不此不彼不以此不以彼不可以智知不
可以識識无晦无明无名无相无強无弱非
淨非穢不在方不離方非有為非无為无示
无說不施不慳不戒不犯不忍不恚不進不

滅不此不彼不以此不以彼不可以智知 不
可以識識无晦无明无名无相无强无弱 非
淨非穢不在方不離方非有為非无為 无示
无說不施不慳不戒不犯不忍不恚不進不
怠不定不亂不智不愚不誠不欺不來不去
不出不入一切言語道斷非福田非不福田
非應供養非不應供養非取非捨非有相非无相
相同真際等法性不可稱不可量過諸稱量
非大非小非見非聞非覺非知離衆結縛等
諸智同衆生於諸法无分別一切无失无濁
无惱无作无起无生无滅无畏无憂无喜无
厭无著无已有无當有无今有不可以一切言說
分別顯示世尊如來身為若此作如是觀以
斯觀者名為正觀若他觀者名為耶觀尒時
舍利弗問維摩詰汝於何沒而來生此維摩
詰言汝所得法有沒生乎舍利弗言无沒生
也若諸法无沒生相云何問言汝於何沒而
來生此於意云何譬如幻師幻作男女寧有
沒生耶舍利弗言无沒生也汝豈不聞佛說
諸法如幻相乎荅曰如是若一切法如幻相
者云何問言汝於何沒而來生此舍利弗沒
者為虛誑法敗壞之相生者為虛誑法相續
之相菩薩雖沒不盡善本雖生不長諸惡是
時佛告舍利弗有國名妙喜佛号无動是維
摩詰於彼國沒而來生此舍利弗言未曾有
也世尊是人乃能捨清淨土而來樂此多怒

之相菩薩雖沒不盡善本雖生不長諸惡是
時佛告舍利弗有國名妙喜佛号无動是維
摩詰於彼國沒而來生此舍利弗言未曾有
也世尊是人乃能捨清淨土而來樂此多怒
害處維摩詰語舍利弗於意云何日光出時
與冥合乎荅曰不也日光出時則无衆冥維
摩詰言夫日何故行閻浮提荅曰欲以明照
為之除冥維摩詰言菩薩如是雖生不淨佛
土為化衆生不與愚闇而共合也但滅衆生
煩惱闇耳
是時大衆渴仰欲見妙喜世界不動如來及
其菩薩聲聞之衆佛知一切衆會所念告維
摩詰言善男子為此衆會現妙喜國不動如
來及諸菩薩聲聞之衆悉皆欲見於是維摩
詰心念吾當不起于座接妙喜國鐵圍山川
溪谷江河大海泉源須弥諸山及日月星宿天
龍鬼神梵天等宮并諸菩薩聲聞之衆城
邑聚落男女大小乃至无動如來及菩提樹
諸妙蓮華能於十方作佛事者三道寶階從
閻浮提至忉利天以此寶階諸天來下悉為
礼敬无動如來聽受經法閻浮提人亦登其
階上昇忉利見彼諸天妙喜世界成就如是
无量功德上至阿迦膩吒天下至水際以右手
斷取如陶家輪入此世界猶持華鬘示一切
衆作是念已入於三昧現神通力以其右手
斷取妙喜世界置於此土彼得神通菩薩及

階上界忉利見彼諸天妙喜世界成就如是
无量功德上至阿迦膩吒天下至水際以右手
斷取如陶家輪入此世界猶持華鬘示一切
衆作是念已入於三昧現神通力以其右手
斷取妙喜世界置於此土彼得神通菩薩及
聲聞衆并餘天人俱發聲言唯然世尊誰
取我去願見救護无動佛言非我所為是維
摩詰神力所作其餘未得神通者不覺不知
已之所往妙喜世界雖入此土而不增減於
是世界亦不迫隘如本无異
尒時釋迦牟尼佛告諸大衆汝等且觀妙喜
世界无動如來其國嚴飾菩薩行淨弟子清
白皆曰唯然已見佛言若菩薩欲得如是清
淨佛土當學无動如來所行之道現此妙喜
國時娑婆世界十四那由他人發阿耨多羅三
狼三菩提心皆願生於妙喜佛土釋迦牟尼
佛即記之曰當生彼國時妙喜世界於此國
土所應饒益其事訖已還復本處佛告舍利
弗汝見此妙喜世界及无動佛不唯然已見
世尊願使一切衆生得清淨土如无動佛獲
神通力如維摩詰世尊我等快得善利得見
是人親近供養其諸衆生若今現在若佛滅
後聞此經者亦得善利况復聞已信解受持
讀誦解說如法脩行若有手得是經典者便
為已得法寶之藏若有讀誦解釋其義如說
脩行則為諸佛之所護念其有供養如是人

BD03196號　維摩詰所說經卷下　（21–14）

是人親近供養其諸衆生若今現在若佛滅
後聞此經者亦得善利况復聞已信解受持
讀誦解說如法脩行若有手得是經典者便
為已得法寶之藏若有讀誦解釋其義如說
脩行則為諸佛之所護念其有供養如是人
者當知則為供養於佛其有書持此經卷者
當知其室則有如來若聞是經能隨喜者斯
人則為取一切智若能信解此經乃至一四
句偈為他說者當知此人即是受阿耨多羅
三狼三菩提記
法供養品第十三
尒時釋提桓因於大衆中白佛言世尊我雖
從佛及文殊師利聞百千經未曾聞此不可
思議自在神通決定實相經典如我解佛所
說義趣若有衆生聞是經法信解受持讀誦
之者必得是法不疑何况如說脩行斯人則
為閉衆惡趣開諸善門常為諸佛之所護念
降伏外學摧滅魔怨脩治菩提安處道場履
踐如來所行之跡世尊若有受持讀誦如說
脩行者我當與諸眷屬供養給事所在聚落
城邑山林曠野有是經處我亦與諸眷屬聽
受法故共到其所其未信者當令生信其已
信者當為作護佛言善哉善哉天帝如汝所
說吾助汝喜此經廣說過去未來現在諸佛
不可思議阿耨多羅三狼三菩提是故天帝
若善男子善女人受持讀誦供養是經者則
為供養去來今佛天帝正使三千大千世界

BD03196號　維摩詰所說經卷下　（21–15）

說吾助汝喜此經廣說過去未来現在諸佛
不可思議阿耨多羅三藐三菩提是故天帝
若善男子善女人受持讀誦供養是經者則
為供養去来今佛天帝正使三千大千世界
如来滿中譬如甘蔗竹葦稻麻叢林若有善
男子善女人或一劫或減一劫恭敬尊重讚
歎供養奉諸所安至諸佛滅後以一一全身
舍利起七寶塔縱廣一四天下高至梵天表
剎莊嚴以一切華香瓔珞幢幡伎樂微妙第
一若一劫若減一劫而供養之於天帝意云
何其人殖福寧為多不釋提桓因言多矣世
尊彼之福德若以百千億劫說不能盡佛告
天帝當知是善男子善女人聞是不可思議
解脫經典信解受持讀誦脩行福多於彼所
以者何諸佛菩提皆從是生菩提之相不可
限量以是因緣福不可量佛告天帝過去无
量阿僧祇劫時世有佛号曰藥王如来應供
正遍知明行足善逝世間解无上士調御丈
夫天人師佛世尊世界曰大莊嚴劫曰莊嚴
佛壽廿小劫其聲聞僧卅六億那由他菩薩
僧有十二億天帝是時有轉輪聖王名曰寶
蓋七寶具足主四天下王有千子端正勇健
能伏怨敵尒時寶蓋與其眷屬供養藥王如
来施諸所安至滿五劫過五劫已告其千子
汝等亦當如我以深心供養於佛於是千子
受父王命供養藥王如来復滿五劫一切施

BD03196號　維摩詰所說經卷下

(21–16)

来施諸所安至滿五劫過五劫已告其千子
汝等亦當如我以深心供養於佛於是千子
受父王命供養藥王如来復滿五劫一切施
安其王一子名曰月蓋獨坐思惟寧有供養
殊過此者以佛神力空中有天曰善男子法
之供養勝諸供養即問何謂法之供養天曰
汝可往問藥王如来當廣為汝說法之供養
即時月蓋王子行詣藥王如来稽首佛足却
住一面白佛言世尊諸供養中法供養勝云
何為法供養佛言善男子法供養者謂諸佛
所說深經一切世間難信難受微妙難見清淨
无染非但分別思惟之所能得菩薩法藏所
攝陀羅尼印印之至不退轉成就六度善分
別義順菩提法衆經之上入大慈悲離衆魔事
及諸邪見順因緣法无我无人无衆生无壽命
空无相无作无起能令衆生坐於道場而轉
法輪諸天龍神乾闥婆等所共歎譽能令衆生
入佛法藏攝諸賢聖一切智慧說衆菩薩所
行之道依於諸法實相之義明宣无常苦空
无我寂滅能救一切毀禁衆生諸魔外道及
貪著者能使怖畏諸佛賢聖所共稱歎背生
死苦示涅槃樂十方三世諸佛所說若聞如
是等經信解受持讀誦以方便力為諸衆生
分別解說顯示分明守護法故是名法之供
養又於諸法如說脩行隨順十二因緣離諸
邪見得无生忍決定无我无有衆生而於因

BD03196號　維摩詰所說經卷下

(21–17)

分別解說顯示分明守護法故是名法之供
養又於諸法如說脩行隨順十二因緣離諸
邪見得无生忍決定无我无有衆生而於因
緣果報无違无諍離諸我所依於義不依語
依於智不依識依了義經不依不了義經依
於法不依人隨順法相无所入无所歸无明
畢竟滅故諸行亦畢竟滅乃至生畢竟滅故
老死亦畢竟滅作如是觀十二因緣无有盡
相不復起見是名最上法之供養
佛告天帝王子月蓋從藥王佛聞如是法得
柔順忍即解寶衣嚴身之具以供養佛白佛
言世尊如來滅後我當行法供養守護正法
願以威神加哀建立令我得降魔怨脩菩薩
行佛知其深心所念而記之曰汝於末後守
護法城天帝時王子月蓋見法清淨聞佛授
記以信出家脩集善法精進不久得五神通
成菩薩道得陁羅尼无斷辯才於佛滅後以
其所得神通總持辯才之力滿十小劫藥王
如來所轉法輪隨而分布月蓋比丘以護持
法勤行精進即於此身化百万億人於阿耨
多羅三藐三菩提立不退轉十四那由他人
深發聲聞辟支佛心无量衆生得生天上天
帝時王寶蓋豈異人乎今現得佛号寶炎如
來其王千子即賢劫中千佛是也從迦羅鳩
孫䭾爲始得佛最後如來号曰樓至月蓋比

BD03196號　維摩詰所說經卷下　（21–18）

來其王千子即賢劫中千佛是也從迦羅鳩
孫䭾爲始得佛最後如來号曰樓至月蓋比
丘則我身是也如來天帝當知此要以法供養
於諸供養爲上爲最第一无比是故天帝當
以法之供養供養於佛
囑累品第十四
於是佛告弥勒菩薩言弥勒我今以是无量
億阿僧祇劫所集阿耨多羅三藐三菩提付
囑於汝如是輩經於佛滅後末世之中汝等
當以神力廣宣流布於閻浮提无令斷絕所以
者何未來世中當有善男子善女人及天龍
鬼神乾闥婆羅刹等發阿耨多羅三藐三菩
提心樂于大法若使不聞如是等經則失善
利如此輩人聞是等經必多信樂發希有
心當以頂受隨諸衆生所應得利而爲廣
說弥勒當知菩薩有二相何謂爲二一者好
於雜句文飾之事二者不畏深義如實能入
若好雜句文飾事者當知是爲新學菩薩若
於如是无染无著甚深經典无有恐畏能入
其中聞已心淨受持讀誦如說脩行當知是
爲久脩道行弥勒復有二法名新學者不能
決定於甚深法何等爲二一者所未聞深經
聞之驚怖生疑不能隨順毀謗不信而作是
言我初不聞從何所來二者若有護持解說
如是深經者不肯親近供養恭敬或時於中
說其過惡有此二法當知是新學菩薩爲自

BD03196號　維摩詰所說經卷下　（21–19）

聞之驚怖生疑不能隨順毀謗不信而作是
言我初不聞從何所來二者若有護持解說
如是深經者不肯親近供養恭敬或時於中
說其過惡有此二法當知是新學菩薩爲自
毀傷不能於深法中調伏其心弥勒復有二
法菩薩雖信解深法猶自毀傷而不能得无
生法忍何等爲二一者輕慢新學菩薩而不
教誨二者雖解深法而取相分別是爲二法
弥勒菩薩聞說是已白佛言世尊未曾有也
如佛所說我當遠離如斯之惡奉持如來无
數阿僧祇劫所集阿耨多羅三藐三菩提法
若未來世善男子善女人求大乘者當令手
得如是等經與其念力使受持讀誦爲他廣
說世尊若後末世有能受持讀誦爲他說者
當知是爲弥勒神力之所建立佛言善哉善
哉弥勒如汝所說佛助尒喜於是一切菩薩
合掌白佛我等亦於如來滅後十方國土廣
宣流布阿耨多羅三藐三菩提復當開道諸
說法者令得是經
尒時四天王白佛言世尊在在處處城邑聚
落山林曠野有是經卷讀誦解說者我當率
諸官屬爲聽法故往詣其所擁護其人面百
由旬令无伺求得其便者是時佛告阿難受
持是經廣宣流布阿難言唯然我已受持要者
世尊當何名斯經佛言阿難是經名爲維摩
詰所說亦名不可思議解脫法門如是受持

BD03196號　維摩詰所說經卷下　（21–20）

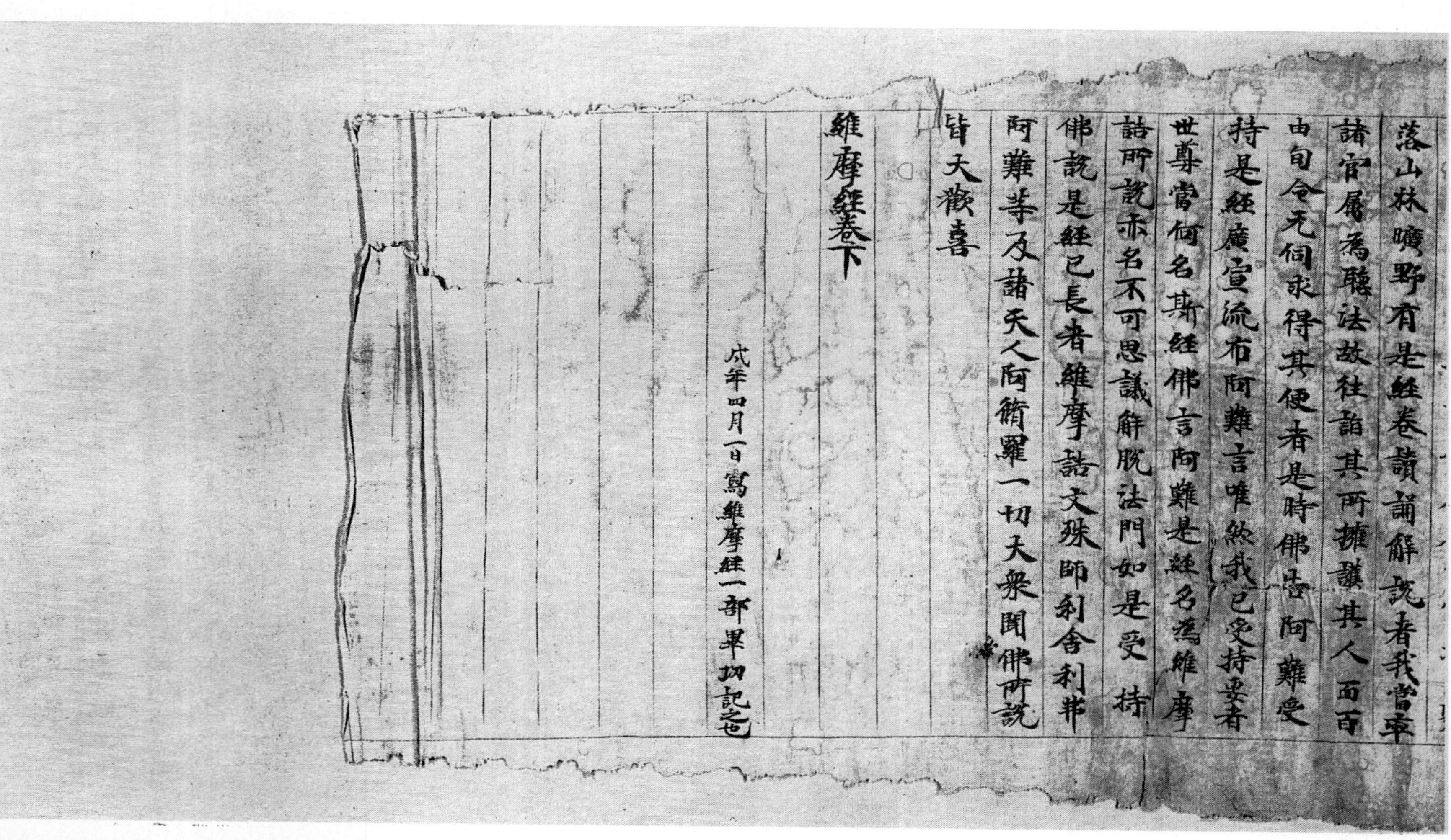

落山林曠野有是經卷讀誦解說者我當率
諸官屬爲聽法故往詣其所擁護其人面百
由旬令无伺求得其便者是時佛告阿難受
持是經廣宣流布阿難言唯然我已受持要者
世尊當何名斯經佛言阿難是經名爲維摩
詰所說亦名不可思議解脫法門如是受持
佛說是經已長者維摩詰文殊師利舍利弗
阿難等及諸天人阿脩羅一切大衆聞佛所說
皆大歡喜

維摩經卷下

戊年四月一日寫維摩經一部畢功記之也

BD03196號　維摩詰所說經卷下　（21–21）

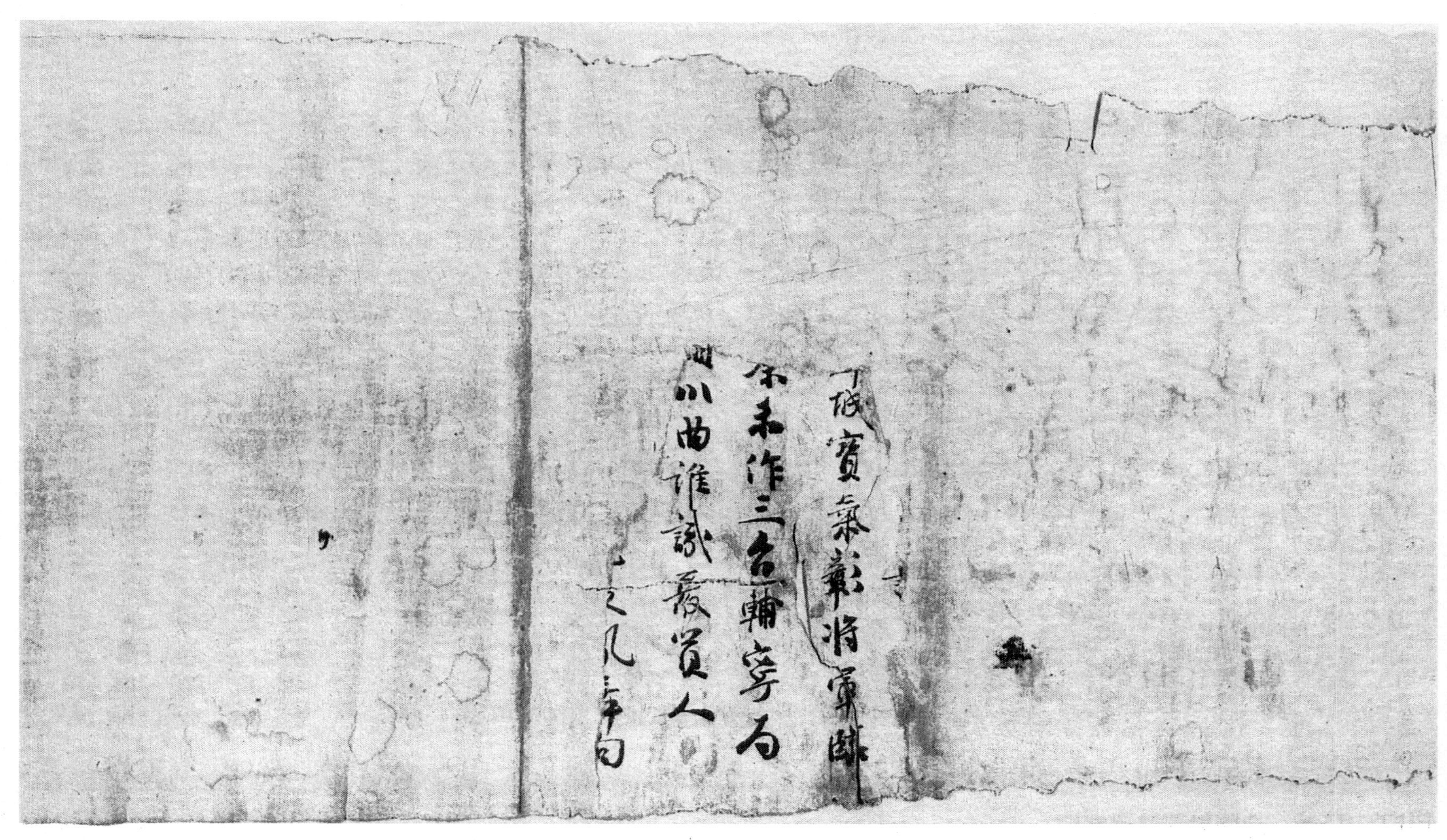

BD03196 號背　李嶠雜詠　（1–1）

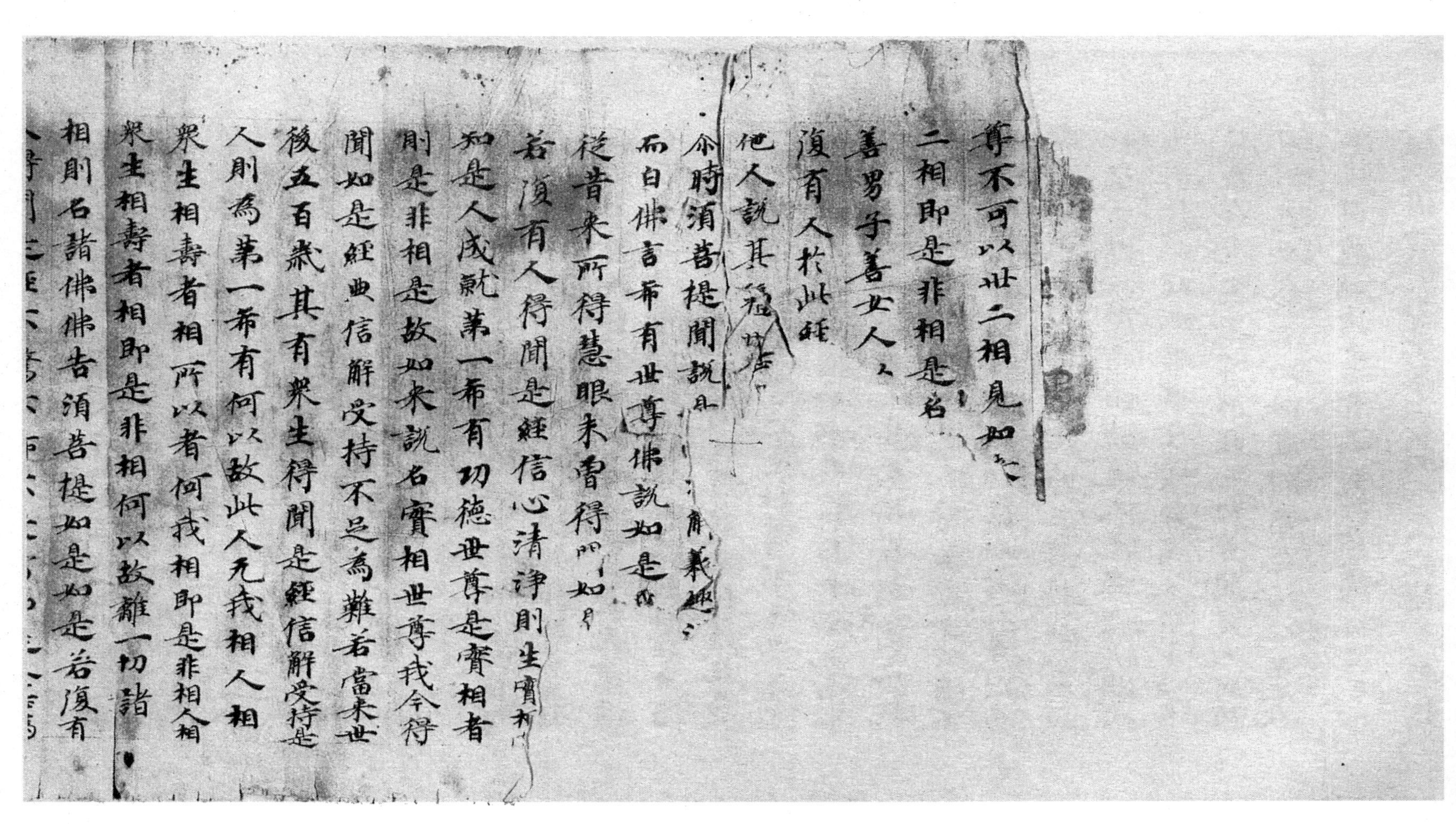

BD03197 號　金剛般若波羅蜜經　（9–1）

人則為第一希有何以故此人无我相人相
衆生相壽者相所以者何我相即是非相人相
衆生相壽者相即是非相何以故離一切諸
相則名諸佛佛告須菩提如是如是若復有
人得聞是經不驚不怖不畏當知是人甚為
希有何以故須菩提如來說第一波羅蜜非
第一波羅蜜是名第一波羅蜜
須菩提忍辱波羅蜜如來說非忍辱波羅蜜
何以故須菩提如我昔為歌利王割截身體
我於尒時无我相无人相无衆生相无壽者
相何以故我於往昔節節支解時若有我
相人相衆生相壽者相應生瞋恨須菩提又
念過去於五百世作忍辱仙人於尒所世无我
相无人相无衆生相无壽者相是故須菩提
菩薩應離一切相發阿耨多羅三藐三菩提
心不應住色生心不應住聲香味觸法生心
應生无所住心若心有住則為非住是故佛
說菩薩心不應住色布施須菩提菩薩為利
益一切衆生應如是布施如來說一切諸相
即是非相又說一切衆生則非衆生須菩提
如來是真語者實語者如語者不誑語者不
異語者須菩提如來所得法此法无實无虛
須菩提若菩薩心住於法而行布施如人入闇
則无所見若菩薩心不住法而行布施如人
有目日光明照見種種色須菩提當來之世

BD03197號　金剛般若波羅蜜經

（9–2）

如來是真語者實語者如語者不誑語者不
異語者須菩提如來所得法此法无實无虛
須菩提若菩薩心住於法而行布施如人入闇
則无所見若菩薩心不住法而行布施如人
有目日光明照見種種色須菩提當來之世
若有善男子善女人能於此經受持讀誦
則為如來以佛智慧悉知是人悉見是人皆
得成就无量无邊功德
須菩提若有善男子善女人初日分以恒河
沙等身布施中日分復以恒河沙等身布施
後日分亦以恒河沙等身布施如是无量百
千万億劫以身布施若復有人聞此經典信
心不逆其福勝彼何況書寫受持讀誦為人
解說須菩提以要言之是經有不可思議不
可稱量无邊功德如來為發大乘者說為發
最上乘者說若有人能受持讀誦廣為人說
如來悉知是人悉見是人皆成就不可量不
可稱无有邊不可思議功德如是人等則為
荷擔如來阿耨多羅三藐三菩提何以故須
菩提若樂小法者著我見人見衆生見壽者
見則於此經不能聽受讀誦為人解說須菩
提在在處處若有此經一切世間天人阿脩
羅所應供養當知此處則為是塔皆應恭敬
作礼圍繞以諸華香而散其處
復次須菩提善男子善女人受持讀誦此經

BD03197號　金剛般若波羅蜜經

（9–3）

提在在處處若有此經一切世間天人阿脩
羅所應供養當知此處則為是塔皆應恭敬
作禮圍繞以諸華香而散其處
復次須菩提善男子善女人受持讀誦此經
若為人輕賤是人先世罪業應墮惡道以今
世人輕賤故先世罪業則為消滅當得阿耨
多羅三藐三菩提須菩提我念過去无量阿
僧祇劫於然燈佛前得值八百四千万億那
由他諸佛悉皆供養承事无空過者若復有
人於後末世能受持讀誦此經所得功德於
我所供養諸佛功德百分不及一千万億分
乃至筭數譬喻所不能及須菩提若善男子
善女人於後末世有受持讀誦此經所得功德
我若具說者或有人聞心則狂亂狐疑不信須
菩提當知是經義不可思議果報亦不可思議
尒時須菩提白佛言世尊善男子善女人發
阿耨多羅三藐三菩提心云何應住云何降
伏其心佛告須菩提善男子善女人發阿耨
多羅三藐三菩提者當生如是心我應滅度
一切衆生滅度一切衆生已而无有一切衆生
實滅度者何以故若菩薩有我相人相衆生
相壽者相則非菩薩所以者何須菩提實无
有法發阿耨多羅三藐三菩提者須菩提於
意云何如來於然燈佛所有法得阿耨多羅

BD03197號　金剛般若波羅蜜經

(9–4)

有法發阿耨多羅三藐三菩提者須菩提於
意云何如來於然燈佛所有法得阿耨多羅
三藐三菩提不不也世尊如我解佛所說義
佛於然燈佛所无有法得阿耨多羅三藐三
菩提佛言如是如是須菩提實无有法如來
得阿耨多羅三藐三菩提須菩提若有法如
來得阿耨多羅三藐三菩提者然燈佛則不
與我受記汝於來世當得作佛号釋迦牟尼
以實无有法得阿耨多羅三藐三菩提是故
然燈佛與我受記作是言汝於來世當得作
佛号釋迦牟尼何以故如來者即諸法如義
若有人言如來得阿耨多羅三藐三菩提須
菩提實无有法佛得阿耨多羅三藐三菩提
須菩提如來所得阿耨多羅三藐三菩提於
是中无實无虛是故如來說一切法皆是佛
法須菩提所言一切法者即非一切法是故
名一切法須菩提譬如人身長大須菩提言
世尊如來說人身長大則為非大身是名大
身須菩提菩薩亦如是若作是言我當滅度
无量衆生則不名菩薩何以故須菩提實无
有法名為菩薩是故佛說一切法无我无人
无衆生无壽者須菩提若菩薩作是言我當
莊嚴佛土是不名菩薩何以故如來說莊嚴
佛土者即非莊嚴是名莊嚴須菩提若菩薩
通達无我法者如來說名真是菩薩

BD03197號　金剛般若波羅蜜經

(9–5)

无衆生无壽者須菩提若菩薩作是言我當
莊嚴佛土是不名菩薩何以故如來說莊嚴
佛土者即非莊嚴是名莊嚴須菩提若菩薩
通達无我法者如來說名真是菩薩
須菩提於意云何如來有肉眼不如是世尊
如來有肉眼須菩提於意云何如來有天眼
不如是世尊如來有天眼須菩提於意云何
如來有慧眼不如是世尊如來有慧眼須菩
提於意云何如來有法眼不如是世尊如來
有法眼須菩提於意云何如來有佛眼不如
是世尊如來有佛眼須菩提於意云何恒河
中所有沙佛說是沙不如是世尊如來說是
沙須菩提於意云何如一恒河中所有沙有
如是等恒河是諸恒河所有沙數佛世界如
是寧為多不甚多世尊佛告須菩提尒所國
土中所有衆生若干種心如來悉知何以故如
來說諸心皆為非心是名為心所以者何須
菩提過去心不可得現在心不可得未來
心不可得須菩提於意云何若有人滿三千
大千世界七寶以用布施是人以是因緣得
福多不如是世尊此人以是因緣得福甚多
須菩提若福德有實如來不說得福德多以
福德无故如來說得福德多
須菩提於意云何佛可以具足色身見不不

BD03197 號　金剛般若波羅蜜經

（9–6）

福多不如是世尊此人以是因緣得福甚多
須菩提若福德有實如來不說得福德多以
福德无故如來說得福德多
須菩提於意云何佛可以具足色身見不不
也世尊如來不應以具足色身見何以故如
來說具足色身即非具足色身是名具足色
身須菩提於意云何如來可以具足諸相見
不不也世尊如來不應以具足諸相見何以
故如來說諸相具足即非具足是名諸相具
足須菩提汝勿謂如來作是念我當有所說
法莫作是念何以故若人言如來有所說法
即為謗佛不能解我所說故須菩提說法者
无法可說是名說法須菩提白佛言世尊如
是須菩提我於阿耨多羅三藐三菩提乃
至无有少法可得是名阿耨多羅三藐三菩
提復次須菩提是法平等无有高下是名阿
耨多羅三藐三菩提以无我无人无衆生无
壽者脩一切善法則得阿耨多羅三藐三菩
提須菩提所言善法者如來說非善法是名
善法須菩提若三千大千世界中所有諸須
弥山王如是等七寶聚有人持用布施若人
以此般若波羅蜜經乃至四句偈等受持為
他人說於前福德百分不及一百千万億分
乃至算數譬喻所不能及
須菩提於意云何汝等勿謂如來作是念我

BD03197 號　金剛般若波羅蜜經

（9–7）

他人說於前福德百分不及一百千万億分
乃至算數譬喻所不能及
須菩提於意云何汝等勿謂如來作是念我
當度衆生須菩提莫作是念何以故實无有
衆生如來度者若有衆生如來度者如來則
有我人衆生壽者須菩提如來說有我者則
非有我而凡夫之人以爲有我須菩提凡夫
者如來說則非凡夫須菩提於意云何可以
卅二相觀如來不須菩提言如是如是以卅
二相觀如來佛言須菩提若以卅二相觀如
來者轉輪聖王則是如來須菩提白佛言世
尊如我解佛所說義不應以卅二相觀如來
尒時世尊而說偈言
若以色見我　以音聲求我　是人行邪道　不能見如來
須菩提汝若作是念如來不以具足相故得阿
耨多羅三藐三菩提須菩提莫作是念如來
不以具足相故得阿耨多羅三藐三菩提
須菩提汝若作是念發阿耨多羅三藐三菩
提者說諸法斷滅相莫作是念何以故發阿
耨多羅三藐三菩提者於法不說斷滅相須
菩提若菩薩以滿恒河沙等世界七寶布施
若復有人知一切法无我得成於忍此菩薩
勝前菩薩所得功德須菩提以諸菩薩不受
福德故須菩提白佛言世尊云何菩薩不受
福德須菩提菩薩所作福德不應貪著是故

BD03197號　金剛般若波羅蜜經　（9–8）

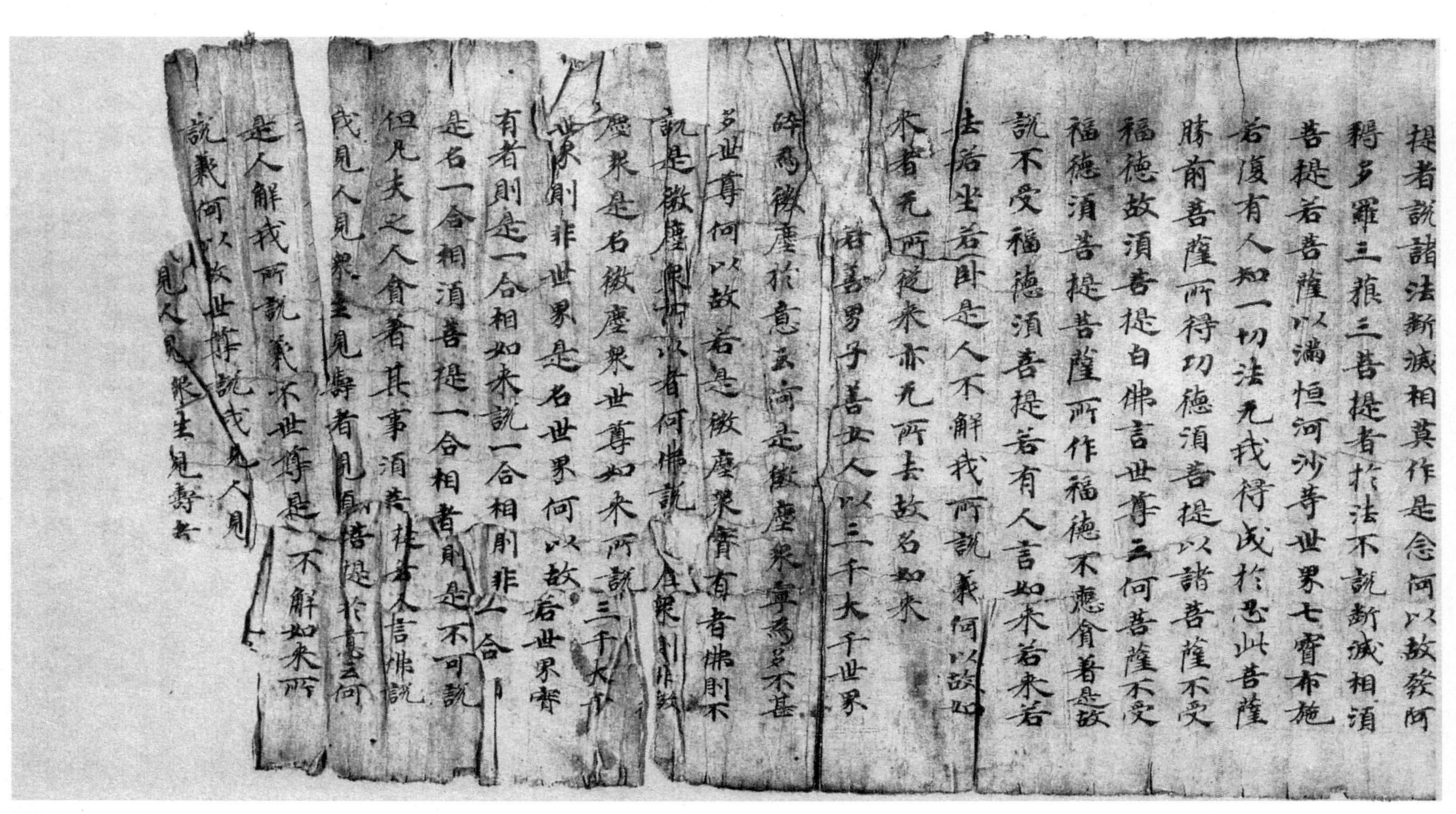

提者說諸法斷滅相莫作是念何以故發阿
耨多羅三藐三菩提者於法不說斷滅相須
菩提若菩薩以滿恒河沙等世界七寶布施
若復有人知一切法无我得成於忍此菩薩
勝前菩薩所得功德須菩提以諸菩薩不受
福德故須菩提白佛言世尊云何菩薩不受
福德須菩提菩薩所作福德不應貪著是故
說不受福德須菩提若有人言如來若來若
去若坐若卧是人不解我所說義何以故如
來者无所從來亦无所去故名如來
若善男子善女人以三千大千世界
碎爲微塵於意云何是微塵衆寧爲多不甚
多世尊何以故若是微塵衆實有者佛則不
說是微塵衆所以者何佛說微塵衆則非微
塵衆是名微塵衆世尊如來所說三千大千
世界則非世界是名世界何以故若世界實
有者則是一合相如來說一合相則非一合
是名一合相須菩提一合相者則是不可說
但凡夫之人貪著其事須菩提若人言佛說
我見人見衆生見壽者見須菩提於意云何
是人解我所說義不世尊是人不解如來所
說義何以故世尊說我見人見
見人見衆生見壽者

BD03197號　金剛般若波羅蜜經　（9–9）

復次曼殊室利若諸有情慳貪嫉妬自讚毀
他當墮三惡趣中无量千歲受諸劇苦受劇
苦已從彼命終還生人間作牛馬駝驢恒被
鞭撻飢渴逼惱又常負重隨路而行或得為
人生居下賤作人奴婢受他驅役恒不自在若
昔人中曾聞世尊藥師瑠璃光如來名号由
此善因今復憶念至心歸依以佛神力衆苦
解脫諸根聰利智慧多聞恒求勝法常遇
善友永斷魔羂破无明㲉竭煩惱河解脫一
切生老病死憂悲苦惱
復次曼殊室利若諸有情好喜乖離更相
鬪訟惱亂自他以身語意造作增長種種惡
業展轉常為不饒益事互相謀害告召山林
樹塚等神殺諸衆生取其血肉祭祀藥叉羅
剎婆等書怨人名作其形像以惡呪術而呪咀
之厭媚蠱道呪起屍鬼令斷彼命及壞其身
是諸有情若得聞此藥師瑠璃光如來名号
彼諸惡事悉不能害一切展轉皆起慈心利
益安樂无損惱意及嫌恨心各各歡悅於自
所受生於喜足不相侵凌互為饒益

BD03198號　藥師琉璃光如來本願功德經　（9–1）

是諸有情若得聞此藥師瑠璃光如來名号
彼諸惡事悉不能害一切展轉皆起慈心利
益安樂无損惱意及嫌恨心各各歡悅於自
所受生於喜足不相侵凌互為饒益
復次曼殊室利若有四衆苾芻苾芻尼鄔波
索迦鄔波斯迦及餘淨信善男子善女人等
有能受持八分齋戒或經一年或復三月受
持學處以此善根願生西方極樂世界无量
壽佛所聽聞正法而未定者若聞世尊藥師
瑠璃光如來名号臨命終時有八菩薩乘神
通來示其道路即於彼界種種雜色衆寶
華中自然化生或有因此生於天上雖生天中
而本善根亦未窮盡不復更生諸餘惡趣天
上壽盡還生人間或為輪王統攝四洲威德
自在安立无量百千有情於十善道或生剎
帝利婆羅門居士大家多饒財寶倉庫盈
溢形相端嚴眷屬具足聰明智慧勇健威
猛如大力士若是女人得聞世尊藥師瑠璃光如
來名号至心受持於後不復更受女身
尒時曼殊室利童子白佛言世尊我當誓於
像法轉時以種種方便令諸淨信善男子善
女人等得聞世尊藥師琉璃光如來名号乃
至睡中亦以佛名覺悟其耳世尊若於此經
受持讀誦或復為他演說開示若自書若使
人書恭敬尊重以種種華香塗香末香燒香

BD03198號　藥師琉璃光如來本願功德經　（9–2）

至臨中亦以佛名覺悟其耳尊若於此經
受持讀誦或復爲他演說開示若自書若使
人書恭敬尊重以種種華香塗香末香燒香
花鬘瓔珞幡蓋伎樂而爲供養以五色綵作
囊盛之掃灑淨處敷設高座而用安處尒時
四大天王與其眷屬及餘无量百千天衆皆
詣其所供養守護世尊若此經寶流行之處
有能受持以彼世尊藥師瑠璃光如來本願
功德及聞名号當知是處无復横死亦復不爲
諸惡鬼神奪其精氣設已奪者還得如故身
心安樂
佛告曼殊室利如是如是如汝所說曼殊室
利若有淨信善男子善女人等欲供養彼世
尊藥師瑠璃光如來者應先造立彼佛形
像敷清淨座而安處之散種種花燒種種香
以種種幢幡莊嚴其處七日七夜受八分齋
戒食清淨食澡浴香潔著新淨衣應生无
垢濁心无怒害心於一切有情起利益安樂慈
悲喜捨平等之心鼓樂歌讚右遶佛像復
應念彼如來本願功德讀誦此經思惟其義
演說開示隨所樂願一切皆遂求長壽得長
壽求富饒得富饒求官位得官位求男女
得男女若復有人忽得惡夢見諸惡相或怪
鳥來集或於住處百怪出現此人若以衆妙
資具恭敬供養彼世尊藥師瑠璃光如來者

壽求富饒得富饒求官位得官位求男女
得男女若復有人忽得惡夢見諸惡相或怪
鳥來集或於住處百怪出現此人若以衆妙
資具恭敬供養彼世尊藥師瑠璃光如來者
惡夢惡相諸不吉祥皆悉隱没不能爲患
或有水火刀毒懸嶮惡象師子虎狼熊羆毒虵
惡蝎蜈蚣蚰蜒蚊虻等怖若能至心憶念彼佛恭
敬供養一切怖畏皆得解脫若他國侵擾盜
賊反亂憶念恭敬彼如來者亦皆解脫
復次曼殊室利若有淨信善男子善女人等
乃至盡形不事餘天唯當一心歸佛法僧受
持禁戒若五戒十戒菩薩四百戒苾芻二
百五十戒苾芻尼五百戒於所受中或有毀犯
怖墮惡趣若能專念彼佛名号恭敬供養者
必定不受三惡趣生或有女人臨當產時受於
於極苦若能至心稱名礼讚恭敬供養彼如來
者衆苦皆除所生之子身分具足形色端正見
者歡喜利根聰明安隱少病无有非人奪
其精氣
尒時世尊告阿難言如我稱揚彼佛世尊藥
師瑠璃光如來所有功德此是諸佛甚深行
處難可解了汝爲信不阿難白言大德世尊
我於如來所說契經不生疑惑所以者何一切如
來身語意業无不清淨世尊此日月輪可令
墮落妙高山王可使傾動諸佛所言无有

我於如來所說契經不生疑惑所以者何一切如
來身語意業无不清淨世尊此日月輪可令
墮落妙高山王可使傾動諸佛所言无有
異也世尊有諸衆生信根不具聞說諸佛
甚深行處作是思惟云何但念藥師琉璃光
如來一佛名号便獲尒所功德勝利由此不信
返生誹謗彼於長夜失大利樂墮諸惡趣流
轉无窮佛告阿難是諸有情若聞世尊
藥師琉璃光如來名号至心受持不生疑惑
墮惡趣者无有是處阿難此是諸佛甚深所
行難可信解汝今能受當知皆是如來威力
阿難一切聲聞獨覺及未登地諸菩薩等
皆悉不能如實信解唯除一生所繫菩薩阿
難人身難得於三寶中信敬尊重亦難可得
得聞世尊藥師瑠璃光如來名号復難於是阿
難彼藥師琉璃光如來无量菩薩行无量巧方
便无量廣大願我若一劫若一劫餘而廣說
者劫可速盡彼佛行願善巧方便无有盡也
尒時衆中有一菩薩摩訶薩名曰救脫即從
座起偏袒一肩右膝着地曲躬合掌而白佛
言大德世尊像法轉時有諸衆生為種種患
之所困厄長病羸瘦不能飲食喉脣乾燥見
諸方暗死相現前父母親屬朋友知識啼泣
圍遶然彼自身卧在本處見琰魔使引其神
識至于琰魔法王之前然諸有情有俱生神隨
隨其所作若罪若福皆具書之盡持授與琰

BD03198號　藥師琉璃光如來本願功德經　（9-5）

諸方暗死相現前父母親屬朋友知識啼泣
圍遶然彼自身卧在本處見琰魔使引其神
識至于琰魔法王之前然諸有情有俱生神隨
隨其所作若罪若福皆具書之盡持授與琰
魔法王尒時彼王推問其人竿計所作隨其
罪福而處斷之時彼病人親屬知識若能為
彼歸依世尊藥師瑠璃光如來請諸衆僧轉
讀此經然七層之燈懸五色續命神幡或有
是處神識得還如在夢中明了自見或經七
日或二十一日或三十五日或四十九日彼識
還時如從夢覺皆自憶知善不善業所得
果報由自證見業果報故乃至命難亦不
造作諸惡之業是故淨信善男子善女人等
皆應受持藥師瑠璃光如來名号隨力所能
恭敬供養
尒時阿難問救脫菩薩曰善男子應云何
恭敬供養彼世尊藥師瑠璃光如來續命幡
燈彼云何造救脫菩薩言大德若有病人欲
脫病苦當為其人七日七夜受持八分齋戒應
以飲食及餘資具隨力所辦供養苾芻僧
晝夜六時礼拜供養彼世尊藥師瑠璃光
如來讀誦此經四十九遍然四十九燈造彼如
來形像七軀一一像前各置七燈一一燈量大
如車輪乃至四十九日光明不絶造五色綵幡
長四十九搩手應放雜類衆生至四十九
可得過度危厄之難不為諸橫惡鬼所持復
次阿難若刹帝利灌頂王等災難起時所謂

BD03198號　藥師琉璃光如來本願功德經　（9-6）

朱形像七軀一一像前各置七燈一一燈量大
如車輪乃至四十九日光明不絶造五色綵幡
長四十九𢬵手應放雜類衆生至四十九
可得過度危厄之難不為諸横惡鬼所持復
次阿難若刹帝利灌頂王等灾難起時所謂
人衆疾疫難他國侵逼難自界叛逆難星
宿變怪難日月薄蝕難非時風雨難過時
不雨難彼刹帝利灌頂王等尒時應於一切
有情起慈悲心赦諸繫閇依前所說供養之
法供養彼世尊藥師瑠璃光如來由此善根
及彼如來本願力故令其國界即得安隱風
雨順時穀稼成熟一切有情无病歡樂於其
國中无有暴惡藥叉等神惱有情者一切惡
相皆即隱沒而刹帝利灌頂王等壽命
色力无病自在皆得增益阿難若帝后妃
主儲君王子大臣輔相中宮綵女百官黎庶
為病所苦及餘厄難亦應造立五色神幡然
燈續明放諸生命散雜色華燒衆名香病
得除愈衆難解脫
尒時阿難問救脫菩薩言善男子云何已盡
之命而可增益救脫菩薩言大德汝豈不聞
如來說有九横死耶是故勸造續命幡燈脩
諸福德以脩福故盡其壽命不經苦患阿難
問言九横云何救脫菩薩言若諸有情得病
雖輕然无醫藥及看病者設得遇醫授以非
藥實不應死而便横死又信世間邪魔外道
妖孽之師妄說禍福便生恐動心不自正卜問
覓禍殺種種衆生解奏神明呼諸魍魎請

雖輕然无醫藥及看病者設得遇醫授以非
藥實不應死而便横死又信世間邪魔外道
妖孽之師妄說禍福便生恐動心不自正卜問
覓禍殺種種衆生解奏神明呼諸魍魎請
信邪倒見遂令横死入於地獄无有出期是
名初横二者横被王法之所誅戮三者畋獵
嬉戲耽婬嗜酒放逸无度横為非人奪其
精氣四者横為火焚五者横為水溺六者横
為種種惡獸所噉七者横墮山崖八者横為
毒藥厭禱呪咀起屍鬼等之所中害九者飢
渴所困不得飲食而便横死是為如來略說横
死有此九種其餘復有无量諸横難可具說
復次阿難彼琰魔王主領世間名籍之記若諸
有情不孝五逆破辱三寶壞君臣法毀於信
戒琰魔法王隨罪輕重考而罰之是故我今
勸諸有情然燈造幡放生脩福令度苦厄不
遭衆難
尒時衆中有十二藥叉大將俱在會中坐謂
宮毗羅大將　伐折羅大將　迷企羅大將　安底羅大將
頞你羅大將　珊底羅大將　因達羅大將　波夷羅大將
摩虎羅大將　真達羅大將　招杜羅大將　毗羯羅大將
此十二藥叉大將一一各七千藥叉以為眷
屬同時舉聲白佛言世尊我等今者蒙佛
威力得聞世尊藥師瑠璃光如來名号不復
更有惡趣之怖我等相率皆同一心乃至盡
形歸佛法僧誓當荷負一切有情為作義利
饒益安樂隨於何等村城國邑空閑林中若

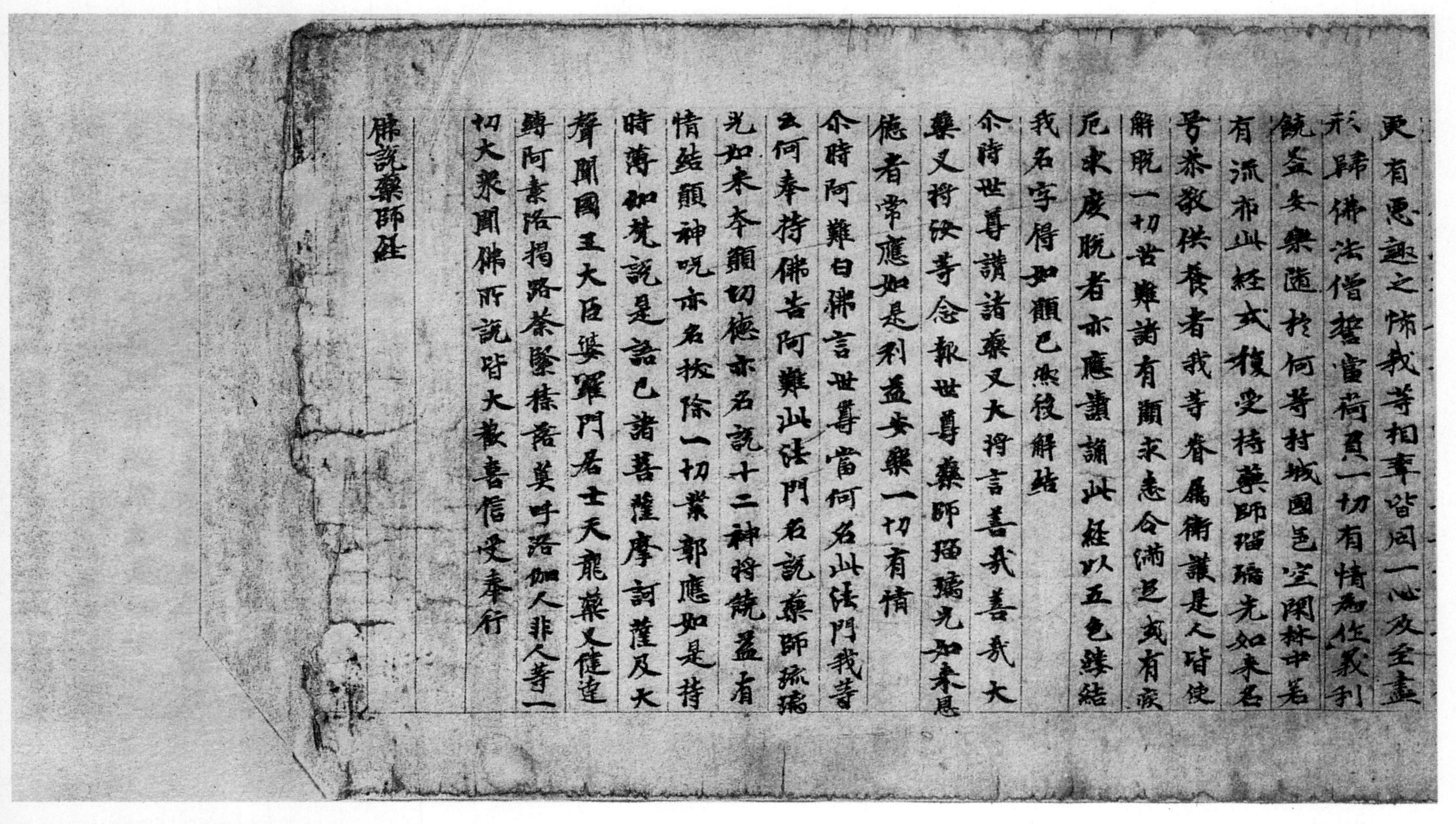

更有惡趣之怖我等相率皆同一心及至盡
形歸佛法僧誓當荷負一切有情為作義利
饒益安樂隨於何等村城國邑空閑林中若
有流布此經或復受持藥師瑠璃光如來名
号恭敬供養者我等眷屬衛護是人皆使
解脫一切苦難諸有願求悉令滿足或有疾
厄求度脫者亦應讀誦此經以五色縷結
我名字得如願已然後解結
尒時世尊讚諸藥叉大將言善哉善哉大
藥叉將汝等念報世尊藥師瑠璃光如來恩
德者常應如是利益安樂一切有情
尒時阿難白佛言世尊當何名此法門我等
云何奉持佛告阿難此法門名說藥師琉璃
光如來本願功德亦名說十二神將饒益有
情結願神呪亦名拔除一切業鄣應如是持
時薄伽梵說是語已諸菩薩摩訶薩及大
聲聞國王大臣婆羅門居士天龍藥叉揵達
縛阿素洛揭路荼緊捺落莫呼洛伽人非人等一
切大衆聞佛所說皆大歡喜信受奉行
佛說藥師經

BD03198 號　藥師琉璃光如來本願功德經　（9–9）

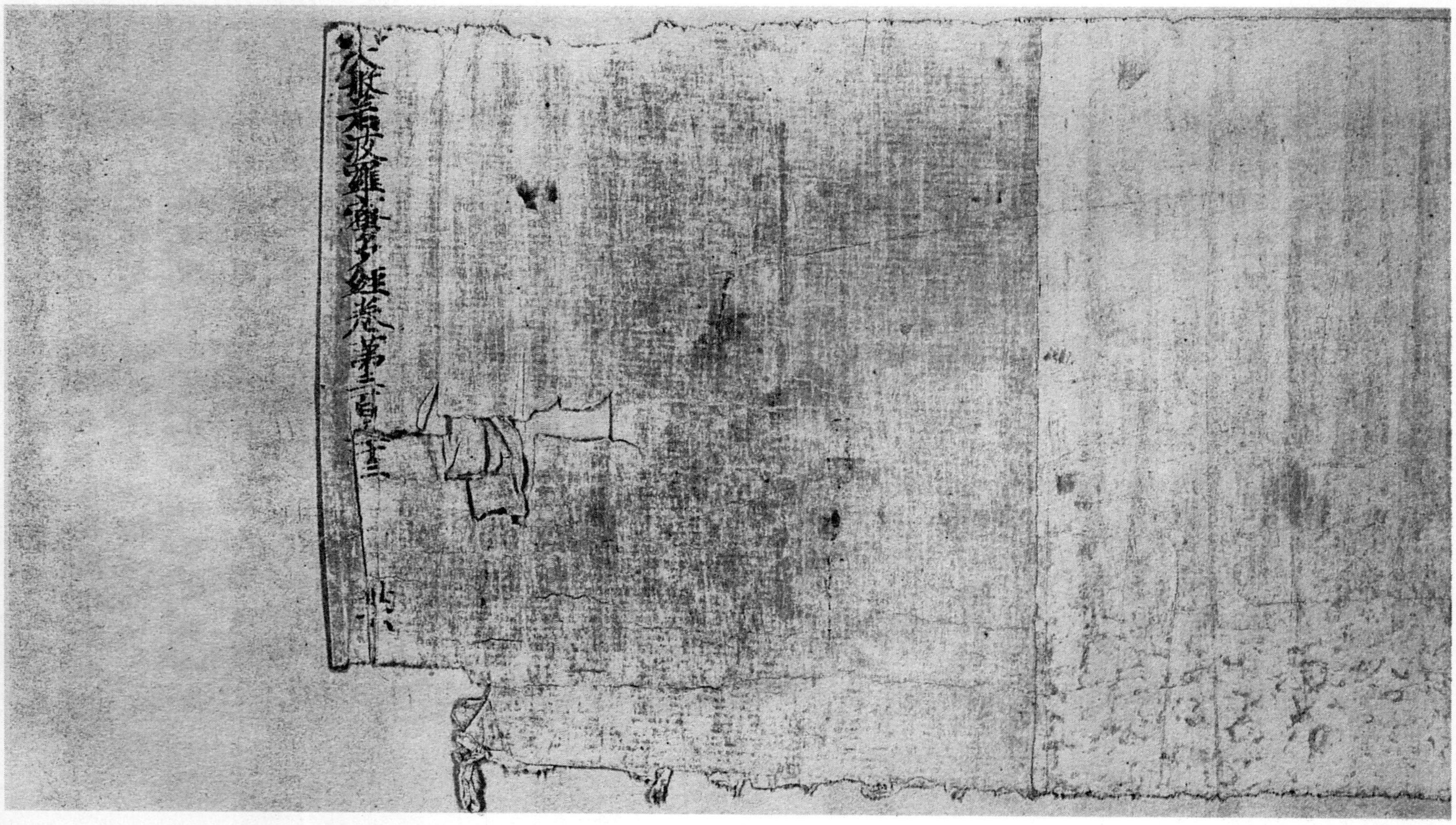

大般若波羅蜜多經卷第三百五十三

BD03199 號背　大般若波羅蜜多經卷三五三護首　（1–1）

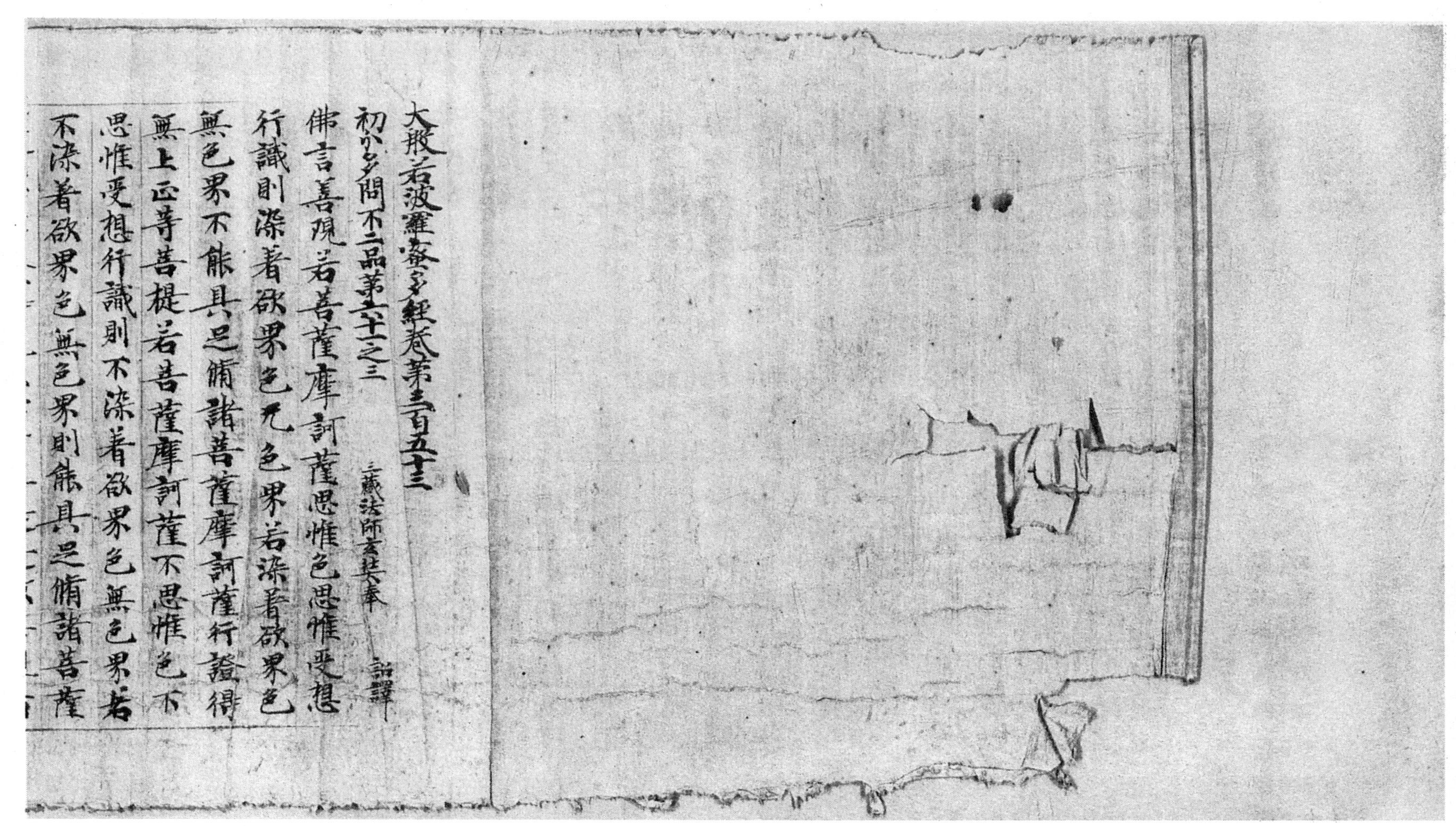

大般若波羅蜜多經卷第三百五十三

初分多問不二品第六十一之三　三藏法師玄奘奉　詔譯

佛言善現若菩薩摩訶薩思惟色思惟受想
行識則染着欲界色无色界若染着欲界色
無色界不能具足修諸菩薩摩訶薩行證得
無上正等菩提若菩薩摩訶薩不思惟色不
思惟受想行識則不染着欲界色無色界若
不染着欲界色無色界則能具足修諸菩薩

BD03199號　大般若波羅蜜多經卷三五三　（2–1）

佛言善現若菩薩摩訶薩思惟色思惟受想
行識則染着欲界色无色界若染着欲界色
無色界不能具足修諸菩薩摩訶薩行證得
無上正等菩提若菩薩摩訶薩不思惟色不
思惟受想行識則不染着欲界色無色界若
不染着欲界色無色界則能具足修諸菩薩
摩訶薩行證得无上正等菩提是故善現若
菩薩摩訶薩欲修菩薩摩訶薩行欲證無上
正等菩提當勤修學甚深般若波羅蜜多不
應思惟染着諸法善現若菩薩摩訶薩思惟
眼處思惟耳鼻舌身意處則染着欲界色無
色界若染着欲界色無色界不能具足修諸
菩薩摩訶薩行證得無上正等菩提若菩薩
摩訶薩不思惟眼處不思惟耳鼻舌身意處
則不染着欲界色無色界若不染着欲界色
無色界則能具足修諸菩薩摩訶薩行證得
無上正等菩提是故善現若菩薩摩訶薩欲
修菩薩摩訶薩行欲證無上正等菩提當勤
修學甚深般若波羅蜜多不應思惟染着諸
法善現若菩薩摩訶薩思惟色處思惟聲香
味觸法處則染着欲界色無色界若染着欲
界色無色界不能具足修諸菩薩摩訶薩行
證得無上正等菩提若菩薩摩訶薩不思惟
色處不思惟聲香味觸法處則不染着欲界

BD03199號　大般若波羅蜜多經卷三五三　（2–2）

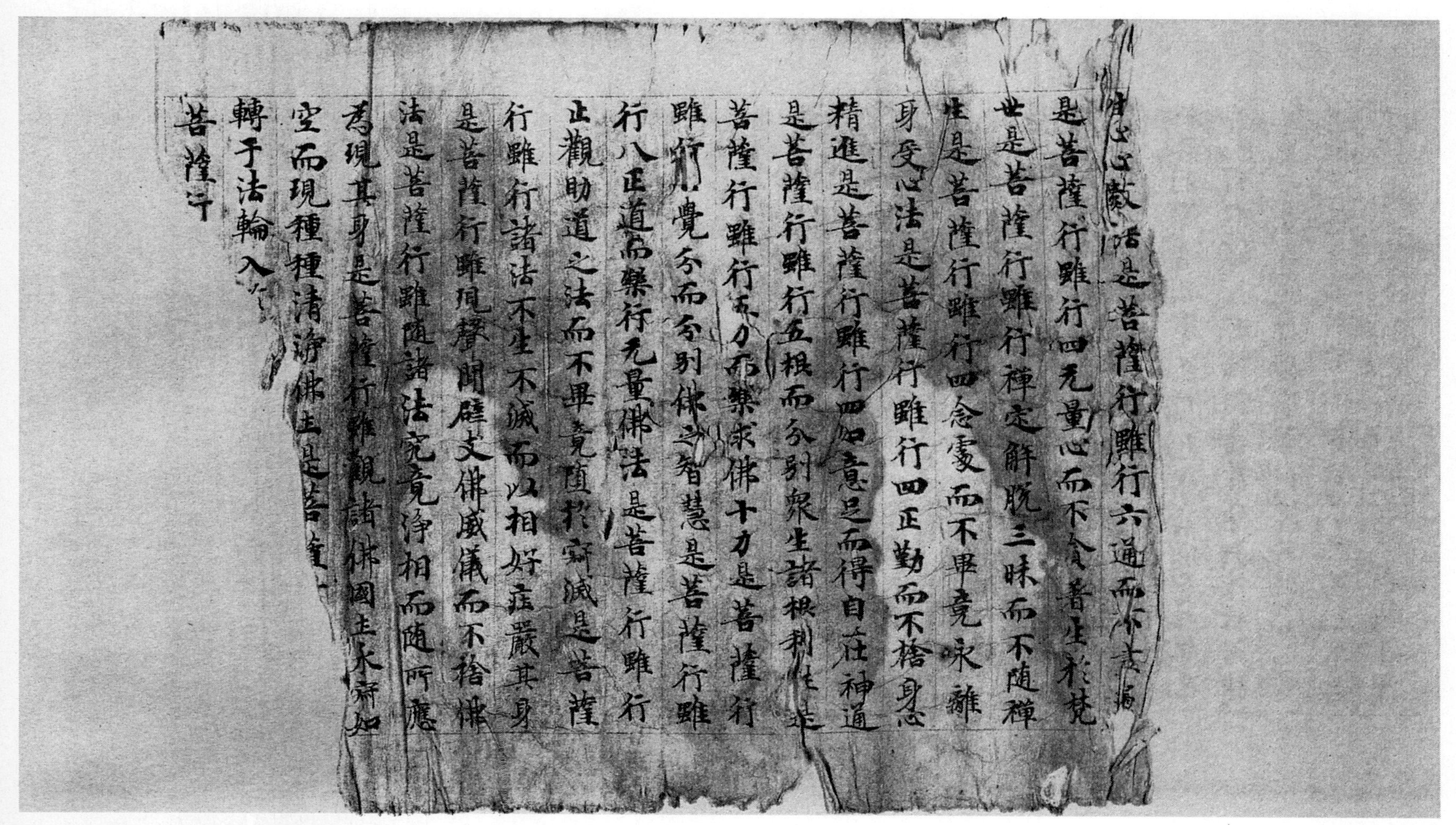
心心數法是菩薩行雖行六通而不盡漏
是菩薩行雖行四无量心而不貪著生於梵
世是菩薩行雖行禪定解脫三昧而不隨禪
生是菩薩行雖行四念處而不畢竟永離
身受心法是菩薩行雖行四正勤而不捨身心
精進是菩薩行雖行四如意足而得自在神通
是菩薩行雖行五根而分別衆生諸根利鈍是
菩薩行雖行五力而樂求佛十力是菩薩行
雖行七覺分而分別佛之智慧是菩薩行雖
行八正道而樂行无量佛法是菩薩行雖行
止觀助道之法而不畢竟墮於寂滅是菩薩
行雖行諸法不生不滅而以相好莊嚴其身
是菩薩行雖現聲聞辟支佛威儀而不捨佛
法是菩薩行雖隨諸法究竟淨相而隨所應
為現其身是菩薩行雖觀諸佛國土永寂如
空而現種種清淨佛土是菩薩
轉于法輪入
菩薩行

BD03200號　維摩詰所說經卷中　（1-1）

著　録　凡　例

本目録採用條目式著録法。諸條目意義如下：

1.1　著録編號。用漢語拼音首字“BD”表示，意為“北京圖書館藏敦煌遺書”，簡稱“北敦號”。文獻寫在背面者，標註為“背”。一件遺書上抄有多個文獻者，用數字1、2、3等標示小號。一號中包括幾件遺書，且遺書形態各自獨立者，用字母A、B、C等區別。

1.2　著録分類號。本條記目録暫不分類，該項空缺。

1.3　著録文獻的名稱、卷本、卷次。

1.4　著録千字文編號。

1.5　著録縮微膠卷號。

2.1　著録遺書的總體數據。包括長度、寬度、紙數、正面抄寫總行數與每行字數、背面抄寫總行數與每行字數。如該遺書首尾有殘破，則對殘破部分單獨度量，用加號加在總長度上。凡屬這種情況，長度用括弧標註。

2.2　著録每紙數據。包括每紙長度及抄寫行數或界欄數。

2.3　著録遺書的外觀。包括：(1) 裝幀形式。(2) 首尾存況。(3) 護首、軸、軸頭、天竿、縹帶，經名是書寫還是貼簽，有無經名號，扉頁、扉畫。(4) 卷面殘破情況及其位置。(5) 尾部情況。(6) 有無附加物（蟲繭、油污、線繩及其他）。(7) 有無裱補及其年代。(8) 界欄。(9) 修整。(10) 其他需要交待的問題。

2.4　著録一件遺書抄寫多個文獻的情況。

3.1　著録文獻首部文字與對照本核對的結果。

3.2　著録文獻尾部文字與對照本核對的結果。

3.3　著録録文。

3.4　著録對文獻的説明。

4.1　著録文獻首題。

4.2　著録文獻尾題。

5　著録本文獻與對照本的不同之處。

6.1　著録本遺書首部可與另一遺書綴接的編號。

6.2　著録本遺書尾部可與另一遺書綴接的編號。

7.1　著録題記、題名、勘記等。

7.2　著録印章。

7.3　著録雜寫。

7.4　著録護首及扉頁的内容。

8　著録年代。

9.1　著録字體。如有武周新字、合體字、避諱字等，予以説明。

9.2　著録卷面二次加工的情況。包括句讀、點標、科分、間隔號、行間加行、行間加字、硃筆、墨塗、倒乙、刪除、兑廢等。

10　著録敦煌遺書發現後，近現代人所加内容，裝裱、題記、印章等。

11　備註。著録揭裱互見、圖版本出處及其他需要説明的問題。

上述諸條，有則著録，無則空缺。

為避文繁，上述著録中出現的各種參考、對照文獻，暫且不列版本説明。全目結束時，將統一編制本條記目録出現的各種參考書目。

本條記目録為農曆年份標註其公曆紀年時，未進行歲頭年末之換算，請讀者使用時注意自行换算。

條　記　目　錄

BD03133—BD03200

1.1　BD03133 號
1.3　妙法蓮華經卷三
1.4　騰 033
1.5　105:5014
2.1　(10.4 +270.3) ×26.5 厘米；6 紙；155 行，行 17 字。
2.2　01：10.4 +26.8，20；　02：48.6，27；　03：48.8，28；
04：48.8，27；　05：48.7，27；　06：48.6，26。
2.3　卷軸裝。首殘尾全。尾有原軸，兩端塗黑漆。首紙下有 2 處殘損。有烏絲欄。
3.1　首 5 行上下殘→大正 262，9/19B24 ~ C1。
3.2　尾全→9/27B9。
4.2　妙法蓮華經卷第三（尾）。
7.1　首紙背有勘記“法花經第三卷”。
8　9 ~ 10 世紀。歸義軍時期寫本。
9.1　楷書。
9.2　有刮改。
11　圖版：《敦煌寶藏》，88/112A ~ 125B。

1.1　BD03134 號
1.3　四分戒本疏卷一
1.4　騰 034
1.5　169:7038
2.1　(31.5 +645.5) ×31.8 厘米；15 紙；453 行，行 31 字。
2.2　01：31.5 +5.5，26；　02：43.0，32；　03：46.0，32；
04：46.0，32；　05：46.0，32；　06：46.0，32；
07：46.0，32；　08：46.0，32；　09：46.0，32；
10：46.0，32；　11：46.0，32；　12：46.0，32；
13：46.0，32；　14：46.0，32；　15：45.0，11。
2.3　卷軸裝。首尾均殘。卷首殘破嚴重。尾有餘空。卷尾有多處蟲繭。有烏絲欄。
3.1　首紙 22 行中下殘→大正 2787，85/567A12 ~ B26。
3.2　尾殘，第 179 行→85/571A11。
3.4　說明：
本文獻未為我國歷代大藏經所收。敦煌出土後，日本《大正藏》依據伯 2064 號收入第 85 卷。但伯 2064 號為殘卷。本遺書共 453 行，其中第 1 行 ~ 第 179 行可與《大正藏》本對照，第 179 行 ~ 第 453 行可補《大正藏》本之缺漏。
8　9 ~ 10 世紀。歸義軍時期寫本。
9.1　楷書。
9.2　有行間校加字、行間加行。有刪除符號。
11　圖版：《敦煌寶藏》，103/610B ~ 618A。

1.1　BD03135 號
1.3　佛名經（二十卷本）卷七
1.4　騰 035
1.5　062:0576
2.1　(19.5 +814) ×27.5 厘米；19 紙；441 行，行 17 字。
2.2　01：19.5，護首；　02：47.0，26；　03：47.0，26；
04：47.0，26；　05：47.0，26；　06：47.0，26；
07：47.0，26；　08：47.0，26；　09：47.0，26；
10：47.0，26；　11：47.0，26；　12：47.0，26；
13：47.0，26；　14：47.0，26；　15：47.0，26；
16：47.0，26；　17：47.0，26；　18：47.0，25；
19：15.0，拖尾。
2.3　卷軸裝。首尾均全。有護首。第 2 紙中部橫向破裂。有烏絲欄。
3.4　說明：
本文獻首尾均全。是中國人抄輯衆經編纂的經典。未為歷代大藏經所收。本號經文完整，甚可寶貴。
4.1　佛說佛名經卷第七（首）。
4.2　佛名經卷第七（尾）。
7.4　護首有經名“佛名經卷第七”。
8　8 世紀。唐寫本。
9.1　楷書。
11　圖版：《敦煌寶藏》，60/118B ~ 129B。

1.1 BD03136 號
1.3 大乘入楞伽經卷五
1.4 騰 036
1.5 038:0355
2.1 (8.5+858.9)×27.8 厘米;18 紙;498 行,行 17 字。
2.2 01:8.5+31,23; 02:48.0,28; 03:48.0,28;
04:48.5,28; 05:48.5,28; 06:48.6,28;
07:48.6,28; 08:48.9,28; 09:48.7,28;
10:49.0,28; 11:48.7,28; 12:48.8,28;
13:48.8,28; 14:49.0,28; 15:49.2,28;
16:48.9,28; 17:48.8,28; 18:48.9,27。
2.3 卷軸裝。首殘尾全。首 5 行殘破嚴重,卷面多黴斑、黴爛。卷首脱落 1 塊殘片,可綴接。有烏絲欄。
3.1 首 5 行中下殘碎→大正 672,16/615B19~24。
3.2 尾全→16/622B1。
4.2 大乘入楞伽經卷第五(尾)。
8 8 世紀。唐寫本。
9.1 楷書。
11 圖版:《敦煌寶藏》,58/312B~324B。

1.1 BD03137 號
1.3 無量壽宗要經
1.4 騰 037
1.5 275:7785
2.1 (5+151+20)×31.2 厘米;4 紙;117 行,行 30 餘字。
2.2 01:5+38.5,29; 02:44.5,30; 03:44.5,30;
04:23.5+20,28。
2.3 卷軸裝。首全尾殘。卷首右上下殘缺,脱落 1 塊殘片,可綴接。卷尾下部殘缺。有烏絲欄。
3.1 首 3 行上下殘→大正 936,19/82A3~9。
3.2 尾 12 行下殘→19/84C6~29。
4.1 大乘無量壽宗要經(首)。
4.2 佛説無量壽宗要經(尾)。
7.3 首紙背有經文雜寫:“大乘無量壽經,如是我聞,一時佛/在。大乘百法明論,論。千門百戶,百開不□/”2 行。第 2 紙背有經文雜寫“生,若化生,若有色,若無色,若有想,若無想,若非有想”1 行。並有題名雜寫“鄧潤”。
8 8~9 世紀。吐蕃統治時期寫本。
9.1 行楷。
11 圖版:《敦煌寶藏》,107/601A~604A。

1.1 BD03138 號
1.3 金光明最勝王經卷一
1.4 騰 038
1.5 083:1454
2.1 (16.4+347)×26.6 厘米;9 紙;217 行,行 17 字。
2.2 01:16.4,10; 02:46.9,28; 03:46.7,28;
04:46.8,28; 05:47.1,28; 06:47.3,28;
07:46.6,28; 08:46.8,28; 09:18.8,11。
2.3 卷軸裝。首尾均殘。通卷紙張變色變硬。卷面有殘洞。有烏絲欄。已修整。
3.1 首 10 行上殘→大正 665,16/403B24~C4。
3.2 尾行殘→16/406C5~6。
8 7~8 世紀。唐寫本。
9.1 楷書。
11 從該件上揭下古代裱補紙 72 塊,今編爲 BD16045 號,BD16046 號,BD16047 號,BD16048 號,BD16049 號,BD16050 號,BD16051 號,BD16052 號,BD16053 號。
圖版:《敦煌寶藏》,67/653A~657B。

1.1 BD03139 號
1.3 無量壽宗要經
1.4 騰 039
1.5 275:8009
2.1 (21+144)×31 厘米;4 紙;105 行,行 30 餘字。
2.2 01:21.0,16; 02:2+43,33; 03:45.0,33;
04:33.0,23。
2.3 卷軸裝。首殘尾全。通卷殘破。有一殘片可與首紙下部綴接。有烏絲欄。
3.1 首 17 行上下殘→大正 936,19/82B6~C17。
3.2 尾全→19/84C29。
4.2 佛説無量壽宗要經一卷(尾)。
7.1 尾紙末有題記“張涓子寫”。
7.3 卷尾背有雜寫“窟,靈,樵(?)”。
8 8~9 世紀。吐蕃統治時期寫本。
9.1 行楷。
11 圖版:《敦煌寶藏》,108/506A~508A。

1.1 BD03140 號
1.3 觀世音經
1.4 騰 040
1.5 111:6241
2.1 179.6×26 厘米;4 紙;95 行,行 17 字。
2.2 01:39.5,23; 02:46.7,28; 03:47.0,28;
04:46.4,16。
2.3 卷軸裝。首殘尾全。卷首殘破嚴重,卷面油污。有烏絲欄。
3.1 首 9 行下殘→大正 262,9/57A5。
3.2 尾全→9/58B7
4.2 觀世音經(尾)。
8 9~10 世紀。歸義軍時期寫本。
9.1 楷書。
9.2 有倒乙符號。
11 圖版:《敦煌寶藏》,97/447A~449B。

1.1　BD03141 號
1.3　無量壽宗要經
1.4　騰 041
1.5　275:7786
2.1　177×31 厘米；5 紙；109 行，行 30 餘字。
2.2　01：09.0，護首；　02：42.0，28；　03：42.5，29；
04：42.5，29；　05：41.0，23。
2.3　卷軸裝。首尾均全。卷面有黴斑，後 2 紙有破裂。有烏絲欄。
3.1　首全→大正 936，19/82A3。
3.2　尾全→19/84C29。
4.1　大乘無量壽經（首）。
4.2　佛說無量壽宗要經（尾）。
7.1　首紙有前個文獻殘留題名“張瀛”。尾有題名“張瀛”。
8　8～9 世紀。吐蕃統治時期寫本。
9.1　行楷。
11　圖版：《敦煌寶藏》，107/604B～607A。

1.1　BD03142 號
1.3　大乘入楞伽經卷七
1.4　騰 042
1.5　038:0357
2.1　758.8×26 厘米；17 紙；425 行，行 20 字（偈頌）。
2.2　01：07.0，護首；　02：44.5，25；　03：48.5，28；
04：48.5，28；　05：48.5，28；　06：48.5，28；
07：48.5，28；　08：46.8，27；　09：48.5，28；
10：48.3，28；　11：48.0，28；　12：48.5，28；
13：48.4，28；　14：48.3，28；　15：48.5，28；
16：48.0，28；　17：31.5，09。
2.3　卷軸裝。首尾均全。有護首，殘破。卷面有鳥糞。有烏絲欄。
3.1　首全→大正/672，16/631A2。
3.2　尾全→16/640C2。
4.1　大乘入楞伽經偈頌品第十之二，第七（首）。
4.2　大乘入楞伽經卷第七（尾）。
8　9～10 世紀。歸義軍時期寫本。
9.1　楷書。
11　圖版：《敦煌寶藏》，58/336B～347A。

1.1　BD03143 號
1.3　灌頂章句拔除過罪生死得度經
1.4　騰 043
1.5　250:7486
2.1　（3.2＋530.1）×26.3 厘米；11 紙；297 行，行 17 字。
2.2　01：3.2＋31.5，19；　02：51.8，28；　03：51.7，28；
04：51.6，28；　05：51.8，28；　06：48.5，29；
07：48.7，29；　08：48.8，29；　09：48.6，29；
10：48.7，29；　11：48.4，21。
2.3　卷軸裝。首殘尾全。前 4 紙下有等距殘洞。有烏絲欄。
3.1　首 2 行上下殘→大正 1331，21/532C17～19。
3.2　尾全→21/536B5。
4.2　佛說藥師經（尾）。
8　8 世紀。唐寫本。
9.1　楷書。
9.2　有刮改。
11　圖版：《敦煌寶藏》，106/440B～447B。

1.1　BD03144 號
1.3　大般涅槃經（北本　思溪藏本）卷二八
1.4　騰 044
1.5　115:6475
2.1　796.5×25.8 厘米；18 紙；427 行，行 17 字。
2.2　01：50.0，26；　02：48.5，26；　03：50.5，27；
04：49.5，28；　05：51.0，28；　06：09.0，05；
07：40.0，22；　08：50.0，28；　09：50.5，28；
10：50.0，28；　11：50.5，28；　12：21.0，12；
13：48.5，29；　14：49.0，26；　15：50.5，27；
16：50.5，26；　17：50.5，26；　18：27.0，07。
2.3　卷軸裝。首脫尾全。背有古代裱補。有烏絲欄。
3.1　首殘→大正 374，12/529B1。
3.2　尾全→12/534B10。
4.2　大般涅槃經卷第廿八（尾）。
5　與《大正藏》本對照，分卷不同。與《思溪藏》、《普寧藏》、《嘉興藏》本分卷相同。
8　5～6 世紀。南北朝寫本。
9.1　楷書。
9.2　有行間校加字。
11　圖版：《敦煌寶藏》，99/404A～415A。

1.1　BD03145 號
1.3　金剛般若波羅蜜經
1.4　騰 045
1.5　094:3571
2.1　（7＋497.2）×25.5 厘米；11 紙；295 行，行 17 字。
2.2　01：7＋26.4，20；　02：47.2，28；　03：47.0，28；
04：47.1，28；　05：47.0，28；　06：47.7，28；
07：47.5，28；　08：47.6，28；　09：47.0，28；
10：47.2，28；　11：45.5，23。
2.3　卷軸裝。首殘尾全。有燕尾。有烏絲欄。已修整。
3.1　首 4 行上、下殘→大正 235，8/748C24～28。
3.2　尾全→8/752C3。
4.2　金剛般若波羅蜜經（尾）。
8　8 世紀。唐寫本。
9.1　楷書。

11　圖版：《敦煌寶藏》，78/590B～597A。

1.1　BD03146 號
1.3　大般涅槃經（北本）卷四〇
1.4　騰 046
1.5　115:6532
2.1　（2＋549.1＋2）×25 厘米；12 紙；313 行，行 17 字。
2.2　01：2＋3，3；　02：52.5，30；　03：52.6，30；
04：53.0，30；　05：53.0，30；　06：53.0，30；
07：53.0，30；　08：53.0，30；　09：51.0，28；
10：49.5，28；　11：51.0，29；　12：24.5＋2，15。
2.3　卷軸裝。首尾均殘。第 3 紙下部有破裂。有烏絲欄。
3.1　首殘→大正 374，12/599C17。
3.2　尾行上殘→12/603B14～15。
8　5～6 世紀。南北朝寫本。
9.1　楷書。
11　圖版：《敦煌寶藏》，100/177B～185A。

1.1　BD03147 號
1.3　淨名經科要（擬）
1.4　騰 047
1.5　080:1358
2.1　273.1×273 厘米；7 紙；146 行，行 23 字。
2.2　01：43.0，22；　02：42.5，23；　03：42.6，23；
04：42.8，23；　05：42.6，23；　06：42.6，23；
07：17.0，09。
2.3　卷軸裝。首脫尾斷。有劃界欄針孔。有烏絲欄。
3.4　說明：
本文獻首尾均殘。未為歷代大藏經所收。
8　5～6 世紀。南北朝寫本。
9.1　行楷。
9.2　有校改。
11　圖版：《敦煌寶藏》，67/126A～129B。

1.1　BD03148 號
1.3　無量壽宗要經
1.4　騰 048
1.5　275:8010
2.1　（12＋119.5）×31.5 厘米；4 紙；85 行，行 30 餘字。
2.2　01：12.0，08；　02：42.5，29；　03：42.5，30；
04：34.5，18。
2.3　卷軸裝。首殘尾全。卷首殘破嚴重，卷面黴爛。有烏絲欄。
3.1　首 8 行中下殘→大正 936，19/83A16～29。
3.2　尾全→19/84C29。
4.2　佛說無量壽宗要經（尾）。
8　8～9 世紀。吐蕃統治時期寫本。
9.1　楷書。

11　圖版：《敦煌寶藏》，108/508B～510A。

1.1　BD03149 號
1.3　金光明最勝王經卷五
1.4　騰 049
1.5　083:1750
2.1　304.5×25.3 厘米；7 紙；179 行，行 17 字。
2.2　01：46.8，28；　02：46.5，28；　03：46.4，28；
04：46.3，28；　05：46.2，28；　06：46.3，28；
07：26.0，11。
2.3　卷軸裝。首脫尾全。上下邊有殘裂。有烏絲欄。
3.1　首殘→大正 665，16/425A24。
3.2　尾全→16/427B13。
4.2　金光明最勝王經卷第五（尾）。
8　7～8 世紀。唐寫本。
9.1　楷書。
11　圖版：《敦煌寶藏》，69/589B～593B。

1.1　BD03150 號
1.3　四分比丘尼戒本
1.4　騰 050
1.5　157:6945
2.1　（20＋1099.5）×26.5 厘米；24 紙；679 行，行 21 字。
2.2　01：20＋7，17；　02：44.5，28；　03：44.0，28；
04：44.0，28；　05：44.5，25；　06：46.0，28；
07：46.0，28；　08：46.0，28；　09：46.0，28；
10：46.0，28；　11：46.0，28；　12：46.0，28；
13：46.0，28；　14：46.0，28；　15：45.0，29；
16：45.0，28；　17：45.0，29；　18：45.0，29；
19：45.0，28；　20：45.0，28；　21：77.5，49；
22：75.5，48；　23：57.5，33；　24：21.0，燕尾。
2.3　卷軸裝。首殘尾全。卷首右下殘缺，卷面有殘破。有燕尾。有烏絲欄。
3.1　首 13 行中下殘→大正 1431，22/1031A21～B11。
3.2　尾全→1432，22/1041A18。
4.2　四分比丘尼戒本一卷（尾）。
8　8～9 世紀。吐蕃統治時期寫本。
9.1　楷書。
9.2　有行間校加字。有校改。有倒乙符號。
11　圖版：《敦煌寶藏》，103/18B～34A。

1.1　BD03151 號
1.3　大般若波羅蜜多經卷三〇〇
1.4　騰 051
1.5　084:2829
2.1　（89.2＋1.9）×25.6 厘米；2 紙；54 行，行 17 字。
2.2　01：44.9，26；　02：44.3＋1.9，28。

2.3　卷軸裝。首全尾脫。卷面有殘破。背面有古代裱補。有烏絲欄。
3.1　首全→大正 220，6/524B2。
3.2　尾行中殘→6/524C28。
4.1　大般若波羅蜜多經卷第三百，三藏法師玄奘奉詔譯，/初分難聞功德品第卅九之四/（首）。
8　7～8 世紀。唐寫本。
9.1　楷書。
11　圖版：《敦煌寶藏》，75/197B～198B。

1.1　BD03152 號
1.3　妙法蓮華經（八卷本）卷四
1.4　騰 052
1.5　105:5338
2.1　392.8×25.5 厘米；9 紙；235 行，行 17 字。
2.2　01：46.0，28；　02：45.8，28；　03：45.8，28；
04：45.8，28；　05：46.0，28；　06：45.8，28；
07：45.8，28；　08：45.8，28；　09：26.0，11。
2.3　卷軸裝。首脫尾全。經黄紙。尾有等距離殘洞。有烏絲欄。
3.1　首殘→大正 262，9/31A27。
3.2　尾全→9/34B22。
4.2　妙法蓮華經卷第四（尾）。
5　與《大正藏》本對照，分卷不同。相當於《大正藏》法師品第十中部至見寶塔品第十一終。應為八卷本。
8　7～8 世紀。唐寫本。
9.1　楷書。
9.2　上邊有硃筆校改字。
11　圖版：《敦煌寶藏》，91/82B～88A。

1.1　BD03153 號
1.3　梵網經盧舍那佛說菩薩心地戒品第十卷下
1.4　騰 053
1.5　143:6727
2.1　（12+254）×26.5 厘米；6 紙；159 行，行 17 字。
2.2　01：12+20.5，19；　02：46.5，28；　03：46.5，28；
04：46.5，28；　05：47.0，28；　06：47.0，28。
2.3　卷軸裝。首殘尾脫。首紙上下部破損，第 2、3 紙下部破裂，第 6 紙上部殘破。有烏絲欄。
3.1　首 7 行中下殘→大正 1484，24/1005A29～B7。
3.2　尾殘→24/1007B3。
8　9～10 世紀。歸義軍時期寫本。
9.1　楷書。
11　圖版：《敦煌寶藏》，101/357A～360A。

1.1　BD03154 號
1.3　妙法蓮華經卷七
1.4　騰 054
1.5　105:6151
2.1　120.5×26.5 厘米；3 紙；60 行，行 17 字。
2.2　01：50.0，28；　02：50.0，28；　03：20.5，04。
2.3　卷軸裝。首脫尾全。通卷上邊有等距殘缺，卷面多水漬，尾紙下部有破裂。
3.1　首殘→大正 262，9/61B20。
3.2　尾全→9/62B1。
4.2　妙法蓮華經卷第七（尾）。
8　9～10 世紀。歸義軍時期寫本。
9.1　楷書。
11　圖版：《敦煌寶藏》，97/135A～136B。

1.1　BD03155 號
1.3　大般若波羅蜜多經卷三八二
1.4　騰 055
1.5　084:3038
2.1　（13+803.7）×26 厘米；18 紙；474 行，行 17 字。
2.2　01：13+15.5，17；　02：47.0，28；　03：47.2，28；
04：47.5，28；　05：47.5，28；　06：47.3，28；
07：47.5，28；　08：47.6，28；　09：47.6，28；
10：47.5，28；　11：47.6，28；　12：47.6，28；
13：47.6，28；　14：47.6，28；　15：47.5，28；
16：47.5，28；　17：47.5，28；　18：28.6，09。
2.3　卷軸裝。首殘尾全。卷首殘破，有殘洞，有等距離紅色污痕。有燕尾。有烏絲欄。
3.1　首 8 行上下殘→大正 220，6/972A20～28。
3.2　尾全→6/977B26。
4.2　大般若波羅蜜多經卷第三百八十二（尾）。
7.1　首紙背面有“卅九（本文獻所屬袟次），二（袟内卷次）”。又有經名、卷次、所屬袟次勘記“大般若波羅蜜多經卷第三百八十二，三十九袟”。
8　8～9 世紀。吐蕃統治時期寫本。
9.1　楷書。
9.2　有行間校加字。有刮改。
11　圖版：《敦煌寶藏》，76/159B～170A。

1.1　BD03156 號
1.3　妙法蓮華經卷一
1.4　騰 056
1.5　105:4688
2.1　（14.6+149.7）×25.6 厘米；4 紙；90 行，行 20 字（偈）。
2.2　01：14.6+32，28；　02：47.1，28；　03：47.0，28；
04：23.6，06。
2.3　卷軸裝。首殘尾全。經黄紙。第 3、4 紙接縫處上方開裂。有燕尾。有烏絲欄。
3.1　首 9 行上殘→大正 262，9/8B18～C4。

3.2　尾全→9/10B21。
4.2　妙法蓮華經卷第一（尾）。
8　7~8世紀。唐寫本。
9.1　楷書。
11　圖版：《敦煌寶藏》，85/284B~286B。

1.1　BD03157號
1.3　大般若波羅蜜多經卷二
1.4　騰057
1.5　084:2010
2.1　(3+497.1)×25.6厘米；11紙；284行，行17字。
2.2　01：3+30.8，20；　02：48.0，28；　03：48.0，28；
04：48.0，28；　05：48.0，28；　06：48.0，28；
07：48.0，28；　08：48.0，28；　09：47.9，28；
10：47.9，28；　11：34.5，12。
2.3　卷軸裝。首殘尾全。首紙有破裂，第2、3紙接縫處下開裂。尾有原軸，兩端塗硃漆，軸頭已坏。有烏絲欄。
3.1　首2行上下殘→大正220，5/8B4~5。
3.2　尾全→5/11B25。
4.2　大般若波羅蜜多經卷第二（尾）。
8　8~9世紀。吐蕃統治時期寫本。
9.1　楷書。
9.2　有刮改。
11　圖版：《敦煌寶藏》，71/327B~333B。

1.1　BD03158號
1.3　四分比丘尼戒本
1.4　騰058
1.5　157:6935
2.1　(1.5+190)×25.5厘米；5紙；121行，行20字。
2.2　01：1.5+16，11；　02：46.0，30；　03：46.0，30；
04：46.0，30；　05：36.0，20。
2.3　卷軸裝。首殘尾全。第2紙上方破裂，卷背多鳥糞。有烏絲欄。
3.1　首1行下殘→大正1431，22/1039B12。
3.2　尾全→22/1041A18。
4.2　四分尼戒一卷（尾）。
8　8~9世紀。吐蕃統治時期寫本。
9.1　楷書。
11　圖版：《敦煌寶藏》，102/609B~612A。

1.1　BD03159號
1.3　衆經要攢並序
1.4　騰059
1.5　461:8687
2.1　236.2×27厘米；6紙；138行，行31~34字。
2.2　01：39.4，23；　02：39.3，23；　03：39.2，23；
04：39.3，23；　05：39.5，23；　06：39.5，23。
2.3　卷軸裝。首尾均脱。各紙均有殘洞，上邊有蟲繭，尾紙有破裂殘損。有烏絲欄。
3.4　説明：
本文獻首尾均殘。未為歷代大藏經所收。原名作《衆經要攢並序出衆經文略取妙言要義十章合成一卷》。
6.1　首→BD03000號。
8　5~6世紀。南北朝寫本。
9.1　楷書。
9.2　有行間加行、行間校加字。有校改。有倒乙、間隔符號。有硃筆校改、重文符號。
11　圖版：《敦煌寶藏》，111/182B~185B。

1.1　BD03160號
1.3　金光明最勝王經卷四
1.4　騰060
1.5　083:1703
2.1　127.8×26厘米；3紙；71行，行17字。
2.2　01：43.5，25；　02：43.3，25；　03：41.0，21；
2.3　卷軸裝。首脱尾全。有燕尾。有烏絲欄。
3.1　首殘→大正665，16/421B20。
3.2　尾全→16/422B21。
4.2　金光明經卷第四（尾）。
5　尾附音義。
7.1　尾有題記“還真勘”。
8　7~8世紀。唐寫本。
9.1　楷書。
11　圖版：《敦煌寶藏》，69/327B~329A。

1.1　BD03161號
1.3　金光明最勝王經卷九
1.4　騰061
1.5　083:1907
2.1　(15.5+744)×26.5厘米；18紙；423行，行17字。
2.2　01：15.5+24.8，23；　02：42.2，24；　03：42.3，24；
04：42.3，24；　05：42.2，24；　06：42.6，24；
07：42.3，24；　08：42.5，24；　09：42.3，24；
10：42.3，24；　11：42.3，24；　12：42.5，24；
13：42.3，24；　14：42.3，24；　15：42.3，24；
16：42.3，24；　17：42.2，24；　18：42.0，16。
2.3　卷軸裝。首殘尾全。卷首殘破嚴重。有烏絲欄。
3.1　首9行中殘→大正665，16/444B9~17。
3.2　尾全→16/450C15。
4.2　金光明經卷第九（尾）。
5　尾附音義。
7.1　卷尾背有勘記“第九”。
8　7~8世紀。唐寫本。

9.1 楷書。
11 圖版:《敦煌寶藏》, 70/591A ~ 600B。

1.1 BD03162 號
1.3 金光明經卷一
1.4 騰 062
1.5 081:1366
2.1 (7.5 +666) ×25.7 厘米; 14 紙; 377 行, 行 17 字。
2.2 01: 7.5 +39.8, 26; 02: 48.0, 28; 03: 48.3, 28;
04: 48.5, 28; 05: 48.5, 28; 06: 48.5, 28;
07: 48.5, 28; 08: 48.4, 28; 09: 48.0, 28;
10: 48.0, 28; 11: 48.0, 28; 12: 48.0, 28;
13: 48.0, 28; 14: 47.5, 15。
2.3 卷軸裝。首殘尾全。前 3 紙上部等距殘損, 通卷多水漬。有烏絲欄。
3.1 首 4 行上殘→大正 663, 16/335B5 ~ 8。
3.2 尾全→16/340C10。
4.1 □…□經序品第一(首)。
4.2 金光明經卷第一(尾)。
8 9 ~ 10 世紀。歸義軍時期寫本。
9.1 楷書。
11 圖版:《敦煌寶藏》, 67/203A ~ 211B。

1.1 BD03163 號
1.3 佛名經(十六卷本)卷一
1.4 騰 063
1.5 061:0544
2.1 252.8 ×25.9 厘米; 5 紙; 140 行, 行 17 字。
2.2 01: 50.8, 28; 02: 50.5, 28; 03: 50.5, 28;
04: 50.5, 28; 05: 50.5, 28。
2.3 卷軸裝。首尾均脱。經黄紙。卷面多黴斑, 上下邊殘裂, 第 4、5 紙接縫脱開。有烏絲欄。
3.1 首殘→《七寺古逸經典研究叢書》, 3/第 41 頁第 461 行。
3.2 尾殘→《七寺古逸經典研究叢書》, 3/第 53 頁第 619 行。
3.4 説明:
本件與《大正藏》十二卷本《佛名經》卷一文字相近, 參見大正 440, 14/116C16 ~ 118B7。但十二卷本《佛名經》沒有對諸佛等按百計數的文字。
5 與七寺本對照, 文字略有不同。如對諸佛按百計數文字的位置有所不同。
8 7 ~ 8 世紀。唐寫本。
9.1 楷書。
11 圖版:《敦煌寶藏》, 59/669A ~ 672B。

1.1 BD03164 號
1.3 維摩詰所說經卷上
1.4 騰 064
1.5 70:952
2.1 (6.5 +685.5) ×24.5 厘米; 18 紙; 389 行, 行 17 字。
2.2 01: 6.5 +16, 12; 02: 42.5, 24; 03: 42.0, 24;
04: 42.0, 24; 05: 42.0, 24; 06: 42.0, 24;
07: 42.0, 24; 08: 42.0, 24; 09: 42.0, 24;
10: 42.0, 24; 11: 42.0, 24; 12: 42.0, 24;
13: 42.0, 24; 14: 42.0, 24; 15: 42.0, 24;
16: 25.5, 15; 17: 16.0, 09; 18: 39.5, 17。
2.3 卷軸裝。首殘尾全。經黄打紙。卷面多黴爛殘洞, 接縫處多有開裂, 第 6、7 紙和 16、17 紙脱開。脱落 2 塊殘片, 可綴接。背有古代裱補。有燕尾。有烏絲欄。
3.1 首 4 行中下殘→大正 475, 14/539B10 ~ 14。
3.2 尾全→14/544A19。
4.2 維摩詰經卷上(尾)。
8 7 ~ 8 世紀。唐寫本。
9.1 楷書。
11 圖版:《敦煌寶藏》, 64/118A ~ 127B。

1.1 BD03165 號
1.3 佛名經(十六卷本)卷六
1.4 騰 065
1.5 063:0651
2.1 307.7 ×26 厘米; 6 紙; 正面 168 行, 行字不等。背面 5 行, 行字母不等。
2.2 01: 51.0, 28; 02: 51.4, 28; 03: 51.4, 28;
04: 51.3, 28; 05: 51.3, 28; 06: 51.3, 28。
2.3 卷軸裝。首尾均脱。經黄紙。首紙下邊殘破, 第 1、2 紙接縫脱開。紙背有藏文。有烏絲欄。
2.4 本遺書包括 2 個文獻:(一)《佛名經》(十六卷本)卷六, 168 行, 抄寫在正面, 今編為 BD03165 號。(二)藏文, 5 行, 抄寫在背面, 今編為 BD03165 號背。
3.1 首殘→《七寺古逸經典研究叢書》, 3/第 298 頁第 364 行。
3.2 尾殘→《七寺古逸經典研究叢書》, 3/第 310 頁第 532 行。
8 7 ~ 8 世紀。唐寫本。
9.1 楷書。
11 圖版:《敦煌寶藏》, 60/672B ~ 677A。

1.1 BD03165 號背
1.3 藏文
1.4 騰 065
1.5 063:0651
2.4 本遺書由 2 個文獻組成, 本號為第 2 個, 5 行。抄寫在背面。餘參見 BD03165 號之第 2 項、第 11 項。
3.3 卷首背有雜寫藏文 4 行。錄文:
首題: Bod - Skad - du - thams - Cad - yod - par - smar - ba - rnams - gri - dge - tshnl - gri - bya - bav. (藏語云: 說一切有部衆之沙彌之事。) mgon - po - thams - cad - mkhyen -

dang – chos, vphags – pavi – tshogs – la – phyag – vtshol – lo. dge – tshul – gri – i – cho – ga – cnams. mdo – tsam – nges – par – bshad – par – bya. shag – kya – seng – ge – bstan – pa – la. dad – pas – rad – du – byung – nas – ni – rdul – zhugs – brtan – ps. bsgrims – ste. bdgi – lns – bzhin – bsLab – par – bsrung-nam – gyi, nam – gyi – cha – smad – mat – nas. langs – nam – nangs – bar – du – kha – ton – byagdong – dang – povi – dri – bkrns – nas. rdzogs – sang – rgyas – la – gns – phyag – vtshal.
（錄文完）
另寫咒語一行：na – mo – ha – mi – da – phur.（南謨問彌達普）。
8　8～9世紀。吐蕃統治時期寫本。

1.1　BD03166號
1.3　金剛般若波羅蜜經
1.4　騰066
1.5　094:3716
2.1　（4.7+106.7）×28.7厘米；3紙；63行，行17字。
2.2　01：4.7+24.7，18；　02：41.0，25；　03：41.0，20。
2.3　卷軸裝。首殘尾脱。首紙有殘洞，第2紙上下有殘裂。尾有餘空。有烏絲欄。
3.1　首3行上、下殘→大正235，8/749A22～24。
3.2　尾缺→8/750A3。
8　7～8世紀。唐寫本。
9.1　楷書。
11　圖版：《敦煌寶藏》，80/15A～16A。

1.1　BD03167號
1.3　金光明最勝王經卷一〇
1.4　騰067
1.5　083:2000
2.1　（1+141.2）×25.8厘米；4紙；86行，行17字。
2.2　01：1+12.4，9；　02：43.5，28；　03：43.3，28；
04：42.0，21。
2.3　卷軸裝。首斷尾全。全卷多處碎裂。尾有原軸，兩端塗紫紅色漆。有烏絲欄。
3.1　首行下殘→大正665，16/455B17。
3.2　尾全→16/456C19。
4.2　金光明最勝王經卷第十（尾）。
5　尾附音義。
8　8～9世紀。吐蕃統治時期寫本。
9.1　楷書。
9.2　有倒乙符號。
11　圖版：《敦煌寶藏》，71/304B～306A。

1.1　BD03168號
1.3　妙法蓮華經卷二
1.4　騰068
1.5　105:4913
2.1　37.6×26厘米；1紙；21行，行17字。
2.3　卷軸裝。首尾均脱。經黄打紙。有烏絲欄。
3.1　首殘→大正262，9/13B18。
3.2　尾殘→9/13C11。
8　7～8世紀。唐寫本。
9.1　楷書。
11　圖版：《敦煌寶藏》，87/221A。

1.1　BD03169號
1.3　大般若波羅蜜多經卷四〇七
1.4　騰069
1.5　084:3076
2.1　（2+519.1）×26.2厘米；12紙；311行，行17字。
2.2　01：2+28.6，18；　02：46.5，28；　03：46.4，28；
04：46.6，28；　05：46.6，28；　06：46.5，28；
07：46.3，28；　08：46.4，28；　09：46.3，28；
10：46.2，28；　11：45.8，28；　12：26.9，13。
2.3　卷軸裝。首殘尾全。卷首上下殘破嚴重，脱落3塊小殘片。卷面有蟲繭。有烏絲欄。
3.1　首行上下殘→大正220，7/36C18。
3.2　尾全→7/40B9。
4.2　大般若波羅蜜多經卷第四百七（尾）。
8　8～9世紀。吐蕃統治時期寫本。
9.1　楷書。
11　圖版：《敦煌寶藏》，76/323A～329B。

1.1　BD03170號
1.3　金光明最勝王經卷一
1.4　騰070
1.5　083:1447
2.1　（12.8+253.5）×26.2厘米；7紙；154行，行17字。
2.2　01：12.8+1.7，9；　02：42.5，25；　03：42.8，24；
04：42.5，25；　05：41.5，24；　06：42.0，24；
07：40.5，23。
2.3　卷軸裝。首殘尾脱。卷首右下殘缺。有烏絲欄。
3.1　首8行下殘→大正665，16/403A21～B2。
3.2　尾殘→16/405C23。
7.1　第6紙背有題記："氾殘子寫經一卷。"
8　9～10世紀。歸義軍時期寫本。
9.1　楷書。
9.2　有倒乙。
11　圖版：《敦煌寶藏》，67/621B～625A。

1.1　BD03171號
1.3　維摩詰所說經卷下

1.4　騰 071
1.5　070:1250
2.1　98×25.5 厘米；2 紙；58 行，行 17 字。
2.2　01：49.5，29；　02：48.5，29。
2.3　卷軸裝。首尾均脫。有烏絲欄。
3.1　首殘→大正 475，14/553A9。
3.2　尾殘→14/553C12。
8　8 世紀。唐寫本。
9.1　楷書。
11　圖版：《敦煌寶藏》，66/321B～322B。

1.1　BD03172 號
1.3　大般若波羅蜜多經卷一八五
1.4　騰 072
1.5　084:2460
2.1　141.4×25.6 厘米；3 紙；84 行，行 17 字。
2.2　01：47.4，28；　02：47.0，28；　03：47.0，28。
2.3　卷軸裝。首尾均脫。卷面多黴斑，接縫有開裂。有烏絲欄。
3.1　首殘→大正 220，5/996B23。
3.2　尾殘→5/997B20。
6.1　首→BD02969 號。
6.2　尾→BD02996 號。
8　9～10 世紀。歸義軍時期寫本。
9.1　楷書。
11　圖版：《敦煌寶藏》，73/377A～378B。

1.1　BD03173 號
1.3　大般涅槃經（北本）卷六
1.4　騰 073
1.5　115:6324
2.1　861×27 厘米；18 紙；496 行，行 17 字。
2.2　01：46.5，26；　02：47.5，27；　03：48.0，28；
04：48.0，28；　05：48.0，28；　06：48.0，28；
07：48.0，28；　08：48.0，28；　09：48.0，28；
10：48.0，28；　11：48.0，28；　12：47.8，28；
13：48.0，28；　14：48.0，28；　15：48.0，28；
16：48.0，28；　17：47.7，28；　18：47.5，23。
2.3　卷軸裝。首尾均全。打紙。首紙有破損，第 2 紙有殘缺，卷上邊多黴斑。背有古代裱補。有烏絲欄。
3.1　首全→大正 374，12/396C14。
3.2　尾全→12/402C11。
4.1　大般涅槃經如來性品之三，六（首）。
4.2　大般涅槃經卷第六（尾）。
8　8 世紀。唐寫本。
9.1　楷書。
9.2　有刮改。
11　圖版：《敦煌寶藏》，98/155B～166B。

1.1　BD03174 號
1.3　妙法蓮華經卷二
1.4　騰 074
1.5　105:4787
2.1　（129.5＋6.3）×26.3 厘米；3 紙；74 行，行 17 字。
2.2　01：46.0，25；　02：45.5，25；　03：38＋6.3，24。
2.3　卷軸裝。首脫尾殘。有烏絲欄。
3.1　首殘→大正 262，9/15C5。
3.2　尾 3 行上下殘→9/16C6～8。
8　8 世紀。唐寫本。
9.1　楷書。
11　圖版：《敦煌寶藏》，86/578A～579B。

1.1　BD03175 號
1.3　妙法蓮華經卷一
1.4　騰 075
1.5　105:4505
2.1　（19＋910.5）×26.2 厘米；21 紙；505 行，行 17 字。
2.2　01：19＋16，20；　02：45.3，25；　03：45.7，25；
04：45.7，25；　05：45.7，25；　06：45.8，25；
07：45.8，25；　08：45.8，25；　09：45.7，25；
10：45.8，25；　11：45.0，25；　12：45.5，25；
13：45.7，25；　14：45.7，25；　15：45.7，25；
16：45.6，25；　17：45.7，25；　18：45.7，25；
19：45.7，25；　20：45.6，25；　21：27.3，10。
2.3　卷軸裝。首殘尾全。卷首殘破嚴重，上下邊及卷中偶有殘損，卷面污穢變色，卷尾有蟲繭。有烏絲欄。
3.1　首 11 行下殘→大正 262，9/1C22～2A5。
3.2　尾全→9/10B21。
4.2　妙法蓮華經卷第一（尾）。
7.1　首紙背有勘記“法花經第一卷”。
8　8 世紀。唐寫本。
9.1　楷書。
11　圖版：《敦煌寶藏》，83/491B～505B。

1.1　BD03176 號
1.3　金光明最勝王經（兑廢稿）卷三
1.4　騰 076
1.5　083:1641
2.1　44×27.2 厘米；1 紙；24 行，行 17 字。
2.3　卷軸裝。首尾均脫。卷尾殘破嚴重。尾有餘空。有烏絲欄。
3.1　首殘→大正 665，16/417A12。
3.2　尾殘→16/417B9。
8　8～9 世紀。吐蕃統治時期寫本。
9.1　楷書。上邊寫“兑”字，本卷係兑廢之物。
11　圖版：《敦煌寶藏》，69/63B。

1.1　BD03177 號
1.3　無量壽宗要經
1.4　騰 077
1.5　275:7787
2.1　(22 +145) ×31.5 厘米；5 紙；114 行，行 30 餘字。
2.2　01：22 +4.5，18；　02：42.5，29；　03：42.5，29；
04：42.5，29；　05：13.0，09。
2.3　卷軸裝。首殘尾全。有烏絲欄。
3.1　首 15 行中上殘→大正 936，19/82A10 ~ B11
3.2　尾全→19/84C29。
4.2　佛說無量壽宗要經（尾）。
8　8 ~9 世紀。吐蕃統治時期寫本。
9.1　行楷。
9.2　有倒乙。
11　圖版：《敦煌寶藏》，107/607B ~609B。

1.1　BD03178 號
1.3　金剛般若波羅蜜經
1.4　騰 078
1.5　094:4172
2.1　241.2 ×24.5 厘米；6 紙；146 行，行 17 字。
2.2　01：46.0，28；　02：45.8，28；　03：46.0，28；
04：45.8，28；　05：45.8，28；　06：11.8，06。
2.3　卷軸裝。首脫尾全。經黄紙。接縫處有開裂。有烏絲欄。
3.1　首殘→大正 235，8/750C18。
3.2　尾全→8/752C3。
4.2　金剛般若波羅蜜經（尾）。
8　7 ~8 世紀。唐寫本。
9.1　楷書。
11　圖版：《敦煌寶藏》，82/306B ~309B。

1.1　BD03179 號
1.3　金光明最勝王經卷六
1.4　騰 079
1.5　083:1815
2.1　(7.2 +59.8) ×24.3 厘米；2 紙；40 行，行 17 字。
2.2　01：7.2 +25，19；　02：34.8，21。
2.3　卷軸裝。首尾均殘。通卷殘破嚴重。卷背多鳥糞。有烏絲欄。已修整。裝配《趙城金藏》木軸。
3.1　首 4 行下殘→大正 665，16/429C15 ~19。
3.2　尾殘→16/430A28。
8　8 ~9 世紀。吐蕃統治時期寫本。
9.1　楷書。
11　圖版：《敦煌寶藏》，70/158。

1.1　BD03180 號
1.3　金剛般若波羅蜜經
1.4　騰 080
1.5　094:3891
2.1　(13.5 +156) ×25 厘米；4 紙；104 行，行 17 字。
2.2　01：13.5 +19.5，20；　02：45.5，28；　03：45.5，28；
04：45.5，28。
2.3　卷軸裝。首殘尾脫。經黄紙。首紙有横裂。背有古代裱補。有烏絲欄。
3.1　首 8 行下殘→大正 235，8/749B28 ~ C7。
3.2　尾殘→8/750C18。
8　7 ~8 世紀。唐寫本。
9.1　楷書。
11　圖版：《敦煌寶藏》，81/81B ~83B。

1.1　BD03181 號
1.3　大般若波羅蜜多經卷二七五
1.4　騰 081
1.5　084:2748
2.1　258.5 ×25.3 厘米；6 紙；140 行，行 17 字。
2.2　01：49.0，28；　02：49.3，28；　03：49.3，28；
04：49.3，28；　05：49.1，27；　06：12.5，01。
2.3　卷軸裝。首脫尾全。卷面殘破，接縫處有開裂。尾有原軸，兩端塗黑漆。背有古代裱補。有烏絲欄。已修整。
3.1　首殘→大正 220，6/395B20。
3.2　尾全→6/397A14。
4.2　大般若波羅蜜多經卷第二百七十五（尾）。
8　8 ~9 世紀。吐蕃統治時期寫本。
9.1　楷書。
9.2　有刮改。
11　圖版：《敦煌寶藏》，74/618A ~621A。

1.1　BD03182 號
1.3　金光明最勝王經卷三
1.4　騰 082
1.5　083:1630
2.1　(7.8 +272.4) ×27.2 厘米；6 紙；146 行，行 17 字。
2.2　01：7.8 +42.5，27；　02：50.3，27；　03：50.1，26；
04：50.3，27；　05：50.2，27；　06：29.0，12。
2.3　卷軸裝。首脫尾全。卷首上下殘缺。有烏絲欄。已修整。
3.1　首 5 行上下殘→大正 665，16/416A9 ~13。
3.2　尾全→16/417C16。
4.2　金光明最勝王經卷第三（尾）。
5　尾附音義。
8　9 ~10 世紀。歸義軍時期寫本。
9.1　楷書。
11　圖版：《敦煌寶藏》，69/37A ~40B。

1.1　BD03183 號

1.3　妙法蓮華經卷二
1.4　騰083
1.5　105:4720
2.1　(10.8+988.9)×26.7厘米；22紙；581行，行16～17字。
2.2　01：10.8+12.2，14；　02：47.8，28；　03：47.9，28；
04：48.2，28；　05：48.1，28；　06：48.1，28；
07：48.0，28；　08：48.1，28；　09：47.7，28；
10：48.3，28；　11：47.7，28；　12：47.7，28；
13：48.0，28；　14：47.9，28；　15：47.9，28；
16：47.9，28；　17：47.9，28；　18：48.0，28；
19：47.5，28；　20：48.5，28；　21：48.4，28；
22：17.1，07。
2.3　卷軸裝。首殘尾全。卷首上下邊有殘損，接縫處有開裂，通卷多水漬。有烏絲欄。
3.1　首6行上殘→大正262，9/10C12～18。
3.2　尾全→9/19A12。
4.2　妙法蓮華經卷第二（尾）。
8　9～10世紀。歸義軍時期寫本。
9.1　楷書。
9.2　有行間加行。
11　圖版：《敦煌寶藏》，85/544A～557B。

1.1　BD03184號
1.3　維摩詰所說經卷上
1.4　騰084
1.5　070:1021
2.1　(2+46)×26厘米；1紙；28行，行17字。
2.3　卷軸裝。首脱尾殘。有烏絲欄。
3.1　首殘→大正475，14/540C13。
3.2　尾行上殘→14/541A14～15。
6.1　首→BD03098號。
8　7～8世紀。唐寫本。
9.1　楷書。
9.2　有行間校加字。
11　圖版：《敦煌寶藏》，64/398B～399A。

1.1　BD03185號
1.3　金光明最勝王經卷四
1.4　騰085
1.5　083:1676
2.1　(5+168.3)×26厘米；4紙；100行，行17字。
2.2　01：5+38.2，25；　02：42.8，25；　03：43.7，25；
04：43.6，25。
2.3　卷軸裝。首殘尾脱。經黄紙。卷首殘破嚴重。背有古代裱補。有烏絲欄。
3.1　首3行上殘→大正665，16/418B15～17。
3.2　尾殘→16/419C6。
8　7～8世紀。唐寫本。
9.1　楷書。
11　圖版：《敦煌寶藏》，69/236A～238A。

1.1　BD03186號
1.3　無量壽宗要經
1.4　騰086
1.5　275:8011
2.1　(5.5+155.5)×31厘米；4紙；106行，行30餘字。
2.2　01：5.5+28，24；　02：42.5，31；　03：42.5，31；
04：42.5，20。
2.3　卷軸裝。首殘尾全。接縫有開裂。卷尾有蟲繭2個。背有古代裱補。有烏絲欄。
3.1　首4行上下殘→大正936，19/82C13～18。
3.2　尾全→19/84C29。
4.2　佛說無量壽宗要經（尾）。
7.1　尾有題記“唐文英寫”。
8　8～9世紀。吐蕃統治時期寫本。
9.1　楷書。
9.2　有硃筆行間校加字。
11　圖版：《敦煌寶藏》，108/510B～512B。

1.1　BD03187號
1.3　大般若波羅蜜多經卷三二六
1.4　騰087
1.5　084:2886
2.1　(15.8+647.5)×25.7厘米；15紙；386行，行17字。
2.2　01：15.8，10；　02：46.4，28；　03：46.4，27；
04：46.5，28；　05：46.3，27；　06：46.3，27；
07：46.4，27；　08：46.3，27；　09：46.3，27；
10：46.1，27；　11：46.1，27；　12：46.2，27；
13：46.5，27；　14：46.2，27；　15：45.5，23。
2.3　卷軸裝。首殘尾全。首紙下邊殘缺，接縫有開裂。尾有原軸，兩端塗紫紅色漆，軸被蟲蛀。有烏絲欄。
3.1　首10行上下殘→大正220，6/667A18～26。
3.2　尾全→6/671B22。
4.2　大般若波羅蜜多經卷第三百廿六（尾）。
8　9～10世紀。歸義軍時期寫本。
9.1　楷書。
11　圖版：《敦煌寶藏》，75/347B～356A。

1.1　BD03188號
1.3　觀世音經
1.4　騰088
1.5　111:6260
2.1　(20.3+111.6)×24.6厘米；3紙；66行，行17字。

2.2　01：20.3＋21.4，25；　02：47.2，28；　03：43.0，13。
2.3　卷軸裝。首殘尾全。卷首右下殘缺，卷面殘裂變色。有烏絲欄。
3.1　首12行下殘→大正262，9/57B3～15。
3.2　尾全→9/58B7。
4.2　觀世音經（尾）
8　9～10世紀。歸義軍時期寫本。
9.1　楷書。
11　圖版：《敦煌寶藏》，97/489A～490B。

1.1　BD03189號
1.3　妙法蓮華經卷五
1.4　騰089
1.5　105:5645
2.1　128.2×25.1厘米；3紙；75行，行17字。
2.2　01：29.1，17；　02：49.6，29；　03：49.5，29。
2.3　卷軸裝。首尾均脱。經黄紙。有烏絲欄。
3.1　首殘→大正262，9/44B10。
3.2　尾殘→9/45C8。
8　7～8世紀。唐寫本。
9.1　楷書。
11　圖版：《敦煌寶藏》，93/489A～490B。

1.1　BD03190號
1.3　妙法蓮華經卷五
1.4　騰090
1.5　105:5530
2.1　（6＋38.7＋6）×27厘米；2紙；30行，行17字。
2.2　01：6＋6.5，7；　02：32.2＋6，23。
2.3　卷軸裝。首尾均殘。經黄打紙，研光上蠟。卷面有黴斑，尾紙有殘洞及裂紋。卷背有鳥糞。有烏絲欄。
3.1　首4行上中殘→大正262，9/37B2～5。
3.2　尾3行上中殘→9/37C4～8。
8　7～8世紀。唐寫本。
9.1　楷書。
11　圖版：《敦煌寶藏》，92/638B～639A。

1.1　BD03191號
1.3　無量壽宗要經
1.4　騰091
1.5　275:8158
2.1　（41＋7）×27厘米；1紙；29行，行17～18字。
2.3　卷軸裝。首脱尾殘。通卷殘破嚴重。有烏絲欄。
3.1　首殘→大正936，19/84A11。
3.2　尾4行上下殘→19/84B7～10。
8　8～9世紀。吐蕃統治時期寫本。
9.1　楷書。
11　圖版：《敦煌寶藏》，109/161A～B。

1.1　BD03192號
1.3　金剛般若波羅蜜經
1.4　騰092
1.5　094:4403
2.1　46.2×25.6厘米；1紙；25行，行17字。
2.3　卷軸裝。首脱尾全。卷首、尾有横向破裂。有烏絲欄。
3.1　首殘→大正235，8/752B7。
3.2　尾全→8/752C3。
4.2　金剛般若波羅蜜經（尾）。
8　8世紀。唐寫本。
9.1　楷書。
11　圖版：《敦煌寶藏》，83/106B。

1.1　BD03193號
1.3　大般若波羅蜜多經卷二五四
1.4　騰093
1.5　084:2672
2.1　48.5×25.9；1紙；28行，行17字。
2.3　卷軸裝。首尾均脱。卷面有墨痕，有殘洞。有烏絲欄。
3.1　首殘→大正220，6/288A21。
3.2　尾殘→6/288B19。
8　8～9世紀。吐蕃統治時期寫本。
9.1　楷書。
11　圖版：《敦煌寶藏》，74/406。

1.1　BD03194號A
1.3　維摩詰所説經卷中
1.4　騰094
1.5　70:1105
2.1　（7＋93＋6）×25.5厘米；3紙；61行，行17字。
2.2　01：7＋11，10；　02：43.0，24；　03：39＋6，27。
2.3　卷軸裝。首尾均殘。通卷殘破嚴重。首紙斷爲2截。有1殘片可與第2紙前2行綴接。有烏絲欄。
3.1　首4行上殘→大正475，14/545C28～546A1。
3.2　尾4行中下殘→14/546C3～6。
8　8世紀。唐寫本。
9.1　楷書。
11　圖版：《敦煌寶藏》，65/347B～349A。

1.1　BD03194號B
1.3　捺印佛像
1.4　騰094
1.5　70:1105
2.1　33×28厘米。
3.4　説明：

本件為捺印佛像，上下4排，上2排每排7個，下2排每排8個，共30尊。硃色，每尊4.5×7厘米。
8　7~8世紀。唐代印本。

1.1　BD03195號
1.3　大般若波羅蜜多經卷三三一
1.4　騰095
1.5　084:2901
2.1　(12.8+252+1.9)×26.1厘米；6紙；157行，行17字。
2.2　01：12.8+15.7，17；　02：47.3，28；　03：47.9，28；
04：47.9，28；　05：47.5，28；　06：45.7+1.9，28。
2.3　卷軸裝。首尾均殘。首紙上有縱向破裂、上邊下邊殘破，尾紙下邊殘破。有烏絲欄。
3.1　首8行上下殘→大正220，6/695A11~18。
3.2　尾行下殘→6/696C21。
6.2　尾→BD02970號。
7.1　首紙背有卷次勘記“卷第三百卅一”、“三百卅一卷”2行。
8　8~9世紀。吐蕃統治時期寫本。
9.1　楷書。
9.2　有行間校加字。
11　圖版：《敦煌寶藏》，75/423B~426B。

1.1　BD03196號
1.3　維摩詰所說經卷下
1.4　騰096
1.5　070:1232
2.1　800.5×25.5厘米；17紙；正面447行，行17字。背面4行。
2.2　01：26.5，15；　02：49.5，28；　03：49.5，28；
04：49.5，28；　05：49.0，28；　06：49.5，28；
07：49.5，28；　08：49.5，28；　09：49.0，28；
10：49.0，28；　11：49.0，28；　12：49.0，28；
13：49.0，28；　14：49.0，28；　15：49.0，28；
16：49.0，28；　17：36.0，12。
2.3　卷軸裝。首斷尾全。卷面多有殘裂，接縫處有開裂。尾有蟲繭。背有古代裱補。有烏絲欄。
2.4　本遺書包括2個文獻：（一）《維摩詰所說經》卷下，447行，抄寫在正面，今編為BD03196號。（二）《李嶠雜詠》，4行，抄寫在背面古代裱補紙上，今編為BD03196號背。
3.1　首殘→大正475，14/552A16。
3.2　尾全→14/557B26。
4.2　維摩經卷下（尾）。
7.1　尾紙有題記：“戌年四月一日，寫《維摩經》一部畢功，記之也。”
7.3　第16紙上邊有雜寫“大”。
8　8~9世紀。吐蕃統治時期寫本。
9.1　楷書。
9.2　有刮改。
11　圖版：《敦煌寶藏》，66/194A~204A。

1.1　BD03196號背
1.3　李嶠雜詠
1.4　騰096
1.5　070:1232
2.4　本遺書由2個文獻組成，本號為第2個，抄寫在背面古代裱補紙上，4行。餘參見BD03196號之第2項、第11項。
3.3　錄文：
［星。蜀郡靈槎輔，豐］城寶氣彰。將軍臨/
［北塞，天子入西］秦。未作三台輔，寧為/
［五老臣。今宵潁］川曲，誰識聚賢人。/
［風。落日生蘋末，揺揚徧遠林。帶花］疑鳳舞，向/
［竹似龍吟。月動臨秋扇，松清入夜琴。若至蘭臺下，還拂楚王襟。］
（錄文完）
3.4　說明：
本號殘存《李嶠雜詠》中“星”、“風”兩首詩的若干詩句。其中“［豐］城寶氣彰”，《全唐詩》本作“［豐］城寶劍新”。
8　7~8世紀。唐寫本。
9.1　行書。

1.1　BD03197號
1.3　金剛般若波羅蜜經
1.4　騰097
1.5　094:4047
2.1　(16.5+304.8+4)×25厘米；7紙；180行，行17字。
2.2　01：16.5+33.8，28；　02：50.5，28；　03：50.5，28；
04：50.5，28；　05：50.5，28；　06：51.0，28；
07：18+4，12。
2.3　卷軸裝。首尾均殘。經黄紙。第1、7紙各有1塊殘片脱落，文可綴接。接縫處有開裂，第4紙中部竪向斷爲兩截，卷尾殘破嚴重。背有古代裱補。有烏絲欄。
3.1　首9行下殘→大正235，8/750A21~B2。
3.2　尾2行上下殘→8/752B18~19。
8　7~8世紀。唐寫本。
9.1　楷書。
11　圖版：《敦煌寶藏》，81/607A~611A。

1.1　BD03198號
1.3　藥師琉璃光如來本願功德經
1.4　騰098
1.5　030:0297
2.1　332.3×25.2厘米；7紙；193行，行17字。
2.2　01：49.5，28；　02：49.3，28；　03：49.2，28；
04：49.3，28；　05：45.5，28；　06：46.0，28；

07：43.5，25。

2.3 卷軸裝。首脱尾全。經黄打紙。上邊下邊偶有破裂，尾端有横向破裂。卷面有鳥糞。背有古代裱補。有烏絲欄。已修整。

3.1 首殘→大正450，14/406A13。

3.2 尾全→14/408B24。

4.2 佛説藥師經（尾）。

8 7~8世紀。唐寫本。

9.1 楷書。

11 圖版：《敦煌寶藏》，57/661A~665B。

1.1 BD03199號

1.3 大般若波羅蜜多經卷三五三

1.4 騰099

1.5 084:2958

2.1 (3.5+62)×25厘米；2紙；26行，行17字。

2.2 01：3.5+18.7，護首；　02：43.3，26。

2.3 卷軸裝。首殘尾脱。有護首，護首有殘洞、破裂，有竹質天竿，有經名及經名號。有烏絲欄。

3.1 首全→大正220，6/814B2。

3.2 尾殘→6/814C2。

4.1 大般若波羅蜜多經卷第三百五十三，/初分多問不二品第六十一之三，三藏法師玄奘奉詔譯/（首）。

7.4 護首有經名、卷次、袟次："大般若波羅蜜多經卷第三百五十三，卅六。"上有經名號。

8 8~9世紀。吐蕃統治時期寫本。

9.1 楷書。

11 圖版：《敦煌寶藏》，75/629A~B。

1.1 BD03200號

1.3 維摩詰所説經卷中

1.4 騰100

1.5 070:1124

2.1 (26+7)×25.5厘米；1紙；18行，行17字。

2.3 卷軸裝。首斷尾殘。通卷殘破嚴重，上下有蟲繭。有烏絲欄。

3.1 首殘→大正475，14/545C11。

3.2 尾3行下殘→14/545C27~29。

8 7~8世紀。唐寫本。

9.1 楷書。

11 圖版：《敦煌寶藏》，65/386B。

新舊編號對照表

一、千字文號與北敦號、縮微膠卷號對照表

千字文號	北敦號	縮微膠卷號
騰 033	BD03133 號	105：5014
騰 034	BD03134 號	169：7038
騰 035	BD03135 號	062：0576
騰 036	BD03136 號	038：0355
騰 037	BD03137 號	275：7785
騰 038	BD03138 號	083：1454
騰 039	BD03139 號	275：8009
騰 040	BD03140 號	111：6241
騰 041	BD03141 號	275：7786
騰 042	BD03142 號	038：0357
騰 043	BD03143 號	250：7486
騰 044	BD03144 號	115：6475
騰 045	BD03145 號	094：3571
騰 046	BD03146 號	115：6532
騰 047	BD03147 號	080：1358
騰 048	BD03148 號	275：8010
騰 049	BD03149 號	083：1750
騰 050	BD03150 號	157：6945
騰 051	BD03151 號	084：2829
騰 052	BD03152 號	105：5338
騰 053	BD03153 號	143：6727
騰 054	BD03154 號	105：6151
騰 055	BD03155 號	084：3038
騰 056	BD03156 號	105：4688
騰 057	BD03157 號	084：2010
騰 058	BD03158 號	157：6935
騰 059	BD03159 號	461：8687
騰 060	BD03160 號	083：1703
騰 061	BD03161 號	083：1907
騰 062	BD03162 號	081：1366
騰 063	BD03163 號	061：0544
騰 064	BD03164 號	070：952
騰 065	BD03165 號	063：0651
騰 065	BD03165 號背	063：0651
騰 066	BD03166 號	094：3716
騰 067	BD03167 號	083：2000
騰 068	BD03168 號	105：4913
騰 069	BD03169 號	084：3076
騰 070	BD03170 號	083：1447
騰 071	BD03171 號	070：1250
騰 072	BD03172 號	084：2460
騰 073	BD03173 號	115：6324
騰 074	BD03174 號	105：4787
騰 075	BD03175 號	105：4505
騰 076	BD03176 號	083：1641
騰 077	BD03177 號	275：7787
騰 078	BD03178 號	094：4172
騰 079	BD03179 號	083：1815
騰 080	BD03180 號	094：3891
騰 081	BD03181 號	084：2748
騰 082	BD03182 號	083：1630
騰 083	BD03183 號	105：4720
騰 084	BD03184 號	070：1021
騰 085	BD03185 號	083：1676
騰 086	BD03186 號	275：8011
騰 087	BD03187 號	084：2886
騰 088	BD03188 號	111：6260
騰 089	BD03189 號	105：5645
騰 090	BD03190 號	105：5530
騰 091	BD03191 號	275：8158
騰 092	BD03192 號	094：4403
騰 093	BD03193 號	084：2672
騰 094	BD03194 號 A	070：1105
騰 094	BD03194 號 B	070：1105
騰 095	BD03195 號	084：2901
騰 096	BD03196 號	070：1232
騰 096	BD03196 號背	070：1232
騰 097	BD03197 號	094：4047

騰 098	BD03198 號	030: 0297	騰 100	BD03200 號	070: 1124
騰 099	BD03199 號	084: 2958			

二、縮微膠卷號與北敦號、千字文號對照表

縮微膠卷號	北敦號	千字文號
030: 0297	BD03198 號	騰 098
038: 0355	BD03136 號	騰 036
038: 0357	BD03142 號	騰 042
061: 0544	BD03163 號	騰 063
062: 0576	BD03135 號	騰 035
063: 0651	BD03165 號	騰 065
063: 0651	BD03165 號背	騰 065
070: 1021	BD03184 號	騰 084
070: 1105	BD03194 號 A	騰 094
070: 1105	BD03194 號 B	騰 094
070: 1124	BD03200 號	騰 100
070: 1232	BD03196 號	騰 096
070: 1232	BD03196 號背	騰 096
070: 1250	BD03171 號	騰 071
070: 952	BD03164 號	騰 064
080: 1358	BD03147 號	騰 047
081: 1366	BD03162 號	騰 062
083: 1447	BD03170 號	騰 070
083: 1454	BD03138 號	騰 038
083: 1630	BD03182 號	騰 082
083: 1641	BD03176 號	騰 076
083: 1676	BD03185 號	騰 085
083: 1703	BD03160 號	騰 060
083: 1750	BD03149 號	騰 049
083: 1815	BD03179 號	騰 079
083: 1907	BD03161 號	騰 061
083: 2000	BD03167 號	騰 067
084: 2010	BD03157 號	騰 057
084: 2460	BD03172 號	騰 072
084: 2672	BD03193 號	騰 093
084: 2748	BD03181 號	騰 081
084: 2829	BD03151 號	騰 051
084: 2886	BD03187 號	騰 087
084: 2901	BD03195 號	騰 095
084: 2958	BD03199 號	騰 099
084: 3038	BD03155 號	騰 055
084: 3076	BD03169 號	騰 069
094: 3571	BD03145 號	騰 045
094: 3716	BD03166 號	騰 066
094: 3891	BD03180 號	騰 080
094: 4047	BD03197 號	騰 097
094: 4172	BD03178 號	騰 078
094: 4403	BD03192 號	騰 092
105: 4505	BD03175 號	騰 075
105: 4688	BD03156 號	騰 056
105: 4720	BD03183 號	騰 083
105: 4787	BD03174 號	騰 074
105: 4913	BD03168 號	騰 068
105: 5014	BD03133 號	騰 033
105: 5338	BD03152 號	騰 052
105: 5530	BD03190 號	騰 090
105: 5645	BD03189 號	騰 089
105: 6151	BD03154 號	騰 054
111 ;6241	BD03140 號	騰 040
111: 6260	BD03188 號	騰 088
115: 6324	BD03173 號	騰 073
115: 6475	BD03144 號	騰 044
115: 6532	BD03146 號	騰 046
143: 6727	BD03153 號	騰 053
157: 6935	BD03158 號	騰 058
157: 6945	BD03150 號	騰 050
169: 7038	BD03134 號	騰 034
250: 7486	BD03143 號	騰 043
275: 7785	BD03137 號	騰 037
275: 7786	BD03141 號	騰 041
275: 7787	BD03177 號	騰 077
275: 8009	BD03139 號	騰 039
275: 8010	BD03148 號	騰 048
275: 8011	BD03186 號	騰 086
275: 8158	BD03191 號	騰 091
461: 8687	BD03159 號	騰 059